Glossário Teosófico

GROUND

HELENA P. BLAVATSKY

GLOSSÁRIO
TEOSÓFICO

7.edição

São Paulo
EDITORA GROUND
2020

Título original em inglês: *THE THEOSOPHICAL GLOSSARY*
(The Theosophical Publishing Society, Londres, 1892, editado por G.R.S. Mead)

1.edição brasileira: 1988, Editora Ground
© desta tradução: Editora Ground

Indicação editorial: Márcio Pugliesi
Tradução: Silvia Sarzana
Supervisão da tradução: Murillo Nunes de Azevedo
Editoração eletrônica e Revisão: Antonieta Canelas

Dados Internacionais de Catalogação na Publicação (CIP)
Lumus Assessoria Editorial
Bibliotecária: Priscila Pena Machado CRB-7/6971

B645   Blavatsky, Helena P.
         Glossário teosófico / Helena P. Blavatsky ; [tradução Silvia Sarzana]. — 7. ed. — São Paulo : Ground, 2020.
         784 p. ; 23 cm.

         Título original: The theosophical glossary
         ISBN 978-65-5657-000-6
         ISBN versão ebook: 978-65-5657-001-3

         1. Teosofia - Dicionários. I. Sarzana, Silvia. II. Título.

                                        CDD 299.93403

Direitos reservados:
EDITORA GROUND, LTDA.
www.ground.com.br
vendas@ground.com.br

PREFÁCIO
DA EDIÇÃO BRASILEIRA

Márcio Pugliesi

Há situações extremas em que os contatos pessoa a pessoa parecem irresistivelmente necessários. Em tais condições quase sempre a linguagem torna-se insuficiente para expressar o desejado, o sentido. O inefável abrange o domínio do sentido, mas não o do factual, isto é, das ocorrências submetidas a expressões verbais. O *Glossário Teosófico*, ao lado de poucas outras obras de correntes distintas da mesma verdade, corresponde a um destes momentos em que as palavras apreendem o indizível e levam o amoroso da Ciência a se aproximar um pouco mais da auto-iniciação.

Há obras que buscam facilitar o contato com o Iniciador (cito, por exemplo, *O Livro da Magia Sagrada* atribuído a Abramelin), outros buscam fornecer matéria de reflexão e regras mínimas de conduta a fim de se obter a Iluminação e, ainda, há aqueles que relatam a experiência pessoal da Iniciação.

O *Glossário* não se assemelha a nenhum destes. É um livro que procura reunir informações conceituais conducentes a um melhor entendimento daqueles acima indicados. Vencida esta etapa preliminar de familiarização e consequente afastamento do medo, este terrível gigante obstaculizador do entendimento, advém uma segunda etapa de perplexidade, de deslumbramento com a proximidade de algo semelhante à verdade. Desorientado, embora na Senda, o aprendiz busca por um companheiro de jornada, alguém que vislumbre o rumo a seguir e saiba transmitir alguma confiança.

Uma nova etapa se instala na vida daquele que busca e trilha a Senda: tudo lhe parece claro e de contornos definidos. Mergulha, então, no mais perigoso dos descaminhos, a aparência do Saber. Neste deslumbramento em que um poder imenso parece lhe ter sido conferido, o aspirante sente-se um mestre e começa a propagar a réstia de luz que pode ter absorvido como se fosse a própria Luz.

O Tempo, depurador de tais sintomas, acaba por mostrar a realidade de que o raciocínio nada mais é do que a arte de enganar-se. O Sendeiro parece, então, desolado e este é o momento em que muitos dele se apartam.

Aos persistentes, embora perplexos, se apresenta uma nova fase, a expectativa consciente do Saber. Nesta etapa, por vezes muito demorada, apresenta-se uma nova obliteração do sentido: o poder. Este se instala insidiosamente, sem alarde. A vontade depurada e cristalina faz com que os desejos profundamente sentidos se externem como realidade e, neste estágio, o homem é senhor.

Aqui, a maioria se perde da Senda. O poder desperta o capricho e a crueldade. No campo do sentimento, o pequeno tirano maltrata a vítima de seu Amor. No campo da mundividência, restabelece regras rígidas de interpretação que forceja por aplicar a seus circunstantes. O poder pelo poder e não a serviço transforma o Senhor em escravo de seus próprios caprichos e o anula no Sendeiro.

Entretanto, transporta esta prova, quase definitiva, chega o momento do Saber. Mas os sabedores não se esquecem de que o adepto, isto é, o realizado na Senda, não fica livre de uma derradeira e poderosa provação: o desejo de retirar-se.

A fadiga do poder permanentemente a serviço de seus coetâneos, a orientação persistente aos companheiros de Senda, eis a última pedra de toque do Conhecedor. Transposto este último canto de sereia, arrimado nos bordões da Sabedoria e do Poder, surge o Homem, surge o Adepto, surge a Vida.

Possa o *Glossário* planificar o acesso à Senda para os buscadores da Vida, conforme o planejado por HPB.

PREFÁCIO
DA PRIMEIRA EDIÇÃO INGLESA

G. R. S. Mead

O *Glossário Teosófico* tem contra si a desvantagem de ser, quase inteiramente, uma obra póstuma, uma vez que a sua autora pôde ver apenas as primeiras trinta e duas páginas das provas tipográficas. Esta circunstância é tanto mais lamentável pelo fato de H. P. Blavatsky, como de costume, ir acrescentando grande quantidade de verbetes ao original. Assim, sem dúvida nenhuma, esta obra teria alcançado dimensões muito superiores às atuais, o que lançaria muito mais luz a grande número de termos obscuros não incluídos no presente glossário. E, mais importante, ter-nos-ia oferecido um vislumbre das vidas e ensinamentos dos Adeptos mais famosos, tanto do Oriente como do Ocidente.

O objetivo do *Glossário Teosófico* é proporcionar algumas informações sobre os principais termos sânscritos, pahlavis, tibetanos, pális, caldeus, persas, escandinavos, hebraicos, gregos, latinos, cabalísticos e gnósticos, e também sobre os termos do Ocultismo geralmente utilizados na literatura teosófica e que são encontrados principalmente em *Ísis sem Véu*, *O Budismo Esotérico*, *Doutrina Secreta*, *A Chave da Teosofia* etc., bem como nas revistas e outras publicações da Sociedade Teosófica.

Os verbetes assinalados com as iniciais W.W.W., que explicam palavras pertencentes à Cabala ou, então, lançam luz sobre as doutrinas Rosa-cruzes ou Herméticas, foram fornecidos, a pedido de H. P. Blavatsky, por W. Wynn Wescott, secretário-geral da Sociedade Rosa-cruz e predicante da Cabala na Ordem Hermética do G. D.

H. P. Blavatsky desejava também manifestar que, no que se refere à ordenação dos verbetes, foram para ela de grande valia o *Dicionário Sánscrito-Chinês* de Eitel, o *Dicionário Clássico Hindu* de Dowson, o *Vichnu Purâna* de Wilson e a *Real Enciclopédia Maçônica* de Kenneth Mackenzie.

Como aquele que se subscreve não pretende possuir a esmerada e extraordinária erudição necessária para editar um livro com tantos verbetes variados e poliglotas como este, última produção com que H. P. Blavatsky enriqueceu a literatura teosófica, é claro que, forçosamente, haverá, entre outros, erros de transliteração, que os especialistas desta área logo encontrarão.

Contudo, como cada orientalista possui seu próprio sistema, poderão todos muito bem perdoar tais defeitos desta obra, não os imputando ao Karma do editor.

Londres, janeiro de 1892

AS DIMENSÕES DO GLOSSÁRIO TEOSÓFICO

Murillo Nunes de Azevedo

O *Glossário Teosófico* de Helena Petrovna Blavatsky é um livro extraordinário. Estranho. Denso. Fechado para os leitores superficiais mas que se abre aos verdadeiros buscadores do mistério das coisas. Em certos aspectos é mágico pois possui aquela qualidade de transformar as criaturas. De despertar os que estão imersos no sono profundo do condicionamento. Portanto, fica aqui um conselho. Uma espécie de preparação à leitura. Leitor amigo, segure o livro cuidadosamente. Sinta o seu peso, volume, disposição gráfica, a maciez ou rugosidade de suas páginas. Acaricie a sua capa lentamente, plenamente, consciente do que está fazendo. Fique algum tempo silencioso e concentrado no fato de estar segurando firmemente este exemplar. É importante, pois tem em mão um texto profundamente significativo que poderá modificar a sua vida. Para muitos, o *Glossário Teosófico* é como uma esfinge. Para outros, uma estrela iluminando a noite escura. Fique certo que ele possui inúmeras dimensões insuspeitadas. Profundezas que uma vez exploradas darão uma nova visão à vida.

O *Glossário* é um verdadeiro guia para os que anseiam algo mais do que o viver comum. Na dança das letras que se sucedem vão surgindo conceitos provindos das mais diversas tradições da humanidade. Centelhas provenientes dessa Sabedoria Arcaica, a Teosofia, que permeia o inconsciente coletivo das idades. É um compêndio dedicado aos ardorosos estudantes das Religiões, aos pesquisadores do mundo oculto, aos antropólogos e tantos mais. O texto pode ser considerado como sendo um verdadeiro dicionário do Oculto. Esta obra, publicada pela primeira vez em português (Editora Ground, 1998), é a ampliação do original lançado em 1892 por H. P. Blavatsky, no ano seguinte ao seu falecimento, tendo a autora apenas visto as primeiras trinta e duas páginas da primeira edição. O *Glossário* nos dá informações procedentes de camadas do pensamento Sânscrito, Persa, Tibetano, Páli, Caldaico, Escandinavo, Hebraico, Grego, Latino, Cabalístico e Gnóstico, dando ao leitor informações que se encontram, dificilmente, esparsas em várias obras, quase sempre inacessíveis.

Depois da morte da autora inúmeros discípulos foram enriquecendo o trabalho original com novos verbetes ou a ampliação dos comentários e a obra foi se tornando cada vez mais densa até assumir o atual porte. Este livro é algo obrigatório na biblioteca do estudante sério do Ocultismo. Apesar de, pelas suas características, mais parecer um dicionário, é uma verdadeira enciclopédia que poderá esclarecer muitas dúvidas e abrir novos caminhos de pesquisa. A única diferença é que neste caso não existem, tal como o que ocorre em várias enciclopédias, planos de leitura da obra. Cabe ao leitor atento estabelecer o seu. Cada verbete se "engancha" no outro. Procure, atentamente, seguir as pistas reveladas pela leitura e verá como a leitura se enriquece. E com isso novas dimensões vão surgindo aos olhos do leitor. Novos caminhos vão se delineando que poderão levá-lo até uma compreensão profunda.

A leitura aprofundada do *Glossário* permite desenvolver uma visão caleidoscópica. A cada pequenino "toque" uma nova visão surge, dando ao leitor uma visão significativa de um conjunto antes não percebido. Uma nova "paisagem" vai sendo gradativamente revelada à medida que a "neblina" vai desaparecendo.

É uma excitante aventura folhear as páginas deste livro e ir lendo, aqui e ali, os verbetes. Temos muitas vezes um choque quando vemos que eles vão, significativamente, se encaixando, produzindo uma visão em profundidade insuspeitada; fazendo aflorar ao nosso inconsciente imagens ali retidas há muito tempo. Tem-se, subitamente, a sensação do *déjà vu* – do já visto – e um súbito assomo de alegria perpassa o nosso ser nesse reconhecimento. A alegria advinda dessa descoberta é intensa e transformadora.

Como já mencionamos, o *Glossário Teosófico* é, em certos aspectos, uma obra mágica pois permite tornar operativo o que antes estava, praticamente, adormecido dentro de nós. Cada verbete tem vida própria; é nitidamente recortado e cheio de cintilações. Cada palavra, cada conceito contém nuances que só um leitor atento pode captar. Quando se percebe isso, novas dimensões são conscientizadas. Uma leitura vertical – aprofundada – é uma inesquecível aventura num mundo desconhecido cheio de tesouros insuspeitados pela maioria. Um mundo pleno de dimensões ocultas que, uma vez reveladas, modificam completamente as vidas das pessoas. Fazendo-as despertar depois de um longo e profundo sono. E ver, pela primeira vez, o REAL.

HELENA P. BLAVATSKY

Luis Pellegrini

Há pessoas que marcam uma época e que são capazes de exercer uma influência transformadora tanto em indivíduos quanto na sociedade como um todo. Helena Petrovna Blavatsky foi uma dessas pessoas. Os depoimentos de quem a conheceu em vida são unânimes: ninguém voltava a ser o mesmo depois de ter com ela um contato que não fosse apenas superficial. Também os lugares onde ela viveu foram sacudidos pela sua presença carismática, aguerrida e inconformista. Na Índia, por exemplo, onde ela passou longos anos de sua maturidade, Blavatsky deixou marcas indeléveis. Sua participação no processo de conscientização nacional que levaria, mais tarde, à independência do jugo colonial britânico, foi determinante. Após sua morte relativamente prematura, em 1891, em Londres, pouco antes de completar sessenta anos, Blavatsky transformou-se numa espécie de mito poderoso, capaz de influenciar um sem-número de importantes inteligências criadoras, tanto na área da filosofia, como das artes, das ciências e da religião. A herança de ideias que ela deixou, traduzida no conteúdo de vários livros ou no trabalho ativo da Sociedade Teosófica, fundada por ela em Nova Iorque em 1875 e que, rapidamente, se espalhou por todo o mundo, influenciou de maneira decisiva estadistas como Gandhi e Nehru, poetas como Yeats e Fernando Pessoa, pintores como Mondrian e Kandinsky, compositores como Alexander Scriabin, cientistas como Albert Einstein, Oppenheimer e Thomas Edison, escritores como Bernard Shaw e Aldoux Huxley, além de gigantes do espírito como Rudolf Steiner e Krishnamurti.

Encontrar a razão pela qual a mensagem de Blavatsky encontra eco tão forte na mente de investigadores de áreas tão distintas talvez não seja difícil de entender. Ela antecipa grande quantidade de informações, de colocações filosóficas e éticas, atendendo às necessidades da sua época, quando a crise do universo racional cartesiano já era bem evidente. Ao mesmo tempo, Blavatsky mergulha no passado mais remoto da humanidade, trazendo elementos da nossa paleo-história que ajudam na reconstrução da nossa tão dilacerada identidade de homens ocidentais.

Blavatsky seduzia os pensadores que com ela entravam em contato. Por exemplo, no campo da ciência, ela antecipou muitas das ideias da física relativista e da astrofísica ao postular a teoria dos campos de força, tanto os cósmicos quanto os infra-atômicos. Muito antes que a física oficial o fizesse, ela colocou a possibilidade da divisão e fragmentação do átomo, e referiu-se aos aspectos de liberação energética inerente a tais divisões. Alertou inclusive quanto aos riscos e perigos que o mau uso das técnicas da fragmentação atômica poderia acarretar. Isso cerca de sessenta anos antes que a primeira bomba atômica explodisse em Hiroxima e Nagasaki. Quando se sabe de tudo isso, fica fácil entender porque Albert Einstein tinha como livro de cabeceira *A Doutrina Secreta*, de Helena Blavatsky.

Blavatsky nasceu em 1831, em Ekaterinoslav, no Sul da Rússia. De ascendência aristocrática – a família materna era aparentada ao czar – ela recebeu uma educação acurada, como era de praxe para as moças da sua condição social na Rússia daquela época. Porém, nada do que ela aprendeu em sua educação convencional poderia explicar o verdadeiro fenômeno de erudição polifacetada em que ela se constituiu mais tarde. Era capaz de entabular discussões acaloradas com os maiores professores do seu tempo sobre temas os mais diversos, como a semântica de línguas arcaicas ou, então, sobre detalhes das complicadas teologias ocidentais e orientais.

O mistério da origem do enorme acervo de conhecimento que Blavatsky possuía nunca foi totalmente desvendado. As suas duas obras principais, *A Doutrina Secreta* e *Ísis sem Véu*, por exemplo, contêm milhares de citações extraídas de outras obras, muitas das quais raríssimas, havendo apenas um ou outro exemplar guardado em bibliotecas de difícil acesso como é o caso da Biblioteca Vaticana. Cálculos já feitos mostram que, para ler todos os livros dos quais extraiu citações, Blavatsky deveria ter lido sem parar durante toda a sua vida. Mas isso não pode ter acontecido, já que ela se dedicava a muitas outras atividades, como as viagens pelo mundo afora.

Para explicar a sua surpreendente produção literária, a própria Blavatsky dava respostas que até hoje são motivo de espanto para os estudiosos. Ela afirmava estar em constante contato com seres altamente evoluídos, aos quais chamava de "Mestres", e que, através de mecanismos paranormais como a telepatia, lhe ditavam capítulos inteiros. Esses seres seriam tanto encarnados quanto desencarnados e pertenceriam, segundo Blavatsky, a uma organização antiquíssima, a "Fraternidade Branca", e seriam os responsáveis pelo processo de evolução espiritual da humanidade.

Foram esses Mestres, segundo ela, que a orientaram no sentido de fundar a Sociedade Teosófica, que hoje tem filiais em todo o mundo inclusive no Brasil. Na Índia, para onde a Sociedade foi transferida anos após a sua fundação nos Estados Unidos, essa agremiação desempenhou um papel determinante no processo de independência. Mahatma Gandhi, que conheceu pessoalmente Helena Blavatsky em Londres, nos últimos anos de vida dela, afirma em sua autobiografia que foi com Blavatsky e com a teosofia que iniciou-se nele o processo de conscientização que o levou à liderança do movimento de independência da Índia.

Blavatsky foi muito atacada, ainda em vida, pelos reacionários da ciência e da religião. Muitos tentaram desmascará-la, acusando-a de charlatanismo de todos os tipos. Porém, ela foi mais forte. A herança que deixou para a posteridade é prova disso. Há mais de um século vem sendo estudada, e ainda se está longe de conclusões definitivas. Ela mesmo afirmava que sua contribuição destinava-se ao futuro, e que alguns dos aspectos mais importantes e visionários da sua mensagem só seriam compreendidos depois de passados cem anos da sua morte.

Ela é, sem dúvida, a figura mais brilhante e representativa da renascença ocultista que caracterizou a segunda metade do século passado. Foi a mensageira que transmitiu à cultura ocidental doutrinas esotéricas orientais quase desconhecidas, exceto em seus lugares de origem. Hoje, o estudo da sua obra é indispensável para a melhor compreensão de um fenômeno capital do atual momento histórico: a fusão do conhecimento do Oriente e do Ocidente e o surgir de uma postura filosófica unificadora e sistêmica. Nesse sentido, é muito importante a publicação da primeira edição em português deste *Glossário Teosófico*, já que ele é ferramenta quase imprescindível para agilizar a leitura dos textos de Blavatsky, muitas vezes escritos numa linguagem e com terminologias praticamente desconhecidas para o leitor ocidental não erudito em filosofias orientais e em ocultismo em geral.

ABREVIATURAS EMPREGADAS NESTE GLOSSÁRIO

Acad.	Acadiano		*Irl.*	Irlandês
Alem.	Alemão		*Jap.*	Japonês
Alq.	Alquimia		*Kol.*	Kolariano
Ár.	Árabe		*Lat.*	Latim
Aram.	Aramaico		*Lit.*	Lituano
As.	Assírio		*Maçon.*	Maçônico
Beng.	Bengali		*Masd.*	Masdeísmo
Cab.	Cabala		*Mex.*	Mexicano
Cald.	Caldeu		*Mong.*	Mongol
Celt.	Celta		*Ocult.*	Ocultista
Chin.	Chinês		*Pál.*	Páli
Cing.	Cingalês		*Parse*	Parse
Cop.	Copta		*Pel.*	Pelvi
Eg.	Egípcio		*Per.*	Persa
Esc.	Escandinavo		*Peru*	Peruano
Esl.	Eslavo		*Rus.*	Russo
Esot.	Esotérico		*Sânsc.*	Sânscrito
Fen.	Fenício		*Sen.*	Senzar
Fin.	Finlandês		*Siam.*	Siamês
Gn.	Gnóstico		*Sir.*	Siríaco
Gr.	Grego		*Tam.*	Tamil
Hebr.	Hebraico		*Tib.*	Tibetano
Herm.	Hermetismo		*Véd.*	Védico
Hin.	Hindu		*Zend.*	Zendês
Ing.	Inglês			

[ ]... Sinal de adição ao texto original.

GLOSSÁRIO TEOSÓFICO

A

A — A primeira letra em todos os alfabetos do mundo, exceto alguns poucos, tais como o mongol, o japonês, o tibetano, o etíope e algum outro mais. É uma letra de grande poder místico e "virtude mágica" entre os que a adotaram e para quem seu poder numérico é *um*. É o *Aleph* dos hebreus, simbolizado pelo Boi ou Touro; *o Alpha* dos gregos, o um e o primeiro; *o Az* dos eslavos, que significa o pronome "eu" (referindo-se a "Eu sou o que sou"). Também na Astrologia, *Taurus* (o Boi, Touro ou *Aleph*) é o primeiro signo do Zodíaco, sendo sua cor branca e amarela. O sagrado *Aleph* adquire um caráter ainda mais santificado entre os cabalistas cristãos, pois sabem que esta letra representa a Trindade na Unidade, por ser composta de dois *Yods*, um voltado para cima e outro invertido, com uma ligação oblíqua desta forma: N. Kenneth B.H. Mackenzie afirma que a "cruz de Santo André está esotericamente relacionada com tal letra". O nome divino, o primeiro da série correspondente a *Aleph,* é *AêHêlêH* ou *Ahih* quando escrito sem vogais, e esta é uma raiz sânscrita. Além disso, *Aleph* é a letra regente dos *Chaiot Chacodesh* (os "Santos Animais"). Relativamente ao nome divino, note-se que o *Aleph* é apenas letra de ordem, a raiz sendo *Hih*, isto é, *hé-iod-hé,* ligada ao Tethagrama. J.M.P.

Aahla (*Eg.*) — Uma das divisões do *Kerneter*, regiões infernais ou *Amenti*. Tal palavra significa "Campo de Paz".

Aanroo (*Eg.*) — Segunda divisão do *Amenti*. O campo celestial do *Aanroo* é circundado por uma muralha de ferro, semeado de trigo e o "Defunto" é representado ceifando-o para o "Senhor da Eternidade". Alguns ramos de trigo têm três côvados (*) de altura, outros têm cinco, e os maiores, sete. Aqueles que atingem estes dois últimos números entram no estado de bem-aventurança (que em Teosofia denomina-se *Devachan*). Os espíritos desencarnados, cuja colheita tinha apenas três côvados de altura, iam para as regiões infernais *(Kâmaloka)*. Entre os egípcios, o trigo era o símbolo da Lei de Retribuição ou *Karma*. Os côvados referiam-se aos sete, cinco e três "princípios" humanos.

Aarón (*Hebr.*) — Irmão mais velho de Moisés e *o primeiro Iniciado* do legislador hebreu. Tal nome significa *Iluminado* ou *Instruído*. Assim, Aarón figura na cabeça da linha ou hierarquia dos Iniciados *Nabim* ou Videntes. Em português, Aarão.

Ab (*Hebr.*) — Décimo primeiro mês do ano civil hebreu; o quinto mês do ano sagrado começa em julho (W. W. W.). Ver *Av*.

Abaddon (*Hebr.*) — Anjo do inferno; corresponde ao *Apollyon* grego.

Abatur (*Gn.*) — No sistema nazareno, o "Anção dos Dias", *Antiquus Altus,* Pai do Demiurgo do Universo, é denominado de "Terceira Vida" ou *Abatur.* Corresponde ao terceiro *Logos* na *Doutrina Secreta.* (Ver *Codex Nazarœus.*)

Abba (*Hebr.*) — Pai.

Abba Amona (*Heb.*) — Literalmente "Pai-Mãe". São os dois nomes ocultos dos dois *Sephiroth* mais elevados: *Chokmah* e *Binah*, da tríade superior, cujo vértice é *Sephira* ou *Kether*. Desta tríade emana o setenário inferior da Árvore Sephirotal.

Ab-è Hyat — Ver *Ab-i hayat*.

(*) Côvado: equivalente a 66 cm ou 0,66 m. (N.T.)

A

Abesi ou **Rebis** (*Alq.*) — Excretas, material morto, excrementos. (*F. Hartmann*) [Matéria dos Sábios na primeira operação da Obra Solar. É dita *Rebis* por ser composta de duas coisas: do dissolvente (macho) e do solúvel (fêmea). Além disso, alguns autores chamam a matéria ao branco de *Rebis* – (mercúrio + enxofre)]. M. P.

Abhâmsi (*Sânsc.*) — Nome místico das "Quatro Ordens de Seres", que são: Deuses, Demônios, Pitris e Homens. De certo modo os orientais relacionam este nome com as "Águas", porém a filosofia esotérica relaciona seu simbolismo com o *Akáza*: as etéreas "águas do espaço", visto que no seio e nos sete planos do "espaço" nasceram as "Quatro Ordens de Seres (inferiores)" e as três Ordens mais elevadas de Seres espirituais. (Ver *Doutrina Secreta*, I, p. 458 da edição inglesa, e *Ambhâmsi*.)

Abhâsvaras (*Sânsc.*) — *Devas* ou "Deuses" da Luz e do Som, os mais elevados das três regiões (planos) celestiais superiores do segundo *Dhyâna* (ver). Uma classe de deuses, *sessenta e quatro* em número, que representam um ciclo determinado e um número oculto.

Abhâva (*Sânsc.*) — ["Não-ser, inexistência, falta de qualidade etc."] Negação, não-ser ou inexistência de objetos individuais; essência ou objetividade abstrata.

Abhaya (*Sânsc.*) — "Falta de temor, impavidez": um filho do *Dharma*; e também uma vida religiosa de observância. Considerado como adjetivo (impávido), *Abhaya* é um epíteto aplicado a todos os *Buddhas*.

Abhayagiri (*Sânsc.*) — Literalmente: "Monte impávido ou intrépido", situado no Ceilão. Nele se encontra um antigo *Vihâra* ou mosteiro – onde o célebre viajante chinês Fa-hien encontrou cinco mil sacerdotes e ascetas budistas, no ano 400 de nossa época – e uma escola chamada *Abhayagiri Vâsinah*, "Escola Secreta da Selva". Esta escola filosófica foi considerada como herética, visto que os ascetas estudavam as doutrinas tanto do "grande" como do "pequeno" veículo, isto é: os sistemas *Mahâyâna* e *Hinâyâna* e também o *Tryâna* ou os três graus sucessivos do *Yoga;* exatamente o mesmo que certa Fraternidade faz atualmente para além do Himalaia. Isto prova que os "discípulos de Kâtyâyana" foram e são tão anti-sectários como seus humildes admiradores, os teósofos, o são na atualidade. (Ver Escola *Sthâvirâh*) Esta foi a escola mais mística, famosa pelo número de *Arhats* que produziu. Os membros da Fraternidade de *Abhayagiri* diziam-se discípulos de Kâtyâyana, *chela* favorito de Gautama, o *Buddha*. Conta a tradição que, devido a intolerância e à fanática perseguição que sofreram, abandonaram o Ceilão e foram para além dos Himalaia, onde permaneceram desde então.

Abhi (*Sânsc.*) — Prefixo que significa: a, até, sobre, em cima.

Abhidharma (*Sânsc.*) — A parte (terceira) metafísica do *Tripitaka*, obra filosófica budista, composta por Kâtyâyana.

Abhijit (*Sânsc.*) — Uma das mansões lunares.

Abhijñâ (*Sânsc.*) — ["Ciência superior ou sobrenatural"] São dons fenomenais (ou "sobrenaturais") adquiridos por *Sâkyamuni Buddha* na noite em que atingiu a condição de *Buddha*. Este é o "quarto" grau de *Dhyâna* [o "sétimo" nos ensinamentos esotéricos], que deve ser alcançado por todo o verdadeiro *Arhat*. Na China, os ascetas budistas iniciados reconhecem seis *siddhis* ou poderes semelhantes, porém no Ceilão contam apenas cinco. O primeiro *Abhijñâ* é o *Divyachakchus* [olho divino ou celeste], ou seja, a visão instantânea de tudo o que se *quer* ver; o segundo é o *Divyazrotra* [ouvido divino ou celeste], o poder de compreender [ou ouvir] um som qualquer (sendo os restantes poderes ocultos o tomar a forma que se queira, ler ou penetrar nos pensamentos dos homens e conhecer suas condições ou vidas anteriores).

A

Abhi-mâna (*Sânsc.*) — Presunção, egoísmo, orgulho. Refere-se ao eu, o centro da consciência do eu.

Abhimânim (*Sânsc.*) — Nome de Agni (fogo), "filho mais velho de *Brahmâ*" ou, em outros termos, o primeiro elemento ou Força que se produziu no universo em sua evolução (o fogo ou desejo criador). De sua esposa Swâhâ teve três filhos (os fogos): Pâvaka, Pavamâna e Zuchi (Suchi), e estes tiveram "quarenta e cinco filhos", que, com o primogênito de Brahmâ e seus três descendentes, constituem os *quarenta e nove fogos* do Ocultismo.

Abhimânim é a principal Energia criadora cósmica, personificada na forma de "filho mais velho de *Brahmâ*". (*P. Hoult*)

Abhimanyu (*Sânsc.*) — Filho de Arjuna. Matou Lakshmana. (Lakshmana morreu no segundo dia da grande batalha *Mahâbhârata*, porém, por sua vez, foi morto no décimo terceiro dia.)

Abhinivesha (*Sânsc.*) — "Inclinação, apego (à vida)". Nome técnico que expressa a fraqueza mental que causa o temor à morte. É uma das cinco "misérias" (males ou dores) dos yogis. (*Râma Prasâd*)

Abhivyangya (*Sânsc.*) — O poder *manifesto* da inteligência da alma (*M. Dvivedi*) (Ver *Nityodita*.)

Abhûtarajas — Ver *Abhûtarajasas*.

Abhûtarajasas (*Sânsc.*) — Uma classe de deuses ou *Devas*, que existiu durante o período do quinto *Manvantara*.

Abhyâsa (*Sânsc.*) — Exercício, prática, repetição, costume, aplicação, constância, disciplina, esforço mantido ou perseverante.

Abib (*Hebr.*) — O primeiro mês sagrado dos judeus; começa em março. É também denominado de *Nisan*.

Abiegnus Mons (*Lat.*) — "Monte Abiegno", um nome místico. Os documentos rosa-cruzes são frequentemente expedidos de uma certa montanha, Monte Abiegno. Há uma conexão com o Monte Meru e outros montes sagrados. (W. W. W.)

Ab-i-hayat (*Per.*) — Água da imortalidade. Supunha-se que conferia juventude perene e vida sempiterna a quem dela bebia.

Abiri (*Gr.*) — Ver *Kabiri*, que também se escreve *Kabeiri*, os Poderosos, celestiais, filhos de Zedec, o justo; grupo de divindades cultuadas na Fenícia. Parecem ser idênticos aos Titãs, Coribantes, Curetes, Telquinos e *Dii Magni* de Virgílio. (W. W. W.)

Ablanathanalba (*Gn.*) — Termo semelhante a *Abracadabra*. Segundo C. W. King, significa: "tu eras um pai para nós". É uma palavra palíndroma, isto é, pode ser lida tanto da direita para a esquerda como no sentido usual. Foi utilizada no Egito como talismã. (Ver *Abracadabra*.)

Abracadabra (*Gn.*) — Esta palavra simbólica aparece pela primeira vez num tratado médico escrito em verso por Sammônico, que floresceu no reinado de Séptimo Severo. Segundo Godfrey Higgins, deriva de *Abra* ou *Abar*, "Deus" em celta, e *cad*, "santo". Era utilizada como talismã e era gravado sobre *Kameas* (ver) como amuleto. (W. W. W.) Godfrey Higgins estava quase certo, visto que o termo "Abracadabra" é uma corruptela posterior da palavra sagrada gnóstica *Abrasax*, sendo que esta última é, por sua vez, uma corruptela anterior de uma antiga e sagrada palavra copta ou egípcia; uma fórmula mágica, que simbolicamente significava: "não me firas" e, em seus hieróglifos, era dirigida à divindade como "Pai". Era geralmente colocada sobre um amuleto ou talismã e usada como um *Tat* (ver) sobre o peito, debaixo das vestes.

A

Abraxas ou **Abrasax** (*Gn.*) — Palavras místicas que remontam a Basílides, o pitagórico, de Alexandria (ano 90 d.C.). Este filósofo empregava a palavra *Abraxas* como um nome da Divindade, a suprema das Sete e dotada de 365 virtudes. Na numeração grega, A = 1, b = 2, r = 100, a =1, x = 60, a = 1, s = 200, o que resulta num total de 365 dias do ano solar um ciclo de ação divina. C. W. King, autor de *Os Gnósticos*, considera tal palavra semelhante à hebraica *Shemhamphorasch*, palavra sagrada, o nome de Deus por extenso. As pedras *Abraxas* em geral representam um corpo humano com cabeça de galo, um dos braços com um escudo e o outro com um chicote. (W. W. W.)

Abraxas é cópia da combinação das palavras hindus *Abhimânim* (ver) e *Brahmâ*. Tais qualidades místicas e compostas levaram Oliver, a grande autoridade maçônica, a relacionar o nome *Abraxas* com o de Abraão. Tal coisa era insustentável; as virtudes e os atributos de *Abraxas*, em número de 365, deveriam ter-lhe indicado que a Divindade estava relacionada com o Sol e a divisão solar do ano; mais ainda: que Abraxas é o arquétipo e o Sol é o tipo. (Ver *Tao*.)

Absoluteza — Tratando-se do Princípio Universal, denota uma abstração, sendo este nome abstrato mais correto e lógico do que aplicar o adjetivo "absoluto" àquele que não tem atributos nem limitações, nem pode tê-los.

Ab-soo (*Cald.*) — Nome místico do Espaço, que significava a morada de *Ab*, o "Pai", ou o Nascimento da fonte das Águas do Conhecimento. O saber deste último encontra-se oculto no espaço invisível ou regiões âkâzicas.

Abury — Ver *Avebury*.

Acácia (*Gr.*) — Inocência e também uma planta usada na Franco-maçonaria como símbolo da iniciação, imortalidade e pureza. Esta árvore proporcionava a madeira sagrada *(Shittim)* dos hebreus. (W. W. W.)

Achamôth (*Gn.*) — Nome do *Sophia* segundo o menor. Esotericamente e entre os Gnósticos o *Sophia* mais antigo era o Espírito Santo (Espírito Santo feminino) ou *Shakti* (energia feminina) do Desconhecido e o Espírito *Divino*, enquanto que o *Sophia Achamôth* é apenas a personificação do aspecto feminino da Força Criadora Masculina na Natureza. É também a Luz Astral.

Achar (*Hebr.*) — Deuses sobre os quais (segundo os judeus) Jehovah é o Deus.

Achâra (*Sânsc.*) — Deveres pessoais e sociais (religiosos). [1º. regras de boa conduta, bons costumes, práticas religiosas. 2º. a liberação que se alcança através de tais práticas. *(P. Hoult)*

Acharya (*Sânsc.*) — Mestre ou preceptor espiritual, *Guru*; assim, *Shankarâchârya* significa literalmente "Mestre de ética". Nome dado geralmente aos Iniciados etc., que significa "Mestre".

Âchârya-deva (*Sânsc.*) — Instrutor dos *Devas* ou Deuses; o *Guru-Deva*. (*P. Hoult*)

Achath (*Hebr.*) — O *um*, o primeiro feminino; em contraposição a *Achad*, que é masculino. Palavra do *Talmud* aplicada a Jehovah. É digno de nota que o termo sânscrito *ak* significa "um". *Ekata* é "unidade" e *Brahmâ* é denominado *âk ou eka*, o um, o primeiro, e daí a palavra e aplicação hebraicas.

Acher (*Hebr.*) — Nome que, no *Talmud*, se dá ao apóstolo Paulo. O *Talmud* relata a história dos quatro *Tanaim* que entraram no *Jardim das Delícias*, isto é, chegaram a ser iniciados: Ben-Asai, que viu e perdeu a visão; Ben Zoma, que viu e perdeu a razão; Acher, que depredou o Jardim e fracassou, e Rabbi Akiba, o único que obteve êxito. Os cabalistas dizem que Acher é Paulo.

A

Acheron (*Gr.*) — *Aqueronte*, um dos rios do Hades na mitologia grega.

Achit (*Sânsc.*) — [Inconsciente, insensato, sem inteligência.] Não-inteligência absoluta, assim como, em contraposição, *Chit* é inteligência absoluta.

Achquenazi (*Hebr.*) — Judeu de origem originalmente germânica e, após os movimentos migratórios dos judeus alemães na Idade Média, também de origem eslava ou romena. Os *achquenazis* concentraram-se na Europa Central até o genocídio nazista (1939-45), falando o iídiche, oriundo do alemão medieval. A palavra vem da suposta designação da Alemanha, já empregada na *Bíblia* (Gên. 10,3), como nome de um dos filhos de Gomer. *Ashkenaz* é, atualmente, a palavra hebraica usada para designar a Alemanha. Há enorme variedade de transliterações, além da portuguesa *Achquenazi*.

Achtakarna (*Sânsc.*) — O Deus de oito orelhas, isto é, de quatro cabeças: *Brahmâ*.

Achtan (*Sânsc.*) — Oito.

Achtar Vidyâ (*Sânsc.*) — A mais antiga das obras hindus que tratam de magia.

Achta Siddhis (*Sânsc.*) — Os oito poderes na prática do *Hata-Yoga*.

Achtâvarka (*Sânsc.*) — Um brahmane, filho de Kahoda, cuja história é contada no *Mahâbharata*.

Achyuta (*Sânsc.*) — Aquele que não está sujeito a mudança ou decaimento [firme, forte, imutável, eterno, imortal]; o oposto a *chyuta*, "caído". Um dos títulos de Vishnu [e de Krishna].

Açoite de Osíris — O açoite que simboliza Osíris como "Juiz dos mortos". Nos papiros é denominado *nekhekh* ou o flagelo. O dr. Pritchard vê nele um leque ou *van*, o instrumento utilizado para produzir vento. Osíris, "cujo leque, em sua mão, purga o *Amenti* de corações pecadores, da mesma maneira que o joeirador limpa o terreiro dos grãos caídos e encerra o bom trigo em seu celeiro". (Compare com *Mateus*, III, 12)

Acosmismo (*Gr.*) — O período pré-criativo, quando não havia o Kosmos, mas apenas o Caos.

Acsuo (*Alq.*) — Termo da filosofia espagírica, empregado para significar o coral vermelho.

Acthna (*Alq.*) — Fogo invisível, subterrâneo, a matriz de onde se originam as substâncias betuminosas e que, em alguns casos, produz erupções vulcânicas. É um certo estado da "alma" da Terra, uma mistura de elementos astrais e materiais, de caráter elétrico ou magnético. É um elemento da vida da "grande serpente" Vâsuki, que, segundo a mitologia hindu, circunda o mundo e cujos movimentos podem causar tremores. (*F. Hartmann*)

Acthnici (*Alq.*) — Espíritos elementais do fogo; espíritos da Natureza. Podem aparecer sob formas diversas, tais como línguas de fogo, bolas de fogo etc. São vistos, algumas vezes, nas sessões espíritas. São os *Devas* do fogo da Índia e, em alguns casos, sacrificam-se touros em sua honra. (*F. Hartmann*) [Salamandras] M.P.

Acusto (*Alq.*) — Salitre.

Ad (*As.*) — *Ad*, "o Pai". Em aramaico, *ad* significa um; *aa-ad*, "o um único".

Ad (*Os Filhos de*) — A filosofia esotérica denomina os "Filhos de Ad" de "Filhos da Névoa de Fogo". Termo empregado por certos adeptos.

Adabisi ou **Adebezi** (*Alq.*) — Tartaruga dos filósofos espagíricos.

A

Adah (*As.*) — Os hebreus apropriaram-se desta palavra para designarem Adah, pai de Jubal etc. Porém, como *Adah* significa o primeiro, o um, é de propriedade universal. Há razões para se crer que *Ak-ad* significa o *primeiro* nascido ou Filho de Ad. *Adon* foi o primeiro Senhor da Síria. (Ver *Ísis sem Véu*, II, p. 452-3 da ed. inglesa.)

Adão (*Hebr.*) — Na *Cabala*, Adão é o "único engendrado" e significa também "terra vermelha". (Ver "Adão-Adami" na *Doutrina Secreta*, t. II, p. 452 da ed. inglesa). É quase idêntico ao *Athamas ou Thomas* e, em grego, é traduzido por *Didumos*, o "gêmeo"; Adão, "o primeiro" é "macho-fêmea", no capítulo I do *Gênese*.

[É um nome que os filósofos herméticos dão a seu magistério, pois é perfeito ao vermelho e, sendo sua matéria a quintessência do Universo e a matéria-prima de todos os indivíduos da Natureza, tem uma perfeita semelhança com Adão, no qual Deus reuniu a mais pura substância de todos os seres, e, além disso, Adão, que significa *vermelho*, exprime a cor e as qualidades do magistério.]

Adão celeste — É a síntese da Árvore Sefirotal ou de todas as Forças da Natureza e sua animadora essência deífica. Nos diagramas, o sétimo dos *Sephiroth* inferiores, *Sephira Malkut* (o reino da Harmonia) representa os pés do Macrocosmo ideal, cuja cabeça alcança a primeira. Cabeça manifestada. Este Adão celeste é o *natura naturans* o mundo abstrato, enquanto que o Adão de Terra (Humanidade) é o *natura naturata* ou Universo material. O primeiro é a presença da Divindade em sua essência universal; o último é a manifestação da inteligência da referida essência. No *Zohar* genuíno (não a fantástica e antropomórfica caricatura que, frequentemente, encontramos nos escritos dos cabalistas ocidentais) não há nenhuma partícula da divindade pessoal, que tanto vemos destacar-se no negro disfarce da Sabedoria Secreta, conhecido pelo nome de *Pentateuco* mosaico. [Confronte: *As Origens da Cabala*, E. Levy.]

Adão de Terra — A Humanidade.

Adão Kadmon (*Hebr.*) — O Homem arquetipal; a Humanidade. O "Homem celeste" que não caiu em pecado. Os cabalistas o relacionam aos dez *Sephiroth* no plano da percepção humana (W. W. W.). [É o *Sephira* bissexual dos cabalistas.] Na *Kabalah*, Adão Kadmon é, o *Logos* manifestado, que corresponde ao nosso *terceiro Logos*. O Não-Manifesto é o primeiro exemplar de Homem *ideal* e simboliza o Universo *in abscondito* ou, no sentido aristotélico, em sua "privação". O primeiro *Logos* é a "Luz do Mundo"; o segundo e o terceiro são suas sombras gradualmente mais densas. (Ver *Qadmon, Adão*.)

Adarige (*Alq.*) — Nome que alguns químicos deram à sua matéria-prima. Diz-se também *Adirige*.

Adbhuta-Brâhmana (*Sânsc.*) — *O Brâhmana* [livro sagrado] das maravilhas. Trata de prodígios, augúrios e vários fenômenos.

Adbhuta-Dharma (*Sânsc.*) — A "lei" de coisas fenomenais. [Tratado das Maravilhas – *Dicionário de Burnouf*.] Um tipo de obras budistas, que tratam de sucessos portentosos ou fenomenais.

Adech — O homem interior (espiritual); o senhor do pensamento e da imaginação, que forma subjetivamente todas as coisas em sua mente, coisas estas que o homem exterior (material) pode reproduzir objetivamente. Cada um deles trabalha conforme sua natureza: o invisível, de maneira invisível, e o visível, de maneira visível. Contudo, ambos trabalham em correspondência. O homem exterior pode praticar o que pensa o homem interior; porém, pensar é trabalhar na esfera do pensamento e os produtos do pensamento são transcendentalmente substanciais, embora não sejam lançados à objetividade no

A

plano material. O homem interior é e faz o que deseja e pensa. Se seus pensamentos e desígnios, bons ou maus, encontram ou não expressão no plano material, é de menor importância para seu próprio desenvolvimento espiritual do que é para outros, que podem ser afetados pelos atos engendrados por seus pensamentos. *(F. Hartmann)*

Adepto — Em latim, *Adeptus*, "aquele que obteve". Em Ocultismo, é aquele que, mediante desenvolvimento espiritual, conseguiu o grau de Iniciação [isto é, alcançou conhecimentos e poderes transcendentais] e chegou a ser Mestre na ciência da filosofia esotérica. [O Adepto é um ser plenamente iniciado, que vela pelo progresso da Humanidade e o dirige.] (Ver *Arath*). Alguns Adeptos pertencem ao atual *Manvantara*; outros procedem de outro anterior. (Ver *Mahâtmâ*.)

Âdhara *(Sânsc.)* — Inferior.

Adhâra *(Sânsc.)* — "Aquele que sustenta", base, apoio, fundamento, substrato. Nome de um dos sete *padmas* ou plexos do corpo *(chakras)*.

Adharma *(Sânsc.)* — Injustiça, impiedade, iniquidade. [O que, no Ocidente se costuma chamar de pecado, vício ou mal.] O oposto a *Dharma*. [Tudo o que existe desordenadamente, contra a natureza das coisas *(A. Besant)*.]

Adhi *(Sânsc.)* — Prefixo que expressa supremacia, superioridade etc. e equivale a supremo, principal. [Em outros casos significa: concernente, relativo a... Nas palavras compostas, quando a *adhi* se segue uma vogal, o *i* converte-se em *y*, como em *Adhyâtmâ (Adhi-âtmâ)*.]

Adhi-bhautika *(Sânsc.)* — Proveniente dos objetos exteriores.

Adhi-bhautika du(s)kha (-duhkha) *(Sânsc.)* — A segunda das três classes de dor. Literalmente: "mal procedente dos seres ou coisas exteriores".

Adhi-bhûdta *(Sânsc.)* — Supremo Ser.

Adhi-buddhi *(Sânsc.)* — A Existência que está acima do *Buddhi*; o *Logos*.

Adhichthâtâ *(Sânsc.)* — O agente que trabalha no *Prakriti*.

Adhi-daiva *(Sânsc.)* — Suprema Divindade.

Adhi-daivika *(Sânsc.)* — Procedente dos Deuses ou acidentes [de causa divina].

Adhi-daivika du(s)kha *(Sânsc.)* — A terceira das três classes de dor. Literalmente: "mal procedente de causas divinas", o justo castigo kármico.

Adhi-kâra *(Sânsc.)* — Ofício, função, cargo, dignidade. Entre os budistas, o ato de oferenda de si mesmo a Buddha.

Adhi-Kârin *(Sânsc.)* — Dignatário, o que desempenha um cargo; o aspirante que está bem preparado (para a Iniciação). Também utilizado para denominar um ser da hierarquia das Inteligências espirituais, que têm a missão de executar os mandos do *Logos*: um Mestre.

Adhi-purucha *(Sânsc.)* — O Princípio ou Espírito Supremo.

Adhishthâna (Adhishtânam) *(Sânsc.)* — Base; um princípio ao qual é inerente algum outro princípio. [Base ou substrato, e daí, a Divindade *(P. Hoult)*. Nome de um dos sete *padmas* ou plexos *(chakras)* do corpo. *(M. Dvivedi)*] [Quanto à observação de M. Dvivedi: comumente o *chakra* é chamado *Svâdhishthana* - centro espinal da região acima dos órgãos genitais.] M.P.

Adhishtânam — Ver *Adhishthâna*.

A

Adhishthâna-sharîra (*Sânsc.*) — Na filosofia sânkhya, é o corpo etéreo, isto é, a base do físico. *(P. Hoult)*

Adhi-yajña (*Sânsc.*) — Sacrifício supremo. [Uma das trinas manifestações da natureza divina, ou seja, o centro do qual procedem todos os seres autoconscientes.] O eu em seu aspecto *âtmico*. (Ver *Matra*.) O Eu manifestado como sacrifício, isto é, como Vishnu, Krishna ou outro *Avatâra*. (Ver *Bhagavad-Gîtâ*, VIII, 2 e 4.) *(P. Hoult)*

Adho (*Herm.*) — Leite fresco e novo do qual foi retirada a nata.

Adho-gati (*Sânsc.*) — "O que vai até embaixo". Entre os jainas, é o ínfimo inferno.

Adhyâsa (*Sânsc.*) — "Superimposição", transfusão. Entre os budistas: 1º) refletir em uma coisa os atributos de outra; 2º) a identificação do Eu com o não-Eu.

Adhyâtmâ (*Sânsc.*) — Alma ou Espírito Supremo, Brahma. Concernente ao Espírito.

Adhyâtmâ-prasâda (*Sânsc.*) — Aquele prazer, contentamento ou bem-estar íntimo que sente *o yogi* quando se absorve por completo em seu Eu. *(M. Dvivedi)*

Adhyâtma-vidyâ (*Sânsc.*) — Literalmente: "Ciência do Espírito Supremo". *O luminar esotérico*. Um dos *Pañcha-Vidyâ-Sâstras*, ou seja, Escrituras das cinco ciências.

Adhyâtmika (*Sânsc.*) — Pertinente ou proveniente do Eu interno.

Adhyâtmika du(s)kha (*Sânsc.*) — A primeira das três classes de dor. Literalmente: "mal proveniente do Eu", ou seja, um mal induzido ou engendrado pelo Eu, isto é, pelo próprio homem.

Adhyâya (*Sânsc.*) — Leitura, lição, capítulo.

Adhyayana (*Sânsc.*) — Leitura, estudo, ensinamento.

Âdi (*Sânsc.*) — Primeiro, primitivo, primordial [supremo; princípio, origem, nascimento].

Âdibat (*Alq.*) — Mercúrio dos Filósofos herméticos.

Âdi-bhûta (*Sânsc.*) — O primeiro Ser e também elemento primordial. É um título de Vishnu, o "Primeiro Elemento", que contém todos os elementos, "a *insondável* divindade".

Âdi-Buddha (*Sânsc.*) — O primeiro e supremo Buddha (não-reconhecido na Igreja do Sul). A Luz eterna.

Âdi-Buddhi (*Sânsc.*) — Inteligência ou Sabedoria primitiva; o *Buddhi* eterno ou Mente Universal. Utilizado em relação à *Ideação Divina*; *Mahâ-Buddhi* é sinônimo de *Mahat*.

Adição (*teosófica*) (*Herm.*) — Para se conhecer o valor teosófico de um número, utiliza-se esta operação, que consiste em somar aritmeticamente todos os algarismos após a unidade até chegar ao próprio número.

Assim, o número 4, pela adição teosófica, é igual a:
$1 + 2 + 3 + 4 = 10$.
O número 7 é igual a $1 + 2 + 3 + 4 + 5 + 6 + 7 = 28$.
28 reduz-se imediatamente a $2 + 8 = 10$.

Adichthâtâ (Adishthâtâ) — Ver *Adhichthâtâ*.

Âdikartri (*Sânsc.*) — O primeiro Criador.

A

Âdikrit (*Sânsc.*) — Literalmente, "o primeiro produzido" ou feito. A criadora Força Eterna e não-criada, mas que se manifesta periodicamente. Aplica-se a Vishnu cochilando nas "águas do espaço" durante o *Pralaya* (ver).

Âdi-nâtha (*Sânsc.*) — O "Primeiro Senhor". *Âdi* "primeiro" (masculino), e *nâtha*, "senhor". O Supremo Senhor. *(Dic. de Burnouf)*

Âdi-nidâna (*Sânsc.*) — A primeira e suprema Causalidade. De *âdi*, primeira, e *nidâna*, causa principal (ou a concatenação de causa e efeito).

Âdi-sakti — Ver *Âdi-zakti*.

Âdi-sanat (*Sânsc.*) — Literalmente, "primeiro Antigo ou Ancião". Este termo corresponde ao cabalístico "Antigo ou Ancião dos dias", visto que é um título de Brahmâ, chamado no *Zohar de Atteekah d'Atteekeen* ou o Antigo dos Antigos etc.

Adishthâtâ (*Sânsc.*) — Ver *Adhichthâtâ*.

Âdi-tattva ou **Âdi-tattwa** (*Sânsc.*) — O primeiro *tattva* ou elemento (da matéria), que está imediatamente acima do *Âkâza* em grau de sutileza.

Aditi (*Sânsc.*) — Nome védico do *Mûlaprakriti* dos *Vedas*; o aspecto abstrato do Parabrahman, embora não-manifesto e incognoscível. Nos *Vedas*, *Aditi* é a "Deusa-Mãe" e seu símbolo, o espaço infinito. [*Aditi* é a Natureza indivisa em seu conjunto e também a mãe dos Adityas. *Devaki* e *Deva-mâtri*.]

Aditi-Gea — Palavra composta de sânscrito e grego, que significa dual; a natureza nos escritos teosóficos, espiritual e física, pois Gea é a deusa da Terra e de natureza objetiva.

Âditya (*Sânsc.*) — Um nome do Sol; como Mârtânda, é filho de Aditi.

Âdityas (*Sânsc.*) — Os sete filhos de Aditi, mãe dos deuses; os sete deuses planetários. [São as doze personificações do Sol em cada signo do Zodíaco, que presidem respectivamente os doze meses do ano. Seu chefe é Vishnu, que preside o mês em que começa a primavera.]

Âdi-Varcha (Âdi-Varsha) (*Sânsc.*) — A primeira Terra; o primeiro país onde residiram as primeiras raças.

Adivinhação — O fato de prever sucessos futuros através da luz própria da alma, profecia. *(F. Hartmann)*

Âdi-zakti (Âdi-sakti) (*Sânsc.*) — Força primitiva, divina; a potência criadora feminina e o aspecto *em* e *de* cada Deus masculino. A *Zakti*, no panteão hindu, é sempre a esposa de algum deus.

Admisurab (*Alq.*) — É a terra filosófica (literal e alegoricamente). *(F. Hartmann)*

Adonai (*Hebr.*) — O mesmo que Adônis. Comumente traduzido como "Senhor". Astronomicamente, o Sol. Em hebraico, literalmente: "meus Senhores", com o singular de: "meu Senhor, sendo o termo traduzido apenas por Senhor. É utilizado para substituir o tetragrama impronunciável YHVH, que corresponde ao nome de Deus. Quando um hebreu, em sua leitura, chegava ao nome de Jehovah, IHVH, fazia uma pausa e substituta a palavra por "Adonai" *(Adni)*; porém, quando estava escrita com os pontos de Alhim, chamavam-no "Elohim". (W. W. W.)

Adonim, Adonai, Adon — Antigos nomes caldeu-hebraicos dos *Elohim* ou forças criadoras terrestres, sintetizadas em Jehovah.

Adram (*Alq.*) — Sal-gema.

A

Adraragi (*Alq.*) — Um dos nomes que os antigos químicos davam ao açafrão comum e que os químicos herméticos deram à matéria de sua Arte, quando obtida através da cocção à cor de açafrão.

Adrop, azane ou **azar** (*Alq.*) — "A Pedra Filosofal". Não é uma pedra no sentido comum da palavra, mas uma expressão alegórica que significa o princípio da sabedoria; o filósofo, que o adquiriu pela experiência prática (não aquele que está simplesmente especulando sobre ele), pode confiar completamente nela como em uma pedra preciosa ou como confiaria em uma rocha sólida, sobre a qual tivesse de construir os fundamentos de sua casa (espiritual): É o Cristo que está no homem, o amor divino substancializado. É a luz do mundo, a própria essência da qual o mundo foi criado. Não é simplesmente o espírito, mas a substância, pois o corpo do homem contém o maior dos mistérios. (*F. Hartmann*) (Ver *Pedra Filosofal*.)

Adsamar (*Alq.*) — Termo empregado por alguns alquimistas para significar urina.

Advaita ou **Adwaita** (*Sânsc.*) — Uma seita Vedanta. ["Não-dualismo" ou "monismo", por outro nome.] Uma das três seitas ou escolas védicas. E a escola não-dualista (*adwaita*) da filosofia veda, fundada por Sankarâchârya, o mais insigne dos sábios brahmanes históricos. Resume-se nestas palavras: *Tat twamasi*, literalmente: "Tu eras Aquele", isto é: Tu (Espírito humano) eras o Espírito Universal. De modo que, segundo a referida escola, *Jivatma* e *Paramâtmâ* são idênticos; não há diferença entre os dois. As duas escolas restantes são a *Dwaita* (dualista e a *Vizishtadwaita* (dualista com distinção).

Adwaitin (*Sânsc.*) — Prosélito da escola *adwaita*.

Âdya (*Sânsc.*) — Primeiro, primitivo, original.

Âdyantavat (*Sânsc.*) — Que tem princípio e fim.

Adytum (*Lat.*) — O Santo dos Santos nos templos pagãos. Nome dado aos recintos secretos e sagrados da câmara interior, onde nenhum profano podia entrar. Corresponde ao sacrário dos altares das igrejas cristãs.

Æbel-Zivo (*Gn.*) — O *Metatron* ou espírito ungido entre os gnósticos nazarenos; o mesmo que o Anjo Gabriel.

Ægeon (*Gr.*) — Ver *Briareu*.

Æolus — Ver *Eolo*.

Æon ou **Æons** — Ver *Eón, Eones*.

Æsir (*Esc.*) — O mesmo que *Ases* (ver); as forças criadoras personificadas. Os deuses que criaram os anões negros ou *Elfos das Trevas* em Asgard. Os *Æsir ou Ases* divinos são os *Elfos da Luz*. Alegoria que relaciona as trevas provenientes da luz com a matéria nascida do Espírito.

Æter — Ver *Eter*.

Æther (*Gr.*) — Entre os antigos era a divina substância aluminífera, que impregna todo o Universo, a "vestimenta" da Divindade Suprema, Zeus-Zên ou Júpiter. No esoterismo, o *Æther* é o terceiro princípio do Setenário Cósmico, sendo o mundo material o inferior e seguindo depois a Luz Astral, o *Éter* e o *Âkâza*, que é o superior. *Æther* é o elevado Princípio da Entidade deífica, adorado pelos gregos e latinos com o nome de "Pai onipotente *Æther*" e "grande *Æther*" em seu agregado coletivo, em sua potência e aspecto imponderável. O Proteu-gigante *Æher*, "Alento da Alma Universal", é o quinto Elemento, a síntese dos outros quatro; é o *Âkâza* dos hindus. O *Æther*, tal como

A

era conhecido pelos filósofos antigos, muito antes de Moisés, com todos os seus mistérios e propriedades ocultas e contendo em si mesmo os germes da Criação Universal, é o Caos primitivo. O *Æther* superior (ou *Âkâza*) é o *Aditi* dos hindus, a Virgem e Mãe celestial de todas as formas e seres existentes, de cujo seio, logo que tenha sido "incubado" pelo Espírito divino, foram chamados à existência a Matéria, a Vida, a Força e a Ação. No esoterismo, o *Æther* é a verdadeira quintessência de toda energia possível, o Agente Universal (composto de vários agentes), ao qual são devidas todas as manifestações da energia nos mundos material, psíquico e espiritual. Do *Æther,* em seu mais elevado aspecto sintético, uma vez antropomorfizado, nasceu a primeira ideia de uma Divindade criadora universal.] (*Doutrina Secreta, passim.*)

Æthrobacia — Ver *Etrobacia*.

Afrit — Ver *Efrit*.

Âgama (*Sânsc.*) — Um dos três meios de conhecimento. O conhecimento que obtemos através da experiência ou investigações realizadas por aqueles conhecidos como autoridades, isto é, aquele que se apoia na autoridade ou tradição é dito proveniente de *âgama*. Por isso os *Vedas* se intitulam *Âgama*. Esta palavra tem outros significados: aproximação, chegada, vinda; logro, consecução; posse, conhecimento, doutrina etc. Nos países budistas, é a voz corrente para expressar sua relação com o budismo e o Buddha. Os missionários adotaram este termo como equivalente a "religião" e, assim, designam o cristianismo com o nome de *Christianyâgama*. Contudo, deveriam chamá-lo de *Christiani-bandhana,* visto ser *bandhana* o equivalente etmológico de "religião". (Olcott, *Catecismo Búdico*, 42ª ed.)

Âgâmi-Karma (*Sânsc.*) — *Karma* futuro; o *Karma* que será engendrado por nossos atos em nossa vida presente.

Ágapes (*Gr.*) — Festas de amor. Os cristãos primitivos celebravam tais festas como prova de simpatia, amor e benevolência mútuos. Foi necessário aboli-las como instituição por *terem* degenerado em graves abusos. Paulo, em sua *1ª Epístola aos Coríntios,* lamenta-se da má conduta dos cristãos em tais festas. (W. W. W.) (Ver *Festas de Amor.*)

Agastya (*Sânsc.*) — Nome de um grande *Richi* muito venerado na Índia meridional, reputado autor de hinos do *Rig-Veda* e herói esclarecido do *Ramâyana*. A literatura tamil crê que foi o primeiro instrutor dos dravidianos na ciência, religião e filosofia. É também o nome da estrela "Canopus".

Agathodæmon (*Gr.*) — O Espírito bom, benéfico, em contraposição ao mau, *Kakodæmon*. A "Serpente de bronze" da Bíblia é o primeiro. As serpentes voadoras de fogo são um aspecto do segundo. Os ofitas davam o nome de *Agathodæmon ao Logos* e Sabedoria Divina, que nos Mistérios Bacanais era representado por uma serpente colocada no alto de um mastro.

Agathon (*Gr.*) — A divindade suprema de Platão. Literalmente: "o Bom", nosso *Alaya* ou "Alma Universal".

Aged (*Cab.*) — Um dos nomes cabalísticos do *Sephira,* chamado igualmente a Coroa ou *Kether*.

Agla (*Hebr.*) — Esta palavra cabalística é um talismã composto das iniciais das quatro palavras: *Ateh Gibor Leolam Adonai,* que significa "Tu és poderoso desde sempre, oh Senhor". MacGregor assim o explica: "A, o primeiro; A, o último; G, a trindade na unidade; L, a consumação da Grande Obra". (W. W. W.)

Agneya (*Sânsc.*) — Originado ou nascido do fogo *(Agni);* relativo ao fogo.

A

Agneyastra — Ver *Agnyastra*.

Agni (*Sânsc.*) — Fogo e também o Deus do Fogo no *Veda*; o mais antigo e venerado dos Deuses na Índia. É uma das três grandes divindades: Agni, Vâyu e Sûrya, e também as três juntas, pois constitui o aspecto triplo do fogo: no céu, como Sol *(Sûrya)*; na atmosfera, o ar *(Vâyu)*, como Raio; na Terra, como fogo comum *(Agni)*. Agni fazia parte da primitiva *Trimûrti* (trindade) védica antes que fosse concedido a Vishnu um lugar de honra e antes que fossem inventados Brahmâ e Siva.

[*Agni*, fogo. Nome do éter luminífero, também chamado de *Tejas Tattva*, o elemento radical da Natureza, correspondente ao órgão da visão. Sua cor é o vermelho. De sua combinação com outros *Tattvas* resultam as outras cores. *(Râma Prasâd)*]

Agni Bâhu (*Sânsc.*) — Um filho místico de Manu Swâyambhuva, "o Nascido por Si Mesmo".

Agni Bâhu (Agni Bhuvah) (*Sânsc.*) — Literalmente: "Nascido do Fogo". Este termo aplica-se às quatro raças de *Kchatriyas* (segunda casta ou guerreira), cujos antecessores, dizia-se, teriam surgido do fogo. *Agni-bhû* é o filho de Agni, Deus do Fogo, e equivale a *Kârtti-Keya*, Deus da Guerra. (Ver *Doutrina Secreta*, II, p. 580, ed. inglesa, ou então 507-8 da ed. espanhola.)

Agni-dhâtu Samâdhi (*Sânsc.*) — Um tipo de contemplação, na prática Yoga, no qual a *Kundalini* (ver) é exaltada ao extremo e o infinito surge como um mar de fogo. Uma condição extática.

Agni-Hotri (*Sânsc.*) — Sacerdotes do Deus do Fogo na antiguidade ariana. O termo *Agni-hotra* significa sacrifício em honra de Agni.

Agni-loka (*Sânsc.*) — A região de Agni. "A brilhante esfera luminosa, que há nos olhos, é conhecida pelo nome de *Agni-loka*." (*Uttara Gîtâ*, II, 20.)

Agni-ratha (*Sânsc.*) — Literalmente, "veículo ou carro de fogo". Uma espécie de máquina voadora. Fala-se dela nas antigas obras de magia da Índia e nos poemas épicos.

Agnishwâttas (*Sânsc.*) — Um tipo de Pitris, os criadores da primeira raça etérea de homens. Nossos antecessores solares, em contraposição aos *Barhichads*, Pitris ou antecessores lunares, por mais que seja explicado de maneira diferente nos *Purânas*. [Os *Agnishwâttas* são os *Kumâras*, conhecidos igualmente pelo nome de "Senhores da Chama", "Filhos do Fogo", "Dhyânis do Fogo", "Pitris dos Devas", "Triângulos", "Coração do Corpo". A. Besant inclui os *Agnishwâttas* entre a sexta das grandes Hierarquias de Seres Espirituais, que regem o sistema solar. (Ver *Genealogia do Homem*, p. 13-14.) São os que figuravam na cabeça da evolução da segunda Cadeia Planetária ("Corpo de Luz" de Brahmâ) e, na atualidade, como igualmente fazem as outras "Hierarquias Criadoras", contribuem para a evolução das raças humanas, dando-lhes os "princípios intermediários", ou seja, os princípios mentais através dos quais o físico se põe em contato com o espiritual. Os *Agnishwâttas*, portanto, pertencem à grande classe dos Seres Celestiais designados pelo nome de *Mânasa-putras* ou Filhos da Mente. (*P. Hoult*)]. Segundo J. Dowson (*Classical Dictionary*), constituem uma ordem de deuses funerários, filhos de Marîchi, que, quando viviam na Terra, não conservavam seus fogos domésticos ou de sacrifício. Tais seres são identificados com as estações do ano.

Agnoia (*Gr.*) — Literalmente, "privado ou despossuído de razão"; "irracionalidade", quando se fala da Alma Universal. Segundo Plutarco, Pitágoras e Platão dividiam a alma humana em duas partes (o *manas* superior e inferior): a racional ou *noética* e a irracional ou *agnoia*. Algumas vezes escrita como *annoia*.

A

Agnóstico (*Gr.*) — Palavra que Huxley pretende ter inventado para designar aquele que não crê em coisa alguma que não possa ser demonstrada pelos sentidos. O agnóstico é aquele que crê inacessível o absoluto ao ser humano que, portanto, deve ficar na dúvida no que se refere aos grandes problemas metafísicos. As posteriores escolas do agnosticismo dão definições mais filosóficas do termo.

Agnyâna — Ver *Ajñâna*.

Agnyastra (Agneyastra = Agni-astra) (*Sânsc.*) — "Armas de Fogo". - Armas ígneas de lançamento ou flechas de fogo empregadas pelos Deuses nos *Purânas* exotéricos e no *Mahâbhârata*. As armas mágicas que, diz-se, foram manejadas pela raça dos Adeptos (a quarta), atlantes. Esta "arma de fogo" foi dada por Bharadwâja a Agniveza, filho de Agni, e Agniveza deu-a a Drona, embora o *Vishnu-Purâna* contradiga este acerto, dizendo que o sábio Aurva deu-a ao rei Sagara, seu *chela* (discípulo). Tais armas são frequentemente mencionadas no *Mahâbhrârata* e no *Râmâyana*. [Ver *Astras*.]

Agra-sandhâni (*Sânsc.*) — [O registro de Yama.] Os "Assessores" ou Registradores, que lêem, no ato do juízo de uma alma desencarnada, o registro de sua vida no coração da própria alma. São quase iguais aos *Lipikas* da *Doutrina Secreta*. (Ver *Doutrina Secreta*, I, p. 105, ed. inglesa.)

Agruero ou **Agruerus** — Antiquíssimo deus fenício. O mesmo que Saturno.

Água — O princípio primeiro das coisas, segundo Thales e outros filósofos antigos. Não é a água do plano material, mas apenas seu sentido figurado. Expressa o fluido potencial contido no espaço infinito, simbolizado no Antigo Egito, por *Kneph*, o deus "não-revelado", representado sob a figura da serpente (emblema da eternidade) circundando um jarro de água. "E o Espírito de Deus cobiçava a face das águas" (*Gênese*, 1:2). O orvalho de mel, alimento dos deuses e das abelhas criadoras no *Iggdrasil*, cai durante a noite sobre a árvore da vida, sendo proveniente das "águas divinas, lugar nativo dos deuses". Pretendem os alquimistas que a terra pré-adâmica, ao ser reduzida a sua primeira substância pelo *Alkahest*, *é semelhante à água clara*. O *Alkahest* é "o um e indivisível", a água, o primeiro princípio, na *segunda* transformação.

Água benta — Seu emprego é um dos mais antigos rituais praticados no Egito, de onde passou para a Roma pagã. Acompanhava o rito do pão e do vinho. "O sacerdote egípcio aspergia com água benta as imagens de seus deuses, bem como seus fiéis. Vertia-se e aspergia-se com tal água. Descobriu-se um hissopo, que se supõe ter sido usado para este fim, como em nossos dias." (Bonwick, *Fé Egípcia*) No que se refere ao pão, "as tortas de Ísis... eram colocadas sobre o altar". Gliddon diz que eram "idênticas na forma ao pão consagrado das Igrejas Romana e Oriental". Melville assegura-nos que "os egípcios marcavam este pão bento com a cruz de Santo André. Partiam o pão consagrado antes dos sacerdotes o distribuírem ao povo e supunham que se transubstanciava em carne e sangue da Divindade, operando-se este milagre pela mão do sacerdote oficiante, que benzia o pão. Rougé diz que as oferendas de pão levavam a impressão *dos dedos*, o sinal da consagração". (*Idem*, p. 418) (Ver também: *Pão e vinho*.)

Águia — Este símbolo é um dos mais antigos. Entre os gregos e persas, a águia era consagrada ao Sol. Com o nome de *Ah*, os egípcios a consagraram a Hórus e os coptas rendiam-lhe culto sob o nome de *Aham*. Os gregos consideravam-na como o emblema sagrado de Zeus e os druidas como o do supremo Deus. Este símbolo chegou a nossos dias, quando (a exemplo do pagão Marius que, no séc. II a.C., usava a águia de duas cabeças como insígnia de Roma) as cabeças coroadas da Europa consagraram a si mesmas e seus descendentes a rainha dos ares provida de duas cabeças. Júpiter contentava-se com a águia de uma cabeça, bem como o Sol. As casas reais da Rússia, Polônia, Áustria e Alemanha adotaram a águia de duas cabeças como divisa.

A

Aham (*Sânsc.*) — "Eu", a base do *Ahankâra* (*aham-kâra*, individualismo, egoísmo).

Ahamkâra — Ver *Ahankâra*.

Ahan (*Sânsc.*) — "Dia", o Corpo de Brahmâ, nos *Purânas*.

Ahankâra ou **Ahamkâra** (*Sânsc.*) — O conceito de "Eu", a consciência de si mesmo ou auto-identidade; o sentimento da própria personalidade, o "Eu", o egoísta e *mâyâvico* princípio do homem, devido à nossa ignorância, que separa nosso "Eu" do Eu Único universal. A individualidade, o orgulho, o egoísmo, o sentimento do eu, consciência do eu ou ser pessoal. É o princípio em virtude do qual adquirimos o sentimento da própria personalidade, a noção ilusória de que o não-Eu (corpo, matéria) é o Eu (Espírito), isto é, que somos, trabalhamos, divertimo-nos, sofremos etc., referindo todas as ações ao Eu, que é inativo, imutável e mero espectador de todos os atos da vida.

Âhavanîya (*Sânsc.*) — Um dos três fogos, que eram mantidos na antiga casa hindu. (*Râma Prasâd*)

Aheie (*Hebr.*) — Existência. O que existe; correspondente ao *Kether* e ao *Macroprosopo*.

Ah-hi (*Sen.*), **Ahi** (*Sânsc.*) — Serpentes. Dhyan-Chohanes, "Serpentes Sábias" ou Dragões da Sabedoria.

Ahi (*Sânsc.*) — Serpente. Um nome de Vritra, o demônio védico da seca.

Ahimsâ (*Sânsc.*) — Inocuidade, inocência, mansuetude. Uma das virtudes cardinais dos hindus. Respeito absoluto a todo ser vivo. Os jainistas, em particular, consideram "nada matar" como a própria essência da sabedoria.

Ahriman (*Per.*) — No Zoroastrismo, é o princípio e personificação do mal; o Senhor dos Espíritos Malignos. (Ver *Angra Mainyu*.) "Ahriman é a sombra manifesta de Ahura Mazda (Asura Mazda), procedente por sua vez do *Zernâna Âkerna*, o círculo ilimitado do Tempo, da Causa Desconhecida" (*Doutrina Secreta*, 11, 512).

Ahti (*Esc.*) — O "Dragão" nos *Eddas*.

Ahu (*Esc.*) — "Um" e o Primeiro.

Ahum (*Zend.*) — Os três primeiros princípios da constituição setenária do homem, segundo o *Avesta*: o corpo grosseiro vivente e seus princípios vital e astral.

Ahura (*Zend.*) — O mesmo que *Asura*, o santo, o semelhante ao alento. Ahura Mazda, o Ormuzd dos zoroastrianos ou parsis, é o Senhor que confere luz e inteligência, cujo símbolo é o Sol (ver *Ahura Mazda*) e cujo aspecto obscuro é Ahriman, forma europeia de *Angra Mainyu* (ver).

Ahura Mazda (*Zend.*) — A Divindade personificada, o Princípio da Divina Luz Universal dos Parsis. O *Ahura* ou *Asura*, alento "espiritual, divino", no mais antigo *Rig Veda*, foi degradado pelos brahmanes ortodoxos em *A-sura, não-deuses*, da mesma forma que os masdeístas degradaram os *devas* (deuses) hindus em *daeva* (demônios).

Ahusal (*Alq.*) — É o enxofre filosófico e não o enxofre comum, como mal o interpretou a maioria dos químicos, que também o denominavam de *Akibot, Alchimit*.

Ahuta (*Sânsc.*) — Adoração ou prece sem oferenda.

Âhuti (*Sânsc.*) — Oblação.

Aiar (*Alq.*) — Pedra bórica.

A

Aidoneo, Aidoneus (*Gr.*) — O Deus e Rei do mundo inferior; Plutão ou *Dionysos Chthonios* (subterrâneo).

Aij Taion — A divindade suprema dos *yakootos*, tribo da Sibéria setentrional.

Ain (*Hebr.*) — O existente em estado negativo; a divindade em repouso e absolutamente passiva. (W. W. W.)

Ain-Aior (*Cald.*) — O único "Existente por si mesmo", nome místico com o qual se designa a substância divina (cósmica). (W. W. W.)

Aindri (*Sânsc.*) — Esposa de Indra.

Aindriya (*Sânsc.*) — O *Indranî*, Indriya; *Sakti*. Aspecto feminino ou "esposa" de Indra.

Aindriyaka — Ver *Criação*.

Ain Soph (*Hebr.*) — O "Ilimitado" ou Infinito; a Divindade que emana e se expande. (W. W. W.) Na Cabala, o Ancião dos Anciãos; o Eterno; a Causa Primeira.

Ain Soph também pode ser escrito como *En Soph* e *Ain Suph*, pois ninguém nem qualquer dos rabinos está totalmente certo a respeito de suas vogais. Na metafísica religiosa dos antigos filósofos hebreus, o Princípio Uno era uma abstração (o mesmo que *Parabrahman*), embora os cabalistas modernos tenham conseguido, através da sofística e paradoxos, convertê-lo em "Deus supremo" e nada mais. Porém, entre os cabalistas caldeus primitivos, *Ain Soph* era "sem forma ou ser", sem "qualquer semelhança com outra coisa" (Franck, *Die Kabbala*, p. 126). Que *Ain Soph* jamais foi considerado como "Criador" prova-o um judeu tão ortodoxo quanto Filón, ao chamar de "Criador" o *Logos*, que é imediato ao "Um Ilimitado" e o "Segundo Deus". "O Segundo Deus é sua Sabedoria (de *Ain Soph*)", diz Filón (*Quæst. et Solut.*). A Divindade é Não-Coisa, é inanimada e, portanto, chamada *Ain Soph*, significando a palavra *Ain* Nada. (Ver a *Kabbala* de Franck, p. 153.)

Ain Soph Aur (*Hebr.*) — A Luz infinita que se concentra no primeiro e supremo *Sephira* ou *Kether*, a coroa. (W. W. W.)

Airâvata (de *irâvat*, aquoso) (*Sânsc.*) — Rei dos elefantes, assim qualificado por ser a cavalgadura do deus Indra. Talvez represente uma nuvem, sobre a qual Indra, o deus das nuvens, aparece montado. (Thomson)

Airyamen Vaêgo (*Zend.*) — O *Airyana Vaêgo*: a Terra primitiva da bem-aventurança aludida no Vendidâd, onde Ahura Mazda entregou suas leis a Zoroastro *(Spitama Zarathustra)*.

Airyana-ishejô (*Zend.*) — Nome de uma oração ao "santo Airyamen", o aspecto divino de Ahriman, antes que este se convertesse num negro poder antagônico, um Satã. Porque Ahriman é da mesma essência de Ahura Mazda, exatamente como Typhon-Seth é da mesma essência de Osíris (ver).

Aish (*Hebr.*) — Palavra utilizada para designar o "Homem".

Aisvarikas — Ver *Aizvarika*.

Aitareya (*Sânsc.*) — Nome de um *âranyaka* (*Brâhmana*) e um *Upanishad* do *Rig-Veda*. Algumas de suas partes são puramente vedantinas.

Aith-ur (*Cald.*) — Fogo Solar; Éter divino.

Aizvarika (de *Îzvara*) (*Sânsc.*) — Escola deísta do Nepal, que elevou Âdi Buddha a deus supremo *(Îzvara)*, ao invés de considerar tal denominação apenas a de um princípio, um símbolo filosófico abstrato.

A

Aja *(Sânsc.)* — "Inato", "não-nascido", não-criado. Epíteto que corresponde a muitos dos deuses primordiais da Índia [Brahmâ, Shiva, Vishnu], mas notadamente ao primeiro *Logos*. Irradiação do Absoluto no plano da ilusão.

Ajina *(Sânsc.)* — Pele, especialmente de cabra ou de antílope (*Bhagavad-Gîtâ*, VI, 11).

Ajita *(Sânsc.)* — "Não-vencido", "invicto". Sobrenome de Vishnu.

Ajitas *(Sânsc.)* — Um dos nomes ocultos dos doze grandes deuses, que se encarnam em cada *Manvantara*. Os ocultistas identificam-nos com os Kumâras. São denominados de *Jñâna* (ou *Gnâna*) *Devas*. Constitui também uma forma de Vishnu no segundo *Manvantara*. De qualquer forma, são denominados *Jayas*.

Ajîva *(Sânsc.)* — Entre os jainistas, "sem vida" ou "sem alma".

Ajñâ *(Sânsc.)* — Entre os yogis, é o sexto *padma ou* plexo *(chakra)* do corpo. Está situado entre as sobrancelhas.

Ajñâna (Ajnâna ou **Agnyana)** *(Sânsc.)* ou **Agyana** *(Beng.)* — Não-conhecimento, falta de conhecimento, melhor do que "ignorância", "insciência", como é geralmente traduzido. *Ajñâni (Ajnâni)* significa "profano".

Ajya *(Sânsc.)* — Manteiga clarificada ou fundida; azeite, leite empregado no sacrifício.

Akar *(Eg.)* — Nome próprio daquela divisão do *Ker-neter*, regiões infernais que podem ser chamadas de inferno. (W. W. W.)

Akâra *(Sânsc.)* — A letra ou vogal A.

Akarma *(Sânsc.)* — Falta de ação; não-ação.

Akârya *(Sânsc.)* — "Não-dever", pecado, delito, má ação; aquilo que não deve ser feito.

Akasmika *(Sânsc.)* — "Sem causa"; fortuito, acidental, casual.

Akâza (Âkâsa ou **Âkasha)** *(Sânsc.)* — [Espaço, éter, o céu luminoso.] A sutil, supersensível essência espiritual, que preenche e penetra todo o espaço. A substância primordial, erradamente identificada com o Éter, visto que é em relação ao Éter aquilo que é o Espírito em relação à matéria ou o *Âtma* em relação ao *Kâmarûpa*. Na realidade, é o Espaço Universal em que está imanente a Ideação eterna do Universo em seus aspectos sempre cambiantes sobre os planos da matéria e da objetividade e do qual procede o *Logos*, ou seja, o "Verbo" ou "linguagem" em seu sentido místico. No mesmo sacrifício (o *Jyotishtoma, Agnishtoma*) chama-se "Deus Âkâza". Nestes mistérios pertencentes ao sacrifício, Âkâza é o *Deva* onipotente que o dirige e desempenha o papel de *Sadasya*, o superintendente dos efeitos mágicos da cerimônia religiosa. Tinha, na Antiguidade, designado seu *hotri* (sacerdote) próprio, que tomava seu nome. O Akâza é o agente indispensável de todo *krityâ* (operação mágica), religiosa ou profana. A expressão "excitar o Brahmâ" significa despertar o poder que faz latente no fundo de toda operação mágica, pois os sacrifícios védicos são, na realidade, apenas cerimônias mágicas. Este poder é o *Âkâza* – sob outro aspecto *Kundalini* –, eletricidade oculta, o *alkahest* dos alquimistas (num certo sentido) ou o dissolvente universal, a mesma *Anima mundi* no plano superior, como a Luz Astral no inferior. "No ato do sacrifício, o sacerdote é penetrado pelo espírito de Brahmâ; durante a cerimônia é o próprio Brahmâ". *(Ísis sem Véu)*

[*Âkâza* é a substância viva primordial correspondente, de alguma forma, à concepção do éter cósmico, que penetra no sistema solar. Todas as coisas, por assim dizer, são

A

Âkâza condensado, que se tornou visível através da mudança de seu estado supra-etéreo numa forma concentrada e tangível, e todas as coisas da Natureza podem ser, outra vez, resolvidas em *Âkâza* e tornarem-se invisíveis, mudando para repulsão o poder de atração, que mantinha seus átomos unidos; porém, há uma propensão dos átomos, que já constituíram alguma coisa, a ter novamente a união na ordem anterior e reproduzir a mesma forma, e uma forma pode, pela aplicação da mesma lei, ser aparentemente destruída para, logo em seguida, ser reproduzida novamente. Esta tendência encontra-se no caráter da forma conservada na Luz Astral. *(F. Hartmann)*]

[*Âkâza* é o nome do primeiro *Tattwa* (*Âkâza-Tattva*), o éter sonífero. É um *Tattva* importantíssimo, todos os demais dele derivam e vivem e trabalham nele. Todas as formas e ideias do universo nele vivem. Não há coisa viva no mundo que não seja precedida ou seguida de *Âkâza*. Este é o estado do qual podemos esperar que saia imediatamente qualquer outra substância e qualquer outro *Tattva* ou, mais estritamente, no qual toda coisa existe mas não é vista. *(Râma Prasâd)*]

Âkâza-vâni *(Sânsc.)* — "Palavra ou discurso que vem do céu". Uma manifestação divina na qual a revelação efetua-se através do som. *(P. Hoult)*

Akbar — O grande imperador mongol da Índia, célebre protetor das religiões, artes e ciências; o mais liberal de todos os soberanos muçulmanos. Nunca houve um governante de maior tolerância e ilustração do que o imperador Akbar na Índia ou em qualquer outro país mahometano.

Akchamâlâ *(Sânsc.)* — Esposa de Vasichtha *(Mânava-dharma-zâstra)*.

Akchara (Akshara) *(Sânsc.)* — [Som, palavra, especialmente a palavra sagrada OM]. Indivisível, indestrutível, imperecível, eterno, imutável, sempre perfeito; o Absoluto, a Deidade suprema, Brahma.

Akhanda *(Sânsc.)* — "Sem divisões", inteiro.

Akhu *(Eg.)* — Entre os egípcios, "inteligência".

Akiba *(Hebr.)* — O único dos quatro *Tanaim* (Profetas Iniciados) que, depois de entrar no *Jardim das Delícias* (das Ciências Ocultas), conseguiu ser iniciado, enquanto os outros três fracassaram (Ver *Acher* e *Rabinos Cabalistas*).

Akilibat ou **Alotin** *(Alq.)* — Segundo *Planiscampi*, é a terebintina.

Akshara — Ver *Akchara*.

Akta *(Sânsc.)* — "Ungido". Título de Twachtri ou Vizvakarman, o supremo "Criador" e *Logos no Rig-Veda*. É denominado "Pai dos Deuses" e "Pai do Fogo Sagrado". [Também o Sol é designado dessa maneira (é produtor de formas)] (Ver *Doutrina Secreta*, II, p. 101, nota.)

Akûpâra *(Sânsc.)* — A Tartaruga. A tartaruga simbólica sobre a qual, diz-se, a Terra repousa.

Al ou **El** *(Hebr.)* — Este nome da divindade é comumente traduzido como "Deus" e significa: poderoso, supremo. O plural da palavra é *Elohim*, igualmente traduzido na Bíblia pela palavra Deus, no singular. *(W. W. W.)*

Alabari ou **Airazat** *(Alq.)* — Chumbo dos filósofos, ao qual também denominam de Coração de Saturno. É propriamente a matéria da Arte, retirada da raça de Saturno.

Al-ait *(Fen.)* — O Deus do Fogo. Um nome antigo e muito místico no ocultismo copta.

A

Álambana (*Sânsc.*) — Apoio, sustentação, substrato. Nos *Aforismos de Patañjali* (III, 20) parece significar o objeto ou pensamento que ocupa a mente.

Alambucha (Alambusha) ou **Alammukha** (*Sânsc.*) — Segundo dizem, um tubo ou canal do corpo humano que se abre na boca; portanto, é o tubo digestivo. *(Râma Prasâd)*

Alaparus (*Cald.*) — Segundo *rei divino da Babilônia*, que reinou "três *sari*". O primeiro rei da dinastia divina foi Alorus (segundo Beroso). Foi "o designado Pastor do Povo" e reinou por dez *sari* (ou seja, 36.000 anos, pois o *saros* equivale a 3.600 anos).

Alayn (*Sânsc.*) — A Alma Universal ou *Anima Mundi*. (Ver *Doutrina Secreta*, I, 80 e seguintes). Este nome pertence ao sistema tibetano da Escola Contemplativa *Mahâyâna*. Idêntico ao *Âkâza* em seu sentido místico e à *Mulaprakriti*, em sua essência, como base e raiz que é de todas as coisas. [*Alaya* é a "Alma-Mestre", a Alma Universal ou *Âtman*, da qual todo homem tem dentro de si um raio, com o qual pode identificar-se e no qual pode subsumir-se. (*Voz do Silêncio*, II)] (Ver *Anima Mundi*.)

Alba Petra (*Lat.*) — A "pedra branca" da Iniciação. A "cornalina branca" mencionada na *Revelação (Apocalipse)* de São João.

Alceani (*Alq.*) — Termo da Ciência Hermética. É a mudança da forma superficial dos metais, como a dealbação de Vênus, que é uma falsa tintura de lã ou prata etc. *(Planiscampi)*

Al-Chazari (*Ár.*) — Príncipe, filósofo e ocultista. [Ver *Livro de Al-Chazari*.]

Álcool (*Alq.*) — A substância de um corpo livre de toda matéria terrestre; sua forma etérea ou astral. (*F. Hartmann*) É aquilo que os químicos denominam de "Espírito". Paracelso dá também este nome aos pós muito sutis, tais como a flor da farinha, quando sem mistura.

Alcyone (*Gr.*) ou **Halcyone** — Filha de Éolo e esposa de Ceyx, que morreu afogado num naufrágio, ao fazer uma viagem para consultar o oráculo, e em seu desespero ela se atirou ao mar. Esta prova de fidelidade excitou a clemência dos deuses, que transformaram ambos em alciones. Diz-se que a fêmea põe seus ovos *no mar e o mantém tranquilo* durante os sete dias que antecedem e os sete que se seguem ao solstício de inverno. Em ornitomancia, isso tem um significado muito oculto.

Alecharit (*Alq.*) — Mercúrio comum e não vulgar, mas aquele dos filósofos.

Alectromancia (*Gr.*) — Adivinhação através de um galo ou outra ave. Traçava-se um círculo, que era dividido em casinhas, cada uma das quais correspondendo a uma letra. Espalhava-se cereal sobre as casas e anotavam-se as sucessivas divisões marcadas com letras, das quais a ave comia o cereal. (W. W. W.)

Alento (*O Grande*) — Atividade divina.

Alethæ (*Fen.*) — "Adoradores do Fogo", de *Al-ait*, Deus do Fogo. O mesmo que os Cabires (*Kabires*) ou Titãs divinos. Como as sete emanações de *Agruerus* (Saturno), relacionam-se com os deuses ígneos, solares e "da tempestade" (*Maruts*).

Aletheia (*Gr.*) — Verdade. Também Alethia, uma das nutrizes de Apolo. [Mais genericamente: Desvelação.] M.P.

Alexandrina (*Escola*) — Ver *Escola*.

Alhim (*Hebr.*) — Ver *Elohim*.

Alias (*Alq.*) — O mesmo que vaso.

A

Alinga (*Sânsc.*) — "Sem marca ou distintivos"; indiferenciado; indissolúvel, aquele que não pode resolver-se em nenhuma outra coisa. Nos *Aforismos de Patañjali* (I, 45) este termo é aplicado ao *Pradhâna* ou *Prakriti,* matéria original não-diferenciada.

Alkahest (*Ár.*) — O solvente universal da Alquimia (ver *Alquimia*). Porém, no misticismo, é o Eu Superior, a união que faz da matéria (chumbo) ouro, e resolve todas as coisas compostas, tais como o corpo humano e seus atributos, em sua essência primitiva.

[O *Alkahest* é um elemento que dissolve todos os metais e pelo qual todos os corpos terrestres podem ser seduzidos a seu ser primitivo ou matéria-prima *(Âkâza)* de que são formados. É uma potência que trabalha nas formas astrais (ou almas) de todas as coisas, capaz de mudar a polaridade de suas moléculas e, portanto, dissolvê-las. O mágico poder do livre-arbítrio ou vontade livre é o aspecto mais elevado do verdadeiro *Alkahest.* Em seu aspecto mais inferior, é um fluido invisível, que pode dissolver todos os corpos, fluido este ainda desconhecido da química moderna. (*F. Harmtann*)]

Allan Kardec — Pseudônimo do fundador da escola espírita francesa, cujo nome verdadeiro era Rivaille. Foi quem colecionou e publicou as revelações feitas, em estado de *transe,* por certos médiuns e, entre os anos de 1855 e 1870, utilizou-as para desenvolver uma "filosofia".

Alma — *Psyche* ou *nephesh* da Bíblia; o princípio vital ou sopro de vida que todo o animal, desde o infusório, compartilha com o homem. Na Bíblia traduzida, tal palavra significa indistintamente *vida,* sangue e alma. "Não matemos seu *nephesh*", diz o texto original; "não o matemos", traduzem os cristãos (*Gênese,* XXXVII, 21) e assim sucessivamente. [A Alma, ou seja, o homem propriamente dito, é o intelecto humano, o elo entre o Espírito Divino do homem e sua personalidade inferior. É o Ego, o indivíduo, o Eu, que se desenvolve através da evolução. Na linguagem teosófica, é o *Manas,* o Pensador. A mente é a energia do mesmo, trabalhando dentro das limitações do cérebro físico. (A. Besant, *Sabedoria Antiga*.)] (Ver *Anima* e *Antahkarana*.)

Almadel, o *Livro* — Tratado de teurgia ou magia branca escrito por autor europeu desconhecido, na Idade Média. Não raro encontramo-lo em volumes manuscritos chamados *Clavículas de Salomão*. (W. W. W.)

Alma-diamante — *Vairasattva.* É um título do Buddha supremo, o "Senhor dos Mistérios", chamado *Vajradhara* e *Âdi-Buddha.* (*Voz do Silêncio*)

Alma do Mundo — Ver *Anima Mundi.*

Almakist (*Alq.*) — Litargírio.

Alma-hilo — Ver *Sutrâtmâ.*

Alma-Mestre — Ver *Alaya.*

Alma plástica — Termo utilizado no ocultismo em relação ao *Linga Sharîra* ou corpo astral do quaternário inferior. É denominado de "Alma plástica" ou "protea" por seu poder de assumir qualquer forma e modelar-se segundo qualquer imagem impressa na Luz Astral que o rodeia ou na mente dos médiuns ou das pessoas presentes nas sessões de materialização. O *Linga Sharîra* não deve ser confundido como *mâyâvi-rûpa* ou "corpo de pensamento", ou seja, a imagem criada pelo pensamento e vontade de um adepto ou feiticeiro, porque, enquanto a "forma astral" ou *Linga Sharîra* é uma entidade real, o "corpo mental ou de pensamento" é uma ilusão passageira, criada pela mente.

Alma Protea — Nome empregado para designar o *Mâyâvi-rûpa* ou "corpo mental"; a forma astral mais elevada que assume todas as formas e cada forma de acordo com a vontade do pensamento do adepto. (Ver *Alma plástica*.)

A

Almarcat (*Alq.*) — Litargírio ou Fezes-de-ouro.

Almargaz (*Alq.*) — Chumbo reduzido a litargírio dentro do cadinho.

Almeh (*Ár.*) — Ver *Nautches*.

Alogos (*Gr.*) — O princípio irracional, em contraposição ao *Logos* ou razão.

Âlokana (*Sânsc.*) — De *aloche*, ver, perceber, considerar. Na filosofia sânkhya, é a vaga sensação das vibrações do mundo físico ao trabalhar sobre a consciência.

Alombari (*Alq.*) — Chumbo queimado. *(Planiscampi)*

Alos (*Alq.*) — Sal em geral.

Aloset (*Alq.*) — Mercúrio dos filósofos.

Alpha Polaris (*Lat.*) — O mesmo que *Dhruva*, a Estrela Polar de 31.105 anos atrás.

Alquimia — Em árabe *Ul-Khemi* é, como o nome indica, a química da Natureza. *Ul-Khemi* ou *Al-Kímia*, seja como for, é apenas uma palavra arabizada tomada do grego *chemeia*, de *chumos* (sumo), suco extraído de uma planta. Diz o Dr. Wynn Wescott: "o uso primitivo do termo atual Alquimia encontra-se nas obras de Julio Firmicus Maternus, que viveu nos tempos de Constantino, o Grande. A Biblioteca Imperial de Paris possui o mais antigo tratado de Alquimia existente na Europa; foi escrito em grego por Zózimo, o Panopolitano, cerca de 400 anos d.C. O tratado que o segue em antiguidade deve-se a Eneas Gazeus, 480 anos d.C.". A alquimia trata das forças mais sutis da Natureza e das diversas condições em que operam. Pretendendo, sob o véu da linguagem mais ou menos artificial, comunicar aos não-iniciados a parte do *Mysterium Magnum* que pode ser posta com segurança nas mãos de um mundo egoísta, o alquimista estabelece como primeiro princípio a existência de um certo Solvente Universal, através do qual todos os corpos compostos podem ser resolvidos na substância homogênea da qual foram produzidos, substância esta que recebe o nome de "ouro puro" ou *summa materia*. Este solvente, também denominado *menstruum universale*, tem a virtude de expelir do corpo humano todo germe de enfermidade, de renovar a juventude e prolongar a vida. É o *Lapis philosophorum* ou Pedra Filosofal. A Alquimia penetrou na Europa através de Geber, o grande sábio e filósofo árabe, no oitavo século de nossa era. Porém, era conhecida e praticada há muitos séculos na China e no Egito. Inúmeros papiros sobre Alquimia e outras provas, que demonstram ter sido este o estudo favorito de reis e sacerdotes, foram exumados e conservados sob o nome genérico de tratados herméticos. (Ver *Tabula Smaragdina*.) A Alquimia é estudada sob três aspectos diversos, suscetíveis de interpretações distintas, e que são: o Cósmico, o Humano e o Terrestre. Estes três métodos são representados pelas três propriedades alquímicas: enxofre, mercúrio e sal. Muitos autores afirmaram que há três, sete, dez e doze procedimentos respectivamente; porém, todos concordam em que há apenas um único objetivo na Alquimia, que é a transmutação em ouro dos metais mais grosseiros. Contudo, no que se refere ao que é realmente esse ouro, muito poucos o sabem com exatidão. Não resta dúvida de que existe na Natureza uma transmutação dos metais mais vis naquele mais nobre, ou seja, o ouro. Porém este é apenas um dos aspectos da Alquimia, o terrestre ou puramente material, pois compreendemos logicamente que o mesmo processo seja executado nas entranhas da Terra. Contudo, além desta interpretação, há na Alquimia um significado simbólico, puramente psíquico e espiritual. Enquanto o alquimista cabalista procura a realização do primeiro, o alquimista ocultista, desdenhando o ouro das minas, volta toda a sua atenção e concentra todos os seus esforços unicamente na transmutação do *quaternário* inferior na divina *trindade* superior do homem, que, quando finalmente se fundem, formam apenas um. Os planos espiritual, mental, psíquico e físico da existência humana são comparados, em Alquimia, aos quatro elementos: fogo, ar, água e terra, e cada um deles é suscetível de uma constituição tripla, a saber: fixa, variável e volátil. Pouco ou nada sabe o mundo a respeito da origem

A

deste ramo arcaico da filosofia, porém, sem dúvida, é anterior à construção do Zodíaco conhecido e, como se relaciona às forças personificadas da Natureza, é também, provavelmente, anterior a todas as mitologias do mundo. Também não há a menor dúvida de que o verdadeiro segredo da transmutação (no plano físico) era conhecido na Antiguidade e perdeu-se antes da aurora do chamado período histórico. A química moderna deve à Alquimia seus melhores descobrimentos fundamentais, porém, omitindo o inegável axioma desta última, de que não existe mais que *um único* elemento no Universo, a química classificou os metais entre os elementos e, até hoje, não se deu conta desse erro crasso. Até alguns enciclopedistas veem-se obrigados a confessar que, se a maior parte dos relatos de transmutação são falazes ou ilusórios, "todavia alguns deles têm testemunhos *que os fazem prováveis...* Através da pilha galvânica, descobriu-se que mesmo os álcalis têm uma base metálica. A possibilidade de se obter metal a partir de outras substâncias, que contenham os ingredientes que o compõem, e de *transmutar um metal em outro...* deve, portanto, ser deixada sem resolução. Também não se deve considerar como impostores todos os alquimistas. Muitos deles trabalharam tendo a convicção de atingir seu objetivo, com incansável paciência e pureza de coração, coisa que os verdadeiros alquimistas recomendam como principal requisito para o bom êxito de suas operações". *(Enciclopédia Popular)*

[A Alquimia é a ciência pela qual as coisas podem não apenas ser decompostas e recompostas (como se faz em química), mas também sua natureza essencial pode ser transformada e elevada ao mais alto grau ou ser transmutada em outra. A química trata apenas da matéria morta, enquanto a Alquimia emprega a vida como fator. Todas as coisas têm natureza tríplice, da qual sua forma material e objetiva é sua manifestação inferior. Assim é que, por exemplo, há ouro *espiritual,* imaterial; ouro *astral* etéreo, fluido e invisível, e ouro *terrestre,* sólido, material e visível. Os dois primeiros são, digamos assim, o espírito e a alma do último e, empregando os poderes espirituais da alma, podemos produzir mudanças neles, a fim de que se tornem visíveis no estado objetivo. Certas manifestações exteriores podem ajudar aos poderes da alma em sua operação. Porém, sem os segundos, as manipulações serão totalmente inúteis. Portanto, os procedimentos alquímicos podem ser utilizados com êxito unicamente por aquele que é alquimista nato ou por educação. Sendo todas as coisas de natureza tríplice, a Alquimia também apresenta um aspecto triplo. No aspecto superior, ensina a regeneração do homem espiritual, a purificação da mente e da vontade, o enobrecimento de todas as faculdades anímicas. No aspecto mais inferior, trata das substâncias físicas e, abandonando o reino da alma viva e descendo à matéria morta, termina na química de nossos dias. A Alquimia é um exercício do poder mágico da livre vontade espiritual do homem e, por esta razão, pode ser praticada apenas por aquele que renasceu espiritualmente. *(F. Hartmann)*]

Alquimistas — Palavra derivada de *Al* e *Chemi,* fogo, ou o deus e patriarca, *Kham,* também nome do Egito. Os Rosa-cruzes dos tempos medievais, tais como Roberto de Fluctibus (Robert Fludd), Paracelso, Thomas Vaughan (Irineu Filaleto), Van Helmont e outros eram todos alquimistas, que buscavam o *espírito oculto* em toda matéria inorgânica. Algumas pessoas, melhor diremos, a maioria acusou os alquimistas de charlatães e impostores. Com toda certeza, homens como Roger Bacon, Agrippa, H. Khunrath e o árabe Geber (o primeiro a introduzir na Europa alguns dos segredos da química) dificilmente podem ser qualificados de impostores e muito menos de loucos. Os modernos atomistas, discípulos da teoria de John Dalton, esquecem que este se baseou nas doutrinas de Demócrito de Abdera e que este era alquimista. É claro que uma inteligência capaz de penetrar tão profundamente nas secretas operações da Natureza, numa determinada direção, devia ter tido boas razões para estudar e chegar a ser um filósofo hermético. O. Borrichio diz que a pátria da Alquimia deve ser procurada em tempos mais remotos. *(Ísis sem Véu)*

A

Alswider (*Esc.*) — "Velocíssimo". Nome do cavalo da Lua, nos *Eddas*.

Altafoc (*Alq.*) — Cânfora.

Altambus (*Alq.*) — Pedra vermelha ou pedra do sangue humano; é o elixir filosófico.

Altruísmo — Derivação da palavra latina *alter*, outro. Qualidade oposta ao egoísmo. Ações que visam o benefício do próximo e não o próprio.

Alucinações — Fenômeno algumas vezes produzido por desordens fisiológicas, outras pela mediunidade e outras por embriaguez. Porém, é preciso procurar a causa das visões em algo mais profundo. Todas as visões, especialmente quando causadas pela mediunidade, são precedidas por um relaxamento do sistema nervoso que, invariavelmente origina um estado magnético anômalo, atraindo para o paciente ondas de Luz Astral. É esta que produz as diversas alucinações, que nem sempre constituem sonhos vãos e ilusórios, como pretendem os médicos. Ninguém pode ver o que não existe (isto é, o que não está impresso) nas ondas astrais. Contudo, o vidente pode perceber objetos e cenas (passadas, presentes ou futuras), que não têm a menor relação consigo, e, além disso, perceber ao mesmo tempo várias coisas inteiramente não relacionadas entre si, produzindo, desta forma, as combinações mais grotescas e absurdas. O bêbado e o vidente, o médium e o Adepto veem suas respectivas visões na Luz Astral. Porém, assim como o bêbado, o louco e o médium não-desenvolvido, ou então aquele que tem uma febre cerebral, veem porque não o podem evitar e evocam suas visões de modo inconsciente, sendo incapazes de dominá-las, o Adepto e o Vidente treinado escolhem e dominam essas visões. Sabem onde fixar o olhar, como dar firmeza às cenas que querem observar e ver além dos envoltórios superiores e exteriores da Luz Astral. Para os primeiros tais visões nas ondas são alucinações para os últimos, são a reprodução fiel do que aconteceu, acontece ou acontecerá. Os vislumbres percebidos ao acaso pelo médium, bem como suas vagas visões naquela luz enganosa, transformam-se, sob a vontade do Adepto e do Vidente, em cenas fixas, representação fiel daquilo que deseja se apresente dentro do foco de sua percepção.

Aluech (*Alq.*) O corpo puro espiritual (o *Âtmâ*). (*F. Hartmann*)

Alzafar (*Alq.*) — Cobre queimado.

Alze, Liber, de *Lápide Philosóphico* — Tratado alquímico escrito por um autor alemão desconhecido; data do ano de 1677. Deve ter sido reimpresso no Museu Hermético. Nele encontra-se o tão conhecido desenho de um homem com as pernas estiradas e o corpo oculto por uma estrela de sete pontas. Eliphas Lévi apresentou uma cópia do mesmo em uma de suas obras. (W. W. W.)

Ama (*Hebr.*), **Amia** (*Cald.*) — "Mãe". Título de *Sephira Binah*, cujo "nome divino é Jeohvah" e que se chama "Mãe Suprema".

Âma-bhû (*Sânsc.*) — Existência anímica ou que existe como alma. (Ver *Alaya.*) [O que existe por si mesmo, isto é, Brahmâ e outros deuses.]

Amânasa (*Sânsc.*) — Os "destituídos de mente"; as primeiras raças deste planeta. Também certos deuses hindus.

Amara-Koza (Amara Kosha) (*Sânsc.*) — O "vocabulário imortal". O mais antigo dicionário conhecido no mundo e o mais perfeito vocabulário de sânscrito clássico. Foi composto por Amara Sinha, sábio do segundo século.

Amarâvati (*Sânsc.*) — A cidade de Indra. "À esquerda do *Suchumnâ* e próxima à ponta do nariz encontra-se a região de Indra, denominada *Amarâvati*" (*Uttara-Gîtâ*, II, 20).

Amarezvara (*Sânsc.*) — "Senhor dos imortais" (*amara-Izvara*). Título de Vishnu, Shiva e Indra.

A

Ambâ (*Sânsc.*) — "Mãe". — Nome da maior das sete *Plêiades,* irmãs celestes, cada uma das quais casada com um Richi pertencente ao *Saptarikcha* ou os sete Richis da constelação conhecida como Ursa Maior. [É também o nome da mãe de Dhritarâshtra.]

Ambachtha (*Sânsc.*) — Homem nascido de um brâhmane e de uma vaizyâ.

Ambâlikâ (*Sânsc.*) — "Mãe". Nome da mãe de Pându.

Ambaricha (Ambarisha) — O Sol. É também um dos cinco infernos dos hindus. As qualidades do *Apas Tattva* ali se encontram em doloroso excesso.

Ambhâmsi (*Sânsc.*) — Nome do chefe dos *Kumâras,* Sanat-Sujâta, que significa "as águas". Este epíteto torna-se mais compreensível ao recordarmos que a última representação de Sanat-Sujâta foi Miguel Arcanjo, que, no *Talmud,* é denominado "Príncipe das Águas" e, na Igreja Católica Romana, é considerado o patrono dos golfos e promontórios. Sanat-Sujâta é o filho imaculado da mãe imaculada (*Ambâ* ou *Aditi,* caos e espaço) ou as "águas" do espaço sem fim. (Ver *Doutrina Secreta,* I, 460.)

Amdo (*Tib.*) — Uma localidade sagrada, a terra natal de Tson-kha-pa, o grande reformador tibetano e fundador dos *Gelupka* (capuzes amarelos). É considerado como um *avatar* de Amita-Buddha.

Amên — Em hebraico, esta palavra é formada pelas letras A M N = 1, 40, 50 = 91, sendo similar a "Jehovah Adonai" = 10, 5, 6, 5 e 1, 4, 50, 10 = 91. É uma forma da palavra hebraica equivalente a "verdade". Na linguagem comum, *Amên* significa "Assim seja". (W. W. W.) Mas, na linguagem *esotérica, Amên* significa "o oculto". Maneton de Sebennito diz que tal palavra significa *o que está escondido* e sabemos, por Hecateu e outros, que os egípcios empregavam o termo para invocar seu grande Deus de Mistério, Ammon (ou *Ammas,* o deus oculto), para que este se tornasse visível e a eles se manifestasse. Bonomi, célebre decifrador de hieróglifos, acertadamente denomina os adoradores de Ammon de "Amenoph". Bonwick cita um autor que diz: "Ammon, o deus oculto, permanecerá oculto para sempre até que se manifeste antropomorficamente; os deuses que estão muito distantes são inúteis". Amên recebe o título de "Senhor da festa da Lua nova". Jehovah-Adonai constitui uma forma nova do deus de cabeça de carneiro, Amoun ou Amon (ver), que era invocado pelos sacerdotes egípcios sob o nome de Amên.

Amene (*Alq.*) — Sal marinho ou comum.

Amenti (*Eg.*) — Esotérica e literalmente, a morada de deus Amên ou Amoun, o deus secreto, "oculto". Esotericamente, o reino de Osíris dividido em catorze partes, sendo cada uma delas destinada a um fim relacionado com a vida futura do defunto. Entre outras coisas, em uma destas divisões encontra-se a Sala do Juízo. Era a "Terra do Ocidente", a "Mansão Secreta", a "Terra Tenebrosa" e a "Casa sem Porta". Mas também significa *Kerneter,* a "Morada dos Deuses" e a "Terra dos Espíritos ou Sombras", como o *Hades* (ver) dos gregos. Da mesma forma é a "Casa do Deus-Pai" (na qual há "muitas mansões"). As catorze divisões compreendiam, entre outras coisas, *Aanroo* (ver), a sala das Duas Verdades, a Terra da Bem-Aventurança, *Neter-xer,* "o cemitério", *Otamerxer,* "Campos de Silêncio Aprazível" e muitas outras salas e mansões místicas, tais como o *Sheol* dos hebreus, o *Devachán* dos ocultistas etc. Além disso, das quinze portas da morada de Osíris, há duas principais: a "porta de entrada" ou *Rustu,* e a "porta de saída "(reencarnação) ou *Amh.* Porém, não há no *Amenti* nenhum local que represente o inferno cristão ortodoxo. A pior de todas as salas é a Sala das Trevas e Sono eternos. Segundo Lepsius, os defuntos "dormem (ali) em formas *incorruptíveis,* não despertam para ver seus irmãos, não reconhecem nem pai nem mãe, seus corações nada sentem por suas

A

esposas e filhos. Esta é a mansão do deus *Totalmente Morto*. Todos estremecem ao rogar-lhe, pois não escuta. Ninguém pode glorificá-lo, porque não olha aqueles que o adoram. Também não se importa com qualquer oferenda feita a ele". Este deus é Decreto *Kármico;* a Terra do Silêncio, a mansão dos que morreram absolutamente incrédulos, dos que morrem de acidente, antes do término assinalado de sua vida, e finalmente daquele que morre no umbral de *Avitchi,* que jamais se encontra no *Amenti* ou em qualquer outro estado subjetivo, *exceto num só caso,* quando se encontra na região de forçoso renascimento. Estes não se detêm por muito tempo no estado de sono profundo, de esquecimento e trevas. Pelo contrário, são conduzidos, com maior ou menor presteza, até *Amh,* a "porta de saída".

Amesha Spentas (*Zend.*) — *Amshaspendes.* Os seis anjos ou Forças divinas personificadas como deuses, que servem a Ahura Mazda, dos quais este é a síntese e o sétimo. Constituem um dos protótipos dos "Sete Espíritos" católico-romanos ou Anjos, cujo chefe é Miguel, ou "Hoste Celestial"; os "Sete Anjos do Senhor". Constituem, entre os gnósticos, os criadores do Cosmo e são idênticos aos Sete *Prajâpatis,* os *Sephiroth* etc. [No Zoroastrismo, um dos Sete Espíritos ou *Logos* Planetários.]

Amia — Ver *Ama.*

Amianthe (*Alq.*) — Pedra incombustível. Os filósofos deram o nome de *Amianthe* à sua pedra, pois ela resiste aos ataques mais violentos do fogo. [Donde: amianto.]

Amitâbha — Corruptela chinesa da expressão sânscrita *Amrita Buddha* ou "Imortal Iluminado", nome de Gautama Buddha. Este termo possui variações diversas, tais como *Amita, Abida, Amitâya* (ou *Amitâyus*) etc., e é explicado através da significação dupla de "Idade sem limites" e "Luz sem limites" ou "esplendor infinito": *amita-âbhâ.* Com o tempo, o conceito primitivo do ideal de uma luz divina impessoal foi antropomorfizado.

[No simbolismo búdico do Norte, diz-se que *Amitâbha,* ou "espaço sem limites" (*Parabrahm*), tem em seu paraíso dois *Boddhisattvas* gêmeos: Kwan-shi-yin e Tashishi, os quais irradiam constantemente luz sobre os três mundos em que viveram, inclusive o nosso (ou seja, os três planos da existência: terrestre, astral e espiritual), visando contribuir com sua luz (do conhecimento) para a instrução dos yogis, que, por sua vez, salvarão homens. Sua elevada posição no reino de *Amitâbha* deve-se aos atos de compaixão de ambos, como yogis, quando viveram na Terra. (Ver *Voz do Silêncio.*)] [*Amitâbha,* "luz ou esplendor infinito", o imortal Iluminado, ou seja, Buddha. Esta palavra significa também "Idade ou Espaço sem Limites". *Amitâbha* é igualmente Parabrahm, o Não-Manifestado (*Voz do Silêncio,* III).]

Ammon (*Eg.*) — Um dos deuses maiores do Egito. Ammon ou Amoun é muito mais antigo do que Amoun-Ra e é identificado com Baal-Hammon, o Senhor dos Céus. Amoun-Ra era Ra, o Sol Espiritual, o "Sol da Justiça" etc., pois o "Senhor Deus é um Sol". É o Deus de Mistério e os hieroglifos de seu nome encontram-se frequentemente invertidos. É Pan, Toda-Natureza (esotericamente), e por isso é o Universo e o "Senhor da Eternidade". Ra, como declarado numa antiga inscrição, "foi produzido por Neith, mas não engendrado". Diz-se de Ra como "produzido por si mesmo", e que criou a bondade com um olhar de seu olho ardente, assim como Set-Typhon criou o mal. Da mesma forma que Ammon (Amoun, Amun e Amen), Ra é o "Senhor dos mundos, entronizado sobre o disco do Sol e aparece no abismo dos céus". Um hino antiquíssimo decifra o nome *Amen-Ra* e proclama o "Senhor dos tronos da Terra... Senhor da Verdade, Pai dos deuses, Criador do Homem, Criador dos animais. Senhor da Existência, Iluminador da Terra, que navega tranquilamente nos céus... Todos os corações se abrandam ao contemplá-lo, Soberano da vida, da saúde e da força! Adoramos teu Espírito, *o único que nos*

A

criou etc. (Ver Bonwick, *Fé Egípcia*). Ammon-Ra é denominado "esposo de sua mãe" e filho dela (Ver *Chnoumis* e *Chnouphis* e também *Doutrina Secreta*, I, p. 91 e 393). Os judeus sacrificavam *cordeiros* ao "deus com cabeça de carneiro" e o *Cordeiro* da Teologia Cristã é uma reminiscência disfarçada do carneiro.

Ammonio Saccas — Grande e eminente filósofo, que viveu na Alexandria entre o segundo e terceiro séculos de nossa era. Foi o fundador da Escola Neoplatônica dos filaléteos ou "amantes da Verdade". Nasceu pobre e de pais cristãos, porém era dotado de uma bondade tão grande, quase divina, que o chamaram *Theodidaktos*, o "ensinado por Deus". Venerou tudo o que havia de bom no Cristianismo, mas rompeu com ele e com as igrejas desde tenra idade, por não conseguir encontrar no mesmo a superioridade proclamada sobre as antigas religiões.

Amrita (*Sânsc.*) — Néctar, ambrosia ou alimento dos deuses; o alimento que confere imortalidade. O elixir da vida retirado do Oceano de Leite, na alegoria *Purânica*. Antigo vocábulo védico aplicado ao suco sagrado *Soma*, nos Mistérios do Templo.

Amukhya-Kârana (*Sânsc.*) — Causa menor ou secundária.

Amûlam Mûlam (*Sânsc.*) — Literalmente: a "raiz sem raiz". O *Mûlaprakriti* dos Vedantinos, a "raiz espiritual da Natureza". [O material do Universo; *Prakriti*.]

Amun (*Cop.*) — O deus egípcio da sabedoria, que possuía apenas Iniciados ou Hierofantes, como sacerdotes, para servi-lo.

Anâ (*Cald.*) — O "céu invisível" ou Luz Astral; a mãe celeste do mar (*Mar*) terrestre; é provavelmente a origem do nome *Ana*, mãe de Maria.

Anacalipsis (*Gr.*) — "Tentativa de retirar o véu da Ísis de Saís", de Godfrey Higgins. É uma obra extremamente valiosa, que atualmente só pode ser adquirida a preços fabulosos. Trata da origem de todos os mitos, religiões e mistérios e mostra um imenso caudal de erudição clássica. (W. W. W.)

Anâdi (*Sânsc.*) — "Sem princípio". Não-criado.

Anâdinidhana (*Sânsc.*) — "Sem princípio nem fim"; eterno.

Anâdi-pravaha-sattâ (*Sânsc.*) — "Existência cuja corrente não tem princípio"; eternidade.

Anâdyanta (An-âdi-anta) (*Sânsc.*) — "Sem princípio nem fim". Sinônimo de *anâdi-nidhana*.

Anâgâmin (*Sânsc.*) — Aquele que não deve renascer no mundo do desejo. Um grau antes de chegar a ser *Arhat* e estar condicionado para o *Nirvâna*. O terceiro dos quatro graus de santidade no sendeiro da Iniciação final. [Ao ultrapassá-lo, a alma não tem necessidade de reencarnar-se.]

Anagrâniyas (*Sânsc.*) — No sistema vedantino, *Parabrahm*.

Anaham (*Sânsc.*) — *An-aham*: não-eu; não-ego.

Anâhata Chakra (*Sânsc.*) — O assento, centro ou "roda" da vida; o coração. [O quarto centro, padma, chakra ou plexo ganglionar dos yogis], segundo alguns comentaristas. Situa-se no coração. [Ver *Aforismos de Patañjali*, III, 34.]

Anâhata nâda (*Sânsc.*) — "Som não produzido por concussões". O som Om.

Anâhata-zabda (ou **shabda)** (*Sânsc.*) — As vozes e sons místicos que o yogi ouve no período inicial de sua meditação. A terceira das quatro condições do som, também denominada *Madhyamâ* (a quarta condição apresenta-se quando o som é perceptível ao

A

sentido físico da audição). O som em seus graus precedentes é percebido apenas por aqueles que desenvolveram seus mais sublimes sentidos internos, espirituais. Os quatro graus são conhecidos respectivamente com os nomes de: *Parâ, Pazyantî (Pashyantî), Madhyamâ* e *Vaikharî*.

Anaitia (*Cald.*) — Derivação de *Anâ* (ver), deusa idêntica à *Annapurna* hindu, um dos nomes de Kâli (esposa ou aspecto feminino de Shiva) no mais alto grau.

Analogia — Intermediária entre a dedução e a indução, apoiando-se alternativamente em uma das duas, sem se restringir às regras especiais de cada uma delas. Como método, a analogia encontra-se tão ligada ao ocultismo como a pele aos corpos. A lei geral da analogia é assim definida por Trismegistos (que, para nós, é a totalidade da Universidade do Egito) na *Tábua da Esmeralda*:

"O que está no alto ....

é como ....

o que está embaixo

Para se cumprir o milagre da Unidade."

Note que, embora o autor da *Tábua da Esmeralda* distinga absolutamente, e desde o início, a analogia da semelhança, este é um engano difícil de ser evitado pelos iniciantes. Coisas análogas raramente são semelhantes. A analogia da constituição do homem em três princípios (espírito, alma e corpo) com aquela da constituição de um equipamento (cocheiro, cavalo e viatura) é bastante clara para permitir a resolução de problemas curiosos e Deus sabe se há semelhança entre estas duas coisas. Assim Trismegistos disse: "O que está no alto é como o que está embaixo". Ele não disse: "O que está no alto está embaixo" (Pappus, *Tratado Elementar de Ciência Oculta*, 153-4).

Analogistas — Os discípulos de Ammonio Saccas (ver), assim denominados devido à sua prática de interpretar todas as lendas, mitos e mistérios sagrados através de um princípio de analogia e correspondência, cuja regra encontra-se agora no sistema cabalístico e principalmente nas Escolas de Filosofia Esotérica do Oriente. (Ver *Os Doze Signos do Zodíaco*, de Subba Row, em *Cinco Anos de Teosofia*.)

Ânanda (*Sânsc.*) — Bem-aventurança, alegria, felicidade. Nome do discípulo predileto de Gautama, o Senhor Buddha. [O estado de bem-aventurança no qual a alma se soma ao Espírito. *Ânanda* significa também o estado espiritual da atmosfera *táttvica*. *(Râma Prasâd)*]

Ânanda-kâya (*Sânsc.*) — Corpo, casca ou envoltório de bem-aventurança.

Ânanda-lahari (*Sânsc.*) — "A onda de gozo", bonito poema escrito por Shankarâchârya, um hino a Pârvati, místico e oculto.

Ânandamaya (*Sânsc.*) — Literalmente: "formado de bem-aventurança" ou "da natureza da bem-aventurança".

Ânandamaya-koza (*Sânsc.*) — "A capa ou invólucro ilusório de bem-aventurança", isto é, a forma mayávica ou ilusória, a aparência do que é *sem forma*. O bem-aventurado, a alma superior. O "nome vedantino" utilizado para designar um dos cinco *Kozas (koshas)* ou "princípios" humanos; idêntico ao nosso *Âtmâ-Buddhi* ou Alma Espiritual. Este *quinto* invólucro ou capa da alma, no sistema vedantino, corresponde ao *Buddhi*, *sexto* princípio humano, de acordo com a Teosofia.

Ananga (*Sânsc.*) — O "sem corpo". Epíteto de Kâma, deus do amor.

Ananta (*Sânsc.*) — *An-anta*, "sem fim". Rei dos *Nâgas*. Ao fim de cada *Kalpa*, vomita um fogo devorador, que destrói toda a criação. É o emblema da eternidade. Epíteto

A

de Vishnu. Também com o nome de *Ânanta* ou *Ânanta-Zecha* designa-se a Serpente da Eternidade, grande serpente de sete cabeças (ou mil, segundo os *Purânas)*, sobre cujo corpo repousa Vishnu, flutuando nas águas primordiais, durante o *pralaya*. (Ver *Charaka*.)

Ananta-zecha (ou **sesha**) — Literalmente: "estacionamento sem fim". (Ver *Ananta*.)

Anão da Morte — No *Edda* dos antigos escandinavos, Iwaldi, o Anão da Morte, esconde a Vida nas profundezas do grande oceano e a faz subir à terra em seu devido tempo. Esta Vida é Iduna, formosa donzela, filha do "Anão". É a Eva dos cantos escandinavos, pois dá aos deuses do Asgard as maçãs da eterna juventude; porém, ao invés de serem castigados por as terem comido e serem condenados à morte, conferem todos os anos uma renovada juventude à Terra e aos homens, após cada breve e doce sonho nos braços do Anão. Iduna é retirada do oceano, quando Bragi (ver), o Idealizador da Vida, sem marcas nem imperfeições, cruza dormindo a silenciosa imensidão das águas. Bragi é a ideação divina da Vida e Iduna é a Natureza viva. *Prakriti*, Eva. (Ver *Bragi* e *Iwaldi*.)

Anastasis (*Gr.*) — A existência continuada da alma. [Literalmente, *anastasia* significa levantamento, ressurgimento, ressurreição; daí a supra vivência da alma após a morte do corpo.]

Anâtmâ ou **Anâtman** (*Sânsc.*) — O não-Eu, em contraposição ao Eu (ou *Âtmâ*).

Anâtmaka (*Sânsc.*) — Entre os budistas, irreal, ilusório, puramente fenomenal.

Anatu (*Cald.*) — O aspecto feminino de *Anu* (ver). Representa a Terra e o Abismo, enquanto seu esposo representa o Céu e a Altura. É a mãe do deus Hea e produz o Céu e a Terra. Em Astronomia, é *Ishtar*, Vênus, o *Astoreth* dos judeus.

Anaxágoras (*Gr.*) — Célebre filósofo jônico, que viveu há 500 anos a.C. Foi discípulo de Anaxímenes de Mileto e estabeleceu-se em Atenas, no tempo de Péricles. Entre seus discípulos encontramos Sócrates, Eurípedes, Arquelau e outros filósofos e homens eminentes. Sábio astrônomo, foi um dos primeiros a explicar publicamente o que Pitágoras ensinava em segredo, ou seja, o movimento dos planetas, os eclipses do Sol e da Lua etc. Foi quem ensinou a teoria do Caos, baseando-se no princípio de que "nada surge do nada" (*ex nihilo nihil fit*); ensinou também a teoria dos átomos, considerando-os como a essência e substância fundamental de todos os corpos e "com a mesma natureza dos corpos que formam". Estes átomos - dizia - foram colocados inicialmente em movimento pelo *Nous* (Inteligência Universal, o *Mahat* dos hindus), uma entidade imaterial, eterna, espiritual. Graças a esta combinação, formou-se o mundo, fundindo-se os corpos materiais grosseiros, elevando-se e estendendo-se às mais altas regiões celestes os átomos etéreos (ou éter ígneo). Adiantando-se à ciência moderna em mais de dois mil anos, ensinava que os astros eram formados pela mesma matéria de nossa Terra e o Sol uma massa incandescente; que a Lua era um corpo opaco, inabitável, que recebe sua luz do Sol; os cometas eram astros errantes e, adiantando-se ainda mais à ciência, declarou-se inteiramente convencido de que *a existência real das coisas* percebidas por nossos sentidos não pode ser provada de modo demonstrável. Morreu desterrado em Lampsaaco, aos setenta e dois anos.

Anciães (*Os*) — Nome dado pelos ocultistas aos Sete Raios Criadores, nascidos do Caos ou "Abismo".

Ancião dos Dias — *Ain-soph*, o Eterno. "E, por acaso, o Velho Tempo dos gregos, com sua foice e ampulheta, não é idêntico ao Ancião dos Dias dos cabalistas, sendo este último "Ancião" idêntico ao Ancião dos Dias hindu, Brahmâ, em sua forma trina e una, cujo nome é também *Sanat, o* Ancião?" (*Doutrina Secreta*, I, 946).

A

Ancinar *(Alq.)* — Bórax.

Ancosa *(Alq.)* — Laca.

Andaja *(Sânsc.)* — Geração ovípara (através de ovos).

Andha-katâha ou **Anda-katâha** *(Sânsc.)* — O revestimento externo, isto é, a "casca" do Ovo de Brahmâ; a área dentro da qual encerra-se o nosso universo manifestado.

Andhatâmisra *(Sânsc.)* — "Cegueira tenebrosa ou ofuscação profunda (da alma)". O inferno onde as qualidades do *Âkâza-Tattva* encontram-se em doloroso excesso. (*Râma Prasâd*)

Ândhra *(Sânsc.)* — Filho de um Vaideha e uma Kârâvarâ. *(Mânava-dharmazâstra)*

Andrógino — Ver *Baphomet* (Chivo-cabra andrógino), *Raio andrógino* etc.

Anéis mágicos — Estes anéis existiram como talismãs nas tradições e lendas de todos os povos. Na Escandinávia, tais anéis relacionavam-se sempre com duendes e anões, que, segundo se diz, eram os possuidores desses talismãs e, algumas vezes, davam-nos a seres humanos, que desejavam proteger. Eis as palavras de um cronista: "Estes anéis mágicos traziam boa sorte ao seu proprietário, enquanto fossem cuidadosamente guardados; porém, sua perda era seguida por desgraças terríveis e tormentos indescritíveis".

Anéis e Rondas — Termos empregados pelos teósofos na exposição da Cosmogonia oriental. São utilizados para indicar os diversos ciclos evolucionários nos reinos elemental, mineral etc., pelos quais a Mônada passa em algum dos Globos, usando-se a palavra Ronda apenas para denotar a passagem cíclica da Mônada ao redor de toda a cadeia de sete Globos. Os teósofos, em geral, empregam o termo *anel* ou *círculo* como sinônimo de ciclo, seja cósmico, geológico, metafísico ou qualquer outro.

Anel de Giges — O anel de Giges chegou a ser uma metáfora comum na literatura europeia. Giges era um lídio que, após assassinar o rei Candaules, casou-se com sua viúva. Platão conta-nos que, certa vez, Giges desceu a uma profunda fenda da Terra e ali descobriu um cavalo de bronze, dentro de cujo costado aberto estava o esqueleto de um homem gigantesco, que tinha no dedo um anel de bronze. Este anel, uma vez colocado em seu próprio dedo, tornava-o invisível.

Anel "não passa" *(O)* — Círculo dentro do qual se encontram todos aqueles que, continuamente são afligidos pela ilusão da separação.

Anga *(Sânsc.)* — Membro, rama, parte, elemento.

Angâra ou **Angâraka** *(Sânsc.)* — A Estrela de Fogo; o planeta Marte; em tibetano, *Mig-mar*.

Angas *(Sânsc.)* — Ver *Vedângas*.

Angiras — Um dos dez *Prajâpatis*. Um filho de Daksha; um jurisconsulto etc.

Angirasas *(Sânsc.)* — Nome genérico de várias pessoas e coisas *purânicas;* uma classe de *Pitris,* antecessores do homem; um rio do *Plakcha,* um dos *Sapta dwîpas* (ver). Os Angirasas constituíram uma raça intermediária de Seres elevados entre os deuses e os homens. "Angirasas" era um dos nomes dos Dhyânîs, ou Instrutores dos *Devas (Guru-Devas),* iniciados das remotas terceira, quarta e até quinta Raças. *(Doutrina Secreta,* II, 640.)

Angra Mainyus *(Zend.)* — Nome zoroastriano de Ahrimán; o mau espírito da destruição e oposição, o qual, diz Ahura Mazda (no *Vendidâd,* Fargard I), "falsifica, através de seu prestígio" toda a terra formosa que Deus cria, pois "Angra Mainyus é todo morte".

A

Aniada (*Alq.*) — As atividades causadas por influências astrais, poderes celestiais, a atividade da imaginação e da fantasia. *(F. Hartmann)*

Aniadin (*Alq.*) — Segundo os filósofos químicos, significa longa vida. *(Planiscampi)*

Aniadum (*Alq.*) — O homem espiritual (renascido); a atividade do espírito do homem sobre seu corpo mortal; o local da consciência espiritual. *(F. Hartmann)*

Aniadus (*Alq.*) — Atividade espiritual das coisas. *(F. Hartmann)*

Anila (*Sânsc.*) — Sopro, vento. Um dos Maruts; um dos Vasus. O deus dos ventos e regente do Noroeste. Também denominado *Pavana* e *Vâyu* (ver).

Anili (*Sânsc.*) — O décimo quinto *nakchatra* ou asterismo lunar.

Anima (*Lat.*) — A Alma. Através deste nome designa-se o órgão interno (*Antahkarana*) e também o conjunto dos três princípios: *Âtma*, *Buddhi* e *Manas*.

Animais — Ver *Os Quatro Animais*.

Anima Mundi (*Lat.*) — "Alma do Mundo"; o mesmo que o *Alaya* dos budistas do Norte; a essência divina que a tudo preenche, penetra, anima e informa, desde o átomo mais diminuto da matéria até o homem e o deus. Em certo sentido, é a "Mãe de sete peles" das estâncias da *Doutrina Secreta*, a essência dos sete planos da inconsciência, consciência e diferenciação moral e física. Em seu aspecto mais elevado, é o *Nirvâna* e, no inferior, é a Luz Astral. Era feminina entre os gnósticos, os cristãos primitivos e os nazarenos; bissexual nas demais seitas, que a consideravam apenas em seus quatro planos inferiores. De natureza ígnea, etérea no objetivo mundo da forma (e, portanto, éter), e divina e espiritual em seus três planos mais elevados. Quando se diz que cada alma humana nasce ao se desprender da *Anima Mundi*, isso significa, esotericamente, que nossos Eus superiores são de idêntica essência àquela da Alma do Mundo, que é uma irradiação do Absoluto Universal, sempre desconhecido.

Animan (*Sânsc.*) — "Pequenez", "sutileza". Um dos oito *siddhis* ou poderes ocultos mais elevados. O poder de se reduzir a um grau extremo de pequenez ou de se assemelhar ao átomo.

Animar (*Alq.*) — Dar ao mercúrio filosófico uma alma metálica.

Anirdezya (**Anirdeshya**) (*Sânsc.*) — Indefinível, indescritível, inexplicável.

Aniruddha (*Sânsc.*) — Livre, sem sujeição.

Anirvachanîya (*Sânsc.*) — Indefinível, indescritível. Sinônimo de *Anirdezya*.

Anitya (*Sânsc.*) — "Não-eterno", não-permanente, perecível, destrutível, transitório. Como substantivo, significa limitação. *(Bhagavân Dâs)*

Anîyâmsam-anîyasam (*Sânsc.*) — "O mais sutil (ou o atômico do sutil)". Na filosofia vedantina este nome é aplicado a Parabrahm, a Divindade Suprema, cuja essência encontra-se em todas as partes. Compara-se à expressão do *Bhagavad-Gîtâ*, VIII, 9: *anor anîyâmsam*, mais sutil que o átomo.

Anîzvara (*Sânsc.*) — *An-Îzvara*, "sem senhor" ou "sem Deus"; ateu.

Anjala (*Sânsc.*) — Um dos poderes personificados, que surgem do corpo de Brahmâ: os Prajâpatis.

Añjali (*Sânsc.*) — Atitude de adoração e respeito, que consiste em juntar as duas mãos, formando um oco, e levantá-las à altura do peito. A isto se denomina "fazer o añjali". (Ver *Bhagavad-Gîtâ*, XI, 14 e 35.)

A

Anjana (*Sânsc.*) — Uma serpente, um filho do richi *Kazyapa* (Kayapa).

Ankh — Uma forma de cruz ansata; assim: ☥

Anna-kâya (*Sânsc.*) — O corpo físico ou de carne.

Annamaya koza (ou **Kosha**) (*Sânsc.*) — Termo vedantino equivalente a *Sthûla Zarîra (Sharira)*, ou seja o corpo grosseiro, físico ou material. É a primeira "casca" da Mônada entre as cinco admitidas pelos vedantinos, entendendo-se por "casca" o que, em Teosofia, é conhecido pelo nome de "princípio".

Annapurna (*Sânsc.*) — Ver *Anâ*.

Ânnaya (*Sânsc.*) — Processo ou estado em que, apesar de não haver consciência material, percebe-se a presença do *Âtmâ* como testemunha de tal estado. (Ver comentário de D. K. Laheri ao *Uttara-Gîtâ*, II, 9.)

Annedotus (*Gr.*) — Nome genérico dos Dragões ou Homens-Peixes, dos quais existiram cinco. O historiador Beroso relata que, em várias ocasiões, surgia do mar Eritreu um semidemônio denominado Oannes ou Annedotus, que, embora sendo em parte animal, ensinou aos caldeus várias artes úteis e tudo quanto pudesse civilizá-los. (Ver Lenormant, *Magia Caldeia*, p. 203, e também o artigo "Oannes".) (W. W. W.)

Annufn ou **Annoufn** (*Celt.*) — "O que não tem fundo", o Abismo. Tal palavra equivale ao *Tohu-bohu* da Bíblia, ao *Chaos* da *Teogonia* de Hesíodo, ao *Tiamat* da cosmogonia caldeia-assíria e ao *Mûla-prakriti* dos filósofos hindus. (E. Bailly)

Ano de Brahmâ — Período de tempo muito vasto, igual a 360 Dias de Brahmâ, com suas Noites de mesma duração, que em conjunto formam 3.110.400.000.000 anos solares. Cem Anos de Brahmâ constituem a "Idade de Brahmâ" ou um *mahâkalpa*.

Anões Negros — Este é o nome dos Elfos das Trevas, que se arrastam pelas cavernas obscuras da Terra e fabricam armas e utensílios para seus pais divinos, os Æsir ou Ases. São também denominados "Elfos Negros".

Anoia (*Gr.*) — "Falta de entendimento", "insensatez". *Anoia* é o nome dado por Platão e outros filósofos ao *Manas* inferior, quando se encontra intimamente unido ao *Kâma*, que se distingue por sua irracionalidade *(agnoia)*. A palavra grega *agnoia* é, evidentemente, uma derivação do termo análogo sânscrito *ajñâna*, que significa ignorância, irracionalidade, ausência de conhecimento. (Ver *Agnoia* e *Agnóstico*.)

Anos de Brahmâ — O período inteiro de uma Idade de Brahmâ, ou seja, cem Anos de Brahmâ, equivalentes a 311.040.000.000.000 anos solares. (Ver *Yuga*.)

Anouki (*Eg.*) — Uma forma de Ísis; a deusa da vida, de cujo nome deriva a palavra hebraica *Ank*, vida. (Ver *Anuki*.)

Anrita (*Sânsc.*) — "Não-verdadeiro", falso, injusto, impróprio.

Ansata (*Cruz*) — Ver *Cruz Ansata*.

Ansumat (*Sânsc.*) — Personagem *purânico*, "sobrinho de sessenta mil tios", filhos do rei Sagara, que foram reduzidos a cinzas por um só olhar do "Olho" do richi Kapila.

Anta (*Sânsc.*) — Fim, extremo, limite, morte.

Antah ou **Antar** (*Sânsc.*) — Interior, interno.

Antahkarana ou **Antaskarana** (*Sânsc.*) — Este termo tem vários significados que diferem em cada seita e escola filosófica. Shankarâchârya traduz esta palavra com o sentido de "entendimento"; outros, como "órgão ou instrumento interno, a Alma, formada pelo princípio pensador e o egotismo *(ahankâra)*"; enquanto os ocultistas definem-no como "sendeiro" ou ponte entre o *Manas* superior e o inferior, o *Ego* divino e a Alma *pessoal* do homem. Serve como meio de comunicação entre ambos e transmite do *Ego* inferior para o superior todas as impressões pessoais e pensamentos dos homens que podem, por sua natureza, ser assimilados e retidos pela Entidade imperecível e, portanto, transformados em imortais com ela. Esses são os únicos elementos da Personalidade passageira que sobrevivem à morte e ao tempo. Assim, é lógico que somente aquilo que é nobre, espiritual e divino no homem pode, na Eternidade, testemunhar o fato de ter vivido.

[Os fatores ou princípios internos *Buddhi, Ahankâra* e *Manas*, considerados coletivamente, constituem o "órgão interno" *(Antahkarana)* ou Alma, cuja atividade, diferentemente daquela dos sentidos, estende-se não apenas ao presente, mas também ao passado e ao futuro. Os três princípios indicados formam, por assim dizer, os três lados de um triângulo, cuja soma é o *Chitta* (mente, pensamento, inteligência), com o qual se realiza a ideia da trindade na unidade. É a "mente" considerada como um sentido ou como um meio de conhecimento. *(Bhagavân Dâs)*]

Antah-prajñâ *(Sânsc.)* — "Conhecimento interior". O conhecimento do Eu.

Antara *(Sânsc.)* — Intervalo, espaço, meio, diferença, interior, íntimo.

Antarâraya *(Sânsc.)* — Os inimigos internos, que devem ser vencidos antes de se obter a liberação, a saber: *kâma* (luxúria), *krodha* (ira), *lobha* (cobiça), *moha* (perturbação, negligência), *mada* (orgulho) e *matsara* (inveja). (Bhagavân Dâs: *A Ciência das Emoções*)

Antarâtman *(Sânsc.)* — O Eu interno, alma, coração.

Antaryâma *(Sânsc.)* — Retenção do alento; uma das práticas do *Prânâyâma*.

Antaryâmin *(Sânsc.)* — Domínio das sensações internas; o regulador, refreador ou vigilante interno; a consciência moral; o Eu.

Antaskarana — Ver *Antahkarana*.

Anthesteria *(Gr.)* — Festa das Flores (*Floralia*). Durante esta festa, celebra-se o rito do Bautismo ou purificação nos Mistérios eleusinos, nos tanques do templo, *Limnæ*, e por ela passavam os neófitos (*Mystæ*) através da "estreita porta" de Dionísio, para dali saírem como Iniciados perfeitos.

Anticar *(Alq.)* — Bórax.

Antimum *(Alq.)* — Mel da primavera.

Antropologia — A ciência do homem. Abrange, entre outras coisas, a *Fisiologia* (ramo da ciência natural que estuda os órgãos e suas funções nos homens, animais e plantas) e, especialmente, a *Psicologia* (a grande e atualmente, muito abandonada ciência da alma, tanto como entidade distinta do Espírito como em suas relações com o Espírito e o corpo). Na ciência moderna, a Psicologia trata apenas ou principalmente das condições do sistema nervoso e desconhece quase por completo a natureza e essência psíquicas. Os médicos denominam a Psicologia de ciência da loucura e, nas Escolas de Medicina, designam com tal nome a disciplina da demência ou alienação mental.

Antropomorfismo — Do grego *anthropos*, que significa "homem". Consiste em atribuir a Deus ou aos deuses uma forma humana e qualidades e atributos igualmente humanos.

Anu *(Sânsc.)* — "Átomo". Um dos epítetos de Brahmâ, pois dele se diz que é um átomo, ou seja, o Universo infinito. Alusão à panteística natureza da Divindade.

A

Anu (*Cald.*) — Uma das mais altas divindades dos babilônios, "Rei de Anjos e Espíritos", "Senhor da cidade de Erech". É o Governador e Deus dos Céus e da Terra. Seu símbolo é uma estrela e uma espécie de Cruz de Malta, emblemas da divindade e soberania. É uma divindade abstrata, que, supõe-se, tem a forma e toda a extensão do espaço etéreo ou céu, enquanto sua "esposa" tem a forma dos planos mais materiais. Ambos são os tipos de Uranos e Gaia de Hesíodo. Surgiram do Caos original. Todos os seus títulos e atributos são gráficos e indicam saúde, pureza física e moral, antiguidade e santidade. Anu foi o mais primitivo deus da cidade de Erech. Um de seus filhos era Bil ou Vil-kan, deus do fogo, de vários metais e das armas. Segundo George Smith, há em tal divindade uma estreita relação com uma espécie de raça cruzada entre o "bíblico Tubal Cain e o clássico Vulcano...", que é considerado como "a mais poderosa divindade relacionada com a feitiçaria e os encantamentos, em geral".

Anúbis (*Gr.*) — O deus com cabeça de cão, idêntico, em certo aspecto, a Hórus. É o deus que trata dos desencarnados ou dos ressuscitados na vida *post-mortem*. Anepou (ou Anebo) é sua denominação egípcia. É uma divindade psicopômpica (isto é, que guia ou conduz as almas do outro mundo), o "Senhor da Terra do Silêncio do Ocidente, a Terra dos Mortos, o preparador do caminho do outro mundo", a quem os defuntos eram confiados para serem conduzidos, por ele, a Osíris, o Juiz. Em resumo, é o "embalsamador" e o "guardião dos mortos". É uma das mais antigas divindades do Egito, visto que Mariette Bey encontrou a imagem do mesmo em tumbas da Terceira Dinastia.

Anugîtâ (*Sânsc.*) — [Literalmente, "canto posterior".] Um dos *Upanishads*. É um tratado oculto. (Ver *Livros Sagrados do Oriente*, série de Clarendon Press.) [Como seu próprio título indica, o *Anugîtâ* é uma espécie de continuação, melhor dizendo, de recapitulação do *Bhagavad-Gîtâ*, pois encerra ensinamentos iguais, embora com termos diferentes.]

Anugraha (*Sânsc.*) — A oitava criação, no *Vishnu Purâna*. [A criação intelectual dos Sânkhyas.]

Anuki (*Eg.*) — "A palavra *Ank*, do hebraico, significa "minha vida", meu ser, que é o pronome pessoal *Anochi* do nome da deusa egípcia *Anouki*", segundo o autor de *Mistério Hebreu* ou a *Origem das Medidas*. (Ver *Anouki*.)

Anuloma (*Sânsc.*) — "Em ordem ou sucessão regular". No Budismo, é o quarto e último grau do sendeiro provatório.

Anumâna (*Sânsc.*) — Inferência ou dedução. Um dos três meios de se chegar ao conhecimento da verdade admitidos nos sistemas de filosofia *Sânkhya* e *Yoga*. Os outros dois meios são: a *percepção*, através dos sentidos, e a *revelação* ou autoridade.

Anumanta (*Sânsc.*) — O que consente ou permite. Com este nome designa-se o Eu ou Espírito individual, porque, como mero espectador e experimentador, permite os atos do corpo ou matéria. (Ver *Bhagavad-Gîtâ*, XIII, 22.)

Anumati (*Sânsc.*) — A Lua cheia, quando de deus *(Soma)* converte-se em deusa.

Anumiti (*Sânsc.*) — Em filosofia, inerência ou dedução.

Anûnaki (Anunnaki) (*Cald.*) — Anjos ou espíritos da Terra. São também elementais terrestres.

Anunit (*Cald.*) — A deusa Akkad; Lúcifer, a estrela da manhã. Vênus, como astro vespertino, era o Ishtar de Erech.

Anupâdaka (*Sânsc.*) — *Anupapâdaka* e também *Aupapâduka*. Significa "sem pais", "que existe por si mesmo", agênito, nascido sem pais ou progenitores. Termo aplicado a

A

certos deuses autocriados e aos *Dhyâni Buddha*. (Ver *Avatâra*.) *An-upâdaka,* "sem receptor". O elemento radical da matéria, que se encontra sobre o *Âkâza*, assim denominado por não existir nenhum órgão ou "receptor" desenvolvido pela humanidade para ele. (*Bhagavân Dâs: A ciência da Paz*)

Anupalabdi (*Sânsc.*) — Não-percepção; não-presença. *(M. Dvivedi)*

Anupapâdaka — Ver *Anupâdaka*.

Anurâga (*Sânsc.*) — Apego, afeto, amor.

Anuruddha — Um dos mais eminentes discípulos de Gautama Buddha, considerado como o grande mestre da metafísica búdica.

Anusvâra (*Sânsc.*) — É o ponto que se coloca sobre uma letra ou sílaba para substituir o *M* ou *N*, dando-lhe um som nasal, como nas palavras *Om, Ahamkâra* ou *Ahankâra, Samsâra* ou *sansâra*.

Anuttara (*Sânsc.*) — Sem rival, sem par, incomparável. Assim, *anuttara bodhi* significa: "inteligência não superada, sem igual"; *anuttar adharma*, "lei ou religião sem igual".

Anuvritti (*Sânsc.*) — Continuação, sucessão; obediência, submissão; revolução, roda da vida; adaptação. (*Bhagavân Dâs*)

Anvâya (*Sânsc.*) — Onipenetrante.

Anyâmsam-aniyasâm — Ver *Aniyâmsam-aniyasam*.

Anyodei — A vida espiritual; o estado subjetivo no qual a essência superior da alma entra após a morte, tendo já se despojado de suas partes mais grosseiras, no *Kâma-loka*. Corresponde à condição do *Devachan*. (*F. Hartmann*)

Anyonyâdhyâsa (*Sânsc.*) — Na filosofia vedantina, é "a imposição dos atributos de um objeto sobre outro".

Anza (Ansa ou **Añcha)** (*Sânsc.*) — Parte, partícula. A Mônada ou Espírito individual. (Ver *Bhagavad-Gîtâ*, XV, 7.)

Aour (*Cald.*) — A síntese dos aspectos da Luz astro-etérea ou Luz Astral propriamente dita, o *Ob*, a pura luz que dá vida, e *Ob*, a luz que dá a morte. [*Aour*: este é o nome hebreu da essência da luz, que corresponde à essência do prótilo – do grego *protos* (primeira), *hyle* (matéria) - elementar, melhor dizendo, a sua raiz masculina, pois o *Aour (Fiat Lux* do *Gênese*) é lançado como germe fecundante no seio da Vida Eterna ou onipresente. (*Jyotis Prâcham, O Mistério da Vida*)]

Apâm Napât (*Zend.*) — Um ser misterioso, que corresponde ao *Fohat* dos ocultistas. É também um nome Védico e um nome Avestiano [ou do *Avesta*]. Literalmente, este termo significa "Filho das Águas" (do Espaço, isto é, do Éter), pois, no *Avesta*, Apâm Napât encontra-se entre *os yazatas* [ou espíritos celestiais puros] do fogo e os *yazatas* da água. (Ver *Doutrina Secreta*, II, 400, nota.)

Apâna (*Sânsc.*) — "Alento inspiratório". Uma das práticas do Yoga. *Prâna* e *Apâna* são respectivamente os alentos "expiratórios" e "inspiratórios". No *Anugîta*, é designado por "vento [ou ar] vital". [Há uma certa discrepância entre os autores sobre o significado exato da palavra. Segundo o *Dicionário Clássico Sânscrito-Francês* de Burnouf, é o sopro ou alento expirado; no *Dicionário Sânscrito-Inglês* de C. Cappeller, é o vento ou ar que vai até embaixo (no corpo); no comentário do *Bhagavad-Gîtâ*, de Râmanujâchârya, equivale à "expiração" e com este sentido é interpretado também por Schlégel e outros tradutores e comentaristas. Constitui um dos cinco *ares vitais*, a corrente que vai do

A

umbigo para baixo e expele do organismo tudo o que é inútil e desnecessário para a vida, isto é, os produtos de excreção. Por isso é denominado "alento inferior". Também é denominada *Apâna* a corrente nervosa que rege as partes superiores do corpo e, de modo especial, os pulmões. (Ver *Prâna*.)]

Apântaratamas — Richi védico, que, segundo Shankara (em seu *Comentário do Brahmasûtra*), encarnou-se com o nome de Krishna Dwaipâyana, ou Vyâsa, autor ou compilador do *Mahâbhârata* e outras obras importantes, na época da passagem do *Kaliyuga* ao *Dvâpara-yuga*. (Weber, *Indische Literaturgeschichte*)

Apap (*Eg.*) — Em grego, *Apophis*. A serpente simbólica do mal. O barco e o Sol são os grandes matadores de Apap, no *Livro dos Mortos*. É Typhon, que, após matar Osíris, encarna-se em Apap, com a intenção de matar Hórus. Como Taoër (ou *Ta-ap-oer*), aspecto feminino de Typhon, Apap chama-se "devorador de almas" e com razão, pois Apap simboliza o corpo animal, matéria sem alma e abandonada. Sendo Osíris, como os demais deuses solares, um símbolo do *Ego* superior *(Christos)*, Hórus (seu filho) é o *Manas* inferior ou *Ego* pessoal. Em vários monumentos pode-se ver Hórus, auxiliado por uma multidão de deuses com cabeças de cão, armados com cruzes e lanças, matando Apap. Como diz um orientalista: "O deus Hórus, em pé, como vencedor, sobre a Serpente do Mal, é uma imagem que pode ser considerada como a forma primitiva de nosso conhecido São Jorge (Miguel) e o Dragão, ou seja, a santidade abatendo o pecado." O Draconismo não morreu com as religiões antigas, mas converteu-se corporalmente na última forma cristã de culto.

Apara (*Sânsc.*) — Inferior. O oposto de *Para*.

Apara-prakriti (*Sânsc.*) — A natureza inferior. "Terra, água, fogo, ar, éter, *manas, buddhi* e *ahankâra*: eis aqui os oito componentes que integram minha natureza material. Esta é minha natureza inferior" (*Bhagavad-Gîtâ*, VII, 4-5).

Apara-vidyâ (*Sânsc.*) — Conhecimento inferior, conhecimento dos fenômenos, a ciência que se ocupa apenas dos efeitos exteriores, das ilusões do mundo fenomenal. (A. Besant)

Aparecido, aparição — Fantasma, espectro, sombra, alma ou espírito. Esta é a denominação aplicada às diversas aparições que se apresentam nas sessões espíritas.

Aparigraha (*Sânsc.*) — "Que não recebe dons".

Aparinâmin (*Sânsc.*) — O imutável e inalterável. O inverso de *parinâmin*, o que está sujeito a mudanças, modificações, diferenciação ou decadência.

Aparokcha (*Sânsc.*) — Direto ou imediato.

Âpas (*Sânsc.*) — "Água". Um dos cinco *Tattvas*, denominado éter saporífero *(Râma Prasâd)*. O elemento radical da matéria correspondente ao órgão do paladar. Assim lemos no *Bhagavad-Gîtâ* (VII, 8-9) as seguintes palavras de Krishna: "Eu sou o sabor nas águas...".

Apasarpana (*Sânsc.*) — Que se distancia.

Âpava (*Sânsc.*) — "Que se recria nas águas". Outro aspecto de Nârâyana ou Vishnu e de Brahmâ combinados, pois Âvapa, como este último, divide-se em duas partes, macho e fêmea, e cria Vishnu, que, por sua vez, cria Virâj, que cria Manu. Na literatura brahmânica, este nome é explicado e interpretado de várias maneiras.

Apavarga ou **Apavarjana** (*Sânsc.*) — Liberação de novos renascimentos. Liberação final.

A

Apavarjana — Ver *Apavarga*.

Ápis ou **Hapi-ankh** (*Eg.*) — "O morto-vivo", ou seja, Osíris encarnado no Touro branco sagrado. Ápis era o deus-touro, que foi morto cerimonialmente ao atingir a idade de vinte e oito anos, idade em que Osíris foi morto por Typhon. Não se adorava o touro, mas o símbolo de Osíris, do mesmo modo que os cristãos ajoelham-se diante do Cordeiro, símbolo de Jesus Cristo. (Ver *Culto do Touro*.)

Apocrypha (*Gr.*) — Erroneamente traduzido e adotado como "duvidoso" ou "espúrio". Esta palavra significa simplesmente: *secreto, oculto, esotérico*. Em português: "Apócrifo".

Apolo de Belvedere — É a melhor e mais perfeita das antigas estátuas de Apolo, filho de Júpiter e Latona, também chamado de Febo, Hélios e o Sol. Encontra-se na Galeria Belvedere do Vaticano, em Roma. É denominado *Apolo Pitio*, porque o deus é representado no momento de sua vitória sobre a serpente Pitón. Essa estátua foi encontrada nas ruínas de Anzio, no ano de 1503.

Apolônio de Tiana (ou de **Tianes**) (*Gr.*) — Filósofo admirável, que nasceu em Capadócia, no início do séc. I. Pitagórico fervoroso, estudou as ciências fenícias sob a orientação de Euxeno de Eutidemo, e filosofia pitagórica e outros estudos sob a orientação de Euxeno de Heráclea. Seguindo as doutrinas dessa escola, foi vegetariano durante sua longa vida, alimentando-se apenas de frutas e hortaliças; não tomava vinho; usava roupas feitas apenas por fibras vegetais; andava descalço e deixou o cabelo crescer em todo o seu comprimento, como o faziam todos os Iniciados. Foi iniciado pelos sacerdotes do templo de Esculápio (Asclépios), em Eges, aprendendo muitos dos "milagres" utilizados para curar doentes, realizados pelo deus da Medicina. Tendo-se preparado para uma iniciação mais elevada, através de um silêncio que durou cinco anos e também através de viagens, nas quais visitou Antióquia, Éfeso, Panfília e outros locais, encaminhou-se sozinho, através da Babilônia, para a Índia, pois seus discípulos mais íntimos abandonaram-no por temerem ir à "terra dos encantos". Contudo, um discípulo acidental, Damis, que encontrou no caminho, acompanhou-o em suas viagens. Na Babilônia, foi iniciado pelos caldeus e magos, como relata Damis, relato este que foi copiado por F. P. Filóstrato, cem anos depois. Após seu regresso da Índia, mostrou-se como um verdadeiro Iniciado, pois todas as pestes e terremotos, mortes de reis e outros acontecimentos que profetizou ocorreram pontualmente. Em Lesbos, os sacerdotes de Orfeu, invejosos, negaram-se a iniciá-lo em seus mistérios especiais, embora o fizessem alguns anos depois. Pregou, ao povo de Atenas e outras cidades, a moral mais pura e nobre e os fenômenos que realizou foram tão admiráveis e estupendos quanto numerosos e bem comprovados. "Como é que - pergunta Justino (mártir) com espanto - os talismãs (*telesmata*) de Apolônio têm a virtude de impedir, *como presenciamos*, a fúria das ondas, a violência dos furacões e as investidas de animais ferozes, e, enquanto os *milagres de Nosso Senhor são recordados apenas por tradição,* os de Apolônio são numerosíssimos e realmente manifestados em fatos atuais?" (*Quæst. XXIV*). Porém, responde facilmente esta pergunta o fato de que, após cruzar o Hindu-kush, Apolônio foi orientado por um rei para a *Mansão dos Sábios* (que pode ser a mesma dos dias de hoje), onde lhe ensinaram a ciência não superada por nenhuma outra. Seus diálogos com o coríntio Menippo constituem um verdadeiro catecismo esotérico e revelam (quando compreendidos) mais de um importante mistério da Natureza. Apolônio era amigo, correspondente e hóspede de reis e rainhas e não há poderes maravilhosos ou "mágicos" melhor atestados que os seus. No fim de sua longa e prodigiosa vida, abriu uma escola esotérica, em Éfeso. Morreu com aproximadamente cem anos de idade.

Apporrheta (**Aporrheta**) (*Gr.*) — Instruções secretas sobre assuntos esotéricos dadas durante os Mistérios gregos e egípcios.

A

Apsaras (*Sânsc.*) — [Literalmente: "que se movem na água".] Ondinas ou ninfas aquáticas do Paraíso ou céu de Indra. Segundo a crença popular, as *Apsaras* são as "esposas dos deuses" e são denominadas *Surânganâs* [formosas mulheres dos deuses]. Numa terminologia menos honrosa, são chamadas de *Sumadâtmajâs* (ou "filha do prazer"), pois, como conta a fábula a seu respeito, quando surgiram, no ato de remexer o oceano, nem os deuses *(suras)* nem os demônios *(asuras)* quiseram tomá-las como esposas legítimas. Urvasî e muitas outras são mencionadas nos *Vedas*. Em Ocultismo, são certas planta aquática com virtudes narcóticas ou "produtoras de sono" e certas forças inferiores da Natureza.

Âpta (*Sânsc.*) — O que alcançou, que é por si próprio iluminado.

Âptavâkhyam (*Sânsc.*) — Palavras de um *âpta*.

Aquastor — Um ser criado pelo poder da imaginação, isto é, pela concentração do pensamento no *Âkaza*, graças ao qual pode-se criar uma forma etérea (elementais, súcubos e íncubos, vampiros etc.) Estas formas imaginárias e contudo *reais* podem adquirir a vida da pessoa, através de cuja imaginação foram criadas. Sob certas circunstâncias, podem até se tornar visíveis e tangíveis. *(F. Hartmann)*

Aquelarre (*Witches' Sabbath* ou Sábado das Bruxas) — A suposta festa e assembleia de bruxas em algum local solitário, onde, diz-se, as bruxas comunicavam-se diretamente com o Diabo. Todas as raças e todos os povos creram nisso e alguns, ainda hoje, acreditam. Assim, costuma-se dizer que o principal ponto de reunião de todas as bruxas da Rússia é o Monte Calvo *(Lissaya Gorâ)*, situado próximo a Kiev; na Alemanha, o Brocken, nos montes do Harz. Na velha Boston (EUA) congregavam-se próximo ao "Lago do Diabo", numa vasta selva hoje desaparecida. Em Salem, os dignatários da Igreja mataram-nas à vontade e, na Carolina do Sul, uma feiticeira foi queimada no ano de 1865. Na Alemanha e Inglaterra, foram assassinadas aos milhares pela Igreja e pelo Estado, após serem obrigadas a mentir e confessar, através de tortura, sua participação no "Sábado das Bruxas". [A Noite de Santa Walpurgis ou Walpurga, cuja festa é celebrada pela Igreja no dia primeiro de maio, noite que ainda hoje as pessoas mais simples veem chegar com certo temor supersticioso, tornou-se famosa na Idade Média pelo aquelarre (sabá) celebrado por bruxos e bruxas na agreste montanha do Brocken ou Blocksberg, o pico mais elevado do Harz. Esta cena é magistralmente descrita na primeira parte do *Fausto*, de Goethe.]

AQUELE — O Todo Absoluto, o Eterno Absoluto, fora do qual nada existe, do qual tudo procede e no qual tudo se resolve; a causa instrumental e material do Universo; a substância e essência do Universo. É a existência Una, incognoscível, cuja primeira manifestação é o Espírito. O Espaço e o Tempo são apenas formas d'Aquele. Para os sentidos e as percepções dos seres finitos, Aquele é Não-Ser, no sentido de que é a única Ipseidade, porque nesse Todo oculta-se sua coeterna e coeva emanação ou radiação inerente, que, ao se converter periodicamente em Brahmâ (a potência masculina-feminina), desdobra-se, formando o Universo manifestado. *(Doutrina Secreta)*

Aqueronte — Forma preferível de *Acheron* (ver).

Ar-Abu Nasr-al-Farabi — Chamado em latim *Alpharabius*. De nacionalidade persa, foi o mais insigne filósofo aristotélico de seu tempo. Nasceu no ano 950 de nossa era e, segundo se diz, foi assassinado em 1047. Era filósofo hermético e dotado do poder de hipnose através da música, fazendo rir, chorar, dançar e tudo quanto quisesse daqueles que o ouviam tocar alaúde. Algumas de suas obras referentes à filosofia hermética encontram-se na biblioteca de Leyden.

Âradhana (*Sânsc.*) — Culto, adoração; propiciação, favor, graça.

A

Arahat (*Sânsc.*) — Também pode ser escrita como: *Arhat, arham, Rahat* etc.; "o digno"; literalmente: "que merece louvores divinos". Este nome foi dado primeiramente aos santos jainos e, posteriormente, aos santos budistas iniciados nos mistérios esotéricos. [O *Arhat* é aquele que penetrou no melhor e supremo sendeiro, livrando-se assim do renascimento. O *Arhat* é o iniciado do grau superior, isto é, o que alcançou a quarta e última iniciação, aquele que passa por ela e converte-se em Adepto. (Ver *Voz do Silêncio*.)]

Arâma (*Sânsc.*) — Prazer, deleite, jardim de recreio.

Ârambha (*Sânsc.*) — Empresa, tentativa, esforço; origem, princípio.

Ârambha-vâda (*Sânsc.*) — "Teoria ou doutrina de um princípio", isto é, a criação do mundo por um Deus pessoal. (*Bhagavan Dâs*)

Aranî (*Sânsc.*) — O "*Aranî* feminino" é um nome do *Aditi* védico (esotericamente, "a matriz do mundo"). O *Aranî* é uma *swastica*, disco de madeira com um furo central, no qual os brahmanes produzem fogo através da fricção com o *pramantha*, um pau, símbolo do macho gerador. É uma cerimônia mística de significado oculto muito amplo e sagrado, que o materialismo grosseiro de nosso século corrompeu, dando-lhe um significado fálico.

Âranyaka (*Sânsc.*) — Santos ermitões, sábios da Índia antiga, que viviam nas selvas. Significa igualmente um tipo de escritos religiosos, fragmentos dos *Vedas* e *Upanishads* [que são objeto de estudo especial daqueles que se retiraram para uma selva, a fim de se consagrarem à meditação].

Aranyâni ou **Aranyânî** (*Sânsc.*) — Divindade das selvas.

Araritha (*Hebr.*) — Famosa e maravilhosa palavra cabalística de sete letras; sua numeração é 813. As letras foram retiradas por Notaricon da sentença: "um princípio de sua unidade, um começo de sua individualidade, sua mudança é unidade". (W. W. W.)

Arasa Maram (*Sânsc.*) — A árvore sagrada do conhecimento hindu. Em filosofia oculta, é uma palavra mística.

Arba-il (*Cald.*) — Os quatro grandes Deuses. *Arba* é uma palavra aramaica, que significa "quatro", e *il* é o mesmo que *Al* ou *El*. Três divindades masculinas e uma feminina, que é virgem, embora reprodutora; constituem um ideal muito comum da Divindade. (W. W. W.)

Arca da Aliança — Toda arca-altar, entre os egípcios, hindus, caldeus e mesmo entre os mexicanos, era um altar fálico, símbolo do *yoni* ou matriz da Natureza. O *seket* dos egípcios, a arca ou caixa sagrada, era colocada sobre o *ara*, seu pedestal. A arca de Osíris, com as relíquias sagradas do deus, "era do mesmo tamanho da arca hebraica", segundo o egiptólogo S. Sharpe. Era transportada pelos sacerdotes, com varas que passavam por seus anéis, em sagrada procissão, como a arca ao redor da qual dançava David, rei de Israel. Os deuses mexicanos possuíam igualmente as suas arcas, bem como Diana, Ceres e outras deusas. A arca era um barco, um veículo. "*Thebes* (Tebas) possuía uma arca sagrada de trezentos côvados de comprimento", devendo-se notar que "a palavra *Thebes* (Tebas) *significa*, em hebraico, *arca*", o que é apenas um reconhecimento natural do lugar ao qual o povo eleito é devedor de sua arca. Por outro lado, como escreve Bauer, "o Querubim não foi usado pela primeira vez por Moisés". A Ísis alada era o querubim ou *Arieh*, no Egito, séculos antes de ali chegar o próprio Abraão ou Sarai. Muitas vezes observou-se a semelhança externa de algumas arcas egípcias, que possuíam por arremate duas figuras humanas providas de asas, com a Arca da Aliança" (*Bible Educator*). E não apenas a semelhança e identidade externas, mas também a *interna*

A

são agora conhecidas por todos. As arcas, seja a da Aliança, ou seja, do reto e verdadeiro simbolismo pagão, tiveram em sua origem e têm agora um único e mesmo significado. O povo eleito apropriou-se da ideia, deixando de reconhecer sua procedência. O mesmo acontece no caso de *Urim* e *Thummin* (ver). No Egito, como o demonstraram muitos egiptólogos, estes dois objetos eram emblemas das *Duas Verdades*. "Duas figuras de Ré e Thmei eram levadas no peito pelo sumo sacerdote egípcio. *Thmé* (*thmin*, no plural) significava *verdade*, em hebraico. Segundo Wilkinson, a figura da Verdade tinha os olhos fechados. Rosellini relata que o *Thmei* era usado como colar. Diodoro atribui este colar de ouro e pedrarias ao sumo sacerdote, quando administra justiça. Na versão dos Setenta, a palavra *Thummin* foi traduzida com o sentido de Verdade." (Bonwick, *Crença Egípcia*)

Arca de Ísis — Na grande cerimônia anual dos egípcios, celebrada no monte de Athyr, o barco de Ísis era levado em procissão pelos sacerdotes e comiam-se tortas ou bolos *collyrianos* (pãezinhos), marcados com o sinal da cruz *(Tat)*. Esta cerimônia era realizada em comemoração ao pranto de Ísis pela perda de Osíris, o que dava à festividade de Athir um caráter solene e imponente. Como escreve Bonwick, "Platão refere-se às melodias próprias da cerimônia, dizendo que eram antiquíssimas" *(Eg. Belief and Mod. Thought)*. O *Miserere*, que se canta em Roma, conforme se disse, deriva deste canto e assemelha-se ao mesmo na cadência melancólica. Atrás da arca seguiam donzelas cobertas com véu, chorando. As *Nornas* ou virgens veladas choravam também a perda do deus saxão de nossos avós, o bom, porém infeliz, Baldur.

Arcanjo (Archangel) *(Gr.)* — Anjo supremo, mais elevado. Palavra derivada do grego *arch*, "principal" ou "primordial", e *angelos*, "mensageiros".

Archæus *(Gr.)* — "O Antigo". Este termo é aplicado à mais antiga divindade manifestada e, na cabala, é empregado como "arcaico", velho, antigo. [É o poder formador da Natureza, que divide os elementos e os compõe em partes orgânicas. É o princípio da vida, o poder que contém a essência da vida e caráter de todas as coisas. *(F. Hartmann)*]

Archates ou **Archalles** — O elemento do reino mineral. *(F. Hartmann)*

Arco ascendente — Equivalente a *evolução* ou retorno. Caracteriza-se pelo progressivo predomínio do Espírito sobre a matéria.

Arco descendente — Equivalente a *involução*. Caracteriza-se pelo crescente predomínio da matéria sobre o Espírito.

Arcons *(Gr.)* — Em linguagem profana e bíblica, "governadores" e príncipes; em Ocultismo, espíritos planetários primordiais.

Arcontes *(Gr.)* — Os arcanjos, após chegarem a ser *Ferouers* (ver) ou suas próprias sombras, com uma missão na Terra; uma ubiquidade mística, que implica em vida dupla; um tipo de ação hipostática: uma, de pureza numa região superior, outra, de atividade terrestre, exercida em nosso plano. (Ver Jâmblico, *De Mysterüs*, II, cap. 3.)

Ardath *(Hebr.)* — Encontra-se esta palavra no *Segundo Livro de Esdras*, IX, 26. Este nome foi dado a uma das recentes "novelas ocultas", na qual há um grande interesse pela visita do protagonista a um campo da chamada Terra Santa. A ela são atribuídas virtudes mágicas. No mencionado *Livro de Esdras*, o profeta é enviado a este campo denominado *Ardath*, "onde não há nenhuma casa", e é-lhe ordenado que "coma ali apenas as flores do campo, sem provar carne ou beber vinho, e ore continuamente ao Ser Supremo. Então Eu virei e falarei contigo". (W. W. W.)

Ardha-nâri *(Sânsc.)* — Literalmente: "meio mulher". Shiva representado como andrógino, metade macho e metade fêmea; um tipo de energias masculinas e femininas combinadas. (Ver o Diagrama oculto, em *Ísis sem Véu*, t. II.)

A

Ardha-nârîza (*Sânsc.*) — "Metade macho e metade fêmea". Um estado indiferenciado ou não-polarizado da Energia Cósmica. Personalizado, é a forma andrógina de Shiva. (Ver o verbete anterior)

Argha-nârîzvara (*Sânsc.*) — Literalmente: "o Senhor bissexual". Esotericamente, é o estado não-polarizado da Energia Cósmica, simbolizado pelo *Sephira* cabalístico, Adão Kadmón etc.

Ârdrâ (*Sânsc.*) — O sexto asterismo lunar.

Ares (*Gr.*) — Nome dado pelos gregos ao planeta Marte, deus da guerra. É também um termo usado por Paracelso, a força diferenciada no Cosmo. [O princípio espiritual; a causa do caráter específico de cada coisa. *(F. Hartmann)* Ares não é o *Iliaster* da Natureza, apenas distribui as formas e as espécies dos indivíduos, após ter aquilo tudo disposto segundo gêneros.] M.P.

Ares (Alentos ou Correntes) vitais — São cinco: *Prâna*: função respiratória; *Âpâna*: a corrente que opera na porção inferior do corpo e cujo objetivo é a excreção de produtos inúteis; *Samana*: a corrente que produz a função digestiva e a distribuição de alimento por todo o corpo; *Udâna*: a corrente que determina o afluxo de sangue para a cabeça; *Vyâna*: corrente vital relacionada com a pele e que faz com que cada parte do corpo conserve sua forma própria. É preciso notar que alguns destes termos têm outros significados, segundo a questão tratada (Ver *Prâna*.)

Areton (*Alq.*) — Latão dos filósofos.

Arfar (*Alq.*) — Arsênico filosófico.

Argha (*Cald.*) — A arca, a matriz da Natureza; a Lua crescente e um barco salva-vidas; é também uma taça para oferendas, um vaso empregado em certas cerimônias religiosas.

Arghyanâth (*Sânsc.*) — Literalmente: "Senhor das libações". [Título do *Mahâ Chohan* (*Doutrina Secreta*, II, 434).]

Arhan — Ver *Arahat*.

Arhat — Ver *Arahat*.

Ario — Ver *Arya*.

Arishta (*Sânsc.*) — Sinal ou presságio de morte ou desgraça. [M. Dvivedi: *Aforismos de Patañjali*, III, 22.]

Aristóbulo (*Gr.*) — Escritor alexandrino e filósofo pouco conhecido. Judeu que tentou provar que Aristóteles explicava as ideias esotéricas de Moisés.

Aritmomancia (*Gr.*) — A ciência das correspondências entre deuses, homens e números, como ensinadas por Pitágoras. (W. W. W.)

Ârjava (*Sânsc.*) — Retidão, sinceridade.

Arjuna (*Sânsc.*) — Literalmente, o "branco". Terceiro dos cinco irmãos Pândavas, ou seja, o celebrado filho de Indra (esotericamente, o mesmo que Orfeu). Discípulo de Krishna, que o visitou; casou-se com sua irmã Subhadrâ, além de ter muitas outras esposas, como conta a alegoria. Durante a guerra fratricida entre os Kurus e os Pândavas, Krishna o instruiu na suprema filosofia, enquanto desempenhava o papel de condutor de seu carro. (Ver *Bhagavad-Gîtâ*.) [Arjuna, terceiro dos príncipes pândavas, era filho de Pându e Prithâ ou Kuntî. Porém, Pându era apenas pai putativo de Arjuna, pois este foi misticamente engendrado pelo deus Indra. No *Bhagavad-Gîtâ*, Arjuna representa o

A

homem (como prova o próprio significado da palavra *Nara*, "homem", uma das denominações que este príncipe recebe) ou, melhor dizendo, a Mônada humana em evolução, assim como Krishna representava o Espírito que o guia e ilumina. O fato de Krishna dar a Arjuna sua própria irmã Subhara em casamento simboliza a união entre a luz do *Logos* e a Mônada humana.]

Arka (*Sânsc.*) — O Sol [ou o deus do Sol].

Arkabandhu (*Sânsc.*) — Nome da esposa de Buddha.

Arkajâ (*Sânsc.*) — "Nascida do Sol". Esposa dos gêmeos Azvins.

Arkasodara (*Sânsc.*) — "Irmão do Sol". Nome do elefante de Indra.

Arkites — Os antigos sacerdotes adjuntos à Arca de Ísis ou *Argua* hindu, e que eram em número de sete, como os sacerdotes do *Tat* egípcio ou qualquer outro símbolo cruciforme do *três* e do *quatro,* cuja combinação resulta em número masculino-feminino. O *Argha* (ou Arca) era o princípio feminino quádruplo e a chama, que sobre ele ardia, constituía o *lingham* triplo.

Armaiti — No Zoroastrismo, o princípio da Sabedoria ou deusa da Sabedoria. Posteriormente, como o Criador, passou a ser identificada com a Terra e foi adorada como deusa da Terra. (A. Besant, *Sabedoria Antiga*)

Aroueris (*Eg.*) — O deus Harsiesi, que era o Hórus antigo. Possuía um templo em Ambos. Se considerarmos a definição dos principais deuses egípcios dada por Plutarco, estes mitos tornam-se mais compreensíveis. Como este autor diz, muito acertadamente, "Osíris representa a origem e o princípio; Ísis, aquela que recebe; e Hórus, a composição de ambos. Hórus, engendrado entre eles, não é eterno nem incorruptível. Porém, estando continuamente em geração, procura, através de vicissitudes e paixão periódica (redespertando anualmente a vida), permanecer sempre jovem, como se jamais tivesse de morrer". Assim, visto que Hórus é a personificação do mundo físico, Aroueris, ou o "Hórus antigo", é o Universo ideal e isso explica o que foi dito sobre o fato de que "ele foi engendrado por Osíris e Ísis, quando estes ainda se encontravam no seio de sua mãe" – o Espaço. Realmente há muito mistério sobre este deus, porém o significado do símbolo é bastante claro, já que se tem a chave do mesmo.

Arquétipo — O tipo ideal, abstrato ou essencial. Este termo é geralmente aplicado às manifestações nas esferas *arûpa* (sem forma) do mundo mental.

Arqueu — Forma preferível de *Archæus* (ver).

Arriano — Sectário de Arrio, presbítero da Igreja de Alexandria, no séc. IV. Aquele que sustenta que Cristo é um ser criado e humano, inferior a Deus-Pai, embora fosse um homem sublime e esclarecido, um verdadeiro Adepto, versado em todos os mistérios divinos.

Artephius — Grande filósofo hermético, cujo verdadeiro nome permanece desconhecido e cujas obras não apresentam data, embora se saiba que escreveu seu *Livro Secreto* no séc. XII. Há um livro sobre sonhos, escrito por ele, em poder de um alquimista residente em Bagdá, no qual revela o segredo de ver em sonhos o passado, o presente e o futuro e de recordar as coisas vistas. Existem apenas duas cópias deste manuscrito. O livro sobre os *Sonhos,* escrito pelo judeu Salomón Almulus, publicado em hebraico, em Amsterdã, no ano de 1642, possui algumas reminiscências da obra de Artephius.

Artes (*Eg.*) — A Terra; o deus Marte egípcio.

Artha (*Sânsc.*) — Útil; coisa, objeto; riqueza, propriedade; propósito, estímulo; interesse; bem, benefício, proveito; causa, razão; significado etc.

A

Arthapati (*Sânsc.*) — "Senhor das riquezas". Epíteto de Kuvera.

Arthâpatti (*Sânsc.*) — Implicação. (*M. Dvivedi*)

Arthavattva (*Sânsc.*) — Transcendente; que dá frutos ou resultado. (*M. Dvivedi*)

Artufas (*Covas* ou *Cavernas de Iniciação*) — Nome genérico que, na América do Sul e ilhas, é dado aos templos de nagalismo ou culto às serpentes. [Estes templos são cavernas ou subterrâneos acessíveis apenas aos Iniciados. (*Doutrina Secreta*)]

Arugan — Entre os Jainas, o Ser Supremo.

Aruncula Grande (*Alq.*) — É a matéria da pedra dos Sábios.

Arundhatî (*Sânsc.*) — A "Estrela Matutina"; Lucifer-Vênus.

Arûpa (*Sânsc.*) — "Sem forma", "sem corpo"; em contraposição, *rûpa*: forma, corpo. Esta palavra é usada frequentemente como uma qualificação do plano *manásico*, cujas três condições superiores, ou íntimas, são descritas sob a denominação de "planos *arûpa*". (*P. Hoult*)

Arvâksrotas (*Sânsc.*) — A *sétima* criação, a do homem, no *Vishnu Purâna*.

Árvore Bodhi — Árvore do conhecimento; a sabedoria perfeita, divina. (*Voz do Silêncio*).

Árvore da Vida Assíria — *Asherah* (ver). Esta palavra é aquela traduzida na Bíblia com o sentido de "arvoredo" e é encontrada trinta vezes. É denominada "ídolo" e Maachah, avó de Asa, rei de Jerusalém, foi acusada de ter lavrado para si mesma um ídolo tal, que representava um *lingham* (ver). Por séculos este foi um rito religioso da Judeia. Porém o *Asherah* original era uma coluna com sete ramos de cada lado, arrematada por uma flor globular com três raios salientes e não uma pedra *fálica*, como a transformam os judeus, mas um símbolo metafísico. "Misericordioso, que ressuscita os mortos!", eis a oração que saía dos lábios diante de *Asherah,* nas margens do Eufrates. O "Misericordioso" não era o deus pessoal dos judeus que, de seu cativeiro, levaram o "arvoredo", nem nenhum deus extracósmico, mas a tríade superior do homem, simbolizada pela flor globular com seus três raios.

Árvores da Vida — Desde a mais remota antiguidade, as árvores foram relacionadas aos deuses e com as forças místicas da Natureza. Cada nação teve sua árvore sagrada com características peculiares e atributos baseados em propriedades naturais e, às vezes, também em propriedades ocultas, como se expõe nos ensinamentos esotéricos. Assim, o *peepul* ou *Âzvattha* hindu, mansão de *Pitris* (elementais, na realidade) de uma ordem inferior, tornou-se a árvore *Bo* ou *Ficus religiosa* dos budistas em todo o mundo, desde que o Gautama Buddha atingiu o conhecimento supremo e o *Nirvâna* sob esta árvore. O freixo, *Iggdrasil*, é a árvore dos escandinavos. O baniano é o símbolo do Espírito e da matéria, pois desce à Terra, lança raízes e logo sobe outra vez para o céu. O *palâza* (*Burea frondosa* ou *Curcuma reclinata*) de folha tripla é um emblema da essência tripla no Universo: Espírito, Alma e Matéria. O cipreste era a árvore da vida do México e, atualmente, entre os cristãos e maometanos, é a árvore da morte, da paz e do repouso. O pinheiro era tido como sagrado no Egito e sua pinha era levada em procissões religiosas, embora, atualmente, tenha quase desaparecido da terra das múmias. O mesmo aconteceu com o sicômoro, a tamargueira, a palmeira e a videira. O sicômoro era a Árvore da Vida no Egito e também na Assíria. Era consagrado a Hathor, em Heliópolis, e hoje à Virgem Maria. Seu suco era precioso, devido a seus poderes ocultos, como o é o Soma, entre os brahmanes, e o Haoma, entre os parsis. "O fruto e a seiva da Árvore

A

da Vida conferem imortalidade." Poder-se-ia escrever um grande volume sobre estas árvores sagradas da Antiguidade (sendo que a veneração de algumas sobreviveu até a atualidade), sem esgotar o assunto.

Árvore do Mundo — Ver *Yggdrasil*, *Árvores da Vida* e *Ovo do Mundo*.

Arwaker (*Esc.*) — Literalmente: "o que desperta cedo". O cavalo do carro do sol, guiado pela donzela Sol, nos *Eddas*.

Ârya (*Sânsc.*) — Literalmente: "Santo". ["Nobre", "de raça nobre". Nome de uma raça (a ariana), que invadiu a Índia, no período *védico*. Sobrenome de Agni, Indra e outras divindades.] Originalmente, era o título dos *Richis*, que dominaram o *Aryasatyâni* (ver) e entraram no sendeiro *Âryanimârga*, que conduz ao *Nirvâna* ou *Moksha* (Liberação). Porém, atualmente, este nome tornou-se epíteto de uma raça e nossos orientalistas, privando os brahmanes hindus de seus direitos de nascimento, transformaram todos os europeus em Âryas. Como no Esoterismo, os quatro sendeiros ou graus podem ser obtidos unicamente através de um grande desenvolvimento espiritual e "crescimento em santidade", quando são designados pelo nome de "quatro frutos". Para se chegar ao estado de Arhat, os quatro graus são respectivamente: *Zrotâpatti* (aquele que entrou na corrente), *Sakridâgâmin* (que deve retornar à vida apenas uma vez), *Anâgâmin* (que não deve retornar à vida) e *Arhat* (venerável, o quarto grau de perfeição). São as quatro classes de *Âryas*, que correspondem a esses quatro sendeiros e verdades.

Ârya-Bhata (*Sânsc.*) — O primeiro algebrista e astrônomo hindu, além de *Asuramaya* (ver), autor de uma obra intitulada *Ârya-Siddhânta*, que é um sistema de astronomia.

Ârya-Dâsa (*Sânsc.*) — Literalmente: "Santo Instrutor". Um grande sábio e *Arhat* da escola *Mahâsamghika*.

Aryahata (*Sânsc.*) — Sendeiro que conduz à condição de *Arhat* ou de santidade.

Aryaman (*Sânsc.*) — O Sol. O chefe dos *Pitris* (ou antepassados). Um dos *Âdityas*. (Ver *Bhagavad-Gîtâ*, X, 29.)

Âryasangha (*Sânsc.*) — Fundador da primeira escola de *Yogâchârya*. Este *Arhat*, discípulo direto de Gautama Buddha, é confundido muito estranhamente com um personagem de mesmo nome, que, segundo se diz, viveu em Ayodhya (a moderna Oude) até o séc. V ou VI de nossa era, ensinando o culto tântrico e também o sistema *Yogâchârya*. Aqueles que pretendiam torná-lo popular diziam que era o próprio Âryasangha, que havia sido um dos discípulos de Sâkyamuni e que tinha mil anos de idade. A evidência interna por si só é bastante para demonstrar que as obras escritas por ele e traduzidas por volta do ano 600 de nossa era – obras atestadas de culto, ritualismo e dogmas tântricos, seguidos atualmente, em grande escala, pelas seitas dos "turbantes vermelhos" de Sikhim, Butão e Pequeno Tibete – não podem constituir o mesmo sistema sublime da primitiva escola Yogâchârya de budismo puro, que não é do Norte nem do Sul, mas absolutamente esotérico. Embora nenhum dos livros autênticos da escola Yogâchârya (o *Narjol chodpa*) tenha-se tornado público ou vendável, no *Yogâchârya-Bhûmi Shâstra*, contudo, do pseudo-Âryasangha, pode-se encontrar muito de sistema mais antigo, em cujas doutrinas deve ter sido iniciado. Porém, há tanta mistura com o Shivaísmo e com magia e superstições tântricas, que a obra deixa de atingir seu objetivo, apesar de sua notável sutileza dialética. Quão pouco dignas de confiança são as conclusões tiradas por nossos orientalistas e quão contraditórias as datas por eles assinaladas, como se demonstra aqui. Enquanto Csoma Körös (que, diga-se de passagem, nunca travou conhecimento

A

com os *Gelupka*, "turbantes amarelos", porém adquiriu toda a sua informação dos "turbantes vermelhos", lamas da região limítrofe) coloca o pseudo-Âryasangha no sétimo século de nossa era, Wassiljew, que passou a maior parte de sua vida na China, prova que ele viveu muito antes disso; Wilson (ver *Real Sociedade Asiática*, t. VI, p. 240), falando do período em que foram escritas as obras de Âryasangha, que ainda se encontram em sânscrito, crê ter "demonstrado que foram escritas, *o mais tardar, de um século e meio antes a outro século e meio depois* da era cristã". Seja como for, do momento em que está fora de dúvida o fato de que as obras religiosas *Mahâyana* foram todas escritas muito tempo antes de Âryasangha - seja aquele que viveu no "segundo século antes de Cristo" ou aquele do "sétimo século depois de Cristo" - e que continham todas as doutrinas fundamentais do sistema Yogâchârya, tão desfigurado pelo imitador ayodhyano, deduz-se que deve existir em algum lugar uma autêntica exposição livre do Shivaísmo popular e de magia negra.

Âryasatyâni (*Sânsc.*) — As quatro verdades sublimes ou os quatro dogmas, a saber: 1º) *Du(s)kha*, ou seja, a miséria e a dor são os companheiros inevitáveis da existência insipiente (esotericamente, física); 2º) *Samudaya*, a verdade incontestável de que o sofrimento é intensificado pelas paixões humanas; 3º) *Nirodha*, isto é, que a destruição e extinção de todos os sentimentos são possíveis para o Homem "no sendeiro"; 4º) *Mârga*, o estreito caminho ou senda que conduz a um resultado tão feliz.

Âryâvarta ou **Âryâvartta** (*Sânsc.*) — "A terra dos Aryas", ou seja, a Índia. Antigo nome da Índia do Norte, onde se estabeleceram inicialmente os invasores brahmanes ("desde o Oxo - atualmente Amu-Daria"), segundo os orientalistas. É errado dar este nome a toda a Índia, pois Manu denomina "terra dos Aryas" apenas a "região compreendida entre as cadeias de montanhas do Himalaia e Vindhya", do mar oriental ao ocidental.

Asabum (*Alq.*) — Estanho, Júpiter dos Sábios.

Asadgraha (Asat-graha) (*Sânsc.*) — Má inclinação ou tendência; falsa noção.

Asâdrârana-nimitta (*Sânsc.*) — Causa ou condição incomum; causa ou condição principal ou particular.

Asagen (*Alq.*) — Sangue de dragão.

Asakrit-samâdhi (*Sânsc.*) — Certo grau de contemplação estática. Um estado de *Samâdhi*.

Asakta (*Sânsc.*) — Desinteressado, desafeito, desprendido. O oposto de *Sakta*.

Asakta-buddhi (*Sânsc.*) — De ânimo desafeito, de mente desinteressada.

Asakti (*Sânsc.*) — Desinteresse, desprendimento, desapego, indiferença, abnegação. O oposto de *Sakti*.

Asamâhita (*Sânsc.*) — "Não-atento". (Ver *Ayukta*.)

Asamâvayi-kârana (*Sânsc.*) — Causa não-cocomitante. (*Bhagavân Dâs*)

Asammoha (*Sânsc.*) — Ausência de ilusão ou de perturbação.

Asammûdha (*Sânsc.*) — Livre de confusão, ilusão ou erro.

Asamprajñâta (*Sânsc.*) — Inconsciente.

Asamprajñâta-samâdhi (*Sânsc.*) — "*Samâdhi* inconsciente ou sem consciência". O estado supraconsciente mais elevado. É aquele tipo de *samâdhi* (ver) no qual a mente, por seu absoluto e supremo desprendimento, está concentrada e perfeitamente absorvida

A

na alma *(sattva)* e a vê sempre em todas as partes, de modo que, estando a mente por assim dizer aniquilada, brilha apenas o Espírito *(Purucha)* em sua glória natural e chega-se a um estado de onisciência intuitiva. *(M. Dvivedi)* A tal estado A. Besant dá o nome de *Samâdhi* "com a consciência voltada para o interior". No estado inferior, recebe o nome de *Samprajñâta-samâdhi*. (Ver *Nirvikalpa* e *Nirbîja*.)

Asamyata *(Sânsc.)* — Não-subjugado, não-refreado, indisciplinado.

Âsana *(Sânsc.)* — O terceiro estado do *Hatha-Yoga*; uma das posturas ou atitudes prescritas para a meditação. [No *Yoga* de Patañjali, a atitude corporal *(âsana)* é uma de suas oito partes *(yogangas)*. Ver *Aforismos de Patañjali*, II, 29, 46-7.]

Asanga *(Sânsc.)* — Desapego, desprendimento, desinteresse, desafeto.

Asat (A-sat) *(Sânsc.)* — Termo filosófico que significa "não-ser", ou melhor, *não-ipseidade*. "O nada incompreensível". *Sat*, o imutável, eterno, sempre presente, e a real "Ipseidade" (e não "Ser", como querem alguns), é explicado como tendo "nascido de *Asat* e *Asat* engendrado por *Sat*". O irreal, ou *Prakriti*, a Natureza objetiva considerada como uma ilusão. A Natureza ou a sombra ilusória de sua verdadeira essência única. [*Asat*, "não ser", *a-sat*, não é simplesmente a negação de *sat*, também não é "o que ainda não existe", pois *sat* não é, em si mesmo, nem o "existente" nem o "ser". (*Doutrina Secreta*, II, 470) É o oposto a *sat* (ser, realidade). A palavra *Asat* tem também outras acepções: ilusão, falsidade, nulidade, mal etc.]

Asathor *(Esc.)* — O mesmo que Thor. O deus da tempestade, e do trovão; um herói que recebe o Miolner, "o martelo da tempestade" das mãos de seus fabricantes, os anões. Com ele vence Alwin, na "batalha das palavras", parte a cabeça do gigante Hrungir, castiga Loki por sua magia; destrói toda a raça dos gigantes em Thrymheim e, como deus bom e benévolo, fixa limites no território, exalta a lei e a ordem, santifica os vínculos matrimoniais. Nos Eddas, um deus quase tão grande como Odin. Ver *Miolner* e *Martelo de Thor*.

Asatya *(Sânsc.)* — Falsidade, mentira, erro.

Asava Samkhaya *(Pal.)* — A "finalidade da corrente", um dos seis *Abhijñâs* (ver). Conhecimento fenomenal da finalidade da corrente da vida e as séries de renascimentos.

Asburj ou **Ashburj** — Um dos legendários picos da cadeia montanhosa em Tenerife. Nas tradições do Irã, é uma grande montanha que, em seu significado alegórico, corresponde ao Monte do Mundo, o Meru. O Asburj é a montanha "ao pé da qual o Sol se põe".

Asch Metzareph *(Hebr.)* — "O Fogo Purificador". Tratado cabalístico que trata da Alquimia e da relação que há entre os metais e os planetas.

Ased *(Alq.)* — Leão dos filósofos.

Aseka ou **Asekha** — No Budismo, este nome é dado àquele que não tem mais nada a aprender: um indivíduo da hierarquia superior à de *Arhat*. "Quando o homem atingiu este nível, adquire o mais completo domínio sobre seu próprio destino e escolhe sua futura linha de evolução" *(The Vâhan)*. (P. Hoult)

Asens *(Esc.)* — São os criadores de Anões e Elfos, os Elementais que estão abaixo dos homens, nas lendas escandinavas. São a descendência de Odin; o mesmo que *Æsir* (ver).

Asgard *(Esc.)* — Reino e residência dos deuses escandinavos; o Olimpo escandinavo, situado "acima da casa dos Elfos de Luz", porém no mesmo plano do *Jœt unheim*, residência dos *Jotus,* gigantes perversos versados em magia, com os quais os deuses viviam em guerra constante. É evidente que os deuses do *Asgard* são idênticos aos *Suras* (deuses) hindus e que os *Jotuns* são idênticos aos *Asuras,* pois uns e outros representam os poderes benéficos e maléficos da Natureza, que lutam entre si. São também protótipos dos deuses gregos e Titãs.

Ash (*Hebr.*) — Fogo, tanto o físico quanto o simbólico. Tal palavra também pode ser escrita de outras maneiras: *As, Aish* e *Esch*.

Âshâb — Ver *Ashen* e *Langhan*.

Ashen e **Langham** (*Kol.*) — Certas cerimônias em uso entre as tribos kolarianas da Índia e cujo objetivo é afastar os maus espíritos. São análogos às cerimônias de exorcismo comuns entre os cristãos. [Na obra intitulada *Cinco Anos de Teosofia,* a palavra *Ashen* está escrita *Âshâb*.]

Asherah (*Hebr.*) — Esta palavra encontra-se no *Antigo Testamento* e é comumente traduzida como "arvoredo", referindo-se ao culto idolátrico; porém, é provável que se refira, realmente, às cerimônias de depravação sexual. É um nome feminino. (W. W. W.)

Ashkenaz — Ver *Achquenazi*.

Ashlesha (Âlechâ) (*Sânsc.*) — Uma das mansões lunares. *(Râma Prasâd)*

Ashmog (*Zend.*) — O Dragão ou Serpente, monstro com pescoço de camelo, no *Avesta*. Uma espécie de Satã alegórico, que, depois da queda, "perdeu sua natureza e nome". Nos antigos textos hebreus (cabalísticos) é denominado "camelo voador". Em um outro caso, é evidente uma reminiscência ou tradição dos monstros pré-históricos ou antediluvianos, meio aves e meio répteis.

Ashoka (Azoka ou **Azoka)** (*Sânsc.*) — Célebre rei budista da Índia, da dinastia Morya, que reinou em Magadha. Na realidade existiram dois *Ashokas,* de acordo com as crônicas do Budismo do Norte, embora o primeiro Ashoka, avô do segundo, chamado pelo professor Max Müller "o Constantino da Índia", seja mais conhecido pelo nome de Chandragupta. O primeiro deles foi intitulado *Piyadaso* (palí), "o formoso", e *Devânâmpiya* (*priya,* em sânscrito), "amado dos deuses", e também *Kâlâshoka;* enquanto seu neto era *Dharmâshoka,* "o Ashoka da boa lei", devido à sua devoção ao Budismo. Por outro lado, segundo o mesmo autor, o segundo Ashoka nunca seguiu a fé brahmânica, pois era budista desde o nascimento. Seu avô foi quem se converteu primeiro à nova fé e, depois disso, mandou gravar uma multidão de editos em pilares e rochas, costume que seu neto também seguiu. Porém o segundo Ashoka foi o mais zeloso defensor do Budismo; mantinha de sessenta a setenta mil monges e sacerdotes em seu palácio, erigiu oitenta e quatro mil *stupas* e *topes* (colunas) em toda a Índia, reinou trinta e seis anos (do ano 234 ao 198 a.C.) e enviou missões ao Ceilão e a todo o mundo. As inscrições de vários editos publicados por ele revelam os sentimentos morais mais nobres, particularmente o edito de Allahabad, na chamada "Coluna de Ashoka", no Forte. Tais sentimentos são elevados e poéticos, respiram benevolência e afeto, tanto para com os animais como os homens, e dão uma alta imagem da missão de um rei em relação a seus súditos, que poderia ser seguida com grande êxito nos tempos atuais, onde grassam guerras cruéis e bárbara violência.

Ashrama (Asrama ou **Azrama)** (*Sânsc.*) — Um edifício sagrado, mosteiro ou ermida para fins ascéticos. Cada seita da Índia tem seus *Ashramas*. Ordem; hierarquia; retiro, especialmente a vida do eremita no deserto. Um dos quatro graus ou períodos em que se divide a vida religiosa do brahmane. Os *Ashramas* são: o *Brahmachâri,* o *Grihastha,* o *Vanaprastha* e o *Bhikchu* ou *Sannyâsi.* (P. Hoult)

A

Ashtadisa (ou **Achtadiza**) (*Sânsc.*) — O espaço de oito faces. Uma divisão imaginária do espaço representada como um octógono e, outras vezes, como um dodecaedro.

Ashtar Vidyâ — Ver *Ashtar Vidyâ*.

Ashta-Siddhis — Ver *Achta-Siddhis*.

Ashvatta (**Aswattha**, **Ashvattha** ou **Azvattha**) (*Sânsc.*) — A árvore *Bo* ou árvore do conhecimento, *Ficus religiosa*. Baniano ou figueira sagrada da Índia. O *Ashvatta* é o emblema do Universo, da vida e do ser. Suas raízes simbolizam o Ser Supremo, a Causa Primeira, a Raiz do Cosmo. A corrente rotatória da existência individual *(Samsâra)* é representada por seus ramos, que descem até o solo e lançam novas raízes. Esta árvore só pode ser abatida através do conhecimento espiritual. Sua destruição conduz à imortalidade. (Ver *Bhagavad-Gîtâ*, XV, 1-3.)

Ashwatthâma (**Aswatthâma** ou **Azvatthâman**) (*Sânsc.*) — Literalmente: "Que tem a força de um cavalo". Filho de Drona e de um dos caudilhos do exército dos Kurus. (Ver *Bhagavad-Gîtâ*, 1, 8.)

Ashwins (**Aswins**, **Azvins**, **Azvinau** (dual) ou também **Azwinîkumârau** (dual)) — São as divindades mais ocultas e misteriosas de todas, que "deixaram confusos os mais antigos comentaristas". Literalmente, são os "Ginetes", os "Cocheiros Divinos", visto que estão montados num carro de ouro puxado por cavalos, aves ou outros animais e *são dotados de muitas formas*. Os Ashwins são duas divindades védicas, os filhos gêmeos do Sol e do céu, que se convertem na ninfa Ashwinî. [Os gêmeos chamam-se Dasra e Nâsatya.] No simbolismo mitológico, são "os brilhantes arautos ou precursores de *Uchas*, a aurora:", que são "sempre jovens e formosos, resplandescentes, ágeis, velozes como falcões" e "preparam o caminho da aurora radiante para aqueles que pacientemente a esperaram durante toda a noite". São denominados também "médicos do *Svarga*" (céu ou Devachan) [ou médicos dos deuses], pois, do mesmo modo como curam de todo mal e sofrimento, curam também todas as enfermidades. Astronomicamente, são constelações. Foram objeto de adoração fervorosa, como mostram seus epítetos. São os "Nascidos do Oceano" (isto é, nascidos do *espaço*) ou *Abdhijas* [*Abdhijau*, dual], "Coroados de Lotus" ou *Puchkara srajam* etc. Yâska, comentarista do *Nirukta*, é de opinião que "os Ashwins representam a transição entre as trevas e a luz" – cosmicamente e, podemos acrescentar, metafisicamente também. Porém, Muir e Goldstücker sentem-se inclinados a ver neles os antigos "Ginetes Renomados", baseando-se certamente na lenda de que "os deuses negaram a admissão dos Ashwins num sacrifício, pelo fato *deles terem mantido relações bastante familiares com os homens*". É precisamente por isso, como explicou o próprio Yâska, que "são identificados com o céu e a Terra", só que por uma razão diferente. Na verdade, os Ashwins são idênticos aos *Ribhus*, "originalmente renomados mortais (porém, às vezes não-renomados) que, com o passar do tempo, foi-lhes permitido desfrutar da companhia dos deuses"; e oferecem um caráter negativo, "resultado da aliança da luz com as trevas", simplesmente porque estes gêmeos são, na filosofia esotérica, os *Kumâra-Egos*, os "Princípios" que se reencarnam neste *Manvantara*. [Provavelmente, em certo aspecto, os dois Ashwins são personificações dos crepúsculos matutino e vespertino. Misticamente, correspondem a Hermes, na teogonia egípcia. Representam o órgão interno através do qual o conhecimento é transmitido da alma para o corpo. *(Cinco Anos de Teosofia)*]

Ash Yggdrasll (*Esc.*) — A "Árvore do Mundo", o símbolo do Mundo entre os escandinavos, a "Árvore do Universo, do Tempo e da Vida". É sempre verde, porque as Normas do Destino regam-na diariamente com a água da vida da fonte de Urd, que brota em Midgard (a Terra). O dragão Nidhogg, o dragão do Mal e do Pecado, rói sem

A

cessar suas raízes. Porém o *Ash Yggdrasil* não pode secar até que se tenha travado a última batalha (a sétima Raça na sétima Ronda) e então a vida, o tempo e o mundo desvanecer-se-ão e desaparecerão do Todo.

Asipatravana (*Sânsc.*) — Um dos departamentos infernais. (*Ramayana Uttarakanda*, Sarga XXI)

Asira (Azira) (*Sânsc.*) — [Literalmente: "sem cabeça".] Elementais sem cabeça (ou acéfalos). Este termo aplica-se também às duas primeiras raças humanas.

Asita (*Sânsc.*) — Um nome próprio; um filho de Bharata; um *Richi* e um sábio. [*Asita*: "não-branco", negro. A quinzena obscura da lunação. Nome do planeta Saturno. Pai de Devala e um dos filhos de Vizvâmitra. É mencionado entre os Richis no *Bhagavad-Gîtâ*, X, 13.]

Ask (*Esc.*) ou **Ash** (árvore) — A "Árvore do Conhecimento". Juntamente com o *Embla* (amieiro), o *Ask* era a árvore da qual os deuses do *Asgard* criaram o primeiro homem.

Aski - kataski - haix - tetrax - damnameneus - aison — Estas palavras místicas que, segundo Anastasio Kircher, significam: "Trevas, Luz, Terra, Sol e Verdade", foram – segundo Hesíquio – gravadas no cinto da Diana de Efeso. Plutarco relata que os sacerdotes costumavam recitar estas palavras diante de pessoas possuídas pelo demônio. (W. W. W.)

Asmi (*Sânsc.*) — "(Eu) sou".

Asmitâ (*Sânsc.*) — (1) Egotismo, personalismo; sentimento ou consciência do ser pessoal; é sinônimo de *Ahankâra;* (2) que faz parte ou partícula do eu; (3) a noção de que o eu não é uma coisa separada das percepções e conceitos; a identificação da consciência com o eu. (*Râma Prasâd*)

Asmodeo (Asmodeus) — É o persa *Aêshma-dev*, o *Esham-dev* dos parsis, "o mau Espírito da concupiscência" – segundo Breal –, o qual foi apropriado pelos judeus com o nome de *Ashmedai*, "o Destruidor"; o *Talmud* identifica a criatura com Beelzebub (ou Belzebu) e Azrael, o Anjo da Morte, chamando-o de "Rei dos Demônios".

Asmoneos — Reis-sacerdotes de Israel, cuja dinastia durou 126 anos. Promulgaram o Cânone do Testamento Mosaico, em contraposição aos *Apócrypha* (ver) ou *Livro Secreto* dos judeus de Alexandria, os cabalistas, e mantiveram o significado da letra morta dos primeiros. Até o tempo de Hircano, foram Ascedeanos *(Chasidim)* e Fariseus; porém, mais tarde, tornaram-se Saduceus ou *Zadokites,* defensores da regra sacerdotal como diferente da rabínica.

Asoka — Ver *Ashoka*.

Asomatous (*Gr.*) — Literalmente: "incorpóreo", sem corpo material. Este termo é aplicado aos anjos e outros seres celestiais.

Aspecto — A forma *(rûpa)* sob a qual um princípio qualquer se manifesta no homem ou na natureza setenária é denominada, em Teosofia, um *aspecto* de tal princípio. (Glossário de *A Chave da Teosofia*)

Asrama — Ver *Ashrama*.

Asrob (*Alq.*) — Matéria dos filósofos em putrefação, sua Cabeça de Corvo, seu Saturno.

Assassinos — Também denominados *Haschischinos*. Nome de uma seita maçônica e mística fundada por Hassan Sabah, na Pérsia, no séc. XI. Esta palavra é uma corruptela

A

europeia de "Hassan", que forma a parte principal de tal nome. Os Assassinos eram simplesmente *Sufis* e ligados, segundo a tradição, aos *comedores de haxixe* (uma planta narcótica), a fim de produzir visões celestes. Como o demonstrou nosso pranteado irmão Kenneth Mackenzie, "eram instrutores ou mestres das doutrinas secretas do Islamismo; fomentaram as matemáticas e a filosofia e compuseram obras de grande valor". O chefe da Ordem chamava-se *Sheikel-Jebel*, cuja palavra foi traduzida com o sentido de "Velho da Montanha" e, como seu Grande Mestre, tinha poder de vida e morte.

Assíria (*Árvore da Vida*) — Ver *Árvore da Vida Assíria*.

Assírias (*Sagradas Escrituras*) — Ver *Sagradas Escrituras Assírias*.

Assorus (*Cald.*) — O terceiro grupo de descendentes (Kissan e Assorus) da "díade" babilônica Tauthe e Apason, segundo as Teogonias de Damascio. Desta última surgiram outras três, de cujas séries a última, Aus, engendrou Belo *(Belus)*, "o criador do Mundo, o Demiurgo".

Assur (*Cald.*) — Uma cidade da Assíria; o antigo lugar de uma biblioteca, da qual George Smith escavou as primeiras tábuas conhecidas, às quais ele atribui a data de 1.500 anos a.C., chamadas de Assur *Kileh Shergat*.

Assurbanipal (*Cald.*) — O Sardanápalo dos gregos, "o maior de todos os soberanos assírios, muito mais memorável devido à esplêndida proteção às letras do que pela grandeza de seu império", escreve G. Smith, que diz em seguida: "Assurbanipal acrescentou à biblioteca real assíria muito mais do que *todos os reis que o precederam*". Como nos diz o eminente assiriólogo, em outra parte de sua *Literatura Babilônica e Assíria (Chald. Account of Genesis)*, "a maior parte dos textos conservados pertence ao primeiro período, anterior ao ano de 1600 a.C."; entretanto, afirma: "às tábuas escritas em seu (de Assurbanipal) reinado (673 a.C.) devemos quase tudo quanto sabemos da primitiva história da Babilônia". Pode-se, com razão, perguntar: "Como você o sabe?".

Asta-dazâ (Asta dashâ) (*Sânsc.*) — Perfeita, suprema Sabedoria (ou Inteligência): um dos títulos da Divindade.

Aster't (Astarte) (*Hebr.*) — Astarté, a deusa síria, esposa de Adon ou Adonai.

Asteya (*Sânsc.*) — "Falta de interesse ou ambição". Desinteresse.

Asthira (*Sânsc.*) — Instável, inseguro, móvel, vacilante, inconstante.

Âstikya (*Sânsc.*) — Fé, piedade, conhecimento das coisas divinas. Ortodoxia.

Astra (*Sânsc.*) — Arma, em geral, flecha, dardo, projétil etc. Na Mitologia hindu, é o nome de certos meios misteriosos empregados para vencer os inimigos. Por *Astra* podem ser entendidas as formas - pensamento ou as armas de diversas espécies concebidas ou fabricadas através de fórmulas mágicas. Assim, *agnyastra* (*agni-astra* ou "arma de fogo") são os meios de guerrear com fogo; *mahâmâyâ-astra* são as armas da grande ilusão; *mohan-astra* são as da fascinação etc. (*P. Hoult*)

Astræa (Astreia) (*Gr.*) — A antiga deusa da justiça, a quem a maldade dos homens afastou da Terra para o céu, onde reside agora, formando a constelação de Virgem.

Astral — Ver *Corpo Astral, Mundo Astral* etc.

Astro (*Alq.*) — Palavra usada pelos químicos para indicar a substância ígnea, fixa, princípio da multiplicação, extensão e geração de tudo. Esta substância tende, por si mesma, à geração, mas só atua quando excitada pelo calor celeste, que se encontra em toda parte.

A

Astrolatria (*Gr.*) — Culto aos astros.

Astrologia (*Gr.*) — É a ciência que expõe a ação dos corpos celestes sobre as coisas do mundo e pretende prognosticar os acontecimentos futuros segundo a posição dos astros. Sua antiguidade é tanta que é colocada entre os mais primitivos anais do saber humano. Durante muitos séculos foi uma ciência secreta no Oriente e sua última expressão continua sendo atualmente. Sua aplicação exotérica adquiriu certo grau de perfeição no Ocidente somente depois de Varaha Muhira ter escrito seu livro sobre Astrologia há cerca de 1.400 anos. Cláudio Ptolomeu, o famoso geógrafo e matemático que fundou o sistema astronômico que leva seu nome, escreveu seu tratado *Tetrabiblos* aproximadamente no ano 135 de nossa era. A ciência da Elaboração de Horóscopos é estudada agora sob quatro pontos de vista principais, a saber: 1º) *mundial*, em sua aplicação na meteorologia, sismologia, agricultura etc.; 2º) *político* ou *civil*, relacionado à sorte das nações, reis e governantes; 3º) *horário*, que se atém à solução das dúvidas nascidas na mente sobre algum assunto; 4º) *natalício*, em sua aplicação ao destino dos indivíduos, desde o instante de seu nascimento até sua morte. Os egípcios e os caldeus figuravam entre os mais antigos partidários da Astrologia, embora seus métodos de consulta aos astros diferissem consideravelmente das práticas modernas. Os primeiros pretendiam que Belo, o Bel ou Elu dos caldeus, um ramo da Dinastia *Divina*, ou seja, a Dinastia dos deuses-reis, havia pertencido à terra de Chemi (Egito), a qual abandonou para fundar uma colônia egípcia às margens do Eufrates, onde construíram um templo cuidado por sacerdotes, que estavam a serviço dos "Senhores dos Astros" e que adotaram o nome de *Caldeus*. Duas coisas são bem sabidas: (a) que Tebas (do Egito) reclamava a honra de ter inventado a Astrologia, e (b) que foram os Caldeus que ensinaram esta ciência às demais nações. Então, vejamos: Tebas era muito anterior não só à "Ur dos Caldeus", mas também a Nipur, onde se deu inicialmente o culto a Bel, sendo seu filho Sin (a Lua) a divindade que presidia em Ur, a terra natal de Terah, o sábio e astrólatra, e de seu filho Abram, o grande astrólogo da tradição bíblica. Tudo tende, pois, a corroborar as pretensões egípcias. Se mais tarde, em Roma e outros lugares, o nome de Astrólogo caiu em descrédito, isto se deveu à fraude dos que pretendiam ganhar dinheiro por intermédio daquilo que é parte integrante da sagrada Ciência dos Mistérios e, ignorantes desta última, desenvolveram um sistema baseado inteiramente nas matemáticas, ao invés da metafísica transcendental, e tendo os corpos físicos celestes como seu *upadhi* ou base material. Contudo, apesar das perseguições foi sempre muito grande o número de partidários da Astrologia entre os talentos intelectuais e científicos. Se Cardan e Kepler contaram-se entre seus mais ardentes defensores, não têm porque envergonhar-se aqueles que, em época posterior, consagram-se à referida ciência, embora, em sua forma atual, seja imperfeita e deturpada. Como se diz, em *Ísis sem Véu* (1, 259): a Astrologia é a astronomia exata como a Psicologia é a fisiologia exata. Na Astrologia como na Psicologia, é preciso ir além do mundo visível da matéria e entrar nos domínios do Espírito sublime. (Ver *Astronomos*.)

Astronomos (*Gr.*) — Título dado ao Iniciado que atingia o sétimo grau da recepção nos Mistérios. Em tempos antigos, Astronomia era sinônimo de Astrologia; a Iniciação astrológica teve aplicação em Tebas (Egito), onde os sacerdotes aperfeiçoaram, se não inventaram, tal ciência. Depois de passar pelos graus de *Pastophoros*, *Neocoros*, *Melanophoros*, *Kistophoros* e *Balahala* (grau de Química dos Astros), o neófito aprendia os signos místicos do Zodíaco, em uma dança circular que representava o curso dos planetas (a dança de Krishna e os *Gopîs* [pastores], celebrada até hoje em Rajputana), depois do que lhe era entregue uma cruz, *Tau* (ou *Tat*), convertendo-o, assim, num *Astronomos* ou Medicinante. (Ver *Ísis sem Véu*, II, 365.) Nestes estudos, a Astronomia e a Química eram inseparáveis. "Hipócrates tinha uma fé tão viva na influência dos astros sobre os seres animados e suas enfermidades que recomendava, de maneira especial, não confiar em

A

médicos ignorantes em Astrologia" (Arago). Infelizmente, o astrólogo moderno perdeu a chave da porta final da Astrologia ou Astronomia e, sem ela, como pode ser ele capaz de replicar à observação feita pelo autor de *Nazzaroth*, que escreve: "Diz-se que as pessoas nascem sob um signo, quando na realidade nascem sob outro, porque *o Sol se encontra agora entre astros diferentes no equinócio*"? Contudo, apesar das poucas verdades que contém, atraiu a si homens distintos e cientistas crentes, tais como Sir Isaac Newton, os bispos Jeremy e Hall, o arcebispo Usher, Dryden, Flamstead, E. Ashmole, J. Milton, Steele e uma multidão de eminentes Rosa-cruzes.

Astrum — Este termo é empregado frequentemente por Paracelso e tem o mesmo sentido de Luz astral ou a esfera particular da mente, que pertence a cada indivíduo e dá a cada coisa suas qualidades especiais, constituindo, por assim dizer, seu mundo.

Asu (*Sânsc.*) — Alento, espírito vital, vida. O alento de Brahmâ, *Âtman*. Asu (neutro) significa o coração como local das afeições, pensamento, reflexão, meditação etc.

Asub (*Alq.*) — Expressão equivalente a *Alumen*.

Asudhârana (*Sânsc.*) — Vida, existência.

Asukha (*Sânsc.*) — Desagradável, penoso, desgraçado, infeliz.

Asura (*Sânsc.*) — Esotericamente, os *asuras* são elementais e deuses maus – considerados maléficos; gênios, espíritos malignos, demônios e "não-deuses" (*a-suras*), inimigos dos deuses (*suras*), com os quais estavam em perpétua guerra. Porém, esotericamente, é o contrário. Visto que, nas partes mais antigas do *Rig-Veda*, tal termo aplica-se ao Espírito Supremo, os *Asuras* são, portanto, espirituais e divinos. Apenas no último livro do *Rig-Veda*, em sua última parte, e no *Atharva-Veda* e nos Brâhmanas, tal epíteto, que havia sido aplicado a Agni, a grande divindade védica, a Indra e a Varuna, passa a ter um significado contrário ao de deuses. *Asu* significa alento e é com este alento que *Prajâpati* (Brahmâ) cria os *Asuras*. Quando o ritualismo e o dogma levavam vantagem sobre a religião da Sabedoria, a letra inicial *a* era adotada como prefixo negativo e a palavra em questão passou a significar "não um deus", e *sura* apenas uma divindade. Porém, nos *Vedas*, os *suras* estão sempre relacionados com *Surya*, o Sol, e considerados como divindades (*devas*) inferiores. Em sua acepção primitiva e esotérica, baseando-se em outra etimologia, asura (de *asu*, vida, espírito vital ou alento – de Deus – e *ra*, que tem ou possui) significa um ser espiritual ou divino, o Espírito Supremo, equivalente ao grau *Ahura* dos zoroastrianos.

Âsura (*Sânsc.*) — Demoníaco.

Asuramaya (*Sânsc.*) — Conhecido também pelo nome de *Mayâsura*. Astrônomo atlante considerado um grande mago e feiticeiro e que aparece muito nas obras sânscritas.

Asura-mâyâ (*Sânsc.*) — Magia ou prestígio demoníaco; magia negra.

Asura-Mazda (*Sânsc.*) — Em zendês, *Ahura Mazda*. O mesmo que Ormuzd ou Mazdeô; o deus de Zoroastro e dos parsis.

Asurya (*Sânsc.*) — 1º) Espiritual, divino; 2º) demoníaco. Divindade.

Asvamedha (**Aswamedha** ou **Azvamedha**) (*Sânsc.*) — O sacrifício do cavalo; antiga cerimônia brahmânica. [O maior, mais solene e custoso dos sacrifícios, também chamado "sacrifício do cavalo", por ser um desses animais imolado durante o mesmo. Era um sacrifício que apenas os reis podiam oferecer. Os benefícios que trazia eram considerados extraordinários (sem dúvida em relação ao que custavam). Cem destes sacrifícios

A

permitiam ao soberano ofertante destronar o próprio Indra e chegar a ser o monarca universal. Para celebrá-lo, escolhia-se um cavalo de raça pura, que era tratado e mantido com o máximo cuidado durante um ano. A cerimônia propriamente dita durava três dias. O primeiro era passado em orações e invocações às divindades. No segundo, após ter sido ungido pelas três esposas principais do rei, o cavalo era atado a um poste (entre muitos outros animais, que seriam também sacrificados) e morto por asfixia, envolvendo-se-lhe a cabeça em panos. Uma vez morto, a esposa favorita do rei subia sobre o cadáver e imitava a união sexual. Isto feito, o animal era despedaçado, em geral por ela mesma, e os pedaços oferecidos em sacrifício a Prajapati. O terceiro dia era consagrado aos divertimentos e à entrega dos presentes oferecidos pelo rei. (Bergua, *O Ramayana*, II, 751, Notas)]

Asvargya (*Sânsc.*) — "Não-celeste"; que se afasta do céu.

Asvattha — Ver *Ashvatta*.

Aswins — Ver *Ashwins*.

Atala (*Sânsc.*) — Uma das regiões dos *lokas* hindus e uma das sete montanhas. Porém, esotericamente, *Atala* está em um dos planos astrais e era, em outro tempo, uma verdadeira ilha desta Terra. [*A-tala*, literalmente, "sem fundo". Um dos infernos dos vedantinos. *Atala* é o nome depreciativo aplicado pelos primeiros investigadores da quinta Raça à Terra do Pecado (Atlântida) e não unicamente à ilha de Platão. (*Doutrina Secreta*, II, 336) *Atala* significa também "nenhum lugar" e refere-se a um lugar que não é lugar (para nós), um estado que não é estado, correspondente à hierarquia de Seres primitivos, não substanciais. (Ver *Doutrina Secreta*, III, 565.) Segundo o *Uttara-Gîtâ*, *Atala* é a parte inferior ou planta dos pés.]

Atalanta Fugiens — Famoso tratado composto pelo eminente Rosa-cruz Michael Maier. Contém muitas e lindas gravuras de simbolismo alquímico. Nele encontra-se o original da pintura de um homem e uma mulher dentro de um círculo, com um triângulo ao redor deste e, em seguida, um quadrado, com a seguinte inscrição: "Do primeiro *ente* procedem dois contrários; daí surgem os três princípios e deles os quatro estados elementares; se separais o puro do impuro, tereis a pedra dos filósofos." (W. W. W.).

Atapaska (*Sânsc.*) — Literalmente: "que não pratica austeridades" não austero, incontinente.

Atarpi (*Cald.*) — O *Atarpi-nisi*, o "homem". Um personagem que era "devoto dos deuses" e que rogava ao deus Hea que extirpasse a calamidade da seca e outras coisas antes de enviar o Dilúvio. Esta história encontra-se em uma das mais antigas tábuas babilônicas e refere-se ao pecado do mundo. Nas palavras de G. Smith: "O deus Elu ou Bel convoca uma assembleia dos deuses, seus filhos, e diz-lhes que está enojado por causa do pecado do mundo". E, nas frases fragmentadas da referida tábua: "... Eu os criei... Estou enojado de sua iniquidade, seu castigo não será pequeno... esgote-se o alimento, no alto beba Vul sua chuva até a última gota" etc. Em contestação à prece de Atarpi, o deus Hea anuncia sua resolução de destruir as pessoas que criou, o que finalmente faz através do Dilúvio.

Atash Behram (*Zend.*) — O fogo sagrado dos parsis, perpetuamente conservado em seus templos de fogo.

Atattvârthavat (*Sânsc.*) — Não-conforme com a natureza da verdade; longe da verdade ou realidade.

A

Atef (*Eg.*) — Ou Coroa de Hórus. Consistia num capacete alto branco com chifres de carneiro e o uræus na parte anterior. Suas duas plumas representavam as duas verdades: a *vida* e a *morte*.

Atenágoras (Athenagoras) (*Gr.*) — Filósofo platônico de Atenas, que escreveu uma apologia grega a favor dos cristãos, no ano 177 de nossa era, dedicada ao imperador Marco Aurélio, para provar que eram falsas as acusações lançadas contra eles, de que eram incestuosos e matavam as crianças para as comer.

Athamas (*Hebr.*) — O mesmo que Adônis entre os gregos. Os judeus apropriaram-se de todos os deuses destes.

Athanor (*Ocult.*) — O "fluido astral" dos alquimistas, sua alavanca de Arquimedes. Exotericamente, o forno dos alquimistas. [O *Athanor* dos filósofos é sua matéria animada pelo fogo filosófico desenvolvido pela Arte, a partir da própria matéria] M.P.

Atharva Veda (*Sânsc.*) — O quarto *Veda*. Literalmente, encantamento mágico, que contém aforismos, encantos e fórmulas mágicas. Um dos quatro livros mais antigos e venerados dos brahmanes.

Athor (*Eg.*) — "Mãe Noite". O Caos primitivo, na Cosmogonia egípcia. A deusa da Noite.

Atibala (*Sânsc.*) — Designa uma coleção de fórmulas santas, isto é, de *Mantras*. Além das duas exclamações litúrgicas mencionadas, *svaha* e *vashat*, há a célebre silaba ou palavra triplamente sagrada, OM (formada, na realidade, por três letras: A O M), símbolo da *Trimurti*, invocada ou exclamada sempre antes de se começar algo. "Quem conhece *Aum* ou *Om* conhece o *Veda* e quem conhece o *Veda* conhece tudo." *Om* é o equivalente sonoro de *Satchidananda*, palavra composta por outras três palavras sânscritas: *Sat*, ser; *Chid*, meditação, e *Ananda*, beatitude. Vocábulo, pois, que compreende ou resume todo o *Veda* e todo *Yoga*, pois significa "Do ser ao Ser (deus) em virtude da meditação e da beatitude." (Bergua, O Ramayana, II, p. 753, Notas)

Atimânitâ (*Sânsc.*) — Orgulho, soberba, presunção, altivez.

Atîndriya (Ati-indriya) (*Sânsc.*) — Que está acima ou fora do alcance dos sentidos.

Atîta (*Sânsc.*) — 1º) Passado, sobreposto; 2º) que sobressai, transcende, transpõe etc.

Ativahikâs (*Sânsc.*) — Entre os *vizichtadvaitas* (ver), são os *Pitris* ou *Devas*, que ajudam ao *Jiva* ou alma desencarnada em sua passagem do corpo morto para o *Paramapada* (ou mansão da beatitude).

Atlantes (*Gr.*) — São os antecessores dos Faraós e os antepassados dos egípcios, segundo alguns e como ensina a ciência esotérica. (Ver *Doutrina Secreta* e *Budismo Esotérico*.) Deste povo sumamente civilizado, cujos últimos restos foram submersos no Oceano uns 9.000 anos antes do tempo de Platão, este teve notícias através de Solon, que por sua vez foi informado pelos sumos sacerdotes do Egito. Voltaire, o sempiterno gracejador, estava certo ao afirmar que "os Atlantes (nossa *quarta* Raça-Mãe) surgiram no Egito... na Síria e na Frígia, como no Egito, estabeleceram o culto do Sol". A filosofia oculta ensina que os egípcios constituíam o restante dos últimos atlantes ários.

Atlântida (Atlantis) (*Gr.*) — O continente que foi submerso nos Oceanos Atlântico e Pacífico, segundo os ensinamentos secretos de Platão*. [A terra habitada pela quarta Raça-Mãe. Quando se encontrava no apogeu de sua prosperidade (aproximadamente um

---

*[Ler *Platão: Timeu e Crítias*.] M.P

A

milhão de anos atrás), a Atlântida ocupava quase toda a área atualmente coberta pela parte setentrional do Oceano Atlântico, chegando ao nordeste até a Escócia e ao noroeste até o Labrador, e cobrindo ao Sul a maior parte do Brasil. O grande cataclismo ocorrido há cerca de 80.000 anos atrás destruiu quase tudo quanto restava deste vasto continente (Scott-Elliot, *História da Atlântida*). (Ver *Poseidonis*.)]

Âtmâ (*Sânsc.*) — Nominativo singular de *Âtman* (ver).

Âtma-bhâva (*Sânsc.*) — O ser, essência ou natureza de si mesmo; a própria individualidade ou personalidade, a existência individual.

Âtmabhâvita (*Sânsc.*) — Espiritualizado.

Âtma-bodha (*Sânsc.*) — Literalmente: "Conhecimento do Eu". Título de uma obra vedantina, composta por shankarâchârya. [Conhecimento da Alma universal.]

Âtma-jñâna ou **Atmagnyana** (*Sânsc.*) — Conhecimento próprio; conhecimento do Eu ou Espírito.

Âtma-jñâni ou **Âtmagnyani** (*Sânsc.*) — O conhecedor da Alma do Mundo ou do *Âtman* [Eu ou Espírito], em geral.

Âtma-mâtra (*Sânsc.*) — Elemento do Eu; o átomo espiritual em contraposição e oposto à molécula ou átomo elementar diferenciado.

Âtma-mâyâ (*Sânsc.*) — A própria virtude mágica ou de ilusão.

Âtman (*Sânsc.*) — O Espírito universal, a Mônada divina, o sétimo Princípio, assim chamado na constituição setenária do homem. A Alma suprema.
[O Espírito, o Eu, o Eu superior ou verdadeiro Eu. *Âtman* significa também: natureza, caráter, essência, vida, alento, coração, alma, mente, inteligência, pensamento, homem, o eu inferior, o corpo; ser, existência etc. (Ver *Âtmâ*.)]

Âtmâ-sansiddhi (*Sânsc.*) — A suprema perfeição da alma.

Âtma-sanstha (*Sânsc.*) — Situado, fixo, recolhido ou reconcentrado em si mesmo ou no Eu.

Âtma-tripta (*Sânsc.*) — Que encontra em si mesmo o prazer ou contentamento; satisfeito consigo mesmo.

Âtmavan ou **Âttmavant** (*Sânsc.*) — Que tem alma; cheio de Eu, dono de si mesmo; subordinado ao Eu.

Âtma-vidyâ (*Sânsc.*) — Literalmente: "Conhecimento do Eu ou do Espírito". A suprema forma do conhecimento espiritual.

Âtma-vinigraha (*Sânsc.*) — Domínio de si mesmo.

Âtma-yoga (*Sânsc.*) — União com a Alma ou Espírito universal; virtude ou poder místico.

Âtma-zakti (Âtma-shakti) (*Sânsc.*) — Poder ou força do eu.

Âtmezvara (Âtma-îzvara, Âtma-inshoara) (*Sânsc.*) — Literalmente: "Senhor do Eu", Deus.

Atreya (*Sânsc.*) — Filho ou descendente de Atri.

Atri (*Sânsc.*) — No período épico, é considerado como um dos dez *Prajâpatis* ou senhores de criaturas. Aparece mais tarde como autor de numerosos hinos védicos e como legislador. Como *Richi*, é uma das estrelas da Ursa Maior. Ver *Filhos de Atri*.

A

Attavâda (*Pál.*) — O pecado da personalidade. [A grande heresia, ou seja, a crença de que o Eu está separado do Eu único, universal e infinito. (*Voz do Silêncio*)]

Atyanta (Ati-anta) (*Sânsc.*) — Infinito, imenso.

Atyantâsat (Atyanta-asat) (*Sânsc.*) — Sumamente inexistente; absolutamente não-existente; puro não-ser.

Âtyantika (*Sânsc.*) — Absoluto, infinito, supremo.

Âtyantika-pralaya (*Sânsc.*) — Uma das quatro classes de *pralaya* ou dissolução. O *pralaya* absoluto ou *Mahâ-pralaya*.

Atziluth (*Hebr.*) — O supremo dos quatro Mundos da Cabala, relacionado unicamente com o Espírito puro de Deus. (W. W. W.) [Para outra interpretação, ver *Aziluth*.]

Auchadha (*Sânsc.*) — Erva benta ou sagrada.

Audlang (*Esc.*) — O segundo céu criado pela Divindade sobre o campo de Ida, nas lendas escandinavas.

Audumla (*Esc.*) — [Símbolo da Natureza, na mitologia escandinava.] A Vaca da Criação, a "sustentadora", da qual emanaram quatro caudais de leite, que alimentaram o gigante Ymir ou Örgelmir (matéria em ebulição) e seus filhos, os Hrimthurses (Gigantes de gelo), antes do surgimento dos deuses e homens. Não tendo o que pastar, lambia o sal das rochas de gelo e, assim, produziu Burî, "o Gerador", que, por sua vez, teve um filho, Bör (o nascido), que se casou com Bestla, filha dos Gigantes de gelo, de quem teve três filhos: *Odin* (Espírito), *Wili* (Vontade) e *We* (Santo). O significado desta alegoria é evidente. É a união pré-cósmica dos elementos, do Espírito ou Força Criadora, com a Matéria, resfriada e, contudo, fervente, que se forma de acordo com a Vontade universal. Em seguida, surgem os *Ases*, "os pilares e suportes do Mundo" *(Cosmocratores)* e criam como lhes ordena o Pai Universal.

Augoeides (*Gr.*) — Bulwer Lytton denomina-o "Eu Luminoso", ou nosso *Ego* superior. Porém o Ocultismo o torna algo diferente disso. É um mistério. O *Augoeides* é a radiação luminosa divina do *Ego*, que, quando encarnado, não é mais do que sua sombra pura. Encontra-se explicação para isso no artigo *Amesha Spentas* ou *Ameshaspends* e seus *Ferouers*. Entre os neoplatônicos parece significar o "corpo astral".

Aum (*Sânsc.*) — A sílaba sagrada; a unidade de três letras; daí a trindade em um. Sílaba composta das letras A, U e M (das quais as duas primeiras combinam-se para formar a vogal composta O). É a sílaba mística, emblema da Divindade, ou seja, a Trindade na Unidade (sendo que o A representa o nome de Vishnu; U, o nome de Shiva, e M, o de Brahmâ); é o mistério dos mistérios; o nome místico da Divindade, a palavra mais sagrada de todas na Índia, a expressão laudatória ou glorificadora com que começam os *Vedas* e todos os livros sagrados ou místicos. (Ver OM e *Atibala*.)

Auphanim (*Hebr.*) — Rodas ou esferas do Mundo. Na Cabala, são os anjos das esferas e estrelas, das quais constituem as almas que as animam.

Aura (*Gr.* e *Lat.*) — Fluido ou essência sutil e invisível, que emana dos corpos humanos e animais e também das coisas. É um eflúvio psíquico que, por sua vez, participa da mente e do corpo, pois é aura eletrovital e, ao mesmo tempo, uma aura eletromental, chamada em Teosofia de *âkâzica (akáshica)* ou magnética.

Áureo — Ver *Ovo Áureo*.

Aurnavâbha (*Sânsc.*) — Um antigo comentarista de sânscrito.

A

Aurva (*Sânsc.*) — Sábio a quem se atribui a invenção da "arma de fogo", chamada de *Âgneyâstra* ou *Agnyastra* (ver).

Av (*Hebr.*) — Literalmente: "pai". Este termo é usado em sua forma plural para designar os antepassados em geral, e no caso específico para definir os autores mishnaicos do Tratado *Pirkei Avot* ("os dizeres dos Sábios").

Ava-bodha (*Sânsc.*) — "Mãe de conhecimento". Um título de Aditi.

Avâchya (*Sânsc.*) — "Que não se pode ou deve dizer"; indizível; inefável.

Avagama (*Sânsc.*) — Compreensão; conhecimento; inteligência; percepção.

Avaivartika (*Sânsc.*) — Epíteto aplicado a cada Buddha. Literalmente: "o que não volta atrás"; que vai direto ao *Nirvâna*.

Avalokitezvara (*Sânsc.*) — "O Senhor que olha". Em sua interpretação exotérica, é *Padmopâni* (o portador do lótus e o filho do lótus) no Tibete, o primeiro antecessor divino dos tibetanos, a encarnação completa ou *Avatar* de Avalokitezvara; porém, na filosofia esotérica, *Avaloki*, o "olhador" (que olha para baixo), é o Eu superior (o Espírito divino no homem), enquanto *Padmapâni* é o *Ego* superior ou *Manas*. A fórmula mística "*Om mani padme hum*" é utilizada especialmente para implorar sua ajuda combinada. Enquanto a fantasia popular reclama para Avalokitezvara numerosas encarnações na Terra e vê nele, não tão erroneamente, o guia espiritual de todo crente, a interpretação esotérica vê nele o *Logos,* às vezes celestial e humano. Assim, pois, quando a escola *Yogâchârya* declara Avalokitezvara como *Padmapâni* "ser o Dhyâni Bodhisattva de Amitâbha Buddha", isso se dá realmente porque o primeiro é o *reflexo espiritual no mundo de formas* do último, sendo ambos um: um no céu, o outro na Terra. [É o segundo *Logos*, Padmapâni ou Chenresi, no Budismo do Norte. (A. Besant, *Sabedoria Antiga*.)]

Avani ou **Avanî** (*Sânsc.*) — A Terra.

Âvarana (*Sânsc.*) — "Invólucro", "coberta"; (poder de) atração. *(Bhagavân Dâs)*

Avarasaila Sanghârama (*Sânsc.*) — Literalmente: "Escola dos habitantes da montanha ocidental". Era um famoso *Vihâra* (mosteiro) de Dhanakstchâka, segundo Eitel, "edificado no ano de 600 a.C. e abandonado no ano 600 de nossa era."

Avasâna (*Sânsc.*) — Fim, término, consumação.

Avasathya (*Sânsc.*) — Um dos cinco fogos mencionados nas *Leis de Manu* (III, 100).

Avastan (*Sânsc.*) — Antigo nome da Arábia.

Avasthâ (*Sânsc.*) — Estado, condição, posição. [Estado de consciência (prajñâ) em qualquer plano. *(Subba Row)*]

Avasthâ-parinâma (*Sânsc.*) — Alteração ou mudança de estado ou condição.

Avasthâ-traya (*Sânsc.*) — Literalmente: "os três estados": de vigília, de sonho e de sono profundo.

Avasthita (*Sânsc.*) — Presente, existente, permanente, fixo, situado, ocupado.

Avatâra (*Sânsc.*) — [Literalmente: "descenso".] Encarnação divina. Descenso de algum deus ou Ser glorioso, que ultrapassou a necessidade de renascimento na Terra, no corpo de um simples mortal. Krishna era um avatar de Vishnu. O Dalai Lama é considerado um avatar de Avalokitezvara e o Teschu Lama um avatar de Tson-kha-pa ou Amitâbha. Há dois tipos de Avatâras: os nascidos de uma mulher e os "sem pai", os *anupâdaka*. [Ver *Encarnações Divinas*.]

A

Avaza (*Sânsc.*) — Que não tem vontade, apático, que não quer; sem vontade própria; contra a vontade de alguém.

Avebury ou **Abury** — Em Wiltshire, são os restos de um antigo templo megalítico da Serpente. Segundo o eminente antiquário Atukeley (1740), há vestígios de dois círculos e de duas avenidas. A forma do conjunto representava uma serpente. (W. W. W.)

Avesta (*Zend.*) — Literalmente: "a Lei". Palavra derivada do persa antigo *Abastâ*, "a lei". As Sagradas Escrituras dos Zoroastrianos. Na expressão *Zend-Avesta*, a palavra *Zend* significa "comentário" ou "interpretação". É um erro considerar *Zend* como uma linguagem, pois este termo "aplica-se unicamente aos textos esclarecedores, às versões do *Avesta*" (Dramsteter). [Ver *Zend-Avesta*.]

Âveza-avatâra (*Sânsc.*) — Um avatâra parcial. Um ser humano que recebe o influxo divino em grau especial. *(P. Hoult)*

Avibhakta (*Sânsc.*) — Indiviso, não-distinto, não-separado.

Avicena ou **Avicenna** — Nome latinizado de Abu-Ali, o Hoseen ben Abdallah Ibn Sina, filósofo persa nascido no ano 980 de nossa era, embora geralmente seja tido por médico árabe. Devido ao seu saber surpreendente, foi apelidado "o Famoso". Autor das melhores e primeiras obras de Alquimia conhecidas na Europa. Segundo diz a lenda, todos os espíritos e elementos a ele estavam sujeitos. A lenda relata-nos ainda que, graças ao conhecimento que Avicena tinha do Elixir da Vida, ainda está vivo, como um Adepto que se manifestará aos profanos no fim de certo ciclo.

Avîchi — Ver *Avîtchi*.

Avidhi (*Sânsc.*) — Ausência de regra ou método.

Avidyâ (*Sânsc.*) — O oposto de *vidyâ* (conhecimento). Ignorância originada e produzida pela ilusão dos sentidos ou *Viparyaya* (erro de Juízo, falso conceito). - [Ignorância, erro, falso conhecimento, falta de conhecimento. Um dos cinco *Klezas* e dos doze *nidânas* dos budistas.]

Avijñeya (*Sânsc.*) — Incognoscível, inconcebível, imperceptível.

Avikâra (*Sânsc.*) — Livre de geração, imutável. Epíteto da Divindade.

Avikâri (*Sânsc.*) — Imutável, inalterável.

Avîtchi ou **Avichi** (*Sânsc.*) — Um estado: não necessariamente após a morte apenas ou entre dois nascimentos, pois tal estado pode ocorrer também na Terra. Literalmente: "inferno não interrompido". É o último dos oito infernos, onde, segundo se diz, "os culpados *morrem e renascem sem interrupção*, embora não sem esperança de redenção final". Esta é a razão pela qual *Avîtchi* é outro dos nomes usados para designar o *Myalba* (nossa terra) e também é um estado no qual são condenados a este plano físico alguns homens desalmados. [*Avîtchi* é um estado de maldade ideal espiritual; uma condição subjetiva; o contrário do *Devacham* ou *Anyodei*. *(F. Hartmann)*]

Âvritti (*Sânsc.*) — Volta, retorno, renascimento.

Avyakta (*Sânsc.*) — A causa não-revelada; indistinto, indiferenciado; o oposto a *vyakta* (manifestado ou diferenciado). *Avyakta* é aplicado à Divindade não-manifestada, assim como *Vyakta* aplica-se àquela manifestada, ou seja, Brahma e Brahmâ respectivamente. [*Avyakta*: não-manifestado, invisível; a matéria radical ou primitiva, caótica, não-manifestada, indefinida, indiferenciada; o elemento primordial do qual provém toda manifestação. Algumas vezes este termo é aplicado ao Espírito não-manifestado. *(Bhagavân Dâs)*]

A

Avyakta-mûrti (*Sânsc.*) — Forma não-manifesta.

Avyaktânugraha (*Sânsc.*) — Princípio indiviso, não-separado. *(Doutrina Secreta*, I, 568)

Avyaya (*Sânsc.*) — Imperecível, indestrutível; eterno, infinito, inesgotável, incorruptível, inalterável. Sobrenome de Vishnu.

Avyayâtmâ (*Sânsc.*) — De natureza imortal ou imperecível.

Awen (*Celt.*) — Etimologicamente tem o mesmo sentido de *fluxo*. Este termo pode ser relacionado com o sânscrito *ava* (descer). É a expansão espontânea da alma, o gênio poético para os bardos; para os cristãos, é o Espírito Santo. Aquilo que chamamos de *inspiração, invenção, intuição* nada mais são do que manifestações do *Awen*. (E. Bailly)

Axieros (*Gr.*) — Um dos Cabires (ver).

Axiocerca (*Gr.*) — Um dos Cabires (ver).

Axiocersus (*Gr.*) — Um dos Cabires (ver).

Âyâma (*Sânsc.*) — Extensão, longitude, expansão (no espaço ou no tempo).

Ayana (*Sânsc.*) — Um período de tempo; dois *ayanas* constituem um ano, sendo um deles o período em que, na eclíptica, o Sol caminha para o Norte e o outro para o Sul. [*Ayana*: movimento, curso, ação de caminhar; meio ano; propriamente a marcha do Sol de um solstício a outro. Significa também: meta, morada, refúgio etc.]

Ayati (*Sânsc.*) — O contrário de *yati*. Não-subjugado, indisciplinado; carente de zelo ou aplicação.

Ayin (*Hebr.*) — Literalmente: "nada"; daí o nome de *Ain-Soph*. (Ver *Ain*.)

Aymar, *Jacques* — Francês famoso que alcançou grande êxito no emprego da varinha divinatória, em fins do séc. XVII. Era frequentemente utilizado no descobrimento de criminosos. Dois doutores em medicina da Universidade de Paris, Chauvin e Garnier, confirmaram a realidade de seus poderes. (Ver Colquhoun sobre a *Magia*.) (W. W. W.)

Ayoga (*Sânsc.*) — Literalmente: "Não-união". Separação, falta de união espiritual, falta de yoga ou devoção.

Âyu ou **Âyus** (*Sânsc.*) — Vida, vitalidade, princípio vital; o curso ou duração da vida; mundo, seres vivos, homem.

Ayukta (*Sânsc.*) — O oposto de *yukta*. O homem que não pode fixar ou concentrar a mente na contemplação espiritual ou do Eu; aquele que executa todos os seus atos movido apenas pelo interesse pessoal ou pela satisfação de seus apetites e desejos. Não-devoto, não-recolhido, não-aplicado.

Âyur-Veda (*Sânsc.*) — Literalmente: "o Veda da Vida". [A ciência da saúde. Título de um livro de medicina.]

Ayus (*Sânsc.*) — Um dos três sacrifícios. Os outros dois são denominados *jyotis* e *gosava*.

Ayuta (*Sânsc.*) — [Uma miríada, ou seja, 10.000 unidades. Um *koti* tem dez milhões de unidades.] Assim, 100 *kotis* equivalem a mil milhões de unidades.

Âza (**âzis** ou **âzî**) (*Sânsc.*) — Esperança.

Azama (*Sânsc.*) — "Ausência de Paz". Intranquilidade, inquietude, desassossego.

A

Azane — Ver *Adrop*.

Azanta (*Sânsc.*) — "Privado de Paz". Intranquilo, inquieto, agitado.

Azar — Ver *Adrop*.

Azareksh (*Hebr.*) — Lugar famoso por possuir um Templo do Fogo dos zoroastrianos e magos, no tempo de Alexandre, o Grande.

Azâstravihita (*Sânsc.*) — Não-prescrito pelos Livros Sagrados ou Escrituras.

Azazel ou **Azayel** (*Hebr.*) — "Deus da vitória". O caprino macho ou vítima propiciatória pelos pecados de Israel. Aquele que compreende o mistério de *Azazel*, diz Aben-Ezra, "conhecerá o mistério do nome de Deus", e com razão. (Ver *Typhon* e o macho caprino emissário consagrado a ele, no antigo Egito.)

Âzcharya (*Sânsc.*) — Maravilha, prodígio.

Azhi-Dahaka (*Zend.*) — Um dos dragões ou serpentes que figuram nas lendas do Irã e nas Escrituras *Avesta;* a alegórica Serpente destruidora ou Satã.

Aziluth (*Hebr.*) — Nome com que se designa o mundo dos Sephiroth, denominado mundo de Emanações, *Olam Aziluth*. O grande e mais elevado protótipo dos outros mundos. "*Azeelooth* é o Grande Selo sagrado, através do qual todos os mundos foram copiados e imprimiram em si mesmos a imagem do Selo. E, como este Grande Selo compreende três graus, que constituem os três *zures* (protótipos) de *Nephesh* (Alma ou Espírito Vital), *Ruach* (Espírito moral ou razoável) e *Neshamah* (Alma suprema do homem), assim os Selados receberam também três zures, a saber: *Breeah, Yetzeerah,* e *Azeeyeah,* sendo estes três *zures* apenas um no Selo" (*Qabbalah*, de Myer). Os globos A, Z de nossa cadeia terrestre encontram-se no *Aziluth*. (Ver *Doutrina Secreta*.)

Azoth (*Alq.*) — O princípio criador na Natureza, cuja parte mais densa encontra-se depositada na Luz Astral. É simbolizado pela figura de uma cruz (ver *Eliphas Levi*) e cada um de seus quatro braços possui uma letra da palavra *Taro,* que também pode ser lida como *Rota, Ator* e muitas outras combinações, cada uma das quais com um significado oculto. [É o princípio criador da Natureza; a panaceia universal ou ar espiritual que dá vida. Representa a Luz Astral em seu aspecto como veículo da essência universal da vida. Em seu aspecto inferior, é o poder eletrizante da atmosfera: ozone, oxigênio etc. (*F. Hartmann*) Não se deve confundir o *Azoth* com o azoto da química. O *Azoth* dos alquimistas é o princípio anímico ou vital, ao qual o oxigênio deve seu poder vivificante. O oxigênio do ar é seu veículo. O *Azoth* é aquele tipo de Luz Astral que está em correlação imediata com a vitalidade orgânica. Parece muito com as ondulações do "Oceano de *Jiva*", conhecidas pelos Iniciados da Índia. Esta *Essência Vital* absorvida do *Azoth* do Éter-ambiente circula com o sangue por todo o nosso organismo. (Jyotis Prâcham, *O Mistério da Vida*)] (Ver A e Ω).

Azraddadhâna (*Sânsc.*) — "Carente de fé"; incrédulo, não-crente.

Azraddha (*Sânsc.*) — Falta ou carência de fé.

Azuchi (*Sânsc.*) — Impuro, imundo.

Azuchivrata (*Sânsc.*) — Que tem desígnios impuros.

Azvina (*Sânsc.*) — O mês hindu que compreende parte de nossos meses de setembro e outubro.

Azvini (*Sânsc.*) — A primeira mansão lunar.

A

A e Ω — *Alfa* e *Ômega*. O primeiro e o último, o princípio e o fim de toda existência ativa; o *Logos* e, daí (entre os cristãos), Cristo. Ver *Apocalipse* (ou *Revelação*), XXI, 6, onde São João adota "*Alfa e Ômega*" como símbolo de um Consolador Divino, que "ao sedento dará de beber do balde da fonte da água da vida". A palavra *Azot ou Azoth* é um hieróglifo medieval desta ideia, pois esta palavra é composta da primeira e da última letras do alfabeto grego, A e Ω, do alfabeto latino A e Z e do alfabeto hebraico A e T, ou *Aleph* e *Tau*. (Ver também *Azoth*.) (W. W. W.)

B

B — É a segunda letra em quase todos os alfabetos; é também a segunda do hebraico. Seu símbolo é uma casa, a forma de *Beth*, com a particularidade de que a própria letra indica uma casa, um telheiro, um albergue. "Por ser composta de uma raiz, é usada constantemente com o objetivo de mostrar que devia estar relacionada com a pedra; quando se empilham pedras em *Beth-el*, por exemplo. Numerologicamente, seu valor hebraico é dois. Unida com a letra que a precede forma a palavra *Ab*, que é a raiz de "pai", senhor, uma pessoa dotada de autoridade; tem a distinção cabalística de ser a primeira letra do sagrado Livro da Lei. O nome divino relacionado com esta letra é Bakhour" (R. M. Cyclop). [Em quirologia cabalística corresponde à parte externa da mão, à região da Lua. Em Cabala: a sabedoria] M.P.

Ba (*Eg.*) — A alma de aleto, que corresponde ao *Prâna* (sopro ou aleto de vida"). (*Doutrina Secreta*, II, 669)

Baal (*Cald., Hebr.*) — Baal ou Adon (Adonai) era um deus fálico. "Quem subirá ao monte (o lugar elevado) do Senhor? Quem estará no lugar de seu *Kadushu*?" (ver) (*Salmos*, XXIV, 3). A "dança circular", executada pelo rei Davi ao redor da arca, era a dança prescrita pelas Amazonas nos Nostérios, a dança das filhas de Shiloh (*Juízes*, XXI e seguintes) e idêntica ao saltar dos profetas de Baal (I *Reis*, XVIII). Era chamado Baal-Tzephon, ou deus da cripta *(Êxodo)* e *Seth*, ou pilar *(phallus)*, porque é o mesmo que Ammon (ou *Baal-Hammon*) do Egito, "o deus oculto". Typhon, denominado Seth, que foi um grande deus egípcio durante as primeiras dinastias, é um aspecto de Baal e Ammon, como também de Shiva, Jehovah e outros deuses. Baal é o Sol, que, em certo sentido, é totalmente devorado pelo ardente Moloch. (Ver *Bel*.)

Baal-Adonis — O Baal-Adonis dos Sôds, ou Mistérios dos judeus pré-babilônicos, converteu-se, graças ao Massorah, no Adonai, o Jehová posterior, com vogais. (*Doutrina Secreta*, I, 501)

Baal-Hammon — Ver *Baal*.

Babil Mound (*Cald., Hebr.*) — O local onde se situa o templo de Bel na Babilônia.

Bacchus (*Gr.*) — Ver *Baco*.

Baco — Exotérica e superficialmente, é o deus do vinho e da vindima, bem como da devassidão e do alvoroço. Porém, o significado esotérico desta personificação é mais abstruso e filosófico. É o Osíris do Egito e tanto sua vida quanto sua significação pertencem ao mesmo grupo dos demais deuses solares, todos eles "carregando com a culpa", mortos e ressuscitados, como por exemplo Dionísio ou Atys de Frígia (Adônis ou o Tammuz sírio), como Ausonius, Baldur etc. Todos eles foram condenados à morte, pranteados e restituídos à vida As festas em honra de Atys ocorriam nas *Hilaria*, celebradas na Páscoa "pagã" - o dia 15 de março. Ausonius, uma forma de Baco, era morto no equinócio de primavera (21 de março) e ressuscitava três dias depois. Tammuz, o duplo de Adônis e Atys, era pranteado pelas mulheres num "bosquezinho " que levava seu nome, "além de Bethlehem, onde chorava o menino Jesus" - diz São Jerônimo. Baco é assassinado e sua mãe recolhe os pedaços de seu corpo dilacerado, como o fez Ísis com os de Osíris e assim sucessivamente. Dionysos Iacchus, destroçado pelos titãs, Osíris, Krishna e todos os demais desceram ao Hades e retornaram. Astronomicamente todos eles representam o Sol; psiquicamente, são emblemas da "Alma" (o *Ego* em sua reencarnação), que sempre ressuscita; espiritualmente, todas as vítimas propiciatórias inocentes que expiam os pecados dos mortais, seus próprios invólucros terrenos e, na realidade, imagem poetizada do Homem Divino, a forma de barro animada por seu Deus.

B

Bacon, *Roger* — Frei franciscano, famoso como Adepto na Alquimia e artes mágicas. Viveu no séc. XIII, na Inglaterra. Acreditava na *pedra filosofal tanto quanto os Adeptos do Ocultismo*. Acreditava igualmente na Astrologia filosófica. Foi acusado de ter fabricado uma cabeça de bronze, que, por possuir um aparelho acústico escondido nela, parecia pronunciar oráculos, que eram apenas as palavras proferidas pelo próprio Bacon em outra sala. Era físico e químico prodigioso e se lhe atribui a *invenção* da pólvora, embora ele mesmo dissesse ter adquirido o segredo de alguns "sábios asiáticos (chineses)".

Báculo episcopal — Uma das insígnias dos bispos, que tem sua origem no cetro sacerdotal dos adivinhos etruscos. Da mesma forma, é encontrado na mão de diversas divindades.

Baddha (*Sânsc.*) — Ligado, condicionado, como o está todo mortal que não se tornou livre através do *Nirvâna*. O estado do homem que não atingiu a Liberação final ou *Nirvâna*.

Bagavadam (*Sânsc.*) — Uma escritura tamil sobre Astronomia e outros assuntos.

Bagh-bog (*Esl.*) — "Deus"; um nome eslavo do Baco grego, cujo nome chegou a ser o protótipo do nome Deus ou *Bagh* e *bog* ou *bogh*; o nome russo de Deus.

Bahak-Zivo (*Gn.*) — "Pai dos gênios" no *Codex Nazaræus*. Os nazarenos constituíram uma primitiva seita semicristã.

Bahir-prajñâ (Bahir-prajñâ) (*Sânsc.*) — Conhecimento aplicado às coisas exteriores, isto é, conhecimento objetivo.

Bahis (Bahih ou **Vahis)** (*Sânsc.*) — Fora de, para fora, exterior a. Por razão de eufonia, às vezes o *s* é substituído por *r*, como em *Bahir-prajñâ*.

Bahis-Karana (*Sânsc.*) — Literalmente: "órgão ou sentido externo".

Bai (*Eg.*) — A alma intelectual, a inteligência. (*Doutrina Secreta,* II, 670)

Baka (*Sânsc.*) — Um demônio inimigo de Krishna.

Bal (*Hebr.*) — Comumente traduzido como "Senhor"; também Bel, o Deus caldeu, e Baal, um "ídolo".

Bala (*Sânsc.*) — Poder, força, energia, violência. Sobrenome de Râma, irmão de Krishna. (Ver *Pañcha-balâni*.)

Baldur ou **Balder** (*Esc.*) — "Distribuidor de todo o bem". O Deus radiante que é "o melhor e toda a humanidade o glorifica em voz alta; tão bela e deslumbrante é sua forma e semblante que parece que dele emanam raios de luz" *(Edda)*. Tal era o canto de nascimento entoado em honra de Baldur, que ressuscita como Wali, o Sol primaveril. Baldur recebeu as denominações de "o bem-amado" "o Santo" "o único sem pecado". É o "Deus de bondade", que nascerá outra vez, quando um mundo novo e mais puro tenha surgido das cinzas do velho mundo carregado de pecado *(Asgard)*. Foi morto pelo astuto Loki, porque Frigga, mãe dos deuses, "ao suplicar a todas as criaturas e a todas as coisas inanimadas que jurassem não prejudicar o bem-amado", esqueceu-se de mencionar "o frágil ramo de agárico", da mesma maneira que a mãe de Aquiles esqueceu-se do tendão de seu filho. Do ramo dessa planta Loki fez um dardo e colocou-o nas mãos do cego Hodur (ou Hoder), que com ele mata o risonho deus da luz. O agárico do Natal é, provavelmente, uma reminiscência do ramo de agárico que matou o "Deus de bondade" do Norte.

Bal-ilu (*Cald.*) — Um dos numerosos epítetos do Sol.

B

Bambu (*Livros de*) — Ver *Livros de Bambu*.

Bandha (*Sânsc.*) — Laço, ligadura, sujeição, escravidão. A vida nesta terra. Tal palavra deriva da mesma raiz de *baddha*. [O estado oposto ao da liberação ou *Moksha*.]

Bandhana (*Sânsc.*) — Laço, vínculo, ligação, escravidão. Esta palavra é o equivalente etimológico de "religião", palavra derivada do latim *religare*. (Ver Olcott, *Cat. Búdico*.)

Baniano ou **Figueira sagrada** (*Ficus religiosa*) — Ver *Azvattha*.

Baodhas — Consciência; o quinto princípio do homem. *(Cinco Anos de Teosofia)*

Baoth (*Hebr.*) — O Ovo do Caos (*Doutrina Secreta*, I, 219). (Ver *Ilda Baoth*.)

Baphomet (*Gr.*) — O andrógino bode-cabra de Mendes. (Ver *Doutrina Secreta*, I, 253.) Segundo os cabalistas ocidentais e especialmente os franceses, os templários foram acusados de adorar Baphomet, e Jacques de Molay, Grão-Mestre dos templários, com todos os seus irmãos maçons, morreram por causa disso. Porém, esotérica e filologicamente, tal palavra nunca significou "bode" nem qualquer outra coisa tão objetiva como um ídolo. O termo em questão significa, segundo Von Hammer, "batismo" ou *iniciação na sabedoria*, das palavras gregas *Bafe* e *metis* e da relação de Baphometus com Pã. Von Hammer deve estar certo. Baphomet era um símbolo hermético-cabalístico, porém a história, tal como foi inventada pelo clero, é falsa. (Ver *Pã*.)

Barca do Sol ou **Barca Solar** — Esta sagrada barca solar era chamada de *Sekti* e governada pelos mortos. Entre os egípcios, a maior elevação do Sol encontrava-se em *Áries* e a depressão em *Libra*. (Ver "Faraó" ou *Filho de Sol*.) Uma luz azulada – que é o "Filho do Sol" – sai em torrentes da barca. Os antigos egípcios ensinavam que a cor verdadeira do Sol era azul e Macróbio afirma também que a cor desse astro é de um azul puro antes de alcançar o horizonte e depois do ocaso. É curioso notar a esse respeito o fato de que, em 1881, os físicos e astrônomos descobriram que "nosso Sol é realmente azul". O professor Langley consagrou muitos anos à comprovação deste fato. Auxiliado em suas investigações pelo magnífico aparato científico da ciência física, conseguiu provar, finalmente, que a aparente cor amarelo-alaranjada do Sol deve-se unicamente ao efeito de absorção exercido por sua atmosfera de vapores, principalmente metálicos; mas que, na verdade, não é "um Sol branco, mas um Sol azul", isto é, algo que os sacerdotes egípcios descobriram há milhares de anos atrás, sem a ajuda de qualquer dos aparelhos científicos conhecidos. (Ver *Apap*.)

Bardesanes ou **Bardaisan** — Gnóstico sírio, erroneamente considerado como teólogo cristão, nascido em Edessa *(Edessene Chronicle)*, no ano 155 de nossa era (Assemani, *Bib. Orient.*, I, 389). Foi um grande astrólogo, que seguia o sistema oculto oriental. Segundo Porfírio (que o considera babilônio, provavelmente por causa de seu *caldeísmo* ou astrologia), "Bardesanes... mantinha relações amistosas com os hindus, que tinham sido enviados a César, chefiados por Damadamis" (*De Abst.*, IV, 17) e obteve sua informação dos gimnosofistas hindus. O fato é que na maior parte de seus ensinamentos, por mais que tenham sido alterados por seus numerosos partidários gnósticos, pode-se descobrir sua origem na filosofia hindu e, mais ainda, nas doutrinas ocultas do Sistema Secreto. Assim é que, em seus *Hinos*, fala da Divindade criadora como "Pai-Mãe" e, em outras partes, fala do "Destino astral" *(Karma)*, de "Mentes de Fogo" (os *Agni-Devas*) etc. Relacionava a Alma (o *Manas* pessoal) com os Sete Astros, fazendo *derivar sua origem dos Seres superiores* (o Ego divino; portanto, "admitia a ressurreição espiritual, porém negava a ressurreição do corpo", igualmente condenada pelos padres da Igreja. Efraim apresenta-o ensinando os signos do Zodíaco, a importância das horas do nascimento e

B

"proclamando o sete". Chamava o Sol de "Pai da Vida" e a Lua de "Mãe da Vida", e fazia ver este último astro "descartando-se de sua roupagem de luz (princípios) para a renovação da Terra". Fócio não pôde compreender como, admitindo "a alma livre do poder de *gênese* (destino do nascimento)" e tendo livre-arbítrio, apesar disto colocava o corpo sob a regra do nascimento *(gênese)*. Porque "eles (os bardesanistas) dizem que a riqueza e a miséria, a enfermidade e a saúde, a morte e todas as coisas, que não estão sob nosso domínio, são obra do destino" *(Bibl. Cod.,* 223, p. 221-f). Este é o *Karma,* com toda certeza, que não exclui de maneira nenhuma o livre-arbítrio. Hipólito considera-o como um representante da Escola oriental. Falando do batismo, conforme se refere na obra citada (p. 985-ff), dizia Bardesanes: "Não é, contudo, o banho unicamente que nos faz livres, mas o conhecimento do que somos, do que viremos a ser, do que éramos antes, para onde vamos, do que somos redimidos; que é a geração (nascimento), que é regeneração (renascimento)". Isto alude claramente à doutrina da reencarnação. Sua conversa *(Dialogue)* com Awida e Barjamina sobre o Destino e o livre-arbítrio manifesta-o. "O que se chama de Destino é uma ordem de emigração dada aos Governadores (Deuses) e aos Elementos, ordem segundo a qual as Inteligências *(Egos* espirituais) são transmutadas, por seu descenso, na Alma, e a Alma, por seu descenso, no corpo." (Ver o *Tratado,* descoberto em seu idioma sírio original e publicado, com a correspondente tradução inglesa, no ano de 1855, pelo Dr. Cureton, *Spicileg. Syriac.,* no Museu Britânico.)

Bardesânio (*Sistema*) — O *"Codex dos Nazarenos",* sistema elaborado por um tal Bardesanes. Alguns o denominam de uma Cabala dentro da Cabala. É uma religião ou seita cujo esoterismo revela-se em nomes e alegorias *sui generis*. É um sistema gnóstico antiquíssimo. Este *Codex* foi traduzido para o latim. É duvidoso o fato de se chamar o *Sabeísmo* dos mendaitas (mal denominados Cristãos de São João), contido no Codex Nazareno, de "Sistema Bardesiano", como o fazem alguns autores, porque as doutrinas do *Codex* e os nomes dos Poderes do Bem e do Mal, que nele figuram, são mais antigos do que Bardesanes. Contudo, os nomes são idênticos em ambos os sistemas.

Baresma (*Zend.*) — Planta utilizada pelos *Mobeds* (sacerdotes parsis) nos templos de fogo, onde são guardados feixes consagrados da mesma.

Barhaspatyamâna (*Sânsc.*) — Método de calcular o tempo comum durante o último período hindu, no Noroeste da Índia. *(Cinco Anos de Teosofia)*

Barhichad (Barhishad ou **Varhichad)** (*Sânsc.*) — Uma classe de *Pitris* ou antecessores "lunares". Pais que, segundo admite a superstição popular, conservaram em suas encarnações passadas a sagrada chama doméstica e fizeram sacrifícios de fogo. Esotericamente, são os *Pitris* que desenvolveram suas sombras ou *chhâyas,* para com elas fazerem o primeiro homem. (Ver *Doutrina Secreta,* II.)

Barima ou **Bharima** (*Sânsc.*) — Um dos poderes ocultos, através do qual pode-se aumentar à vontade o efeito da gravitação.

Basileu (*Gr.*) — O *Archon* ou Chefe, que possuía a superintendência exterior, durante os Mistérios de Elêusis. Enquanto este era um Iniciado leigo e magistrado de Atenas, o *Basileus* do Templo *interior* era ligado ao grande Hierofante e, como tal, era um dos principais *Mistæ* (Iniciados) e pertencia aos Mistérios internos.

Basilidiano (*Sistema*) — Assim chamado devido ao nome de seu autor, Basílides, fundador de uma das mais filosóficas seitas gnósticas. Clemente de Alexandria fala de Basílides, o Gnóstico, como "um filósofo dedicado à contemplação das coisas divinas". Enquanto pretendia ter recebido todas as suas doutrinas do apóstolo Mateus e de Pedro através de Glauco, Irineu denegria-o, Tertuliano tornava-o foco de sua ira e os Padres da Igreja não encontravam palavras de difamação suficientes contra o "herege". Contudo, sob a autoridade do próprio São Jerônimo, que descreve com indignação o que havia encontrado na *única cópia hebraica autêntica* do Evangelho de São Mateus (ver *Ísis sem Véu*, II, 181), que obteve dos Nazarenos, a afirmação de Basílides torna-se mais crível e, se se admite, resolve um problema que dá muito o que pensar. Seus vinte e quatro volumes de *Interpretação dos Evangelhos,* como diz Eusébio, foram todos queimados. Nem é preciso dizer que estes evangelhos não eram nossos *atuais* evangelhos. A verdade tem sido sempre desprezada.

Bassatin, *Jacobo* — Astrólogo francês. Viveu no séc. XVI e conta-se que predisse a morte de Sir Robert Melville, em 1562, e todos os eventos relacionados com Mary, a infeliz rainha dos escoceses.

Bath (*Hebr.*) — Filha.

Bath Kol (*Hebr.*) — Filha da Voz: o sopro divino ou inspiração, através da qual os profetas de Israel eram inspirados, como se por uma voz vinda do céu e do Propiciatório. Em latim, *Filia vocis*. Um ideal análogo pode ser encontrado na Teologia exotérica hindu, denominado *Vâch*, a voz, a essência feminina, um aspecto de *Aditi*, mãe dos deuses e a Luz primordial; é um mistério. (W. W. W.)

Batismo — O rito de purificação celebrado durante a cerimônia da Iniciação nos *tanques* sagrados da Índia, e também o rito idêntico posterior, estabelecido por João, "o Batista", e praticado pelos discípulos e seguidores, que não eram cristãos. Este rito já era muito antigo quando foi adotado pelos *Chrestianos* dos primeiros séculos. O batismo pertencia à teurgia primitiva caldeia-akkadiana; era religiosamente praticado nas cerimônias noturnas nas Pirâmides, nas quais vemos, ainda hoje, a pia batismal em forma de sarcófago; é sabido que era praticado durante os Mistérios Eleusinos nos tanques sagrados do templo e é praticado atualmente pelos descendentes dos antigos sabeus. Os mendaitas (os *El Mogtasila* dos árabes), apesar de seu nome enganoso de "Cristãos de São João", são menos cristãos do que os árabes muçulmanos ortodoxos, que os rodeiam. São sabeus puros e isso se explica naturalmente, quando se recorda que o grande sábio semítico Renan demonstrou, em sua *Vida de Jesus*, que o verbo aramaico *seba,* origem do nome *sabeu,* é sinônimo do grego *Baptizo*. Os sabeus modernos, os mendaitas, cujas vigílias e cerimônias religiosas, frente a frente com as estrelas silenciosas foram descritas por vários viajantes, conservaram os ritos teúrgicos, batismais de seus remotos e quase esquecidos antecessores, os Iniciados caldeus. Sua religião tem vários batismos, sete purificações em nome dos sete governadores planetários, os "Sete Anjos da Presença" da Igreja Católica Romana. Os batistas protestantes são apenas pálidos imitadores dos *El Mogtasila* ou nazarenos, que praticavam seus ritos gnósticos nos desertos da Ásia Menor. (Ver *Boodhasp*.)

Batoo (*Eg.*) — O primeiro homem, segundo a crença ou tradição popular egípcia. *Noum,* o artista celeste, cria uma linda donzela – o original da Pandora grega – e envia-a ao Batoo, depois do que a felicidade do primeiro homem é destruída.

Batria (*Eg.*) — Segundo a tradição, era a esposa de Faraó e a instrutora de Moisés.

Bauddha (*Sânsc.*) — Pertencente ou relativo a Buddha (Buda); buddhista (budista).

Bauddha-dharma (*Sânsc.*) — "Lei ou doutrina buddhica (búdica)". Expressão equivalente à palavra "Buddhismo" (budismo), com a qual se designa, no Ocidente, a religião de Buddha (Buda).

Bavichyat (*Sânsc.*) — "O que será"; futuro.

B

Beel-Zebub (Beelzebu ou **Belzebu)** (*Hebr.*) — É o desfigurado Baal dos Templos e, mais corretamente, Beel-Zeboul. Beel-Zebub significa, literalmente, "deus das moscas"; epíteto ridículo utilizado pelos judeus e tradução incorreta e confusa de "deus dos sagrados escaravelhos", divindades que guardam as múmias e símbolos da transformação, regeneração e imortalidade. Beel Zeboul significa propriamente "Deus da Casa" e, neste sentido, dele se fala em *Mateus*, X, 25. Como Apolo, não era primitivamente um deus grego, mas fenício; era o deus curador, *Paian* ou médico, o mesmo que deus dos oráculos, e gradualmente veio a ser transformado em "Senhor da Casa", uma divindade doméstica, e por isso foi denominado Beel Zeboul. Era também, num certo sentido, um deus psicopômpico (ou condutor de almas), que cuidava das almas, como o fazia Anúbis. Belzebu sempre foi o deus do oráculo e só posteriormente foi confundido e identificado com Apolo.

Beijo da Morte — Segundo a Cabala, o prosélito mais assíduo não morre pelo poder do Espírito do Mal, *Yetzer ha Rah*, mas por um beijo da boca de Jehovah Tetragrammaton, a quem encontra no *Haikal Ahabah* ou Palácio de Amor. (W. W. W.)

Bel (*Cald.*) — O mais antigo e poderoso dos deuses da Babilônia; uma das trindades mais primitivas. *Anu* (ver); Bel, "Senhor do Mundo", Pai dos deuses, Criador e "Senhor da cidade de Nipur" e Hea, forjador do destino, Senhor do Abismo, Deus da Sabedoria e do conhecimento esotérico e "Senhor da cidade de Eridu". A esposa de Bel, ou seu aspecto feminino (*Shakti*), era Belat ou Beltis, "Mãe dos grandes deuses" e "Senhora da cidade de Nipur". O Bel original era também denominado Enu, Elu e Kaptu (ver *Narração Caldeia do Gênese*, de G. Smith). Seu filho mais velho era o Deus Lua Sin (também denominado Ur, Agu e Itu), a divindade que presidia a cidade de Ur, assim chamada em honra de um de seus nomes. Então, vejamos: Ur é o local de nascimento de Abraão (ver *Astrologia*). Na religião babilônica primitiva, a Lua era, como o *Soma* da Índia, uma divindade masculina e o Sol, uma divindade feminina. E isto levou quase todas as nações a grandes guerras fraticidas entre os que cultuavam a Lua e o Sol; por exemplo, as contendas entre as dinastias lunar e solar, *Chandra* e *Sûrya-vansa* [a raça lunar e a solar] na antiga *Aryavarta* [Índia]. Encontramos a mesma coisa, embora em menor escala, entre as tribos semíticas. Abraão e seu pai Terah, segundo se ensina, emigraram de Ur levando com eles seu deus lunar (ou seu ramo), pois Jehovah Elohim ou *El* – outra forma de Elu – esteve sempre relacionado com a Lua. A cronologia lunar hebraica levou as nações "civilizadas" da Europa aos maiores erros e desatinos. Merodach, filho de Hea, veio a se tornar o Bel posterior e foi adorado na Babilônia. Bel possui um grande número de significados simbólicos.

Bela Shemesh (*Cald., Hebr.*) — "Senhor do Sol". Nome da Lua durante aquele período em que os judeus tornavam-se alternadamente adoradores solares e onde a Lua era uma divindade masculina e o Sol, feminina. Tal período engloba o tempo compreendido entre a expulsão de Adão e Eva do Éden e o não menos alegórico dilúvio de Noé. (Ver *Doutrina Secreta*, I, 397.)

Belerofonte (*Mit.*) — Filho de Glauco que, após diversos embates, combateu a Quimera e venceu-a com os meios que lhe foram dados pelos deuses.

Belites (*Hebr.*) — Judeus adoradores da Lua. (Ver *Ben Shemesh.*)

Belona (*Mit.*) — Deusa da guerra frequentemente confundida com Minerva e Palas.

Bembel ou **Benibel** (*Alq.*) — Termo da Ciência Hermética. Mercúrio Filosofal ou a Grande Obra da Pedra dos Sábios.

Bembo — Ver *Tabuinha de Bembo*.

B

Ben (*Hebr.*) — Filho. Prefixo comum dos nomes próprios para denotar o filho de; por exemplo: *Ben* Salomão, *Ben* Ishmael etc.

Ben Shemesh (*Hebr.*) — Os filhos dos "Filhos do Sol". Este termo pertence ao período em que os judeus dividiam-se em adoradores do Sol e da Lua: *Elites* e *Belites*. (Ver *Bela Shemesh*.)

Benoo (*Eg.*) — Palavra aplicada a dois símbolos, ambos usados para significar "Fênix". Um deles era *Shen-shen* (garça) e o outro uma ave não descrita, chamada *Rech* (vermelha); as duas eram consagradas a Osíris. A última destas aves era a verdadeira Fênix dos Grandes Mistérios, o símbolo representativo da autocriação e ressurreição do seio da morte: uma representação do Osíris solar e do *Ego* divino no homem. Contudo, tanto a Garça quanto o Rech eram símbolos de ciclos; a primeira, do ano solar de 365 dias; a segunda, do ano trópico de um período que engloba cerca de 26.000 anos. Em ambos os casos, os ciclos eram símbolos da reaparição da luz do seio das trevas, o grande retorno cíclico anual do Deus-Sol à sua terra natal, ou seja, sua Ressurreição. O Rech-Benoo, como descrito por Macróbio, vive 660 anos e morre; outros aumentam sua vida até 1.460 anos. Plínio, o Naturalista, descreve Rech como uma ave de grande tamanho, com asas de ouro e púrpura e uma longa cauda azul. Como sabem todos os leitores, a Fênix, ao sentir seu fim próximo, segundo conta a tradição, constrói para, si mesma uma pira funerária, no alto do altar de sacrifícios, e em seguida se consome nela, como um holocausto. Logo depois surge, nas cinzas, um verme, que cresce e se desenvolve com rapidez até se converter em uma nova Fênix, ressuscitada das cinzas de sua antecessora.

Berasit (*Hebr.*) — Primeira palavra do livro do *Gênese*. A versão autorizada inglesa, bem como as espanholas de Scio, Cipriano de Valera e outras, traduz assim: "No princípio"; porém esta tradução é impugnada por muitos homens doutos. Tertuliano a traduzia por: "Em poder"; Crocio, "Quando ao princípio"; porém os autores do *Targum de Jerusalém*, que deviam conhecer o hebraico melhor que ninguém, traduziram tal expressão como: "Na Sabedoria". G. Higgins, em seu *Anacalypsis*, insiste em que *Berasit* é o signo do caso ablativo, cujo significado é "em" e *ras*, *rasit* um termo antigo equivalente a Chokmah, "sabedoria". (W. W. W.) *Berasit ou Berasheth* é uma palavra mística entre os cabalistas da Ásia Menor.

Bergelmir (*Esc.*) — O único gigante que escapou, num barco, da matança geral dos seus irmãos, filhos do gigante Ymir, que se afogaram no sangue de seu pai furioso. É o Noé escandinavo e, como ele, veio a se tornar pai dos gigantes após o Dilúvio. Os cantos dos antigos escandinavos mencionam os netos do divino Burî (Odin, Wali e We), que venceram e mataram o terrível gigante Ymir e de seu corpo criaram o mundo.

Berilo (do latim *Beryllus*) — Pedra preciosa parecida com a esmeralda, de cor verde muito intensa e transparente, que é utilizada como espelho mágico, em cuja aura astral o vidente pode observar aparições e imagens de coisas futuras.

Berosio — Ver *Berosus*.

Berosus (*Cald.*) — Um sacerdote do templo de Belo, que escreveu, para Alexandre, o Grande, a história da Cosmogonia, tal como era ensinada nos templos, retirada dos registros astronômicos e cronológicos guardados no referido templo. Os fragmentos que dela temos nas *soi-disant* traduções de Eusébio são, sem dúvida alguma, tão pouco dignas de confiança como as que poderiam ser feitas pelo biógrafo do imperador Constantino o qual fez deste último um santo! O único guia para tal Cosmogonia pode ser encontrado atualmente nas Tabuinhas Assírias, evidentemente copiadas quase por completo dos primitivos registros da Babilônia, que, digam o que quiserem os orientalistas, são inegavelmente os originais do *Gênese* de Moisés, do Dilúvio, da Torre de Babel, do filho de

B

Moisés flutuante nas águas e de outras ocorrências. Porque, se os fragmentos da Cosmogonia de Berosio, tão cuidadosamente reeditados e provavelmente mutilados e com adições feitas por Eusébio, não constituem uma grande prova da antiguidade dos referidos registros da Babilônia – ao ver que este sacerdote de Belo viveu trezentos anos após os judeus terem sido levados para o cativeiro na Babilônia e que os assírios *poderiam* tê-los copiado deles –, descobrimentos posteriores tornaram impossível uma hipótese tão consoladora. Está hoje plenamente comprovado por sábios orientais que não só a "Assíria apropriou-se da civilização e dos caracteres escritos da *Babilônia*", mas também *copiou sua literatura das fontes babilônicas*. Além disso, em sua primeira conferência de Hibbert, o professor Sayce demonstra que a cultura, tanto da própria Babilônia como da cidade de Eridu, é resultado de *importação estrangeira* e, segundo este sábio, a cidade de Eridu esteve situada "nas margens do Golfo Pérsico, 6.000 anos atrás", isto é, aproximadamente no mesmo tempo em que o *Gênese* mostra a Elohim do nada o mundo, o Sol e as estrelas.

Beryllistica ars (*Lat.*) — "Arte berilística": é a arte de adivinhar por meio das aparições ou imagens vistas nos espelhos mágicos, cristais, taças ou copos, água corrente, pedras etc. Tais métodos são utilizados para tornar a mente passiva e para que esta possa receber as impressões que a Luz Astral causa na esfera mental do indivíduo. Desviando a atenção dos objetos sensíveis e exteriores, o homem interior torna-se consciente e receptivo às impressões subjetivas. (*F. Hartmann*)

Bes (*Eg.*) — Um deus fálico, o deus da concupiscência e do prazer. É representado de pé sobre um lótus, disposto a devorar sua própria prole *(Abydos)*. Uma divindade um tanto moderna, de origem estrangeira.

Besec (*Alq.*) — Mercúrio dos Sábios.

Besed (*Alq.*) — Coral.

Bestla (*Esc.*) — Filha dos Gigantes de Gelo, filhos de Ymir; era esposa de Burî e mãe de Odin e de seus irmãos. (*Edda*)

Beth (*Hebr.*) — Casa, mansão.

Beth Elohim (*Hebr.*) — Um tratado cabalístico que versa sobre os anjos, as almas dos homens e os demônios. Tal nome significa: "Casa dos Deuses".

Betyles (*Fen.*) — Pedras mágicas. Os escritores antigos davam-lhes o nome de "pedras animadas" pedras *oraculares*. Empregadas pelos pagãos e cristãos que acreditavam nas virtudes das mesmas. (Ver *Doutrina Secreta*, II, 342.)

Bhâ (*Sânsc.*) — Luz, esplendor, beleza.

Bhâchya ou **Bhâshya** (*Sânsc.*) — Literalmente: "que se deve dizer", glosa, comentário.

Bhacta (*Alq.*) — Terra vermelha.

Bhadra (*Sânsc.*) — Virtuoso, puro, prudente, excelente, sábio.

Bhâdra (*Sânsc.*) — O mês que compreende parte de agosto e de setembro.

Bhadrakali (*Sânsc.*) — Epíteto da deusa Durgâ, esposa de Shiva.

Bhadrakalpa (*Sânsc.*) — Literalmente: "o *Kalpa* dos sábios". Nosso período atual é um *Bhadra-Kalpa* e o ensinamento esotérico fixa-lhe uma duração de 236 milhões de anos. É assim chamado "porque em seu curso aparecem mil sábios ou Buddhas" (*Sanskrit-Chinese Dic.*). "Quatro Buddhas (ou Budas) já apareceram", acrescenta. Mas, como

B

de tais 236 milhões de anos já transcorreram uns 151 (na época da publicação desta obra), parece haver aqui uma distribuição um pouco desigual de Buddhas. Este é o costume exotérico, isto é, as religiões populares tudo confundem. A filosofia esotérica ensina-nos que cada Raça-Mãe (ou Raça-raiz) tem seu Buddha ou Reformador principal, que aparece igualmente nas sete sub-raças como um *Bodhisattva* (ver). Gautama Sâkyamuni foi o quarto e também quinto *Buddha*: o quinto, porque somos a quinta Raça-Mãe; o quarto, por ser o principal *Buddha* desta *quarta* Ronda. O *Bhadra-Kalpa*, ou "período de estabilidade", é o nome de nossa Ronda atual, esotericamente falando, cuja duração, como é de se supor, aplica-se somente a nosso globo (o globo D), e, portanto, os "mil" *Buddhas*, na realidade, limitam-se a apenas quarenta e nove em conjunto.

Bhadrapadâ (*Sânsc.*) — O 26º e 27º asterismos lunares.

Bhadrasena (*Sânsc.*) — Um rei budista de Magadha.

Bhadra-vihâra (*Sânsc.*) — Literalmente: "Mosteiro dos Sábios ou *Bodhisattvas*". É certo *Vihâra* ou *Matham* de Kanyâkubdja.

Bhagats (*Sânsc.*) — Também chamado de *Sokha* e *Shivnâth* pelos hindus. Aquele que exorciza os maus espíritos.

Bhagavad-Gîtâ (*Sânsc.*) — Literalmente: "O Canto do Senhor". É um episódio do *Mahâbhârata*, o grande poema épico da Índia. Contém um diálogo no qual Krishna, "condutor do carro", e Arjuna, seu *chela* [discípulo], têm uma discussão sobre a mais elevada filosofia espiritual. Esta obra é eminentemente oculta ou esotérica.

Bhagavân (*Sânsc.*) — Nominativo singular de *Bhagavant*.

Bhagavant ou **Bhagavat** (*Sânsc.*) — (Também *Bhagavad* em certos casos, por razão de eufonia.) É um título de Buddha e de Krishna. "O Senhor", literalmente. [O bem-aventurado, o Senhor; epíteto de Vishnu, Shiva, Krishna, Buddha etc. Como adjetivo, significa: Bendito, bem-aventurado, glorioso, santo, sagrado, venerável, excelso etc.]

Bhâgavata-Purâna (*Sânsc.*) — Um dos *Purânas*. Esta obra, dedicada à glorificação de *Bhâgavata* (Vishnu), ficou muito famosa na Índia e exerce, talvez, sobre as opiniões e sentimento do povo uma influência mais direta e poderosa do que qualquer outro dos *Purânas* restantes.

Bhâgîrathî (*Sânsc.*) — Um dos vários nomes do rio Ganges.

Bhakta (*Sânsc.*) — Devoto, piedoso, fiel, adorador.

Bhakti (*Sânsc.*) — Devoção, piedade, adoração, amor; amor divino.

Bhakti-mârga (*Sânsc.*) — Sendeiro de devoção ou amor; sendeiro de devoção amorosa.

Bhakti-yoga (*Sânsc.*) — Devoção de amor, fiel ou amorosa devoção; yoga ou sendeiro de devoção.

Bhânemi (*Sânsc.*) — Literalmente: "Círculo de Luz". O Sol.

Bhao (*Sânsc.*) — Uma cerimônia de adivinhação entre as tribos kolarianas da Índia Central.

Bhera (*Sânsc.*) — Peso, carga.

Bharadvâja (*Sânsc.*) — Um *Richi* a quem são atribuídos vários hinos védicos.

Bharanî (*Sânsc.*) — A segunda mansão (ou asterismo) lunar.

B

Bharata (*Sânsc.*) — Bardo, poeta. Nome de um rei da dinastia lunar da Índia, filho de Duchyanta e Zakuntalâ. Entre seus descendentes figuram: Kuru e Zântanu. Este último teve, de sua esposa Satyavatî, um filho chamado Vichitravîrya, que morreu sem sucessão, deixando duas viúvas: Ambâ e Ambâlikâ. Krishna Dvaipâyana, chamado de o Vyâsa, irmão adotivo de Vichitravîrya, casou-se com ambas as viúvas, das quais teve dois filhos: Dhritarâchtra e Pându, cujos descendentes foram os príncipes Kurus ou Kuravas e os Pândavas, respectivamente.

Bhârata (*Sânsc.*) — Descendente de Bharata. Este nome patronímico é aplicado aos Kurus e aos Pândavas, porém preferencialmente a estes últimos.

Bhârata-varcha (*Sânsc.*) — Literalmente: "Região ou terra dos Bhâratas". Antigo nome da Índia.

Bhargavas (*Sânsc.*) — Uma antiga raça da Índia. Este termo deriva do nome do *Richi* Bhrigu.

Bharima — Ver *Barima*.

Bhâs (*Sânsc.*) — Luz, brilho, esplendor, glória.

Bhâshya — Ver *Bhâchya*.

Bhâskara (*Sânsc.*) — Um dos epítetos de *Sûrya*, o Sol. Significa "doador de vida" e "produtor de luz".

Bhautika (*Sânsc.*) — Adjetivo derivado de *bhûta* (ver).

Bhautika-sarga (*Sânsc.*) — Criação dos seres ou corpos.

Bhava (*Sânsc.*) — Ser ou condição de existência; o mundo, nascimento e também um nome de Shiva. [Vida, princípio, origem, realidade, prosperidade, riqueza etc.]

Bhâva (*Sânsc.*) — Ser, existência, substância, ser real, ser vivente, criatura; produção, nascimento; forma ou modo de ser, estado ou condição de existência; vida; disposição, natureza, caráter; ânimo, coração; emoção etc.

Bhavaja (*Sânsc.*) — O amor, Kâma.

Bhâvanâ (*Sânsc.*) — Produção interna de ideias ou sentimentos; recolhimento, concentração espiritual, contemplação, meditação.

Bhâvitva (*Sânsc.*) — Os três mundos: céu, terra e inferno.

Bheda (*Sânsc.*) — Divisão, separação, diferença, variedade etc.

Bheda-mûla (*Sânsc.*) — A raiz ou origem do estado de separação. *(Bhagavân Dâs)*

Bhikshu (*Sânsc.*) — Em páli, *Bikkhu*. Nome dado aos primeiros prosélitos de Sâkyamuni Buddha. Literalmente: "discípulo mendicante". O *Dicionário Sânscrito-Chinês* explica corretamente este termo, dividindo os *Bhikshus* em dois tipos de *sramanas* (monges e sacerdotes budistas), a saber: "mendigos esotéricos, que refreiam sua natureza através da lei (religiosa), e os mendicantes exotéricos, que refreiam sua natureza através da dieta". E acrescenta o *Dicionário* menos corretamente: "todo verdadeiro *Bhikshu* tem fama de fazer milagres".

Bhîma (*Sânsc.*) — Literalmente: "terrível". Também denominado *Vrikodara* (ventre de lobo). Era o segundo dos príncipes pândavas e foi engendrado misticamente por Vâyu, deus do ar. Principal caudilho do exército pândava, renomado por sua força e frieza, que lhe valeu o epíteto acima. (Ver *Bhagavad-Gîtâ*, cap.I.)

B

Bhîshma (*Sânsc.*) — Literalmente: "terrível". Irmão adotivo de Vichitravîrya e avô, melhor dizendo, tio-avô dos Kurus e Pândavas. Era o principal caudilho da hoste Kurava. (Ver *Bhagavad-Gîtâ* e *Bharata*.)

Bhoga (*Sânsc.*) — Prazer, gozo; experiência; percepção; sensação; alimento; serpente etc.

Bhoga-deha (*Sânsc.*) — "Corpo de experiência (prazer e dor)". O corpo astral.

Bhogârambhaka (*Sânsc.*) — Termo técnico com que se designa o Karma que engendra prazer e dor. *(P. Hoult)*

Bhogîndra (*Sânsc.*) — "Serpente de Indra", Ananta. Nome de uma região do *Pâtâla* (*Uttara-Gîtâ*, II, 28).

Bhons (*Tib.*) — Sequazes da antiga religião dos aborígenes do Tibete; dos templos e ritualismo pré-búdicos. O mesmo que *Dugpas*, "turbantes vermelhos", embora esta última denominação seja geralmente aplicada apenas aos feiticeiros. (Ver *Dugpas* ou *Daddugpas*.)

Bhrânti (*Sânsc.*) — Erro, confusão, dúvida.

Bhrântidarzanatah (*Sânsc.*) — Literalmente: "falsa compreensão ou percepção. Alguma ideia formada com base em falsas aparências, como uma forma ilusória, *mayavica*.

Bhrânti-hara (*Sânsc.*) — Que desvanece o erro ou a confusão.

Bhrânti-kara (*Sânsc.*) — Que causa horror ou confusão mental.

Bhrânti-nâzana (*Sânsc.*) — O mesmo que *Bhrânti-hara*.

Bhrâtri (*Sânsc.*) — Irmão.

Bhrigu (*Sânsc.*) — Um dos grandes *Richis* védicos. Manu chama-o de "Filho" e confia-lhe suas instituições. Bhrigu é um dos sete *Prajâpatis* ou progenitores da humanidade, o que equivale a sua identificação com um dos deuses criadores, que os *Purânas* colocam no *Krita-yuga*, ou seja, a primeira idade, a da pureza. O Dr. Wynn Westcott recorda-nos o fato de que o pranteado e muitíssimo erudito Dr. Kenealy (que escrevia este nome como *Brighoo*) fazia deste *muni* (santo) o quarto de seus doze "mensageiros divinos" para o mundo, acrescentando que surgiu no Tibete, no ano de 4800, e que sua religião propagou-se à Grã-Bretanha, onde seus seguidores erigiram o templo megalítico de Stonehenge. Esta, como se pode compreender, é uma hipótese baseada simplesmente nas especulações pessoais do Dr. Kenealy. [O *Bhagavad-Gîtâ* (X, 25) apresenta Bhrigu como chefe dos grandes *Richis*.]

Bhû (*Sânsc.*) — A Terra. Um dos infernos.

Bhû-loka — Ver *Bhûr-loka*.

Bhûmi (*Sânsc.*) — A Terra, também chamada *Prithivi*.

Bhû-putra (*Sânsc.*) — Literalmente: "Filho da Terra". O planeta Marte. *(P. Hoult)*

Bhuranyu (*Sânsc.*) — "O rápido" ou o voador. Esta palavra é aplicada a uma arma lançadora e é também um equivalente do grego *Phoroneus*.

Bhûr-Bhuva (*Sânsc.*) — Um encantamento místico, como *Om, Bhûr, Bhuva, Svar*, que significa: "Om, Terra, atmosfera, céu". Essa é a explicação exotérica.

Bhûr-loka (*Sânsc.*) — Um dos catorze *lokas* ou mundos do panteísmo hindu. É a nossa Terra ou mundo terrestre.

B

Bhûta (*Sânsc.*) — Sombra, espectro, espírito, fantasma. É incorreto chamar os *Bhûtas* de "demônios", como fazem os orientalistas. Porque se, por um lado, um *Bhûta* é "um espírito maligno, que frequenta os cemitérios, esconde-se nas árvores, anima corpos mortos e engana e devora seres humanos", na fantasia popular, na Índia, no Tibete e na China entende-se também por *Bhûta* "hereges", que sujam seu corpo com cinza, ou seja, os ascetas que cultuam Shiva (que é considerado, na Índia, como rei dos *Bhûtas*). [A palavra *Bhûta* tem, além disso, outros significados: ser, ser vivente, criatura, homem; elemento, essência, natureza, o mundo; espectro ou sombra de um morto; elemental, espírito elemental ou espírito da natureza; larva, vampiro etc. O culto aos *bhûtas* é um fetichismo grosseiro.]

Bhûta-dhâtrî (*Sânsc.*) — Literalmente: "Mãe ou sustentadora dos seres"; a Terra.

Bhûtâdi (*Sânsc.*) — Substâncias elementares, a origem da essência germinal dos elementos. O primeiro dos seres viventes. Epíteto de Vishnu.

Bhutão — É uma região ou país de hereges budistas e lamaístas, situada para além de *Sikkhim*, onde governa Dharma-Râja, vassalo nominal do Dalai-Lama.

Bhûta-sarga (*Sânsc.*) — A segunda das sete criações expostas nos *Purânas*: a dos elementos. Criação elemental ou incipiente, isto é, quando a matéria era alguns graus menos material do que agora. [A segunda criação, *Bhûta*, foi a dos princípios rudimentares ou *Tanmâtras*; daí vem a denominação dada ao *Bhûta-sarga* de criação elemental. É o período do primeiro momento da diferenciação da matéria ou elementos pré-cósmicos. (*Doutrina Secreta*, I, 488)]

Bhûtâtman (*Sânsc.*) — A alma dos seres, o Espírito individual *(Jivâtman)*. Brahmâ, Vishnu ou Shiva. Nas *Leis de Manu* (XII, 12) parece que com tal nome se designa o "corpo", como composto de elementos.

Bhûta-vidyâ (*Sânsc.*) — Arte de exorcizar, de tratar e curar a possessão demoníaca. Literalmente: "Conhecimento dos espectros ou demônios". [Demonologia.]

Bhûta-yajñâ (*Sânsc.*) — Sacrifício aos espíritos elementais ou às sombras dos defuntos.

Bhûteza (Bhûtâ-îza) ou **Bhûtezvara (Bhûta-îzvara)** (*Sânsc.*) — Literalmente: "Senhor dos seres viventes". Nome aplicado ao "Senhor dos seres viventes", a Vishnu, Brahmâ e Krishna.

Bhûtezvara — Ver *Bhûteza*.

Bhuva ou **Bhuvar** (*Sânsc.*) — A região intermediária (atmosfera) situada entre a Terra *(Bhû)* e o céu *(Svar)*.

Bhuvana (*Sânsc.*) — Um nome de Rudra ou Shiva, que faz parte da *Trimûrti* (trindade) hindu. O mundo dos homens.

Bhuvana-traya (*Sânsc.*) — Os três mundos. O mesmo que *Loka-trata*.

Bhuvar-loka (*Sânsc.*) — Um dos catorze mundos. A região intermediária, ou seja, o espaço compreendido entre a Terra e o Sol, a região dos *Siddhas*, *Munis* etc.; o mundo astral.

Bíblia (do grego *biblia*, livros, isto é, o Livro por excelência) — Conjunto das Escrituras sagradas dos cristãos, ou seja, os livros canônicos do Antigo e Novo Testamentos.

Bifröst (*Esc.*) — Ponte construída pelos deuses para defender o *Asgard*. Nela se encontra noite e dia "o terceiro deus da Espada conhecido pelo nome de Heimdal ou

B

Riger", com a espada na cinta, por ser o guardião eleito para proteger o *Asgard*, mansão dos deuses. Heimdal é o querubim escandinavo da flamígera espada, "que a virava para todos os lados, para guardar o caminho da árvore da vida".

Bihar Gyalpo (*Tib.*) — Um rei divinizado pelos *dugpas*. Um patrono em todos os seus edifícios religiosos.

Bîja ou **Vîja** (*Sânsc.*) — Semente, germe etc. "O *bîja* é um som, palavra ou sentença que se pronuncia no início de um *mantra*, a fim de produzir o efeito desejado." (*A. Besant*)

Binah (*Hebr.*) — Entendimento. O terceiro dos dez *Sephiroth*, o terceiro da Tríada superior; uma potência feminina, que corresponde à letra *hé* do *Tetragrammaton* IHVN. Binah é denominado Aima, a Mãe Suprema e o "grande Mar". (W. W. W.)

Bindu ou **Vindu** (*Sânsc.*) — Gota, ponto. O ponto ou signo do *anusvâra*. (Ver *Yttara-Gîtâ*, I, 15.)

Biomancia — Adivinhação baseada nos fenômenos da vida *(M. Treviño)*. A arte de adivinhar a duração da vida de um indivíduo, seu destino, sua sorte etc., pela observação de certos sinais do corpo.

Birs Nimrud (*Cald.*) — Segundo acreditam os orientalistas, é o local onde foi erguida a Torre de Babel. O grande amontoado de Birs Nimrud encontra-se nas vizinhanças da Babilônia. Sir H. Rawlinson e vários astrólogos, examinando as escavações das ruínas, verificaram que a torre constava de sete pisos de ladrilhos, cada um dos quais de uma cor diferente, o que prova que o templo era dedicado aos sete planetas. Embora seus três pisos superiores estejam em ruínas, a torre eleva-se ainda hoje a 154 pés acima do nível da planície. (Ver *Borsippa*.)

B'ne Alhim ou **Beni Elohim** (*Hebr.*) — "Filhos de Deus", literalmente, ou mais corretamente: "Filhos dos Deuses", visto que *Elohim* é o plural de *Eloah*. Um grupo de potências angélicas, referível, por analogia, aos *Sephira Hôd*. (W. W. W.)

Boaz — Ver *Booz*.

Boddhisattva — Ver *Bodhisattva*.

Bodha (*Sânsc.*) — Conhecimento, inteligência, entendimento, sabedoria.

Bodhi ou **Sambodhi** (*Sânsc.*) — Inteligência receptiva, em contraposição a *Buddhi,* que é a potencialidade da inteligência. [A sabedoria perfeita, a ciência sagrada, iluminação; a árvore do conhecimento ou do saber.]

Bodhidharma (*Sânsc.*) — Religião da Sabedoria ou a sabedoria contida no *Dharma* (ética). É também o nome de um grande Arhat *kchatriya* (ou seja, da casta guerreira), filho de um rei. Panyatara, seu guru, "deu-lhe o nome de Bodhidharma para designar seu conhecimento *(bodhi)* da lei *(dharma)* de Buddha" (*Dicionário Sânscrito-Chinês*). Bodhidharma, que floresceu no séc. VI, fez uma viagem à China, aonde levou uma relíquia preciosa: o cesto ou gamela para recolher esmolas que pertenceu ao Senhor Buddha.

Bodhi Druma (*Sânsc.*) — "A árvore *Bo* ou *Bodhi*"; a árvore do "conhecimento", o Baniano, *Pippala* ou *Ficus religiosa*, em botânica. É a árvore sob a qual Sâkyamuni meditou pelo espaço de sete anos, após os quais atingiu a condição de *Buddha*. Segundo contam, tinha originalmente 400 pés de altura; porém, quando Hiouen-Tsang a viu, por volta do ano 640 de nossa era, tinha uma altura de apenas 50 pés. Suas estacas foram levadas a todos os pontos do mundo búdico e plantadas defronte de quase todos os *vihâras* ou templos de alguma fama na China, Sião, Ceilão e Tibete. (Ver *Azvattha*.)

Bodhisat — Ver *Bodhisattva*.

Bodhisattva (*Sânsc.*) — Literalmente: "Aquele cuja essência *(sattva)* tornou-se inteligência *(bodhi)*", aquele a quem falta apenas uma encarnação para chegar a ser um *Buddha* perfeito, isto é, para ter direito ao *Nirvâna*. Este, como aplicado aos *Buddhas Manuchi* (terrestres). No sentido metafísico, *Bodhisattva* é um título dado aos filhos dos *Dhyâni Buddhas* celestes. Aquele que possui o dom ou qualidade de *Bodhi* (sabedoria suprema ou iluminação). Na ordem hierárquica, o *Bodhisattva* é inferior ao *"Buddha* perfeito". Na linguagem esotérica, estes dois termos são muito confundidos. Contudo, o inato e justo sentimento popular, em razão do grande sacrifício que o *Bodhisattva* fez de si mesmo, em sua respeitosa estima, colocou-o em lugar mais eminente que o de *Buddha*. Nos países búdicos do Norte, cada novo *Bodhisattva*, o grande Adepto Iniciado, recebe o nome de "libertador da humanidade". (*Voz do Silêncio*, III)

Bodhisattvas gêmeos — Ver *Amitâbha*.

Bodhismo esotérico — Sabedoria ou conhecimento secreto. Derivado do grego *esotéricos* ("interno") e do sânscrito *bodhi* ("conhecimento", inteligência, em contraposição a *buddhi*, "a faculdade intelectual ou de conhecimento", e *Buddhismo,* a lei ou filosofia de *Buddha*, o Iluminado). Também se escreve *Budhismo*, de *Budha* (Inteligência e Sabedoria), filho de Soma.

Bodhyanga (Bodhi-anga) (*Sânsc.*) — Literalmente: os (sete) ramos do conhecimento ou entendimento. Uma das trinta e sete categorias do *Bodhi-pakchika-dharma*, que compreende sete graus de inteligência (esotericamente, sete estados de consciência), a saber: 1) *Smriti,* "memória"; 2) *Dharma pravitchaya,* "compreensão correta" ou discernimento da lei; 3) *Vîrya,* "energia"; 4) *Prîti,* "prazer espiritual"; 5) *Prazradbhi,* "tranquilidade" ou quietude; 6) *Samâdhi,* "contemplação extática" e 7) *Upekcha* (ou *Upekchana*), "indiferença absoluta".

Boehme, *Jacobo* — Grande filósofo místico, um dos mais eminentes teósofos dos tempos medievais. Nasceu por volta de 1575 em Alt Seidenberg, a cerca de duas milhas de Görlitz (Silésia), e morreu em 1624, perto dos cinquenta anos de idade. Em sua infância, foi um simples pastor e, depois de aprender a ler e escrever numa modesta escola de aldeia, foi trabalhar como aprendiz na casa de um sapateiro em Görlitz. Era um clarividente natural, dotado de poderes maravilhosos. Sem educação nem conhecimento científico, escreveu várias obras que, conforme está provado atualmente, estão cheias de verdades científicas; porém, estas, como ele próprio disse a respeito de seus escritos, "ele as viu como se em grande Profundidade no Eterno". Teve "uma visão claríssima do Universo, como em um caos", que dele se soltava, de tempos em tempos, como num planeta jovem. Foi um consumado místico de nascimento e, evidentemente, de uma constituição rara ao extremo; uma daquelas naturezas sutis, cujo envoltório material não impede de maneira nenhuma a mútua comunicação direta, embora apenas acidental, entre o Ego intelectual e o espiritual. Este *Ego* é o que Boehme, assim como tantos outros místicos inexperientes, tomava erroneamente por Deus. "O homem deve reconhecer – escreve – que seu conhecimento não é próprio, mas que vem de Deus, que manifesta as *Ideias* de sabedoria na *Alma* do homem, *à medida que lhe agrade.*" Se este grande teósofo tivesse dominado o ocultismo oriental, ter-se-ia expressado de outra maneira. Saberia, então, que o "Deus" de que falava, através de seu pobre cérebro inculto e pouco adestrado, era

B

seu próprio *Ego* divino, a Divindade onisciente que estava dentro dele, e que as coisas que aquela Divindade lhe revelava não o eram *à medida que lhe agradava*, mas na medida das capacidades da morada mortal e temporal que Ela animava.

Bona Dea — Ver *Bona-Oma*.

Bona-Oma ou **Bona Dea** (*Boa deusa*) — Deusa romana, padroeira das Iniciadas e ocultistas. Também era chamada de Fauna, por ser filha de Fauno. Era adorada como uma divindade profética e casta e seu culto era reservado unicamente às mulheres, enquanto aos homens não era permitido sequer que pronunciassem seu nome. Revelou seus oráculos apenas às mulheres e as cerimônias de seu santuário (uma gruta do Aventino) eram dirigidas pelas vestais no primeiro dia de maio de todos os anos. Sua aversão por homens era tanta que não se permitia a nenhum varão aproximar-se da casa dos cônsules, onde sua festividade era realizada algumas vezes. Até os retratos e bustos dos homens eram levados para fora da casa durante a cerimônia. Clódio, que em certa ocasião profanou tão sagrada festa, introduzindo-se na casa de César, onde era celebrada, disfarçado de mulher, atraiu desgraça sobre si mesmo. Seu templo era decorado com folhagens e flores e as mulheres faziam libações, bebendo de um vaso *(mellarium)* cheio de leite. O *mellarium* não continha vinho, como afirmavam alguns escritores, que, por serem homens, trataram de se vingar.

Bonati, *Guido* — Frei franciscano, que nasceu na Florença no séc. XIII, morrendo no ano de 1306. Foi astrólogo e alquimista, porém não pode chegar a ser um Adepto rosa-cruz. Depois de tal fracasso, retornou ao seu convento.

Bono, *Pedro* — Lombardo; grande Adepto na ciência hermética, que fez uma viagem à Pérsia para estudar Alquimia. Ao voltar, fixou residência na Ístria, no ano de 1330, e tornou-se célebre como rosa-cruz. Atribui-se a um monge da Calábria, chamado Lacínio, a publicação, em 1772, de uma versão condensada das obras de Bono referentes à transmutação dos metais. Seja como for, há mais de Lacínio do que de Bono na obra em questão. Bono era um verdadeiro Adepto e um Iniciado, e uma tal pessoa não deixa seus segredos em seus manuscritos.

Bonzos — Sacerdotes budistas da China, Japão, Tonkin e outros pontos da Ásia oriental.

Boodhasp (*Cald.*) — Um suposto caldeu; porém, no ensinamento esotérico, era um budista (um *Bodhisattva*) do Oriente, que foi o fundador da escola esotérica do Neo-sabeísmo e cujo rito secreto do batismo passou integralmente para o rito cristão do mesmo nome. Durante aproximadamente três séculos antes de nossa era, os monges budistas percorreram toda a Síria, encaminharam-se ao vale da Mesopotâmia e até visitaram a Irlanda. O nome *Ferho* e *Faho* do *Códex Nazareno* é apenas uma corruptela de Fho, Fo e Pho, nome que os chineses, tibetanos e até os nepaleses dão muitas vezes a Buddha.

Booz (*Hebr.*) — Bisavô de Davi. A palavra em questão deriva de *B*, que significa "dentro", e *oz*, "força", nome simbólico de uma das colunas do átrio do templo do rei Salomão. (W. W. W.)

Boreasmas (do grego *boreasmoi*) — Em Atenas, festas nas quais era honrado o deus Bóreas, personificação do vento norte. Os atenienses tinham razões poderosas para honrar este vento, pois Bóreas era seu aliado; roubara a bela Oritia, filha de Ericteu, rei de Atenas, e tomou-a por esposa... Além disso, prestara aos atenienses um notório serviço ao dispersar com seu sopro uma frota inimiga contra a qual lutavam.

Borj (*Per.*) — A Montanha do Mundo; um vulcão ou montanha de fogo; o mesmo que o Meru hindu.

B

Borri, *Joseph Francis* — Eminente filósofo hermético, nascido em Milão, no séc. XVII. For um Adepto, alquimista e fervoroso ocultista. Sabia muito e, por isso, foi condenado à morte por heresia, no mês de janeiro de 1661, após a morte do Papa Inocêncio X. Conseguiu escapar e viveu muitos anos ainda, até que, finalmente, tendo sido reconhecido por um frade num povoado da Turquia, foi denunciado, reclamado pelo Núncio do Papa, reconduzido a Roma e encerrado numa prisão no dia 10 de agosto de 1675. Contudo, os fatos demonstram que Borri conseguiu evadir-se de sua prisão de uma maneira que ninguém soube explicar.

Borsippa (*Cald.*) — A Torre planetária, na qual Bel era adorado no tempo em que os *astrólatras* eram os maiores astrônomos. Era dedicada a Nebo, o deus da Sabedoria. (Ver *Birs Nimrud*.)

Bosques Sagrados — As selvas e os bosques foram durante muito tempo considerados como mansão de certos gênios. O temor secreto inspirado pela obscuridade e silêncio reinantes em tais locais contribuíram, sem dúvida, para o respeito religioso que os povos por eles sentiam. Nos países setentrionais, em tempos passados, não existiam outros templos que não os bosques e as selvas. Cada árvore era consagrada a uma divindade particular; em sua sombra eram celebrados os sacrifícios e, com o sangue das vítimas, as árvores eram orvalhadas. À sua sombra também eram constituídos os tribunais de justiça e os juízes ditavam suas sentenças, persuadidos de que os gênios habitantes dos bosques iluminariam seu entendimento e lhes mostrariam a verdade.

Both-al (*Irl.*) — O *Both-al* dos irlandeses é derivado e uma cópia do *Batylos* grego e do *Beth-el* de Canaã, a "Casa de Deus" (ver estas palavras).

Bragadini, *Marco Antonio* — Um rosa-cruz veneziano, que realizou grandes feitos; ocultista e cabalista que foi decapitado no ano de 1595, na Baviera, por fabricar ouro.

Bragi (*Esc.*) — O deus da Nova Vida, da regeneração da Natureza, da reencarnação do homem. É chamado de "Cantor Divino" sem mácula e é representado deslizando no navio dos Anões da Morte, durante a morte da Natureza *(pralaya)*, dormindo sobre o convés com sua harpa de cordas de ouro a seu lado e sonhando o sonho da vida. Quando o navio cruza o umbral de Nain, o Anão da Morte, Bragi desperta e, tocando as cordas de sua harpa, entoa um canto que ressoa em todos os mundos, um canto que descreve a beleza da existência e desperta a silenciosa e adormecida Natureza de seu longo sono semelhante à morte.

Brahma (*Sânsc.*) — O estudante tem de distinguir entre *Brahma* (neutro) e *Brahmâ* (masculino), o criador do Panteão hindu. O primeiro, *Brahma* ou *Brahman*, é o impessoal, supremo e incognoscível princípio do Universo, de cuja essência emana tudo e ao qual tudo retorna, e que é incorpóreo, imaterial, inato, eterno, sem princípio nem fim. É onipresente, onisciente, anima desde o deus mais elevado até o átomo mineral mais diminuto. [*Brahma*, neutro, com *a* final breve, ou *Brahman* é o Supremo, o Absoluto, a suprema Divindade, o Espírito universal e eterno, que preenche, penetra, sustenta e anima todo o Universo; é o princípio e fim de todos os seres, pois todos d'Ele emanam e a Ele todos retornam ao término do *Kalpa*. Em algumas passagens do *Bhagavad-Gîtâ* (XV, 3 etc.), a palavra *Brahma* equivale a "natureza" ou "matéria" e, em outras (XVII, 24), parece significar os *Vedas*. Para as demais acepções, consultar os dicionários sânscritos.]

Brahmâ (*Sânsc.*) — É o declarado Criador masculino; existe apenas periodicamente em sua manifestação e logo entra de novo no *pralaya*, isto é, desaparece e é aniquilado. [*Brahmâ*, masculino, com *a* final longo (*â*), é o Deus do Princípio criador do Universo ou, em outras palavras, é a personificação temporal do poder criador de *Brahma*. Existe

B

periodicamente apenas no período de manifestação do mundo, desaparecendo depois e retornando a *Brahma,* do qual procedeu. Brahmâ, juntamente com Vishnu e Shiva, formam a *Trimûrti* ou Trindade hindu.]

Brahma-bhûta (*Sânsc.*) — Convertido ou absorvido em Brahma; unificado ou identificado com Brahma. Como substantivo, esta expressão significa: absorção, unificação ou identificação com Brahma.

Brahma-bhûti (*Sânsc.*) — Crepúsculo.

Brahma-bhûya (*Sânsc.*) — Natureza ou condição de Brahma (ou divina); essência divina; identificação com Brahma.

Brahmachârin (*Sânsc.*) — Um asceta brahmânico; aquele que fez voto de celibato; um monge, virtualmente, ou um estudante religioso. [Neófito ou noviço, que fez voto de castidade, pobreza, obediência ao Mestre, para se consagrar completamente ao ascetismo e ao estudo. (Ver *Âzrama*)]

Brahmachârya (*Sânsc.*) — A vida e condição do brahmachârin; noviciado. Voto de castidade em pensamentos, palavras e obras.

Brahmadanda (*Sânsc.*) — Maldição de um brâhmana; anátema.

Brahmâdikas (*Sânsc.*) — Os dez grandes *Richis,* senhores de criaturas *(prajâpatis),* nascidos de Brahmâ: Angiras, Atri, Kratu, Dakcha, Pulastya, Bhrigu, Vasichtha, Marîchi e Nârada.

Brahmâ-dina ((*Sânsc.*) — "Dia de Brahmâ".

Brahmagiri (*Sânsc.*) — "Monte de Brahmâ".

Brahmajñâna (Brahmagnyâna) (*Sânsc.*) — Sabedoria divina.

Brahmajñânin (*Brahmajñânî,* em nominativo) (*Sânsc.*) — Literalmente: "o que possui a sabedoria divina". Aquele que possui o completo Conhecimento; um *Illuminatus* (Iluminado), em linguagem esotérica.

Brahmakalpa (*Sânsc.*) — Uma idade de Brahmâ.

Brahmâkchara (*Sânsc.*) — Literalmente: "a sílaba ou palavra divina"; a sílaba OM.

Brahmaloka (Brahmâ-loka) (*Sânsc.*) — O mundo de Brahmâ, um dos oito mundos. Mansão das divindades superiores e das almas piedosas.

Brahman — Ver *Brahma.*

Brâhman (*Sânsc.*) — A mais elevada das quatro castas da Índia; a que se supõe, ou melhor, que se afigura ser tão elevada entre os homens, como Brahman ou Brâhman, o Absoluto dos vedantinos, é elevado entre ou acima dos deuses. Sacerdote ou brahman: indivíduo pertencente à casta sacerdotal. (Ver *Brâhmana.*)

Brâhmana (*Sânsc.*) — Sacerdote, brahmane ou bracmane. Indivíduo da casta sacerdotal, a primeira das quatro que há na Índia.

Brâhmanas (*Sânsc.*) — Livros sagrados da Índia. Obras compostas por e para brahmanes. Comentários ou interpretações daquelas partes dos *Vedas* destinadas ao uso ritualista e como guia daqueles "duas vezes nascidos" *(dwija)* ou brahmanes.

Brahmanaspati (*Sânsc.*) — O planeta Júpiter; uma divindade mencionada no *Rig-Veda,* conhecida nas obras exotéricas com o nome de Brihaspati, cuja esposa Târâ foi arrebatada por Soma (a Lua). Isto conduziu a uma guerra entre os deuses e *asuras.* [Ver *Brihaspati.*]

B

Brahmânda (*Sânsc.*) — O ovo de Brahma (do qual nasceu o mundo), o Universo ou microcosmo. Um dos *Purânas*.

Brahma-nirvâna (*Sânsc.*) — Extinção ou absorção em Brahma.

Brahmanismo ou **Hinduísmo** — Religião da Índia, que reconhece e adora Brahma como Deus supremo. É a maior e mais antiga da raça ária e é professada pela maior parte dos habitantes da Índia.

Brahmâ-prajâpati (*Sânsc.*) — "Brahmâ, o progenitor" ou "Senhor das criaturas" ou seja, Brahmâ, como Criador do Universo. Sob este aspecto, Brahmâ é a síntese dos *Prajâpatis* ou Forças Criadoras.

Brahmâ-pura ou **Brahmapuri** (*Sânsc.*) — "Cidade de Brahmâ"; o céu de Brahmâ, situado no cume do monte Meru.

Brâhma-purâna (*Sânsc.*) — Em categoria, é o primeiro dos *Purânas*. É chamado também *Saura-Purâna*, porque em grande parte é apropriado ao culto de *Sûrya*, o Sol.

Brahmâ-purî ou **Brahmapurî** (*Sânsc.*) — O mesmo significado de *Brahmâ-pura*. Este nome também é dado a uma região situada na cabeça e que deve ser considerada como o microcosmo do corpo humano, por ser a origem e a raiz do *nâdi* sensorial *Suchumna*, denominado por esta razão *Manomaya-jagat* ou mundo da mente. (*Uttara-Gîtâ*, II, 24)

Brahmâ-putrâs (*Sânsc.*) — "Filhos de Brahmâ". [Os *prajâpatis*.]

Brahmarandhra (*Sânsc.*) — Um ponto do cocuruto ou vértice da cabeça, relacionado, através do *Suchumna* (um cordão da coluna espinhal), com o coração. *Brahmarandhra* é um termo místico, que só tem significado no misticismo. [É uma sutura do vértice da cabeça pela qual sai a alma do yogi no momento da morte. O canal espinhal termina neste ponto. *Râma Prasâd*.]

Brahmâ-râtri (*Sânsc.*) — "Noite de Brahmâ".

Brahmarshis (**Brahma-richis**) (*Sânsc.*) — *Richis* brâhmanicos ou seja, que pertenceram à casta sacerdotal. O nome *Brahmarshi* também é utilizado para designar uma região da Índia, da qual faz parte o campo sagrado Kurukchetra, que foi palco da famosa guerra entre Kurus e Pândavas. (Ver *Leis de Manu*, II, 19.)

Brahma-sûtra (*Sânsc.*) — O cordão sacerdotal. Este nome também é empregado para designar uma série de sentenças ou aforismos referentes a Brahma, atribuída a Vyâsa ou a Bâdarâyana (segundo alguns autores).

Brahmâ-vâch (*Sânsc.*) — Brahmâ masculino e feminino. *Vâch* é também denominado, algumas vezes, de *Logos* feminino, pois *vâch* significa, literalmente, "palavra", "linguagem". (Ver *Manu*, I e *Vishnu-Purâna*.)

Brahmavâdin (*Sânsc.*) — Literalmente: "que fala de Brahma". Teólogo; expositor de Brahma ou dos *Vedas*.

Brahmâvartta ou **Brahmavartta** (*Sânsc.*) — A Terra Santa, situada a Noroeste de Delhi, entre o rio Sarasvatî e o Drichadvatî. Recebeu tal nome por ser frequentada pelos deuses. (Ver *Leis de Manu*, II, 17.)

Brahma-veda (*Sânsc.*) — Sabedoria divina, conhecimento de Brahma ou de Deus. Assim também é denominado *Atharva-Veda*.

Brahma-vid (*Sânsc.*) — Aquele que possui a sabedoria divina.

B

Brahma-vidyâ *(Sânsc.)* — O conhecimento, a ciência esotérica sobre os dois Brahmas e sua verdadeira natureza. Literalmente: ciência ou sabedoria divina; Teosofia.

Brahma-virâj *(Sânsc.)* — O mesmo que *Brahma-vâch*: Brahmâ, dividindo seu corpo em duas metades, masculina e feminina, cria nelas *Vâch* e *Virâj*. Em linguagem mais clara e *esotericamente*, Brahmâ, o Universo, diferenciando-se, produz a natureza material, *Virâj*, é a natureza espiritual inteligente, *Vâch*, que é o *Logos* da Divindade ou a expressão manifestada da eterna *Ideação divina*. (Ver *Virâj*.)

Brahma-yajña *(Sânsc.)* — Literalmente: "sacrifício a Brahma". O estudo do *Veda* considerado como ato piedoso.

Brahma-yuga *(Sânsc.)* — "Idade dos Brahmanes". Outra denominação do *Kritayuga*. (Ver *Yuga*.)

Brahmi (feminino: *Brahmî*) *(Sânsc.)* — Brahmânico, divino, santo, sagrado.

Brahmin *(Sânsc.)* — O mesmo que *Brâhmana* (brâmane ou bracmâne).

Brahmodbhava (Brahman-udbhava) *(Sânsc.)* — Nascido ou originado de Brahma ou de Brahmâ.

Briah *(Hebr.)* ou **Mundo Briático** — É o segundo dos quatro mundos dos cabalistas e está relacionado com os mais elevados "Arcanjos" criados, ou seja, os Espíritos puros. (W. W. W.)

Briareu *(Gr.)* — [Também chamado Egeon ou *Ægeon*.] Famoso gigante na teogonia de Hesíodo. Este monstro, filho do céu e da Terra, tinha cinquenta cabeças e cem braços. Figura muito nas guerras e batalhas entre os deuses.

Brith *(Sânsc.)* — Crescer, estender-se, desenvolver-se.

Brihadâranyaka *(Sânsc.)* — Este é o nome de um *Upanichad*. Um dos livros sagrados e *secretos* dos brahmanes. Um *Âranyaka* é um tratado acrescentado aos *Vedas* e considerado como objeto de estudo especial para aqueles que se retiraram para o deserto ou selva, para se consagrarem à meditação religiosa. [Este tratado é atribuído ao sábio Yâjñavalkya. (Ver *Âranyaka*.)]

Brihaspati ou **Vrihaspati** *(Sânsc.)* — Nome de uma divindade e também de um *Richi*. É também o nome do planeta Júpiter. É o *Guru* (Mestre) personificado e sacerdote dos deuses na Índia; também é símbolo do ritualismo exotérico, em oposição ao misticismo esotérico. Daí, o antagonista do rei Soma (a Lua; porém, também o suco sagrado bebido na Iniciação), o pai de *Budha*, a sabedoria secreta. Literalmente, "grande senhor", *brihat pati*.

Brihat *(Sânsc.)* — Grande, poderoso, excelso. É preciso notar que, por razão de eufonia, a letra *t* desta palavra é substituída, às vezes, por *s* ou outra letra, como em *Brihaspati*.

Brihat-sâman *(Sânsc.)* — "O grande hino", que faz parte do *Sâma-Veda*.

Brihat-sanhitâ *(Sânsc.)* — "Grande coleção". Título de uma obra famosa referente a astronomia, composta por Varâha Mihira.

Briseu *(Gr.)* — Nome dado ao deus Baco por sua ama-de-leite Briso, Briseu tinha também um templo em Brisa, um promontório da ilha de Lesbos.

Bruta — Força astral manifestada nos animais; segunda visão nos brutos; poder dos animais para descobrir instintivamente substâncias venenosas ou medicinais. *(F. Hartmann)*

B

Bruxa — A palavra inglesa *witch* (bruxa, feiticeira) deriva da palavra anglo-saxônica *wicce*; em alemão, *wissen*, "conhecer", "saber", e *wikken*, "adivinhar", "vaticinar". As bruxas eram chamadas inicialmente de "mulheres sábias", até o dia em que a Igreja chamou para si o seguimento da lei de Moisés, que condenava à morte toda bruxa ou feiticeira.

Bruxaria — Ver *Feitiçaria, Magia* etc.

Bruxo — Ver *Feiticeiro, Mago* etc.

Bubasté (*Eg.*) — Cidade do Egito consagrada aos gatos e onde se encontrava seu templo principal muitas centenas de milhares de gatos foram embalsamados e sepultados nas grutas de Beni-Hassan-el-Amar. Por ser um símbolo da Lua, o gato era consagrado a Ísis, sua deusa. Tal animal é visto na obscuridade e seus olhos têm um brilho fosforescente, que amedronta as aves noturnas do mau agouro. O gato era também consagrado a Bast e daí a denominação de "destruidor dos inimigos do Sol (Osíris)".

Buda — Ver *Buddha* e *Budha*.

Buddha (*Sânsc.*) — Literalmente: "o Iluminado". O mais alto grau de conhecimento. Para chegar a ser *Buddha* é preciso destruir inteiramente a escravidão dos sentidos e da personalidade, adquirir uma completa percepção do Eu e aprender a não o separar dos demais eus, aprender também, por experiência, em primeiro lugar, a completa falta de realidade de todos os fenômenos do Cosmo visível, chegar a um absoluto desprendimento de todo o efêmero e finito e viver, estando ainda na terra, só no imortal e eterno, num supremo estado de santidade. Não se deve confundir esta palavra com *Budha* (ver). (Ver também *Buddha Siddhârtha*.)

Buddha-chhâyá (*Sânsc.*) — Literalmente: "a sombra de Buddha". Segundo dizem, faz-se visível em certos grandes acontecimentos, bem como durante algumas cerimônias imponentes, celebradas nos templos, em comemoração a fatos gloriosos da vida de Buddha. O viajante chinês Hiouen-tseng menciona certa gruta onde, algumas vezes, esta sombra aparece na parede, porém acrescenta que somente podem vê-la aqueles "cuja mente é totalmente pura".

Buddha-dharma-sangha (*Sânsc.*) — "O Buddha, a Lei, a Ordem". Esta fórmula é o resumo da profissão de fé dos buddhistas, chamada *Tisarana*. "Eu sigo Buddha como meu guia; sigo a Lei (ou Doutrina) como meu guia; sigo a Ordem (ou Igreja) como meu guia."

Buddhâgama (Buddha-âgama) (*Sânsc.*) — Literalmente: "aproximação ou chegada à Iluminação", ou seguimento da doutrina de Sâkya-Muni (Buddha). No Ceilão e outros países búdicos, tal nome é utilizado para designar o Budhismo, ou seja, a doutrina de Buddha. (Ver Olcott *Catec. Búddhico*.)

Buddha-mârga (*Sânsc.*) — "A via de Buddha". A lei religiosa pregada por Buddha.

Buddha-phala (*Sânsc.*) — Literalmente: "o fruto de Buddha", a fruição do *Arahatt-vaphala* ou condição de *Arhat*.

Buddha Siddhârtha (*Sânsc.*) — Ou *Buda Siddhârtha*. Nome dado a Gautama, príncipe de Kapilavastu, em seu nascimento. Tal termo é uma abreviação de *Sarvârthasiddha* e significa "realização de todos os desejos". Gautama, que significa "o mais vitorioso *(tama)* na Terra *(gau)*", era o nome sacerdotal da família Sâkya, nome patronímico régio da dinastia a que pertencia o pai de Gautama, o rei Suddhodhana de Kapilavastu. Kapilavastu era uma cidade antiga, solo nativo do grande Reformador, que foi destruída no tempo em que ele viveu. Do título Sâkyamuni, o último componente, *muni*, é interpretado

B

no sentido de "poderoso em caridade, isolamento e silêncio" e o primeiro, *Sâkya*, é o nome da família. Não há orientalista nem pandita que não saiba de cor a história de Gautama, o *Buddha*, o mais perfeito dos mortais já vistos no mundo, porém nenhum mortal parece sequer suspeitar do significado esotérico existente no fundo de sua biografia pré-natal, isto é, o significado da história popular. O *Lalita-vistara* relata essa história, porém se abstém de insinuar a verdade. Os cinco mil *Jâtakas* ou acontecimentos de nascimentos anteriores (reencarnações) são considerados ao pé da letra, ao invés de esotericamente. Gautama, o Buddha, não teria sido um mortal se não tivesse passado por centenas de milhares de nascimentos antes do último. Contudo, o relato detalhado dos mesmos e a afirmação de que durante tais renascimentos ele foi abrindo caminho para cima através de cada grau de transmigração, desde o mais ínfimo átomo animado e inanimado e desde o inseto até a criatura mais elevada, ou seja, o *homem*, encerra o tão conhecido aforismo oculto: "a pedra converte-se em planta, a planta em animal e o animal em homem". Todo ser humano existente passou pela mesma evolução. Porém, o simbolismo oculto nesta série de renascimentos *(jâtaka)* inclui uma história perfeita da evolução nesta Terra, *pré* e *pós* humana e é uma exposição científica de fatos naturais. Uma verdade não velada, mas nua e patente encontra-se na nomenclatura dos mesmos, isto é, nem bem Gautama alcançou a forma humana, começou a mostrar, em cada uma de suas personalidades, a maior abnegação, caridade e sacrifício de si mesmo. Buddha Gautama, o quarto dos *Sapta* (sete) *Buddhas* e *Sapta Tathâgatas* (ver), nasceu, segundo a cronologia chinesa, no ano de 1024 a.C.; porém, segundo as crônicas cingalesas, nasceu no oitavo dia da segunda (ou quarta) Lua do ano de 621 antes de nossa era. Fugiu do palácio de seu pai para abraçar a vida ascética, na noite do oitavo dia da segunda Lua do ano de 597 a.C. e, depois de passar seis anos em Gaya, entregue à meditação e sabendo que a tortura física de si mesmo era inútil para chegar à iluminação, decidiu seguir um novo caminho até chegar ao estado de *Bodhi*. Na noite do oitavo dia da duodécima Lua do ano de 592, chegou a ser um *Buddha* perfeito e, finalmente, entrou no *Nirvâna*, no ano de 543, segundo o Budismo do Sul. Contudo, os orientalistas ativeram-se a outras datas diversas. Todo o restante é alegoria. Gautama alcançou o estado de *Bodhisattva* na Terra, quando em sua personalidade se chamava Prabhâpala. *Tuchita* (ver) significa um lugar neste globo e não um paraíso nas regiões invisíveis. A escolha da família Sâkya e de sua mãe Mâyâ, como "a mais pura da Terra", harmoniza-se com o modelo da natividade de cada Salvador, Deus ou Reformador divinizado. A lenda sobre ele ter entrado no seio de sua mãe sob a forma de elefante branco é uma alusão à sua sabedoria inata, por ser o elefante de tal cor um símbolo de cada *Bodhisattva*. Os relatos de que, ao nascer Gautama, o menino recém-nascido deu *sete passos* em quatro direções, que uma flor de *Udumbara*, *Ficus glomerata*, abriu-se em toda a sua peregrina beleza e que os reis *nâgas* realizaram, sem delongas, seu "batizado", são todos eles outras tantas alegorias na fraseologia dos Iniciados, bem compreendidas por todo ocultista oriental. Todos os acontecimentos de sua nobre vida são expressos em números ocultos e cada ocorrência chamada de *milagrosa* – tão deplorada pelos orientalistas, porque confunde o relato, tornando impossível separar a verdade da ficção – é simplesmente o disfarce ou véu alegórico da verdade. Isso é tão compreensível para um ocultista versado no simbolismo como é de difícil compreensão para um sábio europeu que desconheça o Ocultismo. Cada detalhe da narrativa após a morte de Gautama, o Buddha, e antes de sua cremação, é um capítulo de *fatos* escritos em uma linguagem que deve ser estudada para ser bem compreendida, pois de outro modo sua letra morta conduziria às contradições mais absurdas. Por exemplo: tendo recordado a seus discípulos a imortalidade do *Dharmakâya* (ver), Buddha, segundo se conta, passou ao estado de *Samâdhi* e perdeu-se no *Nirvâna, do qual ninguém pode voltar*. E contudo, apesar disso, apresentam o Buddha abrindo com violência a tampa do caixão e dele saindo para saudar, com as mãos juntas, sua mãe Mâyâ, que havia aparecido repentinamente no ar, embora esta tivesse morrido sete dias após o nascimento de Gautama etc., etc. Como Buddha era um *Chakravartin* (o que faz girar a roda da Lei), seu corpo, no ato da cremação, não podia ser consumido pelo fogo comum. E o que aconteceu? De repente um jorro de fogo chamejante *brotou da Svastika, que tinha no peito*, e reduziu seu corpo a cinzas. O pouco espaço de que dispomos impede-nos de oferecer mais exemplos. No tocante a ser ele um dos verdadeiros e inegáveis Salvadores do mundo, basta dizer que o mais fanático missionário ortodoxo, a menos que esteja irremediavelmente louco ou não tenha o mínimo respeito pela verdade histórica, não pode encontrar a mais leve acusação contra a vida e o caráter de Gautama, o "Buddha". Sem pretensão alguma à divindade, deixando que seus prosélitos caíssem no ateísmo antes de se juntarem na degradante superstição do culto do *deva* ou do ídolo, sua vida, do princípio ao fim, é santa e divina. Durante os quarenta e cinco anos de sua missão, sua vida, como a de um deus – ou como deveria ser a deste último –, é inatacável e pura. É um exemplo perfeito de um homem divino. Alcançou a condição de *Buddha* – isto é, a Iluminação completa – unicamente por seus próprios méritos e graças a seus esforços individuais, apesar de se acreditar que nenhum deus tenha o menor mérito pessoal no exercício da virtude e da santidade. Os ensinamentos esotéricos pretendem que Gautama tenha renunciado ao *Nirvâna* e abandonado a investidura *Dharmakâya* para continuar sendo um "Buddha de Compaixão", acessível às penalidades e misérias deste mundo. E a filosofia religiosa que deixou à humanidade produziu durante mais de dois mil anos gerações de homens virtuosos e desinteressados. Entre todas as religiões existentes, a sua é a única *absolutamente livre de mancha de sangue*: tolerante e generosa, inculcando a caridade e a compaixão universal, o amor e sacrifício de si mesmo, a pobreza e o contentamento com a sorte de cada um, seja esta qual for. Nem perseguições nem imposição da fé, através do fogo ou da espada, cobriram-na de opróbrio. Nenhum deus que vomita trovões e raios se *imiscuiu em seus preceitos puros*. E se o simples, filósofo e humano código de vida diária que nos deixou o maior Homem-Reformador conhecido chegar algum dia a ser adotado pela humanidade em geral, certamente começará para a espécie humana uma era de paz e bem-aventurança.

Buddhas de Compaixão — Com este nome são designados aqueles *Bodhisattvas* que, tendo alcançado a categoria de *Arhat*, recusam-se a passar ao estado nirvânico ou "colocar a vestimenta *Dharmakâya* e passar à outra margem", pois então não estaria mais ao seu alcance ajudar a humanidade, ainda que o pouco que o *Karma* permite. Preferem permanecer invisíveis (em Espírito, por assim dizer) no mundo e contribuir para a salvação dos homens, exercendo sobre eles sua influência para que sigam a boa Lei ou, o que é a mesma coisa, guiando-os pelo sendeiro da Justiça (*Voz do Silêncio*, III)

Buddhi (*Sânsc.*) — Mente ou Alma universal. *Mahâbuddhi* é um nome de *Mahat* (ver *Alaya*). É também a Alma espiritual do homem (o sexto princípio), o veículo de *Âtman*, exotericamente o sétimo. [*Buddhi* é a faculdade que está acima da mente racional e é a Razão pura, que exerce a faculdade discernidora da intuição, de discernimento espiritual.] (*A. Besant*) É o Eu espiritual, intelecto, entendimento, conhecimento, intuição, discernimento, razão; o poder pensante por si só, independente das impressões vindas do exterior, a faculdade de julgar, discernir e resolver; a potência que transforma em conceitos claros e perfeitos as impressões procedentes dos sentidos, através do *Manas* e *Ahankâra*. (Ver *Filosofia Sânkhya*.) por sua grande importância, o *Buddhi* é qualificado de "grande Princípio" (*Mahat tattva*) ou simplesmente *mahat* (grande). Tal palavra tem muitas outras acepções: mente, ânimo, pensamento, consciência, juízo, percepção, intenção, resolução, sabedoria, ensinamento, doutrina etc. Às vezes é equivalente a vontade.

Buddhi-bedha (*Sânsc.*) — Perturbação, confusão ou perplexidade do ânimo (ou da mente).

B

Búddhico — Adjetivo que significa: pertencente ou relativo ao budismo. Por exemplo: catecismo búddhico, doutrina búddhica etc. (Também se escreve *búdico*.)

Buddhi-grahya (*Sânsc.*) — Que pode ser obtido pela razão; inteligível.

Buddhimat ou **Buddhimant** (*Sânsc.*) — Sábio, douto, inteligente.

Buddhismo (*budismo*) — É a filosofia religiosa ensinada por Gautama Buddha. O buddhismo atualmente divide-se em duas Igrejas distintas: a do Sul e a do Norte. Diz-se que a primeira é a forma mais pura, por ter conservado mais religiosamente as doutrinas originais do Senhor Buddha. É a religião do Ceilão, Sião, Birmânia e outros países. O Buddhismo do Norte limita-se ao Tibete, China e Nepal. Tal distinção, contudo, é incorreta. Se a Igreja do Sul, naquilo de que não se afastou (exceto, talvez, em alguns dogmas insignificantes, devido aos numerosos concílios celebrados após a morte do Mestre), está mais próxima dos ensinamentos públicos ou exotéricos de *Sâkyamuni*, a Igreja do Norte é resultado das doutrinas esotéricas que Siddhârtha Buddha reservou unicamente a seus *bhikchus* e *arhats* escolhidos. Na verdade, o Buddhismo em nossos tempos não pode ser julgado devidamente por nenhuma de suas formas populares exotéricas. O verdadeiro buddhismo só pode ser apreciado combinando-se a filosofia da Igreja do Sul com a metafísica das Escolas do Norte. Se uma parece demasiado iconoclasta e rígida e a outra bastante metafísica e transcendental, até ter-se desenvolvido excessivamente graças aos ervados do exoterismo hindu (visto que muitos dos deuses de seu Panteão foram transplantados, sob novas denominações, ao solo tibetano), tudo isso se deve inteiramente à expressão popular do Buddhismo em ambas as Igrejas. Estas encontram-se mutuamente nas mesmas relações do Protestantismo e do Catolicismo. Uma e outra erram por excesso de zelo e por interpretações errôneas, embora nem o clero budista do Sul nem o do Norte jamais se tenham afastado da verdade e muito menos trabalhado sob os ditames da ambição clerical, ou posto os olhos no poder e lucro pessoais, como o fizeram as duas Igrejas Cristãs.

[O Buddhismo, tal como existe em sua forma setentrional, está inteiramente de acordo com as religiões mais antigas, porém em sua forma meridional parece ter abandonado a ideia da Trindade lógica bem como da Existência Una, da qual a Trindade procede. O *Logos*, em sua tripla manifestação, é como se segue: primeiro *Logos*, Amitâbha, a Luz infinita; o segundo, Avalokitesvara ou Padmapâni (Chenresi); o terceiro, Mandjusri, que "representa a Sabedoria criadora e corresponde a Brahmâ". (Eitel, *Dicionário Sânscrito-Chinês*). O Buddhismo chinês parece não conter a ideia de uma Existência primordial, fora do *Logos*, porém o Buddhismo do Nepal postula a Âdi-Buddha, de quem procede Amitâbha. Segundo Eitel, Padmapâni representa a Providência compassiva e corresponde em parte a Shiva; porém, como aspecto da Trindade búdica, que emite encarnações, parece representar melhor a ideia de Vishnu, com o qual é relacionado, por transportar o Lótus (fogo e água, ou Espírito e Matéria, como constituintes primordiais do Universo). (A. Besant, *Sabedoria Antiga*)]

Buddhista ou **Budista** — Pessoa que professa o Buddhismo.

Buddhi-taijasî (*Sânsc.*) — Literalmente: "o *Buddhi* radiante". Termo altamente místico, que se presta a várias interpretações. No Ocultismo, contudo, e em relação aos Princípios humanos (esotericamente), expressa o estado de nosso *Manas* dual quando, reunido durante a vida do homem, banha-se na emanação do *Buddhi*, a Alma Espiritual. Porque *taijasi* significa radiante, e o *Manas*, tornando-se também radiante através de sua união com *Buddhi* e estando, por assim dizer, fundido com ele, identifica-se com o próprio; trindade converteu-se em um e, como o elemento de *Buddhi* é o mais elevado, converte-se em *Buddhi-taijasî*. Em poucas palavras: é a alma humana iluminada pela radiação da Alma divina, a razão humana iluminada pela luz do Espírito ou a Própria Consciência divina. (H. P. Blavatsky, *A Chave da Teosofia*)

B

Buddhi-tattva (*Sânsc.*) — Na filosofia *Sânkhya*, é o segundo *tattva* (princípio) individual, que procede diretamente do *Prakriti* (natureza material). *Buddhi-tattva* é também outro nome utilizado para designar o *anupâdaka-tattva*. *(Bhagavân Dâs)*

Buddhi-yoga (*Sânsc.*) — Yoga, devoção ou sendeiro de conhecimento. (Ver *Bhagavad-Gîtâ*.)

Buddhochinga (*Sânsc.*) — Nome de um grande *Arhat* hindu, que foi para a China, no séc. IV, para propagar o Buddhismo, e converteu multidões através de milagres e realizações mágicas estupendas.

Budha (*Sânsc.*) — "O Sábio e Inteligente", filho de Soma (a Lua) e de Rohinî ou Târakâ, esposa de Brihaspati, arrebatada pelo rei Soma, que deste modo suscitou a grande guerra entre os *Asuras*, que tomaram o partido do deus da Lua, e os deuses que tomaram a defesa de Brihaspati (Júpiter), que era seu *purohita* (sacerdote familiar). Tal guerra é conhecida pelo nome de *Târakâmaya* e é o original da guerra ocorrida no Olimpo entre os deuses e os titãs, bem como da guerra (de que fala o *Apocalipse*) entre Miguel (Indra) e o Dragão (que personifica os *Asuras*). *Budha* significa também: sábio, inteligente.

Budismo — Ver *Buddhismo*.

Bumapa (*Tib.*) — Uma escola de homens; comumente, um colégio de estudantes místicos.

Bunda-hish — Antiga obra oriental em que, entre outras coisas trata-se da antropologia numa forma alegórica.

Burham-i-kati — Uma obra hermética oriental.

Burî (*Esc.*) — O "Espírito das colinas". Esta divindade driática é adorada pelas tribos kolarianas da Índia Central, com grandes cerimônias e ostentação mágica. Há certos mistérios relacionados com ela, porém o povo é muito receoso e não quer admitir nenhum estranho em seus ritos.

Busardier — Filósofo hermético nascido na Boêmia, a quem se atribui a composição de um verdadeiro *pó de projeção*. Cedeu a maior parte de seu pó *vermelho* a um amigo seu, chamado Richthausen, Adepto e alquimista de Viena. Alguns anos após a morte de Busardier, ocorrida em 1637, Richthausen apresentou-se ao imperador Fernando III, que, como se sabe, dedicara-se com ardor à Alquimia, e, segundo se diz, os dois transmutaram três libras de mercúrio em ouro finíssimo com um só grão do pó de Busardier. Em 1658, foi permitido também ao Eleitor de Mangúcia testar o pó em questão e o ouro produzido com ele foi declarado pelo diretor da Casa da Moeda ser de tal qualidade que nunca se viu outro mais puro. Tais são as pretensões certificadas pelos registros e crônicas da cidade.

Butler — Nome inglês assumido por um Adepto, discípulo de alguns sábios orientais, sobre o qual correm entre o povo algumas histórias fantásticas. Diz-se, por exemplo, que Butler foi capturado durante suas viagens, em 1629, e reduzido ao cativeiro. Chegou a ser escravo de um filósofo árabe, grande alquimista, e finalmente pode evadir-se, depois de roubar de seu amo uma quantidade abundante de pó vermelho. Segundo informes mais fidedignos, só a última parte da história está correta. Um Adepto que possa ser roubado sem sabê-lo seria indigno de tal nome. Butler, ou melhor dizendo, a pessoa que adotou tal nome, *roubou* de seu amo ou "Mestre" (de quem era discípulo livre) o *segredo da transmutação* e abusou de seu conhecimento, isto é, tentou aplicá-lo em proveito próprio, porém foi rapidamente castigado por isso. Depois de realizar muitas curas maravilhosas através de sua "pedra" (isto é, o conhecimento oculto de um Adepto iniciado) e de produzir fenômenos extraordinários, de alguns dos quais Van Helmont foi testemunha, não para benefício da humanidade, mas para sua própria glória, Butler foi encerrado no castelo de Viloord, em Flandes, e passou quase toda a sua vida em reclusão. Perdeu seus poderes e morreu desconhecido e na miséria. Este é o destino de todo ocultista que abusa de seus poderes ou profana a ciência sagrada.

Bythos (*Gr.*) — Termo gnóstico que significa "Profundidade" ou "grande Abismo", Caos. Equivale a "espaço", antes que nele se tenha formado alguma coisa a partir dos átomos primordiais, que existem eternamente em suas profundidades, segundo os ensinamentos do Ocultismo. (Ver *Caos*.)

C

C — Terceira letra de nosso alfabeto, que não tem equivalente em hebraico, exceto o *Caph* [ou *Caf*, décima primeira letra do alfabeto hebraico, cujo valor numérico é 201, que representamos através da letra K. [A letra C também não existe no alfabeto sânscrito e é substituída por K, nos casos em que aquela letra tem som forte, como em *Kâma*.]

Cabaa — Ver *Kaaba ou Kabah*.

Cabala ou **Kabala (Kabalah)** (*Hebr.*) — A sabedoria oculta dos rabinos judeus da Idade Média, sabedoria derivada de doutrinas secretas mais antigas relativas à cosmogonia e a coisas divinas, que se combinaram para constituir uma teologia, após a época do cativeiro dos judeus na Babilônia. Todas as obras pertencentes à categoria esotérica são denominadas cabalísticas.

Cabala da China (*Lat.*) — Um dos mais antigos livros chineses conhecidos é o *I Ching* ou *Livro das Mutações*. Diz-se que foi escrito 2.850 anos antes de Cristo, no dialeto das raças negras acadias da Mesopotâmia. É um sistema sumamente abstrato de filosofia mental e moral, com um esquema de adivinhação e relação universal. As ideias abstratas são expressas por linhas, meias linhas, círculos e pontos. Assim, um círculo representa YIH, o Grande Supremo; uma linha se refere a YIN, a Potência ativa masculina; duas meias linhas são YANG, a Potência passiva feminina. KWEI é a alma animal; SHAN, o intelecto; KHIEN, céu ou Pai; KHWAN, terra ou Mãe; KAN ou QUIN é Filho; os números masculinos são ímpares e representados por círculos brancos, enquanto os números femininos são pares e representados por círculos negros. Há dois diagramas extremamente misteriosos, um deles chamado de "HO ou o rio Map", e, além disso, associado a um Cavalo; o outro é denominado "A Escritura de LO"; são formados por grupos de círculos brancos e negros, ordenados de maneira cabalística. O texto do livro é devido a um rei chamado Wan e o comentário é de seu filho Kan. Admite-se que o texto é anterior a Confúcio. (W. W. W.)

Cabales, **Caballi**, **Lemures** — São os corpos astrais dos homens que morreram de morte prematura, isto é, que foram mortos ou se suicidaram antes do término natural de sua vida. Podem ser mais ou menos conscientes ou inteligentes, segundo as circunstâncias em que viveram e morreram. São as almas penadas dos mortos ligadas à Terra, que andam errantes na esfera de atração terrestre *(Kâmaloka)* até a chegada do tempo em que deveriam morrer de acordo com a lei natural, quando se verifica a separação de seus princípios superiores e inferiores. Imaginam-se executando atos corporais, como se de fato tivessem corpos físicos, mas atuando apenas em pensamento; porém, para eles, seus corpos parecem tão reais como os nossos. Podem, sob certas condições necessárias, comunicar-se com o homem através do "médium" ou pela própria organização medianímica do homem. *(F. Hartmann)*

Cabalista ou **Kabalista** — De Q B L H, *Cabala* (ou *Qabbalah,* como escrevem alguns), uma tradição oral, não-escrita. O cabalista é o estudante da "ciência secreta", aquele que interpreta o significado oculto das Escrituras, com a ajuda da Cabala simbólica, e expõe seu verdadeiro significado através desses meios. Os *Tabaïm* foram, entre os judeus, os primeiros cabalistas; surgiram em Jerusalém no início do séc. III antes da era cristã. Os livros de Ezequiel, Daniel, Enoch e o *Apocalipse* (ou *Revelação*) de São João são puramente cabalísticos. Esta doutrina secreta é idêntica àquela dos caldeus e inclui ao mesmo tempo uma grande parte da sabedoria persa ou "magia". A história colhe alguns vislumbres de cabalistas famosos após o séc. XI. As épocas medievais e também nosso

C

próprio tempo tiveram e têm um número enorme de homens doutos e intelectuais, que eram e são estudantes da Cabala. Os mais célebres entre os primeiros foram Paracelso, H. Kunrath, J. Boehme, Robert Fludd, os dois Van Helmont, o abade João Trithemius, Cornelio Agrippa, o cardeal Nicolau Cusani, Jerônimo Cardan, o Papa Sixto IV e sábios cristãos tais como Raimundo Lully, Juan Pico de la Mirandola, Guilherme Postel, o esclarecido J. Reuchlin, o Dr. H. More, Irineu Filaleto ou Philalethes (Thomas Vaughan), o erudito jesuíta Atanasio Kircher, Cristian Knorr (barão) de Rosenroth; mais tarde, Sir Isaac Newton, Leibniz, Lord Bacon, Spinosa etc., até formar uma lista quase interminável. Segundo faz notar Isaac Myer, em sua *Qabbalah*, as ideias dos cabalistas influenciaram poderosamente a literatura europeia. Baseado na Cabala prática, o abade de Villars (sobrinho de Montfaucon) publicou, em 1670, sua famosa novela satírica intitulada *O Conde de Gabalis*, sobre a qual Pope baseou seu *Rape of the Lock*. Os poemas da Idade Média, o *Romance da Rosa*, os escritos de Dante, estão todos impregnados de Cabalismo. Não há, contudo, dois autores que concordem sobre a origem da Cabala, do *Zohar*, *Sepher Yetzirah* etc. Alguns dizem que a Cabala é proveniente dos patriarcas bíblicos, de Abraão e até de Seth; outros acreditam que é proveniente do Egito e outros ainda da Caldeia. Tal sistema é certamente muito antigo, porém como todos os demais sistemas, sejam religiosos ou filosóficos, a Cabala deriva diretamente da primitiva Doutrina Secreta do Oriente, através dos *Vedas*, *Upanichads*, de Orfeu e Thales, Pitágoras e dos egípcios. Qualquer que seja a origem da Cabala, sua parte fundamental é, de qualquer modo, idêntica a todos os demais sistemas, desde o *Livro dos Mortos* até os últimos gnósticos. Os melhores expositores da Cabala na Sociedade Teosófica foram entre os primeiros o Dr. S. Pancoast, da Filadélfia, e G. Felt, e, entre os últimos, o Dr. W. Wynn Westcott, S. L. MacGregor Mathers (ambos do Colégio Rosa-cruz) e alguns outros. (Ver *Qabbalah*.)

Caballi — Ver *Cabales*.

Cabar Zio (*Gn.*) — "O poderoso Senhor do Esplendor" (*Codex Nazaræus*), os que procriaram *sete vidas benéficas*, "que brilham em sua própria forma e luz" para neutralizar a influência dos sete "mal-dispostos" astrais ou princípios. Estes são os descendentes dos Karabtanos, personificação da concupiscência e da matéria. Os últimos são os sete planetas físicos; os primeiros são seus gênios ou Regentes.

Cabeça Branca — Em hebraico, *Resha Hivra*. Epíteto dado a Sephira, o mais excelso dos *Sephiroth*, cujo crânio "destila o orvalho que chamará de novo os mortos à vida".

Cabeça de todas as cabeças (*Cab.*) — Este termo é aplicado ao "Ancião dos Anciões", *Ateekah D'atteeken*, que é o "Oculto do Oculto, o Escondido do Escondido". Neste crânio da "Cabeça Branca", *Resha Hivrat*, "há diariamente treze mil miríades de mundos, que sobre ele descansam, que nele se apoiam" (*Zohar*, III, *Idrah Rabbah*)... "Naquele *Atteekah* nada se revela exceto a Cabeça tão-somente, porque é a Cabeça de todas as Cabeças... A Sabedoria no alto, que é a Cabeça, nela está oculta, o Cérebro que está tranquilo e quieto, e ninguém o conhece senão Ele próprio... E esta Sabedoria oculta. O Escondido do Escondido, a Cabeça das Cabeças, uma Cabeça que não é Cabeça, nem ninguém conhece, nem se conhece jamais o que há naquela Cabeça que nem a razão nem a sabedoria podem compreender" (*Zohar*, III, fl. 288 a). Isso se diz da Divindade, da qual apenas se manifesta a Cabeça, isto é, a Sabedoria que é percebida por todos. Daquele princípio que é ainda mais elevado nada sequer foi afirmado, exceto que sua realidade e sua presença universal são uma necessidade filosófica.

Cabeiri — Ver *Cabires*.

C

Cabelo — A filosofia oculta considera o cabelo, bem como o pelo dos animais, como o receptáculo natural e *detentor* da essência vital, que, frequentemente, escapa com outras emanações do corpo. Está intimamente relacionado com muitas das funções cerebrais, por exemplo a memória. Entre os antigos israelitas, cortar o cabelo e a barba era sinal de corrupção e "o Senhor disse a Moisés... Eles não deverão pelar sua cabeça" etc. (*Levít.*, XXI, 1-5). A "calvície", natural ou artificial, era sinal de calamidade, castigo ou dor, como quando Isaías (III, 24) enumera, "em lugar do bem composto cabelo, calvície", entre os males que ameaçavam cair sobre o povo eleito. E, além disso, "em todas as suas cabeças, calvície, e toda barba será raspada" (*idem*, XV, 2). Aos *Nazarenos* (ver) era ordenado que deixassem crescer seu cabelo e barba e não permitissem que uma navalha neles tocasse. Entre os egípcios e budistas, raspava-se unicamente o sacerdote iniciado ou o asceta, para quem a vida é uma carga penosa. Acreditava-se que o sacerdote egípcio chegara a ser dono de seu corpo e, portanto, sua cabeça era raspada por questão de asseio; contudo, os hierofantes usavam cabelos longos. O budista raspa ainda hoje sua cabeça em sinal de menosprezo à saúde e à vida. Contudo, Buddha, após cortar o cabelo, no início de sua vida mendicante, deixou-o crescer novamente e é sempre representado com o topete do . Os brahmanes e os sacerdotes hindus e quase todas as castas raspam o resto da cabeça, porém deixam crescer uma longa mecha de cabelo desde o centro do cocuruto. Os ascetas da Índia usam cabelos longos e também fazem o mesmo os belicosos sikhs e quase todos os povos mongólicos. Em Bizâncio e Rodes era proibido por lei raspar a barba e, em Esparta, cortar a barba era sinal de escravidão e servidão. Entre os escandinavos, segundo se diz, era considerado um desdouro, uma "marca de infâmia", o corte do cabelo. Toda a população da ilha de Ceilão (a cingalesa búdica) usa o cabelo longo. O mesmo fazem os monges e o clero russo, grego, armênio. Jesus e os apóstolos são sempre representados com cabelos longos, porém a *moda* na cristandade foi mais poderosa que o Cristianismo, pois as antigas regras eclesiásticas (*Constit. Apost.*, liv. I, cap. 3) mandavam o clero "usar cabelo e barba longos" (ver Riddle, *Antiguidades Eclesiásticas*). Aos templários era ordenado o uso de barba longa. Sansão usava cabelos longos e a alegoria bíblica ensina que sua saúde e força e mesmo sua própria vida estavam relacionadas com o comprimento de seus cabelos. Quando se raspava o pelo dos gatos, de cada dez casos nove morriam. Um cão, cujo pelo permanece intacto, vive mais tempo e é mais inteligente do que outro cujo pelo foi raspado. Muitas pessoas perdem boa parte de sua memória e tornam-se mais débeis à medida que vão perdendo o cabelo. Os yogis têm vida proverbialmente dilatada, enquanto os sacerdotes budistas (do Ceilão e outros lugares) não são, como regra geral, longevos. Os muçulmanos raspam a cabeça, mas, em troca, deixam crescer a barba; contudo, como deixam a cabeça sempre coberta, o perigo é menor.

Cabires (Cabeiri ou **Kabiri)** (*Fen.*) — Divindades extremamente veneradas em Tebas, Lemnos, Frígia, Macedônia e, especialmente, Samotrácia. Eram deuses de mistério e não se permitia a nenhum profano que sequer pronunciasse seus nomes ou deles falasse. Heródoto faz deles deuses do Fogo e indica Vulcano como seu pai. Os Cabires presidiam os Mistérios e seu verdadeiro número jamais foi revelado, pelo fato de seu significado oculto ser muito sagrado. (Ver *Kabiri*.)

Cabletow (*Maçon.*) — [Literalmente: cabo-remolque.] Termo maçônico utilizado para designar certo objeto utilizado nas Lojas. Sua origem encontra-se no cordão dos ascetas brâhmanes, cordão esse utilizado também no Tibete para fins mágicos.

Cadeia Lunar — É o terceiro grande período evolutivo, a Cadeia que precedeu a terrestre.

Cadeia Planetária — É uma série de sete Globos ou mundos, que formam o campo de evolução durante o ciclo planetário ou *Manvantara*. Os três primeiros destes Globos –

C

geralmente chamados de A, B e C – formam um arco descendente, em cujo quarto Globo, D (do qual a Terra é um exemplo), a matéria física do descenso atinge o maior grau de densidade. O quinto Globo, E, do arco ascendente (que corresponde ao C do arco descendente), pertence comumente ao plano astral, e o sexto e o sétimo, F e G (correspondentes aos B e C do arco descendente) pertencem aos planos *rûpa* e *arûpa* do plano mental; estes, portanto, são invisíveis à visão comum. A evolução completa de nosso sistema compreende sete *Cadeias Planetárias*, que aparecem sucessivamente, sendo cada Cadeia, por assim dizer, uma reencarnação da precedente. Três de tais Cadeias pertencem ao passado; a quarta é a terrestre, aquela da qual a Terra compõe o quarto Globo; as três restantes ainda surgirão. (*P. Hoult*)

Cadeia Terrestre — É o quarto grande período evolutivo, a cadeia que seguiu a lunar e da qual a Terra é o Globo D, ou seja, o inferior.

Cadeias — Assim se denominam, no sistema da Evolução, os sete grandes períodos evolutivos. Cada uma das Cadeias é constituída por sete Elos, que são outros tantos Globos relacionados entre si.

Cadmus (*Gr.*) — O suposto inventor das letras do alfabeto. Pode tê-las inventado e ensinado na Europa e Ásia Menor; porém, na Índia, as letras eram conhecidas e empregadas pelos Iniciados em épocas muito anteriores.

Caduceu (*Gr.*) — Os poetas e mitologistas gregos tomaram dos egípcios a ideia do Caduceu de Mercúrio. O Caduceu encontra-se, sob forma de duas serpentes enroscadas numa vareta, nos monumentos egípcios construídos antes de Osíris. Os gregos modificaram-no. Encontramo-lo também nas mãos de Esculápio, oferecendo uma forma distinta do Caduceu de Mercúrio ou Hermes. É um símbolo cósmico, sideral ou astronômico, bem como espiritual e até fisiológico, e seu significado muda com sua aplicação. Metafisicamente, o Caduceu representa a queda da matéria primitiva e original na grosseira matéria terrestre, com o que a Realidade única converte-se em Ilusão (ver *Doutrina Secreta*, I, 550). Astronomicamente, a cabeça e a cauda representam os pontos da eclíptica em que os planetas e até o Sol e a Lua se juntam em abraço estreito. Fisiologicamente, é o símbolo do restabelecimento do equilíbrio perdido entre a Vida, como unidade, e as correntes vitais, que desempenham diversas funções no corpo humano.

Cagliostro — Famoso Adepto, cujo nome verdadeiro, segundo pretendem seus inimigos, era José Bálsamo. Era natural de Palermo e estudou sob a direção de algum estrangeiro misterioso, do qual pouco se sabe com certeza. Sua história comum é sobejamente conhecida para que seja necessário repeti-la, porém, sua verdadeira história ninguém nunca contou. Sua sorte foi aquela de todo ser humano que dá provas de saber mais do que seus semelhantes. Foi "apedrejado até a morte" através de perseguições, calúnias e acusações infames e, apesar disso, era amigo e conselheiro de personagens poderosas de todos os países que visitava. Finalmente, foi processado e sentenciado, em Roma, como herege, e diz-se que morreu durante sua permanência num calabouço. (Ver *Mesmer.*) Contudo, seu fim não foi totalmente imerecido, pois Cagliostro foi infiel a seus votos em alguns conceitos: saiu de seu estado de castidade e cedeu à ambição e ao egoísmo.

Caím ou **Kayn** (*Hebr.*) — Na simbologia esotérica diz-se que era idêntico a Jehovah ou "Senhor Deus", do quarto capítulo do *Gênese*. Sustenta-se, além disso, que Abel não era seu irmão, mas seu aspecto feminino. (Ver *Doutrina Secreta, sub voce.*)

Calcas — Famoso adivinho grego, a quem Apolo concedeu o perfeito conhecimento do presente, do passado e do futuro. Tomou parte nas suas expedições mais célebres realizadas pelos gregos: a conquista do velo de ouro e o sítio de Tróia, no qual Calcas se distinguiu de maneira especial. Morreu de dor por não ter sabido decifrar os vaticínios de Mopso, adivinho de Colofon, cidade da Jônia.

C

Caldeus — No início constituíam uma tribo e, mais tarde, uma casta de doutos cabalistas. Eram os *sábios*, os magos da Babilônia, astrólogos e adivinhos. O famoso Hillel, precursor de Jesus em filosofia e ética, era caldeu. Franck, em sua *Kabbala*, faz referência à íntima semelhança que se nota entre a "doutrina secreta", encontrada no *Avesta*, e a metafísica religiosa dos caldeus.

Cálice — Nos primeiros tempos do Cristianismo, quando a Igreja nascente era rica apenas em virtude, os sacerdotes utilizavam, para o culto, cálices de madeira, e depois fabricaram cálices de vidro e de mármore. Por último, tendo o clero acumulado grandes riquezas, quis proporcionar aos vasos sagrados a dignidade dos mistérios para os quais eram empregados, de acordo com sua fortuna. Assim é que se lançou mão do ouro e da prata como material para fabrico de tais vasos. Isso deu a Bonifácio, bispo e mártir, motivo para dizer: *Quondam sacerdotes aurei ligneis utebantur calicibus, nunc e contra lignei sacerdotes aureis utuntur calicibus,* o que quer dizer: "Em outros tempos, os sacerdotes de ouro serviam-se de cálices de madeira; hoje, pelo contrário, os sacerdotes de madeira servem-se de coices de ouro". (Delacroix, *Dictionn. Histor. des Cultes Religieux.*)

Campanella, *Tomás* — Calabrês, nascido em 1568 que desde sua infância mostrou poderes extraordinários e se entregou, durante toda a sua vida, às Artes Ocultas. A história que o apresenta como Iniciado em sua juventude nos segredos da Alquimia e instruído profundamente na ciência secreta, por um rabino cabalista, *em duas semanas*, através de *notaricon*, é uma invenção incrível, como os contos de fadas. O conhecimento oculto, embora seja herança da vida anterior, não retorna a uma nova personalidade num curto prazo de quinze dias. Em Nápoles, declarou-se contrário à filosofia materialista de Aristóteles e viu-se obrigado a fugir para salvar sua vida. Posteriormente, a Inquisição tentou processá-lo e condená-lo por praticar as artes mágicas, porém todos os seus esforços foram em vão. No decurso de sua vida escreveu enorme quantidade de obras referentes à magia, astrologia, alquimia. A maior parte das mesmas já não existe. Conta-se que morreu no convento dos Jacobinos de Paris, no dia 21 de maio de 1639.

Campos Elíseos ou simplesmente **Elíseo** — Os gregos assim denominavam a deliciosa mansão da felicidade destinada aos bem-aventurados, isto é, às almas das pessoas virtuosas. Por tais Campos corria, com doce murmúrio, o Leteu, cujas águas faziam esquecer as amarguras da vida.

Campos Felizes — Nome dado pelos assírio-caldeus a seus Campos Elíseos, que se encontravam misturados a seus Hades. Como Boscawen diz a seus leitores: "o Reino do mundo inferior era o domínio dos deus Hea e o Hades das lendas assírias situava-se no mundo inferior e era regido por uma deusa, Nin-Kigal ou a "Senhora da Grande Terra", deusa também denominada Allât". Uma inscrição traduzida expressa que, "depois dos dons desses dias atuais, nas festas da terra de céu argentino, dos palácios resplandescentes, a mansão da beatitude, e na luz dos Campos Felizes, ele pode morar em vida eterna, gloriosa, na presença dos deuses que habitam a Assíria". Isso é digno de uma inscrição tumular de cristão. Ishtar, a bela deusa, desceu ao Hades depois de sua amada Tammuz, e encontrou neste lúgubre lugar sete esferas e sete portas, em cada uma das quais ela devia deixar algo que lhe pertencesse.

Canarés — É a linguagem do Karnatic, originalmente denominada Kanara (ou Canara), uma das divisões do Sul da Índia. A linguagem canarés pertence à classe tamúlica da família dravidiana.

Caomancia (Chaomantia) — Adivinhação através de visões aéreas; clarividência; segunda visão. *(F. Hartmann)*

C

Caos (Chaos) (*Gr.*) — O Abismo, a "Grande Profundidade". Foi personificado no Egito pela deusa Neith, anterior a todos os deuses. Como diz Deveria, "o único Deus, sem forma nem sexo, que deu origem a si próprio e sem fecundação, é adorado sob a forma de uma Mãe Virgem". Ela é a deusa de cabeça de abutre, encontrada no mais antigo período de Abydos, pertencente, segundo Mariette Bey, à primeira Dinastia, que quis conceder-lhe – até segundo confissão dos orientalistas, tão amigos da diminuição do tempo – uma antiguidade de cerca de sete mil anos. Como nos diz Bonwick, em sua excelente obra sobre a *Crença Egípcia*, "Neïth, Nut, Nepte, Nuk (seus nomes são lidos de diversas maneiras) é uma concepção filosófica digna do séc. XIX da era cristã antes do séc. XXXIX antes desta era ou de data anterior". E acrescenta o referido autor: "Neïth ou Nout não é nada além da Grande Mãe e, apesar disso, a *Virgem Imaculada*, ou Deus feminino, de quem procederam todas as coisas". Neïth é o "Pai-Mãe" das estâncias da *Doutrina Secreta*, o *Swabhâvat* dos budistas do Norte, a Mãe verdadeiramente *imaculada*, o protótipo de todas as "Virgens", porque, como diz Sharpe, "a festa da Candelária" – em honra da deusa Neïth – é, contudo, indicada em nossos almanaques com o nome de dia da Candelária ou Purificação da Virgem Maria"; e Beauregard fala-nos da Imaculada Concepção da Virgem que, como Minerva egípcia, a misteriosa Neïth, pode desde então vangloriar-se de ter procedido de si mesma e de ter originado a Deus. Aquele que pretende negar a operação dos ciclos e a repetição das ocorrências, deve ler o que era Neïth sete mil anos atrás no conceito dos Iniciados egípcios, que procuravam popularizar uma filosofia demasiado abstrata para as massas, e recordar, em seguida, os pontos de controvérsia no Concílio de Éfeso, em 431, no qual Maria foi declarada Mãe de Deus; e o dogma de sua Imaculada Concepção, imposto ao mundo por ordem de Deus, pelo Papa e pelo Concílio de 1858. Neïth é *Swabhâvat*, e também o *Aditi* dos *Vedas* e o *Âkâza* dos *Purânas*, pois "não é unicamente a abóbada celeste ou éter, mas aparece numa árvore, da qual ela dá o fruto da Árvore da Vida (como a outra Eva) ou derrama sobre seus adoradores a divina Água da Vida". Por este motivo, adquiriu a denominação de "Senhora do Sicômoro", epíteto aplicado a outra Virgem (Bonwick). A semelhança é ainda mais notável quando, nas antigas pinturas, Neïth é representada como uma Mãe abraçando o deus com cabeça de carneiro, o "Cordeiro". Uma antiga tábua de pedra declara que ela é "Neut, a luminosa, que engendrou os deuses" – incluindo o Sol, pois *Aditi* é a mãe de *Mârtanda (Marttanda)*, o *Sol*, um dos *Âdityas*. É também *Naus*, a nau celestial; é por isso que a encontramos na proa dos barcos egípcios, como Dido na proa das embarcações dos navegantes fenícios, e depois temos a Virgem Maria, do *Mar* o *"Mar"*, chamada de "Virgem do Mar" e a "Senhora dos Navegantes" de todos os marinheiros católicos romanos. O Rev. Sayce, citado por Bonwick, explica-a como um princípio no *Bahu* (Caos ou confusão) babilônico, isto é, "nem mais nem menos que o Caos do *Gênese*... e, talvez, também *Môt*, a substância primitiva que foi a mãe de todos os deuses". Nabucodonosor [*Nebuchadnezzar* ou *Nabukad-Nezar*] devia estar presente na memória do ilustre professor, visto que deixou o seguinte testemunho em linguagem cuneiforme: "Eu edifiquei um templo à Grande Deusa, minha Mãe". Podemos finalizar com as palavras de Bonwick, com as quais concordamos inteiramente: "Ela (Neïth) é o *Zerouâna* do *Avesta*, 'tempo sem limites'. Ela é o *Nerfe* dos etruscos, 'meio mulher e meio peixe' (daí a conexão da Virgem Maria com o peixe e *pisces*), de quem se falou: 'Graças ao santo bom *Nerfe*, a navegação é feliz'. Ela é o *Bythos* dos gnósticos, o *Um* dos neoplatônicos, o *Todo* dos metafísicos alemães e o *Anaita* dos Assírios".

Capnomancia — Adivinhação através da fumaça, da qual os antigos retiravam vaticínios. A prática mais comum era observar a fumaça dos sacrifícios; era sinal de bom augúrio se a fumaça que saía do altar era rápida, pouco densa e se elevava em linha reta.

C

Capricórnio (Capricornius) *(Lat.)* — É o décimo signo do Zodíaco (*Mukâra*, em sânscrito), considerado, em razão de seu significado oculto, como a mais importante dentre as constelações do misterioso Zodíaco. É completamente descrito na *Doutrina Secreta* e, por isso, há poucas palavras a serem acrescentadas. Se, conforme as declarações exotéricas, *Capricornius* estava relacionado, de algum modo, com a cabra Amaltea [Amalthæa], que alimentou Júpiter com seu leite, ou se era o deus Pã, que se transformou em bode e deixou impresso seu sinal nos arquivos siderais, pouco importa. Cada uma das fábulas tem seu significado. Cada coisa na Natureza guarda íntima correlação com as demais e assim os estudantes da sabedoria antiga não ficarão muito surpresos quando se diz que os sete passos dados na direção de cada um dos pontos cardeais, ou seja, os vinte e oito passos dados pelo recém-nascido Buda, estão intimamente relacionados com as vinte e oito estrelas da constelação de Capricórnio.

Caprificalis *(Lat.)* — Dia consagrado a Vulcano, no qual os atenienses ofereciam-lhe moedas.

Caprípedos — Sobrenome do deus Pã e também dos Faunos e Sátiros, que têm pés de cabra.

Cardan, *Jerônimo* — Astrólogo, alquimista, cabalístico e místico, bem conhecido na literatura; nasceu em Pavia, em 1501, e morreu em Roma, em 1576.

Carmelo — Montanha da Palestina que, em outro tempo, foi morada dos profetas Elias e Eliseu, e onde estes realizaram uma profusão de prodígios. Este lugar é ainda hoje célebre pelos diversos monumentos, que atraem a veneração dos peregrinos.

Carmenta — Profetisa da Arcádia, que passou a ser Itália, onde o povo romano deu-lhe honras divinas e construiu um templo, entre o Tibre e o Capitolino, em sua homenagem.

Carmentais — Festas celebradas em Roma todos os anos, no dia 15 de janeiro, em honra de Carmenta, para que esta desse fecundidade às mulheres.

Carnac — Antiquíssimo local da Bretanha (França), onde há um templo de estrutura ciclópica, consagrado ao Sol e ao Dragão e do mesmo tipo de Karnac, no Antigo Egito, e Stonehenge, na Inglaterra (ver "Origem do Mito Satânico" no Simbolismo Arcaico). Foi construído pelos sacerdotes hierofantes pré-históricos do Dragão Solar ou Sabedoria simbolizada (sendo que os mais elevados são os *Kumâras* solares que se encarnaram). Cada uma das pedras do referido templo era nele colocada pessoalmente pelos sacerdotes-adeptos, que se sucediam no poder, e comemoravam em linguagem simbólica o grau de poder, condição e conhecimento de cada um. (Ver *Doutrina Secreta*, II, 381 e ss., e também *Karnak*.)

Carnaval — Assim são chamados os últimos dias que precedem a Quaresma ou tempo de penitência, e sobretudo o domingo, segunda e terça-feira, que antecedem a Quarta-feira de Cinzas. As barulhentas festas de Carnaval podem ser consideradas como um resquício dos regozijos pagãos das Bacanais, Lupercais, e outras festas semelhantes, consagradas totalmente ao desenfreio, às fantasias, aos prazeres, ao vinho e ao amor.

Caron — Ver *Caronte*.

Caronte (Charon) *(Gr.)* — É o *Khu-en-ua* egípcio, o piloto de cabeça de falcão, que guiava o barco condutor das almas através das águas negras que separam a vida da morte. Caronte, filho de Erebo e da Noite, é um Khu-en-ua. Os mortos eram obrigados a pagar um pequeno óbolo (pequena peça de moeda) pela passagem ao barqueiro da laguna Estígia e do Arqueronte, razão pela qual os antigos colocavam sempre uma moeda sob

C

a língua do defunto. Este costume existe até hoje, pois a imensa maioria de pessoas das classes inferiores da Rússia colocam moedas de cobre no ataúde, sob a cabeça do defunto, para as despesas *post-mortem*.

Cascarones — Nome cabalístico dado aos fantasmas ou sombras dos mortos, os "espíritos" dos espíritas, que figuram entre os fenômenos físicos. São assim denominados por constituírem simples formas ilusórias, *vazias* de seus princípios superiores.

Casta — 1) Originalmente, era o sistema das quatro classes hereditárias em que se dividia a população hindu: *Brâhmana, Kchatriya, Vaisya* e *Sudra* (ou seja: sacerdotes, guerreiros, mercadores e agricultores, servos e homens dedicados a ocupações mais vis, que constituem a casta inferior). Além das quatro castas primitivas, surgiram depois, na Índia, centenas de outras resultantes da união de um indivíduo pertencente a uma casta com uma mulher de uma classe ou subclasse diferente, ou vice-versa. (Ver *Leis de Manu*, I e X, e *Bhagavad-Gîtâ*, 1, 41 e XVIII, 41-44.) 2) As quatro castas, como se sabe, são: *Primeira casta*, por assim dizer, essencial e principal (o *Ramayana* é, no fundo, apenas um canto e elogio a esta casta, com o pretexto de relatar as aventuras de Rama), a casta dos *Brahmanes*, saídos, segundo uma tradição, da boca de Brahma; segundo outra, da boca de Prajapati; definitivamente, o significado é o mesmo, pois Prajapati (em sânscrito, "Senhor das criaturas") é, nos *Brahamas*, a personificação do Criador do Universo. Porém, como em um princípio, Prajapati sacrificou-se voluntariamente para assegurar a Criação (foi feito em pedaços pelos deuses e com esses pedaços os deuses formaram os diversos seres da Natureza; donde, naturalmente, surgiu o panteísmo, base da religião hindu), então imaginou-se (o Céu não podia ficar sem um deus principal, assim como nenhum reino sem rei) um duplo, ou seja, *Brahma*. Um dos hinos védicos declara que os Brahmanes saíram da boca, da parte mais nobre, portanto, de Purusha, a fonte primeira do Universo. Com isso e por causa disso o *Brahmane* é, entre todos os seres criados, o superior. É um verdadeiro "deus de forma humana", que deve ser venerado por todos e ao qual se deve obedecer sem vacilar. Os sacerdotes hindus são brahmanes, porém nem todos os brahmanes são sacerdotes. Os que não o são costumam dedicar-se, em geral, à agricultura. O dever principal dos mesmos é estudar os livros sagrados (inventados e coletados por seus antecessores) e cumprir os ritos. As *Leis de Manu* estipulam que a existência de um brahmane deve compreender os quatro estados sucessivos seguintes: 1º) *Brahmacarya* ou estudante solteiro; 2º) *Grihastha*, dono-de-casa, isto é, o homem casado que vive com a mulher e os filhos (sacerdote ou não), consagrado aos deveres próprios de sua condição; 3º) *Vanaprastha* ou anacoreta, que vive no bosque, em reclusão religiosa, após ter cumprido todos os deveres, seja de sacerdote, seja de homem do mundo; 4º) *Samnyasin*, ou mendigo religioso, que, vagabundo e livre de toda preocupação e de toda responsabilidade material, consagra-se à pobreza, aos exercícios espirituais e às mortificações da carne. A segunda casta é a dos *Kshatriyas* ou *Kchatryas*. Esta casta é aquela dos reis, príncipes, nobres, guerreiros principais e donos de grandes extensões de terra. Saíram, em um princípio, dos braços (ou do peito) de Brahma. Buda, o fundador do Budismo, e Mahavira ("Grande Alma", também denominado Vardhamana), o santo fundador do Jainismo ou Djainismo, pertenciam a esta segunda casta. A terceira casta é a dos *Vaisyas*, isto é, comerciantes e agricultores ricos, saídos do ventre de Brahma ou das suas coxas. A quarta casta (o brahmane já tem quem o enriqueça, o defenda, o alimente e o vista e, então, só necessita daqueles que o sirvam cegamente) é a dos *Sudras*, saídos dos pés de Brahma. A palavra *nishada* indica também um homem de casta impura; a palavra *vrishala* significa, em geral, as castas.

Em janeiro de 1948, a Assembleia Constituinte hindu aboliu as castas. Estabeleceu-se que todos os homens eram iguais perante a lei. "Enquanto houver homens - disse Gandhi - que sejam considerados como indignos, não poderemos falar de independência."

C

Contudo, ainda restam mais de 60 milhões de "intocáveis", de pobres seres humanos cujo contato avilta. Na realidade, nada pode romper ainda esta instituição de castas, que data do primeiro código, do *Veda*. (J. Bergua, *O Ramayana*, II p. 754 e ss. Nota.)

Causal (*Corpo*) — Ver *Corpo causal*.

Cazotte, *Santiago* — Vidente prodigioso, que predisse a decapitação de vários personagens da realeza e a sua própria, em uma cena alegre, algum tempo antes da primeira Revolução Francesa. Nasceu em Dijon, em 1720, e estudou filosofia mística na escola de Martinez Pasqualis, em Lion. No dia 11 de setembro de 1791, foi preso e condenado à morte pelo presidente do governo revolucionário, um homem que, para vergonha do Estado, havia sido seu companheiro de estudos e membro da Loja mística de Pasqualis, em Lion. Cazotte foi executado no dia 25 de setembro na praça do Carrossel.

Cecco d'Ascoli, *chamado Francesco Stabili* — Viveu no séc. XIII e foi considerado o mais famoso astrólogo de seu tempo. [Foi professor em Bologna e astrólogo da corte do duque da Calábria.] Existe, contudo, uma obra sua, publicada na Basileia, no ano de 1485, intitulada *Commentarii in Sphaeram Joannis de Sacrabosco*. Foi queimado vivo pela Inquisição em Florença, no ano de 1327.

Celibato — Sobre este ponto, diz Delacroix, a nova lei está em oposição aberta com a antiga. Entre os judeus, o celibato era visto com menosprezo e condenado; todos eles eram casados, também os levitas e sacerdotes. A lei cristã, pelo contrário, declara que o celibato é um estado muito mais perfeito. A maneira enérgica e figurada com que se expressa sobre este assunto foi tomada ao pé da letra por alguns indivíduos irreflexivos, que acreditaram que, para serem cristãos perfeitos, era preciso que se eliminassem do número dos homens. Esse foi o caso de Orígenes, que se mutilou, movido por um zelo imprudente pela castidade tão encomiada pelo *Evangelho*. Contudo, nos primeiros séculos da Igreja, havia bispos, sacerdotes e diáconos casados, e o próprio apóstolo São Paulo, em sua primeira *Epístola a Timóteo* (cap. III, 2, 4 e 12), diz: "... é necessário que o Bispo seja irrepreensível, *esposo de uma só mulher... que tenha filhos* em sujeição com toda a honestidade..." e "*Os diáconos sejam esposos de uma só mulher, que governem bem seus filhos...*" E acrescenta no cap. IV, 1-3: "... nos tempos vindouros alguns apostatarão da fé, dando ouvidos a espíritos de erro e a doutrinas de demônios... *que proibirão o casamento...*". Isso não constituiu obstáculo para que o Papa Calixto II, no Concílio de Reims, do ano de 1119, excomungasse todos os eclesiásticos casados e declarasse seus filhos bastardos.

Cenobita (do grego *Koinos,* comum, e *bios,* vida) — O religioso que professa a vida monástica, vivendo em comunidade e submetido a certa regra. Dá-se lhe este nome para distingui-lo do *anacoreta*, que leva uma vida solitária, vivendo em retiro e isolado do comércio humano.

Centro — Esta palavra é usada pelos teósofos em seu significado comum. Pode ser definido como um foco de vida ou de consciência em qualquer plano. Assim, no plano físico, aplica-se aos gânglios nervosos e, no astral, à contraparte astral daqueles gânglios, que recebe sensações e as traduz em termos de sentimento. Como diz *The Dreamer*, são os reflexos nos respectivos núcleos do *upadhi* do Eu único. *(P. Hoult)*

Centro astral — É o centro do corpo astral que corresponde aos gânglios do físico. O ponto onde a sensação entra na consciência do homem. (Ver *Chakra*.) *(P. Hoult)*

Centro Laya — Ver *Ponto Laya*.

Cérbero (Cerberus) (*Gr., Lat.*) — O monstro canino de três cabeças que, segundo a crença, vigiava o umbral do Hades, passou do Egito para a Grécia e Roma. Era o

C

monstro meio cão, meio hipopótamo, que guardava as portas do *Amenti*. A mãe do Cérbero era Equidna (ou *Echidna*), meio mulher, meio serpente, muito honrada na Etrúria. Tanto o Cérbero egípcio como o grego são símbolos do *Kâma-loka* e seus monstros extravagantes, os abandonados cascarones dos mortais.

Ceres (*Lat.*) — Em grego, *Demeter*. Como aspecto feminino do Pai-Éter, Júpiter, é esotericamente o princípio produtor do Espírito onipenetrante, que anima todo germe no Universo material.

Cerimônia do féretro — Ver *Rito do féretro*.

Cerimonial mágico — Ver *Magia*.

Ceromancia (do grego *keros*, cera, e *manteia*, adivinhação) — Adivinhação através da cera, muito em uso pelos antigos gregos. Para este fim, deixavam cair, numa vasilha com água, algumas gotas de cera derretida que, ao esfriar, formavam figuras diversas, das quais se retiravam, segundo a forma, bons ou maus augúrios.

Cerus ou **Caerus** — Os antigos pagãos fizeram uma divindade daquele momento favorável para ter bom êxito numa empresa, aquele instante fugitivo que denominamos *ocasião*. Tal nome deriva, talvez, do latim *serus* (tardio), porque o tão esperado momento chega sempre tarde para a medida de nossos desejos. Sobre este deus imaginaram-se as mais belas alegorias. Comumente, é representado pela figura de um jovem que tem na mão uma navalha e cuja cabeleira em desordem é agitada pelo vento; porém a pintura mais engenhosa dessa divindade é aquela encontrada em uma das fábulas de Fedro (*A Ocasião Pintada*, liv. V, fáb. VIII). Nela, Cerus é representado nu, com asas nos pés e a cabeça calva, exceto na parte da frente, onde possui uma mecha de cabelos, através da qual é preciso segurá-lo com rapidez, durante sua corrida veloz, para não o deixar escapar, pois do contrário foge e some rapidamente de vista. Tal pintura explica estas duas expressões populares, aparentemente contraditórias: "A ocasião é calva" e "É preciso agarrar a ocasião pelos cabelos".

César (Caesar) — Astrólogo de grande renome e "professor de magia", isto é, ocultista, durante o reinado de Henrique IV da França. "É crença comum que foi estrangulado pelo Diabo, em 1611", como nos faz saber o Irmão Kenneth Mackenzie.

Céu — Ver *Svarga*.

Ceugant (*Celt.*) — "Círculo do vazio", de *ceu* (vazio, infinito) e *cant* (círculo). Na divisão dos três mundos, círculos ou esferas de existência, é a região inacessível, de onde a teologia druídica abstrai a Existência pura, sem modos, sem fenômenos, o Absoluto, o *Parabrahm* da *Vedanta*, o *Ensoph* da Cabala; numa só palavra, Deus. Por círculo é preciso entender aqui, com os druidas, muito antes de São Boaventura e Pascal, "um círculo infinito, cujo centro está em todas as partes e a circunferência em nenhuma" (*Cupus centrum est ubique et circumferentia nusquam*), o que explica admiravelmente a onipresença e a infinitude divinas. (*E. Bailly*)

Céus — São as regiões ou mundos de felicidade para onde vão, ao morrer, as almas dos justos, segundo o grau de seus méritos. Estes céus são, em ordem descendente: 1º) *Brahmaloka*, mundo de Brahma ou das divindades superiores; 2º) *Pitriloka*, mundo dos *Pitris*, *Richis* e *Prajâpatis*; 3º) *Somaloka*, mundo dos *Pitris* lunares; 4º) *Indraloka*, mundo de Indra ou das divindades inferiores e 5º) *Gandharvaloka*, mundo dos músicos celestes. (Ver *Campos Felizes*, *Campos Elíseos* etc.)

CH — No alfabeto sânscrito há três letras que soam de modo mais ou menos parecido com *ch*: 1º) uma que se pronuncia como *tch*; 2º) outra cuja pronúncia é semelhante ao nosso *ch*, como em *machucar*; e 3º) outra que equivale a *chh* e que se pronuncia como *tch*, mas com aspiração suave.

C

Ch — Símbolo de um dos vasos sanguíneos que partem do coração. *(Râma Prasâd)*

Chach (*Sânsc.*) — Seis. (Ver *Chad* e *Chat.*)

Chabrat Zereh Aur Bokher (*Hebr.*) — Uma ordem da Sociedade Rosa-cruz, cujos membros estudam a Cabala e as ciências herméticas. Admite ambos os sexos e tem muitos graus de instrução. Os membros reúnem-se secretamente e também a existência da ordem é geralmente desconhecida. (W. W. W.)

Chad (*Sânsc.*) — Tem significado idêntico a *chat* (ver), embora, por eufonia, o *t* seja substituído pelo *d*.

Chadanga (*Sânsc.*) — As seis partes do corpo (cabeça, tronco, braços e pernas). Os seis *angas* ou suplementos do *Veda*.

Chadâyatana (*Sânsc.*) — Literalmente, as seis moradas ou portas existentes no homem para a recepção das sensações. Assim, no plano físico, os olhos, o nariz, a língua, o tato, os ouvidos e a mente, como produto do cérebro físico. No plano mental (esotericamente), a visão, o olfato, a audição, o paladar e a percepção *espirituais*, tudo isso sintetizado pelo elemento *Buddhi-âtmico*. *Chadâvatana* é um dos doze *nidânas*, que formam a cadeia de causa e efeito incessante.

Chaddarzanâni (*Sânsc.*) — Os seis *darzanas* ou sistemas filosóficos da Índia. (Ver *Darzanas.*)

Chadurmayâ (*Sânsc.*) — Literalmente: "as seis ondas". Os seis inimigos internos, que precisam ser vencidos antes de se alcançar a libertação, a saber: a luxúria, a ira, a cobiça, a ofuscação *(moha)*, o orgulho e a inveja. *(Bhagavân Dâs, A Ciência das Emoções)*

Chaia (*Alq.*) — Matéria dos filósofos obtida à cor branca.

Chaitanya (*Sânsc.*) — Fundador de uma seita mística da Índia. Um sábio relativamente moderno que, segundo se crê, é um *avatar* de Krishna. [*Chaitanya*: Inteligência, consciência, mente, pensamento, alma pensante, luz do Espírito.]

Chaitra (*Sânsc.*) — Um mês lunar do calendário hindu, que corresponde a março abril e outras vezes a fevereiro-março. Um religioso mendicante.

Chaitya (Tchaitya) (*Sânsc.*) — Qualquer lugar que se tenha tornado sagrado em virtude de algum fato da vida de Buda. Esta palavra significa a mesma coisa em relação aos deuses, e também qualquer local ou, objeto de culto.

Chakchas (*Sânsc.*) — Instrutor ou mestre espiritual. Sobrenome de Brihaspati, como preceptor dos deuses.

Châkchucha (*Sânsc.*) — "Visível". Nome do sexto Manu.

Chakchur (Tchakchur) — Ver *Chakchus*.

Chakchus ou **Tchakchus** (*Sânsc.*) — Olho. Daí, *Loka-chakchus*, "o olho do mundo", que é um título do Sol. [*Chakchus* é também a modificação ocular do *Prâna*. *(Râma Prasâd)* Em outro verbete deste glossário, H. P. Blavatsky diz: "*Tchakchus*: o primeiro *vidjnâna* (ver)". Literalmente: "o olho", no sentido da faculdade da visão ou, melhor dizendo, uma percepção oculta das realidades espirituais e subjetivas. *(Chakchur)*]

Chakna-padma-karpo (*Tib.*) — "O que tem o lótus". Qualificativo aplicado a Chenresi, o *Bodhisattva*. Não é um termo verdadeiramente tibetano, mas semi-sânscrito.

Chakra ou **Tchakra** (*Sânsc.*) — Uma roda, um disco ou o círculo de Vishnu, em geral. Esta palavra também é utilizada para expressar um ciclo de tempo e tem outros

C

significados. Um feitiço; o disco de Vishnu, que serve como arma; a roda do Zodíaco e também a roda do tempo etc. Em Vishnu, é um símbolo de autoridade divina. Uma das sessenta e cinco figuras de *Srîpâda*, ou seja, a impressão mística ou marca do pé de Buda, que contém tal número de figuras simbólicas. O *chakra* é utilizado nos fenômenos mesméricos e outras práticas anormais. (*Glossário Teosófico* de H. P. Blavatsky, *sub voce*; *Tchakra*) [A palavra *chakra* significa também: círculo, órbita; o Sol ou disco de *Sûrya*; uma figura astrológica ou mágica; alguns dos "lótus" ou plexos do corpo humano físico ou astral; um tipo de arma lançadora, constituída por uma espécie de chapa circular ou disco, com bordas afiadas e cortantes, que era lançada com a ponta do dedo indicador, para o que o disco possuía um furo no centro. (Ver *Bhagavad-Gîtâ*, XI, 17.)]

Chakravartin (*Sânsc.*) — Literalmente: "o que faz girar a roda (da Lei)". (Ver *Buddha Siddhârtha.*) Há outras definições para esta palavra: "que gira sobre rodas"; "chefe supremo ou soberano"; "rei soberano cujo poder estende-se sobre todo o continente hindu"; "aquele que habita ou rege o extenso território chamado *Chakra*".

Chalcos (*Alq.*) — Cobre.

Chalcute (*Alq.*) — *Æs ustum* ou cobre queimado.

Chama — A Alma das coisas. Este é um dos termos tomados pelos filósofos do Fogo para facilitar a compreensão de certos símbolos e termos arcaicos. (Ver *Doutrina Secreta*, I, 110.)

Chama de três línguas — Esta chama, que nunca se extingue, é a Tríade espiritual que não perece: *Âtmâ*, *Buddhi* e *Manas*, ou melhor dizendo, o fruto deste último princípio assimilado pelos dois primeiros, após cada vida terrestre. Os quatro pavios desta chama constituem o Quaternário, ou seja, os quatro princípios inferiores, mortais, inclusive o corpo físico. (*Doutrina Secreta*, I, 257)

Chama fria — A luz.

Chamas — São uma Hierarquia de Espíritos semelhantes, senão idênticos, aos ardentes Serafins mencionados por Isaías (VI, 2-6), aqueles que, segundo a teogonia hebraica, estão em presença do "Trono do Onipotente". Nas obras exotéricas, o nome Chamas é dado indistintamente a *Prajâpatis*, *Pitris*, *Manus*, *Asuras*, *Richis*, *Kumâras* etc. Na Doutrina Esotérica, recebem o nome de *Asuras*, *Asura-devatâ* ou *Pitar-devatâ* (deuses), porque, como se disse, foram inicialmente Deuses – e os mais elevados – antes de se converterem em "não-Deuses", e Espíritos do Céu descidos a Espíritos da Terra – *exotericamente* entenda-se bem, no dogma ortodoxo. (*Doutrina Secreta*, II, 258)

Chama Santa — Chama Santa ou sagrada é o nome que os cabalistas asiáticos orientais (semitas) dão à *Anima Mundi* ou "Alma do Mundo". Os Iniciados eram conhecidos pelo nome de "Filhos da Chama Santa".

Chamas divinas — Constituem a primeira das Hierarquias criadoras (ver).

Chambar (*Alq.*) — Magnésio filosófico.

Chambelech (*Alq.*) — Elixir.

Chañchala (*Sânsc.*) — Inconstante, volúvel, vacilante, inseguro.

Chañchalatva (*Sânsc.*) — Inconstância, volubilidade, instabilidade, vacilação.

Chandâ ou **Chandî** (*Sânsc.*) — Epíteto da deusa Durgâ.

Chandâla (**Chhandâla** ou **Tchandâla**) (*Sânsc.*) — Os *chandâlas* são párias ou gente sem casta. Este nome é dado atualmente a todas as classes inferiores de hindus; porém, na antiguidade, era aplicado a certo tipo de homens, que, por terem perdido seu direito a qualquer uma das quatro castas (*brâhmanes, kchatriyas, vaisyas* e *sûdras*), eram rechaçados das cidades e buscavam refúgio nos bosques. Então, tornaram-se "pedreiros", até que, desterrados, abandonaram o país cerca de quatro mil anos antes de nossa era. Alguns autores veem neles os antecessores dos primeiros judeus, cujas tribos começaram com A-brahm ou "Não-Brahm". Até hoje, é a classe mais depreciada pelos brâhmanes da Índia.

Chandel (*Alq.*) — Colocíntida (espécie de pepino amargo e purgativo).

Chandî — Ver *Chandâ*.

Chandra (*Sânsc.*) — A Lua é também uma divindade ou personificação da mesma. Os termos *Chandra* e *Soma* são sinônimos. O alento esquerdo *(Râma Prasâd)*. Segundo diz uma lenda do *Padma Purâna*, Chandra, esposo das vinte e sete filhas de Dakcha, deixava-as de lado por Rohinî, sua favorita. As irmãs de Rohinî, zelosas de tal preferência, queixaram-se a seu pai, que várias vezes repreendeu seu genro, reprovando sua conduta. Porém, vendo que suas admoestações eram inúteis, condenou-o através de uma maldição, a ficar sem filhos e a viver preso da languidez e consunção. Suas mulheres imploraram, a seu favor, a compaixão de Dakcha, que suavizou a maldição, pois não podia revogá-la totalmente, e ordenou que sua languidez, ao invés de contínua, fosse apenas periódica. Essa é a origem do minguante e crescente sucessivos da Lua.

Chandradârâs (*Sânsc.*) — Os vinte e sete asterismos ou mansões lunares e as vinte e sete ninfas, filhas de Dakcha e esposas de Chandra, que são sua personificação. Posteriormente admitiram-se vinte e oito asterismos (mansões celestes atravessadas pela Lua em seu curso mensal). Ver *Chandra* e *Nakchatras*.

Chandragupta (**Tchandragupta**) (*Sânsc.*) — Primeiro rei budista da Índia, avô de Azoka; o Sandracoto (*Sandracottus* ou *Sandrocyptus*) de todos os incompetentes escritores gregos, que foram à Índia no tempo de Alexandre. (Ver *Azoka*.) No verbete *Tchandragupta* desta obra, sua autora acrescenta: *Tchandragupta* ou *Chandragupta* (*Sânsc.*). Filho de Nanda, primeiro rei budista da dinastia Morya, avô do rei Azoka, "o amado dos deuses" *(Piyadasi)*.

Chandra-Kânta (*Sânsc.*) — "Pedra da Lua". Pedra preciosa que se pretendia fosse formada pela congelação dos raios da Lua, que lhe comunicava propriedades mágicas e ocultas. Quando aplicada em ambas as fontes, tem uma influência bastante refrigerante, nos casos de febre. Esta palavra significa também "lótus branco". Ver *Chandramani* e *Chandropala*.

Chandra-loka (*Sânsc.*) — O mundo ou esfera lunar.

Chandramânam (*Sânsc.*) — O método de calcular o tempo através dos movimentos da Lua.

Chandramani (*Sânsc.*) — Ver *Chandra-kânta*.

Chandramas (*Sânsc.*) — A Lua ou o deus da Lua.

Chandramâsa (*Sânsc.*) — Um mês lunar.

Chandra-vansa (*Sânsc.*) — "A raça lunar", em contraposição a *Sûrya-vansa,* a "raça solar". Alguns orientalistas acham que é uma inconsequência dizer que Krishna, que pertencia à raça lunar (por descender do ramo de Yadu), era um *avatar* de Vishnu, que é uma *manifestação da energia solar*, no *Rig-Veda*, obra de autoridade não sobrepujada entre os brâhmanes. Isso manifesta, contudo, o profundo significado oculto do Avatar,

C

um significado que só a filosofia oculta pode explicar. Um glossário não é próprio para tais explicações. Porém, pode ser útil recordar aos que sabem, e ensinar àqueles que não sabem, que, no Ocultismo, o homem é chamado um ser *solar-lunar;* solar em sua tríada superior, lunar em seu quaternário. Por outro lado, o Sol dá sua luz à Lua, do mesmo modo que a *Tríada* humana derrama sua luz divina sobre o envoltório mortal do homem pecador. A vida celestial anima a vida terrestre. Krishna representa, metafisicamente, o *Ego* unificado com *Âtma-Buddhi* e desempenha a mesma função do *Christos* dos gnósticos, pois um e outro são "o deus interno do templo", ou seja, o homem. Lúcifer é "a brilhante estrela matutina", símbolo bem conhecido no *Apocalipse* (XXII, 16), e, como planeta, corresponde ao *Ego*. Então Lúcifer (ou o planeta Vênus) é o *Sukra-Usanas* dos hindus e Usanas é o guru dos *Daityas,* isto é, o instrutor e guia espiritual dos *Davanas* e *Daityas*. Estes últimos são os gigantes-demônios dos *Purânas* e, nas interpretações esotéricas, constituem o símbolo antetípico do homem de carne, da humanidade física. Os *Daityas* podem elevar-se, segundo se diz, através do conhecimento, das "austeridades e devoção" até "o nível dos deuses e do Absoluto". Tudo isso é muito significativo na lenda de Krishna, e, o que é mais sugestivo ainda, é que assim como Krishna, *avatar* de um grande Deus da Índia, é da raça Yadu, também é outra encarnação, "Deus encarna-se", ou "Deus-homem Cristo", igualmente da raça Yadu, nome dado dos judeus em toda a Ásia. Além disso, do mesmo modo que sua mãe, representada como Rainha dos Céus, de pé sobre a meia-Lua, é identificada, na filosofia gnóstica e também no sistema esotérico, com a própria Lua, similarmente a todas as demais deusas lunares, tais como Ísis, Diana, Astarte e outras (mães dos *Logos*), Cristo também é denominado, repetidas vezes na Igreja Católico-romana, o Cristo-Sol, o *Christ-Soleil* etc. Se este último constitui uma metáfora, o primeiro também o é.

Chandrâyana (*Sânsc.*) — Cronologia do ano lunar.

Chândrâyana (*Sânsc.*) — É uma penitência ou prática religiosa que consiste em diminuir gradativamente (a cada dia) a alimentação, desde a Lua cheia até a Lua nova, e aumentá-la igualmente durante a quinzena seguinte. (Ver *Leis de Manu*, XI, 216.)

Chandropala (Chandra-upala) (*Sânsc.*) — Ver *Chandra-kânta*.

Chantong (*Tib.*) — "Aquele dos mil olhos". Um dos nomes do Padmapâni ou Chenresi (Avalokitesvara).

Chaomantia — Ver *Caomancia*.

Chaos — Ver *Caos*.

Chara (*Sânsc.*) — Móvel, animado.

Charaka (*Sânsc.*) — Celebérrimo escritor de medicina, que floresceu nos tempos védicos. Acredita-se que era uma encarnação *(avatara)* da serpente *Sesha*, isto é, uma personificação da sabedoria divina, pois Sesha-Naga, rei da raça das "serpentes", é sinônimo de Ananta, a Serpente de sete cabeças, sobre a qual dorme Vishnu, durante o *pralaya*. Ananta é o "infinito" e o símbolo da eternidade e, como tal, é uno com o Espaço, enquanto Sesha somente é periódica em suas manifestações. Daí é que, enquanto Vishnu identifica-se com Ananta, Charaka é tão-somente o *avatar* de Sesha. (Ver *Ananta* e *Sesha*.) [*Charaka* é também o nome de uma das principais escolas de *Yajus negro*, uma das divisões do *Yajur-Veda*.]

Charana (*Sânsc.*) — Uma sociedade ou escola védica.

Châranas (*Sânsc.*) — Os panegiristas dos deuses.

Charati-manasi (*Sânsc.*) — O que reside e se move na mente.

C

Charnock, *Tomás* — Famoso alquimista do séc. XVI; um cirurgião que vivia e exercia sua profissão próximo a Salisbury, estudando a arte em alguns claustros vizinhos, com um sacerdote. Diz-se que foi Iniciado no segredo final da transmutação pelo célebre místico G. Bird, que "havia sido prior de Bath e custeou os gastos de restauração da igreja da abadia com o ouro que preparou através dos elixires vermelho e branco". *(Royal Mas. Cycl.)* Charnock escreveu seu *Breviário de Filosofia* no ano de 1557, e o *Enigma da Alquimia*, em 1574.

Charon *(Gr.)* — Ver *Caronte*.

Châru *(Sânsc.)* — Belo, formoso, gracioso.

Chârvâka *(Sânsc.)* — Existiram dois famosos personagens com este nome. Um deles era um *Râkchasa* (demônio), que se disfarçou de brâhmane e entrou em Hastinâpura; porém os brâhmanes descobriram-no e reduziram Chârvâka a cinzas, com o fogo de seus olhos – isto é, magneticamente, através daquilo que, no Ocultismo se denomina "olhar negro" ou mau-olho. O outro era um materialista atroz, que negava tudo, exceto a matéria, e que, se pudesse retornar à vida, deixaria envergonhados todos os livres-pensadores e os agnósticos de nossos dias. Viveu no período ramayânico, porém sua escola e seus ensinamentos sobreviveram até hoje e têm ainda partidários, que se encontram principalmente em Bengala. A escola de Chârvâka, ateia e materialista, só reconhece os elementos ou princípios terra, água, fogo e ar, que se combinam entre si, formando o corpo humano e produzindo a inteligência e a sensibilidade, da mesma forma que o poder embriagante se desenvolve pelo efeito da mistura de certos ingredientes. A alma, pois, não existe independentemente do corpo, mas forma com ele uma única coisa. As Escrituras, segundo tal escola, não têm qualquer autoridade; não há outra vida além do presente e o supremo fim da existência é gozar todos os prazeres possíveis.

Chasdim — Ver *Chhassidi*.

Chastanier, *Benedito* — Um franco-maçom que fundou, em Londres, no ano de 1767, uma loja denominada "Os Teósofos Iluminados".

Chat *(Eg.)* — No Antigo Egito, este nome era empregado para designar o corpo físico.

Chat *(Sânsc.)* — Nominativo singular de *chach* (ver).

Chatsampati *(Sânsc.)* — As seis qualificações mentais. *(A. Besant)*

Chattra *(Sânsc.)* — Discípulo, noviço.

Chatur (**Tchatur**) *(Sânsc.)* — Quatro.

Chatur-bhadra *(Sânsc.)* — Os quatro desejos ou felicidades do homem, a saber: *dharma* (virtude), *kâma* (amor sexual), *artha* (riqueza), *mokcha* (liberação final). – Ver *Bhagavad-Gîtâ*, XVIII, 34.

Chatur-bhuja *(Sânsc.)* — Aquele "de quatro braços". Epíteto de Brahmâ.

Chaturdaza-bhuvanam *(Sânsc.)* — Os catorze mundos *(lokas)* ou planos de existência. Esotericamente, os sete estados duais.

Chatur-deva *(Sânsc.)* — Ver *Chatur-mahârâjâs*.

Chatur-mahârâjâs *(Sânsc.)* — Os quatro grandes Reis ou Devas, que guardam as quatro partes do Universo e estão relacionados com o *Karma*.

Chatur-mukha *(Sânsc.)* — Aquele "de quatro faces". Epíteto de Brahmâ.

C

Chatur-vaktra (*Sânsc.*) — Significado idêntico ao de *Chatur-mukha*.

Chatur-varna (*Sânsc.*) — "As quatro castas ou cores". [As quatro castas originais da Índia, a saber: *Brâhmanes* (sacerdotes), *Kshatriyas* (guerreiros), *Vaisyas* (comerciantes e agricultores) e *Sûdras* (escravos ou servos).]

Châtur-varnya (*Sânsc.*) — O sistema de quatro castas.

Chatur-Veda (*Sânsc.*) — "Os quatro *Vedas*". (Ver *Vedas.*)

Chatur-yonî (*Sânsc.*) — Escreve-se também *tchatur-yoni*. O mesmo que *Karmaya* ou "os quatro modos de nascimento", ou seja, as quatro vias de entrada no sendeiro do nascimento, tal como são decretadas pelo *Karma:* (a) nascimento de matriz, como ocorre com os homens e animais mamíferos; (b) nascimento através do ovo, como ocorre com as aves e répteis; (c) nascimento pela umidade e pelos germes do ar, como ocorre com os insetos; (d) nascimento por súbita *autotransformação*, como ocorre com os *Bodhisattvas* e Deuses (*anupâdaka*).

Chatur-yuga (*Sânsc.*) — O conjunto dos quatro *yugas: Satya* ou *Krita, Tretâ, Dvâpara* e *Kali-yugas*, que compõem um período de 12.000 anos divinos, equivalente a um *Mahâ-yuga* (ou grande *yuga*). Ver *Yuga*.

Chava (*Hebr.*) — O mesmo que Eva: "a Mãe de tudo o que vive"; "Vida".

Chave — Símbolo de importância universal, emblema do silêncio entre as nações antigas. Representada no umbral do *Adytum,* a chave tinha um significado duplo: recordava aos candidatos as obrigações do silêncio e prometia ao profano a revelação de mais de um mistério até então impenetrável. No *Édipo em Colona,* de Sófoclés, o Coro fala "da chave de ouro, que tinha sido colocada sobre a língua do Hierofante, que estava oficiando nos Mistérios de Elêusis" (1051). "A sacerdotisa de Ceres, segundo Calímaco, portava uma chave como insígnia de seu ofício, e, nos Mistérios de Ísis, a chave simbolizava a abertura do coração e da consciência ante os quarenta e dois assessores dos mortos." (R. M. *Cyclopædia*)

Chavigny, *Juan Amado de* — Discípulo do universalmente famoso Nostradamus, astrólogo e alquimista do séc. XVI. Morreu no ano de 1604. Gozou de vida tranquila e era quase desconhecido de seus contemporâneos; porém deixou um manuscrito precioso sobre as influências pré e pós-natal dos astros sobre certos e determinados indivíduos, segredo que lhe foi revelado por Nostradamus. Este tratado foi deixado na posse do imperador Alexandre da Rússia.

Châyâ — Ver *Chhâyâ*.

Chefe de obra da Arte (*Alq.*) — É a pedra dos filósofos, o elixir perfeito ao rubro. Alguns Químicos deram-lhe este nome com razão, pois é a melhor coisa que o homem poderia imaginar para seu bem-estar.

Chekitâna (*Sânsc.*) — Filho de Dhrichtaketu, rei dos kehayas e aliado dos Pandâvas. (*Bhagavad-Gîtâ*, I, 5)

Chela (*Sânsc.*) — Literalmente: "menino". Discípulo de um *guru* (mestre ou sábio); prosélito de algum Adepto de uma escola de filosofia. [No Oriente, também se denomina *chela* o discípulo já aceito para o estudo do Ocultismo.]

Chemi (*Eg.*) — Antigo nome do Egito.

Chenresi (*Tib.*) — O *Avalokitezvara* tibetano. O *godhisattva* Padmapâni; um *Buddha* divino.

C

Cherio (*Alq.*) — "Quintessência". Quinto princípio ou essência de uma coisa; o que constitui suas qualidades essenciais, livres de todas as impurezas não-essenciais. *(F. Hartmann)*

Cheru (*Esc.*) — Ou *Heru*. Espada mágica, uma arma do "deus da espada", Heru. Nos *Eddas*, a *Saga* descreve-a dizendo que mata seu possuidor se este é indigno de esgrimi-la. Traz vitória e fama somente nas mãos de um herói virtuoso.

Cherubim (*Hebr.*) — Ver *Querubim*.

Chesed (*Hebr.*) — "Misericórdia" ou *Gedulah* (por outra denominação); o quarto dos dez *Sephiroths*; uma potência masculina ou ativa. (W. W. W.)

Chetanâ (*Sânsc.*) — Ver *Chetas*.

Chetas (*Sânsc.*) — Mente, inteligência, entendimento, pensamento, consciência, razão, juízo, sensatez.

Cheybi (*Eg.*) — No Antigo Egito, nome utilizado para designar a alma.

Chh — Símbolo de outro dos vasos que partem do coração. *(Râma Prasâd)*

Chhanda ou **Tchhanda** (*Sânsc.*) — Desejo, intenção, propósito, tendência.

Chhanda-riddhi-pâda (*Sânsc.*) — "A passagem do desejo", termo usado no *Râja-yoga*. É a renúncia a todo desejo como condição *sine qua non* dos poderes fenomenais e da entrada no sendeiro que conduz diretamente ao *Nirvâna*.

Chhandas (*Sânsc.*) — Significado idêntico ao de *chhanda*. Significa também: ritmo ou métrica poética; hinos do *Veda*. Um dos *Vedângas* (ver).

Chhandoga (*Sânsc.*) — Uma coleção *sanhitâ* (ou *samhitâ*) do *Sâma-Veda*; significa também: sacerdote, cantor do *Sâma-Veda*.

Chhandogya (*Sânsc.*) — Nome de um dos *Upanichads,* um tipo de tratados sobre a filosofia esotérica hindu.

Chhândogyopanichad (*Sânsc.*) — Um dos *Upanichads* do *Sâma-Veda*.

Chhanmûka (*Sânsc.*) — Um grande *Bodhisattva*, entre os budistas do Norte, célebre por seu amor ardente à humanidade; considerado, nas escolas esotéricas, como um *Nirmanakâya*.

Chhannagarikah (*Tib.*) — Literalmente: "a escola das seis cidades". Famosa escola filosófica, na qual os *chelas* são preparados, antes de entrarem no Sendeiro.

Chhassidi ou **Chasdim** — Na versão dos Setenta, *Assidai*, e, na inglesa, *Assideans*. São mencionados também nos *Macabeus I*, VII, 13, dizendo que foram condenados à morte com muitos outros. Eram os prosélitos de Matatias, pai dos Macabeus, e todos eram iniciados místicos ou Adeptos judeus. A palavra em questão significa "instruído, versado em toda a sabedoria humana e divina". Mackenzie (R. M. C.) considera-os como guardiães do Templo, para conservação de sua pureza; porém, como Salomão e *seu* templo eram alegóricos e não tinham existência real, o Templo significava, neste caso, o "corpo de Israel" e *sua* moralidade. Escalígero relaciona esta sociedade dos Assídeos com a dos Essênios, julgando a primeira como predecessora da segunda.

Chhâya ou **Chhâyâ** (ou **Châyâ**, como escrevem alguns) (*Sânsc.*) — "Sombra". Nome de uma criatura engendrada de si mesma (corpo astral) por Sañjñâ (Sanjnâ), esposa de Sûrya [o Sol]. Incapaz de resistir aos ardores de seu esposo, Sañjñâ deixou Chhâyâ (a sombra) em seu lugar, como ama da casa e dirigiu-se para a selva, para se entregar à

C

prática das austeridades. Na filosofia esotérica, *Chhâyâ* é a imagem astral de uma pessoa. [*Chhâyâ*: sombra ou duplo etéreo, "uma sombra sem sentido" (*II Estâncias de Dzyan*, IV, 16). "Tendo projetado suas Sombras e feito homens de um só elemento (Éter), os Progenitores ascendem novamente ao *Mahâ-loka*, de onde descem periodicamente, quando o mundo se renova, para dar origem a novos homens", diz o Comentário à segunda série de *Estâncias de Dzyan* (*Est.* IV, 15). Ver *Doutrina Secreta*, II, 96. Tomando a referida palavra em outro sentido, H. P. Blavatsky diz: "O *chhâyâ* é, na realidade, o *Manas* inferior, a sombra da Mente superior. Este *chhâyâ* compõe o *Mâyâvi-Rûpa*" (*Doutrina Secreta*, III, 559). *Chhâyâ* significa também: conhecimento íntimo, consciência, inteligência, percepção, ideia, imagem, figura, reflexo etc.]

Chhâyâbhrit (*Sânsc.*) — Literalmente: "que porta uma imagem ou figura". A Lua.

Chhâyâdhara (*Sânsc.*) — O mesmo significado de *Chhâyâbhrit*.

Chhâyâ loka (*Sânsc.*) — O mundo das sombras; como o Hades, é a região dos eidola e umbrae [imagens e sombras]. Nós o denominamos de *Kâma-loka*.

Chhâyâmrigadhara (*Sânsc.*) — "Que porta uma figura de antílope". A Lua.

Chhâyâpatha (*Sânsc.*) — O firmamento.

Chhâyâtmaja (*Sânsc.*) — O regente do planeta Saturno, filho de Chhâyâ ou Sûrya.

Chhâyâtman (*Sânsc.*) — "O Eu-sombra" — Uma forma refletida. *(P. Hoult)*

Chhidaka (*Sânsc.*) — O raio de Indra.

Chiah (*Hebr.*) — Vida; *Vita, Revivificatio.* Na Cabala, é a essência suprema da alma humana, correspondente a *Chokmah* (sabedoria).

Chichchhakti ou **Chichhakti (Chit-sakti)** (*Sânsc.*) — O poder que engendra o pensamento.

Chid (*Sânsc.*) — Ver *Chit*. Por eufonia, esta palavra substitui, às vezes, a letra *d* por *t*.

Chid-agni-kandum ou **Chidagnikundum** (*Sânsc.*) — Literalmente: "o lar do fogo do coração"; o local onde reside a força que extingue todos os desejos individuais.

Chidâkâsa (Chidâkâsam) (*Sânsc.*) — Campo ou base da consciência. [Na filosofia vedantina, *advaita* é o plano ou campo infinito da Consciência universal (*Doutrina Secreta*, II, 631). O campo ou espaço de conhecimento em que brilha a Alma em sua própria natureza. (Swâmi Vivekânanda, *Filosofia Yoga*)]

Chid-ghana (*Sânsc.*) — A consciência em toda a sua plenitude; o *Plerôma dos gregos*.

Chifflet, *Jean* — Cabalista regular do séc. XVII, que, segundo se acredita, aprendeu dos Iniciados coptos uma chave para as obras gnósticas. Compôs uma obra sobre o *Abraxas*, da qual a Igreja queimou a parte esotérica.

Chiim (*Hebr.*) — É um nome plural, "vidas", encontrado em alguns termos compostos; *Elohim Chiim*, os deuses de vidas; Parkhurst traduz no sentido de "o Deus vivente", e *Ruach Chiim* no de "Espírito de vidas" ou de vida. (W. W. W.)

Chikitsâ-vidyâ-shâstra (Tchikitsâ-...) (*Sânsc.*) — Um tratado de medicina oculta, que contém uma infinidade de fórmulas ou prescrições "mágicas". É um dos *Pañcha-Vidyâ-Shastras* ou Escrituras.

C

Chin (*Sânsc.*) — Modificação da palavra *chit*, em que, por eufonia, substituiu-se a letra *t* por *n*.

Chinmâtra (Chit-mâtra) (*Sânsc.*) — O germe da consciência; consciência abstrata. Parabrahman.

Chin-maya-koza (*Sânsc.*) — Entre os vedantinos, é "a vestimenta nirvânica"; o estado nirvânico objetivado. *(P. Hoult)*

Chintâmani (*Sânsc.*) — "A gema do desejo". Pedra preciosa que proporciona a seu possuidor tudo o que deseje. A pedra filosofal. Sobrenome de Brahmâ.

Chintâpara (*Sânsc.*) — Entregue à meditação.

Chintiya (*Sânsc.*) — Meditação, reflexão, consideração.

Chintya (*Sânsc.*) — Inteligível, compreensível, cognoscível.

Chira-jîvin (*Sânsc.*) — "Que vive muito tempo". Sobrenome de Vishnu.

Chisir mineral (*Alq.*) — Enxofre princípio dos metais.

Chisti Pabulum (*Alq.*) Urina de uma criança.

Chit (*Sânsc.*) — Consciência pura ou abstrata. [Inteligência, consciência, mente, pensamento, percepção, coração. Entre os yogis, *Chit* é sinônimo de *Mahat*, o primeiro e divino intelecto.]

Chitanut our (*Hebr.*) — *Chitons*, uma vestimenta sacerdotal; "as capas ou invólucros de pele", que *Java Alein* deu a Adão e Eva, após suas quedas.

Chitkala (*Sânsc.*) — Na filosofia esotérica, é o mesmo que *Kumâras*, aqueles que se encarnaram primeiramente nos homens da terceira Raça-Mãe. (Ver *Doutrina Secreta*, I, 308, da 3ª ed. inglesa, ou 288 da antiga.) [Ver *Daimon*.]

Chitra (*Sânsc.*) — Sobrenome de Yama (deus dos mortos).

Chitrâ (*Sânsc.*) — Um dos asterismos lunares. *(Râma Prasâd)*

Chitra-gupta (*Sânsc.*) — O *deva* (ou deus) que é o registrador de Yama (o deus da Morte) e que, segundo se presume, lê num registro intitulado *Agra-Sandhânî* o relato da vida de cada alma, quando esta aparece diante do Tribunal do Juízo. (Ver *Agra-Sandhânî*.)

Chitrakûta (*Sânsc.*) — "Pico brilhante". Nome de uma montanha do Bundelkhand. É um lugar sagrado, onde abundam templos aos quais acorrem, todos os anos, milhões de pessoas.

Chitraratha (*Sânsc.*) — "Que tem um carro brilhante". O Sol. Nome do chefe dos *Gandharvas* ou Músicos celestes. (Ver *Bhagavad-Gîtâ*, X, 26.)

Chitra-sena (*Sânsc.*) — Um dos cem filhos de Dhritarâchtra. Nome de um dos *Gandharvas*.

Chitra Sikkandinas (Sikkandinas) (*Sânsc.*) — Literalmente: "de cume brilhante". A constelação da Ursa Maior; a mansão dos sete *Richis (Saptarchi)*. [As seis estrelas da Ursa Maior; os sete *Richis*: Marichi, Atri, Angiras, Pulastya, Pulaha, Kratu e Vasichtha.]

Chit-swa-rûpa (*Sânsc.*) — A inteligência em sua forma essencial; o Supremo. *(P. Hoult)*

Chitta (Tchitta) (*Sânsc.*) — Inteligência, razão, pensamento; mente, coração; propósito, desejo; atenção, observação; ideia. A matéria mental. (Ver *Chetas*.)

C

Chittâbhoga (*Sânsc.*) — Percepção interna, consciência, sentido íntimo.

Chittâkâza (*Sânsc.*) — Ver *Chidâkâsa*.

Chitta-moha (*Sânsc.*) — Confusão, cegueira ou perturbação da mente.

Chitta-prasannatâ (*Sânsc.*) — Calma ou placidez mental.

Chitta-riddhi-pâda (Tchitta-...) (*Sânsc.*) — "A passagem da memória". É a terceira condição da série mística, que conduz à aquisição do Adepto, isto é, à renúncia da memória física e de todos os pensamentos relacionados com fatos mundanos ou pessoais na vida de alguém: benefícios, associações ou prazeres pessoais. A memória física deve ser sacrificada e deve recuperar-se pelo *poder da vontade* somente quando for absolutamente necessário. O *Riddhi-Pâda*, literalmente: os quatro "passos para o *Riddhi*", constituem os quatro modos de dominar e, finalmente, de aniquilar o desejo, a memória e por último a própria meditação (enquanto estão relacionados com um esforço qualquer do cérebro físico), e então a meditação chega a ser absolutamente *espiritual*.

Chitta-shuddhi (*Sânsc.*) — Purificação da mente.

Chitta-smriti-upasthâna (Tchitta-...) (*Sânsc.*) — Um dos quatro objetos do *Smriti Upasthâna*, isto é, conservar sempre na mente o caráter transitório da vida do homem e a incessante revolução da roda da existência.

Chitta-vahânâdi (*Sânsc.*) — O nervo especial que é passagem ou conduto da mente (M. Dvivedi, Comentário do *Yoga-sûtra* de Patañjali)

Chitta-vibhrama (*Sânsc.*) — Extravio ou desordem mental.

Chitta-vritti (*Sânsc.*) — Imagens ou pensamentos automaticamente criados pelo cérebro. *(P. Hoult)*

Chnoufis ou **Chnouphis** (*Gr.*) — *Nouf*, em egípcio. É outro aspecto de Ammón e a personificação de seu poder gerador *in actu*, como Kneph o é *in potentia*. Tem também cabeça de carneiro. Se em seu aspecto como Kneph é o Espírito Santo com a ideação criadora nele incubada, como Chnoufis é o anjo que "entra" no terreno e na carne da Virgem. Uma oração escrita num papiro, traduzida pelo egiptólogo francês Chabas, diz: "Oh! Sepui, Causa da existência, que formou teu próprio corpo! Oh! Senhor único, procedente de Noum! Oh! Substância divina, criada de ti mesma! Oh! Deus, que fez a substância nele contida! Oh! Deus, que fez seu próprio pai e fecundou sua própria mãe!". Isso mostra a origem das doutrinas cristãs da Trindade e Imaculada Conceição. Vemo-lo num monumento, sentado junto a uma roda de oleiro e formando homens de barro. A folha da figueira é consagrada a ele, o que, por si só, basta para provar que Chnoufis é um deus fálico, ideia expressa pela inscrição: "Aquele que fez o que é, o criador dos seres, o primeiro existente, o que fez existir tudo o que existe". Alguns veem nele a encarnação de Amon-Ra, porém é o próprio em seu aspecto fálico, visto que, como Amon, é "esposo de sua mãe", ou seja, a parte masculina ou fecundante da Natureza. Tem vários nomes, tais como: Cnoufis (ou Cnouphis), Noum, Khem, Khnum ou Chnoumis. Como representa o Demiurgo (ou *Logos*), do ponto de vista material ou inferior da Alma do Mundo, é o *Agathodaemon*, simbolizado, algumas vezes, por uma serpente; sua esposa Athor ou Maut (*Môt*, Mãe), ou Sate, "filha do Sol", portando uma flecha num raio de Sol (o raio da concepção), estende-se "senhora nas partes inferiores da atmosfera sob as constelações, como Neith estende-se pelos céus estrelados. (Ver *Caos* e *Chnoumis*.)

Chnoumis (*Eg.*) — O mesmo que *Chnoufis (Chnouphis)* e *Kneph*. É um símbolo da força criadora. *Chnoumis* ou *Kneph* é "a deidade não-criada e eterna", segundo Plutarco. É representado como azul (éter), e com sua cabeça de carneiro com uma áspide entre

C

os chifres podia ser tomado por Ammon ou *Chnoufis* (ver). Fato é que todos aqueles deuses são solares e representam, sob diversos aspectos, as fases de geração e fecundação. Suas cabeças de carneiro denotam um significado, já que o carneiro simboliza sempre a energia geradora no abstrato, enquanto o touro é um símbolo da força e da função criadora. Todos eles constituem um só deus, cujos atributos estavam individualizados e personificados. Segundo G. Wilkinson, Kneph ou Chnoumis era "a ideia do Espírito de Deus", e Bonwick explica que, como *Au*, "matéria" ou "carnes", era criocéfalo (de cabeça de carneiro), portando um disco solar na cabeça, de pé sobre a serpente Meher, com uma víbora na mão esquerda e uma cruz na direita, e aplicado à função criadora no mundo inferior (esotericamente, a Terra). Os cabalistas identificam-no com Binah, o terceiro *Sephira* da Árvore sephirotal, ou "Binah, representado pelo nome divino de Jehovah". Se, como Chnoumis-Kneph, representa o Naráyana hindu, o Espírito de Deus, que se move sobre a água do espaço, como *Eichton* ou Éter tem na boca um Ovo, símbolo da evolução; e, como *Av*, é Shiva, o Destruidor e Regenerador, pois, como explica Deveria: "Sua passagem aos hemisférios inferiores parece simbolizar as evoluções de substâncias, que nasceram para morrer e renascer". Esotericamente, contudo, e como o ensinam os Iniciados do templo interior, Chnoumis-Kneph era por excelência *o deus da reencarnação*. Diz uma inscrição: "Eu sou Chnoumis, Filho do Universo, 700", mistério que alude diretamente ao *Ego* que se reencarna. [*Chnoumis, Chnoufis* (*Khnumis* ou *Khnoubis*, segundo a transcrição inglesa, *Jnemu* ou *Jnoubis*, de acordo com aquela de Treviño). É uma corruptela de *Jnemu*. O deus que criou o homem. O executor das ordens de Toth na criação. Foi ele em colocou a Terra sobre quatro pilares e quem fez o homem num torno de oleiro. É representado com cabeça de carneiro. Foi o deus de Abu (Elefantina). Nos últimos tempos foi denominado sob as formas de *Jnumis* ou *Jnoubis*, ocupando um lugar importante entre os nomes mágicos tão empregados pelos gnósticos. *(Treviño)*]

Chnouphis — Ver *Chnoufis:*

Chochmah — Ver *Chokmah.*

Chohan (*Tib.*) — "Senhor", chefe. Assim, *Dhyân Chohan* corresponderia a "Chefe dos Dhyânis" ou Luzes celestiais, que podemos traduzir pelo nome de Arcanjos.

Chokmah (*Hebr.*) — Sabedoria; o segundo dos dez *Sephiroth* e o segundo da Tríada Suprema. É uma potência masculina, que corresponde ao *Yod* (1), do *Tetragrammaton* IHVH, e a *Ab*, o Pai. (W. W. W.)

Chrestos (*Gr.*) — Ver *Cristo.*

Christos — Ver *Cristo.*

Chronos — Ver *Cronos.*

Chthonia (*Gr.*) — Terra caótica na cosmogonia helênica.

Chtonias ou **Chthonias** (*Gr.*) — Festas celebradas em Hermione, antiga cidade do Peloponeso, em honra de Ceres, cujo sobrenome era Chtonia (Chthonia), que significa *terrestre*, porque esta deusa presidia a Terra. Quatro vacas escolhidas eram imoladas no templo de Ceres por quatro sacerdotisas anciãs.

Chu (*Eg.*) — No Antigo Egito, era assim que se denominava o Espírito.

Chuang — Um grande filósofo chinês.

Chubilgan (*Mong.*) — Ou *Khubilkhan*. Significado idêntico ao de *Chutuktu.*

C

Chutuktu (*Tib.*) — Uma encarnação de Buddha ou de algum *Bodhisattva*, como se acredita no Tibete, onde há geralmente, entre os Lamas superiores, cinco *Chutuktus* manifestos e dois *ocultos*.

Chuva — As preces para chuva celebradas nos países católicos têm seu precedente no paganismo. Em tempos de secas pertinazes, as mulheres pagãs, após terem jejuado, levavam em procissão as estátuas dos deuses. Iam com os pés descalços e os cabelos soltos e prontamente começava a chover a cântaros, como diz Petrônio: *Et statim urceatim pluebat (Dictionnaire Philosophique,* verbete *Idolatrie).*

Chyavâna (*Sânsc.*) — Um sábio, filho de Bhrigu, e autor de alguns hinos.

Chyuta (*Sânsc.*) — Este nome significa "o caído" na *geração,* como diria um cabalista. É o oposto a *achyuta,* "que não está sujeito a mudança ou diferenciação", qualificativo aplicado à Divindade. (Ver *Achyuta.*)

Ciclo — Do latim *cyclus* e do grego *Kyklos*. Os antigos dividiam o tempo em um sem-número de ciclos, rodas dentro de rodas, períodos de duração diversa, sendo que cada um deles marcava o início ou o fim de algum acontecimento cósmico, mundano, físico ou metafísico. Havia ciclos que duravam apenas poucos anos e ciclos de duração imensa. Assim, temos o grande Ciclo Orfico, referente à mudança etnológica das raças, que durou 120.000 anos, e o Ciclo de Cassandro, de 136.000, que produziu uma mudança completa nas influências planetárias e suas correlações entre os homens e os deuses, fato inteiramente perdido de vista pelos astrólogos modernos.

Cidade das Portas de Ouro — A principal cidade da Atlântida. Degenerada em "antro de iniquidade", foi destruída na grande catástrofe ocorrida cerca de 200.000 anos atrás. (*P. Hoult*)

Cidade de Brahma — Ver *Cidade de Nove Portas.*

Cidade de Nove Portas — É o corpo físico, frequentemente denominado "Cidade de Brahma", com suas nove aberturas, mediante as quais se relaciona com o mundo exterior. (Ver *Bhagavad-Gîtâ,* V, 13.)

Ciência Sagrada — Nome dado à filosofia esotérica *interior*; os segredos ensinados antigamente aos candidatos Iniciados, expostos pelos hierofantes na última e suprema Iniciação. São designadas com este nome as ciências ocultas em geral. Os rosa-cruzes assim denominavam a Cabala e especialmente a filosofia hermética. *(A Chave da Teosofia)*

Ciências Ocultas — A ciência dos segredos da Natureza física, psíquica, mental e espiritual, conhecida pelo nome de Ciências Herméticas e Esotéricas. No Ocidente, pode-se citar a Cabala; no Oriente, o misticismo, a magia, a filosofia *yoga,* aquela a que, muitas vezes, os *chelas* da Índia referem-se como o sétimo "*Darzana*" (escola de filosofia), sendo necessário notar que, na Índia, há apenas seis *darzanas* conhecidos pelo mundo profano. Estas ciências são ocultas do povo e, durante séculos, são assim mantidas pelo fato de que nunca seriam apreciadas pelas classes que receberam uma educação egoísta, nem seriam compreendidas pelas classes incultas. As primeiras podem fazer mau uso de tais ciências, empregando-as em proveito próprio, convertendo assim a ciência divina em *magia negra.* Várias vezes acusou-se a filosofia esotérica e a Cabala pelo fato de sua literatura estar cheia de "uma gíria bárbara e sem sentido", incompreensível para as inteligências comuns. Porém não ocorre o mesmo com as ciências *exatas,* como a matemática, a medicina, a fisiologia, a química e outras? Porventura os sábios oficiais não escondem igualmente seus descobrimentos com uma terminologia greco-latina de cunho novo e extremamente bárbaro? Como fez notar, com grande acerto, nosso malogrado irmão Kenneth Mackenzie: "Alucinar assim com palavras, quando os fatos são tão simples, é arte dos sábios dos tempos atuais, em contraste chocante com aqueles do séc. XVII, que chamavam enxadas de enxadas e não de "apetrechos de lavoura". Por outro lado, enquanto os fatos dos sábios são tão simples quanto compreensíveis, quando expressos em linguagem comum, os fatos da Ciência Oculta são de natureza tão abstrata que, na imensa maioria dos casos, não haveria nos idiomas europeus palavras para expressá-los". E, acrescentamos, nossa "gíria" tem *dupla* necessidade: 1º) descrever claramente tais fatos para aqueles versados na terminologia oculta; 2º) ocultá-los dos profanos.

Cinocéfalo (Cynocephalus) (*Gr.*) — É o *Hapi* egípcio. Havia uma notável diferença entre os deuses com cabeça de macaco e o "Cynocephalus" *(Simia hamadryas),* um mandril ou mono de cabeça de cão do Egito superior. Este último, cuja cidade sagrada era Hermópolis, era consagrado às divindades lunares e Toth-Hermes, e, portanto, era um emblema da sabedoria secreta, como o eram Hanuman, o deus-mono da Índia, e posteriormente Ganeza, o deus com cabeça de elefante. A missão do Cinocéfalo era mostrar aos mortos o caminho do lugar do Juízo e de Osíris, enquanto os deuses-macacos eram todos fálicos. São vistos quase sempre de cócoras, tendo em uma das mãos o *outa* (o olho de Hórus) e na outra a cruz sexual. Algumas vezes, Ísis é representada cavalgando um macaco, para designar a queda da natureza divina na geração.

Cinquenta Portas de Sabedoria (As) (*Cab.*) — O número em questão é um véu e tais portas são, na realidade, quarenta e nove, pois Moisés, o mais elevado Adepto do povo judeu, chegou à 49ª, segundo as Cabalas, e não passou da mesma. Essas "portas" simbolizam os diferentes planos do Ser ou *Ens.* Assim, pois, são as "portas" de Vida e as "portas" de Conhecimento ou graus de saber oculto. Estas 49 (ou 50) portas correspondem às sete portas das sete cavernas de Iniciação nos Mistérios de Mithra (ver *Celso* e *Kircher*). A divisão das cinquenta portas em cinco portas principais, cada uma das quais inclui *dez,* é outro véu. Na quarta porta destas cinco (na qual começa, para terminar na décima, o mundo dos Planetas, compondo, deste modo, sete, correspondentes aos sete *Sephiroth* inferiores) encontra-se oculta a chave de seu significado. São denominadas também "portas de *Binalh*" ou do conhecimento.

Círculo — Há vários "Círculos", qualificados com adjetivos místicos. Assim temos: 1ª) o "Cruzado do Círculo Perfeito" de Platão, que o apresenta cruzado, em forma de X; 2ª) a "Dança Circular" das Amazonas ao redor de uma imagem priápica, idêntica à dança das *Gopîs* ao redor do Sol (Krishna), as pastoras que representam os signos do Zodíaco; 3ª) o "Círculo da Necessidade", de 3.000 anos, dos egípcios e ocultistas, sendo de 1.000 a 3.000 o tempo médio de duração do ciclo entre os renascimentos ou reencarnações. Este assunto será tratado no verbete *Renascimento* ou *Reencarnação.*

Círculos ou **Revoluções** — Ver *Rondas.*

Circuncisão — Desta cerimônia religiosa fez-se uma lei para todos os descendentes varões de Abraão e, assim, a circuncisão veio a se constituir na marca distintiva do chamado "povo de Deus". Os judeus davam a todos os infiéis o nome de *incircuncisos*. O próprio Jesus foi submetido a esta operação cruenta, sendo a "Circuncisão do Senhor" a primeira festa celebrada todos os anos pela Igreja.

Clariaudiência — É a faculdade inata ou adquirida através de certa educação oculta, de ouvir tudo o que se diz a qualquer distância.

Clarividência — A faculdade de ver com o olho interior ou visão espiritual. Tal como empregada atualmente, é um termo vago e pretensioso, que abrange em seu

C

significado uma adivinhação afortunada devida à sagacidade natural ou intuição e também àquela faculdade, que foi tão notavelmente exercida por J. Boehme e Swedenborg. A verdadeira clarividência significa a faculdade de ver através da matéria mais densa (que desaparece segundo a vontade e diante do olho espiritual do vidente) e sem que o tempo (passado, presente, futuro) ou a distância constituam um obstáculo para o vidente.

Clemente de Alexandria — Pai da Igreja e escritor fecundo, que havia sido neoplatônico e discípulo de Ammonio Saccas. Viveu entre o segundo e o terceiro séculos de nossa era, em Alexandria.

Clisus — O poder específico oculto contido em todas as coisas; a força da vida, que nos vegetais sobe das raízes para o tronco, folhas, flores e sementes, fazendo com que estas produzam um novo organismo. *(F. Hartmann)*

Coagulação (*Alq.*) — Termo da Física e da Química. É o elo da composição dos mistos, que faz a ligação mútua das partes. A *coagulação* é apenas o rudimento da fixação. Há dois tipos de *coagulações*, bem como dois tipos de soluções. Uma é feita pela via fria, a outra pela quente, e cada uma subdivide-se ainda em outras duas; uma é permanente, a outra não. A primeira denomina-se *fixação* e a outra, simplesmente, *coagulação*. Os metais são um exemplo da primeira, os sais da segunda. A *coagulação* filosófica é a reunião inseparável do fixo do volátil numa massa tão fixa que não teme os ataques do fogo mais violento e comunica sua fixidez aos metais que transmuta.

Coágulo (*Alq.*) — Coalho.

Coagular (*Alq.*) — Em termos de Química Hermética, significa dar consistência às coisas líquidas, não as transformando em corpos compactos ou cujas partes sejam ligadas, como aquelas do queijo obtido do leite, mas retirando sua umidade supérflua e reduzindo o líquido a pó e, depois, a pedra. Os filósofos químicos chamam também de *coagular,* cozer a matéria até a perfeição do branco ou do rubro.

Codex Nazaraeus (*Lat.*) — O *Livro de Adão* (é preciso notar que este último nome significa *anthropos,* homem ou humanidade). O Credo Nazareno é chamado, algumas vezes, de "sistema bardesiano", embora pareça que Bardesanes (228 a 155 a.C.) nada tenha a ver com ele. O certo é que nasceu em Edessa (Síria) e foi um famoso astrólogo e sabeu, antes de sua suposta conversão; porém, por outro lado, era um homem bem-educado e de família nobre e não teria utilizado o quase incompreensível dialeto caldeu-siríaco misturado com a misteriosa linguagem dos gnósticos, na qual o *Codex* está escrito. A seita dos Nazarenos era pré-cristã. Plínio e Josefo falam dos Nazaritas, dizendo que tinham residência às margens do Jordão, 150 anos a.C. (*Ant. Jud.*, XIII, p. 9), e Munk afirma que "o Nazaritismo *(Naziareate)* era uma instituição fundada antes das leis de Musah" ou Moisés (Munk, p. 169). Em árabe, seu nome moderno é *El Mogtasila*; nos idiomas europeus designam-se os Nazarenos pelos nomes de Mendaítas (Mendeanos ou Mandeanos) ou "Cristãos de São João" (ver *Batismo*). Porém, se a palavra "batistas" pode ser bem aplicada aos mesmos, não o é com o significado cristão, pois, enquanto eles eram e ainda são sabeus ou astrólatras puros, os mendaítas da Síria, chamados "galileus", são politeístas puros, como o pode comprovar qualquer viajante na Síria e no Eufrates, uma vez informado de seus misteriosos ritos e cerimônias. (Ver *Isis sem Véu*, II, 290 e ss., ed. inglesa). Desde o princípio, conservaram suas crenças tão secretas que Epifânio, que escreveu contra as Heresias no séc. XIV, confessa-se incapaz de dizer em que acreditavam os Nazarenos e limita-se a consignar que estes não mencionam nunca o nome de Jesus nem se intitulam cristãos (obra citada, 190). Contudo, é inegável que algumas das supostas opiniões filosóficas e doutrinas de Bardesanes encontram-se no *Códice dos Nazarenos*. (Ver *Norberg, Codex Nazaraeus* ou o *Livro de Adão* e também *Mendaitas*.)

C

Coeur, *Jacques* — Célebre tesoureiro da França, nascido em 1408, que obteve tão importante cargo através da magia negra. Era tido como grande alquimista e chegou a adquirir uma fortuna fabulosa. Porém em pouco tempo foi desterrado e, depois de se retirar para a ilha de Chipre, ali morreu no ano de 1460, deixando enorme fortuna, lendas inumeráveis e má reputação.

Colégio de Rabinos — Era um colégio da Babilônia muito famoso, durante os primeiros séculos do Cristianismo. Sua fama, contudo, foi muito obscurecida pela aparição de mestres helênicos em Alexandria, tais como Filon, o Judeu, Josefo, Aristóbulo e outros. Os primeiros vingaram-se de seus afortunados rivais, qualificando os alexandrinos de teurgos e profetas impuros. Porém os alexandrinos, crentes na taumaturgia, não eram considerados como pecadores ou impostores, quando os judeus ortodoxos encontravam-se no topo de tais escolas *hazim*. Estes eram colégios que ensinavam profecias e ciências ocultas. Samuel era chefe de um desses colégios, em Ramah; Eliseu, em Jericó. Hillel tinha uma academia regular para profetas e videntes e o próprio Hillel, discípulo do colégio babilônico, foi o fundador da seita dos fariseus e dos grandes rabinos ortodoxos.

Coliridianos ou **Collyridianos** [Do gr. *collyris,* bolo ou pãozinho] — Seita de gnósticos dos primeiros séculos do Cristianismo, que transferiram seu culto e adoração de Astoreth [ou Astarté] para Maria, como virgem e rainha dos céus. Considerando as duas como idênticas, ofereciam, em certos dias, para a última, como tinham oferecido à primeira, bolos e tortas, com símbolos sexuais inscritos neles.

Collanges, *Gabriel de* — Nasceu em 1524. Foi o melhor astrólogo do séc. XVI e um cabalista melhor ainda. Gastou uma fortuna no esclarecimento de seus mistérios. Diz-se que morreu envenenado por um judeu rabino-cabalista.

Colleman, *João* — Alsaciano, nascido em Orléans, segundo K. Mackenzie; outros autores dizem que era judeu que, graças a seus estudos astrológicos, foi protegido por Carlos VII e Luís XI e que exerceu má influência sobre este último.

Collyridianos — Ver *Coliridianos*.

Conde de Saint-Germain — Ver *Saint-Germain*.

Constituição Setenária do Homem — Ver *Sete Princípios do Homem* (Os).

Continentes — Na cosmogonia búdica, segundo a doutrina exotérica de Gautama Buda, há inumeráveis sistemas de mundos *(Sakwala)*, os quais nascem, amadurecem, decaem e são destruídos periodicamente. Os orientalistas traduzem o ensinamento sobre "os quatro continentes que não se comunicam entre si" no sentido de que "na Terra há quatro grandes continentes" (ver Hardy, *Monaquismo Oriental*, p. 4); assim sendo, doutrina significa que ao redor ou *em cima* da Terra há, num ou noutro lado, quatro mundos, isto é, a Terra aparece como o quarto em cada lado do arco.

Coração — Ver *Sagrado Coração*.

Coral Vermelho (*Alq.*) — É um dos nomes que os filósofos deram à sua pedra, quando fixada ao rubro, que é o grau de sua perfeição. É sem dúvida por esta razão que os Antigos disseram que o coral formou-se como Chrysaor, do sangue do ferimento que Perseu causou em Medusa; assim os filósofos herméticos tomaram Chrysaor e o coral como símbolos de seu enxofre perfeito.

Corbatum (*Alq.*) — Cobre.

Corbins (*Alq.*) — Obra da pedra dos filósofos.

Cordumeni (*Alq.*) — Cardamomo.

C

Coribantes — Sacerdotes de Cibeles.

Coribantes, *Mistérios dos* — Celebrados na Frígia, em honra de Atis, o jovem amado de Cibeles. As cerimônias eram muito corretas dentro do templo, porém muito trabalhosas e trágicas em público. Começavam com uma lamentação pública pela morte de Atis e terminavam com um tremendo alvoroço em razão de sua *ressurreição*. A estátua ou imagem da vítima do zelo de Júpiter era colocada, durante a cerimônia, em um *pastos* (caixão ou ataúde) e os sacerdotes cantavam os tormentos do infeliz rapaz. Atis, assim como Vishvakarma na Índia, era uma figura da Iniciação e do Adepto. É representado como nascido impotente, porque a castidade é um requisito da vida do aspirante. Segundo se diz, Atis estabeleceu os ritos e o culto de Cibeles, na Lídia. (Ver *Pausan*, VII, cap. 17.) [Ver também *Rito do Féretro*.]

Corocrum (*Alq.*) — Fermento da pedra.

Corpo (*Alq.*) — Outro nome dos metais. Os filósofos, de acordo com os fundamentos da Ciência Hermética, acreditam que os corpos perfeitos sejam obtidos a partir dos imperfeitos. Isto se faz através da redução dos corpos imperfeitos ao mercúrio. O Corpo é também tomado pelo sal filosófico, isto é, aquela terra que vem a se impregnar de mercúrio e enxofre. Corpo Imperfeito é o arsênico dos filósofos, sua Lua, sua Fêmea. Filaleto diz-nos que é preciso, já no começo da obra, casar o corpo perfeito com o imperfeito, isto é, calciná-los conjuntamente. Corpo Dissolúvel: é o minério de mercúrio dos sábios. É o enxofre perfeito ao rubro, que deve ser dissolvido pelo mercúrio de que foi formado. Serve para conformar o andrógino ou *Rebis* dos filósofos, após sua união com o mercúrio. Corpo Branco: magistério ao branco. Corpo impropriamente dito. Mercúrio dos sábios ainda não completamente fixado. Corpo Imundo: mercúrio antes de sua preparação. Corpo Morto: mercúrio em putrefação no ovo filosofal. Corpo Misto: matéria ao negro. Corpo Limpo e Puro: matéria ao branco. Corpo da Arte: pedra ao rubro ou Ouro dos filósofos. Corpo Rubro: pedra ao rubro.

Corpo Astral ou **"Duplo" astral** — Sombra ou contraparte etérea do homem ou animal; o *Linga-shârira*, o *Döppelganger*. Não confundir com a Alma astral, outro nome do *Manas* inferior ou *Kâma-Manas*, como é denominada, e que é o reflexo do *Ego superior*. [O corpo astral constitui a ponte de comunicação entre a alma e o corpo. (A. Besant)]

Corpo Búddhico — Veículo formado pelo agrupamento da matéria do plano búddhico, em virtude das vibrações do Eu superior. É chamado muito propriamente de "Corpo de bem-aventurança".

Corpo Causal — Este "corpo", que, na realidade, não é corpo algum, nem objetivo nem subjetivo, mas *Buddhi*, a Alma espiritual, é assim denominado por ser causa direta do estado de *Suchupti*, que conduz ao de *Turîya*, o mais alto estado de Samâdhi. Os yogis, que praticam o *Târaka-Râja-Yoga*, dão-lhe o nome de *Karanopudhi*, "a base da Causa" e, no sistema vedantino, corresponde ao *Vijñânamaya* e ao *Ânandamaya-Kosha* (sendo de se notar que este último princípio segue imediatamente o *Âtman* e é, portanto, o veículo do Espírito Universal). O *Buddhi*, por si só, não poderia ser chamado de "Corpo Causal", porém chega a sê-lo em união com o *Manas*, o Ego ou entidade que se reencarna. [Assim, pois, denomina-se Corpo Causal ao conjunto *Buddhi-Manas*, ou seja, o quinto e sexto princípios unidos, e é assim chamado porque recolhe dentro de si os resultados de todas as experiências, as quais, trabalhando como causas, moldam as vidas futuras.]

Corpo de Aurora — Brahmâ, em sua manifestação como quarta Cadeia Planetária, à qual a Terra pertence. *(P. Hoult)*

C

Corpo de Crepúsculo — Brahmâ, em sua manifestação como terceira Cadeia Planetária (a Lunar) *(P. Hoult)*

Corpo de Dia — Brahmâ, em sua manifestação como segunda Cadeia Planetária. É conhecido também como Corpo de Luz.

Corpo de Luz — Ver *Corpo de Dia*.

Corpo de Noite ou **de Trevas** — Brahmâ em sua manifestação como primeira Cadeia Planetária. *(P. Hoult)*

Corpo de Trevas — Ver *Corpo de Noite*.

Corpo Etéreo — Ver *Corpo Astral* ou *Linga-shârira*.

Corpo Fluido, Sutil ou Interno — Ver *Corpo Astral* ou *Linga-shârira*.

Corpo Invisível (do latim *Corpus Invisibile*) — A alma animal *(Kâma-rûpa)*; o elemento que está entre as formas materiais e o princípio espiritual; uma coisa substancial, etérea, porém invisível nas circunstâncias comuns; a forma astral inferior. *(F. Hartmann)*

Corpo Lunar — Ver *Corpo Astral*.

Corpo Mental — É o veículo da consciência que a condiciona nas quatro subdivisões inferiores do plano mental. É formado pela matéria de tais subdivisões, através de combinações diversas produzidas por vibrações do princípio chamado de Pensador ou Alma humana, variando os tipos de matéria atraídos segundo a natureza das vibrações indicadas. Assim é que o tipo de Corpo Mental tem estreita relação com o grau de evolução que o homem tenha alcançado. As qualidades características gerais de tal Corpo dependem das vidas passadas e experiências do Pensador na Terra. As impressões gravadas no Corpo Mental são mais persistentes que as do plano astral e são conscientemente reproduzidas por ele. (A. Besant, *Sabedoria Antiga*)

Corpo Pituitário — O corpo pituitário é o órgão do plano psíquico. A visão psíquica é causada pelo movimento molecular deste corpo, que se encontra diretamente relacionado com o nervo óptico e, assim, afeta a visão e dá origem a alucinações. Seu movimento pode produzir facilmente lampejos de luz como os causados pela pressão sobre os globos oculares. A embriaguez e a febre produzem ilusões da visão e do ouvido, através da ação do corpo pituitário. Este corpo encontra-se, às vezes, tão afetado pela embriaguez que chega a paralisar. Se, deste modo, produz-se uma influência sobre o nervo óptico e a corrente é invertida, a cor será provavelmente complementar. (*Doutrina Secreta*, III, 548)

Corpo Sutil — Ver *Linga-shârira*.

Corpos Supercelestes (do latim *Corpora supercoelestia*) — São formas que só podem ser vistas pela percepção espiritual mais elevada; não são as formas astrais comuns, mas os elementos refinados e inteligentes das mesmas. *(F. Hartmann)*

Cor Vermelha — Esta cor está sempre associada com distintivos varonis usados especialmente pelo povo etrusco e hindustani. Em hebraico é *Adão*, palavra equivalente a "Terra" e "primeiro homem". Parece que quase todos os mitos representam o primeiro homem perfeito na cor branca. A mesma palavra sem a inicial *A* é Dam ou Dem, que significa "sangue", também de cor vermelha. (W. W. W.) A cor do quarto princípio no homem, *Kâma*, local dos desejos, é vermelha. Através desta mesma cor costuma-se representar, igualmente, a qualidade passional, *rajas*, enquanto as outras duas qualidades, *Sattva* e *tamas*, são designadas, respectivamente, pelas cores branca e negra.

C

Corvo (*Alq.*) — Em termos de Ciência Hermética, significa a matéria ao negro, durante a putrefação. Chamam-na também de *Cabeça de Corvo*, que é leprosa, que precisa ser branqueada, lavada sete vezes nas águas do Jordão, como Nahaman. São as embebições, sublimações, coobações etc. da matéria, feitas dentro do vaso, exclusivamente pelo regime do fogo.

Cosmocratores (*Gr.*) — "Construtores do Universo", os Arquitetos do mundo, ou seja, as Forças criadoras personificadas.

Cosmogonia de Quiche — Chamada de *Popol Vuh* e descoberta pelo abade Brasseur de Bourbourg. (Ver *Popol Vuh*.)

Cosmos (do latim *Cosmos e do grego Kosmos*) — O mundo, o Universo, o conjunto ordenado de todas as coisas criadas. Na *Doutrina Secreta*, H. P. Blavatsky usa o termo *Cosmos* (com C), aplicando-o unicamente ao Cosmos visível, isto é, nosso sistema solar, enquanto a palavra *Kosmos* (com K) é empregada para designar a manifestação manvantárica como um todo, o *Kosmos* universal, do qual faz parte nosso sistema planetário.

Cosumet (tb. **Cosmec**) (*Alq.*) — Antimônio dos filósofos e dos químicos comuns.

Cremer, *John* — Sábio eminente que pelo espaço de cerca de trinta anos, e sendo abade de Westminster, estudou a filosofia hermética em busca de seus segredos práticos. Ao fazer uma viagem pela Itália, encontrou o célebre Raimundo Lully, a quem fez ir com ele para a Inglaterra. Lully revelou a Cremer os segredos da pedra, e por este serviço o mosteiro passou a rezar por ele todos os dias. Cremer, diz a *Enciclopédia Maçônica*, "tendo obtido um profundo conhecimento dos segredos da Alquimia, chegou a ser um dos mais célebres e instruídos Adeptos na filosofia oculta... viveu até idade muito avançada e morreu durante o reinado de Eduardo III.

Criação — Sendo a matéria incriada, eterna e indestrutível, por mais que suas formas sejam cambiantes e passageiras, a Teosofia sustenta, de acordo com o antigo apoio na *ex nihilo nihil* (do nada, nada sai), que o mundo não foi feito do nada e que, portanto, não é uma *criação*, no verdadeiro sentido da palavra, mas uma *emanação* da natureza material da Divindade e que nesta mesma natureza material se resolve, quando o mundo chega a seu fim. Por outro lado, não há, na língua sânscrita, qualquer palavra que expresse a ideia de *criação*, no sentido de se produzir algo do nada ou dar forma àquilo que antes não o tinha. (Ver *Bhagavad-Gîtâ*, XIII, 19; VIII, 18 e IX, 7 e 8.)

Criação bhûta — Ver *Bhûta-sarga*.

Criação elemental — Ver *Bhûta-sarga*.

Criação indriya ou **aindriyaka** — Literalmente: "criação sensível ou perceptível". Nos *Purânas*, é a terceira das sete criações. (*P. Hoult*)

Criação Kaumâra — No *Vishnu Purâna* é a nona criação: a dos *Kumâras*, isto é, daqueles que se negaram a engendrar. (*P. Hoult*)

Criação mahat-tattva — Nos *Purânas*, é a primeira das sete criações. (*P. Hoult*)

Criação pâdma — Metáfora hindu para uma das duas grandes criações brâhmicas, representando uma metade da existência manifestada: "a idade em que Brahmâ surgiu do lótus". (Ver *Criações prâkritas*.) (*P. Hoult*)

Criações prâkritas — "Criações originais". As três primeiras criações de que nos falam os *Purânas*, isto é, as de *Mahat-tattvas*, *Tanmâtra* ou *Bhûta* e *Indriya*. (*P. Hoult*)

Criação Tanmâtra — Ver *Bhûta-sarga*.

C

Criocéfalo (*Gr.*) — "Que tem cabeça de carneiro". Este epíteto é aplicado a várias divindades e figuras emblemáticas, especialmente àquelas do Antigo Egito, que foram ideadas no período em que o Sol passava, no equinócio de primavera, do signo de *Touro* para o de *Áries*. Anteriormente a este período prevaleceram as divindades com cabeça de touro e cornígeras. Ápis era o tipo do deus-touro, Ammon era o de cabeça de carneiro; além disso, Ísis era representada com cabeça de vaca. Porfírio escreve que os gregos relacionaram o carneiro com Júpiter e o touro com Baco. (W. W. W.)

Cripta — Um subterrâneo secreto abobadado. Algumas criptas eram destinadas à Iniciação e outras para a sepultura. Antigamente havia criptas sob cada templo. Havia uma sob o Monte Olivete, revestida de estuque vermelho e lavrada, antes da chegada dos judeus.

Crismon ou **Chrismon** (*Gr.*) — Monograma de Cristo, formado pela combinação de um X e um P (equivalente ao nosso R) entrelaçados, primeiras letras da palavra grega *Christos*. Este monograma, ao qual se acrescentam algumas vezes o A e o Ω nos ângulos laterais do *X*, encontra-se pintado ou esculpido em um grande número de monumentos.

Cristãos de São João — Ver *Sistema Bardesiano* e *Codex Nazaraeus*.

Cristãos de São Tomás — Antigos cristãos das Índias Orientais, que pretendem descender daqueles que foram convertidos por São Tomás e sustentam que guardaram a verdadeira doutrina pregada pelo Apóstolo. Estes cristãos constituem a seita de Nestório e estão submetidos ao patriarca da Babilônia. Rechaçam o culto das imagens e seus ritos diferem consideravelmente daqueles da Igreja latina.

Cristo — Do grego *Chrestos*, forma gnóstica primitiva de Cristo. Foi usada no V século a.C. por Ésquilo, Heródoto e outros. O *Manteuma pythochresta*, ou seja, os "oráculos proferidos por um deus pítico", através de uma pitonisa, são mencionados pelo primeiro autor citado (*Choeph.* 901). *Chrésterion* não é somente "o lugar de um oráculo", mas também uma oferenda para ou pelo oráculo. *Chréstés* é aquele que explica oráculos, "um profeta e adivinho", e *Chrésterios* é aquele que serve a um oráculo ou deus. O primeiro escritor cristão, Justino mártir, em sua primeira *Apologia*, denomina *Chrétianos* os seus correligionários. "Deve-se somente à ignorância o fato de os homens se intitularem *cristãos* ao invés de *chréstianos*", diz Lactâncio (Liv. IV, cap. VII). Os termos *Cristo* e *Cristãos*, que originalmente eram escritos como *Chrést* e *Chrétianos*, foram copiados do Templo dos pagãos. *Chréstos* significava, em tal vocabulário, um discípulo posto à prova, um candidato à dignidade de hierofante. Quando o aspirante alcançava, através da Iniciação, grandes provas e sofrimentos, e havia sido *ungido* (isto é, "friccionado com óleo", como o eram os Iniciados e também as imagens dos deuses – ídolos –, como um último toque da prática cerimonial), seu nome era transformado em *Christos*, o "purificado", na linguagem do mistério ou esotérica. Na simbologia mística, realmente, *Christés* ou *Christos* significava que já se havia percorrido o "caminho", o Sendeiro, e alcançado a meta; quando os frutos de um árduo trabalho para unir a efêmera personalidade de barro com a Individualidade indestrutível transformavam-na, assim, no Ego imortal. "Ao fim do *caminho* está o *Chéstés*", o Purificador, e, uma vez terminada a união, o *Chréstos*, o "homem de dor", convertia-se em *Christos*. Paulo, o Iniciado, sabia disso e foi precisamente isso o que quer expressar quando diz, em má tradução: "Estou outra vez em dores de parto até que Cristo tenha-se formado em vós" (*Gálatas*, IV, 19), cuja verdadeira interpretação é "... até que formeis o *Christos* dentro de vós mesmos". Porém os profanos, que sabiam apenas que *Chréstés* estava de algum modo relacionado com o sacerdote e o profeta e nada sabiam sobre o significado oculto de *Christos*, insistiram, como Lactâncio e Justino, em ser chamados *Chrestianos* ao invés de *Christãos*. Toda

C

pessoa boa pode, portanto, encontrar Cristo em seu "homem interno", conforme o expressa São Paulo (*Efésios*, III, 16, 17), seja judeu, muçulmano, hindu ou cristão. Kenneth Mackenzie era de opinião que a palavra Chréstos era sinônimo de Soter, "nome destinado às divindades, grandes reis e heróis", e cujo significado é "Salvador", e estava certo, pois, segundo acrescenta o citado autor, "tal termo foi aplicado de modo redundante a Jesus Cristo, cujo nome Jesus ou Joshua tem idêntico significado. A denominação de Jesus, na realidade, é antes um título honorífico do que um nome, pois o verdadeiro nome de Soter do Cristianismo, é Emmanuel ou 'Deus conosco' (Mateus, 1, 23)... Em todas as nações, as grandes divindades, que são representadas como expiatórias ou que se tenham sacrificado, foram designadas com o mesmo título". (R. M. Cyclop.) O Asklepios (ou Esculápio) dos gregos tinha o título de Soter.

Cronos (Chronos) (*Gr.*) — O Tempo. Nome grego de Saturno, em honra do qual os rádios e alguns gregos celebravam, todos os anos, algumas festas chamadas de Chronia. Era um dos maiores deuses e os cartagineses tinham-lhe um tal respeito que não se atreviam a pronunciar seu nome e chamavam-no "o Ancião".

Cruz — *Mariette* Bey demonstrou a antiguidade da Cruz no Egito, provando que, em todos os sepulcros primitivos, "o plano da peça tem a forma de uma cruz". É símbolo da fraternidade das raças e homens, e colocavam-na sobre o peito dos cadáveres, no Egito, como atualmente a colocam sobre os corpos dos defuntos cristãos e, em sua forma svástika (*croix cramponnée*), sobre o coração dos Budas e Adeptos budistas. (Ver *Cruz do Calvário*.) [Na Ciência Hermética, a cruz é, como entre os egípcios, o símbolo dos quatro elementos. E é, como a pedra filosofal, composta da mais pura substância dos elementos grosseiros, isto é, da própria substância dos elementos. Dizem: *In cruce salus*, a salvação está na cruz; por semelhança, a salvação de nossas almas resgatadas pelo sangue de Jesus Cristo preso à madeira da cruz.]

Cruz ansata (*Lat.*) — É a cruz com asa ☥, enquanto a *Tau* tem esta forma **T**, e a mais antiga cruz egípcia, ou seja, *Tat*, era assim: **+**. A cruz *ansata* era símbolo da imortalidade, porém a cruz *Tat* era símbolo do Espírito-Matéria e tinha o significado de um emblema sexual. A cruz *ansata* foi o primeiro símbolo da Maçonaria egípcia, instituída pelo Conde de Cagliostro e os maçons, certamente, devem ter esquecido qual o significado primitivo de seus símbolos mais elevados, quando algumas de suas autoridades insistem ainda em que a cruz *ansata* é apenas uma combinação do *cteis* (*yoni* – órgão sexual feminino) e do *phallus* (*lingam*). Não é nada disso. A asa ou *ansa* tem um duplo significado, porém nunca um significado fálico. Como um dos atributos de Ísis, era o círculo do mundo; como símbolo da lei sobre o peito de uma múmia, era o da imortalidade, de uma eternidade sem princípio nem fim, a que desce sobre o plano da natureza material e o ultrapassa, a linha horizontal feminina sobrepujando a linha vertical feminina; o princípio fecundante masculino da Natureza ou Espírito. Sem asa, a cruz *ansata* converte-se em *Tau* **T**, que, por si só, é um símbolo andrógino, e vem a ser puramente fálico ou sexual apenas quando toma a forma de **+**.

Cruz do Calvário — Esta forma de cruz não data do Cristianismo. Era conhecida e utilizada para fins místicos milhares de anos antes de nossa era. Figurava indispensavelmente em vários rituais do Egito e Grécia, Babilônia, Índia, México, Peru e China. É um símbolo cósmico tanto quanto fisiológico (fálico), que existia em todas as nações "pagãs", como atesta Tertuliano. "Em que se diferencia a Minerva ateniense do corpo de uma cruz?", pergunta o citado autor. "A origem de vossos deuses deriva de figuras moldadas em uma cruz. Todas aquelas fileiras de imagens de vossos estandartes são os acessórios de cruzes; aquelas tapeçarias de vossas bandeiras são as roupagens das cruzes." E o fogoso campeão estava certo. O *Tau* ou **T** é a mais antiga de todas as formas e a cruz ou *Tat* (ver) é igualmente antiga. A cruz *ansata,* ou seja, a cruz com asa, encontra-se nas mãos de quase todos os deuses, incluindo Baal e a Astarté fenícia. A cruz *cramponnée* é a *svástika* hindu. Foi exumada dos mais profundos cimentos do antigo local de Tróia e aparece em restos etruscos e caldeus da Antiguidade. Segundo manifesta a Srª Jamieson. "O *ankh* do Egito era a muleta de Santo Antônio e a cruz de São Felipe. O lábaro de Constantino... era muito tempo antes um emblema na Etrúria. Osíris tinha o lábaro por distintivo; Hórus aparece, algumas vezes, com a grande cruz latina. A cruz pastoral grega é egípcia. Foi qualificada pelos Padres da Igreja de 'invenção do Diabo antes de Cristo'. A cruz *ansata* figura nas antigas moedas de Tarso, como figura a cruz de malta sobre o peito de um rei assírio... A cruz do Calvário, tão comum na Europa, encontra-se no peito das múmias. Era suspensa ao redor do colo das serpentes sagradas, no Egito... Há uma pintura onde se veem tribos asiáticas estrangeiras, que levavam seu tributo ao Egito, com vestes tachadas de cruzes, e *Sir* Gardner Wilkinson assinala a esta pintura uma antiguidade de 1500 anos a.C.". Finalmente, "Tifón, o Mau, é encadeado por uma cruz!". *(Crenças Egípcias e Pensamento Moderno)*

Cruz Fylfot — Ver *Svástika.*

Cruz hermética — Ver *Martelo de Thor* e *Svástika.*

Cruz jaina — É o mesmo que *Svástika, Martelo de Thor,* ou *Cruz hermética.*

Cubit *(Alq.)* — Terra ou enxofre vermelho dos Sábios.

Cubitali *(Lat.)* — "Que tem a altura de um côvado". Ver *Gnomos, Pigmeus, Elementais.*

Cubos — Este nome é aplicado aos *Barichad-Pitris* (uma classe de anjos), por terem dominado a matéria em sua forma quádrupla. O cubo perfeito simboliza os seres angelicais. *(Doutrina Secreta)*

Cucurbita *(Alq.)* — Forno secreto dos filósofos; algumas vezes, o vaso que contém a matéria do forno secreto, no qual se coze e se digere a matéria da Arte Hermética.

Culto da lebre — A lebre era sagrada em muitos países e especialmente entre os egípcios e os hebreus. Embora estes últimos considerem-na como um animal impuro, *ungulado,* impróprio para comer, algumas tribos tinham-na como sagrada, e a razão disso era que, em certas espécies, o macho amamentava sua ninhada. A lebre era, portanto, considerada como animal andrógino ou hermafrodita e assim representava um atributo do Demiurgo ou *Logos* criador. A lebre era um símbolo da Lua, na qual, segundo dizem os judeus, até hoje se pode ver a face do profeta Moisés. Além disso, a Lua está relacionada com o culto de Jehovah, uma divindade que é, por excelência, o deus da geração; talvez também, pelo mesmo motivo, Eros, o deus do amor sexual, é representado carregando uma lebre. Este animal era também consagrado a Osíris. Lenormant escreve que a lebre "devia ser considerada como símbolo do *Logos*... o *Logos* devia ser hermafrodita e, como sabemos, a lebre é um tipo andrógino".

Culto da vaca — A ideia de um tal culto é tão errônea como injusta. Nenhum egípcio adorou a *vaca* nem há atualmente qualquer hindu que a adore, embora tanto a vaca como o touro fossem sagrados então, como o são hoje, mas unicamente como símbolo físico natural de um ideal metafísico, exatamente como uma igreja fabricada com ladrilhos e argamassa é sagrada para os cristãos civilizados simplesmente por causa de seus muros. A vaca era consagrada a Ísis, a Mãe universal, a Natureza, e a Hathor, princípio feminino da Natureza, ambas as deusas associadas ao Sol e à Lua, como o provam o disco e os cornos (meia-Lua) da vaca. (Ver *Hathor* e *Ísis.*) Nos *Vedas*, a aurora da criação é representada por uma vaca. Esta aurora é Hathor e o dia, que a ela se segue, ou seja, a

C

formada, é Ísis, porque ambas são uma só, exceto no que se refere ao tempo. Hathor, a maior das duas, é "a senhora das sete vacas místicas", e íeis, "a Mãe divina", é "a vaca cornígera", a vaca *da abundância* (Natureza ou Terra), e, como a mãe de Hórus (o mundo físico), a mãe de tudo o que vive". O *Outa* era o olho simbólico de Hórus, sendo o direito o Sol e o esquerdo a Lua. O "olho" direito de Hórus era chamado de "vaca de Hathor" e servia como poderoso amuleto, como a pomba num ninho de raios de glória, como a cruz é um talismã entre os cristãos latinos e gregos. O *Touro* e o *Leão*, que muitas vezes encontramos em companhia de São Lucas e São Marcos nos frontispícios de seus respectivos Evangelhos, nos textos gregos e latinos, são explicados como símbolos, como na verdade o são. Por que não admitir isso também no caso dos Touros, vacas, Carneiros e Aves egípcias sagradas?

Culto de Íbis — A íbis, *Hab* em egípcio, era consagrada a Toth, em Hermópolis. Chamavam-na de mensageiro de Osíris, porque é o símbolo da sabedoria, do discernimento e da pureza, haja visto que tal ave aborrece a água por pouco impura que seja. Tem grande utilidade por devorar os ovos dos crocodilos e das serpentes, e suas credenciais, para receber honras divinas como símbolo, eram: a) suas asas negras, que a relacionam com as trevas primitivas ou o Caos; e b) sua forma triangular, por ser o triângulo a primeira figura geométrica e um símbolo do mistério da Trindade. Até hoje, a íbis é uma ave sagrada entre algumas tribos de coptas, que vivem ao longo do Nilo.

Culto do Disco — Era muito comum no Egito, porém não nos últimos tempos, pois começou com Amenófis III, que era dravidiano e o trouxe da Índia Meridional e Ceilão. Era o culto do Sol sob outra forma, o *Aten-Nephru*, sendo necessário notar que *Aten-Ra* era idêntico a Adonai dos judeus o "Senhor dos céus" ou o Sol. O círculo ou disco alado era emblema da Alma. O Sol foi durante um tempo o símbolo da Divindade Universal, *que brilha sobre o mundo inteiro e sobre todas as criaturas.* Os sabeus consideravam o Sol como o Demiurgo e uma Divindade Universal, como o faziam os hindus e ainda hoje os zoroastrianos. O Sol é inegavelmente o único criador da Natureza física. Lenormant, apesar de suas crenças cristãs ortodoxas, viu-se obrigado a confessar a semelhança entre o culto do disco e o culto hebreu. "Aten representa Adonai, ou Senhor, o Tammuz assírio e o Adonis sírio..." (*The Gr. Dionys. Myth.*)

Culto do Touro (ver *Ápis*) — O culto do touro e do carneiro era tributado a um só e mesmo poder, o da criação geradora, sob dois aspectos: o celeste ou cósmico e o terrestre ou humano. Os deuses de cabeça de carneiro pertencem todos a esse último, enquanto os de cabeça de touro pertencem ao primeiro dos aspectos. Osíris, a quem o touro era consagrado, nunca foi considerado como divindade fálica, nem mesmo Shiva com seu touro Nandi, apesar do *lingam*. Como Ápis, Nandi é da cor pura do leite. Ambos constituíam emblemas do poder gerador ou evolutivo no Kosmos universal. Aqueles que consideram os deuses solares e os touros como de caráter fálico, ou o relacionam com o Sol, incorrem em erro. Somente os deuses lunares, os carneiros e os cordeiros são priápicos, e isso convém muito pouco a uma religião que, embora inconscientemente, desde sempre adotou para seu culto um deus proeminentemente *lunar* e acentuou sua preferência escolhendo o cordeiro (cujo pai é o morueco, detalhe também proeminentemente fálico) para seu símbolo mais sagrado – para difamar outras religiões mais antigas por usar igual simbolismo. O culto do touro, Ápis, *Hapi Ankh* ou o Osíris vivente, deixou de existir há cerca de 3.000 anos. O culto do carneiro e do cordeiro permanece até hoje. Mariette Bey descobriu, próximo a Mênfis, o *Serapeum*, necrópole de touros Ápis, imponente cripta subterrânea de dois mil pés de comprimento e vinte de largura, que contém as múmias de trinta touros sagrados. Se daqui a mil anos fosse descoberta, sob as cinzas

C

do Vesúvio ou do Etna, uma catedral católico-romana com seu cordeiro pascal, poder-se-ia perdoar as gerações futuras por inferir que os cristãos eram adoradores do "cordeiro" e da "pomba"? E, contudo, estes dois símbolos permitiriam tal inferência. Além disso, nem todos os "touros" sagrados eram fálicos, isto é, machos; havia também "touros" hermafroditas e sem sexo. O negro touro *Mnevis*, filho de Ptah, era consagrado ao deus Ra, em Heliópolis; o touro da Paz de Hermonthis era consagrado a Amon Hórus etc. O próprio Ápis não era macho, mas hermafrodita, o que demonstra seu caráter cósmico. É o mesmo que chamar de *fálico* o Touro do Zodíaco e toda a Natureza.

Culto fálico ou **Culto Sexual** — Veneração ou adoração àqueles deuses ou deusas que, como Shiva e Durgâ na Índia, simbolizam respectivamente os dois sexos. *(A Chave da Teosofia)* Ver *Fálico*, *Linga* etc.

Curetes — Sacerdotes Iniciados da antiga Creta, que estavam a serviço de Cibeles. A Iniciação em seus templos era muito severa; durava vinte e sete dias, durante os quais o aspirante era deixado sozinho numa cripta, sofrendo provas terríveis. Pitágoras foi Iniciado em tais ritos e saiu vitorioso.

Cutha — Antiga cidade da Babilônia, cujo nome foi dado a uma tábua que apresenta um relato da "criação". A "Tábua de Cutha" fala de um "templo de Sittam", no santuário de Nergal, o "gigante rei da guerra, senhor da cidade de Cutha", que é puramente esotérico. Deve ser lida simbolicamente, se surgir a ocasião.

Cynocéphalus — Ver *Cinocéfalo*.

Cythraul *(Celt.)* — Este nome é nada mais do que a personificação de *Annufn* (ver). Não designa nem Satã nem Ahriman; expressa um elemento de Necessidade, de negação. A seguinte passagem, de Sion Cent, especifica bem a natureza de Cythraul: "Nada de vida, nada de tendência em Cythraul. É elemento de Necessidade, de trevas, sem vida, sem distinção de existência ou de personalidade. Não é mais do que vazio, morte, nada" *(Barddas*, vol. I). *(E. Bailly)*

D

D — Tanto no alfabeto inglês quanto no hebraico é a quarta letra, cujo valor numérico é *quatro*. O significado simbólico do *Daleth* na Cabala é "porta". É o *delta* Δ grego, através do qual surgiu o mundo (cujo símbolo é a *tétrade* ou número quatro), produzindo o sete divino. O nome da *Tétrade* era Harmonia entre os pitagóricos, "porque é um *diatessaron* em sesquitercia". Entre os cabalistas, o nome divino associado com o *Daleth* era *Daghoul*. [Há, em sânscrito, dois tipos de *d*: um *dental*, como o nosso, e outro *cerebral* (como na palavra *chanda)*, que em quase todas as transliterações é indicado com um ponto sob tal letra, e se pronuncia tocando com a ponta da língua o fundo do palato, ou seja, colocando-se a língua na mesma posição que se faz ao pronunciar o *n* que precede o *d* na palavra citada acima. Há, além disso, o *dh* dental, que se pronuncia como o *d*, acompanhada de leve aspiração (como na palavra *dharma*) e o *dh* cerebral, que costuma ser indicado também com um ponto sob o *d*.]

Daath (*Hebr.*) — Conhecimento; a conjunção de *Chokmah* e *Binah*, "sabedoria e entendimento"; algumas vezes é erroneamente chamado de *Sephira*. (W. W. W.)

Dabar ou **Dabarim** (*Hebr.*) — D (a) B (a) R (im), que significa a "Palavra" e as "Palavras", na Cabala caldeia, *Dabar* e *Logoi*. (Ver *Doutrina Secreta*, I, 350, e *Logos* ou *Palavra* neste *Glossário*.) [O *Logos* do Mundo (*Doutrina Secreta*, I, 374; II, 42 da nova ed. inglesa).]

Dabarim ou **Dbrim** — Ver *Dabar*.

Dabistan (*Per.*) — A terra de Irã; a antiga Pérsia.

Dache-Dachus (*Cald.*) — A emanação dual de Moymis, a descendência do dual ou o Princípio andrógino do Mundo, o masculino Apason e a feminina Tauthe. Como todas as nações teocráticas que têm Mistérios do Templo, os babilônios nunca mencionaram o Princípio "Uno" do Universo nem lhe deram nome. Isso fez com que Damascio *(Theogonias)* observasse que, como os demais "bárbaros", os babilônios passaram-no em silêncio. Tauthe era a mãe dos deuses, enquanto que Apason era o autogerador poder masculino dela, Moymis, o Universo ideal, sendo seu filho unigênito e *emanando* por sua vez a Dache-Dachus e, por último, a Belo, o demiurgo do Universo objetivo.

Dactilomancia (de *dactylios*, anel, e *manteya*, adivinhação) — Adivinhação através de anéis.

Dáctilos (*Dactyli*, em grego) — De *dáktylos*, dedo. Nome dado aos hierofantes frígios de Cibeles, que eram considerados como os maiores magos e exorcistas. Eram em número de cinco ou dez, devido aos *cinco* dedos de uma mão que bendizia e dos dez de ambas as mãos que evocavam os deuses. Também curavam através da manipulação ou mesmerismo. [*Dáctilos* era também o nome de um povo fabuloso, espécie de Pequenos Polegares ou anões mitológicos, que viviam no Monte Ida, na ilha de Creta, aos quais Goethe alude na segunda parte do *Fausto*.]

Dactyli — Ver *Dáctilos*.

Dad-dugpas (*Tib.*) — Também chamados de "irmãos da Sombra". (Ver *Voz do Silêncio*, III.) Seguidores que praticavam as piores formas de feitiçaria ou magia negra. (Ver *Bhons* e *Dugpas*.)

Dadouchos (*Gr.*) — O porta-tocha, um dos quatro celebrantes nos Mistérios de Eleûsis. Havia vários agregados aos templos, porém apresentavam-se em público apenas nos Jogos ou Festas Panatenaicas, que se celebravam em Atenas, para presidir a chamada "raça da tocha". (Ver Mackenzie, *R. M. Cyclopoedia*.)

D

Daemon (Daimon) *(Gr.)* — Nas obras herméticas originais e nos clássicos antigos, esta palavra tem um significado idêntico ao de "deus", "anjo" ou "gênio". O *Daemon* de Sócrates é a parte incorruptível do homem, ou melhor, o verdadeiro homem *interno,* que nós chamamos de *Nous* [Alma racional], ou seja, o *Ego* racional divino. Seja como for, o *Daemon* (ou *Daimón*) do grande sábio não era certamente o demônio do inferno cristão ou da teologia ortodoxa cristã. Tal termo foi aplicado pelos povos ortodoxos antigos, especialmente pelos filósofos da Escola de Alexandria, para todos os tipos de espíritos, bons ou maus, humanos ou de qualquer outra espécie. Frequentemente é sinônimo de "deuses" ou "anjos", mas alguns filósofos trataram, com justo motivo, de fazer uma exata distinção entre as numerosas classes de tais seres. [Ver *Daimón* e *Demônios*.]

Daemon est Deus inversus *(Lat.)* — Axioma cabalístico. Literalmente: "O Demônio é Deus invertido"; isso significa que não há nem mal nem bem, considerados em absoluto, mas que as forças que criam um criam outro, segundo a natureza dos materiais que encontram e sobre os quais operam tais forças.

Daenam *(Pel.)* — Literalmente: "conhecimento". [O quarto princípio, o princípio de entendimento no homem, a Alma racional ou *Manas*, segundo o *Avesta*.]

Dafnomancia — Adivinhação através de um ramo de louro *(daphne)*, o qual, se crepitasse quando lançado ao fogo, constituía um sinal de bom agouro.

Dag, Dagon *(Hebr.)* — "Peixe" e também "Messias". Dagón era Oannes, o homem-peixe caldeu, o misterioso ser que surgia diariamente das profundezas do oceano para ensinar às pessoas toda ciência útil. Era também denominado de *Annedotus* (ver).

Dagdhâ *(Sânsc.)* — A região do céu ocupada pelo Sol.

Dâgoba (Tope) ou **Stûpa** *(Sânsc.)* — Literalmente: um sagrado montículo artificial de terra ou torre para guardar relíquias sagradas búdicas. São montículos de forma piramidal ou pontiaguda disseminados por toda a Índia e países búdicos, tais como o Ceilão, a Birmânia, a Ásia Central etc. Podem ter várias dimensões e geralmente contêm algumas pequenas relíquias de santos ou aquelas que se presume tenham pertencido a Gautama, o Buddha. Como se supõe que o corpo humano seja constituído por 84.000 *dhâtus* (células ou elementos orgânicos dotados de funções vitais definidas), diz-se que, por esta razão, o rei Azoka mandou erigir 84.000 *dhâtu gopas* ou *dâgopas* em honra de cada célula do corpo do Buddha, sendo que cada um desses monumentos tornou-se agora um *dharma-dâthu* ou relíquia sagrada. Há, no Ceilão, um *dhâtu-gopa* em Anurâdhapura, que, segundo se diz, data de 160 a.C. Atualmente são construídos em forma piramidal, porém os *dâgobas* primitivos eram dispostos como torres com cúpula e vários *chhatras* (para-sóis) no alto dos mesmos. Eitel diz que os *dâgobas* chineses têm todos de sete a catorze *chhatras* em sua parte superior, número do corpo humano que é simbólico. [Ver *Tope*.]

Dagon — Ver *Dag*.

Daimon *(Gr.)* — Não é o demônio ou o diabo, como entendem os autores eclesiásticos. (Ver os dicionários de Planche e de Alexandre.) Tal termo significa: deus, divindade, gênio (bom ou mau), destino ou fortuna; e, no plural, sombras dos mortos. Como se lê em *Doutrina Secreta*, I, p. 308 da última ed. inglesa, os *daimons* são os espíritos guardiões da raça humana, "aqueles que moram nas proximidades dos imortais e dali velam pelos assuntos humanos", segundo a expressão de Hermes. Em linguagem esotérica, são denominados de *Chiktala*, alguns dos quais são aqueles que, de sua própria essência, dotaram o homem de seus quarto e quinto princípios, e outros são chamados de *Pitris*. [Ver *Daemon*.]

D

Daimon ou **Demônio de Sócrates** — Ver *Daemon*.

Daimonion Phôs (*Gr.*) — Iluminação espiritual.

Daitya-guru (*Sânsc.*) — Instrutor dos gigantes chamados *daityas* (ver). Alegoricamente, é o título dado ao planeta Vênus-Lúcifer ou, melhor dizendo, a seu Regente que nele reside, *Sukra*, uma divindade masculina. (Ver *Doutrina Secreta*, II, 30.)

Daityas (*Sânsc.*) — Gigantes, titãs e, exotericamente, demônios; porém, na realidade, são idênticos a certos *Asuras*, deuses intelectualmente adversários dos inúteis deuses do ritualismo e inimigos dos *puja* ou sacrifícios. [Gigantes ou titãs filhos de Diti. Para obter a soberania dos céus, fizeram guerra contra os deuses; porém, vencidos por estes, fugiram para o inferno (*Pâtâla*). Seu chefe é Prahlâda (*Bhagavad-Gîtâ*, X, 30). Geralmente os *Daityas* estão associados com os *Dânavas*, dos quais apenas se distinguem. (Ver *Chandravanza*.)]

Daiva (*Sânsc.*) — Divino, celestial. Como substantivo significa: divindade, obra religiosa, providência ou decreto divino etc.

Daivas (*Sânsc.*) — Ver *Chandra-vanza*.

Daivî-mâyâ (*Sânsc.*) — Ilusão divina.

Daivî-prakriti ou **Daiviprakriti** (*Sânsc.*) — A luz primordial, homogênea, chamada por alguns ocultistas hindus de "Luz do Logos". (Ver Subba Row, *Notas sobre o Bhagavad-Gîtâ*.) Quando está diferenciada, esta luz converte-se em Fohat. [*Daiviprakriti* é também sinônimo de *Paraprakriti*, a natureza superior da Divindade. (Ver *Bhagavad-Gîtâ*, VII, 5.)]

Dakcha (Daksha) (*Sânsc.*) — Uma forma de Brahmâ e seu filho nos *Purânas*. Porém o *Rig-Veda* estabelece que "Dakcha nasceu de Aditi e Aditi de Dakcha", o que prova que é a personificação de uma Força criadora que está em correlação e opera em *todos os planos*. Os orientalistas parecem muito perplexos sobre o que pensar a respeito dele. Porém, de todos eles, Roth é o que mais se aproxima da verdade, quando diz que Dakcha é o poder espiritual e, ao mesmo tempo, a energia masculina, que engendra os deuses na eternidade, representada por *Aditi*. Os *Purânas*, como é natural, antropomorfizam esta ideia e apresentam Dakcha instituindo "a relação sexual nesta Terra" depois de ensaiar todos os outros meios de procriação. A Força geradora, espiritual no início, chega a ser, por conseguinte, no fim mais material de sua evolução, uma Força procriadora no plano físico e tanto mais exata é a alegoria Purânica quanto a Ciência Secreta ensina que nosso modo atual de procriação começou no final da terceira Raça-Mãe. [Ver *Chandra* e *Rohinî*.] - [*Dakcha* tem também outros significados: poder, energia, vontade, destreza, inteligência; e, como adjetivo: forte, poderoso, inteligente, justo, reto etc.]

Dakchâ (*Sânsc.*) — A Terra.

Dakchajâ (*Sânsc.*) — Asterismo ou constelação lunar.

Dakchajâpati (*Sânsc.*) — "O Senhor dos asterismos": a Lua.

Dakchakratu (*Sânsc.*) — Que tem uma inteligência poderosa ou uma vontade enérgica.

Dakcha-sâvarna (*Sânsc.*) — O nono Manu, filho de Savarnâ (esposa de Vivasvat).

Dakchâyini (*Sânsc.*) — "Filhas de Dachas". As vinte e sete constelações lunares. (Ver *Chandra* e *Chandradârâs*.)

D

Dâkchâyinîpati (*Sânsc.*) — "Senhor das filhas de Dakcha". A Lua ou, melhor dizendo, o deus Lua, visto que se trata de uma divindade masculina.

Dakchinâyana (*Sânsc.*) — O percurso meridional do Sol; o verão.

Dâkinî (*Sânsc.*) — As *Dâkinîs* são uma espécie de demônio-fêmeas, vampiras e tomadoras de sangue *(azra-pas)*. Nos *Purânas,* estão a serviço da deusa Kâli e se alimentam de carne humana. Uma espécie de "elementais" malignos. (Ver *Elementais.*)

Daladâ (*Sânsc.*) — Uma relíquia preciosíssima de Gautama, o Buddha, que é seu suposto canino esquerdo guardado no grande templo de Kandy, no Ceilão. Infelizmente, a relíquia exibida não é autêntica. A verdadeira ficou certamente escondida durante centenas de anos, desde e vergonhosa e fanática tentativa que fizeram os portugueses (que então imperavam no Ceilão) para roubar e levar embora a relíquia autêntica. Aquele que atualmente é mostrado, no lugar da relíquia verdadeira, é o dente monstruoso de algum animal.

Dalai-Lama (*Tib.*) — Literalmente: "Oceano de Sabedoria". Na China acredita-se que é uma encarnação de Kwan-Shi-Yin (Avalokitezvara ou Padmapâni), que, em sua terceira aparição terrestre, era um *Bodhisattva.* (*Doutrina Secreta*, I, 511 e II, 188 e 528 da última ed. inglesa.)

Daleth (*Hebr.*) — Nome da letra *D,* quarta letra do alfabeto hebraico.

Dama (*Sânsc.*) — [Sujeição, refreamento etc.] Sujeição ou domínio dos sentidos, [freio da conduta, continência, domínio de si mesmo].

Damana (*Sânsc.*) — Dominador, vencedor; refreamento, sujeição, domínio. O homem que dominou suas paixões.

Damatau (*Alq.*) — Goma dos filósofos.

Damatha (*Sânsc.*) — Refreamento, disciplina; penitência imposta a si mesmo.

Dambha (*Sânsc.*) — Orgulho, presunção; hipocrisia, dissimulação, engano.

Dambulla (*Sânsc.*) — Nome de um enorme penhasco do Ceilão. Encontra-se a cerca de 122 metros acima do nível do mar. Sua parte superior é escavada e, na rocha sólida, foram abertos vários grandes templos-cavernas ou *vihâras,* sendo todos eles de data anterior à era cristã. São considerados como as antiguidades melhor conservadas da ilha. O lado norte do penhasco é vertical e completamente inacessível; porém, em seu lado sul, a uns 45 metros de seu cume, a grande massa de granito que sobressai da rocha foi transformada em uma plataforma, com uma fileira de grandes templos-cavernas, escavados nas partes circundantes, o que supõe evidentemente um enorme sacrifício de trabalho e dinheiro. Dos numerosos *vihâras,* dois merecem menção especial: o *Mahâ-Mia-vihâra,* de 52 metros de comprimento por 23 de largura, no qual há mais de cinquenta figuras de Buddha, a maior parte de tamanho superior ao natural e todas elas formadas da rocha sólida. Ao pé do *dâgoba* central foi aberto um poço, e de uma greta da rocha cai continuamente nesse poço uma água clara e límpida, que é guardada para fins sagrados. No outro, o *Mahâ-dewiyovihâra,* pode-se ver uma estátua colossal de Gautama, o Buddha morto, de 14,5 metros de comprimento, reclinado num leito e numa almofada, todo lavrado na rocha dura, como tudo o mais. "Este templo longo, estreito e lôbrego, a atitude e o plácido aspecto de Buddha, juntamente com o silêncio e a calma do lugar, tendem a impressionar o espectador com a ideia de que se encontra na câmara da morte. O sacerdote assegura que tal era Buddha e tais eram aqueles (a seus pés há um acompanhante) que presenciaram os últimos instantes de sua morte". (Hardy, *East. Monachism*) O panorama que se descortina do *Dambulla* é magnífico. Na vasta plataforma da rocha, que

D

parece ser agora mais visitada pelos macacos brancos domesticados muito inteligentes do que pelos monges, há uma corpulenta árvore Bo, um dos numerosos rebentos da primitiva árvore Bo, sob a qual o Senhor Siddhârta alcançou o *Nirvâna*. "A uns quinze metros do cume há um charco que, segundo afirmam os sacerdotes, nunca está sem água" (*The Ceylon Almanac*, 1834).

Daminî (*Sânsc.*) — Nome de um dos vasos do corpo humano, provavelmente o vaso com todas as ramificações que se dirige ao peito da mulher (?). (*Râma Prasâd*)

Damma — Ver *Dhamma*.

Dammapada — Ver *Dhammapada*.

Dâna (*Sânsc.*) — Literalmente, "caridade". O ato de dar esmola aos mendigos. É a primeira das seis perfeições (*Paramitâs*) do budismo. [A chave da caridade, do amor e terna compaixão; a chave da primeira porta, a qual dá entrada ao Sendeiro (*Voz do Silêncio*, III). *Dâna* significa também: dom, dádiva, esmola; liberalidade, generosidade etc.]

Dâna-dharma (*Sânsc.*) — O dever ou a prática da caridade.

Dâna kriyâ (*Sânsc.*) — Ato de caridade.

Dânavas (*Sânsc.*) — São quase idênticos aos *Daityas;* gigantes e demônios, adversários dos deuses do ritualismo. [Gigantes ou demônios descendentes de Danu. Estavam associados aos *Daityas*. Segundo a *Doutrina Secreta* (II, 526), os *Daityas* e os *Dânavas* são os titãs, demônios e gigantes que encontramos na *Bíblia* (*Gênese*, IV), a descendência dos "Filhos de Deus" e das "Filhas dos homens". O nome genérico mostra seu pretenso caráter e revela, ao mesmo tempo, a intenção oculta dos brâhmanes, uma vez que os primeiros são os *Kratu-dwichas* (os "inimigos dos sacrifícios") ou *ficções exotéricas*. São as "Hostes" que lutaram contra Brihaspati, representante das religiões *exotéricas* populares e nacionais, e contra Indra, deus do firmamento ou céu *visível*.]

Dâna-vîra (*Sânsc.*) — Herói de caridade.

Dança — Na Índia, Caldeia, Egito, Grécia, Roma e outros tantos países, as danças constituíam uma parte importante do culto religioso. A história sagrada menciona David, que dançava nu diante da Arca, e as danças das filhas de Shiloh; são também citadas as danças das Amazonas nos Mistérios, as das pastoras (*gopîs*) ao redor de Krishna (o deus-Sol), as dos coribantes e dos dáctilos, as danças dionisíacas e caliácas, os saltos dos profetas de Baal etc. Estas danças sagradas são alegóricas e estão relacionadas com as funções da geração, com o movimento dos planetas ao redor do Sol etc. Também são conhecidas as danças que, ao som de uma flauta, são executadas pelos dervixes nos países maometanos, as quais, por sua rapidez quase incrível, produzem um estado vertiginoso, de entusiasmo divino, segundo se pretende, durante o qual o dançarino, algumas vezes, pronuncia oráculos. (Ver *Círculo*.)

Danda (*Sânsc.*) — Vara, bastão, cetro.

Danda-dhara (*Sânsc.*) — "Que porta uma vara". Epíteto de Yama, deus da morte.

Dangma (*Sânsc.*) — No esoterismo, é uma Alma purificada. Um iniciado e vidente, aquele que alcançou a sabedoria plena.

Dânta (*Sânsc.*) — Disciplinado, subjugado, refreado; aquele que dominou seus sentidos ou paixões.

Danu (*Sânsc.*) — Esposa de Kazyapa e mãe dos *Dânavas*.

D

Daos (*Cald.*) — Sétimo rei (Pastor) da Dinastia divina, que reinou na Babilônia pelo espaço de dez *sari, ou* seja, 36.000 anos (um *saros* tem 3.600 anos de duração). Em seu tempo surgiram quatro *Annedoti* ou Homens-peixes *(Dagons)*.

Darasta ou **Darâsta** (*Sânsc.*) — Magia cerimonial, que se pratica entre as tribos centrais hindus, especialmente entre as kolarianas.

Darbas (*Sânsc.*) — Literalmente: "destruidores ou despedaçadores". Epíteto aplicado aos *râkchasas* e outros gênios ou demônios destruidores ou maléficos.

Dárdano (*Dardanus*, em latim) — Filho de Júpiter e Eletra, que recebeu, como um presente os deuses Cabires e os levou à Samotrácia, onde foram adorados muito tempo antes de que o herói lançasse os cimentos de Tróia e antes que se ouvisse falar de Tiro e Sidon, embora Tiro fosse edificada 2.760 anos a.C. (Para maiores detalhes, ver *Cabires* e *Kabiri*.)

Darha (*Sânsc.*) — Espíritos dos antecessores das tribos kolarianas da Índia central.

Darpa (*Sânsc.*) — Orgulho, arrogância, insolência.

Darsana ou **Darshana** — Ver *Darzana*.

Darza (*Sânsc.*) — Visão. O dia da Lua nova.

Darzana (Darsana ou **Darshana)** (*Sânsc.*) — Visão, percepção, vista; consciência, inteligência, compreensão, consideração; sistema, método, sistema filosófico.

Darzanas (Darsanas ou, mais propriamente, **darzanâni**, plural de **darzana**) — Escolas [ou sistemas] de filosofia hindu, das quais há seis *(chad-darzanâni)*. [As seis escolas ou sistemas de filosofia da Índia são as seguintes: 1º) a *Vaizechika*; 2º) a *Nyâya*; 3º) a *Pûrva-Mimânsâ*; 4º) a *Sânkhya*; 5º) a *Yoga*, de Patañjali; e 6º) a *Uttara-Mimânsâ* ou *Vedânta*. As três primeiras escolas, que formam o grupo da *Prakriti*, tratam do conhecimento e domínio da Matéria; as três últimas, que constituem o grupo do *Purucha*, tratam principalmente do Espírito.]

Dasa-sîla (*Pál.*) — Os dez mandamentos ou preceitos obrigatórios e aceitos pelos sacerdotes budistas: [1º) abster-se de destruir a vida dos seres; 2º) abster-se de roubar; 3º) abster-se de todo o comércio sexual ilícito; 4º) não mentir; 5º) não usar bebidas embriagantes e drogas soporíferas; 6º) não comer em tempo indevido; 7º) não dançar e cantar de maneira inconveniente; 8º) não usar essências, perfumes, cosméticos e adornos; 9º) não usar camas altas e compridas; 10º) não receber ouro ou prata. Tal é o decálogo obrigatório do sacerdote budista e do *samanera* (noviço). Os laicos só são obrigados a cumprir os cinco primeiros preceitos *(pan-sîla* ou *pañcha-sîla).*]

Dasra (*Sânsc.*) — Literalmente, *formoso*. Um dos irmãos gêmeos Azvins.

Dasyus (*Sânsc.*) — Segundo os *Vedas*, são seres ou demônios malignos, inimigos dos deuses e dos homens. Provavelmente se trata das populações ímpias e bárbaras (não-árias), que os arianos védicos, em sua imigração, encontraram na Índia.

Dava (*Tib.*) — A Lua, na astrologia tibetana.

Davkina (*Cald.*) — Esposa de Hea, "deusa das regiões inferiores e consorte do Abismo", a mãe de Merodach, o Bel dos tempos posteriores e mãe de muitos deuses-rios. [Ver *Ea* e *Hea*.]

Daya (*Sânsc.*) — Compassivo, afetuoso, terno.

Dayâ (*Sânsc.*) — Piedade, misericórdia, compaixão.

D

Dayanisi *(Aram.)* — O deus adorado pelos judeus juntamente com outros povos semitas, como "Regente dos homens"; Dionysos, o Sol; daí, Jehovah-Nissi ou Iao-Nisi, o mesmo que Dionysos ou Júpiter de Nyssa. (Ver *Ísis sem Véu*, II, 526.)

Dayâ-vîra *(Sânsc.)* — Herói de compaixão.

Dayus — Ver *Dyaus*.

Dazâkuzala *(Sânsc.)* — No budismo, assim é chamado o conjunto dos dez pecados capitais.

Dazan *(Sânsc.)* — Dez.

Dazâvatâra *(Sânsc.)* — "Aquele de dez *avatâras* ou encarnações". Epíteto de Vishnu.

Dazendriya *(Sânsc.)* — "Os dez *indriyas*". Os dez órgãos (potências ou faculdades) de sentido e de ação. (Ver *Indriyas*.)

Dbrim — Ver *Dabarim*.

Deab *(Alq.)* — Ouro comum entre os químicos e ouro filosófico, quando se trata de Ciência Hermética.

Dealbação *(Alq.)* — Cozer a matéria até que ela tenha perdido sua cor negra e se torne branca como a neve. Também é chamada de *loção*.

Decocção *(Alq.)* — Em termos de Química Hermética, significa a ação de digerir, circular a matéria pelo vaso, sem a adição de qualquer elemento externo.

Decomposição *(Herm.)* — Redução do corpo de ouro dos Sábios à sua primeira matéria, o que se faz através da dissolução pelo mercúrio dos filósofos.

Dedo idaeico — Dedo de ferro fortemente magnetizado e usado nos templos para fins curativos. Produzia maravilhas na direção assinalada e, portanto, dizia-se que tinha virtudes *mágicas*.

Deha *(Sânsc.)* — O corpo físico.

Dehab, Deheb e **Deheheb** *(Alq.)* — Ouro dos filósofos.

Dehabhrit *(Sânsc.)* — "Que tem corpo", "encarnado". Homem, ser vivo, a alma ou espírito encarnado.

Dehagrahana *(Sânsc.)* — Que adquire uma forma corpórea ou visível.

Dehântaraprâpti *(Sânsc.)* — Aquisição de um novo corpo; transmigração.

Dehantavant *(Sânsc.)* — Significado idêntico ao de *Dehabhrit*.

Dehâtma-vâdin *(Sânsc.)* — Aquele que afirma que o corpo e a alma são uma coisa só. Um materialista. (*P. Hoult*)

Dehezvara (Deha-îzvara) *(Sânsc.)* — O senhor do corpo. O Eu ou Espírito.

Dehin *(Sânsc.)* — Corpóreo; que tem corpo; o homem, a alma ou Espírito encarnado no corpo.

Dei termini *(Lat.)* — Assim eram chamados alguns pilares ou colunas com cabeça humana, que representavam Hermes, os quais os romanos e os gregos colocavam nas encruzilhadas. Com este nome geral também eram designadas as divindades que presidiam os limites e fronteiras.

D

Deísta — Aquele que admite a existência de um deus ou de deuses, porém que pretende não saber nada de um ou de outros e nega a revelação. Um livre-pensador dos tempos antigos.

Demérito — Na linguagem oculta e búdica, é um fator constituinte de Karma. Através da *avidyâ* (ignorância) ou da *vidyâ* (sabedoria ou iluminação divina) produzem-se respectivamente o demérito e o mérito. Uma vez que o *Arhat* adquire a iluminação plena e o perfeito domínio sobre sua personalidade e natureza inferior, cessa de criar o "mérito e o demérito".

Demeter (*Gr.*) — Nome helênico da Ceres latina, deusa das colheitas e da lavoura. O signo astronômico de *Virgem*. Os Mistérios eleusinos eram celebrados em honra dessa deusa. Ver *Ceres*.

Demiurgos (*Gr.*) — O Demiurgo ou Artífice; o supremo Poder que construiu o Universo. Os franco-maçons derivam desta palavra a sua expressão de "Supremo Arquiteto". Entre os ocultistas, é o terceiro *Logos* manifestado ou *"segundo* deus" de Platão, sendo o *segundo* Logos representado por ele como o "Pai", a única Divindade que ousava mencionar como Iniciado nos Mistérios.

Demônios — Segundo a Cabala, os demônios residem no mundo de Assiah, o mundo da matéria e dos "invólucros" dos mortos. São os *Klippoth*. Há sete Infernos, cujos habitantes demoníacos representam os vícios personificados. Seu príncipe é Samael e sua companheira feminina é Isheth Zenunim – a mulher de prostituição; unidos em aspecto, são denominados de "a Besta", Shiva. (W. W. W.) [*Demônio* (do grego *Daimón, Daimonos,* deus, gênio tutelar, destino). Segundo sua etimologia, é um gênio ou ser sobrenatural que as religiões colocam como intermediário entre a Divindade e o homem *(M. Treviño)* (Ver *Daemon* e *Daimón.*)]

Demônios elementares — Platão alude a eles no *Timœus*, ao falar dos Elementos irracionais e turbulentos, "compostos de fogo, ar, água e terra". (*Doutrina Secreta,* I, 619)

Demonologia — Tratados ou discursos sobre os Demônios ou Deuses em seus aspectos obscuros.

Demrusch (*Per.*) — Um gigante na mitologia do antigo Irã.

Denis, *Angoras* — Médico, astrólogo e alquimista de Paris, que viveu no séc. XIV. (R. M. C.)

Deona ou **Mati** — No dialeto kolariano, é aquele que exorciza os maus espíritos. [Ver E. D. Ewen: *Shamanismo e Feitiçaria,* em *Cinco Anos de Teosofia.*]

Derses — Uma exalação oculta da terra, através da qual as plantas podem crescer. Os gases de ácido carbônico etc. são seus veículos. *(F. Hartmann)*

Derviche — Asceta muçulmano (turco ou persa). Um monge nômade e errante. Contudo, os derviches, algumas vezes, vivem em comunidade. Frequentemente são designados pelo nome de "feiticeiros volteadores". Afora sua vida de austeridades, oração e contemplação, o devoto árabe, turco ou egípcio apresenta pouquíssima semelhança com o faquir hindu, que também é muçulmano. Este último pode chegar a ser um santo e um santo mendicante, enquanto o primeiro nunca chegará além de sua segunda classe de manifestações ocultas. O derviche pode também ser um poderoso mesmerizador, porém jamais se submeterá voluntariamente às abomináveis e quase incríveis penitências que o faquir inventa para si mesmo, com afã sempre crescente, até que a natureza sucumbe e ele morre em meio a lentos e crudelíssimos tormentos. As

D

tais como despelar membros vivos, cortar os dedos, os pés e as pernas, arrancar os olhos, fazer-se enterrar até a barba e passar meses inteiros em tal atitude, tudo isso lhe parece uma brincadeira de criança. Não se deve confundir o Derviche com o *sannyâsi* ou *yogi* hindu. (Ver *Faquir*.)

Desatir (*Per.*) — Obra persa antiquíssima, chamada *Livro de Shet*. Trata dos treze Zoroastros e é muito mística.

Descensão (*Alq.*) — Destilar pela descensão é a filtração dos licores, mas, em termos de Ciência Hermética, é a circulação da matéria.

Desnudação (*Alq.*) — Putrefação da matéria e sua dissolução. Daí, diz Flamel, provêm tantas alegorias sobre os mortos, os sepulcros, as tumbas.

Desposar (*Alq.*) — Ação pela qual o fixo e o volátil da matéria dos filósofos reúnem-se inseparavelmente. As bodas realizam-se durante a dissolução e a união é atingida durante a fixação.

Dessecação (*Alq.*) — Coagulação na fixação da umidade mercurial.

Dessecar (*Alq.*) — Cozer a matéria, fixá-la através da circulação até a perfeição do enxofre e da pedra.

Destral — Nos hieróglifos egípcios, é um símbolo do poder e também da morte. A destral é denominada "Cortadora do nó", isto é, do matrimônio ou de qualquer outro vínculo.

Destruição (*Herm.*) — Dissolução radical dos corpos pelo mercúrio filosofal, ou a redução dos metais à sua primeira matéria, que é o mercúrio dos Sábios. Significa também a escuridão, a putrefação da matéria.

Deucalion ou **Deukalion** (*Gr.*) — Equivale ao Noé bíblico e ao Manu Vaivasvata da Índia. Era rei de Tessália, filho de Prometeu, e foi o único que, com sua esposa Pirra, pode salvar-se do dilúvio ocorrido na Grécia, durante seu reinado, graças a uma arca que ele fabricou. Daí o nome de *deucaliônidas* aplicado aos gregos em geral, como supostos descendentes de Deucalion. (Ver *Doutrina Secreta*, II, 283, 323 etc., e o verbete *Dilúvio*.)

Deus (*Theos*, em grego; *Deus*, em latim) — O Ser supremo e inefável, incompreensível para a inteligência humana, e que cada um representa à sua maneira, chegando até ao ponto de lhe atribuir imperfeições humanas. "A Teosofia – diz H. P. Blavatsky – não acredita no Deus bíblico nem no Deus dos cristãos. Rechaça a ideia de um Deus *pessoal*, extracósmico e antropomórfico, que não é mais do que uma sombra gigantesca do *homem* e não, certamente, do melhor... O Deus da teologia é um ninho de contradições e uma impossibilidade lógica... Acreditamos em um Princípio divino universal, a raiz de Tudo, do qual tudo procede e no qual tudo se absorverá no final do grande ciclo do Ser... É absoluto, infinito; está em todas as partes, em cada átomo do Cosmo, tanto visível quanto invisível, dentro, acima e ao redor de cada átomo indivisível e de cada molécula divisível, porque Ele é o misterioso poder de evolução e involução, a potencialidade criadora, onipresente, onipotente e também onisciente. É Pensamento absoluto, Existência absoluta; é a Seidade (*Be-ness*), um não Ser... Em seu simbolismo, a Divindade é uma esfera sem circunferência e seu único atributo é Ele Próprio" (*A Chave da Teosofia*, 61-65). (Ver *Brahma*.)

Deus interno — Nosso Eu divino ou supremo; a centelha ou partícula, por assim dizer, do Espírito Universal que reside no coração do homem, constituindo o Espírito individual. Por esta razão dizia o apóstolo São Paulo: "Não sabeis que sois templo de Deus

D

e que o Espírito de Deus mora em vós?; "Glorificai, pois, a Deus em vosso corpo e em vosso espírito..." (I, *Coríntios,* III, 16; IV, 20 etc.).

Deus Lunus — A Lua ou deus-Lua, adorado na Babilônia com o nome de *Sin.* (Ver *Sin.*)

Deus-Nilo — Representado no Egito por uma imagem de madeira do deus de tal rio, à qual se tributam honras em agradecimento pelos benefícios que suas águas trazem ao país. Havia um Nilo "celeste", chamado no Ritual *Nen-naou* ou "águas primordiais", e um Nilo terrestre, adorado em Nilópolis e Hapimo. O último era representado como um ser andrógino, com barba e seios e uma cara gorda e azul; os membros eram de cor verde e o tronco avermelhado. Ao aproximar-se a época da inundação anual, tal imagem era levada de um lugar para outro, em solene procissão.

Deus Supremo — Ver *Brahma.*

Deuses ou **Divindades inferiores** (*Devas*, em sânscrito) — A doutrina do *Bhagavad-Gîtâ,* bem como a religião brahmânica, não é politeísta, pois admite a existência de um Deus único, eterno, infinito, que é Brahma, o Ser ou Espírito Supremo, Alma do Universo. As Divindades inferiores são meras personificações transitórias do céu, dos astros, elementos, forças ou fenômenos da Natureza. Assim, vemos Indra, deus do céu ou firmamento; Sûrya, deus do Sol; Agni, deus do fogo; Vâyu, deus do ar, Varuna, deus do oceano; Dharma, deus da justiça; Kuvera, deus das riquezas etc.

Deuses cósmicos — Deuses inferiores; aqueles que estavam relacionados com a formação da matéria.

Deuses intercósmicos — Os Espíritos planetários, *Dhyân Chohans, Devas* de diferentes graus de espiritualidade e Arcanjos em geral. (Ver *Dhyân Chohans* e *Egkosmioi.*)

Deuses lunares — Na Índia, chamados de Pais, *Pitris* ou antecessores lunares. São subdivididos, como os demais, em sete classes ou hierarquias. No Egito, embora a Lua seja menos adorada que na Caldeia e na Índia, Ísis continua sendo a representação da Lua-Lunus, "o Hermafrodita celeste". É bastante surpreendente que, enquanto as nações modernas relacionam a Lua apenas com a loucura e a geração, as antigas, que estavam melhor inteiradas, relacionavam-na, individual e coletivamente, com seus deuses de sabedoria. Assim, no Egito, os deuses lunares são Toth-Hermes e Chons; na Índia, é Budha, filho de Soma, o deus-Lua (ver *Budha);* na Caldeia, Nebo é o deus lunar da sabedoria secreta etc. A esposa de Toth, Sifix, a deusa lunar, empunha uma vara com cinco raios, ou a estrela de cinco pontas, símbolo do homem, o Microcosmo, em contraposição ao Microcosmo setenário. Como em todas as teogonias uma deusa precede um deus, baseando-se provavelmente no fato de que o pintinho dificilmente pode preceder o ovo, na Caldeia a Lua era considerada como mais antiga e mais venerável do que o Sol, porque, como diziam, as trevas precedem a luz em cada renascimento periódico (ou "criação") do Universo. Osíris, embora relacionado com o Sol e ser um deus solar, nasceu no monte *Sinai,* pelo fato de que *Sin* é o nome caldeu-assírio da Lua; também nele nasceu o Dio-Nysos ou Dionysos, deus de Nyssi ou Nisi, cuja última denominação foi a de Sinai no Egito, onde era chamado de Monte Nissa. A *meia-Lua* não era, como o demonstraram muitos escritores, uma divisa dos turcos, pois tinha sido adotada pelos cristãos como símbolo antes dos maometanos. Durante séculos a *meia-Lua* foi emblema da Astarté Caldeia, da Ísis egípcia e da Diana grega, todas elas Rainhas do Céu, e por último tornou-se emblema da Virgem Maria. "O império greco-cristão de Constantinopla tinha-a como salvaguarda. Depois de sua conquista pelos turcos, o Sultão adotou-a... e desde então, a *meia-Lua* foi considerada como oposta à cruz." *(Crença Egípcia)*

Deuses menores — Ver *Dii minores.*

D

Deuses pagãos — Este termo foi erroneamente interpretado no sentido de ídolos. A ideia filosófica relacionada com tais deuses não foi nunca de algo objetivo ou antropomórfico, mas em cada caso tratava-se de uma potência abstrata, uma virtude ou uma qualidade da Natureza. Deuses há que são Espíritos divinos planetários *(Dhyân Chohans)* ou *Devas*, entre os quais figuram também nossos Egos. Afora isso, e especialmente sempre que estão representados por um ídolo ou numa forma antropomórfica, tais deuses, nos panteões hindu, caldeu e egípcio, representam simbolicamente Potências espirituais e sem forma, pertencentes ao "Kosmos *invisível*". ["É incontestável – diz o abade Martigny, em seu *Dictionnaire des Aniquités Chretiennes* – que, nos três primeiros séculos do Cristianismo, encontram-se com bastante frequência nas pinturas, tumbas e sarcófagos, gênios, centauros, cariátides, télamons, ninfas e outros temas das "fábulas da teologia pagã". (Ver *Deuses inferiores.*)]

Deuses solares — São as divindades ou *devas* relacionadas com o Sol ou que regem o mundo solar; entre eles figuram Apolo, Bel, Osíris, Sigurd, os Agnichvâttas, os Kumâras, os Lares, os Mânasa Dhyânis, que dotaram o homem de inteligência e consciência, de Ego imortal. As hostes de deuses solares representam a luz, o dia, assim como as dos deuses lunares simbolizam as trevas, a noite. No grande poema épico *Râmâyana*, Râma, primeiro rei da divina dinastia dos primitivos arianos, representa os deuses solares, enquanto que Râvana, personificação da raça Lankâ (atlântica), representa os deuses lunares. Assim, tal poema representa a grande batalha entre o Bem e o Mal, entre a Magia branca e a Magia negra.

Dev ou **Dew** *(Per.)* — O *Dev* é, entre os zoroastrianos, o gênio do mal e a antítese do Ferouer. (Ver *Ferouer*.)

Dev-bend *(Per.)* — Vencedor de gigantes.

Deva *(Sânsc.)* — Um deus, uma divindade "resplandecente". *Deva-Deus*, da raiz *div*, "brilhar", "resplandecer". Um *Deva* é um ser celestial, seja bom, mau ou indiferente. Os *Devas* habitam "os três mundos" ou *três planos* superiores ao nosso. Há trinta e três grupos ou trezentos e trinta milhões deles. [Os *Devas* são, na Índia, o mesmo que os anjos e arcanjos entre os cristãos. O príncipe destes gênios celestes ou divindades inferiores é Indra, rei do firmamento ou céu. *Deva*, como adjetivo, significa: divino, celeste, glorioso, resplandecente etc.]

Deva-bhakti *(Sânsc.)* — Devoção aos deuses *(devas)*.

Deva-bhoga *(Sânsc.)* — Manjar ou alimento dos deuses; a ambrosia *(amrita)*.

Deva-bhû *(Sânsc.)* — Deus; o céu.

Deva-bhûya *(Sânsc.)* — Divindade, natureza divina.

Deva-chakra *(Sânsc.)* — Um círculo mágico. *(P. Hoult)*

Devachan ou **Devakhan** *(Tib.)* — A "morada dos deuses". Um estado intermediário entre duas vidas terrestres, no qual o Ego (*Atmâ-Buddhi-Manas*, ou seja, a Trindade feita UM) entra, depois de sua separação do *Kâma-rûpa* e da desintegração dos princípios inferiores, depois da morte do corpo na Terra. [*Devachan* é o nome que, em linguagem teosófica, se dá ao céu ou mansão de bem-aventurança, e literalmente traduzido significa: morada resplandecente ou mansão dos deuses. *Devasthan*, residência dos deuses, é seu equivalente em sânscrito. É o *Svarga* dos hindus, o *Sukhâvati* dos budistas, o céu dos zoroastrianos e cristãos, assim como dos muçulmanos menos materialistas. É uma parte do plano ou mundo astral, especialmente protegida, da qual estão excluídos todo o sofrimento e todo mal pelas grandes Inteligências Espirituais, que presidem a evolução

D

humana. (A. Besant, *Sabedoria Antiga*) Um estado subjetivo de bem-aventurança dos princípios anímicos superiores, depois da morte do corpo. (Ver *Anyodei*.) Corresponde à ideia de céu ou paraíso, onde cada mônada individual vive num mundo que foi criado por seus próprios pensamentos e onde os produtos de sua própria ideação espiritual lhe aparecem substanciais e objetivos. *(F. Hartmann)*]

Devadâsi *(Sânsc.)* — "A Bailarina". Título de uma linda peça de teatro hindu.

Devadatta *(Sânsc.)* — Uma das dez modificações do princípio vital. *(Râma Prasâd)* Literalmente: "dada pelo deus" ou "dádiva dos deuses", nome da trombeta de Arjuna.

Deva-deva *(Sânsc.)* — O deus dos deuses, o Deus supremo.

Deva-dharma *(Sânsc.)* — Dever religioso. *(P. Hoult)*

Deva-guru *(Sânsc.)* — Instrutor dos deuses: Brihaspati.

Deva-jñânas ou **Daivajna** *(Sânsc.)* — As classes mais elevadas dos seres celestiais, aqueles que possuem o conhecimento divino.

Deva-Karman *(Sânsc.)* — Ação pertinente aos deuses; obra piedosa.

Devaka *(Sânsc.)* — Nome do avô de Krishna.

Devakârya *(Sânsc.)* — Ação pertinente aos deuses; obra piedosa; mandato divino.

Devakhan — Ver *Devachan*.

Devakî *(Sânsc.)* — ["Filha de Devaka", esposa de Vasudeva e] mãe de Krishna. Seu irmão, o rei Kansa, encerrou-a num calabouço, temendo que se cumprisse uma profecia segundo a qual um filho de sua irmã destroná-lo-ia e lhe tiraria a vida. Apesar da estreita vigilância, Vishnu, o Espírito Santo, desceu sobre ela, e assim *Devakî* concebeu e deu à luz a Krishna, *avatâra* [encarnação] do deus. (Ver *Kansa e Krishna*.) [*Devakî*, antetipo da Virgem católico-romana, é uma forma posterior antropomorfizada de Aditi. (*Doutrina Secreta*, II, 555) (Ver *Aditi*.)]

Devala *(Sânsc.)* — Um dos filhos de Vizvamitra. Por seu grande saber e suas austeridades, chegou a ser um dos sete *Richis* védicos. (Ver *Bhagavad-Gîtâ*, X, 13.)

Deva-laya *(Sânsc.)* — "Morada ou altar de um *Deva*". Todos os templos brahmânicos são designados por este nome.

Deva-loka *(Sânsc.)* — "Mundo dos deuses". O céu, *Svarga* ou paraíso de Indra.

Deva-lokas *(Sânsc.)* — As mansões dos deuses ou dos *devas* nas esferas superiores. Os sete mundos celestes existentes sobre o monte Meru.

Deva-mâtri *(Sânsc.)* — Literalmente: "Mãe dos deuses". Um dos títulos de Aditi, Espaço cósmico. (*Doutrina Secreta*, I, 83, ed. inglesa)

Deva-mâyâ *(Sânsc.)* — Ilusão produzida pelos *devas*. *(P. Hoult)*

Devanâgarî *(Sânsc.)* — "Escritura dos *devas* ou deuses". O conjunto de caracteres da língua sânscrita. O alfabeto e a arte de escrever guardaram segredos por séculos, visto que apenas aos *Dwijas* (aqueles duas vezes nascidos) e aos *Dîkchitas* (Iniciados) era permitido usar esta arte. Era um crime para um *Sudra* recitar um verso dos *Vedas*, e também para qualquer um dos indivíduos pertencentes às duas castas inferiores (*Vaizya* e *Sudra*) conhecer as letras era um delito castigado com a morte. Assim é que a palavra *lipi* (escritura) não é encontrada nos manuscritos mais antigos, o que sugeriu aos orientalistas a ideia errônea e um pouco incongruente de que a *escritura* não só era desconhecida

D

antes dos dias de Pânini, mas que o era também para este sábio (!). Que o mais famoso gramático que o mundo já produziu não soubesse escrever seria verdadeiramente o maior e mais incompreensível de todos os fenômenos.

Deva-nindâ (*Sânsc.*) — "Injúria ou escárnio aos deuses". Impiedade, ateísmo.

Deva-pati (*Sânsc.*) — "Senhor dos deuses". Indra.

Deva-patha (*Sânsc.*) — "Via dos deuses". O céu.

Devapi (*Sânsc.*) — Sábio sânscrito da raça de Kuru, que, juntamente com outro sábio (Moru), acredita-se que viva durante as quatro idades e até a vinda de *Maitreya*, *Buddha* ou *Kalki* (o último avatar de Vishnu), que, como *todos os Salvadores do Mundo* em sua última aparição, como o *Sosiosh* dos zoroastrianos e o *Cavaleiro do Apocalipse* de São João, aparecerá montado num *cavalo branco*. Acredita-se que Devapi e Moru vivem num retiro do Himalaia, chamado *Kalapa* ou *Katapa*. Esta é uma alegoria purânica.

Deva-prakriti — Ver *Daivî-prakriti*

Deva-pûja (*Sânsc.*) — Culto ou adoração aos deuses.

Deva-pûr (*Sânsc.*) — A cidade de Indra, *Amarâvati*.

Deva-râja (*Sânsc.*) — Rei dos deuses: Indra.

Devarchi (**Deva-richi**) (*Sânsc.*) — Literalmente. *Richi* divino. Os *devarchis* são santos divinos, aqueles sábios que alcançam na Terra uma natureza plenamente divina. Semideuses que moram no céu de Indra (*Deva-loka*).

Devarna (*Sânsc.*) — Dívida com os *devas*. (Bhagavân-Dâs)

Deva-rûpa (*Sânsc.*) — Forma divina.

Deva-sarga (*Sânsc.*) — [Literalmente: "criação divina"] Criação: a origem dos princípios, que se diz ser a inteligência nascida das qualidades ou atributos da Natureza. [A terceira das sete Criações enumeradas nos *Purânas*. A criação dos primeiros Imortais. (*Doutrina Secreta*, I, 490, e 11, 186.)]

Devasarman (*Sânsc.*) — Autor antiquíssimo que morreu aproximadamente um século depois de Gautama, o Buddha. Escreveu duas obras famosas, nas quais negava a existência do *Ego* e do *não-Ego*, com tanto êxito num caso como no outro.

Devasthan ou **Devasthâna** (*Sânsc.*) — Termos sânscritos equivalentes a *Devachan*.

Devatâ (*Sânsc.*) — Condição divina, divindade; deus, divindade.

Devâtman (*Sânsc.*) — Alma ou Espírito divino.

Deva-vidyâ (*Sânsc.*) — Conhecimento, sabedoria ou saber divino; Teosofia.

Deva-yaji (*Sânsc.*) — Sacrifício, oferenda, culto ou devoção aos deuses.

Deva-yâna (*Sânsc.*) — "Veículo dos deuses". O *nâdi Pingala* (ver), assim chamado porque aqueles que sabem fixar a mente em tal *nâdi* podem transitar pelo céu como deuses. (*Uttara-Gîtâ*, II, 11)

Deva-yoni (*Sânsc.*) — "De origem divina". Este qualificativo aplica-se às divindades inferiores, tais como os *Âdityas*, *Vasus* etc.

Deva-yuga (*Sânsc.*) — "Idade dos deuses". A idade de ouro, o primeiro *yuga*.

Deveza (**Deva-îza**) (*Sânsc.*) — Senhor ou príncipe dos deuses.

D

Devî (*Sânsc.*) — "A Deusa". Também chamada *Mahâ-Devî* (a grande Deusa). Esposa do deus Shiva, isto é, o *sakti* ou energia feminina de Shiva. Por seu caráter, atributos e ações, recebeu nomes diversos, tais como Pârvatî, Umâ, Durgâ, Kâlî, Chnadikâ, Gaurî etc.

Devî-Bhagavata (*Sânsc.*) — Título de um dos *Purânas*.

Devs (*Sânsc.*) — Os *Devs* constituíram uma raça pré-adâmica, que reinou sete mil anos. Eram gigantes poderosos e perversos. Entre os zoroastrianos, os puros *Dhyânis* e *Devas* converteram-se com o tempo nos sete *Devs*, ministros de Ahriman, "cada um deles ligado a seu planeta". (*Doutrina Secreta*, II, 630; II, 411.) Ver *Dev* ou *Dew*.

Dez Virtudes Pitagóricas (As) — São as virtudes da Iniciação etc. necessárias antes da admissão. (Ver *Pitágoras*.) São idênticas àquelas prescritas por Manu e aos *Paramitâs* de Perfeição dos budistas.

Deza (Desha) (*Sânsc.*) — Lugar, região, país; direção, espaço.

Dezanâ (*Sânsc.*) — Instituição, ensinamento, direção.

Dezâtîta (*Sânsc.*) — "Mais além do espaço"; espaço transcendente; sem espaço. (*Bhagavân-Dâs*)

Dhâma (*Sânsc.*) — Mansão, morada.

Dhamma (*Pál.*) — Termo equivalente ao sânscrito *Dharma*.

Dhammapada (*Pál.*) — [Literalmente, "Senda da Lei".] Obra búdica que contém preceitos morais.

Dhana (*Sânsc.*) — Riqueza, bens, propriedade, tesouro, botim.

Dhanada (*Sânsc.*) — "Doador de riqueza". Sobrenome de Kuvera, deus das riquezas.

Dhanâdhipa (*Sânsc.*) — "Senhor da riqueza", o deus Kuvera.

Dhanañjaya (*Sânsc.*) — "Dominador ou vencedor das riquezas". Sobrenome de Arjuna. Segundo o *Bhagavân-Dâs*, tal nome significa: "entesourador de riquezas", isto é, adquirente de riquezas da sabedoria; no pensar de Zankarâchârya, Arjuna é designado com tal qualificativo porque, em suas excursões guerreiras, adquiriu copiosas riquezas humanas e divinas, materiais e espirituais. Dá-se também o nome de *Dhanañjaya* a uma das dez modificações do princípio vital. (*Râma Prasâd*)

Dhanapati (*Sânsc.*) — O mesmo significado de *Dhanâdhipa*.

Dhanezvara (*Sânsc.*) — "Deus da riqueza"; Kuvera.

Dhanichthâ (*Sânsc.*) — Uma das mansões lunares. (*Râma Prasâd*)

Dhanu ou **Dhanus** (*Sânsc.*) — Arco. Nono signo do Zodíaco, correspondente a Sagitário.

Dhanvantari (*Sânsc.*) — Deus da medicina. Saiu do mar junto com a ambrosia (*Amrita*).

Dhara (*Sânsc.*) — O *avatâra* tartaruga de Vishnu.

Dharâ (*Sânsc.*) — A Terra.

Dhâranâ (*Sânsc.*) — Na prática do Yoga, é aquele estado em que o pensamento deve estar firmemente fixo em algum objeto de meditação. [É a intensa e perfeita concentração da mente em algum objeto interno, com abstração completa de tudo o que está no

D

exterior, ou seja, do mundo dos sentidos. No *Dhâranâ*, o sexto grau de desenvolvimento, cada sentido, como faculdade individual, precisa ser "morto" ou paralisado neste plano, passando para o sétimo sentido, o mais espiritual, e nele se fundindo (*Voz do Silêncio*, I). *Dhâranâ*, contemplação, concentração ou atenção sustentada, é a fixação da mente em algum objeto interno ou externo; é a absorção no objeto pensado. (M. Dvivedi, Comentário sobre os *Aforismos do Yoga de Patañjali*)] (Ver *Dhyâna* e *Samâdhi*.)

Dharanî (*Sânsc.*) — A Terra.

Dhâranî (*Sânsc.*) — No Budismo, tanto do Norte quanto do Sul, também no hinduísmo, significa simplesmente um mantra ou mantras, ou seja, versos sagrados do *Rig-Veda*. Na Antiguidade, estes *mantras* ou *dhâranî* eram todos considerados místicos e praticamente eficazes em seu uso. Atualmente, contudo, a escola *Yogâchârya* é a única que justifica tal pretensão na prática. Cantado segundo as instruções dadas, o *Dhâranî* produz efeitos maravilhosos. Seu poder oculto, contudo, não reside nas palavras, mas na inflexão ou acento dado e no som assim originado. (Ver *Mantra* e *Âkâza*.)

Dharanîzvara (*Sânsc.*) — "Deus ou senhor da Terra". Epíteto de Shiva.

Dharâtmaja (*Sânsc.*) — O planeta Marte; o regente deste planeta.

Dhârini (*Sânsc.*) — A Terra.

Dharma (*Sânsc.*) — A lei Sagrada; o Cânone búdico. ["O *Dharma* é a natureza interna, caracterizada em cada homem pelo grau de desenvolvimento adquirido e, além disso, a lei que determina o desenvolvimento no período evolutivo que vem a seguir. Esta natureza interna, posta pelo nascimento físico num meio favorável para seu desenvolvimento, é o que modela a vida exterior, que se expressa através de pensamentos, palavras e ações. Primeiro é preciso compreender bem que o *Dharma* não é uma coisa exterior, como a lei, a virtude, a religião ou a justiça; é a lei da vida que se desdobra e modela à sua própria imagem tudo aquilo que é exterior à mesma. (A. Besant, *O Dharma*) A esta palavra, pois, foram dados inúmeros significados, tais como: Lei, religião, justiça, dever, piedade, virtude, mérito, condição, atributo, qualidade ou propriedade essencial; doutrina, credo; código, direito; conhecimento, sabedoria; verdade; prática, costume; bem; obra piedosa etc. *Dharma* é também um dos nomes de Yama, deus da justiça.]

Dharma-chakra (*Sânsc.*) — Literalmente: o girar da "roda da Lei". Emblema do budismo como um sistema de ciclos e renascimentos ou reencarnações.

Dharmachârin (*Sânsc.*) — "Que pratica a Lei": virtuoso, piedoso, justo.

Dharma-dezanâ (*Sânsc.*) — Ensinamento da Lei.

Dharmajña (*Sânsc.*) — Conhecedor da Lei ou do dever.

Dharmajñâna (*Sânsc.*) — Conhecimento do *Dharma* (dever, Lei etc.).

Dharma-Kârya (*Sânsc.*) — Dever imposto pelo *Dharma* (Lei).

Dharmakâya (*Sânsc.*) — Literalmente, "o corpo espiritual glorificado", conhecido pelo nome de "Vestimenta de bem-aventurança". É o terceiro ou mais elevado dos *Trikâya* (Três Corpos), atributo desenvolvido por todo "Buddha", isto é, todo Iniciado que cruzou ou alcançou o fim do chamado "quarto Sendeiro" (no esoterismo, o sexto "portal", que precede sua entrada no *sétimo*): O mais elevado dos *Trikâyas* é o *quarto* dos *Buddha-kshetra* ou planos búddhicos de consciência, representados figuradamente no ascetismo búdico como uma roupagem ou vestimenta de luminosa Espiritualidade. No budismo popular do Norte, estas *vestimentas* ou roupagens são: 1°) *Nirmânakâya*,

D

2º) *Sambhogakâya* e 3º) *Dharmakâya,* a mais elevada e sublime de todas, porque coloca o asceta no umbral do *Nirvâna.* Contudo, para saber o verdadeiro significado esotérico, deve-se ver o que diz *Voz do Silêncio*: ["1º) O corpo, vestimenta ou forma *Nirmânakâya* é aquela forma etérea que seria adotada no momento em que, abandonando seu corpo físico, aparecesse em seu corpo astral, possuindo, além disso, todo o conhecimento de um Adepto. O *Bodisattya* vai desenvolvendo esta forma em si mesmo à medida que avança pelo Sendeiro. Uma vez atingida a meta e depois de recusar a fruição da recompensa, continua na Terra como Adepto e, quando morre, ao invés de se encaminhar para o *Nirvâna*, permanece naquele corpo glorioso que teceu para si mesmo, invisível para a humanidade não-iniciada, a fim de velar por ela, protegê-la e guiá-la pelo sendeiro da Justiça. 2º) *Sambhogakâya*, ou "corpo de Compensação", é o mesmo que *Nirmânakâya*, porém com o brilho adicional de "três perfeições", uma das quais é a completa obliteração de tudo que se refere à Terra. 3º) O corpo *Dharmakâya* é o de um *Buddha* completo, embora não seja propriamente um corpo, mas tão-somente um sopro ideal; a consciência abismada na Consciência Universal ou a Alma livre de todo atributo. Uma vez *Dharmakâya*, o Adepto ou *Buddha* abandona toda a relação possível com esta Terra e também todo pensamento a ela ligado. Assim é que, para poder ajudar a humanidade, o Adepto, que adquiriu o direito ao *Nirvâna*, "renuncia ao corpo *Dharmakâya*", segundo a fraseologia mística; não conserva do *Sambhogakâya* nada além do que o vasto e completo conhecimento e permanece em seu corpo *Nirmânakâya*. A escola esotérica ensina que Gautama *Buddha*, com vários de seus *Arhats*, é um *Nirmânakâya* deste gênero, um "*Buddha* de Compaixão", e que não se conhece nenhum que seja mais elevado do que ele, em razão de sua grande renúncia e sacrifício em prol da humanidade".]

Dharma-kshetra (*Sânsc.*) — Literalmente: "Campo Sagrado", "campo da Lei" ou "da Justiça"; também chamado *Kurukshetra* (campo de Kuru). Atualmente, *Sirhind*. Nome de uma planície situada próxima a Delhi, santificada pelos atos piedosos do antecessor comum dos príncipes Kurus e Pândavas na qual ocorreu a grande batalha entre estes príncipes rivais. (Ver *Bhagavad-Gîtâ*, I, 1º.)

Dharma-mârga (*Sânsc.*) — Sendeiro do bem, da virtude ou justiça.

Dharma-megha (*Sânsc.*) — Literalmente: "Nuvem de virtude ou de mérito". Quando, após ser obtida a iluminação, o yogi atua sem o menor apego a todo objeto de desejo, alcança aquele estado de supremo desprendimento, no qual aparece repentinamente a luz do Espírito em toda a sua plenitude. Tudo parece saturado de Espírito e não há nada capaz de interromper tal percepção plena de bem-aventurança. Tal estado é conhecido pelo nome de "nuvem de mérito ou virtude" e é o mais alto grau de *Samâdhi*. É comparado a uma nuvem porque orvalha os germes do *Samâdhi* até fazê-los chegar a seu florescimento pleno. (M. Dvivedi: Comentário ao Sûtra 29 do Livro IV dos *Aforismos de Patañjali*.)

Dharma-parinâma (*Sânsc.*) — Mudança ou transformação da propriedade essencial ou da verdadeira qualidade de uma coisa.

Dharma-prabhâsa (*Sânsc.*) — [Literalmente, "Esplendor da Lei".] Nome do *Buddha* que aparecerá durante a sétima Raça-Mãe ou Raça-raiz. (Ver *Ratnâvabhasa Kalpa*, idade em que os sexos terão deixado de existir.)

Dharma-putra (*Sânsc.*) — Literalmente, "Filho de Dharma". Sobrenome de Yudhichthira, devido ao fato deste príncipe pândava ter sido engendrado misticamente por Dharma, deus da Justiça.

Dharma-râja (*Sânsc.*) — Literalmente: "Rei de justiça". Este nome é usado para designar o deus Dharma (ou Yama), o príncipe Yudhichthira e também *Buddha*, como mestre da doutrina ou Lei.

D

Dharma-sâvarni (*Sânsc.*) — Nome do décimo primeiro Manu. (Ver *Sâvarni*.)

Dharma-skanda (*Sânsc.*) — No Budismo, este nome é usado para designar o corpo da Lei, isto é, a grande coleção de seus livros sagrados.

Dharma-smriti-Upasthâna (*Sânsc.*) — Extensíssima obra que contém uma advertência altamente mística: "Lembre-se que os constituintes (da natureza humana) originam-se *conforme os nidânas* [as doze causas da existência] e *não são* originalmente o Eu", o que vem expressar aquilo que ensinam as Escolas Esotéricas e não a interpretação eclesiástica.

Dharmâsoka (*Sânsc.*) — ("O *Asoka* da boa Lei".] Nome que, depois de sua conversão, foi dado ao primeiro *Asoka*, ou seja, o rei Chandragupta, que durante toda a sua longa vida seguiu o *Dharma* ou lei de Buda. O rei Asoka (o segundo) não foi *convertido*, mas era budista de nascimento.

Dharmi (*Sânsc.*) — Objecto, *substratum*. (Ver M. Dvivedi, Comentários ao *Sûtra 14*, Livro III dos *Aforismos de Patañjali*.)

Dharmya (*Sânsc.*) — Santo, sagrado, justo, legal.

Dharmyâmrita (*Sânsc.*) — O sagrado néctar de imortalidade; o néctar da lei ou justiça; a doutrina da imortalidade.

Dhârtarâchtra (*Sânsc.*) — "Filho ou descendente de Dhritarâchtra".

Dhatri (*Sânsc.*) — Criador, sustentador. Uma divindade a quem se atribui a produção da vida e manutenção da saúde. Aparece também como um dos *Âdityas* e também foi identificado com Brahmâ. É igualmente um epíteto de Vishnu.

Dhâtrî (*Sânsc.*) — "A sustentadora", a Terra.

Dhâtu (*Pál.*) — Relíquias do corpo de Buda, recolhidas depois de sua cremação. [*Dhâtu*: elemento ou parte constituinte do corpo humano ou de um todo; assim, designam-se com tal nome as sete principais substâncias do corpo humano: quilo, carne, sangue, gordura, ossos, tutano e sêmen.]

Dhenu (*Sânsc.*) — Vaca leiteira; a Terra.

Dhî (*Sânsc.*) — Pensamento, inteligência, mente; conhecimento, meditação.

Dhîmat (*Sânsc.*) — Sábio, inteligente; recolhido; firme, forte; animado.

Dhîsakti (*Sânsc.*) — Poder ou potência mental.

Dhrichtadyumna (*Sânsc.*) — "De poder audaz". Nome de um príncipe, filho de Drupada e um dos caudilhos da hoste pândava. Era muito hábil na arte da guerra. Matou Drona num combate, porém, por sua vez, foi morto pelo filho deste.

Dhrichtaketu (*Sânsc.*) — "De insígnia audaz". Rei de Chedi, aliado dos Pândavas e um de seus chefes. Há outros personagens com este nome.

Dhritarâchtra (*Sânsc.*) — "Aferrado ao trono ou poder". Filho do rei Vichitravîrya, que reinava em Hastinâpura. Como era cego de nascença, teve de renunciar à coroa em favor de Pându, seu irmão menor. Casou-se com Gândhârî, da qual teve cem filhos (noventa e nove deles varões), que foram os príncipes Kurus ou Kuravas, o maior dos quais chamava-se Duryodhana. Conduzido Por Sañjaya, o rei cego foi informado do curso da batalha entre Kurus e Pândavas, bem como do diálogo imortal entre Krishna e Arjuna. Como se deve compreender, tudo isso é alegórico.

D

Dhriti (*Sânsc.*) — Firmeza, força, resolução, valor, constância; satisfação, contentamento.

Dhruva (*Sânsc.*) — [Firme, estável, fixo.] Um sábio ariano; atualmente, a Estrela Polar. Um *Kshatrya* (indivíduo da casta guerreira) que, por suas austeridades religiosas, chegou a ser um *Richi* e, por este motivo, Vishnu elevou-o aos céus. É também chamado *Grahâdhâra* ou "eixo dos planetas". ["Praticando o *samyama* sobre a Estrela Polar *(Dhruva)*, o yogi chega a conhecer os movimentos e posições dos astros." (*Aforismos de Patañjali*, III, 28.)]

Dhyân — Ver *Dhyâna*.

Dhyân-Chohâns (*Sânsc.*) — Literalmente, "Os Senhores da Luz". Os *devas* ou deuses mais elevados, correspondentes aos arcanjos da religião católico-romana. As inteligências divinas encarregadas da superintendência do Kosmos. [Filhos da Sabedoria; Espíritos planetários, cujo agregado coletivo forma o Verbo manifestado do **Logos** não-manifestado e constitui, ao mesmo tempo, a Mente do Universo e sua Lei imutável. (*Doutrina Secreta*, I, 298.)]

Dhyâna (*Sânsc.*) — No Budismo, é um dos seis *Paramîtas* de perfeição, um estado de abstração que conduz o asceta, que o pratica, muito mais acima deste plano de percepção sensitiva e mais além do mundo de matéria. Literalmente, "contemplação". Os seis estados de *Dhyân* diferem apenas nos graus de abstração da vida sensitiva em que se encontra o Ego pessoal. [*Dhyâna* é o penúltimo grau *nesta Terra*, a não ser que se converta em Mahatma completo. O *râja-yogi* permanece ainda espiritualmente consciente do Eu e da operação de seus princípios superiores. Um passo mais e se encontrará no plano além do sétimo, ou quarto, segundo certas escolas. Estas últimas, depois da prática do *Pratyâhara* (processo de educação preliminar, que tem por objetivo dominar a mente e os próprios pensamentos), contam com o *Dharâna*, o *Dhyâna* e o *Samâdhi*, compreendidos sob o nome genérico de *Samyama*. *Dhyâna* é a porta de ouro, que, uma vez aberta, conduz o *Narjol* (Santo ou Adepto) ao reino do eterno *Sat* e sua contemplação incessante. (*Voz do Silêncio*, I e III) "*Dhyâna* (meditação ou contemplação) é a contínua e prolongada corrente de pensamento dirigida a um determinado objeto até chegar a se absorver ou unificar com ele." (*Aforismos do Yoga de Patañjali*, III, 2.)]

Dhyâna-mârga (*Sânsc.*) — Sendeiro que se percorre em virtude da meditação.

Dhyâna-yoga (*Sânsc.*) — Yoga de meditação ou de contemplação.

Dhyâni — Ver *Dhyânis*.

Dhyâni-Bodhisattvas (*Sânsc.*) — No Budismo, são os cinco filhos dos *Dhyâni-Buddhas*. Têm um significado místico na filosofia esotérica.

Dhyâni-Buddhas (*Sânsc.*) — Aqueles de "coração compassivo", venerados especialmente no Nepal. Têm, além disso, um significado oculto. [1º] Um Espírito planetário; um *Dhyân-Chohan*; 2º) uma expressão do *Buddhi* nos mundos inferiores, isto é, através de *Dhyâna*. (*P. Hoult*) Os *Dhyâni-Buddhas* são os *Buddhas* de Contemplação, em contraposição aos *Mânuchi-Buddhas* ou *Buddhas* humanos. (*Dicionário* de Burnouf)

Dhyâni-pâza (**...pasa**) (*Sânsc.*) — "A corda ou laço dos *Dhyânis*" ou Espíritos; o anel "Não se passa". (Ver *Doutrina Secreta*, estância V, t.I, p. 129.)

Dhyânis (*Sânsc.*) — Anjos ou espíritos angélicos. "Nome genérico aplicado a alguns Seres espirituais ordenados, desde o *Logos* planetário até alguns dos *Arûpa-Devas*." (*P. Hoult*)

D

Dhyânis do Fogo — Ver *Agnichwâttas*.

Dhyânis inferiores — Nome que se dá aos *Pitris solares* (ver).

Dia de Brahmâ [*Brahmâ-dina*, em sânscrito.] — Período de 2.160.000.000 anos, durante os quais Brahmâ, tendo surgido de seu Ovo de ouro *(Hiranyagarbha)*, cria e forma o mundo material (por ser simplesmente a força fecundante e criadora da Natureza). Depois deste período, ao serem os mundos destruídos por sua vez pelo fogo e pela água, Brahmâ se desvanece com a natureza objetiva e vem, em seguida, a Noite de Brahmâ. [O *Dia de Brahmâ* é o vastíssimo período de manifestação ou atividade do Universo, oposto à Noite de Brahmâ, período de dissolução e repouso. (Ver *Manvantara*.)]

Diabo (do grego *diábolos*, caluniador, enganador, difamador, delator.) — Gênio do mal, caluniador e intrigante. *(M. Treviño)* Com este nome são designados os anjos rebeldes que, segundo a teologia cristã, Deus precipitou nos infernos como castigo à sua desobediência. É o Ahriman dos persas. Para os cristãos, *diabo* e *demônio* são a mesma coisa. "A Igreja Católica, em sua luta com o maniqueísmo, inventou o Diabo e, para apagar teologicamente o radiante Deus-estrela, Lúcifer, o "Filho da Manhã", criou o mais colossal de todos os seus paradoxos, uma Luz *negra* e *tenebrosa*." (*Doutrina Secreta*, II, 249); "... e transformou o divino *Alter Ego* no grosseiro Satã da Teologia" (Idem, II, 499); "num Anjo do Mal, um ridículo bípede com chifres, meio bode, meio macaco, com cascos e rabo" (Idem, II, 500). Para compreender bem o sentido filosófico que se encontra no fundo da alegoria dos "Anjos caídos", tão torturada e desfigurada pela Igreja romana, consulte a *Doutrina Secreta*, II, p. 237 e 498 e ss. da última ed. inglesa.

Diakka — Designados pelos ocultistas e teósofos com os nomes de "fantasmas" e "cascas", isto é, sombras ou fantasmas do *Kama-loka*. Palavra inventada pelo grande vidente americano Andrés Jackson Davis para designar o que ele considera como "espíritos" indignos de confiança. Segundo suas próprias palavras: "Um *Diakka* (do *Summerland*) é alguém que encontra prazer insano em *desempenhar papéis*, fazer *travessuras, representar* personagens opostos; aqueles para quem as orações e as expressões profanas têm o mesmo valor, apaixonado pelos relatos líricos... moralmente defeituoso, carece dos sentimentos ativos de justiça, filantropia ou terna afeição. Nada sabe daquilo que os homens chamam de sentimento de gratidão; para ele, os objetos de amor e de ódio são iguais; sua divisa é frequentemente espantosa e terrível para os demais; Eu, é o todo da vida particular e a aniquilação sublime é o *fim de toda vida particular*. Muito recentemente, disse a uma senhora médium alguém, que se apresentava como Swedenborg, o seguinte: "Tudo o que é já foi, será ou pode ser aquele que Eu Sou; e a vida particular não é nada além do que o conjunto de fantasmas de pequenos latidos pensantes, que se lançam, em sua ascensão progressiva ao coração central da morte eterna!" (*Os Diakka e suas vítimas*: "explicação do que é falso e repulsivo no Espiritualismo") Estes *Diakka* são, pois, simplesmente os "Espíritos" que se comunicam e materializam com os médiuns e espíritas.

Diamante (*Alq.*) — Pedra ao branco.

Dianoia (*Gr.*) — É o mesmo que o *Logos*. A eterna fonte de pensamento, "ideação divina", que é a raiz de todo pensamento. (Ver *Ennoia*.)

Dictamo — Ver *Diktamnon*.

Dido ou **Elissa** — Astarté; a Virgem do Mar, que esmaga o Dragão sob seu pé. A padroeira dos marinheiros fenícios. Uma rainha de Cartago que, segundo Virgílio, enamorou-se de Enéias.

Digambara (*Sânsc.*) — Um mendigo nu. Literalmente: "que não tem nenhuma roupa além do espaço". Um dos nomes de Shiva em seu caráter de Rudra, o Yogi.

D

Digambarî (*Sânsc.*) — Sobrenome de Durgâ.

Dig-gajas (*Sânsc.*) — Os elefantes que defendem os oito pontos cardeais. O primeiro deles é *Airâvata*.

Dig-vijaya (*Sânsc.*) — Uma das partes do *Mahâbhârata*. Assim também se intitula uma obra de Zankârâcharya em defesa da filosofia *Vedanta*.

Dii Minores (*Lat.*) — O grupo inferior ou "reflexo" dos "doze deuses" ou *Dii Majores*, descritos por Cícero em seu tratado *De Natura Deorum*, I, 13.

Dik (*Sânsc.*) — Nominativo de *Diz* (ver).

Dikalegi (*Alq.*) — Estanho filosófico.

Dîkchâ — Ver *Dikshâ*.

Dikchin ou **Dikchita (Dikshit)** (*Sânsc.*) — Iniciado [consagrado, preparado].

Dikpâlas (*Sânsc.*) — Nome dado pelos budistas e escritores hindus aos *Âdityas* e cujo significado é "defensores ou protetores das regiões", isto é, dos oito pontos cardeais. (Ver *Dig-gaja*.)

Dikshâ ou **Diksha** (*Sânsc.*) — Iniciação. [Preparação ou consagração para uma cerimônia religiosa; dedicação, devoção.]

Diktamnon (*Gr.*) ou **Dictamnus** (*Lat.*) — Dictamo. É uma planta curiosa muito conhecida desde tempos antigos e que possui virtudes místicas e muito ocultas. Era consagrada à deusa Lua, Astarté, Diana. O nome cretense de Diana era Diktynna e, como tal, a deusa portava uma guirlanda feita com esta planta mágica. O *diktamnon* é uma planta vivaz, cujo contato, segundo se pretende em Ocultismo, produz e cura o sonambulismo. Misturada com a verbena produz a clarividência e o êxtase. A farmácia atribui ao dictamo propriedades sedativas e cambiantes enérgicas. [Daí seu emprego na histeria, epilepsia e outras neuroses.] Cresce abundantemente no monte Dicte, em Creta, e entra em muitas composições mágicas, das quais até hoje os cretenses ainda se utilizam.

Dilúvio — Entende-se geralmente por Dilúvio aquele que ocorreu no tempo de Noé e do qual só se salvaram este patriarca e sua família, juntamente com os animais que havia encerrado na arca a mando de Deus, que (segundo o relato bíblico) arrependido de haver criado os homens, resolveu exterminar a linhagem humana como castigo por sua maldade. Porém, além deste dilúvio, que Moisés descreveu, baseando-se na relação caldeu-acadia, mencionam-se muitos outros, sendo os mais memoráveis aqueles da Samotrácia, ocorrido antes da época dos argonautas, no qual todo o país submergiu, alcançando as águas do Euxino o cume dos montes mais elevados. Também foi notável aquele da Grécia, ocorrido no tempo de Deucalião, filho de Prometeu e rei da Tessália. Júpiter, ao ver a maldade dos homens aumentar, resolveu acabar com a linhagem humana, exceto Deucalião e sua esposa Pirra, as duas únicas pessoas que, por serem justas e virtuosas, salvaram-se de tal castigo. Para este fim, Deucalião construiu uma arca, na qual se encerrou com sua esposa e seus filhos, juntamente com um par de animais de cada espécie. Por esta razão os gregos eram denominados de *deucaliônidas*, por serem descendentes de Deucalião, a quem os beócios consideram como antecessor das raças humanas. Segundo a mitologia eslava, ocorreu outro dilúvio em que se afogou – todo o gênero humano, restando apenas um homem e uma mulher. Os povos do Brasil contam que um estrangeiro muito poderoso, que odiava extremamente os seus antecessores, fê-los morrer através de uma violenta inundação, exceto dois, que reservou para engendrar novos homens, dos quais se consideram descendentes. Vários outros dilúvios são mencionados, como o da Atlântida, o da Índia, no tempo de Vaivasvata Manu (o Noé ariano), o da China, nos dias de Peirun ou Peiruun (o "amado dos deuses"), que se salvou com sua família etc. Stockwell e Croll enumeram meia dúzia de períodos glaciais do globo, seguidos de seus dilúvios correspondentes, datando o primeiro de 850.000 anos e o último de uns 100.000 anos. Como se vê, o dilúvio é uma tradição universal, porém todos esses cataclismas são alegorias baseadas em fatos reais (astronômicos, cósmicos ou terrestres) ocorridos na Natureza, e assim é que Noé, Vaivasvata, Xisuthrus (o Noé caldeu), Deucalião, Peirun etc. são todos como personagens idênticos entre si, visto que simbolizam, como o patriarca bíblico, o progenitor de uma nova Raça (nossa quarta Ronda), cujo protótipo é Vaivasvata Manu. (*Doutrina Secreta*, I, 478) Em todas as partes, o homem de nossa raça aparece depois de um cataclismo no verdadeiro sentido da palavra, isto é, produzido pela água.

Dinastias — Na Índia existem duas dinastias: a *Somavanza* (ou dinastia lunar) e a *Sûryavanza* (ou dinastia solar). Na Caldeia e no Egito também havia duas dinastias: a divina e a humana. Em ambos os países o povo era governado, em tempos primitivos, por dinastias de deuses. Na Caldeia reinaram cento e vinte *saris*, ou seja, em conjunto, 432.000 anos, que chega às mesmas cifras de um *Mahayuga* hindu (4.320.000 anos). A cronologia, que encabeça o livro do *Gênese* (trad. inglesa) é apresentada como "4.004 a.C." porém tais cifras expressam anos solares. No original hebraico, que conservou o cálculo lunar, as cifras são 4.320 anos. Esta "coincidência" é bem explicada em Ocultismo.

Dingir e **Mul-lil** (*Acad.*) — Os deuses criadores.

Dinur (*Hebr.*) — O Rio de Fogo, cujas águas abrasam as almas dos culpados, na alegoria cabalística.

Dionisíacas — Festas celebradas pelos gregos em honra de Dionysos (Baco). As cerimônias principais consistiam em procissões, nas quais eram levados vasos cheios de vinho e coroados de pâmpanos, cestas de ouro abarrotadas de todo tipo de frutas etc. Nelas figuravam também os falófaros, com umas varas longas rematadas pelas partes viris, emblema da fecundidade da Natureza. Tais festas eram análogas às bacanais romanas.

Dionysio dal Bargo — Astrólogo italiano, professor de teologia da Universidade de Paris, no séc. XIII. Segundo Villani (livro X), predisse com exatidão a morte de Castruccio, tirano de Pistóia.

Dionysos (*Gr.*) — [Nome dado pelos gregos ao deus Baco.] O Demiurgo que, como Osíris, foi morto pelos titãs e destroçado em catorze pedaços. Era o Sol personificado, ou, como diz o autor de *O Grande Mito Dionisíaco*: "É Fanes, o espírito da visibilidade material, cíclope gigante do Universo, com um brilhante olho solar, o poder de produção do mundo, o onipenetrante animismo das coisas, filho de Semele...". Dionysos nasceu em Nysa ou Nissi, nome dado pelos hebreus ao Monte Sinai (*Exodo*, XVII, 15), local de nascimento de Osíris, que suspeitamente identifica a ambos com Jehovah Nissi. (Ver *Ísis sem Véu*, II, 165, 526 da ed. inglesa) [Ver *Baco*.]

Dióscuros (*Gr.*) — Sobrenome de Castor e Pólux, filhos de Júpiter e Leda. Suas festas, denominadas *Dioscuria,* eram celebradas com grande regozijo pelos habitantes da Lacedemônia. [Nos tempos da Lemúria, os Dióscuros, os "Nascidos do Ovo", eram os sete *Dhyân Chohas (Agnichvâtta-Kumâras),* que se encarnaram nos sete Eleitos da terceira Raça; porém, mais tarde, entre os gregos, ficaram reduzidos apenas a dois: Castor e Pólux. (*Doutrina Secreta*, II, 377, ed. inglesa.)]

Dîpa (*Sânsc.*) — Luz, lâmpada.

Dîpamkara (*Sânsc.*) — Literalmente, "O Buddha de luz fixa", um predecessor de Gautama, o Buddha.

D

Diploteratologia (*Gr.*) — Produção de monstros mistos. O termo abreviado é *teratologia*.

Dis (*Gr.*) — Na teogonia de Damascio, é o mesmo que *Protogonos,* "a primeira luz nascida", chamada por tal autor, de "a ordenadora de todas as coisas". [*Dis* é também o nome de Zeus ou Júpiter Dodoneu, assim chamado porque tinha um oráculo famoso em Dodona (Épiro). Os romanos davam também o nome de *Dis,* que significa "rico", "opulento", a Pluto, deus das riquezas, e a Plutão, deus dos infernos, porque o ouro e muitas outras riquezas são extraídas das entranhas da Terra.]

Disco — Ver *Chakras* e *Culto do Disco*.

Dises (*Esc.*) — É o nome utilizado, posteriormente, para designar as mulheres divinas chamadas Valkírias, Nornas etc., no *Edda*.

Diti (*Sânsc.*) — "Divisão", "desmembramento". Esposa de Kashyapa, o sábio, e mãe dos Daityas. Segundo o *Vishnu-Purâna*, tendo Diti perdido seus filhos, pediu a Kashyapa um filho dotado de um valor irresistível, capaz de destruir Indra, deus do firmamento. Foi-lhe concedida tal graça, com a condição de que, com pensamentos inteiramente piedosos e uma pessoa totalmente pura, levasse o produto da concepção em seu ventre pelo espaço de cem anos. Diti observou fielmente tal condição, porém, no último ano do prazo fixado, retirou-se uma noite para descansar sem lavar os pés. Indra, sabedor do que contra ele se tramava, aproveitou esta oportunidade e, com seu raio, dividiu o feto, dentro da matriz, em sete partes. Assim mutilada, a criança chorava amargamente e o deus, não podendo acalmá-la, ficou encolerizado e dividiu cada uma das sete partes em outras sete, formando assim as divindades dotadas de movimento rápido chamadas *Maruts* (os ventos), da expressão *mâ-rodî(s),* "não chores", que Indra usava para aplacá-los. Como se pode compreender, isso alude ao rumor do vento, que parece um gemido. Em Ocultismo, Diti representa o *sexto* princípio da Natureza metafísica, o *Buddhi* do *Âkâza*. Diti, mãe dos *Maruts*, é uma de suas formas terrestres, feita para representar ao mesmo tempo a Alma divina no asceta e as aspirações divinas da humanidade mística até a liberação das redes de *Mâyâ* e, por conseguinte, a Liberação final. (*Doutrina Secreta,* II, 649.)

Div (*Sânsc.*) — Céu, firmamento; luz, dia. (Ver *Dayus* ou *Dyaus*.)

Diva (*Sânsc.*) — Céu, firmamento; dia.

Divertellum (*Alq.*) — A matriz dos elementos, da qual estes são engendrados. Assim, por exemplo, cada metal tem sua matriz elementar onde se desenvolve. As minas de ouro, prata etc. esgotam-se e, depois de séculos (ou milênios), pode-se encontrar outra vez um rico veio; do mesmo modo, a alma de um país que se tornou estéril por esgotamento, depois de algum tempo de descanso, tornar-se-á fértil outra vez. Em ambos os casos verifica-se uma decomposição e um desenvolvimento dos elementos inferiores naqueles superiores. (*F. Hartmann*)

Divinatio (*Lat.*) — Ver *Adivinhação*.

Divya (*Sânsc.*) — Divino, celeste, maravilhoso; brilhante, glorioso, belo.

Divyachakchus (*Sânsc.*) — Literalmente: "Olho celeste", "visão ou percepção divina". É o primeiro dos seis *abhijñâs* (ver); a faculdade desenvolvida mediante a prática do Yoga, para perceber qualquer objeto do Universo, a qualquer distância que esteja.

Divyasrotra (*Sânsc.*) — Literalmente: "Ouvido celeste" ou "audição divina". É o segundo *abhijñâ*, ou seja, a faculdade de entender a linguagem ou som produzido por qualquer um dos seres vivos na Terra.

D

Diz (*Sânsc.*) — Espaço, vácuo, espaço celeste; região do céu, ponto cardeal ou do horizonte; lugar, país, região. (Ver *Dik*.)

Djâti — Ver *Jâti*.

Djin (*Ár.*) — Elemental; espírito da Natureza; gênio. Os *Djins* ou *Jins* são muito temidos no Egito, Pérsia e outros países.

Djnâna ou **Djñâna** — Ver *Jñâna*.

Dnyân — Ver *Jñâna*.

Dnyân-mârga — Ver *Jñâna-mârga*.

Dnyana — Ver *Jñâna*.

Doal (*Alq.*) — Ouro hermético.

Docetae (*Gr.*) — Literalmente: "Os ilusionistas". Com este nome os cristãos ortodoxos designam aqueles gnósticos que sustentavam que Cristo não padeceu nem pode padecer a morte na realidade e que, se tal coisa houvesse ocorrido, era simplesmente uma ilusão, que explicavam de várias maneiras.

Docha — Ver *Dosha*.

Dodecaedro (*Dodecahedron*, em grego) — Segundo Platão, o Universo é construído pelo "primeiro engendrado", seguindo a figura geométrica do dodecaedro. (Ver *Timœus*.)

Dodona (*Gr.*) — Antiga cidade da Tessália, famosa por seu templo de Júpiter e por seus oráculos. Segundo as antigas lendas, tal cidade foi fundada por uma pomba.

Dom celeste (*Herm.*) — É a matéria do magistério, que Morien chama de o *dom de Deus, o segredo dos segredos do Todo-Poderoso, que revelou a seus santos Profetas, que colocou as almas em seu Paraíso.*

Domingo — Entre os cristãos, este dia substituiu o sábado dos judeus, como dia de descanso e oração. Esta mudança é resultante da Ressurreição de Cristo. Nos primeiros tempos do Cristianismo, o domingo não era apenas um dia de oração, mas também de regozijo e alegria cristã; assim, em tal dia era proibido jejuar (Tertuliano, *Apol.*, XVI) e se ajoelhar para orar (Tertuliano, *De Coron.*, III). Os fieis oravam de pé todos os dias, desde o dia de Páscoa da Ressurreição até o de Pentecostes. Esta disciplina vigorava no tempo de Santo Ambrósio *(Serm. LXI, De Pentec.)* e de Santo Agostinho *(Epistola CXIX, 17)*, e só deixou de vigorar no Ocidente no séc. VII (Martny, *Dic. des Antiquités Chrétiennes*).

Donar, Thunar ou **Thor** (*Esc.*) — No Norte, era o Deus do Trovão, o Júpiter Tonante da Escandinávia. Assim como o carvalho era consagrado a Júpiter, também o era a Thor, e seus altares eram cobertos ou resguardados por ramos de tal árvore. *Thor* ou *Donar* era filho de Odin, "o Deus onipotente dos Céus" e da Mãe-Terra. (Ver *Thor*.)

Dondam-pai-den-pa (*Tib.*) — Esta palavra tem o mesmo significado do termo sânscrito *Paramarthasatya* ou "verdade absoluta", a suprema autoconsciência e percepção espiritual, a divina consciência de si mesmo. É um termo altamente místico.

Doppelgânger (*Alq.*) — Sinônimo de "Duplo" e de "Corpo astral", em linguagem oculta [Com este nome os alemães designam o duplo astral ou etéreo.]

Dor — Há três tipos de dor *(du(s)kha)*: 1º) *Adhyâtmika-du(s)kha*, produzida pelo Eu, ou seja, pelo próprio homem; 2º) *Adhibhautika-du(s)kha*, procedente dos seres ou coisas exteriores; e 3º) *Adhidaivika-du(s)kha*, procedente de causas divinas ou justo castigo kármico.

D

Dorje (*Tib.*) — Termo equivalente ao sânscrito *vajra* (arma, raio, cetro, diamante). Instrumento, arma ou emblema de poder em mãos de alguns deuses (os *Dragshed* tibetanos, os *Devas* que protegem a humanidade), e se lhe atribui a virtude oculta de repelir as influências maléficas invisíveis, purificando o ar, da mesma forma que o ozone em química. É também um *Mudra*, posição ou atitude adotadas para a meditação. Os *bhons* ou *dugpas* apropriaram-se deste símbolo, que para eles, como o duplo triângulo invertido, é o signo da feitiçaria, e dele fazem mau uso para certos fins de magia negra, enquanto que entre os *gelugpas* ou "turbantes Amarelos" é um símbolo de poder, como o é a cruz para os cristãos (*Voz do Silêncio*, III). (Ver *Vajra*.)

Dorjesempa (*Tib.*) — A "Alma diamante". Este termo é utilizado para designar o Buddha celeste.

Dorjeshang ou **Dorjechang** (*Tib.*) — Um título de Buddha, em seu aspecto mais elevado; um nome de Buddha supremo, o mesmo que *Dorje*. [*Dorjeshang* (ou *Vajradhara*, em sânscrito) é o regente ou chefe de todos os *Dhyân Chohans* ou *Dhyâni Buddhas*, o mais elevado ou supremo Buddha, o "Senhor de todos os Mistérios", a suprema Inteligência ou Sabedoria, a Inteligência no segundo Mundo. (*Doutrina Secreta*, III, p. 387)]

Dosha (*Sânsc.*) — Pecado, falta, vício, defeito, imperfeição, mancha, mal, dano.

Doutrina da Emanação — Ver *Emanação*.

Doutrina do Coração — As duas escolas da doutrina de Buddha, a esotérica e a exotérica, são chamadas respectivamente de "Doutrina do Coração" e "Doutrina do Olho". O grande *Arhat* Bodhidharma denominou-as na China de *Tsung-men* (escola esotérica) e *Kiau-men* (escola exotérica). A primeira assim se chama em razão de serem os seus ensinamentos emanados do *coração* de Gautama Buddha, enquanto a "Doutrina do Olho" foi obra de sua cabeça ou cérebro. A "Doutrina do Coração" é também denominada de "Selo da verdade" ou "Selo verdadeiro", símbolo que encabeça quase todas as obras esotéricas (*Voz do Silêncio*, II). A "Doutrina do Coração" ou "Selo do Coração" (o *Sin Yin*) é a única doutrina verdadeira. (*Doutrina Secreta*, III, 425)

Doutrina do Olho — A doutrina exotérica, em contraposição à esotérica, ou "Doutrina do Coração". "Doutrina do Olho" significa dogma e forma da letra morta, ritualismo eclesiástico, destinados àqueles que se contentam com as fórmulas exotéricas (*Doutrina Secreta*, III, 425). (Ver *Doutrina do Coração*.)

Doutrina Secreta — Nome geral utilizado para designar os ensinamentos secretos da Antiguidade. [Sua denominação correspondente em sânscrito é *Gupta Vidyâ*.]

Drachtâ — Nominativo de *drachtri* (ver).

Drachtri (*Sânsc.*) — Vidente, espectador, observador, experimentador, juiz.

Dracontia (*Gr.*) — São templos dedicados ao Dragão, emblema do Sol, símbolo da Divindade, da Vida e da Sabedoria. O *Karnac* egípcio, o *Carnac* da Bretanha e o *Stonehenge* são *dracontia* conhecidos em todo o mundo.

Dragão (*Drakon*, em grego) — Considerado em nossos dias como um monstro "mítico", perpetuado no Ocidente apenas em selos, escudos etc., como um grifo heráldico e como o diabo morto por São Jorge etc. Na realidade, é um monstro antediluviano extinto. Nas antiguidades babilônicas, alude-se a ele em sua qualidade de "escamoso" e, na multidão de pedras preciosas, está relacionado com *Tiamat*, o mar. "O Dragão do Mar" é mencionado com frequência. No Egito, é a estrela do Dragão (depois da Estrela do Polo Norte), origem de quase todos os deuses com o Dragão. Bel e o Dragão, Apolo e Píton, Osíris e Tifón, Krishna e Kâliya, Sigurd e Fafnir, e, finalmente, São Jorge e o Dragão, são todos a mesma coisa. Todos eram deuses solares e, onde quer que encontremos o Sol, ali se encontra igualmente o Dragão, símbolo da Sabedoria: *Thoth-Hermes*. Os hierofantes do Egito e da Babilônia intitulavam-se "Filhos do Deus-serpente" e "Filhos do Dragão". "Eu sou uma Serpente, eu sou um Druida", dizia o druida das regiões celto-britânicas, porque tanto a Serpente como o Dragão eram símbolos da Sabedoria, da imortalidade e do renascimento. Assim como a Serpente perde sua pele antiga para reaparecer com outra nova, o *Ego*, imortal abandona uma personalidade apenas para adquirir outra.

Dragão (*Alq.*) — Os filósofos químicos indicam muito frequentemente as matérias da grande obra por dois dragões que se combatem, ou por duas serpentes, um deles alado e o outro sem asas, para significar a fixidez de um e a volatilidade do outro.

Dragão de Sabedoria — É o Um (*Eka* ou *Saka*); o Dragão do divino sacrifício; o *Logos*, o Mundo, "o Filho idêntico a seu Pai". Todos os *Logoi* de todos os antigos sistemas religiosos estão relacionados com ele e simbolizados por serpentes. Sob outro aspecto, tal Dragão representa a Sabedoria divina ou Espírito e também o *Manas*, a alma humana, a Mente, o Princípio inteligente, chamado na filosofia esotérica de o quinto Princípio. É símbolo do Conhecimento oculto. No plural, tal termo significa geralmente os grandes Iniciados da terceira e quarta Raças, aqueles grandes Seres procedentes do planeta Vênus, que vieram a este Globo durante o período da terceira Raça, como instrutores da nascente humanidade. Com frequência são chamados de "Filhos do Fogo", porém é preciso lembrar que esta expressão é aplicada também aos *Agnichvâtta Pitris*. (*P. Hoult*)

Draupadeya (*Sânsc.*) — Nome patronímico equivalente a "filho de Draupadî".

Draupadî (*Sânsc.*) — Nome patronímico da filha do rei Drupada, esposa comum dos cinco príncipes pândavas. Era belíssima e, devido à cor de sua pele, tinha o sobrenome de *Krishnâ* (de *Krishna*, negro, escurecido). Com ela quis-se representar o *Buddhi*, porém não é assim, porque Draupadî e simboliza a *vida terrestre* da personalidade e, como tal, recebia pouca consideração; por isso se explica o fato de que Yudhichthira, o maior dos príncipes pândavas e seu principal senhor (que representa o *Ego* superior com todas as suas qualidades), permita que seja insultada e também reduzida à escravidão.

Draupnir (*Esc.*) — O bracelete de ouro de Wodan ou Odin, companheiro da lança Gungnir, que este deus empunha com sua mão direita. Tanto o bracelete como a lança são dotados de virtudes mágicas maravilhosas.

Dravidas (*Sânsc.*) — Raças ou castas de *Kshatriyas* que, por degeneração, passaram à condição de *Sudras*. (*Leis de Manu*, X, 43-44.)

Dravidianos — Formam um grupo de tribos que habitam o Sul da Índia; os aborígenes.

Dravya (*Sânsc.*) — Substância (metafisicamente). [Propriedade, riqueza, substância, coisa, objeto, matéria; especialmente: objeto digno, pessoa adequada ou idônea. Os nove elementos enumerados na filosofia *Nyâya* de Kanada: 1°) terra; 2°) água; 3°) luz; 4°) ar; 5°) éter (ou *Akâza*); 6°) tempo; 7°) lugar ou espaço; 8°) alma e 9°) mente.]

Dravyamaya (*Sânsc.*) — Substância, material.

Dreshkana (*Sânsc.*) — A terceira parte de um signo do Zodíaco. (*Râma Prasâd*)

Dríadas ou **Dríades** (do grego *dryás*, que, por sua vez, deriva de *drys*, árvore, carvalho) — Ninfas dos bosques, conhecidas também pelo nome de *durdales* (ver). Eram as divindades que presidiam os bosques e árvores em geral. A sorte das Dríadas era mais

D

feliz do que a das Harmadríadas, pois, diferentemente destas, podiam errar livremente, dançar em torno dos carvalhos que lhes eram consagrados e sobreviver à destruição das árvores, que estavam sob sua proteção e com as quais estavam ligadas. (Ver *Hamadríadas*.)

Drichta (*Sânsc.*) — Visto, percebido; prescrito; visível, aparente; como substantivo: vista, percepção, observação, visão.

Drichtakûta (*Sânsc.*) — Enigma.

Drichtânta (*Sânsc.*) — Modelo, exemplo, ilustração, precedente; objeto da ciência; fim do mundo visível; morte.

Drichtapûrva (*Sânsc.*) — Visto antes; previsto.

Drichtavân (*Sânsc.*) — Aquele que viu.

Drichti (Drishti) (*Sânsc.*) — Ceticismo, incredulidade. Vista, visão; olho, olhar; visão incompleta ou falsa; opinião errônea, modo de ver, opinião, ideia.

Dridha (*Sânsc.*) — Firme, forte, perseverante, duradouro; seguro, poderoso.

Dridhamati (*Sânsc.*) — De ânimo firme, de vontade enérgica.

Dridhanizchaya (*Sânsc.*) — De propósito ou resolução firmes.

Dridhavrata (*Sânsc.*) — Firme em suas resoluções, votos ou desígnios; constante nas práticas piedosas; de vontade firme.

Drishti — Ver *Drichti*.

Droha (*Sânsc.*) — Hostilidade, inimizade; ofensa, injúria; dano; perfídia.

Drohachintana (*Sânsc.*) — Intenção de prejudicar.

Drohâta (*Sânsc.*) — Hipócrita, falso devoto.

Drona (*Sânsc.*) — Sábio brâhmane muito versado na arte da guerra; preceptor militar dos príncipes Kurus e Pândavas (daí seu qualificativo *Dronâchârya*) e um dos principais caudilhos da hoste Kurava, da qual foi o primeiro chefe, depois da morte de Bhichma. (Ver *Bhagavad-Gîtâ*, I, 2 e II, 4.) *Drona* é também uma medida de capacidade, um cubo etc.

Druidas [do celta *derw*, carvalho] — Os Druidas eram uma casta sacerdotal que floresceu na Bretanha e na Gália. Eram Iniciados, que admitiam mulheres em sua ordem sagrada e as iniciativas nos mistérios de sua religião. Nunca escreveram seus versos e textos sagrados, mas, do mesmo modo que os brâhmanes da Antiguidade, confiaram-nos à memória, fato que, segundo a afirmação de César, necessitou de vinte anos para se cumprir. Como os parsis, não tinham imagens nem estátuas de seus deuses. A religião celta considerava como ímpia reverência representar um deus qualquer, mesmo os de menor importância, em forma de figura humana. Teria sido bom se os cristãos gregos e romanos houvessem aprendido esta lição dos druidas "pagãos". Os três principais mandamentos de sua religião eram: "obediência às leis divinas; interesse pelo bem da humanidade; sofrer com fortaleza todos os males da vida".

Druma (*Sânsc.*) — Árvore, árvore do paraíso. Sobrenome de Kuvera.

Drupada (*Sânsc.*) — Rei de Pañchâla e um dos chefes do exército pândava. (Ver *Bhagavad-Gîtâ*, I, 3.)

Drusos ou **Druzos (Druzes)** — Uma seita numerosa, que conta com cerca de cem mil seguidores [segundo outros autores, duzentos mil] e vive no monte Líbano (Síria).

D

Seus ritos são muito misteriosos e ninguém que já escreveu sobre eles sabe de modo positivo toda a verdade. São os *sufis* da Síria. Ressentem-se como se fosse um insulto, de serem chamados de *drusos*, porém se intitulam "discípulos de Hamsa", seu Messias, que a eles se apresentou no séc. IX, procedente da "Terra da Palavra de Deus", Terra e palavra que guardam com religioso segredo. O Messias que há de vir será o próprio Hamsa, porém chamado *Hakem*, "Aquele que a tudo cura". (Ver *Ísis sem Véu*, II, 308 e ss. da ed. inglesa.) [São rivais dos maronitas, embora se misturem frequentemente com eles. Segundo o Catecismo dos drusos da Síria, os homens foram criados pelos "Filhos de Deus", que desceram à Terra e, depois de colherem sete mandrágoras, animaram as raízes até que se convertessem em homens (*Doutrina Secreta*, II, 30, ed. inglesa). Acreditam na metempsicose e têm um livro intitulado *Da Sabedoria*, que eles chamam de *Achmé*, que contém sua lei e religião.]

Duat (*Eg.*) — O local onde residem os espíritos dos defuntos. "Este *Duat* era, segundo a crença popular dos egípcios, um espaçoso vale circular ou semicircular, que rodeava o mundo, um lugar de extrema escuridão e horror." (*Theosophical Review*, citado por P. Hoult)

Duchkrita (*Sânsc.*) — Obra ou ação ruim; pecado; culpa, crime.

Duchta (*Sânsc.*) — Impuro, viciado, corrompido, depravado.

Dudaim (*Hebr.*) — Mandrágoras. A planta *Atropa mandragora* é mencionada no *Gênese* (XXX, 14) e no *Cântico dos Cânticos*. Tal nome corresponde, em hebraico, às palavras que significam "seios" e "amor". Tal planta era famosa, porque com ela preparavam-se bebidas ou filtros amorosos e era muito empregada em magia negra. (W. W. W.) *Dudaim*, em linguagem cabalística, é a Alma e o Espírito; duas coisas quaisquer unidas em amor e amizade *(dodim)*. "Feliz aquele que mantém inseparável seu *dudaim* (*Manas* superior e inferior)." [Ver *Mandrágoras*.]

Duendes ou **Elfos de Luz** — Ver *Æsir* e *Asgard*.

Duenech (*Alq.*) — Nome que alguns Químicos Herméticos deram à sua matéria ao negro que denominam ainda de *Antimônio*.

Dugpas (*Tib.*) — Literalmente: "Turbantes Vermelhos", uma seita do Tibete. Antes do advento de Tsong-ka-pa, no séc. XIV, os tibetanos, cujo budismo, deteriorado por eles havia sido horrivelmente adulterado com as doutrinas da antiga religião dos *Bhons*, eram todos *dugpas*. Seja como for, desde aquele século e depois das rígidas leis impostas aos *gelukpas* ("Turbantes Amarelos") e da reforma e depuração do budismo (ou Lamaísmo), os *dugpas* entregaram-se mais do que nunca à feitiçaria, à imoralidade e à embriaguez. Desde então a palavra *dugpa* tornou-se sinônimo de "feiticeiro", "Adepto da magia negra" e de toda coisa vil. No Tibete oriental há poucos *dugpas*, se é que há algum, porém se congregam no Bhutão, Sikkim e países limítrofes em geral. Como não se permite aos europeus penetrar além daquelas fronteiras e como os orientalistas nunca estudaram o Budo-Lamaísmo propriamente dito no Tibete, mas dele sabem apenas de ouvir dizer e porque Cosme di Körös, Schlagintweit e alguns outros poucos dele aprenderam através dos *dugpas*, confundem ambas as religiões e as juntam sob um só título. Assim, expõem ao público o *Dugpaísmo* puro ao invés de Budo-Lamaísmo. Numa palavra, o budismo do Norte em sua forma purificada, metafísica, é quase inteiramente desconhecido. [Os *Dugpas* ou *Bhons*, a seita dos "Turbantes Vermelhos", são tidos como os mais versados em feitiçaria. Habitam o Tibete Ocidental, o pequeno Tibete e o Butão. Todos eles são *tantrikas* (gente que pratica a pior forma de Magia Negra). É extremamente ridículo ver alguns orientalistas, que visitaram as fronteiras do Tibete, tais como Schlagintweit e outros, confundindo os ritos e práticas repugnantes dos *dugpas* com as crenças

D

religiosas dos Lamas orientais, os "Turbantes Amarelos" e seus *Narjols* ou homens santos (*Voz do Silêncio*, III). (Ver *Bhons* e *Dorje*)]

Dukka ou **Duhkha** — Ver *Du(s)kha*.

Dumah (*Hebr.*) — O Anjo do Silêncio (Morte), na Cabala.

Duplo — Significa o mesmo que Duplo Astral, corpo astral, *double* dos franceses e *Doppelgänger*, dos alemães.

Duplo astral — Ver *Corpo Astral*.

Duplo celeste ou **divino** — A parte imortal do indivíduo, o *Fravarshi* do *Vendidade*; o *Ego* superior dos ocultistas. (*Doutrina Secreta*, II, 503)

Duplo Dragão — A Mônada. (*Doutrina Secreta*, II, 60)

Duplo etéreo ou **Corpo etéreo** — Assim chamado por ser formado da matéria dos quatro subplanos etéreos. É o mesmo que corpo astral.

Dupla imagem — Nome que os cabalistas judeus dão ao *Ego dual*, cujas duas partes chamam-se respectivamente: *Metatron*, a superior, e *Samael*, a inferior. Figuram alegoricamente como os dois companheiros inseparáveis do homem durante toda a vida, sendo um seu Anjo da Guarda e o outro seu Demônio mau.

Durâchâra (*Sânsc.*) — Depravado, perverso, de maus costumes, de má conduta, que segue uma regra heterodoxa.

Durâsada (*Sânsc.*) — Inacessível, impraticável; indômito; de difícil ou perigosa aproximação ou acesso.

Duratyaya (*Sânsc.*) — Difícil de ser sobreposto ou alcançado; difícil de atravessar.

Durbuddhi (*Sânsc.*) — Néscio, insensato; malvado, perverso, mal-intencionado.

Durdales — Seres corpóreos, porém invisíveis, que residem nas árvores *(Dryadas)*; espíritos elementais da Natureza. *(F. Hartmann)*

Durga (*Sânsc.*) — Obstáculo, dificuldade; perigo, mal.

Durgâ (*Sânsc.*) — Literalmente: "inacessível". A potência feminina da divindade; o nome de Kâlî, esposa de Shiva ou *Mahezvara* (o grande deus). Também chamada de *Pârvatî* e *Umâ*. — [*Durgâ* significa "inacessível", no sentido de ilusão ou irrealidade, assim é a personificação da ilusão; equivale também a *Maia, Maya* ou a Virgem Maria, a mais antiga deusa do Olimpo hindu (*Doutrina Secreta*, I, 426, 721, ed. inglesa). (Ver *Maia*.)]

Durgati (*Sânsc.*) — Senda má; senda de dor; inferno; miséria.

Durlabha (*Sânsc.*) — Difícil de obter ou de adquirir.

Durmati (*Sânsc.*) — Néscio, insensato, ignorante; mau, perverso.

Durmedha (*Sânsc.*) — Literalmente: "que tem a compreensão difícil". Néscio, torpe, obtuso; obstinado.

Durmukha (*Sânsc.*) — "Cara má". Nome de um dos filhos de Dhritarachtra e também de um dos monos aliados de Râma mencionados no *Râmâyana*.

Durnigraha (*Sânsc.*) — Difícil de sujeitar ou reprimir.

Duryodhana (*Sânsc.*) — Literalmente: "difícil de vencer" ou "combatente mau", isto é, que luta por uma causa má. Nome do primogênito dos príncipes Kurus, ou seja,

D

dos filhos de Dhritarachtra; tinha a seu encargo o governo de Hastinâpura, durante o desterro dos Pândavas. Dominado pela ambição e pela inveja, foi causador da guerra contra seus primos, os príncipes pândavas. Outro nome deste personagem era Suyodhana, "bom batalhador".

Dush-charitra — Ver *Duzcharita*.

Du(s)kha (*Sânsc.*) — Dor, aflição, tristeza; doloroso, desagradável, penoso.

Du(s)khada (*Sânsc.*) — Causador de dor.

Du(s)khahan *(du(s)khahâ,* no nominativo) (*Sânsc.*) — Que destrói ou faz cessar a dor.

Du(s)khakara (*Sânsc.*) — Causador de pena ou dor.

Dustcharitra — Ver *Duzcharita*.

Dûta (*Sânsc.*) — Mensageiro ou confidente; anjo.

Duzakh ou **Douzakh** (*Per.*) — A mansão de Ahriman, dos *Dews* e *Darvands*, bem como de todos os condenados. No final esta mansão deixará de existir. *(Zend-Avesta)*

Duzcharita (dush-charitra ou **Dustcharitra)** (*Sânsc.*) — "Má ação". No budismo, as "dez más ações [ou pecados]", a saber três atos do corpo, que são: matar, roubar ou cometer adultério; quatro maus atos da boca [ou palavra]: mentira, exagero nas acusações, calúnia ou maledicência e linguagem obscena ou indiscreta; e três maus atos da mente (*manas* inferior), a saber: inveja, malícia ou vingança e incredulidade.

Dvâdaza (*Sânsc.*) — O décimo segundo dia da quinzena lunar.

Dvâdazânza (*Sânsc.*) — A décima segunda parte de um signo do Zodíaco. *(Râma Prasâd)*

Dvaidha ou **Dwaidha** (*Sânsc.*) — Dualidade, divisão, distinção, diferença; oposição, antagonismo; dúvida; par de contrários ou opostos.

Dvaipâyana — Ver *Krishna Dvaipâyana*.

Dvaita ou **Dwaita** (*Sânsc.*) — Dualidade, dualismo. Ver *Dvaita-vedânta*.

Dvaita-vâdin (*Sânsc.*) — Aquele que segue a *Dvaita-vedânta*.

Dvaita-vedânta (*Sânsc.*) — Uma das três escolas da *Vedânta*, a chamada "dualista", que sustenta que o *Jîvâtmâ* (Espírito individual) é distinto e separado do *Paramâtmâ* (Espírito Universal ou Deus). (Ver *Advaita* e *Vizichtadvaita*.)

Dvandva ou **Dwandwa** (*Sânsc.*) — Literalmente: "dois e dois". Par, dualidade, oposição, contraste; par de contrários ou opostos. É a susceptibilidade ao prazer e à dor, a luta das sensações, sentimento ou paixões; a ilusão nascida das simpatias e antipatias, atrações e repulsões, representada por um par composto de duas coisas em oposição mútua (frio e calor, afeto e aversão, alegria e tristeza, prazer e dor etc.) e produzida pelas impressões dos objetos que afetam nosso ânimo ou nossos sentidos. Na gramática sânscrita, dá-se o nome de *Dvandva* a um composto copulativo, cujas partes são coordenadas entre si. (Stenzler, *Elementarbuch der Sanskrit-Sprache*) É a melhor das formas unitivas das palavras compostas, pois tem a vantagem de conservar o significado independente dos termos que concorrem para sua formação, que se enquadram num mesmo caso. (Ver *Bhagavad-Gîtâ*, X, 33.)

Dvandvâtîta (Dvandva-atîta) (*Sânsc.*) — Sobreposto aos pares de contrários ou opostos; o Absoluto. *(Bhagavân Dâs)*

D

Dvâpara-yuga (Dwapara-Yuga) (*Sânsc.*) — A terceira das "Quatro Idades" na filosofia hindu, ou seja, a segunda, contando de baixo para cima. [Ver *Yuga*.]

Dvârakâ (*Sânsc.*) — Assim se chama a cidade de Krishna, uma das sete cidades sagradas da Índia.

Dvecha (Dwesa, Dwecha ou **Dvesha)** (*Sânsc.*) — Ódio. [Aversão, repulsão, desgosto.] Um dos três principais estados da mente (dos quais são enumerados sessenta e três), que são: *Râga*, paixão ou mau desejo; *Dvecha*, ódio, e *Moha*, ignorância da verdade [confusão, ilusão etc.]. Os três devem ser evitados continuamente. [*Dvecha* é a manifestação da mente que repele coisas desagradáveis *(Râma Prasâd)*; o desejo de se separar de um objeto *(Bhagavân Dâs)*.]

Dvi ou **Dwi** (*Sânsc.*) — Dois.

Dvija ou **Dwija** (*Sânsc.*) — Literalmente: "duas vezes nascido". Nos tempos antigos, este termo era aplicado unicamente aos brâhmanes iniciados; porém, hoje, aplica-se a todo homem pertencente às primeiras das quatro castas, que se submeteu a certa cerimônia. [*Dvi-ja*, "regenerado" ou "duas vezes nascido", é todo homem das três primeiras castas (*brâhmane, kshatriya* e *vaisyas*) que tenha sido investido do cordão sagrado, cuja cerimônia ou investidura constitui um segundo nascimento. Como lemos nas *Leis de Manu* (II, 169), "O primeiro nascimento do homem gerado *(dvi-ja)* opera-se no seio de sua mãe; o segundo ao cingir o cordão de *muñja* e o terceiro ao celebrar o sacrifício".]

Dvija-Brâhman (*Sânsc.*) — A investidura com o cordão sagrado, que *hoje* constitui o "segundo nascimento". Até um *sudra* [indivíduo da casta inferior] que deseje pagar para conseguir tal honra converte-se em *dvija* depois da cerimônia de passar por uma vaca de prata ou de ouro.

Dvîpa ou **Dwipa** (*Sânsc.*) — Uma ilha ou continente. Os hindus contam sete *(Sapiadvîpa)*, dos quais *Jambu-dvîpa*, ou central, era a Índia. Os budistas contam apenas quatro. Isso se deve a uma interpretação malfeita de uma referência do senhor Buddha, que, usando o termo no sentido metafórico, aplicou a palavra *Dvîpa* às raças de homens. As quatro Raças-mães que precederam a quinta (a nossa), Siddhârta comparava com os quatro continentes ou ilhas que havia no oceano de nascimento e morte *(Samsâra)*.

Dvivida (*Sânsc.*) — Um *Asura* em forma de macaco colossal, inimigo implacável dos deuses. Um mono aliado de Râma também se chamava assim.

Dvy-anuka (*Sânsc.*) — "Di-átomo". *(Bhagavân Dâs)*

Dyad (*Gr.*) — Entre os gnósticos, são as emanações duais do pai, positivo-negativa, masculino-feminina etc. (*P. Hoult*)

Dyaus ou **Dayus** (*Sânsc.*) — [Nominativo de *div*.] Termo védico. A divindade não-revelada ou a que se revela como luz ou brilhante luz do dia (metaforicamente). [Céu, luz divina. O "Pai celestial", em contraposição à Terra, que é a Mãe. É o pai de *Uchá* (a aurora). O Deus não-revelado. (*Doutrina Secreta*, I, 404)

Dyâvâ (*Sânsc.*)— Deusa do céu. (*Leis de Manu*, III, 86)

Dyâvâ-prithivî (*Sânsc.*) — Céu e Terra. Os pais celestes dos homens e deuses.

Dyo (*Sânsc.*) — Luz do dia, céu, éter.

Dyo-bhûmi (*Sânsc.*) — O céu e a Terra.

Dyochad (*Sânsc.*) — Habitantes celestes, um deus.

D

Dyookna (*Cab.*) — A sombra da Luz eterna. Os "Anjos da Presença" ou arcanjos. É o mesmo que *Ferouer* do *Vendidad* e de outras obras de Zoroastro.

Dyota ou **Dyotis** (*Sânsc.*) — Luz, esplendor.

Dyotis — Ver *Dyota*.

Dyuchad (*Sânsc.*) — Deus do céu.

Dyuti (*Sânsc.*) — Luz, esplendor, glória, majestade, beleza.

Dyuvan (*Sânsc.*) — O Sol brilhante, o céu.

Dwecha — Ver *Dvecha*

Dzen — Ver *Dzyan*.

Dzyan ou **Dzyn** (*Tib.*) — Escreve-se também *Dzen*. Corruptela da palavra sânscrita *Dhyan* e *Jñâna* Sabedoria, conhecimento divino. Em tibetano, sabedoria é denominada de *dzin* [ou *dzyn*].

Dzyn — Ver *Dzyan*.

E

E — Quinta letra do alfabeto inglês. O *he* (suave) do alfabeto hebraico torna-se um *E* no sistema *Ehevi* de leitura de tal língua. Seu valor numérico é cinco e seu simbolismo é uma *janela*. Na Cabala, a matriz. Na ordem dos nomes divinos, representa o quinto, *Hadoor* ou o "majestoso" e o "esplêndido". [Em sânscrito, *E* é uma vogal composta de *a, i*; assim, a palavra *Karmendriya* decompõe-se em *Karma-indriya*; *deveza* em *deva-îza*. Por essa razão é considerada como vogal longa e alguns sanscritólogos (Burnouf, Leupel e outros) escrevem-na sempre com o sinal característico de tais vogais: *ê*.]

Ea (*Cald.*) — Também chamado de *Hea*. Segundo deus da primitiva Trindade babilônica, composta de Anu, Hea e Bel. Era o "Fautor do Destino", "Senhor do Abismo", "Deus da Sabedoria e do Conhecimento" e "Senhor da Cidade de Eridu".

Ebionitas (*Hebr.*) — Literalmente: "os pobres". A primitiva seita de judeus cristãos, oposta aos nazarenos, que constituíam a outra seita. Já existiam antes que o nome "cristão" fosse ouvido. Muitas das relações de *Iassou* (Jesus), o asceta adepto ao redor do qual se formou a lenda de Cristo, eram entre os Ebionistas. Como a existência desses ascetas mendigos parece remontar a pelo menos um século antes do Cristianismo cronológico, esta é mais uma prova de que *Iassou* ou *Jeshu* viveu durante o reinado de Alexandre Janeu, em Lyd (ou Lud), onde foi condenado à morte, como consta no *Sepher Toldos Jeshu*. [Os Ebionistas, nome derivado de seu chefe Ebion (que significa pobre), intitulavam-se discípulos de São Pedro e rechaçavam São Paulo, por ser ele de origem judia, mas que clamava contra a circuncisão e a lei.]

Eblis (*Ár.*) — Nome que os maometanos dão ao Diabo. Era chefe dos *yins* ou *Jinns* (ver) e foi lançado do céu porque, tendo sido formado de fogo etéreo, negou-se a adorar a Adão, que foi feito de barro.

Ecbatana — Famosa cidade da Média, que parece ocupar um lugar entre as sete maravilhas do mundo. Draper, em sua obra *Conflitos entre a Religião e a Ciência*, cap. 1, assim a descreve: "... A fresca residência de verão dos reis da Pérsia era defendida por sete muralhas circulares, feitas de pedra lavrada e polida, das quais as interiores elevavam-se sucessivamente a alturas maiores e eram de cores diferentes, em conformidade astrológica com os sete planetas. O palácio era coberto com telhas de prata, suas vigas eram revestidas por pranchas de ouro. À meia-noite os salões eram iluminados por muitas fileiras de archotes de nafta, que rivalizavam com a luz do Sol. Um paraíso, local de recreio dos monarcas asiáticos, estava plantado no centro da cidade. O império persa era verdadeiramente o jardim do mundo".

Eclética — Ver *Filosofia eclética*.

Echath (*Hebr.*) — O mesmo que *Echod*: "Um", porém feminino. (Ver *Echod*.)

Echidna — Ver *Equidna*.

Echod, Echad (*Hebr.*) — "Um" masculino, aplicado a Jehovah.

Eclipse do Sol e da Lua (*Alq.*) — Os Filósofos Químicos dizem que o Sol e a Lua eclipsaram-se quando sua matéria encontra-se em total dissolução e se assemelha à resina fundida; uma vez que chamam sua matéria de *Sol e Lua* é que, no estado de putrefação, que é um estado de trevas, sua matéria perdeu o brilho.

Edda (*Esc.*) — Literalmente, "bisavó" dos cantos escandinavos. O bispo Brynjüld Sveinsson colecionou-os e publicou-os em 1643. Há duas coleções de *Sagas* [poemas] traduzidos pelos *Skaldas* [poetas errantes] do Norte e há dois *Eddas*. O primitivo é de data e autor desconhecidos e sua antiguidade é muito grande. Estas *Sagas* foram

E

colecionadas no séc. XI por um sacerdote islandês; o segundo é uma recompilação da história (ou mitos) dos deuses de que trata o primeiro e que se tornaram as divindades, gigantes, anões e heróis germânicos. [Segundo Vallancey *(Collectanea de rebus hibernicis)*, a palavra *Edda* significa ciência ou sabedoria e tem analogia com a palavra sânscrita *Veda* e com outros nomes do hebraico, árabe, latim etc., que expressam a mesma ideia. Com o qualificativo de "bisavó" ou "avó materna", como traduzem outros autores, parece que se quis designar a tradição, pois todos os poemas que compõem a obra foram conservados até então passando de pais para filhos. Há o *Edda* poético de Saemund e o *Edda* de Sturleson, escrito em prosa e que vem a ser uma ampliação ou esclarecimento do anterior.]

Edelphus — Aquele que adivinha através dos elementos do ar, da terra, da água e do fogo. *(F. Hartmann)*

Éden *(Hebr.)* — "Delícia", prazer. No *Gênese* é o "Jardim das Delícias", construído por Deus; na Cabala, o "Jardim de Delícias" é um lugar de Iniciação nos Mistérios. Os orientalistas identificam o Éden com um lugar que estava situado na Babilônia, na região de Karduniyas, também chamado de *Gan-dunu*, que é quase idêntico ao *Gan-eden* dos judeus. (Ver as obras de Sir H. Rawlinson e G. Smith.) Tal região era regada por quatro rios: Eufrates, Tigris, Surappi e Ukni. Os dois primeiros foram adotados sem qualquer alteração pelos judeus; os dois últimos foram provavelmente transformados em "Gihon e Pison", para ter algo de original. O que vem a seguir são algumas das razões, dadas pelos assiriólogos, para a identificação do Éden. As cidades da Babilônia, Larancha e Sippara, foram fundadas antes do Dilúvio, segundo a cronologia dos judeus. "Surippak era a cidade da arca; a montanha oriental do Tigris era o local de permanência da arca; a Babilônia era o local da Torre e Ur, dos caldeus, era o local do nascimento de Abraão." E como Abraão, "primeiro caudilho da raça hebraica", emigrou de Ur para Harrán, na Síria, e dali para a Palestina, os mais reputados assiriólogos acham que isso é uma prova de "muita evidência a favor da hipótese de que a Caldeia era o ponto de origem daquelas histórias (da Bíblia), e que os judeus receberam primitivamente dos babilônios".

Edom *(Hebr.)* — Reis edomitas. Um mistério profundamente escondido deve ser descoberto na alegoria dos sete Reis de Edom, "que reinaram na terra de Edom, antes que ali reinasse qualquer rei sobre os filhos de Israel". *(Gênese,* XXXVI, 31). A Cabala ensina que este reino era "de forças desequilibradas" e necessariamente de caráter instável. O mundo de Israel é uma imagem da condição dos mundos que passaram a existir subsequentemente ao período posterior ao do estabelecimento do equilíbrio. (W. W. W.) Por outro lado, a filosofia esotérica oriental ensina que os sete Reis de Edom não são imagem de mundos fenecidos ou de forças em desequilíbrio, mas símbolo das sete Raças-mães humanas, quatro das quais desapareceram, a quinta está passando e duas ainda estão por vir. Embora expressa na linguagem de *véus* esotéricos, a indicação que há no *Apocalipse* de São João é bastante clara, quando, no cap. XVII, 10, diz: "E são sete Reis; os cinco caíram e um (o quinto, ainda) é e o outro (a sexta Raça-Mãe) ainda não veio...". Se todos os *sete* Reis de Edom tivessem perecido como mundos de "forças não-equilibradas", como poderia o quinto *existir ainda* e o outro ou outros "não terem chegado ainda"? Na *Cabala sem Véu*, lemos à p. 48: "Os *sete* Reis morreram e suas possessões foram desbaratadas", e uma nota ao pé da página reafirma tal observação, dizendo: "Estes sete Reis são os Reis edomitas".

Edris ou **Idris** *(Ár.)* — Significa "o Sábio". Epíteto que os árabes aplicam a Enoch.

Éfeso *(Gr.)* — Cidade famosa por seu Grande Colégio de Metafísica, onde o Ocultismo *(Gnosis)* e a filosofia platônica eram ensinados nos dias do apóstolo São Paulo.

E

Cidade considerada como foco das ciências secretas e daquela *Gnosis* ou sabedoria, antagonista da perversão do Esoterismo cristão até hoje. Em Éfeso encontrava-se o grande Colégio dos Essênios e todo o saber que os *Tanaim* judeus Iniciados haviam trazido dos caldeus.

Efialtes ou **Ephialtes** (*Gr.*) — Nome grego do pesadelo. Os habitantes da Eólia davam este nome a uma espécie de demônios íncubos que sufocavam as pessoas. (Leloyer, *História dos Espectros ou Aparições dos Espíritos*).

Efrit ou **Afrit** (*Ár.*) — Demônio ou mau gênio dotado de grande poder. (Ver *Afrit*.)

Egeon ou **Ægeon** (*Gr.*) — Ver *Briareu*.

Egkosmioi (*Gr.*) — "Os deuses intercósmicos, cada um dos quais preside um grande número de demônios, aos quais comunicam seu poder e o mudam de um para outro conforme sua vontade", diz Proclo, e acrescenta: o que é ensinado na doutrina esotérica. Em seu sistema, tal autor apresenta as mais elevadas regiões, desde o zênite do Universo até a Lua, pertencentes aos deuses ou Espíritos planetários, segundo suas classes e hierarquia. Os mais elevados entre eles eram os doze *Huper-ouranioi*, os deuses supercelestes. Depois destes, em hierarquia e poder, vinham os *Egkosmioi*.

Ego (*Lat.*) — "Eu"; a consciência no homem de "Eu sou Eu", ou seja, o sentimento da qualidade ou condição de "Eu sou". A filosofia esotérica ensina a existência de dois *Egos* no homem, o mortal ou *pessoal* e o superior, divino e *impessoal*. Ao primeiro denomina-se "Personalidade" e ao segundo "Individualidade".

Ego espiritual — *Ego* divino, alma espiritual ou *Buddhi*, em estreita união com o *Manas* ou princípio mental, sem o qual não é *Ego* de modo algum, mas somente o veículo do *Âtman*. (*A Chave da Teosofia*, p. 176, ed. inglesa).

Ego inferior ou **pessoal** — O homem físico em união com seu eu *inferior*, isto é, as paixões, os desejos, os instintos animais. É chamado de "falsa personalidade" e consiste no *Manas inferior* combinado com o *Kâma-rûpa* e que trabalha através do corpo físico e seu fantasma ou *duplo*. (*A Chave da Teosofia*, 176) É o *Ego* mortal ou *pessoal*, ou seja, o *Kâma-Manas*. (Ver *Ego*.)

Ego sum qui sum (*Lat.*) — "Eu sou o que sou". Axioma da filosofia hermética.

Ego superior ou **interno** — É o *Manas* ou "quinto" Princípio, assim chamado independentemente do *Buddhi*. O princípio mental é o *Ego* espiritual apenas quando unificado com o *Buddhi*. É a *Individualidade* permanente, o *Ego* que se reencarna. (*A Chave da Teosofia*, 176) É o *Ego* divino, *impessoal*, individual e imortal.

Egoidade — Palavra derivada de *Ego*. Egoidade significa "individualidade", nunca "personalidade", e é o contrário de "egoísmo", o distintivo por excelência da personalidade.

Egoísmo — Amor excessivo e imoderado que se tem a si próprio e que faz atender unicamente ao interesse próprio, sem se preocupar com o bem alheio. (Ver *Egoidade*.)

Egotismo — Em linguagem comum este nome é dado ao costume de dar demasiada importância a tudo o que se refere à própria pessoa e algumas vezes o egotismo é confundido com o egoísmo. Na linguagem filosófica oriental, tal termo equivale a *Ahankâra*, derivada do termo *Aham* (eu), e significa: consciência do eu ou ser pessoal. É o princípio em virtude do qual adquirimos o sentimento da própria personalidade, a noção ilusória de que o não-Eu (corpo, matéria etc.) é o Eu (Espírito), isto é, que somos, trabalhamos, gozamos, sofremos etc., sendo todas essas ações referidas ao Eu, que é inativo, imutável e mero espectador de todos os atos da vida. Tal princípio, produto direto do *Buddhi*,

E

apresenta-se sob três formas, que são respectivamente: *Vaikrita -*, *Taijasa -* e *Bhûtâdi-Ahankâra*, segundo nele predominem as qualidades *sattva*, *rajas* ou *tamas*. (Ver *Filosofia Sânkhya* e *Bhagavad-Gîtâ*.)

Egrégores [do grego *Egregoroi*] — Eliphas Levi denomina-os "os príncipes das almas, que são os espíritos de energia e ação", o que quer que isso possa ou não significar. Os ocultistas orientais descrevem os Egrégores como Seres cujos corpos e,ssência são um tecido da chamada *Luz Astral*. São as sombras dos Espíritos planetários superiores, cujos corpos são da essência da luz divina superior. [No *Livro de Enoch* dá-se tal nome aos anjos que se casaram com as filhas de Seth e tiveram os Gigantes como filhos.]

Eheyeh (*Hebr.*) — "Eu sou", segundo Ibn Gebirol, porém não no sentido de "Eu sou o que Eu sou".

Eidola — É o plural de *Eidolon*.

Eidolon (*Gr.*) — Tem o mesmo significado daquilo que denominamos fantasma humano, a forma astral. [Imagem, sombra.]

Eka (*Sânsc.*) — "Um", "único". É também um sinônimo de *Mahat*, a *Mente Universal*, como princípio da Inteligência. O "Dragão de Sabedoria" é o Um, o *Eka* ou *Saka*. É curioso que o nome de Jehovah fosse também Um, *Achad*. "Seu nome é *Achad*", dizem os rabinos... O Um e o Dragão são expressões usadas pelos antigos em conexão com seus respectivos *Logoi*. (*Doutrina Secreta*, I, 102)

Ekabhakti (*Sânsc.*) — Devoto de um só; que não adora outro que não o Um (o Deus único).

Ekachara (*Sânsc.*) — "Que vai ou vive só"; solitário.

Eka-chârin (*Sânsc.*) — "Que vai ou vive só". Um seguidor de *Buddha*. Também se dá este nome ao *Pratyeka-Buddha* (ver).

Eka-chitta (*Sânsc.*) — "Que tem um só pensamento". A fixação ou concentração do pensamento num único objeto.

Ekâgra (*Sânsc.*) — Fixo, atento ou concentrado num só objeto.

Ekagrata(s) (*Sânsc.*) — Com a atenção fixa num objeto único. (*Aforismos de Patañjali*, III, 12)

Ekâ-hansa (*Sânsc.*) — Literalmente, "o único *Hansa*" (ver).

Eka-ja (*Sânsc.*) — Literalmente, "nascido uma só vez". O indivíduo da casta *zudra* (a inferior), em contraposição ao *Dvi-ja* (ou "duas vezes nascido").

Ekajâtipratibaddha (*Sânsc.*) — Literalmente, "ligado por um só nascimento". Aquele que não deve voltar mais a este mundo, por estar, desde então, livre da reencarnação.

Ekâkâra (*Sânsc.*) — "De uma só forma"; uniforme ou que nunca muda de forma; sem divisões. (*Bhagavân Dâs*)

Ekâkchara (*Sânsc.*) — Aquele ou o único imortal; uma só sílaba; monossílabo; o monossílabo (a palavra sagrada Om).

Ekâkin (*Sânsc.*) — Só, solitário.

Ekâ-manas (*Sânsc.*) — Que fixa a mente num só objeto. (*P. Hoult*)

Ekana-rûpa (*Sânsc.*) — O Um (e os Muitos) corpos ou formas; termo aplicado pelos *Purânas* à Divindade.

E

Ekanta (*Sânsc.*) — Local solitário, solidão; unidade absoluta. Como adjetivo: inteiramente devoto ou atento a.

Ekântika (*Sânsc.*) — Infinito, imenso, absoluto; único, supremo, perfeito, completo, singular, sem igual.

Ekapâda (*Sânsc.*) — "De um só pé". Raça fabulosa de homens da qual se fala nos *Purânas*.

Eka-rasa (*Sânsc.*) — Inclinação única ou exclusiva ao prazer; que só tem uma inclinação ou que só tem prazer em.

Ekarchi (Eka-richi) (*Sânsc.*) — O único ou principal *Richi*.

Eka-rûpa (*Sânsc.*) — De uma só forma ou maneira; uniforme.

Ekasarga (*Sânsc.*) — Aplicado ou atento a uma só coisa; que medita no Ser único.

Ekasloka Shastra (*Sânsc.*) — Uma obra sobre os *Shastras* (Escrituras), composta por Nagârjuna; uma obra mística traduzida para o chinês.

Ekastha (*Sânsc.*) — Concentrado, recolhido; fixo ou situado na unidade; estabelecido no Um; radicado no Um.

Ekatâ (Eka-tâ) (*Sânsc.*) — Unidade.

Ekatva (*Sânsc.*) — Unidade.

Ekavrata (*Sânsc.*) — Devoto a um só.

Ekâyana (*Sânsc.*) — Que aspira ou tende para um só objeto; atento a um único objeto.

Ekazloka Zâstra — Ver *Ekasloka Shastra*.

El (*Hebr.*) — Ver *Al*.

Eleazar de Garniza — Autor hebraico que compôs diversas obras, das quais apenas algumas foram impressas e outras permaneceram manuscritas. Delas pode-se indicar um *Tratado da Alma* (citado por Pico de La Mirandola) e um *Comentário Cabalístico sobre o Pentateuco*.

Electrum magicum (*Lat.*) — Uma composição de sete metais feita segundo certas regras e influências planetárias. Preparação de grande poder mágico e com a qual se pode fabricar espelhos, anéis mágicos e muitos outros objetos. *(F. Hartmann)*

Elefanta — Uma ilha próxima a Bombaim, Índia, na qual se encontram, em bom estado de conservação, as ruínas do templo cavernoso de tal nome. É um dos mais antigos do país e é verdadeiramente uma obra ciclópica, embora J. Fergusson tenha-lhe negado uma grande antiguidade.

Elei ou **Eleixir** (*Alq.*) — Medicina Hermética ou ouro potável.

Eleisir (*Alq.*) — Elixir Filosófico ao branco.

El-Elion (*Hebr.*) — Um nome da Divindade tomado pelos judeus do *Elon* fenício, que é um nome do Sol.

Elementais — Espíritos dos Elementos. Criaturas desenvolvidas nos quatro reinos ou elementos: terra, ar, fogo e água. São denominados, pelos cabalistas, de *Gnomos* (os da terra), *Silfos* (os do ar), *Salamandras* (os do fogo) e *Ondinas* (os da água). Exceto alguns poucos, que pertencem a espécies superiores e seus regentes, são antes forças da Natureza do que homens ou mulheres etéreos. Estas forças, como agentes servis dos

E

ocultistas, podem produzir diversos efeitos; porém, se empregadas por "Elementares" (ver) – em cujo caso escravizam os médiuns –, enganarão às pessoas crédulas. Todos os seres inferiores invisíveis, engendrados no quinto, no sexto e no sétimo *planos* de nossa atmosfera terrestre, são chamados de Elementais: *Peris, Devs, Djins* [ou *Jins*], *Silvanos, Sátiros, Faunos, Elfos, Anões, Trolls, Kobolds, Brownias, Nixias, Trasgos, Duendes, Pinkies, Branshees, Gente musgosa, Damas brancas, Fantasmas, Fadas* etc. [Os Elementais são espíritos da Natureza. Seres materiais, porém invisíveis (para nós), de natureza etérea, que vivem nos elementos do ar, da água, da terra e do fogo. Não têm Espírito imortal, mas são feitos da substância da alma e têm vários graus de inteligência. Seus caracteres variam muito. Em sua natureza, representam todos os graus do sentimento. Alguns são de índole benéfica, outros de maléfica. *(F. Hartmann)* No mundo astral... há numerosas hostes de elementos naturais ou espíritos da Natureza, divididos em cinco classes principais, que são os elementais do éter, do fogo, do ar, da água e da terra. Os últimos quatro grupos eram denominados, no ocultismo medieval, de Salamandras, Silfos, Ondinas e Gnomos. (Inútil dizer que há outras duas classes, que completam as sete, que não nos interessam por enquanto, visto que ainda não se manifestaram)... Estes seres têm por tarefa manter as atividades relacionadas com seus respectivos elementos; são os condutos através dos quais operam as energias divinas nestes meios diversos e são em cada elemento a expressão viva da Lei. No topo de cada uma dessas divisões há um grande Ser (*Deva* ou Deus), chefe de uma poderosa hoste, inteligência, diretriz e guia de todo o departamento da Natureza regido e animado pela classe de elementais, que estão sob seu domínio. Assim Agni, deus do fogo, é uma grande entidade espiritual relacionada com as manifestações do fogo em todos os planos do Universo e mantém seu governo através das legiões de elementais do fogo. Conhecendo sua natureza e sabendo os métodos para dominá-los, operam-se os chamados milagres ou feitos mágicos, que de vez em quando são registrados pela imprensa. Os cinco deuses que presidem aos elementos são: Indra, senhor do *Âkâza* ou éter; Agni, senhor do fogo; Pavana [ou *Vâyu*], senhor do ar; Varuna, senhor da água, e Kchiti, senhor da Terra. (A. Besant, *Sabedoria Antiga*)

Elementares — São, propriamente, as *almas* desencarnadas de pessoas depravadas. Estas almas, algum tempo antes da morte, separaram de si mesmas seu respectivo Espírito divino, perdendo, deste modo, suas possibilidades de imortalidade. Porém, no grau atual de ilustração, acreditou-se ser melhor aplicar tal termo aos fantasmas de pessoas desencarnadas, em geral aquelas cuja residência temporal é o *Kâma-loka* [ou seja, os restos *Kâma-rûpicos* de seres humanos em processo de desintegração, suscetíveis de revivificação temporária e tornados conscientes em parte através das correntes de pensamentos ou magnéticas de pessoas vivas.] Eliphas Levi e alguns outros cabalistas fazem pouca distinção entre os espíritos elementares, que haviam sido homens, e aqueles seres que povoam os elementos e constituem a força cega da Natureza. Uma vez divorciadas de suas tríadas superiores e de seus corpos, tais almas permanecem em seus invólucros *Kâma-rûpicos* e são irresistivelmente atraídos para a Terra no meio de elementos afins a suas naturezas grosseiras. Sua permanência no *Kâma-loka* varia no que se refere à duração, porém invariavelmente termina em desintegração, dissolvendo-se como uma coluna de névoa, átomo por átomo, nos elementos que a rodeiam. [Os *Elementares* são os cadáveres astrais dos mortos, a contraparte etérea da pessoa que em um tempo viveu, que cedo ou tarde decompor-se-á em seus elementos astrais, do mesmo modo que o corpo físico dissolve-se nos elementos a que pertence. Estes elementares, em condições normais, não têm consciência própria, porém podem receber vitalidade de um médium e por isso são, digamos assim, galvanizados durante alguns minutos, voltando à vida e à consciência (artificiais), e então podem falar, operar e recordar com clareza coisas que fizeram durante a vida. Com muita frequência são observados pelos *Elementais*, que deles se

E

servem para, como máscaras, representar pessoas mortas e enganar os crédulos. Os *Elementares* de pessoas boas têm pouca coesão e logo se evaporam; os dos malvados podem durar longo tempo; os dos suicidas etc. têm vida e consciência própria, enquanto não tenha ocorrido a separação dos princípios. Estes são os mais perigosos. *(F. Hartmann)*]

Elementos — Na Antiguidade, Aristóteles admitiu apenas quatro elementos, chamados fogo, ar, água e terra; *princípios incorpóreos* conectados com as quatro grandes divisões de nosso mundo cósmico. A Ciência Oculta reconhece *sete* elementos cósmicos, quatro dos quais inteiramente físicos e o quinto (éter) semimaterial, que se tornarão visíveis no ar até o fim de nossa quarta Ronda. Os dois restantes encontram-se ainda fora dos limites da percepção humana, porém surgirão como pressentimentos, durante a sexta e a sétima Raças da atual Ronda, e serão plenamente conhecidos nas sexta e sétima Rondas respectivamente. Estes sete elementos, com seus inumeráveis subelementos, são simplesmente aspectos e modificações *condicionais* do único Elemento, *origem* de todos eles e em cuja raiz encontra-se a Divindade (*Doutrina Secreta*, 1, 40, 498 etc.). A estes elementos refere-se o parág. 4° da Estância VI do *Livro de Dzyan* (Cosmogênese). Cada um dos cinco elementos atualmente conhecidos está relacionado com sua ordem correspondente de elementais (Salamandras, Silfos etc.) e com sua respectiva divindade (Indra, Agni etc.). (Ver *Elementais*.)

A filosofia *Sânkhya* afirma que o mundo exterior é constituído por cinco fatores chamados *elementos sutis* ou *primários* (*tanmâtras*), correspondentes aos cinco sentidos e designados pelos seus nomes. Estes cinco elementos sutis combinam-se entre si, produzindo os cinco *elementos grosseiros* ou *compostos* (*mâhâbhûtas*), os quais, combinando-se entre si, formam o mundo material. Temos, pois, os cinco elementos sutis de audição, tato, visão, paladar e olfato e, por outro lado, os cinco elementos grosseiros denominados éter (*âkâsa* ou *kha*), ar (*vâyu* ou *anila*), fogo (*tejas* ou *agni*), água (*apas* ou *jala*) e terra (*bhû* ou *prithivî*), que correspondem respectivamente aos cinco sentidos, ou seja: o éter ao ouvido, o ar ao tato, o fogo à visão, a água ao paladar e a terra ao olfato. É preciso, contudo, advertir que cada elemento grosseiro afeta não só a seu sentido correspondente, mas também aos demais, pelo fato de ser composto, embora em grau menor. (Ver *Filosofia Sânkhya*.)

Além da classe de elementos naturais acima referida, há os *elementos artificiais* ou *formas de pensamento*, assim chamadas porque são formas dadas a uma porção de essência elemental pelos pensamentos da humanidade e podem operar sobre o homem de maneira benéfica ou maléfica, segundo a natureza de tais formas mentais.

Elementos artificiais — Formas mentais ou formas de pensamento. (Ver *Elementos*.)

Elementos compostos — Ver *Elementos* e *Mahâbhûtas*.

Elementos cósmicos — Ver *Elementos*.

Elementos grosseiros ou **compostos** — Ver *Elementos compostos*.

Elementos primários ou **sutis** — Ver *Elementos* e *Tanmâtras*.

Elementos sutis — Ver *Elementos primários*.

Elementum (*Lat.*) — O elemento invisível ou princípio fundamental de todas as substâncias, que podem estar em estado sólido (terrestre), líquido (aquoso), gasoso (aéreo) ou etéreo (ígneo). Não se refere aos chamados *corpos simples* ou "elementos" da química, mas à substância invisível fundamental de que são formados. *(F. Hartmann)*

Elemptis (*Alq.*) — Ouro ou Sol dos Sábios.

E

Eleusinos (Eleusinia) (*Gr.*) — Os Mistérios Eleusinos eram os mais famosos e os mais antigos de todos os Mistérios da Grécia (exceção feita aos da Samotrácia) e eram celebrados próximo da aldeia de Elêusis, perto de Atenas. Epifânio remonta tais Mistérios aos dias de Inaco (ano de 1800 a.C.), fundados, como se lê em outra versão, por Eumolpo, rei da Trácia e hierofante. Tais Mistérios eram celebrados em honra de Demeter (a Ceres grega) e da Ísis egípcia; o último ato celebrado referia-se a uma vítima expiatória de sacrifício e a uma ressurreição, quando o Iniciado era admitido ao grau supremo de *Epopto* (ver). A festa dos Mistérios começava no mês de *Boedromion* (setembro), época da vindima, e durava do dia 15 ao dia 22, ou seja, sete dias. A festa hebraica dos Tabernáculos, festa das *Colheitas,* no mês de *Ethanim* (o sétimo), começava também no dia 15 e terminava no dia 22 de tal mês. O nome do referido mês (*Ethanim*) é derivado, segundo alguns autores, de *Adonim, Adonia, Attonim, Ethanim*, e era consagrado a Adonai ou Adonis (*Thammuz*), cuja morte os hebreus lamentavam nas alamedas de Bethlehem (Belém). O sacrifício do "Pão e Vinho" era celebrado antes dos Mistérios da Iniciação e, durante a cerimônia, eram revelados aos candidatos os mistérios contidos no *petroma*, uma espécie de livro feito de duas tábuas de pedra (*petrai*) unidas lateralmente, de modo que podiam ser abertas como um livro. (Para maiores detalhes, ver *Ísis sem Véu,* p. 44 e 91 e ss., da ed. inglesa.)

Elfos — Espíritos da Natureza, que habitam o plano astral e que, juntamente com as fadas e duendes, desempenham importante papel no folclore de todas as nações; crianças encantadoras e irresponsáveis da Natureza, friamente relegados pela ciência a velhas e amas, porém que os sábios mais conspícuos dos tempos vindouros tornarão a colocar no lugar que lhes é correspondente na ordem natural. Agora só acreditam nestes seres diminutos os poetas e ocultistas, os primeiros pela intuição de seu gênio e os segundos pela visão de seu adestrado sentido interno. (A. Besant, *Sabedoria Antiga*, cap. II) Os Elfos (*Elves*, em inglês; *Elfen*, em alemão) são uma espécie de duendes, gênios ou espíritos aéreos, diminutos, de forma humana, de rosto belo e gracioso, muito amantes da Natureza e geralmente dotados de caráter generoso, compassivo e benéfico. (Ver *Fausto*, 2ª parte, cena I, canto de Ariel.) Alguns se comprazem em fazer travessuras e brincadeiras e há também os de caráter vingativo e maléfico. Costumam frequentar as paragens solitárias e frequentemente são confundidos com os Silfos. Na mitologia escandinava há duas classes de Elfos: de Luz (*Ljosalfar*) e de Trevas (*Döpkalfar* ou *Svartalfar*). (Ver *Anões Negros*.)

Elias — Profeta judeu que se distinguiu pelo grande número de prodígios que realizou. Segundo lemos no *Novo Testamento*, o próprio Jesus, referindo-se às palavras de Malaquias (IV, 5): "Eu lhes enviarei o profeta Elias", afirmou claramente que João Batista "é aquele Elias que há de vir" (*Mateus*, XI, 14) e, em outra ocasião, falando do mesmo João Batista, disse: "Digo a vós que Elias já veio e não o conheceram" (*Mateus*, XVII, 12, 13). Esta é, entre outras, uma prova palmar de que Jesus e seus discípulos admitiam a doutrina da reencarnação.

Elidrion (*Alq.*) — É o mercúrio.

Elísio — Ver *Campos Elíseos*.

Elissa — Ver *Dido*.

Elites (*Hebr.*) — Judeus adoradores do Sol. (Ver *Ben Shamesh*.)

Elixir (*Herm.*) — Segundo Trevisan, o elixir não é nada mais do que a redução do corpo em água mercurial, e desta água extrai-se o *elixir,* isto é, um espírito animado. O termo *Elixir* vem etimologicamente de *E* e *lixis*, isto é, de *água*, uma vez que na obra tudo se faz com esta água.

E

O *Elixir* é a segunda parte ou a segunda operação da obra dos Sábios, como *Rebis* é a primeira e a *Tintura* é a terceira. Há três tipos de *elixires* no magistério. O primeiro é aquele que os Antigos chamavam de *Elixir dos corpos*. É aquele que se faz através da primeira rotação, que é perseguida até o negro. O segundo faz-se por embebições, até o branco e o vermelho. O terceiro, chamado de *Elixir dos Espíritos*, faz-se por fermentação. É também chamado de *Elixir do Fogo*. É com este último que se faz a multiplicação.

Elixir da Longa Vida — O problema de se prolongar a vida humana além dos limites comuns é uma questão que sempre foi considerada como um dos mistérios mais obscuros e mais cuidadosamente reservados da Iniciação no Ocultismo. Porém, é preciso observar que esta questão não deve ser tomada ao pé da letra e nem é preciso crer cegamente nas maravilhosas virtudes do *Ab-è-Hyal* ou *Água da Vida*, que não passa de simples alegoria. Contudo, apesar do que foi dito, é possível, seguindo-se pontualmente os preceitos da ciência esotérica, prolongar a vida humana por um tempo tal que chegue a ser incrível a todos quantos pensam que a duração de nossa existência limita-se a um máximo de duzentos anos. Todo o segredo da longevidade consiste em fazer com que o corpo etéreo atraia para si o princípio vital (*prâna*) e o assimile devidamente. Um dos fatores que, em primeiro lugar, contribuem para o prolongamento da vida é a *força de vontade* robustecida por um esforço decidido, persistente e o mais concentrado possível. Como regra geral, morremos apenas quando nossa vontade deixa de ser bastante forte para nos fazer viver. Outro fator importantíssimo consiste em atenuar a atividade do organismo animal, para torná-lo mais obediente ao poder da vontade e, por sua vez, retardar tanto quanto possível o processo vital, visto que a intensidade da vida encontra-se na razão inversa de sua duração. Este é o objetivo dos diversos procedimentos de disciplina pessoal, tais como os jejuns, austeridades, meditação etc. prescritos por diferentes seitas esotéricas do Oriente. Também é preciso purificar a mente, evitando todo pensamento impuro, devido ao fato de ser o pensamento uma potência dinâmica, que afeta as relações moleculares do homem físico. A meditação, fortalecendo as partes mais etéreas e espirituais do homem, é excelente meio de purificação moral. Para maiores detalhes, consulte o artigo "Elixir de Vida", publicado na revista *Antahkarana*. Segundo se lê na *Doutrina Secreta*, "decompondo-se *alquimicamente* o ar puro, Alento de Vida, produzir-se-ia o Espírito de Vida e seu Elixir" (I, 686, nota). "Aquele que alatropiza o pouco ativo oxigênio, convertendo-o em ozone até que chegue a ter certo grau de atividade alquímica, reduzindo-o à sua pura essência, descobriria, através deste meio, um substituto do *Elixir de Vida*. (*Doutrina Secreta*, I, 168). Há outros procedimentos para prolongar a vida, porém, fora do que consiste na rigorosa observância das regras da higiene, a maior parte deles entram completamente no domínio da magia negra, que consiste em se apropriar, através de uma espécie de vampirismo, da força vital de outras pessoas, do mesmo modo que as plantas parasitas vivem às expensas do vegetal que estão parasitando. (Ver *Amrita*.)

Eliwagar ou **Elivagar** *(Esc.)* — As águas do Caos, chamadas, na cosmogonia dos antigos escandinavos, "correntes de Eliwagar".

Elohim *(Hebr.)* — Também chamado *Alhim*, pois tal palavra escreve-se de várias maneiras. Godfrey Higgins, que escreveu muito sobre seu significado, sempre a escreve *Aleim*. As letras hebraicas que compõem este nome são: *aleph, lamed, hé, yod, mem* e são numericamente 1, 30, 5, 10, 40 = 86. Parece ser o plural do nome feminino *Eloah*, A L H, formado pela adição da forma plural comum I M, que é uma terminação masculina e, por tudo isso, parece implicar nas essências emitidas ativa e passiva. Como denominação, refere-se a *Binah*, a Mãe suprema, como é também a denominação mais completa I H V H ALHIM, *Jehovah Elohim*. Como *Binah*, leva à frente até sete Emanações sucessivas, a assim se diz que *Elohim* representa um sétuplo poder da Divindade. (W. W. W.) [Os

E

Elohim (Deuses ou Senhores) são idênticos aos *Devas*, *Dhyâni-Buddhas* ou Homens celestes; Seres divinos de ordem inferior; são os sete Espíritos criadores, um dos quais é *Jehovah*; aspectos ou emanações manvantáricas do *Logos*. No princípio; os *Elohim* eram chamados de *Achad* (Um) ou a "Divindade, Um em Muitos"; veio depois a mudança; o *Elohim* setenário foi transformado em um *Jehovah*: "Jehovah é *Elohim*, unificando assim a multiplicidade e dando, deste modo, o primeiro passo para o monoteísmo, a despeito do que lemos no *Gênese* (III, 22): 'E disse o Senhor Deus: eis que o Homem fez-se (ou é) como um de *nós*, sabendo o bem e o mal'. Os tradutores da *Bíblia* designam os *Elohim* com o nome de "Deus" ou "Senhor Deus". É preciso advertir que o "Deus" do primeiro capítulo do *Gênese* é o *Logos* e o "Senhor Deus" do segundo capítulo refere-se aos *Elohim* criadores, os *Logoi* menores. (*Doutrina Secreta, passim*)]

Elöi (*Gn.*) — O gênio ou regente de Júpiter; seu Espírito planetário. (Ver Orígenes, *Contra Celsum*.)

Elu (*Cing.*) — Antigo dialeto usado no Ceilão.

Emanação (*Doutrina da*) — Em seu significado metafísico, é oposta à Evolução e, contudo, é una com a mesma. Ensina a ciência que a Evolução é fisiologicamente um modo de geração no qual o germe, que desenvolve o feto, já preexiste na mãe, e que o desenvolvimento e a forma final, assim como as peculiaridades de tal germe, são levados a cabo na Natureza. Ensina também que, na cosmologia, o processo efetua-se *cegamente* através da correlação dos elementos e suas várias misturas ou combinações. O Ocultismo contesta que este é apenas o modo *aparente*, visto que o verdadeiro processo é a Emanação, dirigida por Forças inteligentes sujeitas a uma Lei imutável. Portanto, também quando os ocultistas e teósofos acreditam por completo na doutrina da Evolução, tal como exposta por Kapila e Manu, são mais *emanacionistas* do que *evolucionistas*. A doutrina da Emanação foi num certo tempo universal. Era ensinada pelos filósofos alexandrinos, bem como pelos hindus, pelos hierofantes do Egito, da Caldeia, da Grécia e também pelos hebreus (em sua Cabala e até no *Gênese*). Porque apenas a uma tradução deliberadamente errônea deve-se o fato de que a palavra hebraica *asdt* tenha sido vertida pelos Setenta no sentido de "anjos", sendo que significa *Emanações, Eones*, exatamente o mesmo sentido que tem entre os gnósticos. A verdade é que no *Deuteronômio* (XXXIII, 2) a palavra *asdt* ou *ashdt* está traduzida como "lei do fogo", quando a versão correta desta passagem deveria ser "de sua destra saiu (não *uma lei de fogo*, mas) um *fogo segundo a lei*", isto é, o fogo de uma chama é comunicado a outra e colhido por ela, como ocorre com um rego de substância inflamável. Isso é precisamente a *Emanação*. Segundo foi exposto em *Ísis sem Véu*: "Na Evolução, como agora se começa a compreender, supõe-se que há em toda matéria um impulso para adquirir uma forma mais elevada – suposição claramente expressa por Manu e outros filósofos hindus da mais remota antiguidade. A árvore filosófica é um exemplo disso, no caso de uma solução de zinco. A controvérsia suscitada entre os partidários desta escola e os emanacionistas pode, em poucas palavras, ser assim formulada: o evolucionista põe termo a toda investigação ao chegar aos limites do "Incognoscível"; o emanacionista crê que nada pode evoluir (ou, como significa tal palavra, ser desentranhado ou nascido) a não ser que primeiro tenha sido involucionado, indicando que a vida procede de uma potência espiritual, que está acima de tudo". (Ver *Criação*.)

Embrião (*Alq.*) — Os filósofos químicos dão este nome ao seu mercúrio, antes que seja extraído de seu minério, e a seu enxofre, quando ele ainda não se manifestou.

Emepht (*Eg.*) — O Um, Supremo Princípio planetário, que, de um sopro, lança de sua boca o Ovo do Mundo, sendo, portanto idêntico a Brahmâ.

E

Empédocles — Célebre filósofo de Agrigento, que floresceu no séc. V a.C. Ensinava as doutrinas da transmigração e da evolução; além disso, estabeleceu a teoria de que nada advém do nada, mas do que já existia antes.

Empsicose (*Gr.*) — Na filosofia espiritualista, é o ato em virtude do qual a alma une-se ao corpo e o anima. (*M. Treviño*)

Empusa (*Gr.*) Um vampiro, um demônio ou gênio mau, que tomava diversas formas. [Aristófanes, em uma de suas comédias, representa este monstro como um espectro horrível, que se transforma em cão, em mulher, em víbora, tem um pé de asno e outro de bronze, e só pensa em causar prejuízos. Hecate fazia-o aparecer como um espantalho com forma feminina, para assustar os homens com sua cara horrorosa.]

En (*Cald.*) — Partícula negativa, como o *a* em grego e em sânscrito. É a primeira sílaba de *En Soph* (ver) ou *não*-coisa, nada que comece ou termine, o "Infinito".

Encanto — Dá-se este nome a certas fórmulas ou combinações de palavras, em verso ou prosa, pronunciadas ou escritas, que são utilizadas para produzir efeitos extraordinários e maravilhosos. Grande número de encantos são realizados também através de procedimentos mágicos e magnéticos (sopro, sugestão etc.). A palavra inglesa *charm* e a francesa *charme* vêm da palavra latina *carmen*, que, além de verso, significa uma fórmula concebida em determinadas palavras, encanto, salmo, conjuração etc., sendo portanto equivalente ao termo sânscrito *mantra* (hino, verso, feitiço, fórmula mística de encantamento). Conta Plínio que, em seu tempo, e através de certos encantos, apagavam-se incêndios, estancava-se o sangue de feridas, voltavam ao seu lugar os ossos desconjuntados, curava-se a gota, impedia-se que um carro tombasse etc. Na Antiguidade, todos acreditavam firmemente nos encantos, cuja fórmula consistia geralmente em certos versos gregos ou latinos. Assim, para curar a gota, escreviam-se estes versos latinos de Homero, numa prancha de ouro: *Concio turbata est, subter quoque terra sonabat*. (Ver *Mantra*.)

Encarnações divinas ou **Avatares** — A Imaculada Conceição é tão proeminentemente egípcia quanto hindu. Segundo o autor de *Crença Egípcia*: "Não é a história vulgar, grosseira e sensual, como na mitologia grega, mas refinada, moral e espiritual", e, por outro lado, a ideia da encarnação é revelada num muro de um templo em Tebas por Samule Sharpe, que a analisa da seguinte maneira: "Primeiro, o deus Toth... como o mensageiro dos deuses, como o Mercúrio dos gregos (ou Gabriel dos *Evangelhos*), diz à *virgem* rainha Mautmes que ela dará à luz um filho, que será o rei Amunotaf III. Segundo, o deus Knef, o Espírito... e a deusa Hathor (a Natureza)... colhem ambos a rainha em suas mãos e colocam dentro de sua boca o signo da vida, uma *cruz*, que será a vida do futuro menino" etc. Realmente a encarnação divina ou doutrina do *avatar* constituiu o maior mistério de todos os antigos sistemas religiosos.

Ennoia (*Gr.*) — Entre os Gnósticos era um aspecto da Mente divina. *Ennoia* e *Ofis* (o *Agathodaimon*, a Serpente, a sombra da Luz) eram os *Logoi* dos ofitas. Como uma unidade, Ennoia e Ofis constituem o *Logos*, que se manifesta como duplo princípio do bem e do mal, porque, segundo suas ideias, estes dois princípios são imutáveis e existiram desde a eternidade, como existirão sempre. Quando separados, um é a Árvore da Vida (espiritual) e o outro a Árvore do Conhecimento do bem e do mal. (*Ísis sem Véu*, II, 293)

Enoch (Enos, Henoch, Hanoch, Kanoch ou **Chanoch)** (*Hebr.*) — Na *Bíblia* (*Gênese*, IV e V) são mencionados três *Enochs*: o filho de Caim, o de Seth e o de Jared, porém todos são idênticos e dois deles são mencionados apenas para despistar. Esotericamente, *Enoch* é o "Filho do homem", o primeiro; simbolicamente, a primeira sub-raça da quinta Raça-Mãe. E se seu nome, para fins de hieróglifos numéricos é astronômicos,

E

lança o significado do ano solar, ou seja, 365, de acordo com a idade que lhe dá o *Gênese*, é porque, sendo o sétimo, é, para fins ocultos, o período personificado das duas Raças precedentes, com suas catorze sub-raças. Por conseguinte é apresentado como bisavô de Noé, que, por sua vez, é a personificação da humanidade da quinta. (*Doutrina Secreta*, III, 90) De acordo com a *Epístola de São Judas* (15 e 16), Enoch, sétimo patriarca depois de Adão, escreveu um livro de caráter profético e de grande importância, do qual os primeiros escritores cristãos tiraram as primeiras noções dos Anjos caídos, embora a Igreja o tenha declarado apócrifo. (Ver *Enoichion* e *Livro de Enoch*.)]

Enoichion (*Gr.*) — Literalmente: "o Olho Interno", o "Vidente". Alusão ao terceiro Olho, *interno* ou espiritual, o verdadeiro nome de *Enoch*, desfigurado de *Chanoch*. [Assim, cada profeta ou Adepto pode chamar-se *Enoichion*, sem que por isso venha a ser um pseudo-Enoch. (*Doutrina Secreta*, III, 86)] (Ver *Enoch*.)

Ens (*Lat.*) — Idêntico significado ao do grego *To On*, "ser", ou a presença real na Natureza. [Equivale a *ente, ser*.]

En-Soph ou **Ain-Soph** (*Hebr.*) — O infinito ou ilimitado. O princípio deífico absoluto, impessoal e incognoscível. Literalmente significa: "não-coisa", isto é, nada que possa ser classificado como alguma coisa a mais. A palavra e as ideias são equivalentes aos conceitos vedantinos de *Parabrahman*. (W. W. W.) Alguns cabalistas ocidentais, contudo, tentam fazer d'Ele um "Eu" pessoal, uma divindade masculina, ao invés de uma divindade impessoal.

En-Suph — Ver *En-Soph*.

Ente — Ver *Ens*.

Entelequias (*Gr.*) — Aristóteles e, modernamente, Libniz deram este nome às Mónadas "criadas" ou emanadas (os *Elementais* emitidos pelos Espíritos ou Deuses cósmicos). Em linguagem filosófica designa-se com o nome de *enteléquia* "alguma coisa real, que leva em si o princípio de sua ação e que tende por si mesma a seu próprio fim".

Entusiasmo [do grego *enthousiasmós*] — Entre outros significados, esta palavra tem o de "inspiração divina". Também era aplicado ao "furor da Sibila, ao dar seus oráculos, inspirados pela divindade". "A fantasia, diz Olimpiodoro, é um impedimento a nossas concepções intelectuais e, por isso, quando nos encontramos agitados pela inspiradora influência da Divindade, a fantasia intervém, cessa a energia entusiástica, porque o entusiasmo e o êxtase são contrários um ao outro". (Ver *Ísis sem Véu*, II, 591.)

Entusiastas — Antigos hereges, assim chamados porque pretendiam ter inspirações verdadeiras, embora estivessem agitados pelo demônio. Deu-se este nome aos anabatistas e aos *quackers*. (*Dict. Histor. des Cultes Relig.*)

Eolo [*Æolus*, em latim; *Aíolos*, em grego] — O deus que, segundo Hesíodo, ata ou desata os ventos; o rei dos ventos e das tormentas. [Segundo Virgílio, Eólo tinha encadeado os ventos numa caverna profunda, para prevenir estragos semelhantes aos feitos quando separaram a Sicília da terra firme e abriram o Estreito de Gibraltar. É também o nome de um rei da Eolia, inventor das velas para a navegação e também um grande astrônomo, pelo que foi divinizado pela posteridade. Como divindade do ar, Eolo é o *Vâyu* dos hindus.]

Eon ou **Eons** [*Aion*, em grego; *Æon*, em latim; o tempo, a eternidade.] — Períodos de tempo; emanações da essência divina e seres celestiais; entre os gnósticos, eram gênios e anjos. [*Eon* é também o primeiro *Logos* (*Doutrina Secreta*, I, 375); "eternidade", no sentido de um período de tempo *aparentemente* interminável, porém que, apesar de tudo,

E

tem limite, ou seja, um *Kalpa* ou *Manvantara* (idem, I, 92). Os *Eons* (Espíritos Estelares), emanados do Desconhecido dos gnósticos, são inteligências ou seres divinos idênticos aos *Dhyân Chohans* da Doutrina Esotérica (idem, III, 160).]

Eona (*Fen.*) — A Eva dos fenícios.

Eorosch (*Per.*) — O Corvo celeste, ave divina radiante de luz e dotada de grande inteligência. É a principal das aves instruídas por Ormuzd. Fala a linguagem do céu e ali onde chega sua voz poderosa todos os *Dews* apavoram-se. Protege toda a Terra, quando o homem puro leva o *Zour* em honra de *Mitra*. (*Zend-Avesta*)

Eos (*Gr.*) — Personificação da aurora.

Epheso — Ver *Éfeso*.

Epimeteu (*Epimetheus*, em grego) — Literalmente: "aquele que se aconselha *depois*" do acontecido. Um irmão de Prometeu, na mitologia grega.

Epinoia (*Gr.*) — Pensamento, intenção, desígnio. Nome que os gnósticos adotaram para o primeiro *Eon* passivo.

Episcopal, *Báculo* — Ver *Báculo Episcopal*.

Epopteia (*Gr.*) — Nos Mistérios, a terceira ou última parte dos ritos sagrados chamava-se *Epopteia* ou revelação, recepção dos segredos. Significa aquele grau de clarividência divina em que a visão terrestre paralisa-se, tudo o que pertence à Terra desaparece e a alma une-se livre e pura com seu Espírito ou Deus. Porém o verdadeiro significado de tal palavra é "superintendente supervisor, inspetor, vigilante, mestre de obras" e equivale à palavra sânscrita *evâpta*. (*Ísis sem Véu*, 90-91)

Epoptes (*Gr.*) — Um Iniciado. Aquele que passou por seu último grau de Iniciação. [São Paulo, ao aplicar a si próprio esta palavra (*I Corínt.*, III, 10), declara-se um Adepto ou Iniciado, com faculdades para iniciar outrem. (Ver *Ísis sem Véu*, II, 91.)]

Equidna (*Echidna* em grego) — "Víbora". Nome dado à Hidra de Lerna, morta por Hércules. (Ver *Cérbero*.)

Era — Ver *Período*.

Erdaviraf — Célebre mago persa que o rei Artaxerxes escolheu entre 80.000 sacerdotes para que lhe declarasse o verdadeiro sentido da doutrina de Zoroastro, interpretada de diversas maneiras por grande número de hereges que haviam surgido na Pérsia. Tal mago disse ao rei que ia enviar sua alma ao céu, para consultar o Ser supremo. Em seguida caiu em uma letargia profunda, muito semelhante à morte. Tal estado durou sete dias, após os quais a alma voltou ao corpo de Erdaviraf que, diante do rei e de seis magos que o acompanhavam, fez a revelação do verdadeiro sentido de tal doutrina.

Ébero (*Gr.*) — O inferno.

Eridano (*Lat.*) — *Ardán*, nome grego do rio Jordão.

Erodinium — Uma representação pintada ou alegórica de alguns acontecimentos futuros; as visões, sonhos simbólicos que podem ser produzidos de diversas maneiras. Há três classes de sonhos, dos quais podem resultar outros quatro estados misturados com os mesmos. As três classes puras são: 1°) sonhos que provêm de condições fisiológicas; 2°) sonhos resultantes de condições psicológicas e influências astrais; e 3°) sonhos causados por atividade espiritual. Apenas estes últimos são dignos de grande consideração, embora os primeiros possam, em alguns casos, indicar mudanças importantes nos planos a que pertençam. Por exemplo: sonhar que um prego é lançado à cabeça pode produzir a apoplexia etc.

E

Eros (*Gr.*) — Hesíodo faz do deus Eros a terceira pessoa da primitiva Trindade helênica, composta de Ouranos, Gæa e Eros. É a personificação da força procriadora da Natureza, em seu sentido abstrato, o impulsor da "criação" e procriação. Exotericamente, a mitologia faz de Eros o deus da luxúria, do desejo sensual, e daí o termo "erótico"; esotericamente, seu sentido é muito diferente. (Ver *Kâma*.)

Escala — Há numerosas "escalas" nos diagramas e filosofias místicas, as quais eram e algumas são ainda empregadas nos respectivos mistérios de várias nações. A *Escala Brahmânica* simboliza os *sete* Mundos (ou *Sapta-Loka*); a Escala Cabalística, os sete *Sephiroth* inferiores; a *Escala de Jacob* é mencionada na *Bíblia*; a *Escala Mitraica* é também a "Escala Misteriosa". Em seguida há as Escalas rosa-cruz, escandinava, a de Borsippa etc. e, por último, a *Escala Teológica*, que, segundo o irmão Kenneth Mackenzie, é constituída pelas quatro virtudes cardeais e as três teologais.

Escaravelho (Scarabæus) — No Egito, era o símbolo da ressurreição e também do renascimento; de ressurreição para a múmia, ou melhor, dos aspectos superiores da *personalidade* que a animava; renascimento para o *Ego*, o "corpo espiritual" da alma inferior humana. Os egiptólogos não nos dizem mais do que meias-verdades quando, ao especularem sobre o significado de certas inscrições, dizem: "A alma justificada, uma vez atingido um certo período de suas peregrinações (simplesmente a morte do corpo físico), deve unir-se ao seu corpo (isto é, ao *Ego*) *para não mais se separar dele*" (Rougé). O que é esse assim denominado corpo? Pode ser a múmia? Certamente não, porque o corpo mumificado vazio jamais poderá ressuscitar. Só pode ser a vestimenta eterna, espiritual, o Ego que nunca morre que dá imortalidade a tudo o que a ele se unir. "A inteligência liberta (que) toma novamente seu invólucro luminoso e (outra vez) se converte em *Daimon*", como diz o professor Maspero, é o *Ego espiritual*; o *Ego pessoal* ou *Kâma-Manas*, seu raio direto ou alma inferior, é o que aspira a chegar a ser osirificado, isto é, a unir-se com seu "Deus", e aquela parte do mesmo que conseguir fazê-lo nunca mais será dele separada (do Deus), nem mesmo quando este último *Ego* encarnar-se uma vez ou outra, descendo periodicamente à Terra em sua peregrinação na busca de novas experiências e seguindo os decretos do *Karma*. *Khem*, "o semeador", é apresentado numa lápide em uma pintura da ressurreição, depois da morte física, como o criador e semeador do grão de trigo, que, depois da corrupção, brota de novo, cada vez em forma de nova espiga, sobre a qual se vê pousado um escaravelho sagrado. E Deveria indica justamente que "*Ftah* é a forma inerte, material de Osíris, que se converterá em *Sokari* (o *Ego* eterno) para renascer e logo ser *Harmachus*", ou Hórus em sua transformação, o *deus nascido*. A oração que tantas vezes é encontrada nas inscrições tumulares, "o desejo da ressurreição na alma *vivente* de alguém" ou o *Ego* superior, tem sempre ao final um escaravelho, que representa a alma pessoal. O escaravelho é o mais venerado, bem como o mais frequente e familiar de todos os símbolos egípcios. Não há múmia que não tenha alguns deles; o adorno favorito em gravações, móveis caseiros e utensílios é o escaravelho sagrado, e Pierret indica, em seu *Livro dos Mortos*, que o significado secreto deste hieróglifo é suficientemente explicado pelo fato de o nome egípcio do escaravelho, *Kheper*, significar: *ser, chegar a ser, fazer-se, formar* ou *construir novamente*.

Escola contemplativa — Ver *Escola Mahâyana*.

Escola dos Profetas — Escolas fundadas por Samuel para a introdução dos *Nabiim* (profetas). Nelas era seguido o mesmo método observado pelo *chela* ou candidato à Iniciação nas ciências ocultas, ou seja, o desenvolvimento das faculdades anormais de clarividência, que conduzem à condição de Vidente ou Profeta. Antigamente havia muitas de tais escolas na Palestina e na Ásia Menor. É fato completamente certo que os hebreus adoravam a Nebo, o deus caldeu da ciência secreta, uma vez que adotaram seu nome como equivalente de sabedoria.

E

Escola Filosófica de Alexandria — Esta famosa escola surgiu em Alexandria (Egito) e foi, durante séculos, o grande centro das letras e da filosofia. Renomada devido à sua biblioteca, que tem o nome de "Alexandrina", fundada por Ptolomeu Soter, que morreu no ano de 283 a.C., no início de seu reinado; biblioteca que, em outros tempos, ostentava 700.000 rolos ou volumes *(Arlo Gelio)*. Era famosa também por seu museu, a primeira academia verdadeira de ciências e artes, por seus sábios membros, que gozavam de celebridade mundial, tais como Euclides (pai da geometria científica), Apolônio de Perga (autor da obra ainda existente sobre as secções cônicas), Nicômaco (o aritmético), astrônomos, filósofos naturalistas, anatomistas tais como Herófilo e Erasístrato, físicos, médicos, músicos, artistas etc. Tornou-se ainda mais famosa por sua Escola Eclética, ou seja, a Neoplatônica, fundada no ano de 193 d.C. por Ammonio Saccas, entre cujos discípulos figuravam Orígenes, Plotino e muitos outros sábios atualmente célebres na História. As mais renomadas escolas de gnósticos tiveram sua origem na Alexandria. Filon, o Judeu, Josefo, Jâmblico, Porfírio, Clemente de Alexandria, Eratóstenes, o astrônomo, Hipatia, a virgem filósofa, e um sem-número de outros astros de segunda grandeza, todos pertenceram, em tempos diversos a estas grandes escolas e contribuíram para fazer de Alexandria um dos mais famosos centros de saber que o mundo jamais produziu.

Escola Hînayâna — A Escola *Hînayâna*, "pequeno Veículo" ou "Veículo Menor", e a *Mahâyâna*, ou "Grande Veículo", constituem as duas escolas de ensino religioso e filosófico no Budismo do Norte. (*Voz do Silêncio*, III) (Ver *Escola Mahâyâna*.)

Escola Mahâyâna — "Grande Veículo" ou Escola Contemplativa. É a principal das duas escolas de estudo religioso e filosófico no Budismo do Norte. (Ver *Escola Hînayâna*.)

Escola Neoplatônica — Ver *Escola Filosófica de Alexandria* e *Neoplatonismo*.

Escola Platônica — Ou "Antiga Academia", em contraposição à posterior, ou seja, a *Escola Neoplatônica* de Alexandria. (Ver *Escola Filosófica de Alexandria* e *Filaleteus*.)

Eschem (*Per.*) — O mais poderoso e cruel dos *dews* (gênios maléficos); o *dew* da inveja, da cólera e da violência. (*Zend-Avesta*)

Eschem vôhu (*Per.*) — Assim começa uma oração meritória, que os parsis repetem continuamente em sua liturgia (*Zend-Avesta*).

Esdras (*Ezra*, em inglês) (*Hebr.*) — O escriba e sacerdote judeu que, perto de 450 a.C., compilou o *Pentateuco* (se é que não foi realmente o seu autor) e o resto do *Antigo Testamento*, exceto o livro de *Nehentias* [ou *Livro Segundo de Esdras*] e o de Malaquias.

Eshmin (*Hebr.*) — Os céus, o firmamento no qual estão o Sol, os planetas e as estrelas. Tal palavra deriva da raiz *Sm*, que significa "colocar", "dispor", daí os planetas como disponentes. (W. W. W.)

Esmeralda dos Filósofos (*Alq.*) — Nome que os filósofos deram ao *flos cœli* e alguns outros ao orvalho dos meses de maio e de setembro. Encaram este último como o *macho*, uma vez que se encontra mais cozido e digerido pelos calores do verão; ao primeiro chamam de *fêmea*, uma vez que é mais frio, mais cru e participa mais do inverno. Acreditar que este orvalho seria a matéria da qual os filósofos herméticos obtêm seu mercúrio é grosseira ilusão.

Esmola — Segundo o *Zend-Avesta* (*Patet Mokhtat)*, a esmola estabelece um laço de união entre aquele que dá e o que recebe a esmola.

Esotérico (*Gr.*) — Oculto, secreto. Palavra derivada do grego *esotericos*, "Interno", "escondido". [*Esotérico* é aquilo que se oculta à generalidade das pessoas e se revela apenas aos Iniciados, em contraposição a *exotérico* (público ou externo). Os ensinamentos de Cristo tinham também sua parte pública e sua parte secreta; assim vemos no *Novo Testamento* que Jesus, falando a seus discípulos, dizia-lhes: "... a vós é concedido saber os mistérios do reino dos céus, mas a eles [o povo] não é concedido... por isso falo através de parábolas, para que vendo, não vejam, e ouvindo, não ouçam, nem entendam" (*Mateus*, XIII, 11, 13 etc.). Com o mesmo sentido expressaram-se os evangelistas Marcos e Lucas: "E sem parábola não lhes falava; mas, a seus discípulos em particular, declarava-lhes tudo" (*Marcos*, IV, 34); "Então lhes abriu o sentido para que entendessem as Escrituras" (*Lucas*, XXIV, 45).]

Espaço — O Espaço, que os pseudo-sábios, em sua ignorância, proclamaram ser "uma ideia abstrata" e "um vazio", é na realidade o Continente e o Corpo do Universo com seus sete Princípios. É um corpo de extensão ilimitada, cujos princípios, segundo a fraseologia oculta – sendo cada um deles setenário –, manifestam em nosso mundo fenomenal apenas a mais grosseira fábrica de suas *subdivisões*. O Espaço, o *Caos*, como também é chamado, não é nem o "vazio sem limites" nem a "plenitude condicionada", mas as duas coisas de uma só vez. Sendo, no plano da abstração absoluta, a sempre incognoscível Divindade, que é vazia apenas para as mentes finitas, e, no da percepção mayávica, o *Plenum* divino, o absoluto Continente de tudo o que existe, tanto manifestado como não-manifestado, sendo, portanto, o Todo Absoluto. O Espaço sempre foi, é e será; é a Causa eterna de tudo, a Divindade incompreensível, cujas vestimentas invisíveis constituem a mística raiz de toda matéria e do Universo. É a única *coisa eterna* que podemos facilmente imaginar, imóvel em sua abstração e não influenciada pela presença nem pela ausência de um universo objetivo nele. Carece de dimensões em todos os sentidos e é existente por si mesmo. O Espaço e Aquele que nele está contido são coetâneos, eternos, infinitos ou sem dimensões; ambos constituem a única excelsa Realidade e são origem de tudo o que existe. O Espírito é a primeira diferenciação d'*Aquele*, a Causa sem causa do Espírito e da Matéria. O Espaço, considerado como unidade substancial, a fonte viva da Vida, é, como a desconhecida Causa sem causa, o mais antigo dogma do Ocultismo. Assim são a Força e a Matéria, como Potências do Espaço, inseparáveis e reveladoras desconhecidas do Desconhecido; *Parabrahman* é como uma realidade sem segundo, o Kosmos que a tudo contém, ou melhor, o infinito Espaço cósmico, no mais alto sentido espiritual. Segundo os ensinamentos esotéricos, o Espaço e o Tempo são uma só coisa; são inominados porque são o incognoscível Aquele, que só pode ser percebido por seus *sete* Raios (que são as *sete* Criações, os *sete* Mundos, as *sete* Leis etc.); também no *Vishnu Purâna* insiste-se na identidade de Vishnu com o Tempo e o Espaço *(Doutrina Secreta, passim)*.

Espelho — O Espelho luminoso, *Aspaqularia nera*, termo cabalístico, significa o poder de previsão e de visão à distância, de profecia, tal como a que Moisés teve. Geralmente os mortais têm apenas o *Aspaqularia della nera* ou Espelho não-luminoso e só veem de um modo obscuro no cristal; um simbolismo paralelo é o da concepção da Árvore da Vida e o solo da Árvore do Conhecimento. (W. W. W.)

Espiritismo — É a crença de que os "espíritos" dos mortos voltam à Terra, para se comunicarem com os vivos, seja em virtude de poderes medianímicos de alguém ou graças à intervenção de um médium. Esta crença não é melhor do que aquela da materialização do espírito e da degradação das almas divina e humana Os que acreditam em tais comunicações simplesmente desonram os mortos e cometem um contínuo sacrilégio. Com razão era chamado de "necromancia" em tempos antigos. Porém, nossos espiritas modernos sentem-se ofendidos quando se lhes diz esta simples verdade. É preciso notar que os ingleses dão geralmente o nome de "Espiritismo" *(Spiritism)* à escola francesa fundada por Alan Kardec e o nome de "Espiritualismo" *(Spiritualism)* a escola espírita da

E

América e Inglaterra, fundada pelas irmãs Fox, que começaram a pregar suas doutrinas em Rochester (EUA), assim como são chamados de "espíritas" e "espiritualistas", respectivamente, os partidários de uma e outra escola, os quais se diferenciam entre si, porque os espiritualistas rechaçam quase unanimemente a doutrina da reencarnação, enquanto os espíritas fazem dela o princípio fundamental de sua crença. Os teósofos, mesmo quando acreditam nos fenômenos medianímicos, tanto dos espíritas como dos espiritualistas, excluem a ideia de tais "espíritos". (Ver *Espiritualismo*.)

Espírito — A falta de acordo entre os autores a respeito do emprego de tal palavra deu origem a uma tremenda confusão. Geralmente é tomado como sinônimo de *alma* e os lexicógrafos apoiam seu uso. Nos ensinamentos teosóficos, a palavra "Espírito" é aplicada unicamente ao que *pertence diretamente à Consciência universal*, e que é sua emanação homogênea e pura Assim, a Mente superior do homem, ou seja, seu Ego *(Manas)*, quando unida de modo indissolúvel ao *Buddhi*, é um Espírito; enquanto que o termo "Alma" humana ou até animal (o *Manas* inferior, que atua como instinto nos animais) aplica-se apenas ao *Kâma-Manas* e é qualificada de alma *vivente*. Esta é *nephesh*, em hebraico, o "alento de vida". O espírito é uniforme e *imaterial* e, quando se encontra individualizado, é da mais elevada substância espiritual. *Suddasattva*, a essência divina, de que é formado o corpo dos mais elevados *Dhyânis* que se manifestam. Por conseguinte, os teósofos repelem a denominação de "Espíritos" para aqueles fantasmas que aparecem nas manifestações fenomenais dos espíritas, e dão a tais fantasmas o nome de "cascas", além de outros. (Ver *Sûkchma-Sharîra*). Em breves palavras, o Espírito não é uma *entidade* no sentido de ter forma, visto que, como declara a filosofia búdica, *onde há forma, há causa de dor e sofrimento*. Porém cada espírito *individual* – entendendo-se que esta individualidade dura apenas todo o ciclo de vida manvantárico – pode ser descrito como um *centro de consciência,* um centro auto-senciente e autoconsciente; um estado, não um indivíduo condicionado. Isso explica por que há tanta riqueza de palavras em sânscrito para expressar os diferentes estados de Ser, Seres e Entidades, com a particularidade de que cada denominação indica a diferença filosófica no plano a que pertence tal *unidade* e seu grau de espiritualidade ou materialidade. Infelizmente estes termos são quase intraduzíveis para nossas línguas ocidentais. [O Espírito *(Atman)* é uno com o Absoluto, como sua radiação. *(A Chave da Teosofia)* Não deve ser confundido com a Alma. "A Matéria é o veículo para a manifestação da Alma neste plano de existência e a Alma é o veículo, num plano mais elevado, para a manifestação do Espírito, e os três formam uma trindade sintetizada pela Vida que impregna a todos: (*Doutrina Secreta*, l, 80) São Paulo estabelece também claramente a distinção entre Alma e Espírito, nas seguintes passagens: "E o Deus de paz santifique-os em tudo, para que vosso espírito e alma e corpo seja guardado inteiro..." (*I Tesalon*, V, 23); "Porque a palavra de Deus é viva e eficaz e mais penetrante do que toda espada de dois fios e alcança até partir a alma e também o espírito..." (*Hebr.*, V, 12). Esta distinção parece ter sido esquecida por completo em nossos dias. A palavra *Espírito*, diz F. Hartmann, é usada indistintamente, o que pode dar origem a grande confusão. Em seu verdadeiro significado, Espírito é uma unidade, um poder vivo universal, a origem de toda a vida; porém a palavra *espírito* e a palavra *espíritos* são empregadas com muita frequência para significar coisas invisíveis, porém apesar disso substanciais, tais como: formas, figuras e essências elementais e elementares, sombras, espectros, aparições, anjos e diabos. Espírito significa vontade consciente e, sob este aspecto, todas as coisas são expressão de seu próprio espírito, que reside em seu interior; porém o espírito sem organização nem substância não tem individualidade e é como um sopro. Só depois de organizado o espírito como ser substancial dentro de uma forma viva é que pode existir como ser individual. *(F. Hartmann)*]

E

Espírito (*Alq.*) — Os filósofos herméticos entendem que o Espírito é uma substância extremamente ténue, sutil, penetrante, esparsa em todos os mistos e específica em cada um deles, de acordo com sua natureza, suas qualidades e com o reino da Natureza ao qual pertencem. Algumas vezes os Químicos Herméticos denominam *Espírito* a seu mercúrio, devido à sua volatilidade. Dão também este nome à sua matéria ao branco.

Espírito animal (Spiritus animalis) — O poder astral, através do qual a vontade dos princípios superiores do homem é executada no plano sensitivo e material; os instintos. *(F. Hartmann)*

Espírito de vida — Ver *Espírito vital*.

Espírito individual — Também chamado de *Jîvâtmâ*. O Eu divino ou superior; uma parte do Espírito Universal individualizada por sua união com alguma forma corpórea. (Ver *Bhagavad-Gîtâ*, XV, 7.)

Espírito Santo — A terceira Pessoa da Trindade teológica; a energia *(Shakti)* feminina, a essência das três Pessoas. Porém o Espírito Santo dos primitivos cristãos era a divina Sabedoria (feminina). Entre os gnósticos era também a divina Sabedoria *(Sophia)*, que é a mãe de Ogdoad (ver). Seu símbolo, entre os cristãos modernos, é uma pomba, porém, se dermos crédito ao que afirma Draper, em seu *Desenvolvimento Intelectual da Europa*, os cruzados, liderados por Pedro, o Ermitão, levavam à frente de seu exército o Espírito Santo na forma de um anjo branco acompanhado de um bode e, nos *Atos dos Apóstolos*, é representado sob forma de "língua de fogo". É o *Anima Mundi* dos cristãos. Corresponde ao planeta Vênus na trindade astronômica, composta do Sol (o Pai), mercúrio (o Filho) e Vênus (o Espírito Santo).

Espírito Supremo (*Paramâtmâ*, em sânscrito) — A Divindade suprema; o Espírito Universal e eterno, que impregna, sustenta e anima todos os seres. (Ver *Brahma*, *Deus* etc.)

Espírito Universal ou **Alma do Mundo** — Ver *Espírito Supremo*.

Espírito vital ou **de vida (Spiritus vitæ)** — A força vital; um princípio tomado dos elementos de tudo o que vive como alimento ou que pode ser comunicado através do "magnetismo". *(F. Hartmann)*

Espíritos — Ver *Bhûtas, Elementais, Espiritismo, Espírito, Espíritos da Natureza, Espíritos Planetários* etc.

Espíritos da Natureza — Ver *Bhûtas* e *Elementais*.

Espíritos dos Elementos — Ver *Elementais*.

Espíritos elementais — Ver *Bhûtas*.

Espíritos planetários [ou **Deuses planetários**] — Primitivamente eram os regentes ou governadores dos planetas. Nossa Terra tem sua hierarquia de espíritos planetários terrestres, desde o plano mais elevado até o mais inferior, como a tem qualquer outro corpo celeste. No Ocultismo, contudo, o termo "Espírito Planetário" geralmente é aplicado apenas às sete hierarquias mais elevadas, correspondentes aos arcanjos dos cristãos. Todos estes passaram por uma etapa da evolução correspondente à humanidade terrestre em outros mundos, em ciclos remotos. Nossa Terra, que ainda está apenas em sua quarta Ronda, é muito jovem ainda para ter produzido Espíritos planetários elevados. O supremo Espírito planetário, que rege um Globo qualquer, é na realidade o "Deus pessoal" daquele planeta e é verdadeiramente muito maior sua "providência-diretriz" do que a da contraditória Divindade infinita pessoal do clero moderno. (Ver *Dhyân Chohans*.)

Espiritualismo — Na filosofia, é o estado ou condição da mente oposto ao materialismo ou a uma *concepção material* das coisas. A Teosofia, doutrina que ensina que tudo

E

o que existe é animado ou informado pela Alma ou Espírito universal e que nem um só átomo em nosso universo pode existir fora deste Princípio onipresente, é puro Espiritualismo. [Ver *Espiritismo*.]

Espirro — Segundo a mitologia grega, o espirro foi o primeiro sinal de vida dado pelo homem de Prometeu. Quando este deu a última mão na figura de barro, que havia fabricado e da qual queria fazer um homem, ficou muito perplexo. Como lhe dar movimento e vida? Nisso implorou o auxílio de Minerva, que o conduziu até o Sol, que era considerado a Alma do Mundo, fonte de vida e pai da Natureza. Protegido pelo manto de Minerva, Prometeu aproximou-se do globo luminoso, levando na mão uma pedrinha de cristal fabricada com este objetivo (o *linga-sharîra* ou corpo astral, veículo da Vida) e que preencheu sutilmente com uma porção de raios. Depois de tapá-la com cuidado, voltou à Terra. Sem perder um só momento, colocou a pedrinha junto ao nariz de sua estátua, destapou-a e os raios solares, que não tinham perdido sua eficácia, insinuaram-se com tanta impetuosidade no cérebro da figura de barro que esta espirrou. Os raios, depois, difundiram-se por toda a massa e conseguiram animá-la.

Esposa — O décimo *Sephira*, Malkuth, é denominado pelos cabalistas como "Esposa de Microprosopo"; é a *Hé* final do *Terragrammaton*, do mesmo modo que a Igreja cristã é chamada de "Esposa de Cristo". (W. W. W.)

Espuma do Mar Vermelho (*Alq.*) — Matéria dos filósofos preparada para a obra, ou minério de seu mercúrio. Flamel foi o primeiro a dar tal nome a este minério.

Espuma dos Dois Dragões (*Alq.*) — É a matéria ao negro.

Essassua — Feiticeiros e encantadores de serpentes africanos e asiáticos.

Essência elementar — Geralmente se dá este nome às combinações de matéria formada nos três reinos elementares. Esta essência é moldada produzindo formas através de agregação, formas que duram algum tempo e acabam por se desagregarem. A essência elementar existe em centenas de variedades em cada subdivisão do plano astral. Esta vasta atmosfera de essência elementar responde sempre às vibrações causadas pelos pensamentos, sensações e desejos. (A. Besant, *Sabedoria Antiga*)

Essência monádica — A atômica ou mais íntima condição da substância de um plano animado pela segunda *Onda de Vida*. (P. Hoult)

Essênios — Palavra helenizada que vem do hebraico *Asa*, "curador". Os essênios constituem uma seita misteriosa de judeus que, segundo Plínio, viveu próxima ao Mar Morto por *millia sæculorum*, (durante milhares de séculos). Alguns supuseram que eram fariseus extremados e outros, o que talvez seja a opinião verdadeira, os descendentes dos *Benim-nabim* da *Bíblia* e acham que eram *"Kenitas"* e *Nazaritas*. Tinham muitas ideias e práticas budistas; é digno de nota que os sacerdotes da *Grande Mãe*, em Éfeso, Diana-Bhavani com muitos seios, eram também designados com este nome. Eusébio e, mais tarde, De Quincey, declararam que eram idênticos aos cristãos primitivos, o que é mais provável. O título de "irmão", usado na Igreja primitiva, era essênio. Constituíam uma fraternidade ou um *Koinobion* [cenóbio] ou comunidade semelhante à dos primeiros convertidos. (*Isis sem Véu*) De todas as seitas judias – diz o abade Fleury – a dos essênios era a mais singular. Viviam longe das grandes cidades; seus bens eram comuns; sua alimentação era muito simples. Dedicavam muito tempo à oração e à meditação. Levavam vida bastante contemplativa e tão perfeita que muitos dos padres da Igreja consideraram-nos cristãos.

Estanho (*Alq.*) — Metal branco ao qual os químicos deram o nome de Júpiter, filho de Saturno. Em termos de filosofia hermética, é cor cinza que, durante as operações da obra, sucede imediatamente à cor negra, chamada de "Saturno" ou "Latão", que ele branqueia.

E

Estercoranistas (do latim *stercorare*, estercorar) — Nome dado àqueles que sustentavam que o corpo de Jesus Cristo, na Eucaristia, ingerido pela comunhão, estava sujeito à digestão e às suas consequências naturais, como qualquer outro alimento. Em meados do séc. IX Pascasio Rabbert compôs um tratado sobre a Eucaristia, algumas de cujas questões, em especial a que se referia ao acima citado, suscitaram acirrados debates. Dom Luc d'Acheri terminou amigavelmente a questão, publicando uma obra anônima na qual se liam as seguintes palavras: "Ninguém além de Deus sabe o que acontece com a Eucaristia, quando a recebemos". *(Hist. des Cultes Relig.)*

Este (*Etat*, em sânscrito) — Com este pronome demonstrativo costuma-se designar o Universo, em contraposição a Aquele (o Todo Absoluto, o Eterno Absoluto) (Ver *Aquele*.)

Estrelas — Segundo o *Dicionário de Antiguidades Cristãs*, do abade Martigny, em alguns monumentos cristãos antigos vê-se o Cristo coroado de estrelas, que, em alguns casos, são em número de sete. Também se vê alguns monogramas de Cristo onde cada um dos raios termina numa pequena esfera ou globo. Será esta uma representação do Cristo-Sol rodeado pelos sete planetas?

Esus — Com este nome os antigos gauleses adoravam ao Ser supremo. Não lhe erigiam altares nem o representavam em imagens; rendiam-lhe culto em algum bosque sagrado, onde acreditavam que residia. Lucano, no terceiro livro de seu *Farsalia*, fornece-nos uma curiosa descrição de um destes bosques sagrados.

Etat (*Sânsc.*) — Este. (Ver *Este*.)

Éter — É preciso distinguir entre Æther e Éter.

Éter ou **Ether** — Os estudantes são muito propensos a confundir o Éter com o *Âkâza* e com a Luz Astral. Não é nem uma coisa nem outra, no sentido em que a ciência física descreve o Éter. O Éter é um agente material, embora nenhum aparelho físico o tenha, até agora, descoberto, enquanto o *Âkâza* é um agente distintamente espiritual, idêntico em certo sentido ao *Ânima Mundi*, e a Luz Astral é apenas o sétimo e mais elevado princípio da atmosfera terrestre, tão impossível de descobrir como o *Âkâza* e o verdadeiro *Éter*, por ser algo que se encontra completamente em outro plano. O sétimo princípio da atmosfera terrestre, ou seja, a Luz Astral, é apenas o *segundo* da escala cósmica. A Escala de Forças, Princípios, e Planos cósmicos, de Emanações (no plano metafísico) e Evoluções (no físico), é a Serpente Cósmica que morde sua própria cauda, a Serpente que reflete a Serpente superior e que é refletida, por sua vez, pela inferior. O Caduceu explica este mistério e o quádruplo dodecaedro sobre cujo modelo, diz Platão, o Universo foi construído pelo *Logos* manifestado – sintetizado pelo Primeiro-Nascido não-manifestado –, dá, geometricamente, a chave da Cosmogonia e seu reflexo microcósmico, ou seja, a nossa Terra. [O Éter, verdadeiro Proteu hipotético, uma das "ficções representativas" da ciência moderna, é um dos princípios inferiores do que chamamos "Substância Primordial" (*Âkâza* em sânscrito), um dos sonhos da Antiguidade e que agora tornou a ser o sonho da ciência de nossos dias. É a maior e mais atrevida das especulações sobreviventes dos filósofos antigos. Segundo o *Dicionário* de Webster, o Éter "é um meio hipotético de grande elasticidade e extrema sutileza, que se supõe preencha todo o espaço, sem executar o interior dos corpos sólidos, e seja o meio de transmissão da luz e do calor". Para os ocultistas, contudo, tanto o Éter como a Substância Primordial não são coisas hipotéticas, mas verdadeiras realidades. Acredita-se geralmente que o *Âkâza*, da mesma forma que a Luz Astral dos cabalistas, são o Éter, confundindo-se este com o Éter hipotético da ciência. Grave erro. O *Âkâza* não é o Éter admitido como hipótese por Newton e nem o Éter dos ocultistas; é muito mais. O *Âkâza* é a síntese do

E

Éter, é o Éter Superior. O Éter é o "revestimento" ou um dos aspectos do *Âkâza*; é sua forma ou seu corpo mais grosseiro; ocupa toda a vacuidade do Espaço (ou melhor, todo o conteúdo do Espaço) e sua propriedade característica é o som (a Palavra). É o quinto dos sete Princípios ou Elementos cósmicos, que por sua vez tem sete estados, aspectos ou princípios. Este elemento semimaterial será visível no ar no final da quarta Ronda e se manifestará plenamente na quinta. O Éter, como o *Âkâza*, têm por origem o Elemento único. O Éter dos físicos, o Éter inferior, é apenas uma de suas subdivisões em nosso plano, a Luz Astral dos cabalistas, com todos os seus efeitos, tanto bons quanto maus. O Éter positivo, fenomenal, sempre ativo, é uma força-substância, enquanto o onipresente e onipenetrante *Æther* é o número do primeiro, ou seja, o *Âkâza*. *(Doutrina Secreta, passim)* (Ver *Âkâza*.)]

Etéreo, *duplo* — Ver *Duplo etéreo*.

Etéreo, *plano* — Ver *Duplo etéreo*.

Eternidade — Abusou-se lamentavelmente desta palavra e em grande número de casos este termo é aplicado de maneira bastante incorreta. Na maioria das vezes, a eternidade é apenas relativa e expressa um vastíssimo período de tempo, interminável em comparação com a brevidade de nossa existência terrena e que parece infinito porque nossa inteligência limitada não pode fazer ideia de sua longa duração. A palavra *eternidade*, com a qual os teólogos cristãos interpretam a expressão "para todo o sempre", não existe na língua hebraica. *Oulam* – diz Le Clerc – significa um tempo cujo princípio ou fim é desconhecido. Não expressa "duração infinita" e a expressão "para sempre" do *Antigo Testamento* significa apenas "um longo tempo". Também nos *Purânas* a palavra "eternidade" não é empregada no sentido cristão, uma vez que está claramente expresso que os termos "eternidade" e "imortalidade" significam apenas "existência até o fim de um *Kalpa*" (*Doutrina Secreta*, I, 359 e *Ísis sem Véu*, I, 12). Na maior parte das vezes, a palavra "eternidade" deve ser substituída por *eon* ou *evo*, no sentido de período de tempo *aparentemente* interminável. Nem mesmo ao *Nirvâna* pode-se aplicar tal palavra, visto que, acima de tão glorioso estado, há outros superiores *(Para-nirvâna)*, que também têm seu limite na Eternidade Absoluta. Na *Doutrina Secreta* faz-se menção de "Eternidades", entendendo-se por "eternidade" a sétima parte de uma Idade de Brahmâ, ou *Mahâkalpa*, equivalente à enorme cifra de 311.040.000.000.000 anos solares (*Doutrina Secreta*, I, 227). Só se pode chamar de *eterno* aquilo que nunca teve princípio e nunca terá fim. O símbolo da Eternidade é uma serpente encurvada, formando um círculo, mordendo sua própria cauda.

Etrobacia (Aethrobacia) (*Gr.*) — Literalmente: "andar no ar" ou nele se elevar, sem a intervenção de qualquer agente visível; "levitação". Pode ser consciente ou inconsciente; no primeiro caso, é magia; no segundo, é uma enfermidade ou poder que requer algumas palavras explicativas. Sabemos que a Terra é um corpo magnético; de fato, como descobriram alguns sábios e como afirmou Paracelso há uns trezentos anos atrás, a Terra é um enorme imã. Está carregada de um tipo de eletricidade – digamos positiva – que desenvolve incessantemente, por ação espontânea, em seu interior ou centro de movimento. Os corpos humanos, assim como todas as demais formas de matéria, estão carregados de eletricidade de carga oposta, negativa. Assim, os corpos orgânicos e inorgânicos, abandonados a si próprios, contínua e involuntariamente desenvolverão um tipo de eletricidade oposta à da Terra e com ela se carregarão. Então, vejamos: o que é o peso? É simplesmente a atração da Terra. "Sem a atração da Terra, não teríamos peso algum – diz o prof. Stewart – e, se tivéssemos uma Terra duas vezes tão pesada quanto a nossa, experimentaríamos uma atração duas vezes maior." Como podemos, pois, nos livrarmos dessa atração? Segundo a lei elétrica exposta anteriormente, há uma atração entre o

E

nosso planeta e os organismos que nele existem, atração esta que os retém na superfície do globo. Porém a lei da gravitação foi contrariada em muitos casos pela levitação de pessoas e objetos inanimados. Como se explica isso? A condição de nosso organismo físico, dizem os filósofos teúrgicos, depende em grande parte da ação de nossa vontade. Quando bem dirigida, esta pode operar "milagres", entre outros o de mudar a sua polaridade, que de negativa passa a ser positiva. Então as relações do homem com o Imã-Terra tornar-se-ão repelentes e para ele a gravidade deixa de existir. Seria assim muito natural lançar-se ao ar até que a força repelente tenha-se esgotado. A altura de sua levitação seria medida pelo maior ou menor poder de saturar seu corpo com eletricidade positiva. Uma vez obtido tal domínio sobre as forças físicas, a alteração de sua leveza ou gravidade seria uma coisa tão fácil como o respirar. (Ver *Ísis sem Véu*, 1, XXIII.)

Eu — Esta palavra é usada pelos teósofos em três sentidos diferentes, expressando o segundo e o terceiro a mesma ideia que o primeiro, embora com maior limitação: 1ª) *Âtman*, o Espírito único em tudo. "Eu sou o Eu *(Âtman)* situado no coração de todas as criaturas; sou princípio, meio e fim de todos os seres" (*Bhagavad-Gîtâ*, X, 20); 2°) o *Ego* superior, o Pensador, o homem imortal [o eu individual]; 3°) o *Ego* inferior [o Eu pessoal]. O primeiro deles é denominado "o Eu"; o segundo, "Eu superior" e o terceiro, "Eu inferior". "E agora teu *Eu* se encontra perdido no Eu; tu mesmo em Ti Mesmo, sumido n'Aquele Eu, do qual tu emanaste primitivamente." (*Voz do Silêncio*, I) (P. Hoult) – Há dois *Eus* no homem: o superior e o inferior, o Eu impessoal e o Eu pessoal. Um é divino e o outro semi-animal. Entre ambos é preciso fazer uma grande distinção (H. P. Blavatsky, Glossário de *A Chave da Teosofia*). O *Eu* inferior é o *Kâma-Manas*, o *Ego* pessoal; num sentido mais amplo, é o Quaternário ou os quatro "Princípios" inferiores. O Eu supremo é *Âtmâ* em seu veículo *Buddhi*. (A. Besant e H. Burrows, *Pequeno Glossário de Termos Teosóficos*) (Ver *Ego*.)

Eu-deva — O Eu que se reencarna, o Eu individual ou superior. (*Voz do Silêncio*, II)

Eu individual — O *Ego* superior, aquele que se reencarna. (Ver *Eu* e *Reencarnação*.)

Eu inferior — Ver *Eu*.

Eu pessoal — O *Eu* inferior ou mortal.

Eu silencioso — O *Eu* superior, o sétimo "Princípio". "Não imagines que quebrando seus ossos e lacerando tuas carnes unir-te-ás ao teu 'Eu silencioso.'" (*Voz do Silêncio*, II)

Eu Superior ou **Supremo** — O supremo Espírito divino, que exerce sua influência protetora sobre o homem. A coroa da Tríade espiritual superior no homem. O Eu supremo é o *Âtmâ*, o raio inseparável do Eu Uno e Universal. É o Deus que está *acima* antes que dentro de nós ("Feliz é o homem que consegue saturar d'Ele seu *Ego* interno" – *A Chave da Teosofia*, 149). – A ideia de que o homem em seu Eu interior é uno com o Eu do Universo ("Eu sou Aquele") impregna tanto e tão profundamente todo o pensamento hindu que com frequência o homem é designado como "a cidade divina de Brahma", "a cidade de nove portas", Deus que mora na cavidade de seu coração. No *Mândû kyopanichad*, o Eu é descrito como condicionado pelo corpo físico, pelo corpo sutil e pelo corpo mental, e se elevando, depois, acima de todos eles no Único "sem dualidade". (A. Besant, *Sabedoria Antiga*, 16-7)

Eucaristia — O mistério da Eucaristia não pertence exclusivamente ao Cristianismo. Godfrey Higgins prova que foi instituído muitas centenas de anos antes da "Ceia Pascal"

E

e diz que "o sacrifício do pão e do vinho era comum em várias nações antigas". Cícero menciona-o em suas obras e se admira da estranheza do rito. Desde a primeira fundação dos Mistérios existiu um significado esotérico a ele relacionado, e a Eucaristia é um dos mais velhos ritos da Antiguidade. Entre os hierofantes tinha quase o mesmo significado que entre os cristãos. Ceres era o *pão* e Baco era o *vinho*, significando o primeiro a regeneração da vida, que brota da semente, e o último (a uva) sendo o emblema da sabedoria e do conhecimento. Com muita propriedade eram simbolizadas pelo vinho a acumulação do espírito das coisas e a fermentação e subsequente força de tal conhecimento esotérico. Tal mistério estava relacionado com o drama do Éden e, segundo se diz, foi ensinado primeiramente por Jano, que foi também o primeiro a introduzir nos templos os sacrifícios do "pão" e do "vinho", para comemorar a "queda na geração" como, símbolo da "semente". "Eu sou a videira e meu Pai é o vinhateiro", diz Jesus, aludindo ao conhecimento secreto que podia ser comunicado por ele. "Não beberei mais do fruto da videira até o dia em que o beba novamente no Reino de Deus." (*Ísis sem Véu*, II, 43-4) O *Soma*, bebida sagrada que os brâhmanes preparam com o sumo fermentado de uma planta rara *(Asclepias acida)* corresponde à ambrosia ou néctar dos gregos e também à Eucaristia dos cristãos, visto que, pela virtude de certas fórmulas sagradas *(mantras)*, supõe-se que tal licor transubstancie-se no próprio Brahmâ. (Ver *Pão e Vinho*.)

Eudica *(Alq.)* — Matéria da grande obra dos filósofos químicos. É a pedra ao branco. Para Filaleto é a matéria em putrefação.

Eudica *(Herm.)* — Água mercurial dos filósofos, feita para defender os corpos terrestres da combustão.

Eurasianos — Abreviação de "europeu-asiático". A mistura das raças de cor: os filhos de pai branco e mãe de tez escura da Índia, ou vice-versa.

Eva *(Alq.)* — Magistério dos Sábios, quando atingiu o branco.

Evangelistas — Os quatro evangelistas são comumente representados sob o emblema de quatro figuras animais: um homem, um leão, um touro e uma águia, as mesmas descritas por São João no *Apocalipse*: "... e no meio do trono e ao redor do trono, quatro animais cheios de olhos na frente e atrás. E o primeiro animal (era) semelhante a um leão, e o segundo semelhante a um bezerro, e o terceiro animal que tinha face como a de homem, e o quarto animal semelhante a uma águia voando" (IV, 6, 7). Algumas cruzes da mais remota antiguidade estão adornadas em suas quatro extremidades com os quatro animais evangélicos e também se encontram estas figuras nas bases dos altares, vasos sagrados, vestimentas sacerdotais de épocas antigas, medalhas, sarcófagos, murais etc. As opiniões dos Santos Padres (São Jerônimo, Santo Agostinho, Santo Ambrósio) sobre seu significado não concordam entre si; são distintas, para não dizer contraditórias. Todos estes símbolos são muito anteriores ao Cristianismo e podem ser encontrados na Índia, Caldeia e Egito. (Ver *(Os) Quatro Animais*.)

Evapto — Iniciação; o mesmo que *Epopteia* (ver).

Evestrum — O corpo astral *(Doppelgänger)* do homem; seu consciente etéreo duplicado, que pode velar sobre ele e avisá-lo da proximidade da morte ou de algum outro perigo. Quanto mais ativo e consciente encontra-se o corpo físico em relação às coisas exteriores, mais aturdido encontra-se o corpo astral; o sono do corpo é o despertar do *Evestrum*. Durante este estado, pode comunicar-se com os *Evestra* de outras pessoas ou com os dos mortos. Pode afastar-se a certa distância do corpo físico por breve tempo; porém, se sua união com o corpo for rompida, este morre. *(F. Hartmann)*

Evocação — É a ação de chamar ou fazer aparecer os chamados "espíritos", sombras ou demônios, como em outros tempos faziam-no os magos.

E

Evolução — É o desenvolvimento de ordens superiores de animais, partindo de outras ordens inferiores. Como se disse em *Ísis sem Véu*. "A ciência moderna só se ocupa com uma Evolução física parcial, evitando prudentemente ou ignorando a mais elevada, ou seja, a espiritual, o que obrigaria nossos contemporâneos a confessar sua inferioridade em relação aos antigos filósofos e psicólogos. Os sábios antigos, remontando-se ao Incognoscível, tomavam como ponto de partida a primeira manifestação do invisível, do inevitável e, por um raciocínio puramente lógico, desde o Ser criador necessário em absoluto, o Demiurgo do Universo. A evolução começa entre eles desde o Espírito puro, o qual, descendo mais e mais, adquiriu finalmente uma forma visível e compreensível e chegou a se converter em matéria. Chegando a este ponto, especulam pelo método de Darwin, porém partindo de uma base mais ampla e compreensível". (Ver *Emanação*.) [Toda evolução consiste numa vida que se desenvolve, passando de uma forma para outra e armazenando em si mesma as experiências que adquire através de tais formas. (A. Besant, *Sabedoria Antiga*)]

Exaltação (*Alq.*) — Os filósofos herméticos contam a exaltação entre as sete operações da grande obra; é a sublimação filosófica tomada no sentido de sublimação ou perfeição.

Exaltação da Água (*Alq.*) — É a fixação do mercúrio dos Sábios em pedra.

Exaltar (*Herm.*) — Sublimar, aperfeiçoar. Aquilo que se faz não através das operações da Química vulgar, mas pela simples digestão com o auxílio do fogo filosófico.

Ex-lunares (*mônadas*) — Ver *Mónadas ex-lunares*.

Exorcismos — Dá-se este nome a algumas conjurações, orações e cerimônias de que a Igreja católica se serve, através de seus ministros, para expelir demônios ou maus espíritos das pessoas, animais, objetos ou lugares que tenham sido possuídos. Muitos dos exorcismos do ritual católico-romano são muito parecidos, para não dizer copiados, de outros rituais (cabalístico, judeu, pagão). (Ver *Ísis sem Véu*, II, 85.)

Exotérico — Externo, aquilo que o vulgo conhece; público, exterior. O oposto a esotérico ou oculto. [A verdade esotérica é sua forma ou aspecto exterior, em contraposição a seu significado esotérico ou interno. *(P. Hoult)* (Ver *Esotérico*.)]

Êxtase (*Eestasis*, em grego) — Um estado psico-espiritual, um *transe* físico que promove a clarividência e um estado beatífico, que produz visões. [No êxtase religioso em que a Alma encontra-se consumida no *Devachan*, esta adora ao Ser único sob a forma à qual aspirou sua piedade na Terra, perdendo-se no arroubo da devoção, em comunicação com o Objeto que ela adora. (A. Besant, *Sabedoria Antiga*) (Ver *Samâdhi*.)]

Extíspice — Nome que os romanos davam ao adivinho, cujas funções consistiam em examinar as entranhas da vítima para retirar de tal inspeção presságios para o futuro.

Extração (*Alq.*) — Em termos de Química Hermética não significa, como na química comum, a retirada do suco de alguma planta ou animal etc., mas uma continuação do regime do fogo filosófico, através do qual uma cor sucede à outra.

Extracósmico — Fora do Kosmos ou da Natureza Palavra absurda inventada para afirmar a existência de um Deus *Pessoal*, independente ou fora da Natureza *per se*, em oposição à ideia panteísta de que todo o Kosmos é animado pelo Espírito da Divindade, não sendo a Natureza mais do que a roupagem da Presença real e invisível e a Matéria sua sombra ilusória.

Ex-votos — Oferendas tais como membros ou cabeças de cera, muletas, vestidos, quadros etc. que se penduram nas paredes ou teto dos templos e que os fiéis dedicam a

E

Deus, à Virgem ou aos Santos, em sinal de um benefício recebido. Os gentios faziam também a seus deuses oferendas semelhantes. Em sua obra referente ao Egito, Jorge Ebers diz que na Ilha de Rodas, formada pelo Nilo próximo do Cairo, há uma árvore sagrada de Fátima, assim chamada porque, segundo a tradição, foi plantada por Fátima, filha de Mahomé. O povo acode em peregrinação ao redor dessa árvore, para se curar de queimaduras e outras doenças e, como testemunho de gratidão, deixam penduradas em seus ramos roupas de todos os tipos, oferecidas como ex-votos dos enfermos curados.

Eya (*Sânsc.*) — Sufixo que, em sânscrito, expressa a origem de uma pessoa ou coisa. Assim, *Draupadeya* significa "filho de Draupadi"; *Kaunteya*, "filho de Kaunti".

Ezeph (*Alq.*) — Sol dos Filósofos.

Ezra — Nome inglês de *Esdras*. (Ver *Esdras*.)

Ezra (*Hebr.*) — O mesmo que *Azareel* e *Azriel*; um grande cabalista hebreu. Seu nome completo é Rabbi Azariel ben Manahem. Floresceu em Valladolid (Espanha), no séc. XII, e gozava de celebridade como filósofo e cabalista. É autor de uma obra que trata dos Dez *Sephiroth*.

Ezrael ou **Azrael** (*Ár.*) — Entre os maometanos é o Anjo da morte, que é encarregado de receber as almas no momento da saída do corpo, conduzindo-as à presença do soberano Juiz.

F

F — Sexta letra do alfabeto, que não tem equivalente em hebraico. É o duplo *F* dos eólios, que se converteu no *Digamma* por certas razões misteriosas. Corresponde ao *phi* grego. Como número latino, designa 40 e com um traço sobre a letra (F) denota 400.000. [Também no alfabeto sânscrito não existe a letra *F* e, embora haja a letra *ph* (ou *p'*, conforme se vê na transliteração de Burnouf e Leupol), como nas palavras *phala*, *phena* etc., tal letra não soa como o *ph* das línguas latina, grega, francesa, inglesa, alemã etc., nas quais tem o som de *F* (como nas palavras *philosophie*, *phonetik*, *phosphorus* etc.), mas como *P*, acompanhada de uma leve aspiração.]

Face (*Grande*) — Ver *Macroprosopus* e *Face Superior*.

Face (*Pequena*) — Ver *Microprosopus* e *Face Superior*.

Face Inferior ou **Semblante Inferior** (*Cab.*) — Termo aplicado ao Microprosopo, assim como "Face Superior" o é para Macroprosopo. Os dois são idênticos a *Grande Face* e *Pequena Face*. [Ver *Macroprosopus*.]

Face Superior (*Cab.*) — Termo aplicado ao *Macroprosopo*. [Ver *Macroprosopus* e *Face Inferior*.]

Faces ou **Caras** (*cabalísticas*) (ou, como em hebraico, *Partzupheem*) — Esta palavra refere-se comumente ao *Areek-Anpeen* ou "Grande Face", ao *Zeir-Anpeen* ou "Pequena Face" e ao *Resha-Hivrah*, "Cabeça ou Face branca". A Cabala diz que, desde o momento de sua aparição (a hora da diferenciação da matéria), toda a matéria para as formas futuras estava contida nas três cabeças, que são uma só e têm o nome de *Atteekah Kadosha* (Santos Anciões e as Faces). Quando duas faces olham uma para a outra, os "Santos Anciões" em três Cabeças, ou *Atteekah Kadosha*, recebem a denominação de *Areek Appayem*, ou seja, "Grandes Faces". (Ver *Zohar*, III, 292 a) Isso se refere aos Três Princípios superiores, cósmicos e humanos. [Ver *Faces cabalísticas*.]

Faces Cabalísticas — São: *Nephesch*, *Ruach* e *Neschamah*, ou, em outros termos, as almas animal (vital), espiritual e Divina do homem: Corpo, Alma e Mente.

Fada (*Alq.*) — Matéria da obra ao branco.

Fafner ou **Fafnir** (*Esc.*) — O Dragão da Sabedoria. [O Dragão que foi morto por Sigurd. (Ver *Doutrina Secreta*, I, 435.)]

Fahian ou **Fa-hian** (*Chin.*) — Viajante e escritor chinês dos primeiros séculos do cristianismo, que escreveu sobre o budismo.

Fa-hwa-king (*Chin.*) — Uma obra chinesa que versa sobre cosmogonia.

Faisão de Hermes (*Alq.*) — Nome que alguns filósofos químicos deram ao mercúrio dos Sábios, devido à sua volatilidade, que causa as diferentes cores que apresenta no curso das operações da grande obra.

Faizi (*Ár.*) — Literalmente, "coração". Um escritor que trata de assuntos místicos e ocultos.

Falcanos (*Alq.*) — Arsênico.

Falcão — Hieróglifo e emblema da *alma*. O sentido varia segundo as posições da ave. Assim, quando está deitada como morta, representa a transição, o estado de *larva*, ou seja, a passagem do estado de uma vida para outra. Quando suas asas estão abertas, significa que o defunto ressuscitou no *Amenti* e se encontra uma vez mais em posse de sua alma. A crisálida converteu-se em mariposa.

F

Fálico — Tudo o que pertence ao culto sexual ou de um caráter exteriormente sexual, tais como o *lingam* e o *yoni* hindus, emblemas da potência geradora masculina e feminina, que nada têm a ver com a significação obscena que lhes atribui o pensamento ocidental. A devoção a ritos fálicos é filha da interpretação da língua morta do simbolismo da natureza e dos conceitos grosseiramente materialistas de seu dualismo em todos os credos esotéricos. (*A Chave da Teosofia*, 279)

Falk, *Cain Chenul* — Cabalista judeu, que tinha a fama de ter realizado "milagres". Kenneth Mackenzie, referindo-se a ele, cita a seguinte passagem da obra que, sobre a Inglaterra, escreveu, em 1788, o cronista alemão Archenoiz: "Existe em Londres um homem extraordinário, que durante trinta anos foi célebre nos anais cabalísticos. Chama-se Cain Chenul Falk. Certo conde de Rautzow, que serviu à França como marechal-de-campo, certifica que viu Falk, em Brunswich, e que efetuou uma evocação de espíritos na presença de testemunhas dignas de fé". Estes "espíritos" eram elementais, que Falk fez aparecer diante das testemunhas através de conjurações utilizadas por todos os cabalistas. Seu filho John F. Falk, igualmente judeu, era também renomado cabalista e esteve uma vez à frente de um colégio cabalístico de Londres. Era joalheiro e avaliador de diamantes e era um homem rico. Até hoje todo verdadeiro estudante de Ocultismo pode ler, em certa biblioteca semipública de Londres, os escritos místicos e as raras obras cabalísticas por ele legadas a um depositário. Os escritos autênticos de Falk estão ainda manuscritos e alguns são cifrados.

Fals (*Per.*) — Livro astrológico de adivinhação, que os persas e quase todos os povos do Oriente consultam nos assuntos importantes da vida. Para este fim, lançam um dado e em seguida procuram em tais livros o número obtido. (Anquetil du Perron, *Zend-Avesta*)

Fan, **Bar-nang** — Espaço, lei eterna. (*Cinco Anos de Teosofia*)

Fanes — Ver *Phanes*.

Fantasmas (*Phantasmata*, em grego) — Criações do pensamento; "espíritos" que residem em paragens solitárias. (Podem ser produzidos pela imaginação do homem e podem comunicar-se com ele.) Alucinações. (*F. Hartmann*) (Ver *Aparecidos*.)

Faquir ou **Fakir** (*Ár.*) — Um asceta muçulmano da Índia, um "yogi" maometano. Este nome é aplicado frequentemente, embora erradamente, aos ascetas hindus; porém, estritamente falando, os ascetas *muçulmanos* são os únicos com direito a intitular-se assim. Esta maneira vaga de chamar as coisas por nomes gerais foi adotada em *Ísis sem Véu*, porém atualmente isso foi corrigido.

Farbauti (*Esc.*) — Um gigante do *Edda*. Literalmente, "o remador". Pai de Loki, cuja mãe era a giganta Laufey (ilha frondosa); genealogia que, segundo W. S. W. Anson, em *Asgard e os Deuses*, mostra que provavelmente o remador ou Farbauti "era... o gigante que se salvou do dilúvio num barco e que Laufey era a ilha em cuja direção navegava", o que constitui uma variação adicional do Dilúvio.

Fargard (*Zend.*) — Uma seção ou capítulo de versículos do *Vendidad* dos parsis.

Farvarshi (*Masd.*) — O mesmo que *Ferouer* ou o duplo oposto (como contrastado). Sua contraparte espiritual ainda mais espiritual. Assim, Ahriman é o *Ferouer* ou *Farvarshi* de Ormuzd – "*dæmon est Deus inversus*" –, o Satã de Deus. Miguel, o arcanjo, "aquele que é como Deus", é um *Ferouer* daquele Deus. Um *Farvarshi* é o lado obscuro ou sombrio de uma divindade ou seu revestimento mais obscuro. [Ver *Ferouer*.]

Fascinação — Esta palavra costuma ser empregada em dois sentidos diferentes: (a) como uma espécie de alucinação ou ilusão, que faz ver as coisas de modo muito diferente

F

do que são na realidade, como ocorre em numerosos experimentos dos faquires e como no caso de um feiticeiro, que aparentemente esquartejava pessoas vivas e depois as restituía a seu estado primitivo; (b) como uma poderosa e irresistível força magnética, análoga àquela exercida pelas serpentes sobre as aves e em virtude da qual uma pessoa pode atuar sobre outras pessoas ou sobre os animais, como no caso de Pelissier, que matava ou debilitava as aves valendo-se de tal poder de fascinação, ou nos casos de domadores de feras, encantadores de serpentes etc. (Ver *Ísis sem Véu*, I, 380-1.)

Fatalismo — Os antigos rechaçavam com razão o fatalismo, porque implica no curso cego de um poder mais cego ainda. Porém, como todos os que acreditam em *Karma*, acreditavam no Destino (ou "caminhos da Providência", como outros o denominam), que cada homem, desde o nascimento até a morte, vai tecendo fio a fio ao redor de si mesmo, como a aranha a sua teia. O Destino é guiado pela voz celeste do *Protótipo*, que está fora de nós, ou melhor, por nosso mais íntimo homem *astral* ou interno, que, com demasiada frequência, é o gênio mau da entidade encarnada, que se chama homem. Um e outro levam atrás de si o homem exterior, porém deve prevalecer um dos dois e, desde o princípio da luta invisível, a rígida e inexorável Lei da Compensação surge e empreende seu curso, seguindo fielmente as flutuações da peleja. Uma vez tecido o último fio, o homem encontra-se aparentemente envolto na rede de sua própria obra, ficando completamente sob o império do Destino, que ele próprio lavrou, e então esse Destino a ele se fixa, como o marisco na rocha imóvel, ou o arrasta como uma pluma, no torvelinho levantado por suas próprias ações, e esse é o *Karma*. (*Doutrina Secreta*, I, 700) (Ver *Karma*.)

Fate-ha (*Ár.*) — Esta palavra significa *princípio* e é o nome dado por Mahomé ao primeiro capítulo de seu *Korão*. É uma oração muito comum entre os maometanos como o é a oração dominical entre os cristãos.

Febe (*Phoebe*, em grego) — Um dos nomes dados a Diana ou à Lua (irmã de Febo).

Febo-Apolo (Phoebus-Apollo) (*Gr.*) — Apolo, considerado como Sol, "a luz da vida e do mundo".

Februales (*Lat.*) — Festas expiatórias celebradas antigamente pelos romanos, no mês de fevereiro, em honra de Juno e Plutão, para apaziguar as almas dos defuntos, ou melhor, para tornar propícios os deuses infernais.

Fecundação — A oculta e positiva conexão da Lua com a fecundação é desconhecida dos fisiólogos, que consideram como superstição grosseira todas as crenças populares referentes a esse assunto. Tal "superstição" pertence às crenças dos antigos e também ao judaísmo, base do cristianismo. De fato, as deusas lunares relacionavam-se, em todas as mitologias e especialmente na grega, com o parto, devido à influência que exerce sobre a mulher e a concepção. Para os israelitas, a principal função de Jehovah era a de gerar filhos e o esoterismo da *Bíblia*, interpretada cabalisticamente, prova, de modo irrefutável, que o *Sancta sanctorum* do Templo era simplesmente o símbolo da matriz, o que hoje está provado, sem sombra de dúvida, pela leitura *numérica* da *Bíblia* em geral e do *Gênese*, em particular. Certamente esta ideia foi tomada pelos judeus dos egípcios e dos hindus, cujo Santo dos Santos é simbolizado, na grande Pirâmide, pela Câmara do Rei, e pelos símbolos do *yoni* do hinduísmo exotérico. (*Doutrina Secreta*, I, 284)

Fecundidade — Os romanos divinizaram esta qualidade admirável, que perpetua a linguagem humana, e a representaram sob diversos símbolos: algumas vezes, como uma mulher que leva na mão esquerda um corno da abundância e, com a direita, conduz uma criança; outras vezes pintavam-na quase nua, ao pé de uma árvore, apoiando o braço esquerdo sobre uma cesta de frutas e rodeando, com o direito, um globo adornado de estrelas, ao redor do qual havia quatro crianças de tenra idade.

F

Feitiçaria (*witchcraft*, em inglês) — Bruxaria, encantamento, a arte de lançar feitiços e usar a magia negra. [Ver *Magia negra*.]

Feiticeira — A palavra inglesa *witch* (bruxa, feiticeira) é derivada da palavra anglo-saxônica *wicce* e da alemã *wissen* (saber, conhecer) e *wikken* (adivinhar). Inicialmente as feiticeiras eram chamadas de "mulheres sábias", até o dia em que a Igreja empenhou-se em seguir a lei de Moisés, que condenava toda "bruxa" ou feiticeira à morte. [Ver *Magia e Magia Negra*.]

Feiticeiro — Ver *Mago*.

Fênix — Ave fabulosa, do tamanho de uma águia, que, depois de uma longa vida, consumia-se a si própria através do fogo e renascia de suas próprias cinzas. É o símbolo da ressurreição na Eternidade, na qual a Noite segue-se ao Dia e o Dia à noite; alusão aos ciclos periódicos de ressurreição, cósmica e reencarnação humana. A Fénix vive mil anos, em cujo término, acendendo um fogo flamejante, consome-se a si própria. Após renascer de suas próprias cinzas, vive outros mil anos, e assim até sete vezes sete. "Sete vezes sete" ou quarenta e nove constituem uma alegoria transparente e uma alusão aos quarenta e nove Manus, às sete Rondas, e as sete vezes sete aos sete ciclos humanos em cada Ronda verificada em cada Globo. (*Doutrina Secreta*, I, 331 e II, 652)

Fenômeno (*Phoenomenon*, em latim, e *Phainomenon*, em grego) — Na realidade, "uma aparência", algo nunca visto antes e que confunde o ânimo, quando sua causa é desconhecida. Deixando de lado diversos tipos de fenômenos, tais como os cósmicos, elétricos, químicos etc. e nos atendo puramente aos fenômenos espirituais, é preciso lembrar que, teosófica e esotericamente, cada "milagre" – desde os bíblicos até os taumatúrgicos – é simplesmente um fenômeno, mas nem sempre um fenômeno é um milagre, isto é, algo sobrenatural ou que se encontra fora das leis da Natureza, visto que todo milagre é uma ocorrência impossível na Natureza.

Fenris (*Esc.*) — Lobo monstruoso, filho de Loki, gênio do mal.

Fensal (*Esc.*) — O palácio de Frigga, esposa de Odin.

Ferales (*Lat.*) — Festas que os antigos romanos celebravam em honra dos defuntos, sobre cujas sepulturas os parentes colocavam manjares. Começavam no dia 21 de fevereiro e duravam onze dias.

Feralis arbos (*Lat.*) — "A árvore fúnebre"; o cipreste.

Feralis Deus (*Lat.*) — "Deus fúnebre". Qualificativo aplicado a Plutão e outros deuses infernais.

Féretro — Ver *Rito do féretro*.

Ferho (*Gn.*) — O supremo e maior poder criador entre os gnósticos nazarenos. (*Codex Nazarœus*)

Ferouers (*Per.*) — A palavra *Ferouer* significa o reverso ou o lado oposto de algum atributo ou qualidade (*Doutrina Secreta*, I, 256). Assim, o *Ferouer* (chamado *Fravarshi* no *Vendidad*) é a contraparte espiritual dos deuses, anjos, homens, animais, plantas, astros e também dos elementos (Água, fogo etc.), ou seja, a parte refinada e mais pura da criação grosseira, a alma do corpo; é a parte imortal da criatura da qual é o tipo e ao qual sobrevive (*idem*, III, 79). O próprio Ahura Mazda tem também seu *Ferouer*; assim é que recomenda a Zaratustra que não O invoque, mas a seu *Fravarshi* (ou *Ferouer*), *a* verdadeira e impessoal essência da Divindade e não seu falso aspecto pessoal (*idem*, II, 504). Aplicado ao homem, o *Ferouer* é a parte imortal de um indivíduo, aquela que sobrevive

F

ao homem físico; a parte mais *pura* e divina do *Ego* humano ou princípio espiritual, o *Ego* superior ou Duplo divino dos ocultistas (*idem*, II, 503). (Ver *Amesha*, *Spentas*, *Augoeides* e *Fravarshi*.)

Ferro dos Filósofos (*Alq.*) — Magistério à cor rubra da ferrugem, visto que sua cor aproxima-se daquela do *Crocus Martis*. Denomina-se esta circunstância da obra de *Reinado de Marte*.

Festa das Flores — Ver *Anthesteria*.

Festa dos Asnos — Cerimônia ridícula e escandalosa celebrada, em outros tempos, na igreja de Ruan no dia de Natal. Em Beauvais, no dia 14 de janeiro, também se celebrava a Festa do Asno, representando a fuga da Virgem, com o Menino Jesus, para o Egito. Esta última festa era ainda mais escandalosa que a anterior. Basta dizer que, durante a Missa solene, alternavam-se os zurros do sacerdote oficiante com os do povo e que, entre as estrofes da Prosa que se cantava, havia as duas seguintes: *Ecce magnis auribus - subjugalis filius - Asinus egregius - asinarum dominas* ("Vêde aí, com suas grandes orelhas, este filho sujeito ao jugo, o asno egrégio, rei dos asnos."); *Aurum de Arabia, - thus et myrrham de Sabâ - tulit in ecclesia - virtus asinaria* ("Ouro da Arábia, incenso e mirra de Sabá, a virtude do asno traiu a igreja"). (Para maiores detalhes, ver *Dicionário Histórico das Culturas Religiosas*.)

Festa dos Loucos — Era uma das diversões favoritas na Alemanha da Idade Média "Escolhiam um bispo e até, em algumas igrejas, um papa dos loucos. Os clérigos lambuzavam a cara com escórias de vinho, mascaravam-se ou disfarçavam-se do modo mais extravagante e ridículo; entravam no coro dançando e cantando canções obscenas; os diáconos e subdiáconos comiam morcelas e salsichas sobre o altar, diante do sacerdote celebrante, e jogavam cartas e dados na sua frente, colocavam no incensório pedaços de sapatos velhos, para fazê-lo respirar seu odor. Em seguida passeavam pelas ruas em carros cheios de excrementos, adotando atitudes lascivas e fazendo gestos impudicos. Muitos monumentos recordam estas farsas ímpias e asquerosas." (Ph. Le Bas, *História da Alemanha*, t. I, p. 393).

Festas ou **Festins de Amor** (**Agapae**) (*Gr.*) — Estes banquetes de caridade, celebrados pelos cristãos primitivos, foram instituídos em Roma por Clemente, durante o reinado de Domiciano. O professor A. Kestner, em sua obra *Os Ágapes* ou *Sociedade Secreta do Mundo (Weltbund) dos Cristãos Primitivos*, publicada em Iena, no ano de 1819, fala das Festas de Amor, dizendo que "tinham uma constituição hierárquica e uma base do simbolismo maçônico e dos Mistérios", e manifesta uma relação direta entre os Ágapes antigos e as comidas ou banquetes das lojas dos franco-maçons. Contudo, tendo retirado de cena o "santo beijo" e as mulheres, os banquetes eram mais festas "da bebida" do que "do amor". Os ágapes primitivos eram certamente idênticos às festas fálicas, que, "em outros tempos, eram tão puras como as de Amor dos primitivos cristãos", como observa acertadamente Bonwick, "embora, como elas, tenham degenerado rapidamente em libertinagem" (*Crença Egípcia e Pensamento Moderno*, p. 260). [Estes banquetes fraternais eram celebrados pelos antigos cristãos, antes da comunhão, e se compunham não só de pão e vinho, mas de carnes e de manjares e comidas *(épulæ)* de vários tipos, e eram presididos pelos próprios apóstolos e, mais tarde, pelos bispos e sacerdotes: *non licitam est sine epíscopo agapen* ("não é lícito celebrar ágape sem bispo"). Desde o séc. III foram introduzidos nos ágapes os abusos mais escandalosos, a tal ponto que foi necessário suprimir tais festins. (Ver *Ágapes*.)]

Festas Lupercais (*Lupercalia*, em latim) — Festas populares esplêndidas, celebradas em Roma, no dia 15 de fevereiro, em honra de deus Pã, durante as quais os *lupercos* (os

F

mais antigos e respeitáveis dentre os funcionários sacerdotais) sacrificavam duas cabras e um cão e se obrigava dois dos jovens mais ilustres a percorrer a cidade, quase inteiramente nus, batendo com um chicote em todos os que encontravam pelo caminho. O Papa Gelásio aboliu as festas lupercais no ano de 496, porém, no mesmo dia, substituiu-as pela procissão das velas acesas.

Fetahil (*Gn.*) — O criador inferior, no *Codex Nazaroeus*. [*Fetahil* é idêntico à multidão de *Pitris*, que "criou o homem" como uma "casca" apenas. Era, entre os Nazarenos, o Rei da Luz e o Criador; porém, como tal, é o infeliz Prometeu, que não consegue apossar-se do Fogo vivente necessário à formação da Alma divina, por desconhecer o nome secreto, o nome inefável e incomunicável dos cabalistas. (*Doutrina Secreta*, I, 217)]

Fetiche (do latim *facticius*, artificial) — Ídolo ou objeto de culto supersticioso entre os negros. Aves, peixes, árvores, pedras e muitos outros seres, que a Natureza oferece à visão destes idólatras, são as divindades que forjaram e às quais rendem culto e fazem oferendas. Os negros atribuem a seus fetiches um poder sem limites e os consideram como autores de todos os bens e todos os males que lhes sucedem.

Fetichismo — Culto dos fetiches. O fetichismo adora ou cultua a matéria e a forma externa, passiva, de um objeto. Nisso se distingue da cosmolatria, que considera sempre a essência que se encontra em seu interior. (*Doutrina Secreta*, I, 498)

Fialar e **Galar** (*Esc.*) — Dois anões que mataram Qvaser, de cujo sangue, misturado com mel, fabricaram um licor, que é a Poesia.

Fida (*Alq.*) — Ouro dos filósofos.

Fidda (*Alq.*) — Prata dos químicos herméticos.

Fido (*Alq.*) — Mercúrio dos Sábios.

Filadelfos — Literalmente, "aqueles que amam seus semelhantes". Uma seita do séc. XVII, fundada por uma tal Joana Leadly. Opunham-se a todos os ritos, formas e cerimônias da Igreja e também à própria Igreja, pretendendo ser guiados, em alma e espírito, por uma Divindade interior, seu próprio *Ego* ou Deus interno (*A Chave da Teosofia*).

Filaleteus (Philaletheos) (*Gr.*) — Literalmente, "amantes da verdade". Nome dado aos neoplatônicos alexandrinos, também denominados analogistas e teósofos. (Ver *A Chave da Teosofia*, p. 1 e ss.). Tal escola foi fundada por Ammonio Saccas, no início do séc. III, e durou até o séc. V. A ela pertenciam os mais ilustres filósofos e sábios daquele tempo. O sistema de meditação empregado pelos filaleteus era o êxtase, sistema semelhante à prática hindu do *yoga*. (Ver *Neoplatônicos*.)

Filaleto, *Eugenio* **(Philaletes)** — Nome rosa-cruz adotado por Thomas Vaughan, ocultista medieval inglês e filósofo do fogo. Era também um grande alquimista. (W. W. W.)

Filé (Philae) — Uma ilha do Alto Egito, onde se situava um famoso templo de mesmo nome e cujas ruínas podem ser visitadas até hoje.

Filha de Platão (*Alq.*) — Nome que alguns filósofos químicos deram ao mercúrio dos Sábios.

Filho das Trevas — Ver *Ilda Baoth*.

Filho do Sol e da Lua (*Alq.*) — É o mercúrio dos Sábios. Seu pai é o Sol e sua mãe é a Lua.

F

Filhos da Luz — Os sete Filhos da Luz, designados com os nomes de seus respectivos planetas (e que o vulgo muitas vezes identifica com eles), são os Pais celestes ou, sinteticamente, nosso "Pai" (*Doutrina Secreta*, I, 628). São também denominados "Astros" ou *"Logoi* da Vida" (*idem*, 625). Seres angélicos *(Dhyân Chohans)*, os místicos "Vigilantes" dos alquimistas e cabalistas cristãos (*idem*, 144) (Ver *Filhos do Fogo*.) Também foi designada com o nome de "Filhos da Luz" ou "do Sol" uma das duas classes em que se dividiram os atlantes primitivos e os habitantes da Lemúria, classe que se encontrava em guerra com a oposta, ou seja, a dos Filhos da Noite ou das Trevas.

Filhos da Mente — São aqueles que, em sânscrito, são chamados de *Mânasâputrâs*, por terem nascido da mente de Brahma; os frutos do *Kriyâsakti.*

Filhos da Névoa de Fogo — Ver *Filhos de Ad*.

Filhos da Noite — Os *Asuras*. Aqueles que saíram do corpo de Brahma, quando se fez noite. (*Doutrina Secreta*, II, 170)

Filhos da Sabedoria — Os *Mânasa-putrâs,* que dotaram o homem de mente *(manas)*. *Dhyân-Chohans* ou Anjos das esferas superiores, que revelaram aos homens os mistérios dos céus.

Filhos da Sabedoria Tenebrosa — Embora idênticos aos Arcanjos que a Teologia fez por bem chamar de "caídos", são tão divinos e tão puros, senão mais ainda, do que todos os Migueis e Gabrieis tão glorificados nas igrejas. (*Doutrina Secreta*, II, 259)

Filhos da Viúva — Nome aplicado aos maçons franceses, devido ao fato de as cerimônias maçônicas basearem-se principalmente nas aventuras e morte de Hiram Abif, "o filho da viúva", que, supostamente, ajudou a edificar o mítico Templo de Salomão.

Filhos da Vontade — Ver *Filhos do Yoga*.

Filhos da Vontade e do Yoga — Seres elevados *(Munis, Richis)* de *manvantaras* anteriores, que se encarnaram para formar a sementeira (Grão da Santa Semente) dos futuros Salvadores da humanidade, dos futuros Adeptos humanos desta Terra e durante o ciclo atual, vivendo inteiramente afastados do resto da humanidade. (*Doutrina Secreta*, I, 228) Foram criados (não engendrados) pelos "Senhores de Sabedoria" de um modo verdadeiramente *imaculado*, através do poder *Kriyâsakti* (o divino e misterioso poder latente na *vontade* de todo homem). São os antecessores ou antepassados espirituais de todos os subsequentes e atuais *Arhats* ou *Mahâtmâs*. Na *Doutrina Secreta* são designados com o nome de primeiros *Nâgas*. Mais tarde foram chamados de "Filhos da Névoa de Fogo". (*Doutrina Secreta*, II, 333) São também conhecidos pela denominação de "Filhos de Deus".

Filhos das Trevas — Os habitantes da Lemúria e os primeiros atlantes, ou seja, os lemur-atlantes, empenharam-se numa luta, que começou no mesmo dia em que saborearam o fruto da Árvore da Sabedoria; luta entre o espiritual e o psíquico, e entre o psíquico e o físico. Os que sucumbiram vitimados por suas próprias naturezas inferiores acabaram por se tornar escravos da matéria e por se converter em filhos das Trevas. (*Doutrina Secreta*, II, 284) (Ver *Filhos da luz*.)

Filhos de Ad — A filosofia esotérica denomina os Filhos de Ad de "Filhos da Névoa de Fogo". Termo empregado por certos Adeptos. Constituíram uma produção consciente, pois uma parte da Raça já estava animada pela chama divina da inteligência superior, espiritual. (*Doutrina Secreta*, I, 228)

Filhos de Atri — Uma classe de *Pitris*, os "antecessores dos homens" ou os chamados *Prajâpati*, "progenitores": um dos sete *Richis* que formam a constelação da Ursa Maior.

F

Filhos de Deus — Os Mestres ou Instrutores que, quando começou a despertar a consciência no homem, guiaram a Humanidade e lhe inculcaram as primeiras noções de todas as artes e ciências, bem como o conhecimento espiritual, e lançaram os fundamentos das civilizações antigas. (*Doutrina Secreta*, I, 229). Assim também se designavam os grandes Iniciados da Ilha Sagrada (situada antigamente no vasto mar interior da Ásia Central). (Ver *Filhos da Vontade e do Yoga*.)

Filhos de Krisâswas (Sânsc.) — As armas denominadas de *Agneyastra*. As armas mágicas viventes dotadas de inteligência, mencionadas no *Râmâyana* e em outras partes. Trata-se de uma alegoria oculta. (Ver *Agnyastra*.)

Filhos do Crepúsculo — Com este título são designados os *Barichads* (ver).

Filhos do Dharma — Ver *Filhos do Yoga*.

Filhos do Dhyâna — Ver *Filhos do Yoga*.

Filhos do Fogo (*Agni-putrâs*, em sânscrito) — São os primeiros seres, chamados de "Mentes" na *Doutrina Secreta*, desenvolvidos ou procedentes do Fogo primordial (*Doutrina Secreta*, I, 114); as sete primeiras Emanações do *Logos* (I, 473). Trouxeram a luz ao mundo e dotaram a humanidade de razão e intelecto (II, 379) e foram os instrutores dos filhos da Terra. (Ver *Agnichvâttas* e *Kumâras*.)

Filhos do Sol — Ver *Filhos da Luz*.

Filhos do Soma — Os filhos da Lua.

Filhos do Yoga — A Raça astral primitiva; aquelas "Formas" criadas pelos Pais lunares no fim da terceira Ronda e destinados a construir os tabernáculos das Mônadas menos avançadas, que teriam de encarnar. Receberam o nome de Filhos do Yoga porque o Yoga (exotericamente, união com Brahmâ) é a suprema condição da passiva Divindade infinita, visto que contém todas as energias divinas e é a essência de Brahmâ, que, como tal, diz-se que a tudo cria através do poder do Yoga. (*Doutrina Secreta*, II, 122) São também chamados de "Filhos do Dhyâna".

Filhos do Yoga Passivo — Esta é a designação coletiva da terceira Raça, produzida inconscientemente pela segunda, intelectualmente inativa.

Filou, o Judeu — Judeu helenizado de Alexandria, historiador e escritor famoso. Nasceu por volta do ano 30 a.C. e morreu por volta do ano 45 d.C. Assim, pois, deve ter sabido do maior acontecimento do primeiro século de nossa era e dos fatos referentes a Jesus, sua vida e o drama da crucificação. Apesar disso, guarda absoluto silêncio sobre tais fatos, tanto em sua cuidadosa enumeração das seitas e fraternidades então existentes na Palestina, como também em seus relatos sobre a Jerusalém de seu tempo. Foi um grande místico e em suas obras abundam ideias nobres e metafísicas, uma vez que, em conhecimentos esotéricos, não teve rival durante alguns séculos entre os mais exímios escritores. [O simbolismo da *Bíblia* de Filon é notável. Diz-se que os quadrúpedes, aves, répteis, árvores e lugares nela mencionados são todos "alegorias das condições da alma, das faculdades, tendências ou paixões; as plantas úteis constituíam alegorias das virtudes; as nocivas eram-no das afecções dos ignorantes, e assim sucessivamente em todo o reino mineral, no céu, na terra e os astros; nas fontes e rios, nos campos e nas casas; nos metais, substâncias, armas, vestimentas, ornamentos, mobiliários, o corpo e suas partes, os sexos e nossa condição exterior" (*Dic. de Biog. Crist.*). Tudo isso corrobora poderosamente a ideia de que Filon era versado na Cabala antiga. (Glossário de *A Chave da Teosofia*)]

Filosofal (*Pedra*) — Ver *Pedra Filosofal*.

F

Filosofia escolástica — Um dos nomes dados à Escola neoplatônica de Alexandria.

Filosofia nyâya — Um dos seis *Darzanas*, sistemas ou escolas filosóficas da Índia; um sistema de lógica hindu fundado pelo *Richi* Gautama [Este sistema é chamado também de filosofia dialética de Gotama (ou Gautama). Como seu nome indica (propriedade, conveniência), o sistema *nyâya* é o método adequado para se chegar a uma conclusão através da análise lógica. Segundo tal sistema, através de um raciocínio justo e reto o homem subtrai-se do falso conhecimento e alcança a libertação. (Ver *Darzanas*.)]

Filosofia pûrva-mîmânsâ (ou Mîmânsâ anterior) — Foi fundada por Jaimini. Seu objetivo, como aquele da escola *Uttaramîmânsâ*, é "ensinar a arte de raciocinar, com o propósito expresso de facilitar a interpretação dos *Vedas*, não apenas na parte especulativa, mas também na prática", especialmente no que se refere ao *Karma*, isto é, à ação tanto religiosa como secular e a seus frutos, e de que modo liga o homem a este mundo, sendo uma causa da reencarnação, motivo pelo qual também foi dado a este sistema filosófico o nome de *Karma-Mînânsâ*. (Ver *Darzanas*.)

Filosofia sânkhya — Sistema filosófico fundado pelo *Richi* Kapila; sistema de metafísica analítica e um dos seis *Darzanas* ou escolas de filosofia. Trata de categorias numéricas e do significado dos vinte-e-cinco *tattvas* (forças da Natureza em diversos graus). Esta "escola atômica" (como alguns a denominam) explica a Natureza pela ação mútua de vinte-e-quatro elementos além do *Purucha* (Espírito), modificados pelos três *gunas* ou qualidades, ensinando a eternidade do *Pradhâna* (matéria homogênea primordial) ou a autotransformação da natureza e a eternidade dos *Egos* humanos. [Por sua etimologia, o sistema *Sânkhya* significa sistema enumerativo, ou melhor, sistema nacionalista (de *sânkhya*: número, enumeração, raciocínio). Explica a natureza do Espírito *(Purucha)* e da Matéria *(Prakriti* ou *Pradhâna)*, dois princípios igualmente não-criados e eternos que, por sua mútua união, dão origem a todos os seres, animados e inanimados. Tal como o exposto no *Sânkhya-Kârikâ*, este sistema filosófico não menciona nenhuma Divindade ou Senhor Supremo *(Îzvara)*, tendo sido, por isso, qualificado de ateísta *(anÎzvara)*, mas admite um sem-número de *Puruchas*, visto que cada indivíduo, cada corpo, cada ser da criação tem seu *Purucha* ou Espírito particular. O *Buddhi*, o *Ahankâra*, o *Manas*, os *Indriyas* etc. são outros tantos princípios, *tattvas* ou produtos derivados do *Prakriti*, ou seja, da Matéria sempre ativa e sujeita a contínuas mudanças e modificações, diferenciando-se nesse ponto do *Purucha* ou Espírito, que permanece sempre inativo e imutável, como mero espectador ou experimentador, pois toda a atividade do *Prakriti* é empregada unicamente em favor e proveito do *Purucha*, para sua experiência e libertação. A matéria é constituída por três fatores, modos ou qualidades *(gunas)*, denominados respectivamente *sattva*, *rajas* e *tamas*, e o predomínio de um deles num indivíduo é que determina seu caráter ou condição. Na matéria caótica, não-diferenciada ou não-manifestada, os três *gunas* encontram-se perfeitamente equilibrados; assim não há atividade, não há evolução; todas as potências e energias repousam numa não-ação comparável à de uma semente; porém, quando se rompe tal equilíbrio, começa a manifestação, o processo evolutivo. (Ver *Darzanas*.)

Filosofia uttara-mîmânsâ — Ver *Vedânta*.

Filosofia vaisheshika — Um dos seis *Darzanas* ou escolas de filosofia hindu, fundada por Kanâda. É também designada pelo nome de Escola Atômica, porque ensina a existência de um Universo transitório, constituído por átomos [eternos], um número infinito de almas e um número fixo de princípios materiais, através de cuja correlação e ação recíproca ocorrem as evoluções cósmicas periódicas sem qualquer Força diretriz, exceto uma espécie de lei mecânica inerente aos átomos. É uma escola eminentemente materialista [A filosofia *vaisheshika* ensina a existência de átomos primordiais eternos,

F

que constituem os quatro elementos: terra, água, fogo e ar. As agregações desses átomos eternos são temporais, sendo a *criação* ou formação de um Universo o resultado de tal agregação, assim como a dissolução ou fim de um Universo é feito da desagregação de tais átomos. Propriamente falando, a filosofia *vaisheshika* e a *nyâya* constituem partes de um mesmo sistema, uma completando a outra, embora diferindo em alguns pontos, e é isso o que originou a divisão em duas escolas. (Ver *Darzanas*.)

Filosofia Vedânta — Sistema místico de filosofia, que se desenvolveu graças aos esforços de gerações de sábios para interpretar o significado secreto dos *Upanichads* (ver). Em *Chad-darzanas* (seis escolas ou sistemas de demonstração) é denominado *Uttara-Mîmânsâ* [*Mîmânsâ* posterior], atribuído a Vyâsa, compilador dos *Vedas*, a quem se atribui, portanto, a fundação da *Vedânta*. Os hindus ortodoxos chamam a *Vedânta* (palavra que significa literalmente "fim ou objeto de todo conhecimento (védico)") de *Brahma-jñâna* ou conhecimento puro e espiritual de Brahma. Assim, admitindo as últimas datas assinaladas por nossos orientalistas para várias escolas e obras sânscritas, a *Vedânta* deve ter uma antiguidade de 3.300 anos, visto que se afirma que Vyâsa viveu 1.400 anos a.C. Se, como disse Elphinstone, em sua *História da Índia*, os *Brâhmanas* constituem o *Talmud* dos hindus e os *Vedas* os livros mosaicos, a *Vedânta* deve então se chamar, com toda propriedade, de Cabala da Índia. Porém, quão imensamente maior (é) Zankarâchârya, que foi popularizador do sistema vedantino e o fundador da filosofia *advaita*; é chamado algumas vezes fundador das modernas escolas da *Vedânta*. [A filosofia *Vedânta* é a ciência do Abstrato, a única Realidade, enquanto o universo concreto é considerado como uma ilusão. De modo geral, ocupa-se do conhecimento de Brahma (*Brahma-jñâna*) exposto nos *Vedas*. Segundo os ensinamentos da *Vedânta*, *Paramâtmâ* (Alma universal ou Brahma) é a causa onisciente e onipotente da existência, manutenção e dissolução do Universo; é a Causa eficiente e material do mundo; a criação é um ato de sua vontade; ao chegar a consumação do Universo, todas as coisas n'Ele se resolvem. A *Vedânta* divide-se em três escolas: 1°) a dualista ou *dvaita*; 2°) a dualista com a diferença ou *vizichtadvaita*; e 3°) a monista, não-dualista ou *advaita*, da qual Zankarâchârya foi apóstolo fervoroso (ver estas palavras).]

Filosofia Yoga — Um dos seis *Darzanas* ou escolas filosóficas da Índia. Este sistema, fundado pelo grande *Richi* Patañjali, constitui, no fundo, o sistema *Sânkhya* adaptado à prática e modificado em alguns pontos. A diferença mais notável entre os dois sistemas é que, assim como no de Kapila não há menção de qualquer Divindade, o de Patañjali, pelo contrário, é declaradamente teísta, visto que admite a existência de uma Divindade, sendo esta um Espírito distinto dos inumeráveis Espíritos *(Puruchas)* individuais da escola *sânkhya* ou, em outras palavras, admite a existência de um *Purucha* único, chamado *Îzvara*, Senhor do Universo, a quem não afetam as influências a que estão submetidos os *Puruchas* individuais; por esta razão o sistema yoga é também denominado de *Sânkhya* deísta ou *Sezvara Sânkhya*, isto é, *Sânkhya* com *Îzvara* (*sa-Îzvara*). Outra diferença importante entre tais sistemas refere-se aos meios de se obter a liberação, que, segundo os *sânkhyas*, consistem no conhecimento dos princípios *(tattvas)* e no discernimento entre *Purucha* e *Prakriti*, enquanto que, segundo os *yogis*, consiste na contemplação espiritual e na devoção à Divindade. O *Yoga* de Patañjali expõe um "sistema de esforços" que têm por objetivo o domínio da mente, a liberação do Espírito, arrancando-o dos laços da matéria, e finalmente a união com a Divindade. (Ver *Darzanas* e *Yoga*.)

Filósofos Alexandrinos — Ver *Escola Filosófica de Alexandria*.

Filósofos do Fogo — Nome dado aos filósofos herméticos e alquimistas da Idade Média e também aos rosa-cruzes. Estes últimos, sucessores dos teurgos, consideravam o fogo como símbolo da Divindade. Era origem não só dos átomos, mas também o

F

receptáculo das Forças psíquicas e espirituais que lhes imprimiam atividade e energia. Analisado de maneira geral, o fogo é um princípio triplo; esotericamente, é setenário, como o são todos os demais elementos. Assim como o homem é composto de Espírito, alma e corpo, e tem, além disso, um aspecto quádruplo, o mesmo se dá com o Fogo. Como se expressa nas obras de Robert Fludd (de *Fluctibus*), um dos mais famosos rosa-cruzes, o Fogo contém: 1º) uma chama visível (corpo); 2º) um fogo astral invisível (alma) e 3º) Espírito. Os quatro aspectos são: calor (vida), luz (mente ou inteligência), eletricidade (poderes *kâmicos* ou moleculares) e a Essência sintética, *acima do Espírito*, ou seja, a causa radical de sua existência e manifestação. Para o filósofo hermético ou rosa-cruz, quando uma chama se extingue no plano objetivo não fez nada mais do que passar do mundo visível para o invisível, do cognoscível ao incognoscível.

Filóstrato (Philostratus) (*Gr.*) — Um biógrafo de Apolônio de Tiana, que descreveu a vida, viagens e aventuras deste sábio filósofo.

Firmamento — O que permanece firme, quando o corpo elementar é desagregado ou dissolvido. A esfera da alma do Macrocosmo e respectivamente a do Microcosmo. *(F. Hartmann)*

Fixação (*Alq.*) — Ação ou operação através da qual se fixa uma coisa de natureza volátil. O princípio da fixação é o sal fixo e a digestão num fogo conveniente. Os químicos herméticos dizem que a perfeição da fixação só pode ser obtida através das operações e procedimentos da Pedra dos Filósofos, aos quais somente sua matéria é suscetível, e que atinge este grau quando, através da cocção, chega à cor vermelha do rubi. Esta operação é realizada através de um fogo filosófico do terceiro grau.

Fixar (*Alq.*) — Em termos de Ciência Hermética, é cozer a matéria logo que atingir a cor negra, pela putrefação, até estar perfeitamente branca e, finalmente, atingir a cor vermelha do rubi. Essa matéria torna-se então de tal maneira fixa que resiste à ação do fogo mais violento. *Fixar* é, propriamente falando, transformação de um sal volátil em sal fixo, de modo que ele não mais se evapore nem se sublime. O volátil não se *fixa* por si mesmo, assim como o fixo não se volatiza sozinho; mas aquele que domina sobre o outro, muda o mais fraco para sua própria natureza.

Fla — Ver *Phla*.

Flagæ (*Herm.*) — Nome dado por Paracelso a uma classe particular de gênios ou anjos guardiões. [São equivalentes aos anjos da guarda dos cristãos e aos *pitris* ou antecessores dos ocultistas. (*Doutrina Secreta*, I, 242) Espíritos que conhecem os segredos dos homens; espíritos familiares; espíritos que podem ser vistos nos espelhos e que revelam coisas secretas. *(F. Hartmann)* Cada criança, ao nascer, recebe um gênio ou espírito familiar e estes espíritos, às vezes, instruem seus discípulos desde a mais tenra idade. Muitas vezes ensinam-nos a fazer coisas extraordinárias. Há no Universo um número incalculável de tais gênios e deles podemos aprender todos os mistérios do Caos, pelo fato de estarem relacionados com o Mistério Magno. Estes espíritos familiares são chamados de *Flagæ*. (Ver F. Hartmann, *Os elementais* (*Pneumatologia*), p. 20 e ss.]

Flávio Josefo — Ver *Josefo*.

Flegiæ (Phlegiæ) (*Gr.*) — Antiga ilha submersa em tempos pré-históricos e identificada por alguns escritores como a Atlântida. É também o nome de um povo da Tessália.

Flor da Meia-Noite — Ver *Flor Bodhisattva*.

Flor de Bodhisattva — O Adepto. (Ver *Voz do Silêncio*, I)

F

Flor de Buddha — Ver *Flor de Bodhisattva*.

Floralia — Ver *Anthesteria*.

Flores (*Alq.*) — Os filósofos herméticos dão este nome aos espíritos encerrados na matéria. Expressamente recomendam que se use sempre um fogo brando, visto que esses espíritos são de tal maneira vivos que quebrariam o vaso, por mais forte que fosse, ou se queimariam. Através desse nome, expressam também as diferentes cores atingidas pela matéria durante as operações da obra. Assim, a *Flor do Sol* é a cor citrina-avermelhada que precede o vermelho de rubi. A *Flor-de-lis* é a cor branca, que aparece antes da citrina.

Flos rosinæ metallicæ (*Alq.*) — Flor de enxofre.

Fludd, *Robert* — Geralmente conhecido pelo nome de *Robertus de Fluctibus*, príncipe dos "filósofos do fogo". Célebre filósofo hermético inglês e fecundo escritor do séc. XVI. Escreveu sobre a essência do ouro e outras matérias místicas e ocultas.

Fluido astral — É o *Athanor* dos alquimistas. O Éter Universal. (*Doutrina Secreta*, II, 119)

Fluido magnético — É o fluido invisível que emana dos dedos de um magnetizador; é a "Substância Primordial", que preenche o espaço e todas as coisas e que recebeu diversos nomes, tais como "aura nervosa", "eletricidade vital", "vida", "fogo vivente", *arqueo* dos gregos etc. (*Doutrina Secreta*, I, 361)

Fluido Vital — É o fluido elétrico universal ou fluido eletrovital, um dos aspectos secundários de *Fohat*. (*Doutrina Secreta*, I, 136 e 535)

Fluvii Transitus (*Lat.*) — Ou a passagem do Rio (Chebar). Cornélio Agripa apresenta este alfabeto. No *Ars Quatuor Coronatorum*, t. III, 2ª parte, 1890, obra que é o relato das atuações da loja maçônica *Quator Coronati*, número 2.076, podem ser encontradas cópias deste alfabeto, bem como dos curiosos caracteres antigos denominados *Melachim* e o alfabeto celeste facilitados por W. Wynn Westcott, P. M. Esta loja parece ser a única na Inglaterra que realmente estuda com formalidade "os mistérios ocultos da Natureza e da Ciência".

Fo ou Foé (*Chin.*) — Nome dado a Buddha pelos chineses.

Fogo — Segundo os ensinamentos esotéricos, é o reflexo mais perfeito e não adulterado, tanto no Céu quanto na Terra, da Chama una. É Vida e Morte, origem e fim de todas as coisas materiais. É substância divina (*Doutrina Secreta*, I, 146). Os rosa-cruzes, os filósofos herméticos e muitos outros consideram o Fogo como símbolo da Divindade. Em sentido figurado, dá-se o nome de "Fogo" ao único Elemento Cósmico (*idem*, I, 127). Daí as denominações de *Fogo* fluido (ar), *líquido* (água), *sólido* (tetra) etc. (Ver *Filósofos do Fogo*.)

Fogo artificial (*Alq.*) — É o mercúrio dissolvedor dos filósofos.

Fogo branco (*Cab.*) — O *Zohar*, tratando da "Grande Face" e da "Pequena Face", símbolos do Macrocosmo e do Microcosmo respectivamente, fala do fogo branco oculto, que delas irradia de noite e de dia e que, contudo, não se vê nunca. Isso equivale à força vital (que está acima do éter luminífero) e à eletricidade, nos planos superiores e inferiores. Porém o místico "Fogo branco" é um nome dado a *Ain-Soph*. E esta é a diferença existente entre as filosofias ariana e semítica. Os ocultistas da primeira falam do Fogo branco, que é o símbolo do desconhecido e incognoscível *Brahm* [ou Brahma], e declaram impossível toda especulação sobre o "Fogo negro". Porém os cabalistas que, devido

F

a uma mudança sutil de significação, dotam *Ain-Soph* de uma vontade indireta e atributos, chamam seu "fogo" de *branco*, arrastando assim o Absoluto para o mundo de relação e limitação.

Fogo de Geração (*Alq.*) — É o fogo filosófico.

Fogo de Hermes — É o mesmo que *Fogo de Elmes*. (Ver *Ísis sem Véu*, I, 125, ed. inglesa).

Fogo Filosófico (*Alq.*) — É com este fogo que os Sábios "lavam" sua matéria, uma vez que este *fogo* purifica seu mercúrio. Ele tudo faz e tudo destrói. Congela a mistura da pedra. Corrige o frio da Terra e da água e lhes dá um melhor caráter. Lava as impurezas da água e elimina a umidade supérflua da matéria. Vivifica e ilumina os corpos, já que com eles se mistura. Putrefaz e, em seguida, faz germinar coisas novas e diferentes. É, enfim, como um juiz, que discerne e separa o bom do mau.

Fogo fluido — O ar.

Fogo frio — O Caos: a grande Mãe.

Fogo líquido — A água.

Fogo negro (*Zohar*) — Termo cabalístico aplicado à Sabedoria e à Luz Absolutas. É chamado de "negro" porque é incompreensível para nosso intelecto limitado.

Fogo novo — A cerimônia do fogo novo, celebrada no sábado santo, representando a ressurreição de Cristo, não é exclusiva da Igreja Católica Romana. Os pagãos também tinham o seu, que acendiam através de um vaso côncavo ou de um espelho ustório exposto aos raios do Sol.

Fogo sólido — A Terra.

Fogo vivente — Figura de linguagem com que se designa a Divindade. A Vida única. Expressão teúrgica, usada posteriormente pelos rosa-cruzes. O símbolo do *Fogo vivente é o Sol, alguns de cujos raios desenvolvem o fogo da vida em um corpo morto, comunicam o conhecimento do futuro* à mente vagarosa e estimulam para uma função ativa certa faculdade psíquica, que geralmente se encontra latente no homem. Seu significado é muito oculto. [Ver *Doutrina Secreta*, I, 361.]

Fohat (*Tib.*) — Termo empregado para representar a potência ativa (masculina) do *Shakti* (potência reprodutora feminina) na Natureza. A essência da eletricidade cósmica. Termo oculto tibetano utilizado para expressar a *Daiviprakriti*, a Luz Primordial, e no Universo de manifestação a sempre presente energia elétrica e incessante poder destruidor e formador. Esotericamente, tem o mesmo significado, pois *Fohat* é a Força Vital impulsora, sendo, de uma só vez, o impulsor e o resultado. [*Fohat* é uma coisa no Universo ainda não-manifestado e outra coisa no mundo fenomenal e cósmico. No primeiro, é uma ideia abstrata; contudo, não produz nada por si só; é simplesmente o poder criador potencial, através de cuja ação o número de todos os fenômenos futuros divide-se por assim dizer, para se reunir num ato místico suprassensível e emitir o Raio Criador. No segundo, é o oculto poder eletrovital personificado que, sob a vontade do *Logos* criador, une e combina todas as formas, dando-lhes o primeiro impulso, que, com o tempo, converte-se em lei; a força ativa na Vida Universal, o princípio animador que eletriza cada átomo, fazendo-o entrar na vida; a eminente unidade que enlaça todas as energias cósmicas, tanto nos planos invisíveis como nos manifestados. Penetrando no seio da substância inerte, impulsiona-a para a atividade e guia suas diferenciações primárias nos sete planos da Consciência cósmica. Atua sobre a substância manifestada ou Elemento único e, diferenciando-o em vários centros de energia, põe em ação a lei da Evolução

F

Cósmica, que, obediente à ideação da Mente Universal, faz brotar todos os diversos estados do Ser no sistema solar manifestado. É o laço misterioso que une o Espírito com a Matéria, o Sujeito com o Objeto; a "ponte" através da qual as ideias existentes no Pensamento Divino são imprimidas na Substância Cósmica, como Leis da Natureza. Assim, pois, o *Fohat* é a energia dinâmica da Ideação Cósmica, ou, considerado de outro ponto de vista, é o meio inteligente, a potência diretora de toda manifestação, o Pensamento divino transmitido e manifestado através dos *Dhyân Chohans*, os Arquétipos do mundo visível. Em sua qualidade de Amor divino *(Eros)*, o poder elétrico de afinidade e simpatia, *Fohat* é representado alegoricamente procurando unir o Espírito puro, o Raio inseparável do Absoluto, com a Alma, constituindo ambos a Mônada, no homem, e, na Natureza, o primeiro elo entre o sempre incondicionado e o manifestado. Cada mundo tem seu respectivo *Fohat*; portanto, há tantos *Fohats* quanto mundos, variando cada um deles em poder e grau de manifestação. Os *Fohats* individuais formam um *Fohat* coletivo, universal, aspecto-entidade da única absoluta Não-Entidade, que é Seidade absoluta, *Sat*.]

Fons Vitæ *(Lat.)* — Uma obra de Ibn Gebirol, filósofo judeu árabe do séc. XI, que lhe deu o título de *Me-gôr Hayyûn* ou "Fonte de Vida" *(De Materia universali e Fons Vitæ)*. Os cabalistas ocidentais proclamaram-na como uma verdadeira obra cabalística. Os eruditos descobriram, em bibliotecas públicas, vários manuscritos latinos e hebraicos desta obra maravilhosa, entre outros um manuscrito que encontrou Munk, no ano de 1802. O nome latino de Ibn Gebirol era *Avicebron*, nome bastante conhecido de todos os eruditos orientais. [Ver *Gebirol*.]

Fonte da vida — Ver *Fons Vitæ*.

Foreg (Phoreg) *(Gr.)* — Nome do sétimo titã; não mencionado na cosmogonia de Hesíodo. O titã do "Mistério".

Forma lunar — Ver Corpo *lunar* ou *astral*.

Formas mentais ou **de pensamento** — Ver *Elementos*.

Forminx — Ver *Phorminx*.

Foronede — Ver *Phoronede*.

Foroneu (Phoroneus) *(Gr.)* — Um titã; um dos antecessores e procriadores da humanidade. Segundo uma lenda da Argólida, atribuísse-lhe, do mesmo modo que a Prometeu, o fato de ter levado o fogo para esta Terra (Pausânias). [Foroneu tinha, na Argólida, um altar sobre o qual se elevava continuamente uma chama, para recordar que este titã tinha sido o inventor do fogo. O deus de um rio do Peloponeso. (Ver *Bhuranyu*.)]

Fósforo (Phosphoros) *(Gr.)* — Literalmente: "portador de luz". Nome dado a Lúcifer ou planeta Vênus, a luz da manhã, que brilha no horizonte antes de surgir a aurora. Tem exatamente o mesmo significado de *Lúcifer* (ver).

Fot-tchou *(Chin.)* — Literalmente, "Senhor de Buddha", porém significando simplesmente o preceptor das doutrinas de Buddha. *Foh* significa um *Guru*, que geralmente vive num templo de Sâkyamuni Buddha — o *Foh Maeyu*.

Fraternidade Universal — Este é o primeiro dos objetivos da Sociedade Teosófica: "Formar um núcleo de Fraternidade Universal da Humanidade, sem distinção de raça, crença, sexo, casta ou cor". Para ressaltar a importância deste objetivo, traduzimos as seguintes palavras de Lactâncio (*Instit.*, I, V, cap. 6): "A verdadeira religião é a única que saiba fazer um homem amar outro homem, visto que ensina que todos os homens estão unidos por vínculos de fraternidade, pois Deus é o pai comum de todos". De fato, nosso verdadeiro Eu, o *Espírito Individual*, que reside no interior de cada homem, é uma chispa

F

ou partícula, por assim dizer, do *Espírito Universal* (Deus), sendo ambos idênticos em essência e, devido a esta unidade de origem e essência, todos os seres humanos são *essencialmente* idênticos entre si, apesar da grande diversidade que oferecem em sua condição exterior. Daí deriva a necessidade do altruísmo, do amor, da tolerância, da concórdia, que hão-de reinar entre todos os membros da família humana, formando assim uma verdadeira Fraternidade Universal.

Fravarshi — Ver *Ferouer*.

Fravasham (*Zend.*) — Espírito Absoluto [ou *Âtman*].

Fravashem — Ver *Fravasham*.

Frea — Ver *Freya*.

Fren — Ver *Phren*.

Freya ou **Frigga** (*Esc.*) — No *Edda*, *Frigga* é a mãe dos deuses, como Aditi, nos *Vedas*. É idêntica à Frea setentrional dos germanos e, em seu aspecto inferior, era adorada como a Mãe-Terra, que a tudo nutre. Estava sentada em seu áureo trono [*Hlidskialf*], formado por tecidos de luz dourada, em companhia de três virgens divinas, na qualidade de servidoras e mensageiras, e estava ocupada tecendo fibras de ouro destinadas a recompensar os homens virtuosos. É Ísis e Diana de uma só vez, porque é também Holda, a esforçada caçadora, e é também Ceres-Demeter, que protege a agricultura – a Lua e a Natureza. [Reina grande confusão entre os mitólogos sobre *Freya* ou *Frigga*. Alguns acreditam que constituem duas divindades idênticas; outros, ao contrário, fazem a seguinte distinção:

Freya é a deusa do amor e da beleza, correspondendo à Vênus greco-romana. Habitava um lindo palácio e seu carro era puxado por dois gatos. Ia a cavalo onde quer que houvesse combates e repartia com Odin os guerreiros que sucumbiam na peleja. Cheia de dor, ao ver-se abandonada por seu esposo Oder, que partiu para percorrer países longínquos, não parava de chorar, vertendo lágrimas de ouro puro.

Frigga é a principal deusa da mitologia escandinava. Uma das três esposas de Odin e mãe de Baldur e outros deuses. Ocupa com Odin o trono *Hlidskialf* e conhece o destino dos homens, ruas não o revela a ninguém. Desta deusa deriva o nome da sexta-feira (*Freitag*, em alemão; *friday*, em inglês).]

Fribul (*Esc.*) — Um dos nomes de Odin.

Frigga ou **Friga** — Ver *Freya*.

Fruta do Mar Morto — Na *Luz no Sendeiro*, na *Chave da Teosofia* e outras obras teosóficas, lêem-se passagens concebidas nestas ou em outros termos parecidos: "Seus frutos tornam-se na boca, pó e cinza" (*Luz no Sendeiro*, nota 1); "... haverão de parecer com a fruta do Mar Morto" (*Chave da Teosofia*, p. 195, trad. castelhana), ou outras frases com que se pinta o desengano que sofre uma pessoa ao ver defraudadas suas mais fagueiras esperanças, como ocorre com aqueles que trabalham com afinco, porém com objetivos interesseiros ou egoístas, para obter uma recompensa futura. Isso alude à fruta chamada de *maçã de Sodoma*, que cresce às margens do Mar Morto, muito apetitosa visualmente, mas que, no momento em que se vai degustá-la, transforma-se em pó e cinza. Goethe, poeticamente, descreve esta fruta enganosa, quando põe na boca do Coro estas palavras: "... suas finas maçãs, rosadas como pêssegos e cobertas também por um véu suave como veludo. De boa vontade as morderia; porém estremeço só de pensar, pois, em tal caso, a boca, horrível dizer, ficaria cheia de cinzas" (*Fausto*, II parte, 3º ato).

F

Ftah, Fta, Ptah ou **Phtah** (*Eg.*) — O filho de Knef (Kneph), no panteão egípcio. É o princípio de Luz e Vida, através do qual se efetuou a "criação" ou, melhor dizendo, a evolução. O *Logos* e criador egípcio, o Demiurgo. Uma divindade muito antiga, visto que, segundo Heródoto, havia um templo erigido para ela por Menes, primeiro rei do Egito. E o "dispensador de vida", o nascido de si mesmo e pai de Ápis, o touro sagrado, concebido em virtude de um raio de Sol. Ftah é, assim, o protótipo de Osíris, uma divindade posterior. Heródoto faz dele o pai dos Cabires, os deuses de mistério, e o *Targum de Jerusalém* diz: Os egípcios chamam de Ftah à sabedoria do primeiro Intelecto; portanto, é o *Mahat*, a "sabedoria divina"; embora, de outro ponto de vista, seja *Swabhâvat*, a substância criada de si mesma, como diz uma oração do *Ritual dos Mortos* a ele dirigida, após chamar Ftah de "pai dos pais e de todos os deuses, engendrador de todos os homens produzidos de sua substância"; "Tu não tinhas pai, sendo engendrado por tua própria vontade; tu não tinhas mãe, *tendo nascido pela renovação de tua própria substância, da qual a substância procede*". [Ftah é a segunda pessoa da trindade egípcia, composta de Knef, Ftah e Fre; filho de Knef e de Neith. É o deus do fogo e da vida; o fogo primitivo, na acepção mais ampla da palavra (isto é, nele incluindo, como os antigos, a luz, o calor, o magnetismo e outras forças), e o sopro vital, de que todas as criaturas necessitam para a sua existência e manutenção. Era um deus solar, em virtude do fogo do Sol, que mata, mas também vivifica (*Doutrina Secreta*, I, 393). Seu nome significa "o que abre", isto é, aquele que dá passagem à Vida e à Morte. É o assento ou localidade do Sol e seu gênio oculto ou regente, na filosofia esotérica. Originalmente, era o deus dos mortos, aquele em cujo seio eram recebidos, sendo, neste conceito, semelhante a Shiva, o deus destruidor. Em uma inscrição da famosa necrópole de Sakarah, lê-se que Ftah empresta ao defunto a força necessária para a nova saída e para a ressurreição na existência eterna, além da tumba. É representado levando na mão o cetro augural, um martelo ou um látego. Às vezes é representado com cabeça de gavião.]

Ftah-Ra (phtah-Ra) (*Eg.*) — Um dos quarenta e nove Fogos Místicos (ocultos).

Fula ou **Fulla** (*Esc.*) — Uma das deusas ou asianas; a deusa dos adornos femininos.

Fylfot (*Esc.*) — Uma arma de Thor, parecida com a cruz *svástika* ou *jaina*, a cruz de quatro braços; geralmente chamada de "Martelo de Thor". (Ver *Ísis sem Véu*, I, 160.) [Ver ainda *Cruz Fylfot* e *Svástika*.]

G

G — Sétima letra do alfabeto inglês e décima sétima do sânscrito. "Nas línguas grega, caldeia, siríaca, hebraica, assíria, samaritana, etrusca, copla, no moderno romaico e gótico, ocupa o terceiro lugar no alfabeto, enquanto que nas línguas cirílica, glagolítica, croata, russa, sérvia e valaca figura em quarto lugar." Como o nome de "Deus" começa com esta letra em numerosas línguas (em siríaco, *Gud*; em alemão, *Gott*; em inglês, *God*; em persa, *Gada* etc.), existe uma razão oculta para isso, que a compreenderão unicamente os estudantes de filosofia esotérica e da *Doutrina Secreta*, explicada esotericamente. Refere-se aos três *Logoi* – o último, os *Elohim* e a emanação destes últimos, o andrógino *Adão Kadmón*. Todos esses povos derivaram o nome de "Deus" de suas respectivas tradições, ecos mais ou menos claros da tradição esotérica. A linguagem falada e "silenciosa" (escritura) são um "dom dos deuses", dizem todas as tradições nacionais, desde o antigo povo ariano, que fala o sânscrito e pretende que seu alfabeto, o *devanâgari* (literalmente, "linguagem dos *devas* ou deuses"), foi-lhe dado pelo céu, até os judeus, que falam de um alfabeto, pai único que sobreviveu, como um simbolismo celeste e místico dado pelos anjos aos patriarcas. Portanto, cada letra tem sua significação múltipla. Um símbolo próprio de um ser ou objetos celestiais era, por sua vez, representado na Terra por objetos iguais correspondentes, cuja forma simbolizava a figura da letra. A letra G, chamada em hebraico de *gimel* e simbolizada por um grande pescoço de camelo, ou melhor, por uma serpente erguida, está associada com o terceiro nome divino sagrado, *Ghadol* ou *Magnus* (grande). Seu equivalente numérico é quatro, o *Tetragrammaton* e o sagrado *Tetraktys*, daí seu caráter sagrado. Entre outros povos representava 400 e com um traço em cima representava 400.000. [G é o símbolo de um dos vasos que partem do coração (*Râma Prasâd*). O G sânscrito, como o alemão, tem sempre um som suave, como em *gota, guerra, gula*. O G (*gamma*) do alfabeto grego é o símbolo da Terra (*Gaia*).]

Gabriel — Segundo os gnósticos, o "Espírito" ou *Christos*, o "mensageiro da vida", e Gabriel são um só. O primeiro é chamado algumas vezes de anjo Gabriel – em hebraico, "o poderoso ou herói de Deus", e ocupava, entre os gnósticos, o lugar do *Logos*, enquanto o Espírito Santo era considerado um com o Éon *Vida* (ver *Irineu*, I, XII). Por isso vemos que Teodureto (em *Hæret., Fab.*, II, VII) diz: "Os hereges estão de acordo conosco (os cristãos) sobre o princípio de todas as coisas, porém, eles dizem que não há um só Cristo (Deus), *mas um acima e outro abaixo*. E este último antigamente residia *em muitos outros*; porém o Jesus ora dizem eles que é *de* Deus e ora o chamam de Espírito". A filosofia esotérica dá a chave disso. O "espírito", entre os gnósticos, era esotericamente uma potência feminina, o raio procedente do *Manas* superior, o *Ego*, e aquele a quem se referem os esoteristas com o nome de *Kâma-Manas* ou *Ego* inferior pessoal, que é irradiado em cada entidade humana pelo *Ego* superior ou *Christos*, o Deus que reside em nosso interior. Por conseguinte, disseram justamente: "Não há um só Cristo, mas um acima e outro abaixo". Todo estudante de Ocultismo compreenderá isso e também que Gabriel – ou o "poderoso de Deus" – é uno com o *Ego* superior. (Ver *Ísis sem Véu*.)

Gæa ou **Gea** (*Gr.*) — Matéria primordial na Cosmogonia de Hesíodo; a Terra, como pensam alguns; a esposa de *Ouranos*, Urano, o firmamento ou céu. O personagem feminino da Trindade primitiva, composta de *Ouranos*, *Gæa* e *Eros*. [No mundo de manifestação é igual a Aditi, ou seja, o grande Abismo cósmico. (*Doutrina Secreta*, II, 281)]

Gaffarillus — Alquimista e filósofo que viveu em meados do séc. XVII. É o primeiro filósofo conhecido que sustentou que todo objeto natural (plantas, seres viventes etc.), após sua queima, conservava sua forma em suas cinzas e que tal forma podia delas ressurgir outra vez. Esta pretensão foi justificada pelo eminente químico Du Chesne e,

G

depois dele, Kircher, Digby e Vallemont certificaram-se do fato, demonstrando que as formas astrais de plantas queimadas podiam ser ressurgidas de suas cinzas. Numa obra de Oetinger, *Considerações sobre o Nascimento e Geração das Coisas*, publicou-se uma fórmula para fazer surgir tais fantasmas astrais das flores.

Gagana (*Sânsc.*) — Céu, atmosfera, ar.

Gaganezvara [**Gagana-Îzvara**] (*Sânsc.*) — "Senhor do céu"; um nome de Garuda.

Gaganolmuka (*Sânsc.*) — Literalmente, a "tocha do céu"; o planeta Marte, por sua cor vermelha.

Gahana (*Sânsc.*) — Profundo, impenetrável, inextricável, intrincado.

Gai-hinnom (*Hebr.*) — Nome do inferno, no *Talmud*.

Gaja (*Sânsc.*) — Elefante.

Gajânana (*Sânsc.*) — Ganeza, por ter a cara ou cabeça de elefante.

Gajâsya (*Sânsc.*) — O mesmo que *Gajânana*.

Gajendra (Gaja-Indra) (*Sânsc.*) — Literalmente, "rei dos elefantes"; um elefante nobre. (*Bhagavad-Gîtâ*, X, 27)

Galar (*Esc.*) — Ver *Fialar*.

Galo — Ave de natureza muito oculta; muito apreciado no augúrio e simbolismo antigo. Segundo o *Zohar*, o galo canta três vezes antes da morte de uma pessoa e, na Rússia e em todos os países eslavos, sempre que uma pessoa está enferma, nas casas onde há um galo, o canto deste é considerado como sinal de morte inevitável, a não ser que a ave cante à meia-noite ou imediatamente após, quando este canto é considerado natural. Como o galo era consagrado a Esculápio e sendo este último denominado o *Soter* (Salvador), que trazia os mortos à vida, é bastante significativa a exclamação de Sócrates "devemos um galo a Esculápio", imediatamente antes da morte de tal sábio. Por estar o galo sempre relacionado, na simbologia, ao Sol (ou com os deuses solares), com a morte e a ressurreição, seu lugar apropriado foi encontrado nos quatro *Evangelhos*, na profecia sobre o fato de São Pedro negar seu Mestre antes de o galo cantar três vezes. O galo é a mais magnética e sensível de todas as aves; daí seu nome grego *alektryon*.

Gamaheu ou **Gamathei** (*Alq.*) — Pedras com caracteres e pinturas mágicas, dotadas de poderes recebidos de influências astrais. Podem ser feitas através da arte ou de modo natural. Amuletos; encantos. (*F. Hartmann*)

Gamathei — Ver *Gamaheu*.

Gambatrin (*Esc.*) — Nome da "vara mágica" de Hermodur, no *Edda*.

Gammadia (*Gr.*) — Espécie de cruz formada pela reunião de quatro *gammas* (a letra grega Γ) sob a forma de ⊥⊥, e que figurava nas vestes e outros ornamentos eclesiásticos na antiguidade cristã. Anastásio, o Bibliotecário, frequentemente faz menção destas vestimentas, as quais designa comumente de *gammadiœ vestes*. (Martigny, *Dict. des Antiq. Chrét.*)

Gammadion — Às vezes designa-se com este nome a cruz chamada de *svástika*. (Ver *Svástika*)

Gamya (*Sânsc.*) — Exequível; que se há de alcançar.

Gana (*Sânsc.*) — Multidão, legião, grupo, associação etc. A multidão de divindades inferiores, especialmente as que estão a serviço de Shiva, regidas por Ganeza.

G

Gana-devas (*Sânsc.*) — Certa classe de seres celestiais que, segundo se diz, habitam o *Mahar-loka*. São os regentes de nosso *Kalpa* (ciclo), pelo que são designados de *Kalpadhikârins* ou "Senhores dos *Kalpas*" e duram apenas um "Dia" de Brahmâ.

Gana-devatas (*Sânsc.*) — Literalmente, "multidões ou legiões de deuses". Este termo é aplicado àquelas divindades geralmente constituídas em classes ou grupos, tais como os *Adityas*, os *Vasus*, os *Rudras*, os *Sâdhyas* etc.

Gana-pati (*Sânsc.*) — Literalmente, "Senhor da multidão de divindades inferiores". Epíteto de Ganeza.

Gandapada — Ver *Gandapâda*.

Gandha (*Sânsc.*) — Olfato, odor, perfume.

Gandhamâtri (*Sânsc.*) — A Terra, mãe dos odores.

Gandhâra (*Sânsc.*) — Um país e uma cidade situados na margem ocidental do Indo.

Gândhâra (*Sânsc.*) — Uma nota musical de grande poder oculto na escala hindu, a terceira da escala diatônica.

Gandharî (*Sânsc.*) — O *nâdi* (nervo ou vaso) que vai ao olho esquerdo. *(Râma Prasâd)*

Gândhâri (*Sânsc.*) — Princesa de Gandhâra. Esposa do rei Dhritarâchta e mãe dos príncipes Kurus.

Gandharva-loka (*Sânsc.*) — Literalmente, "o mundo dos *Gandharvas*". A região ou o mundo dos espíritos celestes (um dos oito mundos).

Gandharvas ou **Gandharbas** (*Sânsc.*) — Cantores ou músicos celestes da Índia. Nos *Vedas*, estas divindades revelam aos mortais os arcanos do céu e da Terra e a ciência esotérica. Cuidavam da planta do *Soma* sagrado e de seu suco, a ambrosia ou néctar, que se bebia no templo e que dá a "onisciência". [O *Gandharva* do *Veda* é a divindade que sabe e revela aos mortais os segredos dos céus e as verdades divinas em geral. Cosmicamente, os *Gandharvas* são as potências agregadas do Fogo solar e constituem suas forças; psiquicamente, são a inteligência que reside no *Suchumnâ*, o Raio Solar, o mais eminente de todos os sete Raios; misticamente, são a Força oculta no *Soma*, a Lua ou planta lunar e a bebida feita com ela; fisicamente, são as causas fenomenais e, espiritualmente as causas numerais do Som e a "Voz da Natureza". Por isso são denominados os 6.333 cantores celestes e músicos do paraíso de Indra, que personificam, até em número, os vários e múltiplos sons da Natureza. Nas alegorias posteriores, diz-se que têm um poder místico sobre as mulheres e que são a elas afeiçoados. O significado esotérico é claro. Constituem uma das formas, senão os protótipos dos Anjos de Enoch, os Filhos de Deus, que viram que as filhas dos homens eram formosas (*Gênese*, VI), com elas se casaram e ensinaram às filhas da Terra os segredos do céu. (*Doutrina Secreta*, I, 569)]

Gandharva-veda ou **Gandharva-vidyâ** (*Sânsc.*) — "A ciência dos *Gandharvas*". A música, o canto.

Gandharva-vidyâ — Ver *Gandharva-veda*.

Gandharvatî (*Sânsc.*) — "Local do cheiro". A Terra, mãe dos odores. (*Uttara-Gitâ*, II, 22)

Gândîva (*Sânsc.*) — Literalmente, "que fere no rosto". Nome do arco que Arjuna recebeu do deus Agni. Este arco era dotado de virtudes maravilhosas.

G

Gandunia ou **Gan-duniyas** (*As.*) — Nome equivalente a *Eden* ou *Gan-Eden*. (Ver *Gan-Eden*.)

Gan-Eden (*Hebr.*) — Também chamado de *Ganduniyas*. (Ver *Éden*.)

Ganeza (*Sânsc.*) — O deus de cabeça de elefante, deus da sabedoria, filho de Shiva. É equivalente ao egípcio Thoth-Hermes e Anúbis ou Hermanúbis (ver). Segundo diz a lenda, Ganeza, ao perder sua cabeça humana, recebeu uma de elefante. [Ganeza (*ganaîza*) é também chamado de Ganapati (*gana-pati*), pois ambos os nomes significam "Senhor das multidões de divindades inferiores", que estão a serviço de Shiva. É também designado de *Gajânana* (que tem cabeça de elefante), *Gajâsya* (de mesmo significado), *Ekadanta* (que tem um só dente ou canino) e outros. Era filho de Shiva e Pârvatî ou de Pârvatî somente, pois diz a lenda que surgiu da escama do corpo de Pârvatî. Em sua qualidade de deus da sabedoria e de eliminador de obstáculos, pede-se-lhe auxílio ao se começar uma empresa importante e também é invocado no início dos livros. (Ver *Cinocéfalo*.)]

Ganeza-Gîtâ (*Sânsc.*) — É o *Bhagavad-Gîtâ*, com a diferença de ser ali substituído o nome de Krishna pelo de Ganeza. E comumente utilizado pelos *gânapatyas* ou adoradores de Ganeza. Na obra intitulada *Grandeza do Bhagavad-Gîtâ*, segundo o *Vârâhapurâna*, alude-se a ambos os *Gîtâs*, visto que a primeira estrofe começa nestes termos: "Louvor ao glorioso Ganeza! Louvor ao amante de Râdhâ (Krishna)!"

Ganeza-Purâna (*Sânsc.*) — Um dos *Purânas* menores, que trata especialmente da glória e grandeza do deus de cabeça de elefante.

Gangâ (*Sânsc.*) — O Gânges, principal rio sagrado da Índia. Existem duas versões de seu mito: uma delas se refere a Gangâ (a deusa), que, tendo-se transformado em rio, flui do dedão do pé de Vishnu; segundo a outra, o Gangâ brota da orelha de Shiva para cair no lago Anavatapta e sai dali pela boca da Vaca de prata (*Gomukhi*), cruza toda a Índia oriental e desagua no oceano do Sul. Segundo Eitel, em seu *Dicionário Sânscrito-Chinês*, uma "superstição herética" atribui às águas do Ganges a *virtude de lavar os pecados*, o que, poderia alguém dizer, não é mais supersticioso do que a crença de que as águas batismais e as do rio Jordão têm igual virtude. [Personificada como deusa, Gangâ é a filha mais velha de Himavat (Himâlaya) e Menâ; foi esposa do rei Zântanu e deu à luz um filho, Bhîshma, que, por esta razão, é também chamado de Gângeya. Entre outros nomes, o Gânges é também denominado de *Tripathagâ* ou *Trisrotas*, por ser um rio triplo, que corre por três mundos: céu, Terra e inferno. *Gangâ* é também um termo utilizado para designar o alento do Sol. (*Râma Prasâd*)]

Gangâdhara (*Sânsc.*) — Literalmente, "sustentador do Gânges". Epíteto de Shiva. Ao despencar do céu o rio Gânges, Shiva, para livrar a Terra do choque de sua violenta queda, recebeu o rio em seu peito e reprimiu seu curso com seus cabelos emaranhados. O rio logo baixou do peito do deus, formando sete correntes, como geralmente se admite que são os sete rios ou *sindhus (sapta-sindhava)*, um dos quais é o Gânges propriamente dito.

Gangâdwâra (*Sânsc.*) — Literalmente, "a porta do Gânges", nome de uma cidade atualmente conhecida por Hardwâr, situada ao pé dos Himalaias [junto a um desfiladeiro, pelo qual o rio baixa à planície].

Gangâ-sâgara (*Sânsc.*) — A boca do Gânges. Local santo para banhos, consagrado a Vishnu.

Gânges — Ver *Gangâ*.

G

Gângeya (*Sânsc.*) — Sobrenome de Bîshma, como filho da deusa Gangâ.

Gangi (*Sânsc.*) — Famoso feiticeiro do tempo de Kâzyapa-Buddha (um predecessor de Gautama). Gangi era considerado como uma encarnação de Apalâla, o *Nâga* (serpente), espírito guardião das fontes do Subhavastu, um rio de Udyâna. Diz-se que Apalâla foi convertido à boa Lei por Gautama Buddha, e chegou a ser um *Arhat*. A alegoria deste nome é fácil de compreender: todos os Adeptos e Iniciados eram chamados de *Nâgas*, "Serpentes de Sabedoria".

Ganinnânse — Sacerdote cingalês que não chegou a ser ordenado. Esse nome deriva de *gana*, associação ou fraternidade. Os sacerdotes superiores ordenados "são denominados de *therunnânse* (ou *terunnânse*), nomes derivados do pali *thero*, dignatário". *(Hardy)*

Ganso — A caça dos gansos é uma representação simbólica e mística, frequente nos templos egípcios e mencionada no *Livro dos Mortos*. Uma das cerimônias da grande festa em honra de Ammón consistia em soltar quatro gansos, que tinham o nome dos quatro gênios funerários e que, em seu voo, tinham de se dirigir aos quatro pontos cardeais. (Pierret, *Dict. d'Arch. Égypt.*)

Gantavya (*Sânsc.*) — Que deve ser alcançado.

Gaokerena (*Masd.*) — A árvore da vida eterna o branco Haôma. (*Doutrina Secreta*, II, 544)

Garbha (*Sânsc.*) — Seio, matriz; ovo, germe, embrião, fruto.

Gârhapatya (*Sânsc.*) — Um dos três fogos domésticos. *(Râma Prasâd)*

Gariman (*Sânsc.*) — Peso, gravidade; poder adquirido pelo *yogi* de se tornar muito pesado.

Garm (*Esc.*) — O Cérbero do *Edda*. Este cão monstruoso vivia na caverna de Gnypa, defronte à morada de Hel, a deusa do mundo inferior.

Garuda (*Sânsc.*) — Ave gigantesca [com forma de águia] mencionada no *Râmâyana* e que serve de cavalgadura para Vishnu. Esotericamente, é o símbolo do grande céu. [*Mahâ-Kalpa*]. [Garuda é conhecida também pelos nomes de *Khagezvara* (rei das aves), *Nâgântaka* (destruidor de serpentes), *Vishnu-ratha* (veículo de Vishnu), *Vainateya* (filho de Vinatâ) etc. (Ver *Bhagavad-Gîtâ*, X, 30.)]

Garva (*Sânsc.*) — Orgulho, arrogância.

Gatâgata (gata-âgata) (*Sânsc.*) — Literalmente, "aquele que vai e vem". O transitório, a transmigração; felicidade passageira ou instável.

Gatasandeha (*Sânsc.*) — Sem qualquer dúvida.

Gatasanga (*Sânsc.*) — Livre de apego, isento de afeições.

Gatâsu (*Sânsc.*) — "Sem vida", exânime, morto.

Gatavyatha (*Sânsc.*) — Livre de dor, de inquietude ou de temor.

Gâthâ (*Sânsc.*) — Hinos ou cantos métricos, compostos de sentenças morais. Um *gâthâ* de 32 palavras chama-se *Âryâgiti*.

Gati (Gâti) (*Sânsc.*) — As seis (esotericamente sete) condições da existência senciente. Estão divididas em dois grupos: os três *gatis* superiores e os três inferiores. Ao primeiro correspondem os *devas*, os *asuras* e homens *(imortais)*; ao segundo (nos ensinamentos exotéricos) as criaturas que estão no inferno, os *pretas* ou demônios famintos e os animais. Explicado esotericamente, contudo, os três últimos são as *personalidades* que

G

estão no *Kama-loka*, elementais e animais. O sétimo modo de existência é o do *Nirmâna-kâya* (ver). [O termo *gati* tem muitas outras acepções: curso, marcha; via, sendeiro; meta; destino; refúgio; meio; procedimento; logro, aquisição etc.]

Gato — Ver *Bubasté*.

Gâtra (*Sânsc.*) — Membro. No plural, os *membros* (de Brahmâ), dos quais nasceram os filhos "nascidos da mente", os sete *Kumâras*.

Gâtu (*Sânsc.*) — Nome de um dos *Gandharvas*.

Gaudapâda (*Sânsc.*) — Célebre preceptor brahmânico, autor dos *Comentários* sobre o *Sânkhya-Kârikâ*, *Mândûkya-Upanichad* e outras obras.

Gauna (*Sânsc.*) — Adjetivo derivado de *guna*. Relativo ou pertencente às qualidades; secundário, subordinado, não-essencial.

Gaunika (*Sânsc.*) — Relativo ou pertencente às qualidades *(gunas)*.

Gaupâyanas (*Sânsc.*) — Filhos ou descendentes de Gopa. Com este nome são designados quatro *Richis*, autores de quatro notáveis hinos do *Rig-Veda*.

Gaurî (*Sânsc.*) — "Da cor de ouro brilhante". Nome da esposa de Shiva.

Gautama (*Sânsc.*) — O príncipe de Kapilavastu, filho de Zuddhodana, rei Sâkya do pequeno reino dos confins do Nepal. Nasceu no séc. VII a.C. e atualmente é chamado de "Salvador do Mundo". Gautama ou Gotama era o nome sacerdotal da família Sâkya e Siddhârta era o nome de Buddha antes de chegar a ser um *Buddha*. *Sâkya-muni* significa "o santo da família Sâkya". De simples mortal, elevou-se à condição de *Buddha* por seu próprio mérito pessoal e sem qualquer ajuda. Um homem verdadeiramente maior que qualquer deus! (Ver *Buddha Siddhârta*.) [Gautama é também o nome do sábio Zaradvat, autor de um *Dharma-Shâstra* e o do fundador do sistema filosófico *nyâya*. (Ver *Filosofia nyâya*.)]

Gautamî (*Sânsc.*) — Epíteto de Durgâ e nome de uma feroz *râkchasî* ou demônio-fêmea.

Gayâ (*Sânsc.*) — Uma das sete cidades sagradas; é ainda hoje um lugar de peregrinação.

Gâyatrî (*Sânsc.*) — Também chamado de *Sâvitri*. Um verso muito sagrado dirigido ao Sol, no *Rig-Veda*, e que os brâhmanes têm que recitar mentalmente todos os dias, pela manhã e ao final da tarde, durante suas devoções. [O nome *Sâvitri*, com o qual é designado tal verso, deve-se ao fato de se dirigir ao Sol na qualidade de *Sâvitri*, "o engendrador" (Dowson: *Dicionário de Hindu Clássico*). Personificado como deusa, *Gâyatrî* é uma forma métrica, que consta de três divisões de oito sílabas cada. É a principal, segundo Sankarâchârya, porque conduz ao conhecimento de Brahma. (Ver *Bhagavad-Gîtâ*, X, 35.)

Gea — Ver *Gæa*.

Geber (*Hebr.*) ou **Gibborim** — "Homens poderosos" o mesmo que os *Kabirim*. No céu, são considerados como anjos poderosos e, na Terra, como os gigantes mencionados no capítulo VI do *Gênese*.

Gebirol, *Salamón Ben Jehudah* — Chamado, na literatura, *Avicebrón*. Israelita de nascimento, filósofo, poeta e cabalista, fecundo escritor e místico. Nasceu em Málaga, no séc. XI (no ano de 1021) foi educado em Zaragoza e morreu em Valencia, em 1070, assassinado por um maometano. Seus correligionários chamavam-no de *Salomón el Sephardi* ou *O Espanhol* e os árabes de Abu Ayyub Suleiman ben ya'hya Ibn Dgebirol, enquanto os escolásticos denominavam-no de *Avicebrón* (ver Myer, *Qabbalah*). Ibn Gebirol

G

foi indubitavelmente um dos sábios e filósofos mais ilustres de seu tempo. Escreveu muito em árabe e a maior parte de seus manuscritos foi conservada. Sua obra mais importante parece ser o *Megôr Hayyim*, isto é, a *Fonte da Vida*, "uma das primeiras exposições dos segredos da Cabala especulativa", segundo seu biógrafo. (Ver *Fons Vitæ*.)

Geburah (*Hebr.*) — Termo cabalístico; o quinto *Sephira*, uma potência feminina e passiva, que significa severidade e poder. Dele o Pilar da Severidade recebeu seu nome. [Ver *Pilares (os Três)*.]

Gedulah (*Hebr.*) — Outro nome do Sephira *Chesed*.

Gehenna (*Hinnom*, em hebraico) — Não é, de modo algum, o inferno, mas um vale próximo a Jerusalém, onde os israelitas imolavam seus filhos a Moloch. Em tal vale situava-se um lugar denominado *Tophet*, no qual era mantido permanentemente aceso um fogo para fins sanitários. Segundo o profeta Jeremias, seus patrícios, os judeus, costumavam sacrificar seus filhos em tal lugar.

Geha (*Zend.*) — Orações dos parses.

Gelukpa (*Tib.*) — Literalmente, "Turbantes Amarelos'; a mais importante e mais ortodoxa seita búdica do Tibete; a antítese dos *dugpa* (ou "Turbantes Vermelhos"), os antigos "adoradores do diabo". A seita dos *gelukpas* foi fundada pelo grande reformador tibetano Amitâbha, o *Dhyâni-Buddha* de Gautama Sâkyamuni (*Doutrina Secreta*, I, 134). (Ver *Dorge e Dugpas*.)

Gemara (*Hebr.*) — Última parte do *Talmud* judeu, iniciada pelo rabino Ashi e completada pelos rabinos Mar e Maremar, até o ano 300 d.C. (W. W. W.) — Literalmente, "consumação" ou "perfeição". É um comentário sobre o *Mishna*.

Gemas (*As Três Preciosas*) — No budismo do Sul, são os livros sagrados, os Buddhas e o clero ou sacerdócio. No budismo do Norte e suas escolas secretas, são o Buddha, seus ensinamentos sagrados e os *Narjols* (Buddhas de Compaixão).

Gematria (*Hebr.*) — Uma divisão da Cabala prática. Expõe o valor numérico das palavras hebraicas, somando os valores das letras que as compõem e, além disso, através desse meio, manifesta as analogias existentes entre as palavras e as frases. (W. W. W.)

Geminis (*Gêmeos* em latim) — Gêmeos constitui o terceiro signo do Zodíaco e representa, segundo a opinião mais admitida, Castor e Pólux. Leda, esposa de Tíndaro, rei de Esparta, foi seduzida por Júpiter, em figura de cisne, nas margens do sagrado Rio Eurotas; como resultado de tal união, Leda pôs dois ovos; de um deles nasceram Helena e Clitemnestra; do outro, Castor e Pólux, conhecidos também pelo nome comum de Dióscuros.

Gênese (*Gr.*) — Todo o livro do *Gênese* até a morte de José é uma versão alterada da cosmogonia dos caldeus, como se demonstrou várias vezes através do estudo dos ladrilhos assírios. Os três primeiros capítulos são transcritos dos relatos alegóricos das origens comuns a todas as nações. O quarto e quinto capítulos constituem uma nova adaptação alegórica do mesmo relato do *Livro Sagrado dos Números*; o sexto capítulo é uma narração astronômica do ano solar e dos sete *Cosmocratores*, retirada do original egípcio do *Poimandres* e das visões simbólicas de uma série de *Enoichioi* (Videntes) – das quais procedeu o próprio *Livro de Enoch*. O princípio do *Êxodo* e a história de Moisés é a do babilônico Sargon (ver), que, tendo florescido (como nos diz Dr. Sayce) no ano de 3.750 a.C., precedeu o legislador hebraico em cerca de 2.300 anos. (Ver *Doutrina Secreta*, II, 691 e ss.). Não obstante, o *Gênese* é, sem dúvida, uma obra esotérica. Não copiou nem desfigurou os símbolos universais e os ensinamentos nos versículos de que foi escrito, mas adaptou simplesmente as verdades eternas em seu próprio espírito nacional e as

G

revestiu com engenhosas alegorias, compreensíveis apenas para seus cabalistas e Iniciados. Os gnósticos fizeram outro tanto, cada seita de sua própria maneira, do mesmo modo como, há milhares de anos, a Índia, o Egito, a Caldeia e a Grécia também vestiram as mesmas verdades incomunicáveis, cada uma com sua própria roupagem nacional. A chave e solução de todos aqueles relatos só podem ser encontradas nos *ensinamentos esotéricos*.

Genii (*Lat.*) — Nome utilizado para designar os Eones ou anjos, entre os gnósticos. Os nomes de suas hierarquias e classes são muito numerosos.

Gênios — Os caldeus e outros povos da Antiguidade acreditavam na existência de seres espirituais intermediários entre Deus e os homens e que, segundo eles, presidiam o nascimento de cada pessoa, a qual acompanhavam durante toda a vida. Supunham alguns que cada homem tinha dois gênios opostos, um bom, o espírito guardião que o atraía para o bem, e outro mau, que o arrastava para o mal. As casas, os lugares, as cidades, as nações possuíam igualmente seu gênio tutelar.

Gentios — Nome dado antigamente aos pagãos, ou seja, a todos os que não eram judeus.

Geônico — Ver *Período geônico*.

Gh (*Sânsc.*) — Em sânscrito, é a décima oitava letra de seu alfabeto e é pronunciada como o *g* suave acompanhado de leve aspiração. É símbolo de um dos vasos que partem do coração para se ramificar por todo o corpo. (*Râma Prasâd*)

Ghadol (*Hebr.*) — "*Magno*", o terceiro nome divino. (Ver *G*.)

Gharghara (*Sânsc.*) — Um dos tons musicais.

Ghâri ou **Ghati** (*Sânsc.*) — (1) Um período de vinte e quatro minutos; (2) um *ghati* lunar é um pouco menor, uma sexagésima parte de um dia lunar. (*Râma Prasâd*)

Gharma (*Sânsc.*) — ["Calor que faz suar". Estação quente.] Epíteto de Kârtikeya [ou Skanda], o deus da guerra hindu, e o *Kumâra*, nascido da gota de suor de Shiva, que caiu nas águas do Ganges. [E também o planeta Marte.]

Ghati — Ver *Ghâri*.

Ghilgal — "Metempsicose". Entre os judeus modernos, há muitos que acreditam no dogma da metempsicose, isto é, que as almas transmigram de um corpo para outro. Os que têm tal crença não são considerados como hereges, pois fundamentam seu sistema em várias passagens da *Escritura*, especialmente no *Eclesiastes* e no *Livro de Job*.

Ghocha (*Sânsc.*) — Literalmente, "Voz milagrosa". Nome de um grande *Arhat*, autor do *Abhidharmâmrita-Shâstra*. Devolveu a visão a um cego, molhando seus olhos com as lágrimas vertidas pela plateia, movida por sua eloquência sobrenatural.

Ghora (*Sânsc.*) — "Espantoso". Sobrenome de Shiva.

Ghrâna (*Sânsc.*) — Odor, olfato. O órgão do olfato, a modificação odorífera do *Prâna*. (*Râma Prasâd*)

Ghrânendriya (*Sânsc.*) — O órgão ou sentido do olfato.

Ghrita (*Sânsc.*) — Manteiga clarificada. (*Uttara Gîtâ*, I, 28)

Giall (*Esc.*) — Rio que serve de limite ao império dos mortos ou inferno escandinavo. É cruzado por uma ponte chamada *Giallar*.

Gibborim — Ver *Geber*.

G

Giburim (*Hebr.*) — grandes homens, titãs, gigantes ou "homens celestes" (*Doutrina Secreta*, I, 139). Ver *Râkchasas*.

Gigantes — Elementais que têm forma humana, porém de enorme tamanho. Vivem como os homens e são mortais, embora invisíveis nas circunstâncias comuns. (F. Hartmann) São os antecessores da humanidade atual; os habitantes da Atlântida e da Lemúria; os *daityas*, *dânavas* etc. (Ver *Doutrina Secreta*, II, 74, 367, 452, 456, 465 etc.) Na mitologia grega, mencionam-se alguns gigantes, filhos do céu e da Terra, que guerrearam com os deuses e, objetivando destronar Júpiter, amontoaram o monte Osa sobre o Pelion e o Olimpo sobre o Osa, e do cume lançaram pedras de grande tamanho, que, ao caírem no mar, converteram-se depois em ilhas, e outras, que caíram na Terra, formaram grandes montanhas. Porém, vencidos finalmente por Júpiter, este os precipitou ao fundo do Tártaro ou, segundo outros, sepultou-os vivos, seja sob o Etna, seja sob a Sicília, Candia ou outros países.

Gigantes-demônios — Ver *Râkchasas*.

Gigantes gelados ou **Hrimthurses** (*Esc.*) — Os grandes construtores, os ciclopes e titãs dos antigos escandinavos. Desempenham papel importante nos *Eddas*. Fabricaram o forte muro que circunda o *Asgard* (o Olimpo escandinavo), para o defender dos *Jotuns*, os gigantes malvados.

Giges (*Gyges*, em grego) — "O anel de Giges" tornou-se uma metáfora comum na literatura europeia. Giges era um habitante da Lídia que, depois de assassinar o rei Candaulo, casou-se com sua esposa. Platão diz que Giges desceu uma vez a uma abertura da terra e ali descobriu um cavalo de bronze, dentro de cujo costado aberto havia um esqueleto de um homem gigantesco, que possuía um anel de bronze no dedo. Este anel, uma vez colocado em seu próprio dedo, tornava-o invisível.

Gilgoolem (*Hebr.*) — O ciclo de renascimento entre os cabalistas hebraicos; entre os cabalistas ortodoxos, é a "rotação da alma", após a morte, que não encontra descanso até que chegue à Palestina, a "Terra prometida", e tenha o corpo ali enterrado.

Gimil — Ver *Gimli*.

Gimii ou **Gimle** (**Gimil**) (*Esc.*) — "A cova de Gimli" ou *Wingolf*. Uma espécie de céu ou paraíso ou talvez uma Nova Jerusalém, edificada pelo "Deus forte e poderoso", que permanece sem nome no *Edda*, por cima do Campo de Ida e depois de surgir das águas da nova Terra.

Gimnosofistas (**Gymnosophistas**) (*Gr.*) — Nome dado pelos escritores gregos para designar uma classe de mendigos nus ou "vestidos de ar"; ascetas da Índia, sumamente instruídos e dotados de grandes poderes místicos. É fácil reconhecer nestes gimnosofistas os antigos *âranyakas* hindus, os inteligentes yogis e filósofos ascetas, que se retiravam para as selvas, para ali alcançar, através de austeridades, a experiência e o conhecimento sobre-humanos.

Gimnungagap (*Esc.*) — Literalmente, "taça ou copo de ilusão"; o abismo da grande profundidade [ou Caos], o golfo aberto sem margens, sem princípio nem fim, que, na linguagem esotérica, chamamos de "Matriz do Mundo", o Espaço vivente primordial. A taça que contém o Universo, e daí seu nome de "copo da ilusão".

Giöl (*Esc.*) — A Estígia, o rio Giöl, que devia ser atravessado antes de se chegar ao mundo inferior, o frio reino de Hei. Sobre este rio estendia-se uma ponte coberta de ouro, que conduzia à gigantesca vala de ferro, que circunda o palácio de Hal, a deusa do mundo inferior.

G

Gir (*Sânsc.*) — Voz, palavra, linguagem, verso, canto.

Gîtâ (*Sânsc.*) — Canto poema. Por antonomásia assim se designa o *Bhagavad-Gîtâ*.

Glândula pineal — Também chamada de "Terceiro Olho". É uma pequena massa de substância nervosa, cinza-avermelhada, do tamanho de uma ervilha, aderida à parte posterior do terceiro ventrículo do cérebro. É um órgão misterioso, que, em outros tempos, desempenhou papel importantíssimo na economia humana. Durante a terceira Raça e no início da quarta, existiu o Terceiro Olho, órgão principal da espiritualidade no cérebro humano, local do gênio, o "Sésamo" mágico, que, pronunciado pela mente purificada do místico, abre todas as vias da verdade para aquele que sabe usá-lo (*Doutrina Secreta*, III, 506). Um *Kalpa* depois, devido ao gradual desaparecimento da espiritualidade e do aumento da materialidade humana, substituída a natureza espiritual pela física, o Terceiro olho foi-se "petrificando", atrofiando-se gradualmente, começou a perder suas faculdades e a visão espiritual tornou-se obscurecida. O "Olho Divino" (*Devâkcha*, como é chamado pelos ocultistas o Terceiro Olho) já não existe; está morto, deixou de funcionar. Porém deixou atrás de si um testemunho de sua existência e este testemunho é a Glândula Pineal, que, com os novos progressos da evolução, voltará a entrar em plena atividade. Em nossos dias, a prática do *Râja-yoga* conduz ao desenvolvimento das funções do Terceiro Olho, das faculdades de clarividência, transmissão do pensamento e outros poderes ocultos. (*Doutrina Secreta*, III, 503, 504, 577 etc.)

Glâni (*Sânsc.*) — Decadência, abatimento, debilidade, míngua.

Globo Arquetípico — É o primeiro globo de uma cadeia planetária. Este é o Globo A, no qual se constroem os modelos das formas, que serão elaboradas durante a Ronda. (A. Besant, *Sabedoria Antiga*, 425)

Globos — Ver *Cadeia planetária*.

Gna (*Esc.*) — Uma das três servidoras da deusa Freya. É um Mercúrio feminino, que leva mensagens de sua ama para todas as partes do mundo.

Gñan, Gñana ou Gñâna — Ver *Jñâna*.

Gnân Devas — Ver Jñâna-devas.

Gnâna — Ver *Jñâna*.

Gñanendriyas — Ver *Jñânendriyas*.

Gnâni — Ver *Jñâni*.

Gnatha — Ver *Jñâta*.

Gnomos (*Alq.*) — Nome rosa-cruz dos elementais minerais e terrestres. [Os *gnomos*, *pigmeus* e *cubitais* são pequenos elementais de forma humana e com poder de a estender. Vivem no elemento da terra, sob a superfície terrestre, em casas por eles construídas. (*F. Hartmann*) Também são designados pelo nome de *Kobolds*; vivem em minas e cavernas e são guardiães dos tesouros ocultos nas entranhas da Terra. (Ver *Elementais*.)]

Gnôsis (*Gr.*) — Literalmente: "conhecimento". Termo técnico empregado pelas escolas de filosofia religiosa, tanto antes como durante os primeiros séculos do chamado cristianismo para designar o objeto de suas investigações. Este conhecimento espiritual e sagrado, o *Gupta-vidyâ* dos hindus, só podia ser alcançado através da Iniciação nos Mistérios Espirituais, que eram uma representação dos "Mistérios" cerimoniais. [Ver *Jñâna*.]

Gnosticismo (*Gr.*) — A doutrina filosófico-religiosa dos gnósticos.

G

Gnósticos (*Gr.*) — Os filósofos que formularam e ensinaram a *Gnôsis* ou Conhecimento. Floresceram nos três primeiros séculos da era cristã Entre eles, figuravam em lugar eminente: Valentino, Basílides, Marcion, Simão Mago etc. (W. W. W.)

Gñyâna — Ver *Jñâna*.

Gñyana ou **Gñyâna** — Ver *Jñâna*.

Gnypa (*Esc.*) — A caverna guardada pelo cão Garm (ver).

Go (*Sânsc.*) — Boi, vaca; em linguagem figurada: a Terra, a nuvem etc.

Goecia (*Goeteia*, em grego) — Magia negra, feitiçaria, nigromancia. Arte de fazer malefícios, sortilégios, encantamentos. O oposto à teurgia. (Ver *Magia*, *Magia Negra* etc.)

Gof — Ver *Guff*.

Gogard (*Zend.*) — A Árvore da Vida, no *Avesta*. [É chamada também de *Hom*. Ormuzd colocou, no *Ferakh Kand*, esta árvore junto ao germe de todas as árvores, para alijar o mal da velhice e para que o mundo vivesse em abundância. (*Zend-Avesta*)]

Goghrita (*Sânsc.*) — Literalmente, "leite de vaca". Em sentido figurado, é a água das nuvens, a chuva.

Gokarna (*Sânsc.*) — Literalmente, "orelha de vaca". Local de peregrinação, consagrado a Shiva, nas proximidades de Mangalore.

Gola (*Sânsc.*)— Esfera. É também um epíteto de Durgâ.

Goloka (*Sânsc.*) — "O lugar das vacas". Nome dado ao céu de Krishna.

Gonpa (*Tib.*) — Um templo ou mosteiro.

Gooph (*Herm.*) — O corpo físico.

Gopâla (*Sânsc.*) — Pastor, vaqueiro. Sobrenome de Krishna, por ter vivido entre pastores em sua juventude.

Gopatha-Brâhmana (*Sânsc.*) — Uma parte dos *Vedas*.

Gopîs (*Sânsc.*) — Zagais ou pastoras de vacas. As companheiras de jogos com as quais Krishna viveu, figurando entre elas sua esposa Râdhâ.

Goptri (*Sânsc.*) — Guardião, protetor, defensor.

Gosava (*Sânsc.*) — O sacrifício da vaca. Um dos três sacrifícios. (Ver *Ayus*.)

Gossain (*Sânsc.*) — Nome de certa classe de ascetas da Índia.

Goswâmi Mahârâjah (*Sânsc.*) — Descendentes de Vallabâchârya, fundador de uma seita que praticava, de maneira ignominiosa, o culto fálico. Esta seita é olhada com o maior desprezo por todos os demais hindus. (Ver *Vallabâchârya*.)

Gotama ou **Gautama** (*Sânsc.*) — Nome de um *Richi*, fundador do sistema filosófico nyâya. (Ver *Gautama* e *Filosofia nyâya*.)

Gotra-bhu (*Pál.*) — Entre os budistas, é aquele que está disposto para a iniciação na entrada do Sendeiro. (*P. Hoult*)

Gotra-bhûmi (*Pál.*) — Entre os budistas, um dos períodos da vida de um *zrâvaka* (discípulo, ouvinte). (*P. Hoult*)

Govinda (*Sânsc.*) — "Proprietário de vacas, boiadeiro, vaqueiro". Sobrenome de Krishna, por ter sido criado na família de um vaqueiro chamado Nanda. Segundo Burnouf e outros filósofos, tal termo é uma forma vernácula do sânscrito *gopendra*

G

ou *gopîndra*, "senhor ou chefe de pastores", que seria uma alusão ao culto pastoril de Krishna.

Graha (*Sânsc.*) — Presa; conceito, ideia, propósito.

Grâha (*Sânsc.*) — Compreensão, ideia, conceito, intenção.

Grahâdhâra (*Sânsc.*) — Ver *Dhruva*.

Grahana (*Sânsc.*) — Instrumento, sentidos; os *indriyas* (ver).

Grahana-samâpatti (*Sânsc.*) — Conhecimento do instrumento de conhecimento. (M. Dvivedi, *Comentário dos Aforismos de Patañjali*)

Grâhya (*Sânsc.*) — Que será percebido; perceptível; cognoscível; isto é, os objetos de percepção.

Grâhya-samâpatti (*Sânsc.*) — Conhecimento dos objetos, coisas cognoscíveis. (M. Dvivedi, *Comentário dos Aforismos de Patañjali*)

Grâma (*Sânsc.*) — Conjunto, agregado, coleção.

Grâmani (*Sânsc.*) — Segundo o *Bhâgavata-Purâna*, é um *yakcha* que puxa o carro do Sol.

Grande Alento — Este termo simboliza a Realidade única, considerada sob o aspecto de Movimento Abstrato absoluto. É "aquela que está sempre indo e vindo"; é fonte e origem da Força e de toda Consciência individual. O aparecimento e desaparecimento do Universo são expressos como uma expiração e inspiração do Grande Alento, que é eterno, e por ser movimento é um dos três símbolos do Absoluto. Quando o Grande Alento é projetado, recebe o nome de Alento Divino e é considerado como a respiração da Divindade incognoscível – a Existência única, que exala um pensamento, que, por assim dizer, passa a ser o Kosmos, e, quando o Alento Divino é inspirado, o Universo desaparece no seio da Grande Mãe (O Caos).

Grande Arquiteto do Universo — Personificação do Poder Criador, *Vizshwakarman*, "autor de todas as coisas". (*Doutrina Secreta*, II, 590)

Grande Ave — Ver *Kâla Hansa*.

Grande Ciclo — Um *mahâkalpa* ou Idade de Brahma, cuja duração é de 311.040.000.000.000 de anos solares. Seu símbolo é *Garuda*. Dentro do Grande Ciclo há inúmeros ciclos menores.

Grande Dia — Termo equivalente a *Manvantara*, *Kalpa* ou *Dia de Brahmâ*. O significado da expressão "Grande Dia esteja conosco" não é tão facilmente revelado a um público não-familiarizado com os ensinamentos místicos do ocultismo, ou, melhor dizendo, do *Budhismo* ou Sabedoria Esotérica. É uma expressão peculiar do *Budhismo* e é tão vaga e confusa para o profano como a dos egípcios "o Dia venha a nós", que é idêntica à primeira, embora a palavra "esteja", neste sentido, pudesse ser ainda melhor substituída por uma destas duas: "permaneça" ou "fique conosco", pois se refere àquele longo período de Repouso, conhecido pelo nome de *Paranirvâna*. (*Doutrina Secreta*, I, 159)

Grande Dragão — Este nome é utilizado para designar Ofis (ver). O dogmatismo católico-romano, oposto a toda razão e lógica, identifica-o com Satã e Lúcifer. (*Doutrina Secreta*, II, 35)

Grande Enganador — Qualificativo utilizado para designar *Mara*, em *Voz do Silêncio*, I.

G

Grande Heresia — A crença na separatividade da Alma ou Eu do Eu Único, universal e infinito. (*Voz do Silêncio*, I)

Grande Idade — Há várias "Grandes Idades" mencionadas pelos antigos. Na Índia abarcava todo o *Mahâ-manvantara*, a "Idade de Brahmâ", cada dia do qual representando o ciclo de vida de uma cadeia, isto é, compreende um período de sete Rondas (ver *Buddhismo Esotérico* de A. P. Sinnett). Assim é que, enquanto um "Dia" e uma "Noite" representam, como *Manvantara* e *Pralaya*, 8.640.000.000 de anos, uma "Idade" dura um período de 311.040.000.000.000, após o que o *Pralaya*, ou dissolução do Universo, torna-se universal. Entre os egípcios e gregos, a "Grande Idade" referia-se apenas ao ano tropical ou sideral, cuja duração é de 25.868 anos solares. Sobre a idade completa – a dos deuses – nada diziam, porque era um ponto que podia ser discutido e divulgado unicamente nos Mistérios, durante as cerimônias da Iniciação. A "Grande Idade" dos caldeus era a mesma, em números, que a dos hindus.

Grande Ilusão — Ver *Mahâ-mâyâ*.

Grande Jornada (ou *Viagem*) — Com este nome designa-se, poeticamente, o ciclo total, completo, de existências em uma Ronda. (*Voz do Silêncio*, II)

Grande Loja Branca — Costuma-se chamar assim a Grande Fraternidade Branca do Tibete ou do Himalaia.

Grande Mãe — O Caos; a "Virgem Celestial", o *Aima* dos cabalistas; a Grande Mãe de todas as existências.

Grande Mar — O Espírito Santo; a Mãe Água. Nos ensinamentos secretos, alude-se frequentemente ao "Mar de Vida" pelo nome de "Grande Mar", ou seja, a *vida terrestre*. (*Doutrina Secreta*, II, 530)

Grande Profundidade — O Caos; as águas; a matriz universal.

Grande Renúncia — É a renúncia à eterna e suprema bem-aventurança do Nirvâna a que fez jus por seus' próprios méritos, para coadjuvar a salvação da humanidade. "O *Bodhisattva*, que ganhou a batalha, que tem em sua mão o galardão da vitória e que, contudo, diz em sua compaixão divina: 'Em proveito de outros abandono este grande prêmio', efetua a Renúncia Maior. É um 'Salvador do mundo'". (*Voz do Silêncio*, II e III) (Ver *Buddhas de Compaixão* e *Nirmânakâya*).

Grande Roda — A duração total de nosso ciclo de existência ou *Mahâkalpa*, isto é, a revolução completa de nossa cadeia especial de sete Globos ou esferas, do início ao fim. O Universo é também designado pelo nome de "Grande Roda".

Grande Serpente da Eternidade — (*Aranta Zecha*). A teologia ocidental, ignorante da Cabala, única chave capaz de revelar os segredos da *Bíblia*, fez dela o diabo. (*Doutrina Secreta*, I, 368)

Grande Tamisador — Este qualificativo é utilizado para designar a "Doutrina do Coração". (Ver *Voz do Silêncio*, II)

Grichma (*Sânsc.*) — Um dos seis *ritus* ou estações da Índia: a estação quente ou verão.

Grihîtri (*Sânsc.*) — Literalmente, "aquele que colhe"; conhecedor.

Grihîtri-samâpatti (*Sânsc.*) — Conhecimento do conhecedor; instrumento do conhecintento. (M. Dvivedi, *Comentário dos Aforismos de Patânjali*)

Grim (*Esc.*) — Um dos nomes de Odin.

G

Grishastha (*Sânsc.*) — Literalmente, "Senhor ou amo da casa"; "aquele que vive em uma casa com sua família"; "chefe de família". Um "sacerdote familiar" brâhmane em linguagem popular e a hierarquia sacerdotal dos hindus. [Um Brâhmane no segundo grau de sua vida religiosa. (Ver *Âzrama*.)]

Guardião (*Muro*) — Ver *Muro protetor*.

Gudâkesha (*Sânsc.*) — Há certa discordância sobre a etimologia e significado desta palavra. Para alguns, decompõe-se em *gudâka-îza*, que significa: "Senhor ou vencedor do sonho (da ilusão)", segundo A. Besant; o "insone" (govindâchârya); para outros, decompõe-se em *guda keza* e significaria: "aquele de cabeleira redonda"; "aquele de cabelo eriçado ou embaraçado" (*cujus capilli globulorum instar, intorti sunt* – Lassen); "aquele de espessa ou abundante cabeleira". Sobrenome de Krishna (*Bhagavad-Gîtâ*, XI, 7) e de Arjuna (*idem*, 11, 9; X, 20).

Guff (*Hebr.*) — O corpo; a forma física. Também se escreve *Gof*.

Guhya (*Sânsc.*) — Oculto, secreto, misterioso. [Como substantivo significa: mistério, segredo, arcano.]

Guhyabhâchita (*Sânsc.*) — Fórmula mágica ou *mantra* secreto.

Guhyaka (*Sânsc.*) — Nome de um dos semideuses, guardiães dos tesouros ocultos de Kuvera.

Guhya-vidyâ (*Sânsc.*) — Conhecimento secreto dos mantras místicos. [Ciência oculta ou esotérica. (Ver *Gupta-Vidyâ*.)]

Guhyezvarî (*Sânsc.*) — Prajnã ou deusa do mistério; energia feminina do *Adi-buddha*.

Gullweig (*Esc.*) — Personificação do mineral "de ouro". Diz o *Edda* que, durante a Idade do Ouro, quando o homem ainda desconhecia a sede de ouro e riquezas, "quando os deuses brincavam com discos de ouro e nenhuma paixão perturbava a beleza de uma vida pura", toda a Terra era feliz. Porém, logo "Gullweig (o mineral de ouro) faz chegar a feiticeira encantadora, que, três vezes lançada ao fogo, surge cada vez mais bela do que antes e cheia de insaciável desejo de almas dos deuses e dos homens", e tudo mudou. Foi então que as Nornas (o passado, o presente e o futuro) entraram no ser e desapareceu a paz bendita dos sonhos da infância e nasceu o pecado com todas as suas más consequências. (*Asgard e os Deuses*)

Gumphâs — Retiros subterrâneos, onde os yogis dedicam-se a diversas práticas do *Yoga*.

Gunabhedatas (*Sânsc.*) — Segundo a divisão ou distinção das qualidades (*gunas*).

Gunabhoktri (*Sânsc.*) — "Aquele que percebe ou experimenta as qualidades (*gunas*)"; o Espírito, que é testemunha ou experimentador da ação das qualidades na natureza material.

Guna-dharma (*Sânsc.*) — O dever inerente à posse de uma determinada qualidade.

Guna-maya (*Sânsc.*) — Que contém as três qualidades; formado ou constituído pelos *gunas*; virtuoso.

Gunamayî-mâyâ (*Sânsc.*) — A ilusão produzida pelas qualidades.

Gunânvita (*Sânsc.*) — Envolto ou oculto pelas qualidades.

Gunas (*Sânsc.*) — Qualidades, atributos. (Ver *Triguna*.) Fio, corda; função, virtude, mérito. [A Matéria (*Prakriti* ou *Pradhâna*) é constituída por três *gunas* (modos, modalidades, qualidades ou atributos), chamados respectivamente: *sattvas*, *rajas* e

G

tamas, que não são meros acidentes da matéria, mas são de sua própria natureza e entram em sua composição. Podemos traduzir de modo aproximado os três *gunas* da seguinte maneira: *Sattva*: bondade, pureza, harmonia, lucidez, verdade, realidade, equilíbrio etc.; *Rajas*: Paixão, desejo, atividade, luta, inquietude, afã, dor etc.; *Tamas*: inércia, apatia, tenebrosidade, confusão, ignorância, erro etc. Os três *gunas* estão universalmente difundidos na Natureza material; existem em todas as criaturas, determinando o caráter ou condição individual através da proporção em que se encontram reunidos em cada um dos seres. Assim vemos que *Sattva* é a qualidade (*guna*) que predomina sobre as outras no mundo dos deuses; *Rajas* é a que predomina na espécie humana e *Tamas* a que prevalece nos brutos e nos reinos vegetal e mineral. Não há nada, pois (exceto o Espírito Puro), que esteja completamente livre dos *gunas* nem há um só ser nem um só ponto do Universo onde não exista pelo menos uma parte mínima de cada um deles. Na matéria caótica ou não-manifestada os três *gunas* encontram-se em perfeito equilíbrio e então todas as potências e energias que aparecem no universo manifestado repousam numa inatividade comparável à de uma semente; porém quando se rompe tal equilíbrio, produz-se uma forma, uma manifestação, e toda manifestação ou forma é produto da *Prakriti* em que há predomínio de um dos *gunas* sobre os dois restantes. *Sattva* e *Tamas* não podem por si sós entrar em atividade; requerem o impulso do motor e da ação (*Rajas*) para de colocar em movimento e desenvolver suas propriedades características. Por isso se diz que "o Sendeiro estende-se desde *Tamas* até *Sattva* através da luta e aspiração (*Rajas*)".]

Guna-sangha (*Sânsc.*) — Apego às qualidades.

Guna-sankhyâna (*Sânsc.*) — Teoria ou sistema dos três *gunas* (qualidades).

Gunâtita (*Sânsc.*) — Que se sobrepôs às qualidades.

Guna-traya (*Sânsc.*) — Os três *gunas* ou qualidades. (Ver *Traigunya* e *Triguna*.)

Gunavat (*Sânsc.*) — Que é dotado de qualidades [ou virtudes].

Gupta (*Sânsc.*) — Oculto, secreto, reservado, guardado.

Gupta-vidyâ (*Sânsc.*) — Significado idêntico a *guhya-vidyâ*. Ciência oculta ou esotérica.

Guru (*Sânsc.*) — Instrutor espiritual; mestre ou preceptor nas doutrinas éticas e metafísicas. Esta palavra aplica-se igualmente ao mestre de uma ciência qualquer. [Significa também: pai ou mãe, superior, pessoa digna de respeito ou veneração; como adjetivo significa: grave, pesado, respeitável, venerável, grande, importante etc.]

Gurudaivata (*Sânsc.*) — O oitavo asterismo lunar, presidido por Brihaspati.

Guru-deva (*Sânsc.*) — Literalmente, "Mestre divino".

Gurukârya (*Sânsc.*) — Assunto importante ou grave; ofício ou dever de mestre.

Gurukrama (*Sânsc.*) — Ensinamento tradicional.

Gwyddon (*Celt.*) — O Espírito.

Gwynfyd (*Celt.*) — Palavra derivada de *gwyn*, belo, branco, brilhante, luminoso, e *byd*, mudo. Literalmente, *Mundo de luz ou de felicidade*. Em tal mundo, ou melhor, estado, a vida torna-se mais e mais intensa, à medida que se eleva numa ascensão que não tem limites. É o *Nirvâna* e *Para-nirvâna hindus*. (*E. Bailley*)

Gyan — Ver *Jñana*.

Gyan-Ben-Giân (*Per.*) — Rei dos Peris, os Silfos, na antiga mitologia iraniana.

G

Gyges — Ver *Giges*.

Gymnosophista — Ver *Gimnosofista*.

Gyn (*Tib.*) — Conhecimento adquirido através do ensinamento de um mestre ou *Guru* Adepto.

H

H — Esta letra aspirada é a oitava do alfabeto inglês e também a oitava do hebraico. Como número latino, significa 200, e com a adição de um traço 200.000. No alfabeto hebraico *Chêth* é equivalente a *h*, corresponde a oito e é simbolizado por uma *Vala* e *Vênus*, segundo Seyffarth, estando em afinidade e relacionado com *Hê* e, portanto, com a abertura ou matriz. É proeminentemente uma letra *yônica*. [É a 47ª letra do alfabeto sânscrito e é pronunciada com uma ligeira aspiração, como um *j* suave, como o *ch* da palavra alemã *Nacht* ou como o *h* da palavra castelhana *humo*.]

Ha ou Ham (*Sânsc.*) — Sílaba mágica empregada em fórmulas sagradas; representa o poder do *Âkaza-Shakti*. Sua eficácia fundamenta-se no acento expiratório e no som produzido. [*Ha* ou *Ham* é o símbolo técnico do processo de expiração e também do *Âkâza-Tattva*, o nominativo neutro do mesmo. (*Râma Prasâd*)]

Hâ (*Per.*) — Nome de cada uma das setenta e duas divisões do *Izeschné*, uma das três obras incluídas no *Vendidad Sâdê*. (*Zend-Avesta*)

Habal de Garmin (*Hebr.*) — Segundo a Cabala, é o corpo de Ressurreição; uma imagem *(tzelem)* ou semelhança *(demooth)* do homem morto; uma figura interior fundamental espiritual, que persiste depois da morte. É o "Espírito dos ossos", mencionado em *Daniel* e *Isaías* e nos *Salmos* e a ele se alude na visão de Ezequiel, quando fala de revestir de vida os ossos secos. Consulte C. de Leiningen sobre a *Kabbalah*, folheto da *Sociedade de Publicações Teosóficas*, t. II, nº 18. (W. W. W.)

Habel (*Hebr.*) — O princípio feminino, filho de *Adão Rishoon* ou Espírito Lunar. (*Doutrina Secreta*, II, 415, 492)

Habitantes do interior — Nome ou substituto do verdadeiro nome sânscrito esotérico dado a nossos "inimigos interiores", que, na filosofia esotérica, são sete. A primitiva Igreja "cristã" denominava-os de "Sete Pecados Capitais"; os gnósticos nazarenos intitulavam-nos de "Sete Astrais maldispostos", e assim sucessivamente. Os ensinamentos exotéricos hindus falavam apenas dos *seis inimigos* e, com o termo *Arichadwargas (arichadvargas)*, "conjunto dos seis inimigos", enumeram-nos do seguinte modo: 1º) Desejo pessoal, concupiscência ou uma paixão qualquer *(Kâma)*; 2º) Ódio ou malícia *(Krodha)*; 3º) Avareza ou cobiça *(Lobha)*; 4º) Ignorância *(Moha)*; 5º) Orgulho ou Soberba *(Made)*; 6º) Ciúmes, inveja *(Matsara)*, esquecendo o sétimo que é o "pecado imperdoável" e o pior de todos no Ocultismo. (Ver *Theosophist*, maio de 1890, p. 431)

Habitantes do umbral — Termo inventado por Bulwer Lytton em *Zanoni*. Porém, no Ocultismo, a palavra "Habitante" é um termo oculto empregado pelos estudantes, durante longos períodos passados, e que se refere a certos duplos astrais maléficos de pessoas mortas. [Em certos casos, o fantasma *Kâma-Manásico* pode converter-se naquilo que, em Ocultismo, chama-se "o Habitante do umbral". Este Habitante não é como aquele tão graficamente descrito em *Zanoni*, mas um fato real na Natureza e não uma ficção novelesca, por mais bela que possa ser. Bulwer, contudo, deve ter adquirido esta ideia de algum Iniciado oriental. Este Habitante, guiado por afinidade e atração, penetra com violência na corrente astral, através do invólucro áureo, do novo tabernáculo habitado pelo *Ego-Pai*, e declara guerra à luz inferior que o substituiu. Isso, como se pode compreender, só pode acontecer no caso de debilidade moral da personalidade assim assediada. (*Doutrina Secreta*, 111, 525)]

Hachoser (*Hebr.*) — Literalmente, "Luzes refletidas", nome que, na Cabala, se dá aos poderes menores ou inferiores.

H

Hades (*Gr.*) ou **Aides** — O "invisível", isto é, o reino das sombras, onde uma das regiões é o Tártaro, local de escuridão completa, semelhante à região do sono profundo sem sonhos do *Amenti* egípcio. A julgar pela descrição alegórica dos vários castigos ali infringidos, tal lugar era puramente *kármico*. Nem o *Hades* nem o *Amenti* eram o inferno, que ainda pregam alguns sacerdotes e clérigos retrógrados, mas, se representado pelos Campos Elísios ou pelo Tártaro, o *Hades* era um local de justiça retribuidora e mais nada. Só se podia chegar a ele cruzando o rio até a "outra margem", isto é, atravessando o rio da Morte e renascendo outra vez, para a felicidade ou para a dor. Como tão bem expresso em *Crença Egípcia*: "A história de Caronte, o barqueiro (da lagoa Estígia), pode ser encontrada não apenas em Homero, mas também na poesia de muitas nações. O *Rio* deve ser cruzado antes de se alcançar as ilhas dos Bem-aventurados. O *Ritual* do Egito descreve um Caronte e sua barca muitos séculos antes de Homero. É Khu-en-ua, o timoneiro de cabeça de falcão". (Ver *Amenti, Inferno, Hei* e *Campos Felizes*.)

Haener (*Esc.*) — Deus da luz. (Ver *Loder*.)

Hagadah (*Hebr.*) — Nome utilizado para designar as partes legendárias do *Talmud* (W. W. W.)

Hagiocracia — O governo dos santos e puros sacerdotes. *(M. Treviño)*

Hahava (*Sânsc.*) — O quarto inferno gelado.

Hahmir ou **Hönir** (*Esc.*) — Um dos três deuses poderosos (Odin, Hahnir e Lodur) que, andando pela Terra encontraram lançadas à praia duas formas humanas, isentas de movimento, de palavra e de sentido. Odin deu-lhes alma; Hahnir, movimento e sentidos, e Lodur, aspecto florescente. Assim foram criados os homens.

Haima (*Hebr.*) — *O mesmo que a palavra sânscrita hiranyâ* (áureo), como o "Ovo Áureo" *(Hiranyâ-garbha)*.

Haituka (*Sânsc.*) — Adjetivo derivado de *hetu* (causa). Causado por, dependente de causa, Como substantivo, o seguidor da filosofia *mîmânsâ*.

Haiyah (*Hebr.*) — A alma humana; *Manas.* (*P. Hoult*)

Hajaschar (*Hebr.*) — As forças Luminosas na Cabala; "Os Poderes da Luz", que são as forças criadoras, porém inferiores.

Hakem — Literalmente, "o Sábio", o Messias que há de vir, dos drusos ou "discípulos de Hamsa".

Hakim (*Ár.*) — Um doutor ou médico, em todos os países orientais, desde a Ásia Menor até a Índia. É também um juiz ou governador na Índia maometana.

Halabhrit (*Sânsc.*) — "Que leva um arado". Epíteto de Balarâma, irmão mais velho de Krishna.

Halachah (*Hebr.*) — Nome dado às partes do *Talmud* que são argumentos ou pontos doutrinais. Esta palavra significa "regra". (W. W. W.)

Halâyudha (*Sânsc.*) — "Que tem por arma uma relha de arado". Outro epíteto de Balarâma (Ver *Halabhrit*.)

Ham — Ver *Ra*.

Hamadríadas (do grego *hamadryas*, "com carvalho") — Ninfas dos bosques, cujo destino dependia das árvores e, especialmente, dos carvalhos aos quais estavam unidas e com os quais nasciam e morriam. Isso as distinguia das *dríadas*, que gozavam de maior liberdade e podiam sobreviver às árvores a que estavam unidas. (Ver *Dríadas*.)

H

Hamespita-midan (*Per.*) — Entre os parses, dá-se esse nome ao período durante o qual os animais inferiores, seguindo o processo de evolução, começaram a se converter em homens. *(P. Hoult)*

Hametz (*Hebr.*) — Alimento de ingestão proibida, durante os festejos da Páscoa.

Hamsa ou **Hansa** (*Sânsc.*) — "Cisne ou ganso", segundo os orientalistas. Ave mística do Ocultismo, análoga ao Pelicano dos rosa-cruzes. Nome místico sagrado que, quando precedido da palavra *kâla* (tempo infinito), isto é, o *Kâlahansa*, é um dos nomes do *Parabrahm* e significa: "ave que está fora do espaço e do tempo". Por esta razão, Brahmâ (masculino) é denominado *Hansa-Vâhana*, "Veículo de Hansa" (a Ave). Esta mesma ideia é encontrada no *Zohar*, onde se diz que *Ain Suph* (o infinito e perpétuo) desce para o Universo, para objetos de manifestação, utilizando Adão Kadmon (a Humanidade) como veículo. [Opostamente às ideias correntes entre os orientalistas ocidentais, expostas anteriormente, Brahma (neutro), ou Parabrahman, refere-se a *Hansa-Vâhana* (isto é, que utiliza o Cisne como seu veículo), enquanto que *Brahmâ* (masculino), o Criador, é o verdadeiro *Kâla-hamsa*. (*Doutrina Secreta*, I, 47) A palavra *Hamsa* decompõe-se em *Aham-sa*, "Eu (sou) Ele"; ou então; dividida de outra maneira, *So-ham*, "Ele (é) Eu". Assim é que, numa única palavra, está contido o mistério universal, a doutrina da identidade da essência humana com a essência divina. Daí o hieróglifo e a alegoria sobre o *Kâlahansa* (ou *Hamsa*) e o nome dado a Brahma (neutro) e, posteriormente, a Brahmâ (masculino) de *Hansa-Vâhana*, "aquele que utiliza o *Hamsa* (cisne) como seu veículo". A mesma palavra pode ser lida como *Kâlahamsa* ou "Eu sou Eu, na eternidade do tempo", correspondendo ao bíblico, ou melhor, zoroastriano "Eu sou o que sou". Esta mesma doutrina é encontrada também na Cabala. (*Doutrina Secreta*, I, 106, 107) *Hamsa* representa a sabedoria divina, a sabedoria nas trevas e fora do alcance humano. Está intimamente relacionada com o *Pranava* (a palavra sagrada Aum); a asa direita é *A*, a esquerda é *U* e a cauda, *M*. (*Voz do Silêncio*; I) Ver também *Hansa*, *Hansa-vâhana* e *Kâla-hansa*.]

Hamsa (*Ár.*) — Fundador da seita mística dos drusos do monte Líbano. (Ver *Drusos*.)

Hamsachâra (*Sânsc.*) — Termo técnico empregado para expressar o processo da respiração. *(Râma Prasâd)*

Hâni (*Sânsc.*) — Perda, destruição, falta, míngua, ruína, aniquilação, extinção, desaparecimento.

Hanoch (*Hebr.*) — Esotericamente, este nome significa: Iniciador e instrutor. (Ver *Enoch*.)

Hansa (*Sânsc.*) — Segundo o *Bhâgavata-Purâna*, é o nome da "Casta única", a casta por excelência, quando ainda não existiam variedades de casta, mas realmente um só *Veda*, uma só Divindade e uma só casta. [*Hansa* ou *Hamsa*, como também pode ser escrita, significa: cisne ou ganso; Sol; alma, mestre espiritual; é também o nome de um *mantra* ou fórmula mágica. Usado em número dual, significa o Espírito individual e o Espírito universal. Exotericamente, o *Hansa* é uma ave fabulosa que, quando (segundo a alegoria) se lhe dá, para seu sustento, leite misturado com água, separa um líquido do outro, bebendo o leite (símbolo do Espírito) e deixando a água (símbolo da Matéria). É o Cisne da Vida e representa a evolução. *Hansa* (o cisne ou ganso) é também o símbolo da divindade masculina ou temporal, *Brahmâ*, a emanação do Raio Primordial, que se faz servir, à guisa de veículo, para o Raio Divino, que de outro modo não poderia manifestar-se no Universo. Assim, pois, *Brahmâ* é o *Kâlahansa* e o Raio é o *Hansa-Vâhana*. (*Doutrina Secreta*, I, 108) (Ver *Hamsa*, *Hansa-Vâhana* e *Kâla-hansa*.)]

H

Hamsa-Vâhana (*Sânsc.*) — Literalmente, "que utiliza o cisne como seu veículo". Epíteto de Brahma (neutro) ou *Parabrahman*. (*Doutrina Secreta*, I, 47) Reina entre os orientalistas ocidentais uma certa confusão no que se refere à aplicação desta palavra. (Ver *Hamsa* e *Kâla-hansa*.)

Hantri (*Sânsc.*) — Matador, destruidor.

Hânuka (*Sânsc.*) — Malfeitor, assassino.

Hanuká (*Hebr.*) — Literalmente, dedicação, consagração. Festa de luzes de oito dias de duração, que comemora a vitória dos Macabeus sobre os Selêucidas (165 a.C.) e a reconsagração do Templo de Jerusalém. Está ligada às festas do solstício e, de certo modo, ao Natal.

Hanumân (*Sânsc.*) — O deus-mono do *Râmâyana*; generalíssimo do exército de Râma; filho de Vâyu, deus do ar, e de uma virtuosa demônia. Hanumân era o fiel aliado de Râma e, com seu engenho e audácia sem par, ajudou o *avatar* de Vishnu a finalmente vencer o rei-demônio de Lankâ, Râvana, que havia arrebatado a bela Sîtâ, esposa de Râma; ultraje que foi a causa da famosa guerra descrita no mencionado poema hindu. [Ver *Cinocéfalo*.]

Hanumâna, Hanumat — Ver *Hanumân*.

Haoma (*Sânsc.*) — É o fruto proibido da Árvore do Conhecimento. (Ver *Pippala*.)

Hapi — Ver *Cinocéfalo*.

Hara (*Sânsc.*) — Epíteto do deus Shiva e também de Agni, deus do fogo.

Harbach, *Gaspar* — Alquimista célebre, que, no ano 1646, foi nomeado alquimista particular do rei Cristiano IV da Dinamarca.

Harcha (*Sânsc.*) — Alegria, gozo, deleite, prazer, contentamento.

Harchana (Harshana) (*Sânsc.*) — Divindade que preside aos *zrâddhas* ou oferendas aos mortos. [O 14° - *yoga* astronômico.]

Hârda (*Sânsc.*) — Afeto, amor.

Hari (*Sânsc.*) — Epíteto de Vishnu, porém aplicado igualmente a outros deuses [Krishna, Indra etc. A palavra *Hari* deriva provavelmente de *hara* (extirpar, retirar, destruir) e, assim, significa "aquele que dissipa a ignorância" (Chatterji); "aquele que retira os obstáculos ou pecados" (Govindâchârya). Na passagem do *Vishnu-Prâna* citada por *Bhagavân-Dâs* na *Ciência das Emoções*, lê-se: "Quando o sábio reconhece que *Hari* é todos os seres..."; entende o citado autor que *Hari* é o *Eu Universal*, do ponto de vista metafísico ou transcendental, e a mais ampla individualidade do *Logos* ou regente do nosso sistema cósmico, do ponto de vista empírico. *Hari* significa também: verde, amarelo ou amarelado.]

Hâri (*Sânsc.*) — Espantoso, maravilhoso, encantador, embelezador.

Harideva (*Sânsc.*) — O asterismo *zrâvanâ*.

Hari-Hara (*Sânsc.*) — Combinação dos nomes de Vishuu e de Shiva, que representa a união das duas divindades em uma só.

Harikeza (Harikesa) (*Sânsc.*) — Nome de um dos sete raios do Sol [Literalmente, "de cabelo amarelo". É também um sobrenome de Shiva.]

Hari-vansa (*Sânsc.*) — Uma parte do *Mahâbhârata*, um poema que versa sobre a genealogia de Hari (Vishnu).

H

Harmachus (*Gr.*) — A Esfinge egípcia, chamada *Har-em-chu*, ou seja, "Hórus (o Sol) no horizonte", uma forma de Ra, o deus-Sol; esotericamente, o *deus nascido ou saído*. Diz uma inscrição gravada numa tábua: "Oh glorioso Ra-Harmachus! Tu corres a corrida desfraldada por ele em triunfo. Oh, brilha, Amon-Ra-Armachus autoengendrado!" No templo da Esfinge foi descoberto por Mariette Bey, junto à Esfinge, próximo à grande Pirâmide de Gizeh. Todos os egiptólogos concordam em declarar a Esfinge e seu templo como os "mais antigos monumentos religiosos do mundo" ou, pelo menos, do Egito. "A câmara principal – escreve o pranteado Fergusson –, *em forma de cruz*, é sustentada por pilares, simples prismas de granito sienita, sem base ou capitel... nas paredes do templo não se encontram esculturas nem inscrições de qualquer espécie e também não se encontra no santuário ornamento, símbolo ou imagem." Isso prova a enorme antiguidade tanto da Esfinge como do templo. "A Esfinge de longa barba das Pirâmides de Gizeh é o símbolo de *Harmachus*, o mesmo de cada Faraó egípcio, que levava nas inscrições o nome de forma vivente da Esfinge solar na Terra'", escreve Brugsh Bey. E Renán recorda que "houve tempo em que, segundo se diz, os egípcios não tinham imagens esculpidas em seus templos" *(Bonwick)*. Não somente os egípcios, mas também todas as nações da Terra possuíam, no início, templos desprovidos de imagens e também de símbolos. Apenas quando se extinguiu por completo a recordação das grandes verdades abstratas e da Sabedoria Primordial ensinada à humanidade pelas dinastias de reis divinos, os homens tiveram de recorrer às lembranças e à simbologia. Na história de Hórus, gravada em umas tábuas de Edfu, Rougé encontrou uma inscrição que manifestava que o deus havia, uma vez, adotado "a forma de um leão com cabeça humana, para obter vantagem sobre seu inimigo Tifón. E verdadeiramente Hórus era assim adorado em Leontópolis. Ele é a verdadeira Esfinge. Isso explica também por que a figura do leão é vista algumas vezes de cada lado de Ísis... Era seu filho" *(Bonwick)*. E, contudo, a história de Harmachus, ou *Har-em-chu*, ainda não foi relatada ao mundo nem é provável que seja divulgada nesta geração. (Ver *Esfinge*.)

Harosset (*Hebr.*) — Alimento amargo ingerido na ceia de Páscoa, em memória da escravidão dos judeus no Egito.

Harpócrates (*Gr.*) — O menino Hórus ou Ehoou, representado tendo um dedo na boca, o disco solar sobre sua cabeça e com cabelos dourados. É o "deus do Silêncio" e do Mistério. (Ver *Hórus*.) Harpócrates era também adorado na Europa pelos gregos e romanos, como filho de Ísis.

Harprecht — Sábio alquimista, autor de *Lâmpada de Sal dos Filósofos*, obra impressa em 1658, que não deve ser confundida com obra homônima devida a Sendivogius.

Harvîri (*Eg.*) — Hórus, o maior, antigo nome de um deus solar, o Sol nascente representado como um deus que descansa sobre um lótus completamente aberto, símbolo do Universo.

Haryaswas (*Sânsc.*) — Os *cinco* e *dez* mil filhos de Dakcha que, ao invés, de povoar o mundo, como queria seu pai, se tornaram todos *yogis*, conforme os aconselhou o misterioso sábio Nârada, e permaneceram celibatários: "Disseminaram-se pelas regiões e não voltaram". Isso significa, segundo a ciência secreta, que todos eles haviam se encarnado em mortais. Tal nome aplica-se aos que naturalmente nascem místicos e solteiros e dos quais se diz que são encarnações dos *Haryaswas*.

Hâs (*Zend.*) — Palavras ou frases do *Avesta*.

Hasta ((*Sânsc.*) — Mão. O décimo terceiro asterismo ou mansão lunar.

Hastijîhva (*Sânsc.*) — Um *nadî* que chega ao olho direito. *(Râma Prasâd)*

H

Hastin (*Sânsc.*) — Elefante. Nome do filho do primeiro Bharata.

Hastinâpura (*Sânsc.*) — Literalmente, "cidade dos elefantes", ou, como acreditam alguns, "cidade de Hastin" (nome de seu fundador). Porém a posse desta cidade, capital dos Kurus, levou à famosa guerra descrita no *Mahâbhârata*. Estava situada a alguma distância da atual Delhi.

Hatha (*Sânsc.*) — *Ha* significa a Lua e *tha* o Sol; símbolos respectivos dos dois alentos: *ha*, do *prâna*, e *tha*, do *apâna*. A união dos dois conduz ao estado de *samâdhi*. (M. Dvivedi, *Introdução aos Aforismos de Patañjali*) (Ver *Hathavidyâ* e *Hatha-yoga*.)

Hatha-vidyâ (*Sânsc.*) — A ciência ou teoria da regulação do aleno (*prâna*).

Hatha-yoga (*Sânsc.*) — A forma inferior da prática do Yoga. Aquele que a pratica utiliza meios físicos para seu próprio desenvolvimento espiritual. É o oposto do *Râja-yoga*. O fim a que se propõe o *Hatha-yoga* é, em geral, o mesmo do *Râja-yoga*, porém os métodos diferem entre si. A grande diferença entre o *Hatha-yoga* e o *Râja-yoga* está em que, enquanto o seguidor do primeiro acredita que o *vritti* (a mente) obedece ao *prâna* (alento), o partidário do segundo crê que o *prâna* obedece ao *vritti*. A última opinião é a mais exata e a experiência prova a verdade e a utilidade das práticas que começam pela disciplina da mente e sua ação. (M. Dvivedi, *Apêndice* dos *Aforismos de Patañjali*) Seja como for, os *Arhats* sempre desaprovaram o *Hatha-yoga*; é prejudicial à saúde e, por si só, nunca poderá chegar ao nível do *Râja-yoga*. (*Doutrina Secreta*, I, 122)

Hatha-yogi (*Sânsc.*) — Aquele que se dedica à prática do *Hatha-yoga*, isto é, que aspira somente à união do *prâna* com o *apâna* para chegar ao *Samâdhi*. Seus métodos são mais físicos do que mentais. Contudo, há muitos que se dedicam a tais práticas sem qualquer objetivo espiritual, tendo por objetivo único a perfeição do corpo ou a aquisição de poderes físicos.

Hathor (*Eg.*) — O aspecto inferior ou infernal de Ísis, correspondente à Hécate da mitologia grega.

Hauvah (*Hebr.*) — Eva; a mãe-Terra.

Ha-va ou **Havah** (*Hebr.*) — Eva.

Hava ou **Havana** (*Sânsc.*) — Sacrifício, oferenda.

Havdalá (*Hebr.*) — Literalmente, "separação". Cerimônia que marca o fim do Sábado.

Havanâyus (*Sânsc.*) — O fogo sagrado.

Havischmatas (*Sânsc.*) — Uma classe de *Pitris*.

Havis (*Sânsc.*) — Oblação, oferenda aos deuses, especialmente grãos, *soma*, leite, manteiga clarificada etc.

Havya (*Sânsc.*) — Oferenda que deve ser apresentada aos deuses.

Havyavâha ou **Havyavâhana** (*Sânsc.*) — O fogo sagrado.

Hayo-Bischat (*Hebr.*) — A "Besta", no *Zohar*; o Diabo e Tentador. Esotericamente, nossas paixões animais inferiores.

Hay-yah (*Hebr.*) — Um dos "Princípios" metafísicos humanos. Os ocultistas orientais dividem o homem nos mencionados sete princípios; os cabalistas ocidentais, conforme nos dizem, dividem-no em apenas três, que são: *Nephesh*, *Ruash* e *Neshamah*. Porém, a bem da verdade, esta divisão é tão vaga e uma abreviação tão simples quanto nosso

H

"Corpo, Alma e Espírito". Porque, na *Qabbalah* de Myer (*Zohar*, II, 141b, edição de Cremona, II, fol. 63b, col. 251), expressa-se que o *Neshamah*, ou Espírito, tem três divisões, "sendo a superior *Ye'hee-dah (Âtmâ)*, a média *Hay-yah (Buddhi)* e a terceira e última *Neshamah* propriamente dito *(Manas)*". Depois vem *Mahshabah*, Pensamento (*Manas* inferior ou Personalidade consciente), na qual logo se manifestam os princípios superiores, somando assim quatro; este é seguido do *Tzelem*, Fantasma da Imagem (*Kâma-rûpa*, que, na vida, é o elemento *Kâmico*); *D'yoognah*, Sombra da Imagem (*Lingasharîra*, o Duplo) e *Zurath*, o Protótipo, que é a Vida; Sete no conjunto, embora sem o *D'mooth*, Semelhança ou Similitude, que é chamado de uma manifestação inferior e é, na realidade, o *Guf* ou Corpo. Os teósofos da S.E., que conhecem a transposição feita de *Atmâ* e a parte que toma o protótipo *áureo*, verão facilmente que são os *sete verdadeiros* e se certificarão de que entre a divisão de Princípios dos ocultistas orientais e a dos verdadeiros cabalistas orientais não há qualquer diferença. Não esqueçamos que nem os primeiros nem os segundos estão dispostos a revelar a verdadeira e definitiva classificação em seus escritos públicos.

Hay-yoth Qadosh (*Hebr.*) — As santas escrituras viventes da visão do *Merkabah*, veículo ou carro de Ezequiel. São os quatro animais simbólicos, os querubins de Ezequiel, e no Zodíaco são: Tauro, Leo, Scorpio (ou a Águia) e *Aquário*, o Homem.

Hea (*Cald.*) — O deus do Abismo e do mundo inferior. [O grande deus de Sabedoria.] Alguns veem nele *Ea* ou *Oannes*, *Dagón* ou o *homem-peixe*. [Ver *Ea* e *Davkina*.]

Hebrit (*Alq.*) — Enxofre vermelho dos filósofos.

Heabani (*Cald.*) — Famoso astrólogo da corte de Izdubar, frequentemente mencionado nos fragmentos das tábuas assírias a respeito de um sonho de Izdubar, o grande rei babilônico, ou Nimrod, o "poderoso caçador ante o Senhor". Depois de sua morte, não podendo a sua alma permanecer sob a Terra, o espírito de Heabani foi animado por Merodach, o deus; seu corpo foi restituído à vida e logo transportado *in vivo*, como Elias, para as regiões dos bem-aventurados.

Hebdômada (*Gr.*) — O Setenário. [Os gnósticos tinham uma Hebdômada superior e outra inferior no céu, e uma terceira *Hebdômada* terrestre, no plano da matéria. (*Doutrina Secreta*, I, 483)]

Hebe (*Gr.*) — Deusa da juventude; esposa de Héracles, o Hércules grego, com o que se chega a simbolizar que a força está geralmente unida à juventude.

Hebron ou **Kirjath-Arba** — A cidade dos Quatro Cabires, pois *Kirjah-Arba* significa "a cidade dos Quatro". Em tal cidade, segundo a lenda, um *Isarim* ou iniciado encontrou a famosa tábua esmeraldina no corpo morto de Hermes.

Hécate — A Lua considerada como uma divindade infernal; deusa da noite, da morte e do inferno. Presidia as operações mágicas e os encantamentos. (Ver *Lua*.)

Hefestos — O Vulcano grego. Presidia o fogo e era patrono de todos os que trabalham os metais.

Hegira ou **Héjira** (do árabe *hichra*, fuga) — Com este nome designa-se a era maometana, que é contada desde o pôr do Sol do dia 15 de julho de 622, dia em que Maomé, temendo ser preso pelos magistrados de Meca, fugiu dali para Medina. Compõe-se de anos lunares de 354 dias, intercalando-se onze de 355 a cada período de trinta.

Heia — Nome que os tártaros samoyedos utilizam para designar o Ser supremo.

Heimdal ou **Helmdall** (*Esc.*) — Um dos *Ases* (deuses), sentinela do poente de Bifröst, para impedir a passagem dos gigantes. (Ver *Bifröst*.)

H

Heimer (*Esc.*) — Um dos nomes de Odin.

Hel ou **Hela** (*Esc.*) — A rainha-deusa da região dos mortos; o Ser inescrutável e horrendo que reina sobre os abismos de Helheim e Niflheim (ou Nifelheim). Na mitologia primitiva, Hel era a deusa da Terra, mãe boa e benéfica, sustentadora do fatigado e do faminto. Porém, nos últimos *Skaldas* passou a ser Plutão feminina, a tenebrosa rainha do império das sombras, aquela que introduziu a morte neste mundo e, depois, a dor.

Hela (*Esc.*) — A mansão de Hel. Algumas vezes significa a Morte. (Ver *Hel.*)

Hela (*Celt.*) — A Lua, considerada como rainha do céu noturno. Dela originou-se o nome do lago *Helanus*, situado no Gevaudan. (E. Bailly)

Helena (*Gr.*) — Filha de Júpiter e Leda e esposa de Menelau, rei de Esparta. Era mulher célebre por sua extraordinária beleza. Raptada por Páris, foi a causa da famosa guerra de Tróia. Personificação do quarto princípio da constituição humana. (*Doutrina Secreta*, II, 840)

Helheim (*Esc.*) — O reino dos mortos na mitologia escandinava No *Edda*, Helheim rodeia o mundo de trevas setentrional, chamado de *Niflheim* (ou *Nifelheim*).

Heliolatria (*Gr.*) — Culto solar. [Os antigos não tomavam os astros por deuses nem o Sol por Deus supremo, mas adoravam apenas o Espírito que neles residia. (*Doutrina Secreta*, III 333) A heliolatria é o culto primitivo instituído no mundo e chegou a ser uma prática universal. Judeus, caldeus, egípcios, gregos, persas etc., todos adoraram o Sol, embora com nomes diversos: Mitra, Apolo, Ra, Osíris, Ormuzd, Cristo etc. A religião cristã baseia-se inteiramente no culto solar e lunar. (*Doutrina Secreta*, I, 417) (Ver *Sol.*)]

Helios — Nome grego do Sol.

Helvecio (Helvetius), *João Frederico Schweitzer* — Através da pedra filosofal, que lhe foi proporcionada por um desconhecido, conseguiu fabricar ouro a partir do chumbo, em Haya, em 1666, conforme atesta o célebre filósofo Spinoza.

Hemâdri (*Sânsc.*) — A Montanha de Ouro; o Meru [ou *Sumeru*].

Hemakeza (*Sânsc.*) — Literalmente, "de cabelos de ouro". Epíteto de Shiva.

Heman (*Sânsc.*) — Ouro. O planeta Mercúrio, por causa de sua cor amarela.

Hemanta (*Sânsc.*) — A estação fria e das neves (inverno), que compreende os meses de novembro e dezembro. (Ver *Rito.*)

Hemera (*Gr.*) — "A luz das regiões inferiores ou terrestres", como o Éter é a luz das esferas celestes superiores. Ambas nasceram de *Erebos* (Trevas) e *Nux* (Noite).

Hemerobaptistas (*Gr.*) — Deu-se este nome a certos seguidores judeus que, para se diferenciarem dos demais, banhavam-se todos os dias, fosse inverno ou verão. Subsistem ainda com o nome de "Cristãos de São João".

Hemita (Hemphta) (*Eg.*) — Nome que os antigos egípcios davam a Júpiter.

Henoch — Ver *Enoch.*

Hepatoscopia — Método de adivinhação que se praticava examinando-se o fígado das vítimas nos sacrifícios.

Héptada (do grego *heptá*, sete) — Setenário.

Heptagon (*Gr.*) — O número sete, que os pitagóricos consideravam como um número perfeito e religioso. Era chamado de *Telesphoros* porque, através dele, tudo o

H

que há no Universo e na humanidade é conduzido a seu fim, isto é, sua culminação. (*Doutrina Secreta*, II, 637)

Heptakis (*Gr.*) — "Aquele de sete raios" dos astrólatras caldeus; o mesmo que *Iao*.

Héracles (ou *Herakles*, em grego) — O mesmo que Hércules.

Heranasikha (*Cing.*) — De *herana*, noviço, e *sikha*, regra ou preceito; manual de preceitos. Obra escrita em *elu* ou cingalês antigo, para uso dos sacerdotes noviços.

Hermafrodita (Hermaphrodite) (*Gr.*) — De dois sexos, um ser masculino ou feminino, seja homem ou animal. [Entre os deuses da mitologia grega figura Hermafrodite, filho de Mercúrio (Hermes) e Vênus (Afrodite), assim chamada por reunir os atributos de ambos os sexos. (Ver *Andrógino*.)]

Hermanúbis (*Eg.*) — Ou seja: Hermes-Anúbis, "o revelador dos mistérios do mundo *inferior*" - não do inferno ou Hades, como se interpretou erroneamente, mas de nossa Terra (*o mundo mais inferior da cadeia setenária de mundos*) - e também dos mistérios sexuais. Kreuzer deve ter adivinhado a verdadeira interpretação, porque denomina Anúbis-Toth-Hermes de "*um símbolo da ciência e do mundo intelectual*". Era sempre representado portando uma cruz na mão, cruz que é um dos símbolos primitivos do mistério da geração ou procriação na Terra. Na Cabala caldeia (*Livro dos Números*), o símbolo *Tat* ou + refere-se a Adão e Eva, sendo esta última a raia horizontal ou transversal extraída das costas (ou da *costela*) de *Hadam*, a raia perpendicular. O fato é que, esotericamente, enquanto Adão e Eva representam a primitiva *terceira* Raça-Mãe - aqueles que, carecendo ainda de mente, imitavam os animais e se degradavam com estes -, figuram também como o símbolo dual dos sexos. Por esta razão, Anúbis, o deus egípcio da geração, é representado com cabeça de animal (de cão ou chacal), e dele também se diz que é "o Senhor do *mundo inferior*" ou "Hades", no qual introduz as almas dos mortos (as entidades que se reencarnam), visto que, o Hades é, em certo sentido, a matriz, como o demonstram plenamente alguns escritos dos padres da Igreja.

Hermas (*Gr.*) — Antigo escritor grego, de cujas obras restam hoje alguns poucos fragmentos.

Hermenêutica (do grego *hermeneutiké*) — É a arte de interpretar textos, especialmente os sagrados, para fixar seu sentido verdadeiro.

Hermeros (*Gr.*) — De Hermes (Mercúrio) e Eros (Amor). Divindade pagã que participava de Mercúrio e do Amor, cujos atributos reunia. Era representado como um menino que tinha uma bolsa em uma das mãos e na outra, um caduceu.

Hermes Sarameyas (*Gr.-Sânsc.*) — O deus Hermes ou Mercúrio, "aquele que vela sobre o rebanho dos astros", na mitologia grega.

Hermes Trismegisto (*Gr.*) — O "Hermes três vezes grande", o egípcio. Personagem místico, cujo nome foi tomado pela filosofia hermética: No Egito, o deus Thoth ou Thot. É um nome genérico de muitos escritores gregos antigos, que trataram de filosofia e Alquimia. Hermes Trismegisto é o nome de Hermes ou Thot em seu aspecto humano; como deus, é muito mais do que isso. Como *Hermes-Thoth-Aah* é Thot, a Lua, isto é, seu símbolo é o lado brilhante da Lua, que se supõe conter a essência da Sabedoria criadora, "o elixir de Hermes". Como tal está associado com o Cinocéfalo, o macaco com cabeça de cão, pelo fato de ser Anúbis um dos aspectos de Thot. (Ver *Hermanúbis*.) A mesma ideia é a razão fundamental da forma do deus da Sabedoria hindu, o Ganeza ou Ganapati (*Ganpat*) de cabeça de elefante, filho de Pârvatî e Shiva.

H

(Ver *Ganeza*.) Quando tem cabeça de íbis, é o sagrado escrevente dos deuses; porém, ainda neste caso, porta a coroa *atef* e o disco lunar. É o mais misterioso dos deuses. Como serpente, Hermes Thoth é a divina Sabedoria criadora Os padres da Igreja falam extensamente de Thoth-Hermes. (Ver *Hermética*.)

Hermética — Qualquer doutrina ou escritura relacionada com os ensinamentos esotéricos de Hermes, que, considerado como o Thoth egípcio ou como o Hermes grego, era o deus da Sabedoria entre os antigos e, segundo Platão, "descobriu os números, a geometria, a astronomia e as letras". Embora, em sua maior parte, os escritos herméticos sejam considerados como espúrios, foram altamente encomiados por Santo Agostinho, Lactâncio, Cirilo e outros. Segundo J. Bonwick, tais escritos "estão mais ou menos retocados pelos filósofos platônicos existentes entre os antigos cristãos (tais como Orígenes e Clemente de Alexandria), que pretendiam provar seus argumentos cristãos apelando a estes venerados escritos pagãos, embora não pudessem resistir à tentação de fazê-los dizer um pouco mais que o devido". Apesar de alguns hábeis e interessados autores dizerem que ensinavam o monoteísmo puro, os livros herméticos ou trismegísticos são puramente panteísticos. A Divindade neles mencionada é definida por Paulo como aquela *na qual* "nós vivemos e nos movemos e temos nosso ser" – apesar do *"n'Ele"* dos tradutores.

Hermod (*Esc.*) — Filho de Odin (*Eddas*)

Heru — Ver *Cheru*.

Heterodoxo (do grego *heteros*, outro, e *doxa*, opinião) — Este adjetivo é aplicado a tudo o que não está conforme com a doutrina fundamental de qualquer seita ou sistema, especialmente do dogma católico-romano. É oposto a *ortodoxo*.

Heteromancia (derivado do grego) — Adivinhação baseada no voo das aves.

Hetu ou **Hêtu** (*Sânsc.*) — Uma causa natural ou física. Esta palavra tem outros significados: razão, motivo, impulso, estímulo, motor, agente, instrumento, fator; modo, condição, argumento, prova etc.

Hetumat (*Sânsc.*) — Causado, causador, que tem uma causa; que trata das causas; razoável.

Heva (He-va) (*Hebr.*) — Eva, "a mãe de tudo o que vive".

Heya (*Sânsc.*) — "Que deve ser evitado".

Hiang-Thsang (*Chin.*) — Famoso viajante chinês, cujos escritos contêm o relato mais interessante da Índia de seu tempo.

Hiarchas (*Gr.*) — O rei dos "Homens sábios", na Viagem de Apolônio de Tiana para a Índia.

Hidromancia — Arte da adivinhação baseada nos sinais e observação da água.

Hidskialf (*Esc.*) — O trono de Odin, de onde este deus vê tudo o que acontece no mundo.

Hierarquias Criadoras (*As Doze*) — Assim chamadas porque se ocupam da construção do Universo, em guiar seus irmãos menores no sendeiro da evolução e em dirigir o desenvolvimento das forças espirituais no universo material. No estado atual da evolução, cinco dessas Hierarquias já transpuseram o campo visual dos maiores e mais desenvolvidos Mestres de nosso mundo; quatro passaram para além da liberação e uma está nos umbrais deste último estado. Assim, em nossa evolução, tomam parte somente sete Hierarquias, que afetam, por assim dizer, nossa partícula de Divindade,

H

a porção de *Îshvara* (ver *Bhagavad-Gîtâ*, XV, 7) e o *Jîvâtmâ*, o Ser vivente cuja natureza espiritual superior é parte integrante de uma dessas Hierarquias. A primeira Hierarquia é constituída pelos Hálitos ígneos amorfos, Senhores do Fogo, Chamas Divinas, Fogos Divinos, Leões do Fogo, Leões de Vida, nomes que expressam atributos ígneos, pois tais Seres constituem a Vida e o Coração do Universo, o *Âtmâ*, a Vontade Cósmica, e através deles passa o raio de *Paramâtmâ* que desperta o *Âtmâ* na Mônada do homem. A segunda Hierarquia é formada por seres de dupla natureza, as "dúplices unidades", Fogo e Éter, o Discernimento manifestado, a Sabedoria do sistema, o *Buddhi* cósmico, que desperta o *Buddhi* na Mônada humana. A terceira Hierarquia, a do *Mahat* ou *Manas* cósmico, são as Tríadas, Fogo, Éter e Água, a atividade cósmica, que também deixa parte de sua essência na Mônada do homem, à medida que este vai descendo. Estas são as Hierarquias criadoras *arûpicas* [sem forma], que moram na matéria ainda demasiado sutil para tomar forma limitada na matéria em que se misturam e compenetram todas as Formas. A quarta Hierarquia é a nossa, a Hierarquia das Mônadas humanas, que, contudo, ainda não deixaram o seio do Pai Supremo, onde permanecemos verdadeiramente inseparáveis d'Ele, embora no labirinto de matéria pareça-nos estarmos separados e distintos. Esta Hierarquia é também chamada de Hierarquia dos *Jîvas* imortais. A quinta Hierarquia é a do *Makara*, que tem por símbolo o pentágono. Nela o duplo aspecto espiritual e o duplo aspecto físico da Natureza, o positivo e o negativo, aparecem em luta recíproca; são os turbulentos, os rebeldes das mitologias, os nascidos do Corpo de Trevas, que, por sua evolução, pertencem a este Universo. São Seres de grande poder e sabedoria espirituais, mas que ocultam em seu interior o germe, a essência do *ahamkara* (ver), daquela faculdade autoativa necessária à evolução humana. São o produto da primeira Cadeia Planetária. A sexta Hierarquia é formada pelos nascidos do Corpo de Brahmâ, denominado de Corpo de Luz ou de Dia. Nesta corte de *Devas* brilham gloriosos os *Pitris* dos *Devas*, designados pelos nomes de *Agnichvâttas* ou "os sêxtuplos *Dhyânis*". Eles dão tudo ao homem, exceto o *Âtmâ* e o corpo físico, por isso são chamados de "doadores dos cinco princípios intermediários do homem". Guiam a Mônada para que obtenha os átomos permanentemente relacionados com estes princípios, ou seja, "o plasma quíntuplo". São produto da segunda Cadeia Planetária. Nesta Hierarquia encontram-se também incluídas as grandes hostes dos *Devas* e os mais elevados espíritos da Natureza ou elementais do reino médio. A sétima Hierarquia compreende os seres que conhecemos com o nome de *Pitris* lunares, nascidos do corpo de Brahmâ, chamado Crepúsculo ou *Sandhyâ*. Seu trabalho em relação à evolução física do homem é idêntico ao dos *Pitris Agnichvâttas* no que se refere à evolução intelectual. Fazem também parte dessa Hierarquia os agentes dos *Pitris* na tarefa que lhes é encomendada. Estes agentes são numerosas cortes de *Devas*, os espíritos menores da Natureza ou elementais do reino inferior, encarregados de formar os corpos físicos dos homens. Também entram nessa Hierarquia os "espíritos dos átomos", as sementes de evolução em *Kalpas* futuros. Estas quatro últimas são as Hierarquias criadoras *rûpicas* [dotadas de formal. (A. Besant, *Genealogia do Homem*.)

Hierático (do grego *hieratikos*) — Sagrado; sacerdotal; pertencente ou relativo às coisas sagradas ou aos sacerdotes. Esta palavra é aplicada a certa classe de antigas letras ou escrituras egípcias e a certos estilos na arte.

Hierofante — Do grego *Hierophantes*, que significa literalmente "aquele que explica as coisas sagradas". O revelador da ciência sagrada e chefe dos Iniciados. Título pertencente aos mais elevados Adeptos nos templos da Antiguidade, que eram os mestres e expositores dos Mistérios e os iniciadores nos grandes Mistérios finais. O Hierofante representava o Demiurgo e explicava aos candidatos à Iniciação os vários fenômenos da Criação, que expunham em seu ensinamento. "Era o único expositor das doutrinas e arcanos esotéricos. Era proibido até pronunciar seu nome diante de uma pessoa não-Iniciada. Residia no Oriente e levava, como símbolo de sua autoridade, um globo de ouro pendurado ao pescoço. Era também denominado de *Mistagogo*" (Kenneth R. H. Mackenzie, IX, M.S.T., na *Real Enciclopédia Maçônica*). Em hebraico e caldeu, o termo era *Peter*, o abridor, descobridor ou revelador e por isso o Papa, como sucessor do Hierofante dos antigos Mistérios, ocupa a cadeira pagã de São Pedro. Cada nação teve seus Mistérios e hierofantes. Até os judeus tinham seu *Peter-Tanaîm* ou Rabino, como Hillel, Akiba e outros cabalistas famosos, que tão-somente podiam comunicar o tremendo conhecimento contido no *Merkavah*. Nos tempos antigos, havia na Índia um só Hierofante, porém, atualmente, há vários disseminados pelo país, ligados aos principais pagodes e aos quais se conhece com o nome de *Brahma-âtmas*. No Tibete, o hierofante principal é o *Dalay* ou *Taley-Lama* de Lhasa. Entre as nações cristãs, somente as católicas conservaram o costume "pagão" na pessoa de seu Papa, embora, lastimavelmente, tenham sido desfiguradas sua majestade e a dignidade de um ministério tão sagrado. (*Ísis sem Véu*, I, XXXIII, ed. inglesa)

Hieróglifos — São os caracteres sagrados da antiga linguagem egípcia. Neste tipo de escrita empregam-se figuras de objetos no lugar de letras ou signos convencionais próprios dos demais alfabetos. Há duas classes de hieróglifos: fonéticos ou ideográficos, segundo constem de signos que representem sons ou ideias, subdividindo-se os primeiros em alfabéticos, silábicos complementos fonéticos e determinativos fonéticos; e os segundos, em determinativos especiais, determinativos gerais, figurativos propriamente ditos e simbólicos. Assim, por exemplo, uma águia significa *A*; um bezerro, *Ua*; uma garça, *Ba*; uma cerasta, *F*; uma linha d'água, *N*; um jardim, *Cha* etc. (Ver Treviño e Villa, *A Escrita Egípcia*.)

Hierografia (do grego *hierographia*) — Descrição das coisas sagradas. Designa-se também com tal nome a história das religiões.

Hierograma (palavra derivada do grego) — Literalmente, "letra sagrada". Caráter próprio da escrita egípcia hierática. (Alemany, *Dic. da Língua Espanhola*) Um símbolo hieroglífico.

Hierogrâmatas — Título que se dava aos sacerdotes egípcios encarregados da escrita e leitura dos anais sagrados e secretos. Literalmente, "escreventes dos anais ou registros secretos". Eram os instrutores dos neófitos que se preparavam para a Iniciação.

Hierologia (*Gr.*) — Ciência que trata das religiões ou coisas sagradas, especialmente escritos sagrados e inscrições egípcias.

Hieromancia — Ver *Hieroscopia*.

Hieroscopia ou **Hieromancia** — Arte de adivinhação baseada no exame das entranhas das vítimas e nas observações de todas as circunstâncias que concorriam para a celebração de um sacrifício ou cerimônia religiosa.

Hieroscopio — Espécie de vaso empregado na hieroscopia.

Hilaria (*Lat.*) — Festas que os romanos celebravam antigamente em honra de Cibeles e do deus Pã, no dia do equinócio de primavera.

Hillel — Grande rabino babilônico do século anterior à era cristã. Foi fundador da seita dos fariseus; era um homem santo e instruído.

Hilo do Espírito — Ver *Sûtrâtmâ*.

H

Hilozoismo (do grego *hylé*, matéria, e *zoon*, coisa vivente) — Doutrina segundo a qual toda a matéria é dotada de vida. Filosoficamente, o hilozoísmo é o mais elevado aspecto do panteísmo. É a única escapatória possível do absurdo ateísmo baseado na materialidade letal e das ainda mais absurdas concepções antropomórficas dos monoteístas. Entre um e outras encontra-se em seu próprio terreno completamente neutro. (*Doutrina Secreta*, II, 167)

Himâchala (*Sânsc.*) — Os montes Himalaias.

Himâdri (*Sânsc.*) — Significado idêntico ao de *Himâchala*.

Himâlaya (*Sânsc.*) — Literalmente, "mansão de neve". A cadeia montanhosa do Himalaia.

Himârâti (*Sânsc.*) — O fogo; o Sol.

Himavat (*Sânsc.*) — Personificação dos montes Himalaia; pai do rio Ganga ou Ganges.

Himen ou **Hymen** (*Alq.*) — Nome que Raymond Lulle deu ao vaso único que os filósofos empregam para fazer o magistério dos Sábios.

Himsâ — Ver *Hinsâ*.

Hîna (*Sânsc.*) — Privado, abandonado, apartado etc.

Hînayâna (*Sânsc.*) — O "Pequeno Veículo"; Escritura e Escola dos budistas do Norte, opostas ao *Mahâyâna* ou "Grande Veículo" do Tibete. Ambas são escolas místicas. (Ver *Mahâyâna*.) Segundo a superstição exotérica, é também a forma inferior da transmigração. [Ver *Escola Hînayâna*.]

Hindu — Natural da Índia ou do Industão. Atualmente este nome é mais propriamente aplicado aos naturais da Índia que professam o brahmanismo, em contraposição aos maometanos.

Hinduísmo — A religião dos hindus; o brahmanismo (ver). É a religião da maior parte dos habitantes da Índia e teve seu berço no Norte da mesma. O Hinduísmo, sistema religioso e social, tem como pilares o reconhecimento da ortodoxia das Escrituras e das tradições brahmânicas, a adoração dos deuses e de suas encarnações, a observação minuciosa das regras de casta relativas ao matrimônio, à alimentação e à bebida e, finalmente, a consideração da vaca e do macaco como animais sagrados. As grandes epopeias, os *Purânas*, e o misticismo mágico dos *Tantras* embandeiram a história do Hinduísmo, amálgama, sob o patronato da casta brahmânica, de uma confusa mistura de tradições hindus. O Brahman dos *Brahmanes*, forma neutra e impessoal do Absoluto, foi substituída por um deus, Brahma, criador. Este, por sua vez, encontra-se associado em uma Trindade (*Trimurti*) a Vishnu, conservador, e Shiva, destruidor e ao mesmo tempo engendrador da nova vida. A primeira pessoa, Brahma, raramente recebe culto especial; somente alguns poucos templos lhe são consagrados. Não é mais compreendido e, portanto, reverenciado pelo povo hindu do que o Deus-Pai pela massa de católicos. Em troca, Shiva e Vishnu não deixaram de ser populares durante muitos séculos, sendo que suas inúmeras representações plásticas contribuíram muito para isso. Grotescas ou não, isso não conta. O povo necessita ver para crer. Sendo *deus*, a forma tanto se lhe dá. Inclusive se é uma gruta, pedra, rio ou árvore, tanto faz. Atualmente o mundo religioso do hinduísmo divide-se principalmente em *vaihnavas (vishnuitas)* e *saivas (shivaitas)*. Estas divindades são menos reverenciadas em si mesmas do que em suas manifestações: Vishnu, em suas encarnações principais *(avataras)*, Rama ou Krishna; Shiva, nas personificações femininas de suas energias *(saktis)*, Parvati, Kali, Durga. Além destas divindades maiores, há nos

H

templos hindus uma infinidade de divindades menores, de demônios (demônios no sentido dos *daimon* gregos, isto é, divindades de categoria inferior) e de objetos sagrados adorados pelo povo. E é principalmente a eles que, na Índia e em todas as partes, voltam-se aqueles menos cultos e muito particularmente as mulheres, para lhes implorar aquilo que lhes falta. Tais templos são muito numerosos e constituem "palácios divinos". Neles são feitas oferendas às vezes de animais (em particular de cabras negras, nos santuários de Kali). Porém, em geral, os sacrifícios são sangrentos, sobretudo aqueles oferecidos a Vishnu. As oferendas não-animais consistem em flores, frutos, folhas de certas árvores etc. O culto doméstico é simples: o homem deve, ao levantar, curvar-se para o Sol e verter um pouco de água à guisa de oferenda. Deve, além disso, inclinar-se respeitosamente ao passar junto ao santuário de sua aldeia, visitar, de tempos em tempos, os templos e ofertar um presente aos sacerdotes. As festas religiosas principais são as das Lâmpadas *(Dipavali)* e a do aniversário de Krishna. Rito comum a todos é o de queimar os cadáveres antes de lançar suas cinzas ao Ganges ou a algum outro rio sagrado; os demais, relativos a nascimento, esponsais e matrimônio (todo homem deve casar-se, pois só um filho poderá cumprir os últimos ritos, que auxiliarão a viagem progressiva da alma após a morte), são celebrados especialmente nas castas superiores. O da entrega da redinha sagrada aos varões é exclusivo da casta brahmânica.

O primeiro "segredo" da religião hindu é o seguinte: que tudo quanto é (existe) – os deuses e os espíritos, a multidão de seres humanos, as forças da Natureza, todo o reino animal, as plantas, as montanhas, os bosques, os rios e os oceanos – constitui as diversas e inumeráveis partes da divindade. Panteísmo total, que veremos confirmado no *Râmayana*, e que, por ser a essência desta religião, não mudou apesar dos séculos.

O segundo "segredo" é a doutrina, segundo a qual o mundo sensível, que nos parece tão real, não é mais que pura ilusão (a *Maya* do *Ramayana*) e que está inevitavelmente destinado a desaparecer; apenas o *Brahmâ*, o Não-cognoscível, o Inconcebível, é imutável e eterno.

Como doutrina, os hindus têm essencialmente a crença em uma alma individual, que se reencarna no tempo inúmeras vezes, até que, purificada e livre do fardo do *karma* (de suas obras) é absorvida no Divino, no Brahmâ. O Hinduísmo compreende uma numerosa variedade de seitas, porém existe uma tolerância levada ao extremo, uma verdadeira fraternidade entre elas. Não há, em qualquer outra religião, crentes mais piedosos do que os hindus. Os muitos milhões que ali adoram suas divindades, fazem-no sempre inteira e profundamente. (J. B. Bergua, *Notas do Ramayana*, p. 706-708)

Hinnom — Ver *Gehenna*.

Hinsâ ou **Himsâ** (*Sânsc.*) — Dano, prejuízo, ofensa, destruição, homicídio, crueldade, malevolência, desejo de prejudicar. No Aforismo XXX do 2º livro dos Aforismos de *Patañjali*, deve entender-se por *hinsâ* o desejar mal a qualquer um que seja, através de palavras, obras ou pensamentos. (M. Dvivedi, *Comentário* dos citados *Aforismos*).

Hinsâkarman (*Sânsc.*) — Operação mágica praticada com intenção de prejudicar alguém.

Hinsâtmaka (*Sânsc.*) — De natureza prejudicial ou ofensiva; cruel, daninho, ofensivo.

Hiauen Thsang (*Chin.*) — Famoso escritor e filósofo chinês, que viajou pela Índia, no séc. VI, a fim de adquirir maiores conhecimentos sobre o budismo, ao qual havia-se consagrado.

Hipatia (do grego *Hypatia*) — Jovem filósofa, que viveu em Alexandria, durante o séc. V, e ensinou a mais de um homem célebre, inclusive, dentre outros, ao bispo

H

Sinésio. Era filha do matemático Theon e adquiriu grande renome por seu saber. Vítima da diabólica conspiração de Teófilo, bispo de Alexandria, e de seu sobrinho Cirilo, foi vilmente assassinada por ordem dos mesmos. (Ver *Isis sem Véu*, II, 53 e 253.)

Hiperbóreas — As regiões do Círculo Ártico que rodeiam o Polo Norte. Dá-se o nome de hiperbóreo ao segundo continente, a terra que estendeu seus promontórios até o Sul e o Oeste, desde o Polo Norte, para receber a segunda Raça; compreendia todo o território atualmente denominado de Ásia Setentrional. (*Doutrina Secreta*, II, 6)

Hiperfon (*Gr.*) — Um dos sete titãs da Arca. (*Doutrina Secreta*, II, 151)

Hipnagogo — Aquele que tem sonhos entre o estado de sono e o de vigília. *(M. Treviño)*

Hipnotismo — Sono magnético.

Hipnepta — Literalmente, "aquele que está iluminado durante o sono". Pessoa que adivinha no estado de hipnotismo.

Hipniatra — O sonâmbulo que indica os remédios que devem ser aplicados contra doenças. *(M. Treviño)*

Hipnóbata — Sonâmbulo (*M. Treviño*). Literalmente, "aquele que anda durante o sono".

Hipnófobo — Literalmente, "que provoca sonos espantosos". Sobrenome de Baco.

Hipnomancia — Arte de adivinhar os sonhos ou de os interpretar. *(M. Treviño)*

Hipnós (do grego Hypnos) — Sono. Divindade que, segundo a mitologia grega, é a personificação do Sono e irmã de *Thanatos*, a Morte.

Hipnose — Sono provocado por meios artificiais (narcóticos, mesmerismo, hipnotismo).

Hipnotismo — Nome dado pelo Dr. Braid a vários processos graças aos quais uma pessoa dotada de grande força de vontade leva outra, de ânimo mais débil, a uma espécie de êxtase *(transe)*; uma vez em tal estado, esta última executará tudo o que lhe for *sugerido* pelo hipnotizador. A menos que o hipnotismo seja realizado para fins benéficos, é denominado pelos ocultistas de feitiçaria ou *magia negra*. É a mais perigosa de todas as práticas, tanto moral como fisicamente, visto que exerce influência prejudicial sobre o fluido nervoso e os nervos que regulam a circulação sanguínea nos vasos capilares. [Gradual ou forçosamente a ciência tenderá a aceitar a velha "superstição", como aceitou muitas outras. E uma vez que se veja obrigada a aceitá-la, seus ilustres professores, com toda probabilidade (a julgar pela experiência passada, como no caso do Mesmerismo e Magnetismo, agora rebatizados com o nome de Hipnotismo) adotarão o processo, rechaçando o nome. (*Doutrina Secreta*, I, 316)]

Hipocéfalo (do grego *Hypocéphalus*) — Uma espécie de almofada para a cabeça da múmia. Há vários tipos de hipocéfalo: de pedra, de madeira etc., e com frequência são constituídos por discos circulares de linho cobertos de cimento ou argamassa, com inscrições de letras e figuras mágicas. Deu-se-lhes no *Ritual* o nome de "descanso para os mortos" e cada ataúde de múmia possuía um.

Hipócrates (do grego *Hippocrates*) — Famoso médico de Cos, uma das Cícladas, que floresceu em Atenas durante a invasão de Artaxerxes e livrou tal cidade de uma terrível peste. Foi chamado de "Pai da Medicina". Tendo aprendido sua arte das tábuas votivas oferecidas pelos enfermos curados nos templos de Esculápio, chegou a ser um

H

Iniciado e o mais hábil curador de seu tempo, sendo por isso quase divinizado. Seu saber e seus conhecimentos eram vastíssimos. Segundo Galeno, seus escritos eram verdadeiramente a voz de um oráculo. Morreu com cem anos (361 a.C.).

Hipopótamo (do grego *Hippopotamus*) — No simbolismo egípcio, Tifón era denominado de "o hipopótamo que matou seu pai e violou sua mãe", Rhea (mãe dos deuses). Seu pai era Cronos. Assim é que, se tal qualificativo aplica-se ao Tempo e à Natureza (*Cronos* e *Rhea*), essa acusação é compreensível. Emblema da desarmonia cósmica, Tifón, que é também Pitón, o monstro formado pelo lodo do dilúvio de Deucalion, "viola" sua mãe, a Harmonia Primordial, cuja caridade era tão grande que lhe valeu o nome de "Mãe da Idade de Ouro". Tifón foi quem acabou com esta, isto é, produziu a primeira guerra dos elementos.

Hipóstasis (do grego *Hipostasis*) — Subsistência, substância. Termo empregado pelos teólogos gregos para designar especialmente cada uma das três divisões (Pessoas) da Divindade. Os alquimistas aplicam tal nome aos três elementos (sal, enxofre e mercúrio), que consideram como os três princípios de todos os corpos materiais. (*Webster*)

Hiquet (*Eg.*) — A deusa-rã; um dos símbolos da imortalidade e do princípio "água". Os cristãos primitivos tinham em suas igrejas lâmpadas construídas em forma de rã, para denotar que o batismo de água conduzia à imortalidade.

Hiram Abiff — Personagem bíblico; arquiteto hábil e um "filho da Viúva", a quem o rei Salomão mandou chamar em Tiro para dirigir as obras do Templo, e que, mais tarde, chegou a ser um personagem *maçônico*, o herói em que se apoia todo o drama ou, melhor dizendo, *peça teatral* da terceira Iniciação maçônica. A Cabala tem Hiram Abiff em grande consideração. [É um mito solar. (*Doutrina Secreta*, I, 334) (Ver *Filho da Viúva*.)]

Hiranya (*Sânsc.*) — Radiante, áureo. Este adjetivo aplica-se ao "Ovo de Brahmâ". [Como substantivo significa ouro, prata ou outro metal precioso.]

Hiranya-garbha (*Sânsc.*) — O radiante ou áureo Ovo ou Matriz. Esotericamente, a luminosa "Névoa de Fogo" ou material etéreo, do qual se formou o Universo. [Epíteto de Brahmâ, nascido do Ovo de ouro primordial. "Aquele que só pode ser concebido pelo espírito... eterno, alma de todos os seres, tendo resolvido, em seu pensamento, fazer emanar de sua própria substância as diversas criaturas, produziu primeiro as águas e nelas depositou um germe. Este germe converteu-se num ovo, brilhante como o ouro e radioso como o Sol. Dele nasceu o próprio Brahmâ, pai de todos os seres." (*Leis de Manu*, I, 7-9)]

Hiranyakazipu (*Sânsc.*) — Um rei dos *daityas*, a quem Vishnu (em seu avatar de "homem-leão") matou.

Hiranyaksha (*Sânsc.*) — Literalmente, "aquele de olhos de ouro". Rei e regente da quinta região do *Patâla* ou mundo inferior; um deus-serpente no panteão hindu. Esta palavra tem muitos outros significados.

Hiranyapura (*Sânsc.*) — A cidade de ouro [dos *daityas*].

Hiranyaretas (*Sânsc.*) — O fogo ou deus do fogo (Agni); o Sol.

Hisi (*Fin.*) — O "Princípio do Mal" no *Kalevala*, poema épico da Finlândia.

Hita (*Sânsc.*) — Bem, felicidade, benefício, dom, recompensa; proveito; utilidade. Como adjetivo: bom, útil, proveitoso, saudável etc.

Hitakâmyâ (*Sânsc.*) — Desejo de fazer o bem a alguém.

H

Hitavâdin (*Sânsc.*) — Bom conselheiro.

Hitokti (Hita-ukti) (*Sânsc.*) — Literalmente, "boa palavra". Linguagem afetuosa.

Hitopadesa (*Sânsc.*) — "Bom aviso". Instrução ou ensinamento proveitoso. Título de uma obra composta de uma coleção de preceitos morais, alegorias e outras fábulas compiladas de uma antiga escritura chamada *Pañchatantra*.

Hivim ou Chivim (*Hebr.*) — De quem procedem os *hivitas*, que, segundo alguns comentaristas católico-romanos, descendem de Heth, filho de Canaã, filho de Cam, "o maldito". Brasseur de Bourbourg, missionário tradutor da Escritura dos guatemaltecos, o *Popol Vuh*, é partidário da teoria de que os *Hivim* do *Querzo Cohuatl*, a divindade-serpente mexicana, e os "descendentes das Serpentes", como eles mesmos se intitulam, são idênticos aos descendentes de Cam (!!), "cujo antecessor é Caim". Tal é a conclusão que o demonólogo Des Mousseaux retirou dos escritos de Bourbourg. Este último autor indica que os chefes do nome de Votan, os *Quetzo Cohuatl*, são os descendentes de Cam e Canaã. "Eu sou *Hivim*", dizem. "Sendo um *Hivim*, sou da grande Raça dos Dragões. Eu mesmo sou uma Serpente, porque sou um *Hivim*" (*Cartas*, 51). Porém Caim é alegoricamente apresentado como um antecessor dos *hivitas*, as Serpentes, porque se considera que Caim foi o *primeiro Iniciado no mistério da procriação*. A "raça dos Dragões" ou Serpentes significa os sábios Adeptos. Os nomes *Hivi* ou *Hivita* e *Levi* significam "Serpentes"; e os hivitas, tribo das Serpentes da Palestina, eram, como todos os levitas e ofitas de Israel, ministros *Iniciados* dos templos, isto é, ocultistas, como o são os sacerdotes de *Quetzo Cohuad*. Os gibeonitas, os quais Josué destinou *ao serviço do Santuário*, eram hivitas. (Ver *Isis sem Véu*, I, 554; II, 446 e 481.)

Hlâda (*Sânsc.*) — Gozo, alegria.

Hler (*Esc.*) — Deus do mar. Um dos três filhos poderosos do Gigante de gelo, Ymir. Estes filhos eram: Kari, deus do ar e das tempestades; Hler, deus do mar, e Logi, do fogo. Constituem a trindade cósmica dos antigos escandinavos.

Hlina (*Esc.*) Uma das asianas (deusas escandinavas).

Hlóride (*Esc.*) — Outro nome de Thor.

Hnikar (*Esc.*) — Um dos nomes de Odin.

Hoa (*Hebr.*) — Aquele que procede de *Ab*, o "Pai"; por conseguinte, é o *Logos* oculto. [Ver *Ea* ou *Hea*.]

Hoang-Ty (*Chin.*) — "O grande Espírito". Diz-se que seus Filhos adquiriram novas sabedorias e comunicaram o que sabiam anteriormente aos mortais, caindo - como os anjos rebeldes - no "Vale de Dor", que é, alegoricamente, a nossa Terra. Em outras palavras, são idênticos aos "Anjos caídos" das religiões exotéricas e aos *Egos* que se reencarnam, esotericamente.

Hokhmah ou Hokhmah — Ver *Chohmah* ou *Chokmah*.

Hoder — Ver *Hödur*.

Hödur, Hoder ou Hoeder (*Esc.*) — Deus cego, porém dotado de uma força extraordinária. Seu nome é de mau agouro. Matou Baldur (ou Balder) com um dardo, porém, como era cego, Loki guiou sua mão.

Hoeder — Ver *Hödur*.

Hoener ou Hüner (*Esc.*) — Um dos deuses criadores. Com Odin e Loder, criou Ask e Embla, os primeiros homens. Odin deu a estes o espírito, Hoener a mente e Loder o sangue.

H

Hokhmah — Ver *Chokmah*.

Holocausto — Palavra derivada do grego e que significa, literalmente, "tudo queimado". Sacrifício em que a vítima era inteiramente consumida pelo fogo, sem deixar qualquer resíduo.

Hom (*Per.*) — Santo personagem, fonte de pureza, de inteligência e de vida, que habita o monte Albordj. Bendiz as águas e os rebanhos, instrui os homens que praticam o bem e combate os *dews* (gigantes ou gênios perversos). Preside a árvore *Hom*, traçou o curso das nuvens e ajudou o gênio Taschter a distribuir a chuva. Dá-se também este nome à *Árvore da Vida*. (Ver *Gogard*.)

Homa (*Sânsc.*) — Oblação de arroz e manteiga feita no fogo. (*Leis de Manu,* III, 84)

Homabhasman (*Sânsc.*) — A cinza do holocausto.

Homâgni (*Sânsc.*) — O fogo sagrado.

Homem (*Herm.*) — A maioria dos filósofos compara a confecção do magistério com a geração do homem e, em consequência, personifica as duas partes ou ingredientes da obra, o fixo e o volátil. Denominam o fixo de *macho* e lhe dão o nome dos homens, e o volátil de *fêmea* e o indicam por nomes femininos. É desta maneira que os Antigos Egípcios e Gregos, Iniciados nos mistérios da Arte Sacerdotal ou Hermética, inventaram as fábulas.

– Homem: significa simplesmente o fixo.

– Homem Elevado: refere-se à matéria dos filósofos digerida, dissolvida e em putrefação.

– Homem com Capacete: significa o mercúrio digerido e que chegou à cor negra. É uma denominação tirada por comparação com a figura do Deus Mercúrio, representado com um capacete na cabeça, portando seu caduceu, ao redor do qual duas serpentes enrodilhadas parecem combater-se.

– Homem Vermelho: é o enxofre dos filósofos ou o magistério ao rubro.

Homem arquétipo — O primeiro tipo ou imagem mais primitiva do homem; Adão Kadmon, o *Protologos*, origem criadora de todas as coisas.

Homem astral — Termo utilizado para designar o Duplo astral e o *Kâma-rûta*.

Homem celeste — Adão Kadmon, o *Logos* celeste, a síntese dos *Sephiroth*. Nos hinos do *Rig-Veda* é denominado de *Purucha,* o "Homem", o Adão superior, que é andrógino ou, melhor dizendo, sem sexo. (Ver *Adão Kadmon*.)

Homem divino — O homem perfeito, que atingiu a meta e alcançou a liberação, e, renunciando à glória do *Nirvâna*, volta à Terra, como Mestre de Sabedoria, para guiar a humanidade e ativar a evolução do mundo. (A. Besant, *Sabedoria Antiga,* 408-409)

Homem interno — Termo do Ocultismo empregado para designar a Entidade verdadeira e imortal, que reside dentro de nós, e não a externa e mortal forma de barro, que chamamos de corpo. Tal termo é aplicado estritamente falando somente ao *Ego* superior, visto que o "homem astral" é a denominação do Duplo e do *Kâma-rûta* (ver), ou seja, *o eidolon* sobrevivente.

Homogênese — Formação de seres análogos, dentro de um mesmo grupo zoológico.

Homeomeria — Este termo era empregado por Anaxágoras para designar os elementos primitivos da matéria, com os quais formou-se o mundo, em virtude da lei da atração.

H

Homi (*Sânsc.*) — A manteiga clarificada.

Homin (*Sânsc.*) — O sacerdote que faz a oferenda.

Homogeneidade — Palavra derivada do grego *homos*, "mesmo", e *genos*, "espécie". O que é inteiramente de uma só natureza, indiferenciado, não-composto, como se supõe que seja o ouro.

Homunculi imagunculæ — Imagens ou figurinhas feitas de cera, barro, madeira etc., usadas na prática da magia negra, bruxaria, feitiçaria, para estimular a imaginação e prejudicar um inimigo ou para afetar uma pessoa ausente de modo oculto e à distância, *(F. Hartmann)*

Homúnculos — Pequenos seres humanos feitos artificialmente, engendrados do *sperma viri*, sem qualquer participação do organismo feminino. *(F. Hartmann)* Os homúnculos de Paracelso são um fato na Alquimia e, muito provavelmente, sê-lo-ão na Química. (*Doutrina Secreta*, II, 364) Estes seres diminutos, criados artificialmente através de procedimentos espagíricos, têm forma humana e são de natureza gasosa ou etérea, transparente, incorpóreos, porém dotados de inteligência. Existem relatos circunstanciados da produção de alguns homúnculos, entre outros os do famoso conde Kueffstein, camareiro da imperatriz Maria Tereza. Este conde e o abade Geloni fecharam-se num laboratório de convento na Calábria e, durante cinco semanas, dia e noite, estiveram trabalhando com fornos acesos. Depois desse tempo, conseguiram criar nada menos do que dez homúnculos. O *modus operandi* é descrito por Paracelso em seu tratado *De Natura Rerum*. (Ver *Ísis sem Véu*, I, 133-134 e 465; Figuier, *L'Alchimie et les Alchimistes*, ed. de 1860, p. 78-79; Christian, *Histoire de la Magie*, p. 447; Goethe, *Fausto*, segunda parte etc.)

Hönir (*Esc.*) — Um deus criador, que dotou o primeiro homem de razão e entendimento, depois de o homem ter sido criado por ele, juntamente com Odin e Lodur, de um freixo. [Ver *Hahnir*.]

Honover (*Zend.*) — O *Logos* persa, o Verbo manifestado. ["Então Ormuzd disse: o puro, o santo, o ativo Honover... era antes do céu, antes da água, antes da terra, antes dos rebanhos, antes das árvores, antes do fogo... antes do homem puro, antes dos *dews*, antes de existir todo o mundo, antes de todos os bens e de todos os puros germes dados por Ormuzd." (*Izeschné*, 2ª parte, XIXº *Hâ* - *Zend-Avesta*)]

Horâ (*Sânsc.*) — Hora. A metade de um signo do Zodíaco. (*Râma Prasâd*)

Hor-Ammon (*Eg.*) — "O engendrado de si mesmo". Em teogonia é uma expressão que corresponde à palavra sânscrita *Anupâdaka* ("sem pais"). Hor-Ammón é uma combinação do deus de Tebas, de cabeça de carneiro, e de Hórus.

Horâ-shâstra (*Sânsc.*) — Título de uma obra astronômica composta por Varâhamihira. Tal obra chegou até nós incompleta, pois dela só resta uma terceira parte. (Weber, *Indische Literatur-geschichte*)

Horchia (*Cald.*) — Segundo Beroso, é idêntica a Vesta, deusa do lar.

Hormus — Uma das danças principais dos lacedemônios, na qual os jovens de ambos os sexos, colocados de modo alternado e de mãos dadas, dançavam circularmente. Segundo as tradições mais antigas, tais danças circulares foram instituídas como imitação do movimento dos astros. Os cantos que acompanhavam tais danças dividiam-se em estrofes e antístrofes; nas primeiras, as voltas eram dadas do Oriente para o Ocidente; nas segundas, seguiam um movimento oposto. A pausa feita pelo coro era chamada de *epodo*. (Noel, *Dicionário da Fábula*)

H

Horoscopia — Arte de predizer os acontecimentos da vida de uma pessoa através de seu horóscopo. Como os *Lipikas* estão relacionados com o destino de cada homem e com o nascimento de cada criança, cuja vida já se encontra traçada na Luz astral (não de um modo fatalista, mas apenas porque o futuro, como o passado, está sempre vivo no presente), pode-se dizer que exercem marcada influência na ciência da horoscopia. Devemos admitir, queiramos ou não, a verdade desta ciência. (*Doutrina Secreta*, I, 131)

Horóscopo — Observação do estado do céu na hora do nascimento de alguém, o que permite ao astrólogo predizer os acontecimentos de sua vida. Está sobejamente provado que os horóscopos e a astrologia não estão totalmente baseados na ficção e que os astros e as constelações têm, portanto, uma influência oculta e misteriosa sobre os indivíduos, e com eles estão relacionados. (*Doutrina Secreta*, I, 709)

Hortulanus — Autor de um extenso comentário sobre o documento alquímico intitulado *Tábua de Esmeralda*.

Hórus (*Eg.*) — O último da série de soberanos divinos do Egito, que, diz-se, era filho de Osíris e Ísis. É o grande deus "amado dos céus, amado do Sol, descendente dos deuses, subjugador do mundo". No solstício de inverno, sua imagem, sob forma de menino recém-nascido, era retirada do santuário para ser exposta à adoração da multidão. Como Hórus é a representação da abóbada celeste, diz-se que veio do *Maem Misi*, o lugar nativo sagrado (a matriz do mundo) e é, portanto, o "místico Menino da Arca" ou *argha*, símbolo da matriz. Cosmicamente, é o *Sol de inverno*. Uma tábua descreve-o dizendo que é a "substância de seu pai", Osíris, de quem é uma encarnação, e que também é idêntico a ele. Hórus é uma divindade casta e "como Apolo, não tem amores. Seu papel no mundo inferior está relacionado com o Juízo. Apresenta as almas a seu pai, o Juiz" (*Bonwick*). Dele diz um antigo hino: "Por ele o mundo é julgado naquilo que contém. O céu e a Terra encontram-se sob sua presença imediata. Governa todos os seres humanos. O Sol dá voltas segundo sua vontade. Produz a abundância e a distribui por toda a Terra. Todos adoram sua beleza. Doce é seu amor em nós". [Hórus é o *Christos* e simboliza o Sol. (*Doutrina Secreta*, I, 159)]

Horus-Apolo — O deus-Sol

Hosvaresch (*Pel.*) — Literalmente, "língua dos fortes ou dos heróis". Equivalente a Pelvi ou *Pehlvi*, no idioma parse. (Anquetil du Perron, *Zend-Avesta*, t. II, p. 429 e 523)

Hotra (*Sânsc.*) — O vaso do sacerdote sacrificador, a oferenda de *ghrita* (manteiga clarificada).

Hotraka (*Sânsc.*) — Libação.

Hotri (*Sânsc.*) — Sacerdote que recita hinos do *Rig-Veda* e faz oblações ao fogo. [Sacerdote sacrificador.]

Hotris (*Sânsc.*) — Nome simbólico dos *sete* sentidos, chamados, no *Anugîtâ*, de "os sete sacerdotes". "Os sentidos fornecem o fogo da mente (isto é, o desejo) com as oblações dos gozos externos." É um termo oculto empregado no sentido metafísico.

Hotrîya (*Sânsc.*) — O sacerdote *hotri* (sacrificador); o local onde se faz a oferenda (o altar).

Hovah (*Hebr.*) — Eva; a procriadora ou mãe de tudo o que vive; a Terra ou Natureza. (*Doutrina Secreta*, II, 133) (Ver *Jah-Eve* e *Jah-Hovah*.)

Hraesvelg (*Esc.*) — Nos *Eddas*, é o gigante em forma de águia, que com seu bater de asas causa os ventos.

H

Hrâm! Hrîm! Hrûm! *(Sânsc.)* — Tripla interjeição sacrossanta. No *Bhâgavata-Purâna* 5, XVIII, 19 e 20, lê-se: "*OM! Hrâm! Hrîm! Hrûm! OM!* Adoração ao bem-aventurado Hrichîkeza".

Hrî *(Sânsc.)* — Pudor, honestidade, recato, modéstia, vergonha.

Hrichîka *(Sânsc.)* — Órgão dos sentidos.

Hrichîkeza (Hrishikesa) *(Sânsc.)* — De *Hrichîka-îza*, "senhor dos sentidos"; sobrenome de Vishnu e de Krishna ou de *Hrich* e *Keza*, "aquele de cabelo encaracolado". Observe-se que Krishna é representado com o cabelo fortemente anelado. Segundo Davies, tal epíteto pode ser comparado a *auricomus*, aplicado a Apolo, o deus de cabeleira dourada e personificação do Sol.

Hrichita *(Sânsc.)* — Contente, alegre, prazeroso; ereto, rígido.

Hrid *(Sânsc.)* — Coração (como órgão corporal e especialmente como local da sensibilidade, emoções etc.); amigo.

Hridaya *(Sânsc.)* — Coração, pensamento; o interior do corpo; centro ou essência de uma coisa.

Hridayakampana *(Sânsc.)* — Que perturba o coração.

Hridya *(Sânsc.)* — Cordial, agradável, prazenteiro.

Hrilleka *(Sânsc.)* — Conhecimento, saber.

Hrimthurses ou **Hrimthursars** *(Esc.)* — Os Gigantes de gelo; os cíclopes construtores, no *Edda*. Eram inimigos dos *ases* (deuses). (Ver *Gigantes de gelo*.)

Hriniyâ *(Sânsc.)* — Pudor, modéstia, vergonha.

Hrishîkesha — Ver *Hrichîkeza*.

Hrita *(Sânsc.)* — Colhido, arrebatado, tirado.

Hritajñâna *(Sânsc.)* — Aquele cujo conhecimento foi arrebatado; que perdeu o conhecimento ou a razão.

Hritstha *(Sânsc.)* — Que reside no coração; situado no coração.

Hu Cadarn *(Celt.)* — Esposo de *Koridwen* (a Natureza). É o espírito encarnado, *Gwyon*, filho igualmente desta mesma *Koridwen*. (*E. Bailly*)

Hua *(Hebr.)* — Ele. Na Cabala hebraica este prenome é aplicado no Macroprosopo oculto; assim como *Ateh*, "Tu", refere-se ao Microprosopo. (*Doutrina Secreta*, I, 107)

Hugen *(Esc.)* — Um dos corvos de Odin.

Humanidade — Oculta e cabalisticamente, o conjunto da humanidade é simbolizado na Índia por Manu; por Vajrasattva ou *Dorjesempa*, chefe dos sete *Dhyânis* no budismo do Norte, e por Adão Kadmon, na Cabala. Todos eles representam a totalidade da espécie humana, cujo princípio encontra-se neste protoplasma andrógino (primeiro pai) e cujo fim está no Absoluto, muito além de todos estes símbolos e mitos de origem humana. A Humanidade é uma grande Fraternidade, devido à identidade do material de que é formada, física e moralmente. Porém, a menos que forme uma Fraternidade também intelectualmente não vale mais do que um gênero superior de animais.

Hûn-deza *(Sânsc.)* — A região situada ao redor do lago Mânasarovara, no Tibete.

Huner — Ver *Hoener*.

Huta *(Sânsc.)* — A vítima do sacrifício, a oferenda consumada em fogo de holocausto; sacrifício, oblação, oferenda. Como adjetivo: oferecido, sacrificado.

H

Hutâza (*Sânsc.*) — Literalmente, "aquele que come ou devora a oferenda"; o fogo do sacrifício; o deus do fogo.

Hvaniratha — Ver *Hvanuatha* e *Jambudvîpa*.

Hvanuatha (*Masd.*) — Nome da terra em que vivemos. Um dos sete *Karshvars* (Terras) de que se fala no *Orm. Ahr.* (Ver "Introdução ao *Vendidad*", do Prof. Darmsteter.)

Hvergelmer — Ver *Hwergelmir*.

Hwergelmir (*Esc.*) — Uma caldeira onde são consumidas as almas dos malfeitores. [Situa-se no meio do Inferno.]

Hwun (*Chin.*) — O Espírito. O mesmo que *Âtmâ*.

Hydranos (*Gr.*) — Literalmente, "o Batista". Nome do antigo hierofante dos Mistérios, que fazia o candidato passar pela "prova da água", na qual era submerso três vezes. Tal era o seu batismo pelo Espírito Santo, que se move nas águas do Espaço. São Paulo alude a São João pelo nome de *Hydranos*, o Batista. A Igreja Cristã tomou esta cerimônia do ritual dos Mistérios eleusinos e outros.

Hyksos (*Eg.*) — Os nômades misteriosos, os Pastores que invadiram o Egito, num período desconhecido e muito anterior aos dias de Moisés. Foram denominados de "Reis-Pastores".

Hylé (*Gr.*) — Substância ou matéria primordial. Esotericamente é o sedimento homogêneo do Caos ou Grande Abismo. O primeiro princípio do qual foi formado o Universo objetivo. (Ver *Ilus*.)

Hylozoismo — Ver *Hilozoísmo*.

Hymer (*Esc.*) — Um gigante com quem Thor foi pescar, para ver se pegava a serpente de Midgard.

Hypatia — Ver *Hipatia*.

Hyperbóreo — Ver *Hiperbóreas*.

Hipnotismo — Ver *Hipnotismo*.

Hypocephalus — Ver *Hipocéfalo*.

I

I — Nona letra do alfabeto inglês e décima do hebraico. Como número significa em ambos *um* e também *dez* em hebraico (ver *J.*), no qual corresponde ao nome divino *Jah*, o lado ou aspecto masculino do ser hermafrodita, ou seja, o Adão macho-fêmea, do qual *hovah* (*Jah-hovah*) é o aspecto feminino. Esta letra é simbolizada por uma mão com o dedo indicador dobrado, para mostrar seu significado fálico. O *I* (breve) é a terceira letra do alfabeto sânscrito e o *I* (longo) é a quarta.

Iacchos — Ver *Iacco*.

Iacco (Iacchos) (*Gr.*) — Sinônimo de Baco. A mitologia menciona três personagens com este nome; eram ideais gregos adotados posteriormente pelos romanos. A palavra *Iacchos*, segundo se afirma, é de origem fenícia e significa "um menino no peito". Vários monumentos antigos representam Ceres ou Demeter com Baco em seus braços. Houve um Iacco, chamado Tebano e Conquistador, filho de Júpiter e Semele; sua mãe morreu antes que nascesse e ele foi retido durante algum tempo no corpo de seu pai; foi morto pelos titãs. Houve um outro que era filho de Júpiter, como um Dragão, e de Perséfone, e chamava-se Zagreu. Um terceiro era Iaco de Elêusis, filho de Ceres, e é importante por ter aparecido no sexto dia dos Mistérios eleusinos. Alguns autores encontram certa analogia entre Baco e Noé, ambos cultivadores da videira e patronos dos excessos alcoólicos. (W. W. W.) Iacco (*Iacchus*) é, além disso, Iao, Yâho ou Jehovah. (*Doutrina Secreta*, II, 482)

Iach — Ver *Iacco* e *Iaho*.

Iaco (*Iachus*, em grego) — Médico egípcio, cuja memória, segundo Eliano, foi venerada pelo espaço de muitos séculos, devido aos seus maravilhosos conhecimentos ocultos. Atribui-se-lhe o fato de ter feito cessar algumas epidemias simplesmente através de certas *fumigações* e de ter curado enfermidades fazendo seus pacientes inalarem ervas.

Iah (*Hebr.*) — Vida.

Iaho (*Gr.*) — Embora este nome seja tratado mais completamente nos verbetes *Yaho* e *Iao*, não será demais uma pequena explicação. Diodoro indica que o Deus de Moisés era Iao; porém, como a última letra denota um "deus de mistério", não pode, portanto, ser confundida com Iaho ou Yâho (ver). Os samaritanos pronunciam tal nome como Iabe, Yahva, e os judeus como Yâho e, mais tarde, Jehovah, por mudança das vogais massoréticas, esquema elástico, graças ao qual pode-se permitir qualquer mudança. Porém "Jehovah" é uma invenção e invocação posterior, visto que originariamente tal nome era Jah ou Iacchos (Baco). Aristóteles ensina que os antigos árabes representam Iach (Iacchos) através de um cavalo, isto é, o Cavalo do Sol (*Dyonisus*), que seguia o carro no qual, durante o dia, montava Ahura Mazda, deus dos céus. [Ver *Heptakis*, *Iao* e *Yâho*.]

Ianublichus — Ver *Jâmblico*.

Iao (*Gr.*) — O Deus Supremo dos fenícios: "a luz só concebível pelo intelecto", o princípio físico e espiritual de todas as coisas, a "Essência masculina da Sabedoria". É a luz solar ideal. Entre os fenícios, Iao é o Deus Supremo, cujo nome *secreto* e trilateral encerra uma alegoria profunda. É um "nome de mistério". [Entre os caldeus, *Iaos* era também o nome da Divindade Suprema, entronizada sobre os sete céus, representando o princípio Espiritual da Luz, e era também concebido como Demiurgo. Considerado etimologicamente, Iao significa "Alento de Vida". (Ver *Ísis sem Véu*, II, 296-301 e *Doutrina Secreta*, I, 483-4; II, 482-484, 565-571. Ver também *Heptakis*, *Iaho*, *Yâho*.)]

I

Iao Hebdomai (*Gr.*) — De modo coletivo, os "Sete Céus" (e também Anjos), segundo Ireneu. O deus de mistério dos gnósticos. O mesmo que os sete *Mânasâ-putrâs* dos ocultistas. (Ver *Yah, Yâho.*)

Iao-Jehovah — Ver *Iurbo* e *Iurbo Adunai*.

Ibis — Ver *Culto do Íbis*.

Iblis (*Per.*) — O diabo.

Ibn Gebirol, *Salomon Ben Yehudah* — Um grande sábio e filósofo judeu, que viveu na Espanha, no séc. XI. Era igualmente conhecido pelo nome de Avicebron (ver). [Ver *Gebirol*.]

Ibrahim (*Ár.*) — Nome através do qual os maometanos designam a Abraão.

Ícaro — Filho de Dédalo; foi encerrado juntamente com seu pai, pelo rei Mines, no Labirinto de Creta, do qual conseguiram escapar através de asas coladas com cera. Dédalo recomendou a seu filho que não voasse muito alto; porém Ícaro, esquecendo o prudente conselho, voou tão alto e tão próximo ao Sol que o calor deste derreteu a cera, desprendendo-se as asas e fazendo o infeliz cair ao mar. A alegoria é bastante clara para maiores explicações. (*Herm.*) Dédalo e Ícaro são o símbolo da parte fixa do magistério, que se volatiliza. Dédalo representa o primeiro enxofre, de onde nasce o segundo, que, depois de ser sublimado no alto do vaso, recai no mar dos filósofos. O labirinto onde estavam encerrados é o símbolo da matéria em putrefação.

Icha (*Sânsc.*) — O mês *âzvina*, que compreende parte de setembro e de outubro de nosso calendário.

Ichanyâ (*Sânsc.*) — Ver *Ishanyâ*.

Ichatva (*Sânsc.*) — O poder de criar ou de fazer surgir.

Ichchhâ (*Sânsc.*) — Vontade ou poder da vontade. [Desejo, apetite.]

Ichchhâ-nivritti (*Sânsc.*) — Cessação ou extirpação do desejo.

Ichchhâ-sagti (*Sânsc.*) — Poder da vontade; força do desejo; uma das [seis] forças ocultas da Natureza. O poder da vontade que, exercitado nas práticas do Ocultismo, engendra as correntes nervosas necessárias para pôr em movimento certos músculos e paralisar outros.

Ichma (*Sânsc.*) — Desejo. Epíteto de Kâma.

Ichta (*Sânsc.*) (particípio passado de *ich*) — Desejado, apetecido, solicitado; favorável, próspero etc.

Ichta (*Sânsc.*) (particípio passado de *yaj*) — Sacrificado, oferecido; adorado, venerado etc.

Ichta-kâmaduh (*Sânsc.*) (*I. kâmadhuk*, no nominativo) — O que depara (ou faz sair) o objeto apetecido; o *cornu copiæ*, a vaca da abundância ou vaca de Indra, da qual podia-se extrair tudo o que apetecesse. Segundo Davies, era uma representação da Terra, tão rica e variada em produtos. (Ver *Bhagavad-Gîtâ*, III, 10)

Ichtapûrta (*Sânsc.*) — Ato que implica em sacrifício e caridade; ato piedoso de liberalidade, tal como plantar uma árvore, abrir um poço etc.

Ichthus ou **Ichthys** (*Gr.*) — Peixe. O símbolo do Peixe é frequentemente relacionado com Jesus, o Cristo do *Novo Testamento*, em parte porque as cinco letras que compõem tal palavra são as iniciais da frase grega: *Iesous Christos Theou Uios Soter*,

I

que significa: "Jesus Cristo, o Salvador, Filho de Deus". Por esta razão seus seguidores, nos primeiros séculos do Cristianismo, eram frequentemente chamados de "peixes" e, nas catacumbas, encontram-se peixes desenhados ou esculpidos. Compare-se também o relato de que alguns dos primeiros discípulos de Cristo eram pescadores e as palavras de Jesus: "Eu os farei pescadores de homens". Note-se também que a *Vesica Piscis* – Bexiga de Peixe, figura convencional do peixe em geral, é encontrada muitas vezes rodeando uma imagem de Cristo, de uma Virgem ou de um santo; é um oval prolongado, com extremos pontiagudos, o espaço formado pela intersecção de dois círculos iguais, cuja área é menor que a metade de um deles. Compare-se igualmente a religiosa cristã de clausura, a monja, *nun* (em inglês), nome que em caldeu significa *peixe* e o peixe está relacionado com o culto da deusa Vênus, com a particularidade de que os católicos romanos comem peixe no dia de Vênus *(dies Veneris)*, ou seja, sexta-feira. (W. W. W.)

Ichthys (*Gr.*) — O Homem-Peixe, Oannes ou Jonas. (Ver *Ichthus*.)

Ichti (*Sânsc.*) — Sacrifício; oferenda sólida, por oposição ao *soma*.

Ichtipaza (*Sânsc.*) — Râkchasa ou outro inimigo dos deuses, que rouba a oferenda.

Ichtu (*Sânsc.*) — Desejo, aspiração.

Iconoclasta — Literalmente, "destruidor de imagens". Este qualificativo é aplicado aos que se opõem ao culto dos ídolos ou imagens e, especialmente, aos do princípio da Igreja Oriental, que desde o séc. VIII opuseram-se ao uso de imagens sagradas ou, pelo menos, a tributar honrar imagens religiosas a estas.

Ida (*Esc.*) — As planícies de Ida, onde os deuses se congregam para celebrar o conselho, no *Edda*. O campo de paz e repouso. [Ver *Midgard*.]

Idâ (*Sânsc.*) — O *nâdi* (nervo, vaso ou corrente nervosa) que se estende na parte esquerda do corpo e vai para a narina esquerda; o nervo simpático esquerdo. *(Râma Prasâd)* Este *nâdi* distribui-se desde a planta do pé esquerdo para cima, até o "lótus de mil pétalas" *(Sahasrâra)* no vértice da cabeça. (K. Laheri, *Comentário do Uttara-Gîtâ*) Parte, como o *Pingalâ* (ver), de um ponto sagrado, situado sobre a medula oblonga, conhecido pelo nome de *Triveni*. (*Doutrina Secreta*, III, 547) (Para maiores detalhes, ver *Râma Prasâd*, "As Forças Mais Sutis da Natureza", cap. IV.)

Idâ ou Ilâ (*Sânsc.*) — Esposa e filha de Vaivasvata Manu, de quem "ele engendrou a raça dos Manus". Diz-se, nas lendas exotéricas, que Manu Vaivasvata, desejoso de criar filhos, instituiu alguns sacrifícios a Mitra e a Varuna; porém, por erro do sacerdote oficiante, só obteve uma filha, Idâ ou Ilâ. Então, "através do favor de ambas as divindades", seu sexo foi mudado e ela se converteu em homem, Sudyumna. Depois tornou-se mulher outra vez e assim sucessivamente, acrescentando a fábula que Shiva e sua esposa comprazíam-se com que "ela fosse homem durante um mês e mulher no outro", o que está diretamente relacionado com a terceira Raça-Mãe, cujos homens eram andróginos. (*Doutrina Secreta*, 11, 151, 156 etc.)

Idade — Ver *Grande Idade* e *Iuga*.

Idade de Brahmâ — Imenso período de tempo, constituído por cem anos de Brahmâ (*Para* ou *Mahâ-kalpa*), equivalente a 311.040.000.000.000 de anos solares. (Ver *Anos de Brahmâ* e *Yuga*.)

Idade do Ouro — Os antigos dividiam o ciclo de vida em Idades do ouro, da prata, do bronze e do ferro. A do ouro era uma idade de pureza, de simplicidade primitiva e de felicidade geral. [O *Kritayuga* ou primeira idade do mundo.]

I

Idade negra — Ver *Kali-yuga*.

Idalan (*Esc.*) — Um lugar do céu, onde se encontra o palácio de Uller. (*Eddas*)

Idam (*Sânsc.*) — "Este". Alusão a esta Terra, em contraposição a Aquele e aos planos ou mundos, que estão mais além ou por cima dela.

Iddhi (*Pál.*) — Sinônimo da palavra sânscrita *Siddhi* (ver).

Iddhividhanânâ (*Sânsc.*) — O ramo da ciência que estuda o desenvolvimento de certos poderes latentes e a aplicação de alguns dos segredos da Natureza que permitem operar fenômenos que o vulgo qualifica de milagrosos. (Olcott, *Catec. Búddhico*, p. 104)

Ideação cósmica (*Ocult.*) — É o Pensamento eterno, impresso na Substância, ou Espírito-matéria, na eternidade; Pensamento que se torna *ativo* no início de cada novo ciclo de vida. [É um dos aspectos do Absoluto. Não pode manifestar-se como Consciência individual independentemente da Substância Cósmica, visto que necessita para isso de um veículo material. (*Doutrina Secreta*, I, 43) É um reflexo da Mente Universal. *Fohat* é a energia dinâmica e o mensageiro da Ideação Cósmica.]

Ideação pré-cósmica — A raiz de toda consciência individual.

Ideico (*Dedo*) — Ver *Dedo idaeico*.

Ideos — Nas obras de Paracelso, esta palavra tem o mesmo significado de Caos ou *Mysterium Magnum*, como o denomina tal filósofo. [Ver *Iliados*.]

Idiólatra — Aquele que só tem amor por sua própria pessoa. (*A. Treviño*)

Idiolatria — Literalmente, "adoração própria". Amor desordenado e excessivo a si mesmo.

Idises (*Esc.*) — O mesmo significado de *dises*, fadas, valquírias, as mulheres divinas das lendas escandinavas. Eram adoradas pelos teutônicos, antes do tempo de Tácito, como indica este escritor.

Idolatria — Culto aos ídolos; adoração de *imagens*, de figuras antropomórficas ou humanas. Os Mistérios do céu e da Terra, revelados à terceira Raça, por seus instrutores celestiais, nos dias de sua pureza, tornaram-se um grande foco de luz, cujos raios foram-se debilitando necessariamente, à medida em que iam sendo difundidos num terreno impróprio por ser demasiado material. Entre as massas, tais Mistérios degeneram em feitiçaria, tomando, com o tempo, a forma de religiões exotéricas, de idolatria cheia de superstições (*Doutrina Secreta*, II, 294), e o povo, ao invés de adorar ao Ser Supremo em espírito e em verdade, rendeu culto a imagens grosseiras, forjadas segundo sua própria fantasia. De uma ideia de pura abstração, unicamente perceptível para a inteligência mais elevada, fizeram ídolos toscos, que falavam apenas aos sentidos de um vulgo ignorante, materializado e corrompido. Segundo diz o autor do *Dicionário Filosófico*, Horácio fazia falar uma estátua de Príapo e fazia-a dizer: "Em outro tempo, eu era um tronco de figueira; um carpinteiro, não sabia se faria de mim um deus ou um banco; finalmente, decidiu-se a me fazer um deus". Um populacho grosseiro e supersticioso, que não raciocinava, que não sabia nem duvidar nem negar nem crer, que ia ao templo por pura ociosidade e porque ali os pequenos são iguais aos grandes, que levava suas oferendas por costume, que sem cessar falava de milagres sem haver examinado algum e que não estava quase em nível superior ao das vítimas que conduzia; este populacho podia muito bem, à vista da grande Diana de Éfeso e de Júpiter Tonante, sentir-se tocado por um terror religioso e adorar, sem saber, a própria estátua. Coisa parecida costuma acontecer em nossos tempos com o povo fanático, grosseiro e sem instrução.

I

Ídolo — Estátua ou pintura de um deus pagão ou de um santo da Igreja Romana, ou então um fetiche das tribos selvagens.

Idospati (*Sânsc.*) — O mesmo que *Nârâyana* ou Vishnu; de certos pontos de vista, parece-se com Poseidón.

Idra Rabba (*Hebr.*) — "A Santa Assembleia Mayor", uma divisão do *Zohar*.

Idra Suta (*Hebr.*) — "A Santa Assembleia Menor", outra divisão do *Zohar*.

Idris — Ver *Edris*.

Iduna (*Esc.*) — A deusa imortal da juventude. Filha do anão Iwaldi. O *Edda* diz que ela ocultou a "vida" no abismo do oceano e que, em seu devido tempo, restituiu-a à terra. Era esposa de Bragi, deus da poesia, o que é um mito belíssimo. Como Heimdal, "nascido de nove mães", Bragi, ao nascer, eleva-se sobre a crista da onda vindo do fundo do mar. (Ver *Bragi*.) Casou-se com Iduna, a deusa imortal, que o acompanha ao *Asgard*, onde a cada manhã alimenta os deuses com as maçãs da juventude eterna e da saúde. (Ver *Asgard e os Deuses*.) [Ver também *Anão da Morte* e *Iwaldi*.]

Idwatsara (*Sânsc.*) — Um dos cinco períodos que formam e *Yuga*. Este ciclo é o ciclo védico por excelência, que é tomado como base para o cálculo dos ciclos maiores.

Idya (*Sânsc.*) — Laudável, adorável, digno de veneração.

Ieu — "O primeiro homem". Termo gnóstico utilizado em *Pistis-Sophia*.

Iezedianos ou **Iezedi** (*Per.*) — Esta seita chegou à Síria procedente de Basrah. Praticam o batismo, acreditam nos arcanjos, porém, ao mesmo tempo, veneram a Satã. Seu profeta Iezad, que precedeu a Maomé em muitos séculos, ensinou que um mensageiro trar-lhes-ia do céu um livro escrito desde a eternidade.

Ifing (*Esc.*) — O rio largo que separa o *Asgard*, a mansão dos deuses, daquela dos *Jotuns*, os grandes e poderosos magos. Sob o *Asgard* estava o *Midgard*, onde, no éter radiante, encontrava-se a morada dos Elfos de Luz. Em sua disposição e ordem de localização, todas essas mansões correspondem ao *Deva-loka* e a outras regiões dos hindus, habitadas pelas diversas classes de deuses e *asuras*.

Igaga (*Cald.*) — Anjos celestes, o mesmo que Arcanjos.

Igigi — Ver *Igaga*.

Ignis (*Lat.*) — O mesmo que o sânscrito *Agni* (fogo).

Ignis Leonis (*Alq.*) — Fogo do enxofre dos Sábios.

Ignis Pruinus Adeptus (*Alq.*) — Quintessência do vitriol retificada com o tártaro. (*Planiscampi*)

Ignorância — É a causa dos males e tormentos que afligem a humanidade, porque nos faz apreciar o que é indigno de apreço, afligir-nos pelo que não nos deveria afligir ter por real o que não é real, mas ilusório, e passar nossa vida correndo atrás da posse de objetos indignos, descuidando daquilo que, na realidade, é o mais valioso. Além disso, segundo o *Dhammapada*, a ignorância é o pior de todos os estigmas que o homem pode lançar sobre si mesmo. (Olcott, *Catec. Búddhico*)

I.H.S. — Esta tríada de iniciais representa o *in hoc signo* da suposta visão de Constantino, da qual, exceto Eusébio, seu autor, ninguém jamais teve notícia. I. H. S. é interpretado no sentido de *Jesus Hominum Salvator* ["Jesus salvador dos homens"] e de *In hoc signo* ["Com este signo"]. É sabido, contudo, que o grego I H Σ era um dos nomes mais antigos de Baco. Como Jesus nunca foi identificado com Jehovah, mas com seu

I

próprio "Pai" (como todos nós) e tinha vindo antes para destruir o culto de Jehovah do que para lhe dar vigor, como muito bem afirmavam os rosa-cruzes, o plano de Eusébio é muito transparente. *In hoc signo victoreris* ["Com este signo vencerás"], ou o Lábaro ₱ (o *tau* e o *resh*) é um signo antiquíssimo à frente dos que acabavam de ser Iniciados. Kenealy o traduz, dando-lhe o significado de "aquele que é Iniciado no segredo maçônico, ou o 600, será Vencedor"; porém significa simplesmente: "através deste signo venceste", isto é, através da *luz* – Lux – da Iniciação. (Ver *Naros* e *Neófito*.) [Ver também *Lábaro*.]

I.H.V.H. — As quatro letras místicas do nome de Jehovah $I_{(e)}$ $H_{(o)}$ $V_{(a)}$ H). Pelo significado simbólico de cada uma delas, formam juntas o perfeito emblema bissexual, o símbolo masculino-feminino, composto do *lingam* e do *yoni* hindus. (*Doutrina Secreta*, II, 482, 496)

Ijya (*Sânsc.*) — Mestre espiritual. Especialmente Brihaspati, instrutor dos deuses. Sobrenome de Sukra.

Ijyâ (*Sânsc.*) — Culto, oferenda, sacrifício.

Îkchana — Ver *Ikshana*.

Ikhir Bonga — Um "Espírito do Abismo", das tribos kolarianas.

Ikshana (*Sânsc.*) — Olho, vista, olhar, aspecto.

Ikshwaku (*Sânsc.*) — Progenitor da raça solar (os *Sûryavanzas*) da Índia e filho de Vaivasvata Manu, progenitor da atual raça humana. [Um dos *Richis* da classe real e primeiro rei da dinastia solar, que reinou em Ayodhyâ no início do segundo *yuga* (*Tretâ-yuga*). A família real dos Sâkyas, a que pertencia Buddha, descendia dele.]

Ilâ (*Sânsc.*) — Filha de Vaivasvata Manu e esposa de Buda (a Sabedoria), filho de Soma. Durante um mês era mulher e, durante o outro, era homem, por decreto de Sarasvati. É uma alusão à natureza andrógina da terceira Raça. Ilâ é também *Vâch* (ver), considerado sob outro aspecto. [Também é a Terra ou a personificação da mesma. (Ver *Idâ*.)]

Ilâvrita (*Sânsc.*) — A mansão de Ilâ, a Terra Santa. Um dos *varshas* (divisões) do Jambudwîpa (a Índia).

Ilavriti (*Sânsc.*) — Uma região no centro da qual está situado o monte Mero, residência dos deuses.

Ilda (*Hebr.*) — Filho.

Ilda-Baoth (*Hebr.*) — Literalmente, "Filho do Ovo" [ou seja, o Filho nascido no Ovo do Caos]; termo gnóstico. É o criador de nosso globo físico (a Terra), segundo os ensinamentos gnósticos do *Códex Nazaræus* (o Evangelho dos nazarenos e ebionitas). Este último identifica-o com Jehovah, o Deus dos judeus. *Ilda-Baoth* é o "Filho das Trevas", tomado em péssimo sentido, e pai dos seis tenebrosos espíritos "estelares" terrestres, antíteses dos brilhantes espíritos estelares. Suas respectivas residências são as sete esferas, sendo que a superior começa no "espaço médio", a região de sua mãe Sophia Achamôth, e a inferior termina nesta Terra, ou seja, a sétima região. (Ver *Isis sem Véu*, II, 183.) Ilda-Baoth é o gênio do planeta Saturno, ou seja, o mau espírito de seu regente.

Ileadus — Ver *Ilech primum*.

Ilech crudum (*Alq.*) — A combinação de um corpo formado por seus três princípios constituintes, representados pelo sal, o enxofre e o mercúrio, ou seja: corpo, alma e espírito, respectivamente, os elementos da Terra, da água e do fogo. (*F. Hartmann*)

I

Ilech Magnum (*Alq.*) — O poder curativo específico da medicina. *(F. Hartmann)*

Ilech primum, Ileias, Ileadus (*Alq.*) — O primeiro princípio; o poder primordial; causa. *(F. Hartmann)*

Ilech supernaturale (*Alq.*) — A união das influências astrais, superior e inferior. *(F. Hartmann)*

Ileiades (*Alq.*) — O elemento do ar; o princípio vital. *(F. Hartmann)*

Ileias (*Alq.*) — Ver *Ilech primum*.

Ilha Branca — Esta denominação aplicava-se a Ruta, a primitiva *Zveta-dvîpa*, relacionada com a Atlântida (*Doutrina Secreta*, II, 155, 333)

Ilha Sagrada — Ilha de beleza sem par, situada num vasto mar interior que, em época remota, estendia-se na Ásia Central. Era habitada pelos últimos restos da Raça que precedeu a nossa. Tais restos eram os "Filhos da Vontade e do *Yoga*", que sobreviveram ao grande cataclismo, que submergiu a Lemúria. Segundo se diz, de tal ilha restou apenas uma espécie de oásis rodeado pela horrível aridez do grande deserto de Gobi (*Doutrina Secreta*, II, 230-231) (Ver *Filhos de Deus*.)

Iliados — Em Paracelso este termo tem significado idêntico ao de *Ideos* (ver). Matéria primordial em estado subjetivo.

Iliaster (*Alq.*) — O poder oculto da Natureza, através do qual todas as coisas crescem e se multiplicam; matéria primordial, matéria prima; *Âkaza - Iliaster primus;* a vida, o bálsamo da Natureza *Iliaster secundus:* o poder de vida inerente à matéria. *Iliaster tertius:* o poder astral do homem. *Iliaster quartus:* perfeição; o poder obtido pelo procedimento místico de quadrar o círculo. *(F. Hartmann)* (Ver *Yliaster*.)

Iliaster (*Herm.*) — Caos dos filósofos. Reunião do enxofre, mercúrio e sal dos químicos, reunidos no minério originário. Matéria em Putrefação.

Illa-ah (*Adão*) (*Hebr.*) — Adão *Illa-ah* é o Adão celeste, superior, no *Zohar*.

Illinus — Um dos deuses da teogonia caldeia de Damascio.

Illuminati — Ver *Iluminados*.

Ilmatar (*Fin.*) — A virgem que cai do céu no mar, antes da criação. É a "Filha do ar" e mãe de sete filhos (as sete forças da Natureza). (Ver *Kalevala*, o poema épico da Finlândia.)

Iluminados (do latim *Iluminati*) — Os Adeptos Iniciados.

Ilusão — Em Ocultismo, toda coisa finita (como o Universo e tudo o que nele está contido) chama-se ilusão ou *mâyâ*. [Exceção feita a Parabrahman, a Realidade Absoluta, tudo é aparência, tudo é ilusão. (*Doutrina Secreta*, I, 307, 569)]

Ilusão divina — Ver *Mâyâ*.

Ilvala (*Sânsc.*) — Nome de um *râkchasa*, que habitava no bosque Dandaka e que é mencionado no *Râmâyana*.

Imaculada Conceição — A Substância Primordial não havia saído de seu estado pré-cósmico latente, nem tinha ainda passado a ser o invisível (pelo menos para o homem) Protilo da ciência. Porém, quando "soa a hora" e tal Substância faz-se receptora da impressão *Fohatica* do Pensamento Divino – o *Logos*, ou aspecto masculino da *Anima Mundi, Alaya* - seu "Coração" abre-se. Diferencia-se e os três (Pai, Mãe, Filho) convertem-se em Quatro. Aqui está a origem do duplo mistério da Trindade e da Imaculada Conceição. (*Doutrina Secreta*, I, 88) O dogma atualmente materializado da Imaculada Conceição é a desfiguração de uma das doutrinas das antigas escolas secretas gnósticas, neoplatônicas etc., conservadas no Vaticano. (*Doutrina Secreta*, 27) (Ver *Caos, Encarnações divinas* etc.)

Imagem — O Ocultismo não permite nenhuma outra imagem além da imagem vivente do homem divino (símbolo da Humanidade) na Terra. A *Cabbala* ensina que esta Imagem divina, reflexo da *sublime e santa Imagem Superior* (os *Elohim*), mudou agora para *outra semelhante*, devido ao desenvolvimento da natureza pecaminosa dos homens. Apenas a *divina Imagem superior* (o *Ego*) continua sendo a mesma; a inferior (a personalidade) mudou, e o homem, temendo agora as feras, passou a mostrar em seu rosto a semelhança com muitas delas. (*Zohar*, I, fol. 71a) No primeiro período do Egito não havia imagens; porém, mais tarde, como diz Lenormand, "nos santuários do Egito, dividiam-se as propriedades da Natureza e, consequentemente, da Divindade (os *Elohim*, os *Egos*) em sete qualidades abstratas, cada uma das quais caracterizada por um emblema, que são: matéria, coesão, fluxão, coagulação, acumulação, estação e divisão". Todas eram atributos simbolizados em diversas imagens.

Imagem dupla — Ver *Dupla imagem*.

Imagens (*Culto das*) — Ver *Idolatria*.

Imagens mentais — Nas quatro subdivisões inferiores do plano mental, as vibrações da consciência dão origem a forma, imagens ou pinturas, cada pensamento aparecendo como forma vivente. (A. Besant, *Sabedoria Antiga*, 144) As imagens do mundo exterior, nascidas do contato dos sentidos, atraem a matéria mental mais densa para seu redor e podem ser reproduzidas pelos poderes nascentes da consciência. (*Sabedoria Antiga*, 160-161) As imagens mentais criadas em uma vida aparecem como qualidades características e tendências mentais na seguinte. Por isso diz um dos *Upanîchads:* "O homem é uma criatura de reflexo: o que ele reflete nesta vida chega a sê-lo mais adiante. O homem afeta seus semelhantes através de seus próprios pensamentos, visto que suas imagens mentais, que formam seu próprio corpo mental, originam vibrações, reproduzindo-se assim em formas secundárias, e estas, misturando-se com o desejo, tomam certa porção da matéria astral, pelo que tais formas secundárias de pensamento foram denominadas de imagens astro-mentais" (*Sabedoria Antiga*, 330-331) (Ver *Elementos, Formas Mentais, Karma*.)

Imaginação — Em ocultismo, não se deve confundir a imaginação com a fantasia, visto que a primeira é um dos poderes plásticos da Alma Superior e é a memória das encarnações precedentes, que, embora desfigurada pelo *Manas* inferior, repousa sempre sobre um fundo de verdade. [A imaginação é o poder plástico da Alma, produzido pela consciência ativa, o desejo e a vontade. (*F. Hartmann)*]

Imbeber (*Herm.*) — Cozer, digerir a matéria da Obra Hermética, fazê-la sublimar em vapores, de maneira que recaia, sob forma de chuva, que rega e embebe a terra filosófica no fundo do vaso.

Imbebição (*Herm.*) — Em termos de filosofia hermética, é o mesmo que destilação e frequentemente também o mesmo que sublimação e coobação. Ocorre enquanto a matéria encerrada no ovo sublima e se reúne em forma de vapor no alto do vaso, onde não encontra ponto de escape, sendo então obrigada a recair sobre si mesma, até que, fixada, não circule mais.

Imhoted — Ver *Imhot-pou*.

I

Imhot-pou ou **Imhotep** (*Eg.*) — O deus da sabedoria (o *Imouthes* grego). Era filho de Ftah e, sob certo aspecto, Hermes, pois se o representa comunicando sabedoria, com um livro diante de si. É um deus solar. Significa literalmente "o deus de face bonita".

Immah (*Hebr.*) — Mãe; em contraposição a *Abba*, pai.

Immah Illa-ah (*Hebr.*) — A mãe superior; nome dado a *Shekinah* (ver).

Imouthes (*Gr.*) — Ver *Imhot-pou*.

Impressões — Efeitos de uma imaginação daninha, que pode originar várias afecções corporais, enfermidades, más conformações, estigmas, monstros (lábios leporinos, acefalia etc.), molas, marcas etc. (*F. Hartmann*) Para maiores informações a respeito da influência que tem a imaginação da mãe sobre o feto, consulte *Ísis sem Véu*, I, p. 394 e ss.

In ou **Yin** (*Chin.*) — O princípio feminino da matéria, fecundado pelo Eu, o etéreo princípio masculino, e precipitado depois no Universo.

Inaco (do grego *Inachos*) — Pai de Foroneu (ver).

Incas (*Peru*) — Nome dado aos deuses criadores, na teogonia peruana e, mais tarde, aos reis e príncipes do país. "Os Incas, em número de *sete*, repovoaram a Terra depois do Dilúvio", dizem eles, como afirma Coste (L. IV, 19). Pertenciam, no início da quinta Raça-Mãe, a uma dinastia de reis divinos, tais como os do Egito, Índia e Caldeia.

Incubo (do latim *Incubus*) — É algo mais real e perigoso do que a significação comum que se dá a tal palavra, ou seja, a de "pesadelo". O *incubus é* o elemento masculino e a *succuba* é o feminino, e estes são sem dúvida alguma, os fantasmas da demonologia medieval, evocados das regiões invisíveis, pela paixão e concupiscência humanas. Atualmente são denominados de "Espíritos-esposas" e "Espíritos-esposos" entre médiuns e ignorantes espíritas. Porém tais nomes poéticos não impedem em nada que tais fantasmas sejam o que são realmente: vampiros e elementais sem alma; informes centros de vida, desprovidos de sentido, em uma palavra: *protoplasmas subjetivos,* quando são deixados em paz; porém são introduzidos em um ser e forma definidos pela imaginação criadora e enferma de certos mortais. Foram conhecidos em todos os países e em todas as idades e os hindus podem fazer mais de um relato horripilante dos dramas representados na vida de jovens estudantes e místicos pelos *pizâchas*, como são chamados na Índia. [*Íncubos* e *Sucubos*: 1°) parasitas machos e fêmeas, que se desenvolvem nos elementos astrais do homem ou da mulher, em consequência de uma imaginação lasciva; 2°) formas astrais de pessoas mortas (elementais), que de modo consciente ou instintivo são atraídas pelos luxuriosos, manifestando sua presença de forma tangível, porém invisível, e que tem comércio carnal com suas vítimas; 3°) os corpos astrais de feiticeiros e bruxas, que visitam homens e mulheres para fins imorais. O incubo é macho e o súcubo é fêmea *(F. Hartmann)*]

Indambara (*Sânsc.*) — Lótus azul.

Individualidade — Um dos nomes que, em Teosofia e Ocultismo, foi dado ao Ego Superior humano. Estabelecemos uma distinção entre o Ego imortal e divino e o Ego humano mortal. Este último, ou "personalidade" (*Ego* pessoal) sobrevive ao corpo morto apenas durante certo tempo no *Kâma-loka*; a individualidade subsiste para sempre. [Individualidade é a natureza imortal do homem, o conjunto dos princípios humanos superiores (*Âtmâ Buddhi* e *Manas*), que sobrevivem ao corpo físico e se reencarnam vezes repetidas, revestindo-se de uma nova *personalidade* transitória em cada reencarnação e acumulando em cada uma destas um caudal maior ou menor de experiências. (Ver *Personalidade.*)]

I

Indra (*Sânsc.*) — Deus do firmamento, rei dos deuses siderais. Uma divindade védica. [Chamado por outro nome *Vâsara*. *Indra* significa: chefe, senhor, soberano etc. É o Júpiter tonante da Índia e sua arma é o raio, que empunha com sua direita; governa o tempo e manda na chuva. Engendrou misticamente a Arjuna. É representado montado num elefante ou cavalo branco. (Ver *Airâvata* e *Uchchaizravas*.)] [A importância deste deus é tal que um terço, aproximadamente, dos hinos dos Vedas são a ele dirigidos. Seu mundo é chamado de *Indra-loka*. Deus inteiramente antropomórfico, quase igual a Varuna, sua figura aumentou rapidamente às expensas deste. Sob sua lei estão o firmamento e a atmosfera, impera na nuvem tempestuosa carregada de chuva e de trovão. Como deus da chuva é Parjanya. Tem o Céu por casco. A Terra cabe no oco de sua mão. Indra abraça o Universo, como o aro à roda. Sua montaria é Airâvata, o elefante branco saído quando do batimento do mar de leite. Suas armas são o raio (*vajra*), o disco (*cakra*), o aguilhão do elefante (*ankusa*) e a acha (*tanka*). Com tal acha, Indra abre montanhas e faz correr rios; temível e belicoso, é o patrono da nobreza militar (*kshatryas* ou *kchatriyas*). As vacas celestes (as nuvens) pertencem-lhe. Quando troveja, isso quer dizer que Indra está acabando com os demônios, que querem arrebatar seu rebanho, assim como acabou com Vala, que um dia havia conseguido arrebatar-lhe o rebanho e ocultá-lo em uma caverna. Frequentemente une-se o nome de *Varuna* ao de *Mitra* ou *Mithra*. Nas invocações do sacrifício, as "conjugações" Mitra-Varuna, Indra-Añi e Añi-Soma têm papel principal. (I. B. Bergua, "Notas do *Râmâyana*", p. 749-750)].

Indra-dyumna (*Sânsc.*) — Filho de Sumati e neto de Bharata. Há outros personagens com o mesmo nome.

Indra-jit (*Sânsc.*) — Literalmente, "vencedor de Indra". Epíteto de Megha-nâda, filho de Râvana.

Indra-kîla (*Sânsc.*) — Literalmente, "pico de Indra". O monte Mandara.

Indra-kuñjara (*Sânsc.*) — O elefante de Indra, também chamado Airâvata.

Indra-loka (*Sânsc.*) — Literalmente, "mundo ou paraíso de Indra". É o mundo ou região das divindades inferiores (um dos oito mundos), também chamado de *Svarga* (ver). Também se denomina de *Indra-loka* (ou *Amarâvati*) uma região do corpo situada à esquerda do *Suchumnâ* e próxima da ponta do nariz. (*Uttara-Gîtâ*, II, 20)

Indrânî (*Sânsc.*) — [Esposa ou] aspecto feminino de Indra. Igualmente denominado de *Zachî y Aindrî*.

Indra-praharana (*Sânsc.*) — A arma de Indra: o raio.

Indra-prastha (*Sânsc.*) — A capital dos príncipes Pandavas. Atualmente é um bairro da cidade de Delhi.

Indrâri (Indra-ari) (*Sânsc.*) — Literalmente, "inimigo de Indra". Um *asura*.

Indra-vajra (*Sansc.*) — O raio de Indra

Indra-vajrâ (*Sânsc.*) — Nome de um metro.

Indrâyudha (*Sânsc.*) — O arco de Indra: o arco-íris.

Indriya ou **Deha-sanyama** (*Sânsc.*) — O domínio dos sentidos na prática do *Yoga*. Há dez agentes exteriores; os cinco sentidos utilizados para a percepção são chamados de *Jñânaindriyas* e os cinco usados para a ação, *Karma-Indriyas*. *Pañcha-indriyâni* significa literalmente e em seu sentido oculto: "as cinco raízes produtoras de vida (eterna)". Entre os budistas, são os cinco agentes positivos, que produzem cinco qualidades supremas. [A palavra *indriya* significa força, poder, faculdade ou potência humana; sentido. Com a

I

denominação dos "dez *indriyas*" designam-se coletivamente os cinco poderes ou faculdades de sensação ou percepção (*jñânendriyas*) e os cinco poderes ou faculdades de ação (*karmendriyas*), dos quais os órgãos físicos (olhos, ouvidos, mãos, pés, língua etc.) não são mais do que manifestações materiais. Entre os *indriyas* inclui-se frequentemente o *manas* ou sentido interno. Assim lemos, no *Bhagavad-Gîtâ*: "os dez *indriyas* e o um (*manas*)" (XIII, 5); "o sentido interno (*manas*) e os outros cinco sentidos" (XV, 7). (Ver *Jñânendriyas* e *Karmendriyas*.)]

Indriya-bala (*Sânsc.*) — No budismo, assim se denomina a força ou perfeição dos sentidos.

Indriyagni (*Sânsc.*) — O fogo dos sentidos. Alguns devotos, vivendo em meio à confusão mundana, procuram acalmar seus apetites aplicando seus sentidos a seus objetos apropriados, porém com sujeição aos preceitos da Lei e com perfeito domínio sobre os sentidos, os quais, fazendo função de fogo, destroem os objetos a eles relacionados e sua influência sobre o coração. Segundo Zankarâchârya, tais devotos consideram como sacrifício aplicar seus sentidos somente a objetos lícitos; os objetos ilícitos, de cujo gozo se privam, são como vítimas sacrificadas no fogo dos sentidos. (*Comentário do Bhagavad-Gîtâ*, IV, 26)

Indriya-gochara (*Sânsc.*) — "Pastagem", domínio, esfera ou objeto dos sentidos. (Ver *Pañcha-indriyagocharâs*.)

Indriya-grâma (*Sânsc.*) — O agregado ou conjunto de *indriyas*, ou seja, dos cinco poderes sensitivos ou de percepção e dos cinco de ação.

Indriya-jñâna (*Sânsc.*) — Conhecimento ou percepção através dos sentidos.

Indriya-karman (*Sânsc.*) — Função de um sentido, de um dos *indriyas*.

Indriya-nigraha (*Sânsc.*) — Refreamento ou domínio dos sentidos.

Indriyarama (*Sânsc.*) — Que goza nos sentidos, que gosta dos prazeres sensitivos.

Indriyartha (*Sânsc.*) — Objeto dos sentidos.

Indriyas (*Criação*) — Ver *Criação Indriya*.

Indriyasakti (*Sânsc.*) — Potência dos sentidos.

Indriya-samyama (*Sânsc.*) — Ver *Indriya-sanyama*.

Indriya-sanga (*Sânsc.*) — Apego ou inclinação aos objetos dos sentidos.

Indriya-sanyama ou **Indriya-samyama** (*Sânsc.*) — Continência, disciplina ou domínio dos sentidos.

Indriya-svapa (*Sânsc.*) — "Sono dos sentidos"; privação ou perda da sensibilidade; inconsciência.

Indriyatman (*Sânsc.*) — Alma espiritual ou intelectual.

Indriyavant (*Sânsc.*) — Potente, forte, vigoroso.

Indrya — Ver *Indriya*.

Indu (*Sânsc.*) — A Lua; o *soma* (no sentido de Lua).

Indubhrit (*Sânsc.*) — O deus Shiva, assim denominado por levar à frente a meia-Lua ou por ser levado em cima da meia-Lua. (*Burnouf*)

Indumani (*Sânsc.*) — A pedra preciosa chamada "pedra de Lua". Significado idêntico ao de *Chandramani* ou *Chandrakânta*.

I

Indumatî (*Sânsc.*) — O dia da Lua cheia. Nome da irmã de Bhoja, rei de Vidarbha.

Indu-putra (*Sânsc.*) — Literalmente, "filho da Lua". Buda, filho de Soma (a Lua) e regente do planeta Mercúrio.

Indu-vansa (*Sânsc.*) — Tem também outro nome: *Somavansa;* a raça (ou dinastia) lunar. De *indu*, a Lua. [Significado idêntico ao de *Chandra-vansa*.] (Ver *Sûrya-vansa*.)

Indu-vrata (*Sânsc.*) — Cerimônia lunar e, especialmente, o jejum regulado segundo o curso da Lua.

Inefável (*Nome*) — Ver *Nome inefável*.

Inferno — Os anglo-saxões derivaram certamente a palavra *Hell* (inferno) do nome da deusa *Hela* (ver), e os eslavões do grego *Hades*, sendo preciso notar que no russo e outras línguas eslavônias o inferno chama-se *âd* e a única diferença entre o frio inferno escandinavo e o ardente inferno cristão consiste em suas respectivas temperaturas. Porém, nem mesmo a ideia daquelas regiões escaldantes é original dos europeus, visto que muitos povos tiveram o conceito de uma região no mundo inferior, como também teríamos se localizássemos nosso inferno no centro da Terra. Todas as religiões exotéricas – os credos dos brâhmanes, budistas, zoroastrianos, maometanos, judeus e outros – fazem seus infernos ardentes e tenebrosos, embora muitos deles sejam bem mais atraentes do que aterrorizantes. A ideia de um inferno abrasador é uma reminiscência, uma desfiguração de uma alegoria astronômica. Entre os egípcios, o inferno não era um lugar de castigo pelo fogo até a décima sétima ou décima oitava dinastia, quando Tifón foi transformado de deus em diabo. Porém, seja qual for o tempo em que se inculcou esta horrível superstição no ânimo das pobres massas ignorantes, a ideia de um inferno abrasador e de almas nele atormentadas é puramente egípcia. *Ra* (o Sol) converteu-se em Senhor do Forno Ardente, em *Karr,* o inferno dos Faraós, e os pecadores eram ameaçados com o tormento "no ardor dos fogos infernais". Havia ali um leão – diz o Dr. Birch – que era chamado de monstro rugedor. Outro autor descreve tal lugar como "o abismo sem fundo e lago de fogo, onde são lançadas as vítimas". (Compare com a *Revelação*.) A palavra hebraica *gai-hinnom* (gehenna) jamais teve, na realidade, o significado que lhe foi dado pela ortodoxia cristã. [Ver *Naraka*.]

Infinidade ou **Infinitude** — Qualidade do infinito.

Iniciação — Palavra derivada da mesma raiz latina de *initia*, que significa os primeiros ou fundamentais princípios de uma ciência. A prática da Iniciação ou admissão nos Sagrados Mistérios, ensinados pelos Hierofantes ou sábios sacerdotes dos templos, é uma das mais antigas. Era praticada em todas as antigas religiões nacionais. Na Europa foi abolida com a queda do último templo pagão. Atualmente existe apenas uma Iniciação conhecida do público, que é a Iniciação nos ritos maçônicos. A Maçonaria, contudo, já não tem mais segredos a revelar ou encobrir. Nos dias florescentes da Antiguidade, os Mistérios, segundo os maiores filósofos gregos e romanos, constituíam a mais sagrada de todas as solenidades, bem como a virtude mais benéfica e altamente estimulada. Os Mistérios representavam a passagem da vida mortal para a morte finita e as experiências da Alma e do Espírito desencarnados no mundo da subjetividade. Em nossos dias, por já se ter perdido o segredo, o candidato passa por diversas cerimônias que nada significam e é Iniciado na alegoria solar de *Hiram Abiff,* o "Filho da Viúva". [Ninguém pode alcançar as sublimes regiões, onde moram os Mestres, sem ter passado antes pela estreita porta da Iniciação, a porta que conduz à vida perdurável. Para que os homens se encontrem em condições de cruzar tal porta, é preciso chegar a um grau muito alto de evolução para que deixem de ter o menor interesse por tudo quanto pertença à vida terrena, salvo o poder servir, com toda a abnegação, ao Mestre e ajudar na evolução da humanidade, embora à custa dos maiores sacrifícios pessoais. O processo iniciático é como um espinhoso sendeiro de quatro etapas ou graus diversos de Iniciação; cada uma dessas Iniciações é acompanhada de uma expansão da consciência, que proporciona o que se chama de "chave do conhecimento", que é também a chave do poder, visto que nos reinos da Natureza "saber é poder". (A. Besant, *Sabedoria Antiga*)]

Iniciado (do latim *initiatus*) — Designa-se com este nome a todo aquele que foi admitido nos Mistérios e a quem foram revelados os segredos da Maçonaria ou do Ocultismo. Na Antiguidade, eram aqueles que tinham sido iniciados no arcano conhecimento, ensinado pelos hierofantes dos Mistérios, e, em nosso tempo, aqueles que foram Iniciados pelos Adeptos da sabedoria mística na ciência misteriosa, que, apesar do transcurso dos séculos, conta com alguns verdadeiros partidários na Terra.

Inocentes (*Os*) — Qualificativo ou sobrenome dado aos Iniciados e cabalistas, antes da era cristã. Os "Inocentes" de Bethlehem e de Lud (ou Lydda), que foram condenados à morte por Alexandre Janneus em número de alguns milhares (no ano 100 a.C., aproximadamente), deram origem à lenda dos 40.000 meninos inocentes assassinados por Herodes, enquanto buscava o menino Jesus. O primeiro é um fato histórico pouco conhecido; o segundo é uma fábula, como o foi suficientemente demonstrado por Renán, em seu *Vida de Jesus*. [O rei Herodes é a representação de Kansa, tirano de Mathurâ e tio materno de Krishna. Os astrólogos haviam prognosticado a Kansa que um filho de sua sobrinha Devakî arrebatar-lhe-ia a coroa e tiraria sua vida; em vista disso, o tirano mandou matar o menino (Krishna); porém, graças à proteção de *Mahâdeva*, seus pais conseguiriam colocá-lo a salvo. Então, Kansa quis assegurar-se da morte do verdadeiro menino e, com este fim, ordenou uma matança geral dos meninos de seu reino. (Ver *Devakî*, *Krishna* etc.)]

Inspiração — Fala-se frequentemente em inspiração, mas em geral não se sabe absolutamente o que é. Há um grande caudal de inspiração, que provém de nossos Mestres, os verdadeiros guias da humanidade, que sugerem ou projetam na mente do homem as ideias, de modo que este nada mais faz além de expressá-las, oralmente ou por escrito. A verdadeira inspiração distingue-se da mediunidade, porque, nesta última, o sujeito é passivo e fica exposto à influência de qualquer entidade astral que se encontre nas imediações. Quando um homem se encontra sob tal influência, está em geral inconsciente, não sabe nada do que faz por mediação de seu organismo nem quem o faz, nem se lembra de nada ao acordar. Seu estado é de uma verdadeira obsessão temporal. Enquanto que, durante o estado de inspiração procedente dos Mestres, o homem permanece consciente de tudo o que faz e sabe a quem empresta seus órgãos de expressão, segue com interesse tudo o que ocorre e recorda-o prontamente com clareza. Outras vezes a inspiração vem do *Ego*, do Eu Superior ou divino, e, em outros casos, as ideias inspiradas vêm do exterior, de alguma outra pessoa do mundo astral ou de seres mais ou menos elevados (*Devas* etc.), que habitam nos planos superiores. Disso resulta que nem sempre as sugestões são exatas em todos os conceitos, visto que a simples mudança de plano não confere a ninguém o dom da infalibilidade. Isso sabido, aconselha-se a prudência mais elementar, que se esteja muito alerta, que se considere a fundo cada coisa, segundo seu valor intrínseco, e não se creia com excessiva facilidade em toda sugestão dessa índole, sempre que não se esteja completamente seguro sobre a procedência da inspiração; em uma palavra: não é preciso rechaçar nada de modo impulsivo, porém tampouco deve-se admitir às cegas coisa alguma, simplesmente porque a mensagem chega engalanada com um nome sublime ou com uma aparência atraente, pois não faltam seres que têm verdadeiro afã de nos enganar e são diabolicamente hábeis na arte da fraude. (Ver o artigo "Inspiração", de C. W. Leadbeater, publicado no *Loto Branco*, de julho e agosto de 1917.)

I

Instinto — É o aspecto inferior do *Manas,* ou seja, seu princípio instintivo, que é atraído pelo *Kâma* (local dos desejos e paixões animais). (*Chave da Teosofia,* p. 120) A Mônada animal só é dotada da faculdade *instintiva.* (*Doutrina Secreta*, II, 108)

Inteligência — Um dos aspectos da Divindade. (A. Besant, *Sabedoria Antiga*) (Ver *Manas.*)

Inteligências — Há algumas hierarquias de Inteligências, que brotam dos sete *Logoi* secundários e formam o corpo governante de seu reino, que guia os processos de ordem natural. São alguns Seres radiantes, dotados de vasto conhecimento e grande poder. Entre tais Inteligências figuram os *Lipikas,* que são os registradores do *Karma* de tal reino e de todas as entidades que nele existem; os *Mahârâjas* ou *Devarâjas,* que vigiam ou dirigem as operações da lei *kármica;* as numerosas hostes de Construtores, que moldam todas as formas, segundo as Ideias contidas no tesouro do *Logos,* na Mente Universal. (A. Besant, *Sabedoria Antiga*, 149, 414 etc.)

Intuição — Abusa-se muito dessa palavra e frequentemente seu uso é feito de modo incorreto na pedagogia. É o conhecimento superior, real e objetivo, por assim dizer; uma espécie de visão direta com os olhos da alma, em virtude da qual o homem adquire, por experiência própria, a percepção ou conhecimento claro, íntimo e instantâneo de uma ideia ou verdade, sem o auxílio da razão, como se se tratasse de um objeto material colocado diante de nossos olhos. A intuição corresponde às faculdades da mente superior e é o guia infalível do vidente. Segundo diz o *Catecismo Búdhico,* de Olcott, a intuição é superior à razão para perceber a suprema verdade; é um estado mental em que qualquer verdade desejada é instantaneamente compreendida; pode ser alcançada quando alguém, através da prática do *Jñâna,* chega ao seu quarto grau de desenvolvimento. Segundo *Râma Prasâd,* depois de se obter o estado de *paravairâgya,* em que, graças à total ausência de desejos e paixões, o *iogî* adquire a calma mais completa, apresenta-se o poder chamado *samâpatti,* intuição, que é aquele estado mental em que se torna possível receber o reflexo dos mundos subjetivo e objetivo. A intuição tem quatro graus: 1°) *Sa-vitarka* (verbal); 2°) *Nir-vitarka* (sem palavras); 3°) *Sa-vichâra* (meditativo); 4°) *Nir-vichâra* (ultrameditativo). O estado de intuição é comparado a um cristal brilhante, puro, transparente e incolor. Um objeto qualquer, olhado através dele, dar-lhe-á sua própria cor. (*As Forças Mais Sutis da Natureza,* cap. VIII.) (Ver também *Aforismos de Patañjali*, III, 36, 43; IV, 23 etc.)

Invinação — Doutrina dos luteranos, que sustentam, que a substância do vinho não se encontra destruída no sacramento da Eucaristia.

Involução — É a queda ou descenso gradual, progressivo, cíclico do Espírito na Matéria. Realiza-se nos Globos designados com as letras A, B e C, que formam o arco *descendente* da Cadeia Planetária. Ao chegar ao Globo D (do qual o exemplo é a nossa Terra), a matéria física do descenso adquire sua densidade máxima e o Espírito encontra-se num estado latente e sumido na inconsciência mais profunda, para logo despertar e ascender, divinizando-se de modo gradual, isto é, para empreender a evolução ou redenção nos Globos restantes (E, F e G) do arco *ascendente* da Cadeia Planetária. (Ver *Evolução.*)

Io (*Gr.*) — Filha de Inaco. "A donzela de chifres de vaca." Alegoricamente, é idêntica à Lua, como o prova o fato de ser representada com os referidos apêndices. Io, por se negar a ceder à ilícita paixão de Júpiter, foi dotada de chifres de vaca, animal que é símbolo da potência geradora passiva da Natureza. (*Doutrina Secreta*, II, 436) "Entre os egípcios e os gregos, Io é a Grande Mãe, equivalente a Aditi, Ísis ou Eva, mãe de tudo o que vive; daí também a Lua e o círculo como símbolos das funções geradoras da mulher." (*P. Hoult*) (Ver *Ísis.*)

I

Iobel (*Hebr.*) — Ano do Jubileu, que ocorre a cada cinquenta anos (sete vezes sete anos sabáticos). Retorno de todas as terras às famílias dos proprietários originais. Foi suspenso muito antes da era mishnaica.

Iom Kipur (*Hebr.*) — Dia da Expiação, dia do perdão. É o mais importante dia santo dos judeus (*o sábado dos sábados*).

Îpsâ (*Sânsc.*) — Vontade, desejo; desejo de obter.

Irâja (*Sânsc.*) — Epíteto de Kâma, deus do amor.

Irâvat (*Sânsc.*) — O filho que Arjuna teve de sua esposa *naga* Ulupî.

Irâvatî (*Sânsc.*) — O rio Ravî ou Puruchni, afluente do Indo.

Irchâ ou **Irchyâ** (*Sânsc.*) — Inveja.

Irchâlu ou **Irchyâlu** (*Sânsc.*) — Invejoso.

Irdhi (*Sânsc.*) — A síntese dos dez poderes "sobrenaturais" ocultos do budismo e do brahmanismo.

Irkalla (*Cald.*) — O deus do Hades, chamado pelos babilônios de "região invisível".

Irmãos da Luz — Eis aqui o que diz a respeito desta Fraternidade a grande autoridade, em matéria de sociedades secretas, o irmão Kenneth R. H. Mackenzie IX: "No ano de 1498, estabeleceu-se em Florença uma ordem mística, intitulada *Frates Lucis*, Irmãos da Luz. Entre os membros desta ordem figuravam Pasqualis, Cagliostro, Swedenborg, St. Martin, Eliphas Levi e muitos outros místicos eminentes. Seus membros foram sumamente perseguidos pela Inquisição. É uma corporação reduzida, porém sólida, e seus membros estão disseminados por todo o mundo".

Irmãos da Sombra — Nome que os ocultistas deram aos feiticeiros e, especialmente, aos *Dugpas* tibetanos, dos quais há muitos na seita *Bhon* dos "Turbantes Vermelhos" (*Dugpas*). Tal qualificativo aplica-se a todos quantos praticam a magia negra ou da *mão esquerda*. [Ver *Dad-dugpas*.]

Is — O Único sempre oculto, eterno e absoluto, ou *Sat*. (*Doutrina Secreta*, I, 592, 678 e II, 466)

Isa — Nome dado pelos muçulmanos a Jesus.

Isarim (*Hebr.*) — Iniciados essênios.

Ishanyâ (*Sânsc.*) — Impulso, atividade.

Ishim (*Cald.*) — Os *B'ne-Aleim*, os "belos filhos de Deus", os originais e protótipos dos posteriores "Anjos caídos".

Îshitâ (*Sânsc.*) — Superioridade. O poder de alcançar supremacia; um dos oito *vibhûtis* e poderes de Shiva. (*P. Hoult*)

Ishmonia (*Ár.*) — A cidade em cujas cercanias encontra-se sepultada a "Cidade petrificada" do Deserto. A lenda fala de imensos subterrâneos, salas, passadiços, galerias e bibliotecas escondidas em tais lugares. Os árabes temem aproximar-se de lá, após o pôr do sol. (Ver *Isis sem Véu*, II, 29.)

Îshopanishad (**Îza-upanichad**, **Îzopanichad**) (*Sânsc.*) — Título de um dos *Upanichads*.

Ishta (*Sânsc.*) — Ver *Ichta*.

Ishtar (*Cald.*) — A Vênus babilônica, denominada "a primogênita do céu e da Terra" e filha de Anu, deus do céu. É a deusa do amor e da beleza. O planeta Vênus,

I

como estrela vespertina, é identificado com Ishtar e, como matutina, com Anunit, deusa dos acádios. Existe um relato curiosíssimo a respeito de seu descenso ao Hades, no sexto e sétimo ladrilhos ou tábuas assírias decifradas por G. Smith. Qualquer ocultista que leia o que se refere ao amor que ela professava a Tammuz, o assassinato deste, cometido por Izdubar, o desespero da deusa e seu descenso em busca de seu amado, através das sete portas do Hades, e finalmente sua liberação do reino sombrio, reconhecerá a bela alegoria da alma em busca do Espírito.

Ishva (*Sânsc.*) — Mestre espiritual. (Ver *Ichva*.)

Ishvara, Ishwara ou **Îzvara** (*Sânsc.*) — O "Senhor" ou Deus pessoal, o *Espírito divino no homem*. Literalmente, soberana (independente) existência. Título dado a Shiva e outros deuses da Índia [Brahmâ e Vishnu]. Shiva é também chamado de *Ishvaradeva* (*Îzvaradeva*) ou *deva* soberano. [Ishvara (Îzvara) é o princípio divino em sua natureza ou condição ativa; um dos quatro estados de Brahmâ. (*Cinco Anos de Teosofia*) "O Senhor *(Îzvara)* é um Espírito *(Purucha)* particular a quem não afetam a dor, as obras, o fruto delas nem as impressões. N'Ele é infinita aquela onisciência que nos demais seres existe apenas em germe. É o Instrutor até dos instrutores primitivos, pois não é limitado pelo tempo. Sua representação é a palavra glorificadora Om." (*Aforismos de Patañjali*, I, 24-27)]

Isíaca — Ver *Tábua Isíaca*.

Ísis — Em egípcio, *Issa*, a deusa Virgem-Mãe; a Natureza personificada. Em egípcio e copla, *Uasi*, reflexo feminino de Uasar ou Osíris. É a "mulher vestida de Sol" do país de Chemi (Egito). Ísis-Latona é a Isis romana. [Filha e mãe de Osíris, do mesmo modo que Vâch é filha e mãe do *Logos*. (*Doutrina Secreta*, I, 464) Corresponde a Aditi e Vâch dos hindus, a Io dos gregos e a Eva. É a mãe ou matriz da Terra; é também a deusa que dá vida e saúde. (*Doutrina Secreta*, II, 30) Ísis é uma deusa lunar por estar relacionada ao nosso satélite, devido aos mistérios lunares e por certas considerações a respeito da fisiologia e natureza da mulher, tanto física como psiquicamente. A Ísis eram consagrados o íbis e o gato. Como deusa lunar, era frequentemente representada com a cabeça de tal ave, visto que o íbis branco e preto era uma imagem da Lua, que é branca e brilhante do lado iluminado pelo Sol, e negra e obscura do lado oposto. (*Doutrina Secreta*, I, 368) O gato é outro dos símbolos lunares. (Ver *Bubasté*.) O ovo era igualmente consagrado a tal divindade, porque simboliza a origem da vida. Ísis é quase sempre representada com um lótus em uma das mãos e, na outra, um círculo e uma cruz *ansata*. Como deusa de mistério, é representada geralmente com o rosto coberto por um véu impenetrável e, no frontispício de seu templo em Sais, viam-se escritas as seguintes palavras: "Sou tudo o que foi, é e será, e nenhum mortal jamais retirou o véu que oculta minha divindade aos olhos humanos". Contudo, há pouco tempo já se levantou uma ponta deste véu.]

Ísis-Osíris — Seu símbolo é a cruz *ansata*.

Isitwa (*Sânsc.*) — O poder divino.

Israel (*Hebr.*) — Os cabalistas orientais derivam este nome de *Isaral* ou *Asar*, o Deus-Sol. *Isra-el* significa "que peleja com Deus": o "Sol que se eleva sobre Jacob-Israel" designa o Deus-Sol Isaral (ou *Isar-el*), que luta com "Deus e com o homem", e a matéria fecundada, que tem também poder com "Deus e com o homem" e frequentemente prevalece sobre ambos. Esaú, Æsaou, Asu, é também o Sol. Esaú e Jacob, os gêmeos alegóricos, são emblemas do princípio dual da Natureza, que está sempre em luta: bem e mal, luz e trevas, o "Senhor" (Jehovah) e seu antetipo. Jacob-Israel é o princípio feminino de Esaú, como Abel o é de Caim, sendo Caim e Esaú o princípio masculino. Por isso, do mesmo modo que Malach-Iho, o "Senhor" Esaú luta com Jacob e não prevalece. No *Gênese*, XXXII, o Deus-Sol luta primeiro com Jacob, desconjunta sua coxa (um símbolo fálico) e, contudo, é vencido por seu símbolo terrestre: a matéria; e o Deus-Sol ergue-se sobre Jacob e sua *coxa* em aliança. Todos esses personagens bíblicos, inclusive seu "Senhor Deus", são figuras representadas em ordem de sucessão alegórica. São símbolos da Vida e da Morte, do Bem e do Mal, da Luz e das Trevas, da Matéria e do Espírito em sua síntese, estando todos eles sob seus aspectos contrastados.

Issava (*Pál.*) — Termo equivalente ao sânscrito *Îzvara*.

Iswara — Ver *Ishvara*.

Itcha — Ver *Ichchhâ*.

Ithyfálico — Ver *Itifálico*.

Itifálico — Do grego *ithys*, ereto, e *phallos*, falo. Qualidade dos deuses como varões e hermafroditas, tais como a Vênus barbada, Apolo vestido com trajes femininos, Ammón, o procriador, o embrionário Ptah e assim sucessivamente. Contudo, o falo, tão conspícuo e, segundo nossas ideias melindrosas, tão indecente, nas religiões da Índia e do Egito estava associado, na simbologia mais primitiva, muito mais com outra ideia consideravelmente mais pura do que a da criação sexual. Segundo está provado por mais de um orientalista, o falo representava a *ressurreição, o ressurgir vivo da morte*. Nem um nem outro significado tem qualquer coisa de indecente: "Estas imagens simbolizam apenas, de modo muito expressivo, a força criadora da Natureza, sem qualquer intenção obscena", escreve Mariette Bey, e acrescenta: "Não há outra maneira melhor de expressar a *geração celeste,* do que fazer o defunto entrar em uma nova vida". Em geral, os cristãos e europeus são muito severos e injustos no que se refere aos símbolos fálicos dos antigos. Os deuses ou deusas nus, com seus emblemas geradores e estatuária, tem departamentos *secretos* reservados para eles em nossos museus. Por que, pois, adotar e conservar os mesmos símbolos para o clero e os seculares? Os *festins de amor* da Igreja primitiva – seus banquetes – eram tão puros (ou tão impuros) como as festas fálicas dos pagãos; as amplas vestimentas sacerdotais das Igrejas romana e grega e o cabelo longo da última, os hissopos para a *água benta* e outras coisas estão aí para provar que o ritualismo cristão conservou, sob formas mais ou menos modificadas, todos os símbolos do Antigo Egito. Em relação ao simbolismo de uma natureza puramente *feminina*, vemo-nos obrigados a confessar que, aos olhos de todo arqueólogo imparcial, a seminudez de nossas cultas damas da sociedade sugere muito mais o culto sexual do que as fileiras de lâmpadas em forma de *yoni* acesas ao longo das ruas que conduzem aos templos da Índia.

Itífalo — Falo que levavam os que concorriam à procissão das festas de Dionísio (Baco).

Itihâsa (*Sânsc.*) — História, lenda, tradição. Tal termo aplica-se principalmente às duas grandes epopeias hindus, o *Mahâbhârata* e o *Râmâyana*.

Ittham (*Sânsc.*) — Assim, deste modo; tão.

Ityukta (*Sânsc.*) — Assim se chama, no budismo, uma lenda ou tradição recolhida; coleção de relatos ou explicações da Lei.

Iu-Kabar-Zivo (*Gn.*) — Também conhecido pelo nome de *Nebat-Iavar-bar-Iufin-Ifafin*, "Senhor dos Eons", no sistema nazareno. É o procriador (Emanador) das *sete Vidas Santas* (os sete primeiros *Dhyân Chohans* ou Arcanjos, cada um deles representando uma das virtudes cardeais, e ele, por sua vez, é chamado de *terceira* Vida (terceiro

I

Logos). No *Codex* é invocado como "o leme e a videira do alimento de vida". Assim, é idêntico a Cristo (*Christos*), que diz: "Eu sou a verdadeira videira e meu Pai é o lavrador" (João, XV, 1). É bem sabido que Cristo é considerado, pela Igreja Católica Romana, como o "príncipe dos Eons" e, também como Miguel, "que é como Deus". Tal era também a crença dos gnósticos.

Iurbo (*Gn.*) — Um nome de Iao-Jehovah. (Ver *Iurbo-Adonai*.)

Iurbo-Adunai ou **Iurbo-Adunaï** — Termo gnóstico; o nome composto utilizado para designar a Iao-Jehovah, a quem os ofitas consideravam como emanação de Ilda-Baoth, filho de Sophia Achamoth, o deus soberbo, ambicioso e invejoso, e Espírito impuro, a quem muitas das seitas gnósticas consideravam como o deus de Moisés. "Iurbo é chamado pelos abortos (judeus) de Adunai" [ou Adonai], diz o *Codex Nazaræus* (vol. III, p. 13). "Abortos" e fetos eram alcunhas que os gnósticos aplicavam a seus adversários, os judeus. [O *Códex Nazaræus* designa Jehovah pelo nome de *Iurbo-Adonai*. (*Doutrina Secreta*, I, 51.)]

Ius (*Gr.*) — Lodo ou barro primordial, também chamado *Hilé*.

Iwaldi (*Esc.*) — O anão cujos filhos fabricaram para Odin a lança mágica. Um dos mestres forjadores subterrâneos, que, juntamente com outros gnomos, idealizou uma espada encantada para o grande deus da guerra, Cheru. Esta espada de dois gumes figura na lenda do imperador Vitelio, que a obteve do deus "para seu próprio dano", segundo o oráculo de uma "sábia mulher"; abandonou-a e, finalmente, foi morto com ela ao pé do Capitólio, por um soldado germano, que havia furtado a arma. A "espada do deus da guerra" conta com imensa bibliografia, pois reaparece também na semilegendária biografia de Átila. Tendo-se casado com Ildikd, contra vontade dela, a formosa filha do rei de Borgonha, a quem Átila havia matado, obtém de uma velha misteriosa a espada mágica e com ela mata o rei dos hunos. [Ver *Anão da Morte*.]

Îza, Îsa ou **Isha** (*Sânsc.*) — Senhor, soberano, rei, chefe etc. Epíteto de Shiva. Título de um dos *Upanichads* (*Îzopanichad*).

Îzana (*Sânsc.*) — Poder, domínio, soberania.

Îzãna, Îsana ou **Ishâna** (*Sânsc.*) — Epíteto de Shiva ou de Rudra

Îzatva (*Sânsc.*) — Soberania, domínio; supremacia e poder "sobrenatural" do brâhmane Iniciado.

Izdubar — Nome de um herói mencionado nos fragmentos de história e teogonia caldeia, nos chamados ladrilhos assírios, segundo os decifraram G. Smith e outros. Smith identifica *Izdubar* com *Nemrod*. Pode ser ou não; porém, dado que o nome de tal rei só "aparece" como *Izdubar*, sua identificação com o filho de Cus pode ser também mais aparente do que real. Os sábios são um pouco propensos a contrastar seus descobrimentos arqueológicos com as declarações posteriores, que se encontram nos livros mosaicos, ao invés de trabalhar ao contrário. O "povo eleito", em todos os períodos da história, costumava apropriar-se da propriedade de outros povos. Desde a apropriação da história primitiva de Sargão, rei da Acádia, e sua aplicação em grande escala a Moisés, nascido (se realmente nasceu) alguns milhares de anos depois, até que tal povo destruiu os egípcios, sob a direção e divino conselho de seu Senhor Deus, todo o *Pentateuco* parece ser formado de fragmentos *mosaicos* não-declarados de Escrituras de outro povo. Isso deveria ter tornado mais precavidos os assiriólogos, porém, como muitos deles pertencem à casta clerical, algumas coincidências, como a de Sargão, não os preocupam muito. Uma única coisa é certa: *Izdubar*, ou como quer que se chame,

I

é apresentado em todas as tábuas como um poderoso gigante, que se avantajava em estatura a todos os demais homens, como um cedro eleva-se acima do mato; segundo as lendas cuneiformes, um caçador que lutava com o leão, o tigre, o touro, o búfalo e os animais mais formidáveis e a destroçava. [Ver *Ishtar*.]

Ized (*Per.*) — Os *izeds* ou *peris*, em número de vinte, constituem a segunda classe de espíritos luminosos, que estão abaixo de Ormuzd ou Princípio do bem. São gênios inferiores, criados por Ormuzd para derramar bênçãos sobre o mundo e velar sobre a gente pura. Dos *izeds*, alguns são masculinos e outros são femininos, e entre eles figura Mithra (ou Meher). Os *izeds* conduzem para a região celeste as almas dos homens puros, após sua morte.

Izeschné (*Per.*) — Uma das três obras incluídas no *Vendidad Sâdé*. Tal palavra designa também uma oração, na qual se celebra a grandeza do ser a quem é dirigida. Assim, "fazer *izeschné*" quer dizer "orar". A obra em questão, composta de setenta e dois *hâs* (capítulos), é dividida pelos parses em duas partes. A primeira tem por objeto Ormuzd e suas criaturas; a segunda contém orações dirigidas ao Ser Supremo. Fala do homem, de suas necessidades, de diversos gênios encarregados de protegê-lo, tais como os cinco *Gâhs*, *Seroch* etc. (Anquetil Du Perron, *Zend-Avesta*)

Îzopanichad (Îza-upanichad) (*Sânsc.*) — Título de um dos *Upanichads*.

Îzvara ou **Îzwara** (*Sânsc.*) — Ver *Îshvara*.

Îzvara-bhâva (*Sânsc.*) — "Condição de senhor ou soberano"; senhorio, soberania, realeza.

Îzvara-deva (*Sânsc.*) — *Deva* (ou deus) soberano. Epíteto de Shiva

Îzvara-Krishna (*Sânsc.*) — Autor de uma excelente coleção de setenta e dois aforismos referentes ao sistema filosófico *Sânkhya*, designada pelo nome de *Sânkhya-kârika*.

Îzvara-pranidhâna (*Sânsc.*) — O próprio abandono ou submissão ao Senhor. (M. Dvivedi, *Comentário aos Aforismos de Patañjali*, II, 1)

Îzvara-prasâda (*Sânsc.*) — Graça divina.

Îzvara (*Sânsc.*) — Senhorio, poderio, soberania, realeza.

J

J — Décima letra do alfabeto inglês e do hebraico; neste último é equivalente ao *y* e ao *i*; numericamente é 10, o número perfeito. (Ver *Jodh* e *Yodh*) O uno. (Ver também *I*.) [É a vigésima segunda letra do alfabeto sânscrito e soa como *dj* nas palavras *adjurer* (francesa) ou *adjunt* (catalã). Assim, vêmo-la expressa em algumas transliterações, como, por exemplo, nas palavras *Sandjaya* (Sañjaya), *Ardjouna* ou *Ardjuna* (Arjuna), *Yadjour* (Yajur) etc. Há, nesta última língua, outra letra, a vigésima terceira, que costuma ser expressa como *jh* ou como *j* com duas virgulinhas na parte superior (transliteração de Burnouf e Leupol) e soa como a letra anterior, porém levemente aspirada. O *J* é o símbolo de um dos doze *nâdis* principais (troncos), que partem do coração. (*Râma Prasâd*)]

Ja (*Sânsc.*) — Em linguagem mística, designa Vishnu ou Shiva. Essa mesma sílaba, colocada ao fim de um nome composto, significa: nascido, produzido, originado etc.

Jâbalas (*Sânsc.*) — Estudantes da parte mística do *Yajur-veda Branco*.

Jachin (*Hebr.*) — "Em letras hebraicas Ikin, da raiz Kun, "estabelecer", e o nome simbólico de uma das colunas do pórtico do Templo do Rei Salomão." (W. W. W.) A outra coluna chama-se *Boaz* e, das duas, uma era branca e a outra negra. Ambas correspondem a várias ideias místicas, uma das quais é que representam o *Manas* dual ou o *Ego* superior e inferior. Outros relacionam as duas colunas, no misticismo eslavo, com Deus e o Diabo, ou seja, com o Deus Branco e o Deus Negro ou *Byeloy Bog* e *Tchermoy Bog*. (Ver *Yakin* e *Boaz*.)

Jacobitas — Seita cristã da Síria, no séc. VI (ano 550), que afirmava que Cristo possuía uma só natureza e que a confecção não era de origem divina. Tinham seus signos secretos, suas palavras de passe e uma Iniciação solene com mistérios.

Jada (*Sânsc.*) — Inconsciente, estúpido, apático.

Jadoo (*Hin.*) — Feitiçaria, encantamento, magia negra.

Jadoogar (*Hin.*) — Feiticeiro, bruxo.

Jâdya (*Sânsc.*) — Apatia, estupidez, frialdade.

Jagad — A letra *d* é eufônica. (Ver *Jagat*.)

Jagad-anda (*Sânsc.*) — O ovo do mundo.

Jagad-âtman (*Sânsc.*) — A Alma do Mundo.

Jagad-dhâtri (*Sânsc.*) — Criador do Mundo.

Jagad-dhâtrî (*Sânsc.*) — Substância. Literalmente, "nutriz [ou sustentadora] do mundo". Com este nome designa-se o poder que Krishna e seu irmão Balarâma introduziram no seio de Devakî, sua mãe. Epíteto de Sarasvatî e Durgâ.

Jagad-dîpa (*Sânsc.*) — Luz ou lâmpada do mundo; o Sol.

Jagad-guru (*Sânsc.*) — Mestre ou instrutor do mundo. Epíteto de Brahmâ, Vishnu e Shiva.

Jagad-îza (*Sânsc.*) — Senhor do mundo. Vishnu.

Jagad-îzvara (*Sânsc.*) — Senhor do mundo.

Jagad-uddhâra (*Sânsc.*) — Liberação ou emancipação dos entraves do mundo: salvação.

J

Jagad-vinasha (*Sânsc.*) — "Destruição do mundo"; o fim de um *yuga*.

Jagad-yoni (*Sânsc.*) — A matriz do mundo; o espaço.

Jagan — A letra *n* é eufônica. (Ver *Jagat.*)

Jagan-mâtri (*Sânsc.*) — "Mãe do mundo". Epíteto de Durgâ ou Lakshmî.

Jagan-nâtha (*Sansc.*) — Literalmente, "Senhor do mundo", um dos títulos de Vishnu. A grande imagem de *Jagan-nâtha* em seu carro, cujo nome geralmente escreve-se e se pronuncia Jagernath. O ídolo é o de Vishnu-Krishna. Purî, próxima à cidade de Cuttack, em Orissa, é o grande centro de seu culto e, duas vezes por ano, um grande número de peregrinos acorre de todas as partes para as festas do *Snânayatra* [procissão do banho] e *Rathayâtra* [procissão do carro]. Durante a primeira, banha-se a imagem, e, durante a segunda, tal imagem é colocada sobre um carro, entre as imagens de Balarâma e Subhadrâ (irmão e irmã, respectivamente, de Krishna), e o veículo colossal é puxado pelos devotos, que têm a felicidade de serem esmagados sob suas rodas. [Ver *Jagernath.*]

Jagan-nivâsa (*Sânsc.*) — "Mansão do Mundo". Epíteto de Vishnu-Krishna ou de Shiva.

Jâgara (*Sânsc.*) — Vela, vigília; vigilância.

Jagat (*Sânsc.*) — O Universo. [Além de Universo ou mundo, *jagat* significa aquele que se move ou vive; ser ou criatura vivente, homem, animal; a terra; o vento. Em número dual, significa o céu e o mundo inferior.]

Jagat-chakchus (*Sânsc.*) — O olho do mundo: o Sol

Jagatî (*Sânsc.*) — A Terra.

Jagat-karana (*Sânsc.*) — A causa do Universo.

Jagat-kartri (*Sânsc.*) — Construtor do mundo: Brahmâ.

Jagat-pati (*Sânsc.*) — Senhor do mundo. Título de vários deuses.

Jagat-prabhu (*Sânsc.*) — O mesmo significado de *Jagat-pati*.

Jagat-prakâsa (*Sânsc.*) — Que ilumina o mundo.

Jagat-prâna (*Sânsc.*) — Ar, vento.

Jagat-swâmin (*Sânsc.*) — Senhor do mundo.

Jagat-traya (*Sânsc.*) — Os três mundos: o céu, a Terra e o mundo inferior.

Jagernath (*Carro de*) — (Ver *Jagan-nâtha.*) O dito popular "aquele que pode ver, por um breve instante, o anão (o *Jagernath*) montado no carro, não terá mais renascimentos", atrai centenas de milhares de devotos a tal festa. O carro em questão é apenas uma alegoria que, na realidade, significa o corpo humano. Por conseguinte, o verdadeiro significado desse dito é que aquele que pode ver ou encontrar o Espírito (*Jagernath* ou o "anão") entronizado em seu corpo, não terá mais renascimentos, visto que, então, pode estar certo de se ter emancipado do pecado. E, além disso, impedidos pela grosseira e fanática ideia de que aquele que morre sob as rodas do carro de *Jagernath* está salvo, muitos se atiram sob o carro sagrado. A causa de tantas vidas assim perdidas é o fato de se ter esquecido há muito tempo a chave de uma alegoria tão sagrada, cujo significado real é que, enquanto o Espírito (*Jagernath*) vai montado no carro do corpo, pode-se esmagar e destruir o eu inferior ou alma animal, juntando assim seu Eu espiritual ao Espírito (ou seja,

J

ao sétimo Princípio) e salvando-se. (*Nobin K. Bannerji*) Aqueles que pelo espaço de dois séculos atacaram durante a festa do Carro de Jagernath, considerando-a como uma "diabrura pagã" e uma "abominação aos olhos do Senhor", nada perderiam ao refletir um pouco sobre a explicação anterior, acrescenta Subba Row a guisa de comentário.

Jaghanya (*Sânsc.*) — Último, inferior, ínfimo.

Jâgrad — A letra *d* é eufônica. (Ver *Jâgrat*.)

Jâgrat (Jagrata) (*Sânsc.*) — O estado de vigília da consciência. Na filosofia *yoga*, *Jâgrat-avasthâ* é a condição de vigília, um dos quatro estados do *Pranava*, nas práticas de ascetismo comum entre os yogis. [*Jâgrat* (vela, vigília) é o estado desperto ou de percepção exterior; um dos três estados de consciência, sendo os outros dois: *Svapna*, o estado de sono e *Suchupti*, o de sono profundo sem sonhos. Estes três estados conduzem ao quarto, *Turîya* (*Turya*), aquele que supera o do sono sem sonhos, aquele superior a todos, um estado de elevada consciência espiritual. (*Voz do Silêncio*, I)]

Jâgrat-avasthâ (*Sânsc.*) — Estado de vigília. (Ver *Jâgrat*.)

Jâgrat-svapna (*Sânsc.*) — Sonho ou estado desperto; ilusão. (*P. Hoult*)

Jah (*Hebr.*) — Nome divino de *Chokmak* ou Sabedoria, uma potência ativa masculina. Equivale também a *Iah* e *Yah* (visto que as letras *i*, *j*, *y* são permutáveis) e a *Jaho* e *Jehovah*.

Jahânaka (*Sânsc.*) — O mesmo que *pralaya* ou destruição do Universo.

Jah-Eve (Jah-Eva) (*Hebr.*) — Um ser hermafrodita, ou seja, a forma primitiva da humanidade, o Adão terrestre original.

Jah-Havah (*Hebr.*) — O Jehovah masculino-feminino.

Jah-Hevah (*Hebr.*) — O primeiro Andrógino divino; ao se dividir nos dois sexos, ou seja, homem e mulher, tornou-se *Jah-Heva*.

Jah-Hovah (*Hebr.*) — Vida masculina e vida feminina; macho e fêmea. Esta palavra composta indica que, quando "os homens passaram a se chamar *Jehovah*" ou *Jah-Hovah* (*Gênese*, IV, 26), começou a raça humana com sexos distintos. (*Doutrina Secreta*, II, 133, 406) *Jah-Hovah* equivale a *Jehovah*.

Jah-weh (*Hebr.*) — Termo equivalente a *Jah-Hovah* ou *Jehovah*.

Jâhnavî (*Sânsc.*) — [Literalmente, "filha de Jahnu".] Nome patronímico de Gangâ, ou seja, o rio Gânges. [Ver *Gangâ*.]

Jaho (*Hebr.*) — O mesmo que *Jah*.

Jahava Alhim (*Hebr.*) — É o nome que, no *Gênese*, substitui a *Alhim* ou *Elohim*, "os deuses". É empregado no capítulo primeiro, enquanto que no segundo figura a expressão "Senhor Deus" ou Jehovah. Na filosofia esotérica e também na tradição exotérica, *Jahva Alhim* (*Java Aleim*) era o título do chefe dos hierofantes, que eram iniciados no bem e no mal no colégio sacerdotal, conhecido pelo nome de *Colégio Aleim*, no país de *Gandunya* ou Babilônia. A tradição e a fama afirmam que o superior do templo *Fo-maïyu*, chamado *Fo-tchou* (mestre de lei búdica), templo situado nas fragosidades do grande monte de Kouenlong-sang (entre a China e o Tibete), instrui uma vez a cada três anos, ao pé de uma árvore denominada *Sung-Mîn-Shû* ou "Árvore do Conhecimento e da Vida", que é a Árvore da Sabedoria *Bo* (*Bodhi*).

Jaimini (*Sânsc.*) — Um grande sábio, discípulo de Vyâsa o transmissor e instrutor do *Sâma-veda*, que segundo se supõe o recebeu de seu *guru*. É também o célebre fundador e autor da filosofia *Pûrva Mîmânsâ*.

J

Jaina (*Sânsc.*) — [Seguidor do jainismo], doutrina religiosa da Índia, que tem grande semelhança com o budismo, porém que o precedeu em muitos séculos. Os jainas pretendem que Gautama o Buddha era discípulo de um de seus *Tirthankaras* ou Santos. Negam a autoridade dos *Vedas* e a existência de todo deus supremo *pessoal*, porém acreditam na eternidade da matéria, na periodicidade do Universo e na imortalidade das almas (*manas*) humanas e na dos animais. É uma seita sumamente mística.

Jaina (*Cruz*) — Ver *Cruz jaina*.

Jainismo — A heterodoxa seita hindu dos *jainas* (ver).

Jala (*Sânsc.*) — Água.

Jâla (*Sânsc.*) — Rede, laço.

Jalaja (*Sânsc.*) — Literalmente, "nascido na água", o peixe; o lótus.

Jalakântâra (*Sânsc.*) — Varuna, deus do oceano.

Jalapati (*Sânsc.*) — Senhor das águas: Varuna.

Jala-rûpa (*Sânsc.*) — Literalmente, "de forma ou corpo aquoso". Um dos nomes de *Makara* (o signo zodiacal de Capricórnio). É um dos mais ocultos e misteriosos signos do Zodíaco; figura na bandeira de Kâma, deus do amor, e tem relação com nosso *Ego* imortal. (Ver *Doutrina Secreta*.)

Jalavichuva (*Sânsc.*) — O equinócio de outono.

Jalazaya (*Sânsc.*) — Vishnu, que dorme sobre as águas. Nos *Vedas*, é o fogo, princípio de vida, que repousa nas águas do *samudra* ou vaso sagrado. (*Dicionário Sânscrito-Francês de Burnouf e Leupol*)

Jalâzaya (*Sânsc.*) — Lago, mar.

Jalendra (Jala-indra) (*Sânsc.*) — O Oceano, como rei das águas; Varuna, como deus das águas.

Jalezvara (Jala-îzvara) (*Sânsc.*) — Significado idêntico ao de *Jalendra*.

Jâlika (*Sânsc.*) — Mago, feiticeiro, encantador.

Jâlma (*Sânsc.*) — Homem de casta muito inferior, dedicado aos ofícios mais vis. Temerário, cruel, vadio.

Jâmblico (Iamblichus) (*Gr.*) — Grande teurgo, místico e escritor dos sécs. III e IV e filósofo platônico, que nasceu em Calcis (Síria). Nunca existiram biografias corretas do mesmo, devido ao ódio que lhe tinham os cristãos. Porém o que se pode recolher de sua vida, em fragmentos isolados de obras devidas a pagãos imparciais e escritores independentes, prova a excelência e a pureza de seu caráter moral e a vastidão de seu saber. Pode ser qualificado de fundador da magia teúrgica, entre os neoplatônicos, e de restaurador dos mistérios práticos fora do templo ou santuário. Sua escola era, de início, distinta daquela de Plotino e Porfírio, que eram extremamente contrários à magia cerimonial e teurgia prática, por considerá-las perigosas. Porém, mais tarde, Jâmblico convenceu Porfírio de sua conveniência em várias ocasiões e tanto o mestre quanto o discípulo acreditaram firmemente na teurgia e na magia, das quais a primeira é, principalmente, o meio de comunicação mais elevado e eficaz coro o *Ego* superior de alguém, através de seu próprio corpo astral. A teurgia é magia *benévola* e se converte em goética, ou seja, em magia negra e maligna apenas quando é usada para fins nigrománticos ou egoístas. Porém a magia negra jamais foi praticada por qualquer teurgo ou filósofo cujo nome tenha chegado a nós limpo de toda má ação. Porfírio estava tão convencido disso que se tornou mestre de Jâmblico na filosofia neoplatônica, e, embora nunca tenha praticado a teurgia, deu instruções para aquisição desta ciência sagrada. Assim, diz em um de seus escritos: "Quem quer que seja versado na natureza das *aparições divinas (phasmata) luminosas*, sabe também, com muita razão, que é preciso abster-se de todo tipo de aves (e de alimentos animais), especialmente quem tem pressa em se livrar de interesses terrenos e se estabelecer entre os deuses celestes". (Ver *Obras Seletas*, de T. Taylor, p. 159.) Por outro lado, o mesmo Porfírio menciona, em seu *Vida de Plotino*, um sacerdote do Egito que, "a um pedido de certo amigo de Plotino, mostrou-lhe, no templo de Ísis em Roma, o *daimon* familiar daquele filósofo". Em outros termos, fez a invocação teúrgica (ver *Teurgista*), através da qual o hierofante egípcio ou *mahâtmâ* hindu podia antigamente revestir seu próprio duplo astral ou de qualquer outra pessoa com a aparência de seu Ego superior ou o que Bulwer Lytton denomina de "eu luminoso", o *Augoeides*, e se comunicar com Ele. Isso é o que Jâmblico e muitos outros, entre eles os rosa-cruzes medievais, entendiam como *união com a Divindade*. Jâmblico escreveu inúmeros livros, porém só existem algumas obras suas, tais como *Mistérios Egípcios* e um tratado *Sobre os Dæmons*, no qual fala com muita severidade contra toda relação com os mesmos. Foi biógrafo de Pitágoras e era profundamente versado no sistema deste, assim como era instruído nos mistérios caldeus. Ensinava que o *Uno*, ou seja, a Mônada universal, era o princípio de toda unidade, assim como de toda a diversidade, ou seja, de homogeneidade e heterogeneidade; que a Duada ou dois (Princípios) era o intelecto ou aquilo que chamamos de *Buddhi-Manas*; três era a Alma (o *Manas* inferior) etc. Há muito de teosófico em seus ensinamentos e suas obras sobre as diferentes espécies de demônios (*Elementais*) são também de conhecimento esotérico para o estudante. Suas austeridades, pureza de vida e sinceridade eram extraordinárias. Diz-se que, uma vez, elevou-se a uma altura de dez codos do solo, como atualmente se conta de alguns *yogis* e até de alguns médiuns notáveis.

Jambu (*Sânsc.*) — Maçã rosada ou macieira que a produz. É sinônimo de *Jambu-dvîpa* (ver) e é também o nome da terra e de um rio que desce do monte Meru.

Jambu-dvîpa (*Sânsc.*) — Uma das principais divisões do globo, no sistema *purânico*. Inclui a Índia. Alguns autores dizem que era um continente; segundo outros, uma ilha ou uma das sete ilhas *(Sapta-dvîpa)*. É o "domínio de Vishnu". Em seu sentido astronômico e místico, é o nome de nosso Globo, separado dos outros seis Globos de nossa Cadeia Planetária pelo plano da objetividade. [Literalmente, "o continente que abunda em árvores de maçãs rosadas", isto é, a Índia, considerada como um dos sete *dvîpas* (continentes). (Ver *Dvîpa* e *Hvaniratha*.)]

Jamin (*Hebr.*) — O lado direito do homem, considerado como o mais nobre. Banjamin significa "filho do lado (isto é, *testis*) direito". (W. W. W.)

Jana (*Sânsc.*) — Homem, pessoa, criatura, gente.

Janâdhipa (*Sânsc.*) — Rei, príncipe ou senhor de homens.

Janaka (*Sânsc.*) — Um dos reis de Mithilâ de raça solar. Foi um grande sábio da casta real e viveu vinte gerações antes de outro rei Janaka, pai de Sîtâ, que foi rei de Videha. [Janaka significa pai, progenitor. Existiram vários reis e outros personagens com este nome, porém os que mais sobressaem são, em ordem cronológica: 1º) um rei de Mithilâ, pertencente à raça solar; 2º) um rei de Videha, que foi um dos grandes Richis de casta real, célebre por sua santidade e vasto saber. Por se impedir os deveres inerentes à sua condição de *kchatriya* (militar), não podia renunciar às obras. Assim, mesmo depois de alcançar a iluminação espiritual, trabalhou com afinco em proveito da humanidade.

J

O *Bhagavad-Gîtâ* (III, 20) fala desse rei, dizendo que "somente através das obras, Janaka e outros varões chegaram à perfeição". Era pai da bela Sîtâ, cujo rapto motivou a famosa guerra descrita no *Râmâyana*.]

Janakâ ou **Janakî** (*Sânsc.*) — Mãe; nome patronímico de Sîtâ.

Jana-loka (*Sânsc.*) — O mundo em que se supõe habitem os *munis* (santos), após a morte do corpo. (Ver *Purânas*.) Também é uma localidade terrestre. [O quinto dos sete *lokas* (mundos). (Ver *Lokas*.)]

Jânan (*Sânsc.*) — Que conhece, conhecedor.

Janana (*Sânsc.*) — Pai, procriador; produção; raça, linhagem.

Janani (*Sânsc.*) — Produção, nascimento.

Janârdana (Janârddana) (*Sânsc.*) — Literalmente, "adorado pela humanidade". Epíteto de Krishna. [Sobrenome de Vishnu e de Krishna. Seu significado é muito duvidoso e, assim, esse termo foi interpretado no sentido de "atormentador ou açoitador das pessoas", "perseguidor, destruidor ou terror de seus inimigos", "vencedor de homens", "dispensador de bens", "adorado pela humanidade" etc. A explicação mais correta, contudo, parece ser aquela de Sankarâchârya: "exterminador dos malvados", pois tem a seu favor a seguinte passagem do *Mahâbhârata* (V. 2565): "Porque fez tremer aos *dasyus* (seres malignos, inimigos dos deuses e homens), é chamado *Janârdana*". De modo semelhante, A. Besant interpreta tal sobrenome, dizendo que se aplica a Krishna como vencedor do mal em todas as suas formas.]

Jangama (*Sânsc.*) — "Que se move ou vive"; móvel, animado, vivente.

Janghâ (*Sânsc.*) — Perna, especialmente em sua parte inferior, rótula; "... e a rótula (*janghâ*) denomina-se *Sutala*" (*Uttara-Gîtâ*, II, 26).

Janma ou **Janman** (*Sânsc.*) — Nascimento, encarnação, geração.

Janmada (*Sânsc.*) — "O que dá nascimento"; pai.

Janns ou **Yanns** (*Ár.*) — Entre os maometanos, demônios de ordem inferior.

Jantu (*Sânsc.*) — Ser ou criatura vivente; homem, animal.

Janu (*Sânsc.*) — Produção, nascimento.

Jânu (*Sânsc.*) — Rótula. "A porção inferior do músculo (*jânu*) chama-se *Mahâtala*." (*Uttara-Gîtâ*, II, 27)

Janwas (*Sânsc.*) — Forma grosseira de matéria. (Glos. *Cinco Anos de Teosofia*)

Janya (*Sânsc.*) — Nascido, produzido, originado. Como substantivo: horóscopo; corpo; pai.

Janyâ (*Sânsc.*) — Mãe.

Janyu (*Sânsc.*) — Criatura, ser vivente, homem, pessoa, animal. Sobrenome de Brahmâ (como primeiro ser vivente) e de Agni ou Fogo (como princípio da vida).

Japa (*Sânsc.*) — Prática mística de certos *yogis*. Consiste em recitar de memória vários *mantras* e fórmulas mágicas. [Oração em voz baixa; recitação de memória (silenciosa ou mental). M. Dvivedi, em seu Comentário dos *Aforismos de Patañjali*, diz: "*Japa* significa recitação, porém esta deve ser acompanhada da devida meditação sobre o significado das palavras ou sílabas recitadas. A melhor maneira de recitar, recomendada pelos *Tantras*, é a mental, de modo que não seja interrompida um momento sequer durante o trabalho nem tampouco dormindo".]

J

Japa-yajña (*Sânsc.*) — Uma espécie de sacrifício que consiste em recitar, em voz baixa, *mantras*, orações, textos ou palavras sagradas (Om) etc. Entre outras coisas, a superioridade deste sacrifício consiste, segundo Madhusûdana, em não requerer a morte de nenhuma vítima. (Ver *Bhagavad-Gîtâ*, X, 25.)

Jarâ (*Sânsc.*) — Velhice, decrepitude.

Jarâbhîru (*Sânsc.*) — Epíteto de Kâma, deus do amor. Literalmente, "temeroso da velhice".

Jarâmarana (*Sânsc.*) — Decrepitude e morte ou morte por velhice. Um dos *nidânas*.

Jaras (*Sânsc.*) — Velhice. Nome alegórico do caçador que, por equívoco, matou Krishna; nome que mostra a grande ingenuidade dos brâhmanes e o caráter simbólico de todas as Escrituras do mundo em geral. Como diz muito acertadamente o Dr. Crucifix, maçon de grau elevado, "para preservar o misticismo oculto, próprio de sua ordem, de todos aqueles que não sejam de sua própria classe, os sacerdotes inventaram símbolos e hieróglifos para encerrar verdades sublimes".

Jared (*Hebr.*) — Literalmente, "origem, descenso". Esotericamente, *Jared* ou *Irad* é a terceira Raça, assim como seu filho *Enoch* ou *Henoch* é a quarta. (*Doutrina Secreta*, II, 632)

Jarls (*Esc.*) — Nobres que tinham algum poder ou território.

Jasher (*Hebr.*) — "Livro dos justos" ou "Livro do Direito", como traduzem alguns. Um dos livros perdidos dos antigos hebreus, citado duas vezes no *Antigo Testamento*: "E o Sol deteve-se e a Lua parou até quando as pessoas se vingaram de seus inimigos. Não é isto que está escrito no Livro de Jasher?" (*Josué*, X, 13). "... Eis o que está escrito no Livro dos Justos..." (*2 Samuel* ou *2 Reis*, I, 18). Muito provavelmente é uma coleção de baladas nacionais, que recordam as façanhas de guerreiros famosos.

Jâta (*Sânsc.*) — Nascido, engendrado, produzido. Como substantivo: origem, raça, espécie, coleção.

Jâtaka (*Sânsc.*) — Nascimento.

Jâtakas (*Sânsc.*) — Tratados búdicos relativos aos nascimentos dos *Budas* e *Bodhisattwas*. A parte do tratado de astrologia referente aos nascimentos.

Jatâyu ou **Jatâyus** (*Sânsc.*) — Filho de Garuda. Este último é o grande ciclo ou *mâhâkalpa*, simbolizado pela ave gigantesca, que servia de corcel ou cavalgadura para Vishnu e outros deuses, quando se faz referência ao espaço e ao tempo. Jatâyu é denominado, no *Râmâyana*, "rei da tribo alada". Para defender Sîtâ, arrebatada por Râvana, gigante-rei de Lankâ, foi morto por ele. Jatâyu é também chamado de "rei dos abutres".

Jâti (Djâti) (*Sânsc.*) — [Nascimento.] Um dos doze *nidânas* (ver); a causa e o efeito na maneira de ocorrer o nascimento, segundo o *Chatur-yoni* (ver), onde, em cada caso, um ser, seja homem ou animal, é colocado em um dos seis (esotericamente, sete) *gatis* ou sendeiros de existência senciente, que, esotericamente, contando de cima para baixo, são: 1°) os *Dhyânis* supremos (*Anupâdaka*); 2°) os *devas*; 3°) os homens; 4°) os elementais ou espíritos da Natureza; 5°) os animais; 6°) os elementais inferiores e 7°) os germes orgânicos. Na nomenclatura popular ou exotérica estes seres são: *devas*, homens; *asuras*, seres infernais; *pretas* (demônios famélicos) e animais. [*Jâti* significa também: família, tribo, espécie, casta, posição, condição etc.]

Jâtibrâhmana (*Sânsc.*) — Um brâhmane de nascimento.

J

Jatila (*Sânsc.*) — Literalmente, "que tem o cabelo trançado"; alusão aos ascetas brâhmanes.

Jâti-smara e **Jâti-smarana** (*Sânsc.*) — Recordação de uma vida anterior. *(P. Hoult)*

Javidan Khirad (*Per.*) — Uma obra que trata de preceitos morais.

Jaya (*Sânsc.*) — Vitória; vitorioso, vencedor. Epíteto de Arjuna, Yudhichtira e vários outros personagens.

Jayâ (*Sânsc.*) — Sobrenome de Pârvatî. Nome dos 3°, 8° e 13° dias da quinzena lunar, consagrada a Pârvatî?, esposa de Shiva.

Jayadatta (*Sânsc.*) — Jaya, filho de Indra.

Jayadratha (Jayat-ratha) (*Sânsc.*) — Literalmente, "aquele de carro vitorioso". Rei de Sindhu e um dos caudilhos do exército dos Kurus. Foi morto por Arjuna em combate renhido, no décimo quarto dia da grande batalha entre os Kurus e os Pandavas. (Ver *Bhagavad-Gîtâ*, XI, 34.)

Jayanta (*Sânsc.*) — Jaya, filho de Indra; sobrenome de Shiva e de Bhîma; a Lua.

Jayantî (*Sânsc.*) — Os doze grandes deuses que, segundo os *Purânas*, abstiveram-se de criar homens e, por isso, foram condenados por Brahmâ a *renascer* "em cada *manvantara* racial até o sétimo". E outro aspecto ou forma dos *Egos*, que se reencarnam. [*Jayas* (plural) são uns versos, fórmulas ou *mantras* que conduzem à vitória.]

Jebal Djudi (*Ár.*) — A "Montanha do Dilúvio" das lendas árabes. O mesmo que Ararat e o monte babilônico de Nizir, onde Xisuthrus pousou com sua arca.

Jehovah (*Hebr.*) — "O nome judeu da Divindade, *J'hovah*, é um nome composto de duas palavras: *Jah* (*y, i* ou *j, Yod*, décima letra do alfabeto hebraico) e *Hovah* (*Hâvah*, ou *Eva*)", diz a autoridade cabalista J. Ralston Skinner, de Cincinnati, EUA. E, além disso, "a palavra Jehovah ou *Jah-Eva* tem o mesmo significado de existência ou ser como macho-fêmea". Cabalisticamente, significa, na realidade, o último e nada mais, e, segundo se provou repetidas vezes, é um termo inteiramente fálico. Assim, no versículo 26 do capítulo IV do *Gênese* lê-se, em sua tradução desfigurada: "... então começaram os homens a invocar o nome do Senhor", enquanto o correto seria: "... então começaram os homens a se chamar de Jah-hovah" ou machos e fêmeas, o que se tinham tornado após a separação dos sexos. Na realidade, isso se encontra descrito no mesmo capítulo, quando Caim (o varão ou *Jah*) "levantou-se contra Abel, seu (*irmã*, não) irmão e o matou" (no original, *derramou seu sangue*). O capítulo IV do *Gênese* contém verdadeiramente o relato alegórico daquele período de evolução antropológica e fisiológica descrita na *Doutrina Secreta*, ao tratar da Raça-Mãe da humanidade, e seguido pelo capítulo V *como um véu*; porém deveria ser seguido do capítulo VI, no qual os Filhos de Deus tomaram por esposas as filhas dos homens ou dos gigantes. Porque isto é uma alegoria, que alude ao mistério dos *Egos divinos*, que se encarnam na humanidade, após o que as raças, até então *desprovidas de sentido*, tornaram-se homens poderosos... varões de fama" (VI, 4), por terem adquirido mentes (*manas*) de que antes careciam. [Jehovah não é o Deus único, eterno e infinito; é simplesmente um dos *Elohim* (os sete Espíritos criadores), segundo o demonstram as próprias palavras do *Gênese*, III, 22, quando o Senhor Deus disse: "Eis que o homem fez-se como um de nós, conhecendo o bem e o mal". (*Doutrina Secreta*, I, 535) O personagem que nos quatro primeiros capítulos do *Gênese* é designado pelos nomes de "Deus", "o Senhor Deus" ou simplesmente "Senhor", não é uma só e

J

mesma pessoa; não é *Jehovah*. Este aparece apenas no capítulo IV, em cujo, primeiro versículo é chamado de Caim e no último é transformado em *humanidade* – macho e fêmea, *Jah-veh*. (*Doutrina Secreta*, II, 405-406) (Ver *Jah-Havah*, *Jah-Hovah*, *Jah-Eva* e *Java Alhim*; ver também *Doutrina Secreta*, III, 333.)

Jehovah-Eva — Adão Kadmon (*Gênese*, IV, 5) divide-se em duas metades, macho e fêmea, convertendo-se, deste modo, em *Jah-Hovah* ou *Jehovah-Eva*. (*Doutrina Secreta*, II, 136) (Ver *Jah-Eva* e *Jah-Hovah*.)

Jehovah-Nissi (*Hebr.*) — O Andrógino de Nissi. (Ver *Dionysos*.) Sob este nome os judeus adoraram Baco-Osíris, Dio-Nysos e os multiformes Joves de Nyssa, o Sinai de Moisés. A tradição universal apresenta Baco criado numa caverna de Nysa. Diodoro situa Nysa entre a Fenícia e o Egito e acrescenta: "Osíris foi criado em Nysa... era filho de Zeus e foi chamado pelo nome de seu pai (nominativo *Zeus*, genitivo *Dios*) e o lugar em questão intitulou-se *Dio-nysos*"; o Zeus ou Júpiter de Nysa. (Ver *Dionysos*.)

Jerusalen ou **Jerusalém**, **Jerosalem** (*Septuag.*) e **Hierosolyma** (*Vulgat.*) — Em hebraico escreve-se *Yrshlim* ou "cidade de paz"; porém os gregos, antigamente, chamavam-na com acerto *Hirosalem* ou "Salém Secreto", visto que Jerusalém é um ressurgimento de Salém, da qual Melchizedek era o Rei-Hierofante, um declarado astrólatra e adorador do Sol, "o Altíssimo", seja dito de passagem. Ali reinou também Adoni-Zedek, que foi o último de seus soberanos amorreus. Aliou-se a outros quatro e estes cinco reis foram reconquistar *Gibeón* [Gabaón], porém (segundo *Josué*, X) não se saíram muito bem do combate, o que não é de se estranhar, porque esses cinco reis tiveram contra eles não apenas Josué, mas também o "Senhor Deus" e, em acréscimo, o Sol e a Lua. Naquele dia, segundo lemos, obedecendo ao mando do sucessor de Moisés, "o Sol se deteve e a Lua parou" (*Josué*, X, 13), durante todo o dia. Nenhum homem mortal, rei ou aldeão, pôde resistir, naturalmente, a semelhante aguaceiro "de grandes pedras do céu", que foram lançadas sobre eles pelo mesmo Senhor "desde Beth-horon até Azeka... e eles morreram" (*Josué*, X, 11). Depois de matarem, eles "fugiram e se esconderam em uma caverna em Makkeda (ou Maceda)" (*Josué*, X, 16). Parece, contudo que uma conduta tão indigna para um Deus recebeu mais tarde seu castigo *kármico*. Em épocas diferentes da história, o templo do Senhor judeu foi saqueado, arruinado e queimado (ver *Monte Moriah*) – a santa Arca da Aliança, querubins, Shekinah e tudo o mais –, porém aquela divindade parecia tão impotente para proteger sua própria propriedade da profanação como se já não houvesse mais pedras no céu. Depois que Pompeu tomou o segundo Templo, no ano de 63 a.C., e o terceiro, erigido por Herodes, o Grande, foi arrasado pelos romanos, no ano de 70 d.C., foi proibido edificar um novo templo na capital do "povo eleito" do Senhor. A despeito das Cruzadas, desde o séc. XIII Jerusalém pertenceu aos maometanos e quase todos os Lugares Santos e de grata memória dos antigos israelitas, e também dos cristãos, estão agora cobertos de minaretes e mesquitas, quartéis turcos e outros monumentos do Islã.

Jesod (*Hebr.*) — Fundação; o nono dos dez *Sephiroth*, uma potência ativa masculina, que completa as seis que formam o Microprosopo. (W. W. W.)

Jesus — Também chamado de Cristo ou Jesus Cristo. É preciso estabelecer uma distinção entre o Jesus histórico e o Jesus mítico. O primeiro era essênio e nazareno e foi mensageiro da Grande Fraternidade para pregar os antigos ensinamentos divinos, que deveriam ser a base de uma nova civilização. Pelo espaço de três anos foi Mestre divino dos homens e percorreu a Palestina, levando vida exemplar por sua pureza, compaixão e amor à humanidade. Operou quantidade enorme de prodígios, ressuscitando mortos, curando doentes, devolvendo a visão aos cegos, fazendo andar os paralíticos e realizando muitos outros atos que, por seu caráter extraordinário, foram qualificados de "milagrosos".

J

A sublimidade de suas doutrinas ressalta principalmente em seu célebre Sermão da Montanha. Como Iniciado que era, ensinou também doutrinas esotéricas, porém as reservava unicamente para "os poucos", isto é, para seus discípulos eleitos. Ao Jesus histórico foram atribuídos vários feitos legendários, que o converteram em outro personagem puramente mítico, uma verdadeira cópia do deus Krishna, tão venerado na Índia. Para provar claramente tal afirmação, basta fixar-se um pouco no paralelo que a autora de *Ísis sem Véu* (II, 537-539) apresenta entre Jesus e Krishna e do qual retiramos as seguintes comparações: 1°) Jesus é perseguido por Herodes, rei da Judeia, porém foge para o Egito, guiado por um anjo; para assegurar-se de sua morte, Herodes ordena que sejam mortos 40.000 inocentes. – Krishna é perseguido por Kanza, tirano de Mathurâ, porém escapa de maneira milagrosa; esperando matar o menino, o rei manda matar milhares de meninos; 2°) a mãe de Jesus era Mariam ou Miriam; casou-se, continuando virgem, porém teve vários filhos depois do primogênito Jesus. (Ver *Mateus*, XIII, 55, 56; *Marcos*, III, 32-35; VI, 3; *Lucas*, VIII, 19, 20 e *João*, II, 12; VII, 5-10). – A mãe de Krishna era Devakî, uma virgem imaculada (porém havia dado à luz oito filhos antes de Krishna; 3°) Jesus opera milagres, retira demônios do corpo, lava os pés de seus discípulos, morre, desce ao inferno e sobe ao céu, depois de salvar os mortos. – Krishna faz outro tanto, com a diferença de que lavou os pés dos brâhmanes e subiu ao paraíso *Vaikuntha* ou paraíso de Vishnu; 4°) um e outro divulgam os segredos do santuário e morrem, Cristo numa cruz (uma árvore) e Krishna numa árvore, com o corpo atravessado por uma flecha. (Ver *Devakî, Krishna* etc.)

Jetavana (*Sânsc.*) — Mosteiro e templo búdicos célebres de Zravastî.

Jetzirah (*Hebr.*) — Ver *Yetzirah*.

Jetzirah, Sepher ou **Livro da Criação** — A mais oculta de todas as obras cabalísticas, atualmente em posse dos místicos modernos. Sua pretensa origem de ter sido escrita por Abraão é, naturalmente, absurda, porém seu valor intrínseco é grande. Consta de seis *perakim* (capítulos), subdivididos em *trinta e três breves mishnas* ou seções, e trata da evolução do Universo, baseando-se num sistema de correspondências e números. Nele se diz que a Divindade formou ("criou") o Universo através de números "por trinta e dois sendeiros (caminhos) de sabedoria secreta", sendo tais sendeiros calculados para que correspondam às vinte e duas letras do alfabeto hebraico e aos dez números fundamentais. Estes dez são os números primordiais, dos quais procedeu todo o Universo, e são seguidos das vinte e duas letras divididas em *Três Mães*, as sete consoantes duplas e as doze consoantes simples. A quem quiser compreender bem o sistema, recomendamos a leitura do excelente, mas breve, tratado sobre o *Sepher Jatzirah* de autoria de W. Wynn Wescott. (Ver *Yetzirah*.)

Jevishis — Vontade; *Kâma-rûpa*; o quarto princípio na constituição humana. (*Cinco Anos de Teosofia*)

Jh (*Sânsc.*) — Símbolo de um dos principais *nâdis* (troncos) que partem do coração. (*Râma Prasâd*)

Jhacha (*Sânsc.*) — Peixe. Peixes (termo de astronomia).

Jhachaketana (*Sânsc.*) — Epíteto de Kâma, deus do amor, por levar um peixe em sua bandeira. Será que isso se deve às propriedades afrodisíacas que tem o pescado? Terá isso alguma analogia com o fato de o peixe estar relacionado com o culto da deusa Vênus? (Ver *Ichthus*.)

Jhâna — Ver *Jñâna*.

Jhâna Bhâskara (Jñâna Bhâskara) (*Sânsc.*) — Uma obra que trata de Asuramâya, mago e astrônomo atlante, e outras lendas pré-históricas.

J

Jigten Gonpo (*Tib.*) — Um dos nomes de *Avalokitezvara* ou *Chenresi-Padmapâni*, o "Protetor contra o Mal".

Jijñâsu (*Sânsc.*) — Desejoso de saber ou conhecer; estudioso, investigador.

Jîmûtâ-vâhana (*Sânsc.*) — Literalmente, "que tem as nuvens por veículo". Epíteto de Indra. O autor de *Dâya Bhâga* e outros personagens tiveram este nome.

Jina (*Sânsc.*) — "Vitorioso". Sobrenome de Vishnu. Este nome também é dado aos *Buddhas*, *Arhats* e ascetas budistas. Os *jainas* aplicam-no aos *Tîrthankaras* ou santos de sua seita e, especialmente, a Vardhamâna Mahâvira, a quem consideram como seu Buddha.

Jins — Ver *Yins*.

Jishnu (*Sânsc.*) — [Literalmente, "vitorioso".] Chefe da Hoste Celestial; título de Indra, que, na guerra dos Deuses com os *Asuras*, foi caudilho da "Hoste dos Deuses". É "Miguel, príncipe dos Arcanjos" da Índia.

Jita (*Sânsc.*) — Vencido, dominado, sobrepujado.

Jitasangadocha (*Sânsc.*) — (O) que venceu o mal das afeições, tendências ou desejos.

Jitâtmâ ou **Jitâtman** (*Sânsc.*) — "Que vence ao eu"; aquele que vence ou domina a si mesmo.

Jitendriyas (Jita-indriyas) (*Sânsc.*) — Que tem os sentidos reprimidos ou dominados.

Jîva (Jiva) (*Sânsc.*) — Vida, no sentido do Absoluto; significa também a Mônada ou *Âtmâ-Buddhi*. [*Jîva* apresenta também os seguintes significados: princípio vital, alma ou espírito vivente; ser, alma ou espírito individual; eu humano; criatura ou ser vivente, existência. No fim de uma palavra composta, significa: vivo, vivente, vivificador.]

Jîva-bhûta (*Sânsc.*) — Vivente, vivo, vital; que é elemento ou princípio de vida; que anima os seres viventes; convertido em espírito individual. "Uma parte eterna de si mesmo, convertida em espírito individual (*jîvabhuta(s)*) no mundo dos viventes, atrai para o sentido interno e os outros cinco sentidos, que têm lugar na natureza material." (*Bhagavad-Gîtâ*, XV, 7)

Jîva-loka (*Sânsc.*) — O mundo dos viventes.

Jîvana (*Sânsc.*) — Vida, existência, subsistência, sustento.

Jîvanasyâ (*Sânsc.*) — Amor ou apego à vida.

Jîvanmukta (*Sânsc.*) — [Literalmente, "liberto ou emancipado em vida".] Um Adepto ou *yogi* que tenha chegado ao último estado de santidade e que se emancipou da matéria; um *Mahâtmâ* ou *Nirvâni*, "aquele que alcançou o *Nirvâna* durante a vida". [O *Jîvanmukta* mora no *Nirvâna*, mas desce aos mundos inferiores a fim de contribuir para a evolução da humanidade. (*P. Hoult*) Aquele que conseguiu a libertação do Eu.]

Jîvâtmâ ou **Jîtâtman** (*Sânsc.*) — A *Única* vida universal, em geral; porém significa também o Espírito Divino no homem. [O Espírito animador ou de vida; o Espírito individual ou humano, ou seja, o Espírito individual encarnado num ser vivente, o Espírito *individual* em contraposição ao Espírito *universal* ou *Paramâtman*.]

Jîvita (*Sânsc.*) — Vida, subsistência; criatura vivente; vivo.

Jmâ (*Sânsc.*) — A Terra.

J

Jnânam — Ver *Jñâna*.

Jñâna ou **Jnânam** (*Sânsc.*) — Esta palavra, em transliterações, pode ser assim apresentada: *Gnâna, Gñâna, Gnyâna, Jnâna, Dnyan, Djnâna, Djñâna* etc. Literalmente, "conhecimento"; esotericamente, "conhecimento supremo ou divino", adquirido através do *Yoga*. É o conhecimento aplicado às ciências esotéricas; conhecimento, sabedoria oculta. [A palavra *jñâna* significa, em geral, conhecimento, saber, inteligência, compreensão, percepção, consciência etc., porém é preciso fazer uma distinção importante entre *jñâna* e *vijñâna*, designando o primeiro, o conhecimento adquirido através dos livros ou dos ensinamentos orais do *guru* (mestre), enquanto o segundo expressa o conhecimento superior, intuitivo, a visão com os olhos da alma ou percepção espiritual. (Ver *Vijñâna* e *Intuição*.)]

Jñâna-chakchus (*Sânsc.*) — O olho da sabedoria ou da inteligência: (aquele) que é dotado do olho da sabedoria.

Jñâna-devas (Gñan-Devas) (*Sânsc.*) — Literalmente, "os deuses de conhecimento e sabedoria". São as classes superiores de deuses ou devas; os filhos "nascidos da mente" de Brahmâ e outros, incluindo entre eles os *Mânasa-putras* (os Filhos do Intelecto). Esotericamente são os nossos *Egos* que se reencarnam.

Jñâna-gamya (*Sânsc.*) — Exequível pelo conhecimento; acessível ao conhecimento; o fim do conhecimento.

Jñâna-Kâya (*Sânsc.*) — O *suh-koza*, revestimento ou invólucro de sabedoria, que corresponde ao mundo mental superior. *(P. Hoult)*

Jñâna-mârga (Dnyan Mârga) (*Sânsc.*) — Sendeiro do conhecimento. Um dos sendeiros de perfeição. (Ver *Jñâna-yoga*.)

Jñâna-nâdi (*Sânsc.*) — Nervo sensitivo e também o *Suchumna*, porque dele nascem todos os nervos sensitivos. (*Uttara-Gîtâ*, II, 15)

Jñâna-pâvana (*Sânsc.*) — Purificação através do conhecimento ou da sabedoria. "Verdadeiramente não há neste mundo um purificador comparável ao conhecimento", diz o *Bhagavad-Gîtâ* (IV, 38).

Jñâna-sakti (Gnânasakti) (*Sânsc.*) — O poder do intelecto ou do verdadeiro conhecimento, uma das sete grandes forças da Natureza (seis, exotericamente).

Jñânavân ou **Jñânavant** (*Sânsc.*) — Sábio, douto, inteligente, conhecedor.

Jñâna-yajña (*Sânsc.*) — Sacrifício de sabedoria ou de conhecimento.

Jñâna-yoga (*Sânsc.*) — *Yoga*, devoção ou sendeiro de conhecimento ou de sabedoria. União com a Divindade através do conhecimento espiritual. Este *yoga* consiste no completo domínio dos sentidos e da mente, fazendo com que esta se concentre e se fixe na contemplação do Espírito onisciente, para d'Ele receber a iluminação.

Jñânendriyâni (*Sânsc.*) — Ver *Jñânendriyas*.

Jñânendriyas (Jñâna-indriyas) (*Sânsc.*) — As cinco vias ou condutos do conhecimento. [As cinco potências ou faculdades sensitivas ou de percepção (visão, audição, olfato, gosto e tato), das quais são manifestações ou materializações os órgãos físicos dos sentidos (olhos, ouvidos, nariz etc.). (Ver *Indrya* e *Karmendriyas*.)]

Jñânî ou **Jñânin** (*Sânsc.*) — Sábio, conhecedor, homem de ciência; aquele que segue o sendeiro de conhecimento ou de sabedoria *(Jñâna-mârga)*, em contraposição ao *Karmin*, homem que segue o sendeiro da ação. *(Karma-mârga)*

J

Jñâta (Gnatha) (*Sânsc.*) — O *Ego* cósmico; a consciente e inteligente Alma do Kosmos.

Jñâtavya (*Sânsc.*) — Concebível, cognoscível; que será ou deve ser conhecido; para ser conhecido.

Jñâtri (*Sânsc.*) — Que sabe ou conhece; douto, instruído.

Jñeya (*Sânsc.*) — Que se deve conhecer ou saber; o cognoscível, o objeto do conhecimento.

Jod (*Hebr.*) — Esta letra hebraica representa o *membrum virile*. (*Doutrina Secreta*, II, 133)

Joetunheim ou **Jötunheim** (*Esc.*) — País dos Gigantes de gelo ou *Hrimthursers*, inimigos dos *Asios* (deuses). (Ver *Asgard* e *Joetuns*.)

Joetuns ou **Jotuns** (*Esc.*) — Titãs ou gigantes. Mimir, que ensinou magia a Odin, o "três vezes sábio", era um Joetun. [Estavam em guerra perpétua contra os deuses. São idênticos aos Asuras da Índia. (Ver *Asgard* e *Hrimthursers*.)]

Jörd — Na Alemanha do norte era a deusa da Terra; o mesmo que Nerthus e Freya ou Frigg escandinava.

Jormungand (*Esc.*) — A serpente de Midgord, filha de Loke.

Josefo, *Flávio* — Historiador do séc. I de nossa era. Judeu helenizado, que vivia em Alexandria e morreu em Roma. Segundo Eusébio, escreveu as dezesseis famosas linhas referentes a Cristo (ver *Ísis sem Véu*, II, 196 e 328), que, com a maior probabilidade, foram interpoladas por Eusébio, o maior falsário entre os Padres da Igreja. Esta passagem em que Josefo, que era judeu acérrimo e morreu no judaísmo, reconhece, contudo, o Messianismo e a origem divina de Jesus, é agora declarada espúria pela imensa maioria dos bispos cristãos (Lardner entre outros) e até pelo próprio Paley. (Ver seu *Evidência do Cristianismo*.) Esta foi, durante séculos, uma das provas mais dignas de fé da existência real de Jesus, o Cristo. (Glossário de *Chave da Teosofia*).

Jotunheim — Ver *Joetunheim*.

Jotuns — Ver *Joetuns*.

Jove — Ver *Júpiter*.

Juchta (*Sânsc.*) — Aceitável, grato, digno; dotado etc.

Jul (*Esc.*) — A roda do Sol, razão pela qual a Páscoa de Natividade, que era consagrada a Freyer ou Fro, o Deus-Sol, sazonador de campos e frutos, foi posteriormente admitida no círculo dos Ases [Deuses]. Como deus solar e das colheitas abundantes, residia na mansão dos Elfos de Luz.

Julai (*Chin.*) — Nome chinês de *Tathâgata*, título aplicado a todos os Buddhas. (*Voz do Silêncio*, II)

Júpiter (*Lat.*) — Seu nome deriva da mesma raiz do Zeus grego. É o deus maior dos antigos gregos e romanos, igualmente adotado por outras nações. Tem inúmeros nomes, entre outros: 1°) Júpiter Aërios; 2°) Júpiter Ammon do Egito; 3°) Júpiter Bel-Moloch, o caldeu; 4°) Júpiter-Mundus, Deus-Mundus, "Deus do Mundo"; 5°) Júpiter-Fulgur, "o Fulgurante ou Tonante" etc.

Júpiter Dodoneu — O Júpiter-Mundus (ver *Júpiter*). Incluía em si os quatro elementos e os quatro pontos cardeais e, portanto, era conhecido na Roma Antiga pelo título panteístico de *Júpiter-Mundus* e, na Roma Moderna, passou a ser o *Deus Mundus*, o

J

único Deus do mundo, que, segundo a teologia moderna, acabou por absorver todos os demais deuses. (*Doutrina Secreta*, I, 501)

Juramento sodálico — O mais sagrado de todos os juramentos. A violação do juramento sodálico era seguida de pena de morte. O juramento e o *Sod* (ciência secreta) eram anteriores à *Kabbalah* ou Tradição e os antigos *Midrashim* tratavam extensamente dos Mistérios ou *Sod*, antes de serem incluídos no *Zohar*. Atualmente são indicados pelo nome de Mistérios secretos do *Thorah* (ou Lei), cuja violação é castigada com a morte.

Justiça — Com esta única palavra pode-se representar todo o espírito da doutrina de Buddha, porque esta ensina que todo homem recebe, em virtude das operações do infalível e inexorável *Karma*, exatamente a recompensa ou castigo que merece, nem mais nem menos. Nenhuma ação, boa ou má, por insignificante e oculta que seja, escapa à equilibrada balança do *Karma*. (*Olcott, Catec. Buddh.*) (Ver *Karma*.)

Jvala (*Sânsc.*) — Ardente, flamejante, flamígero, chama.

Jvâla ou **Jwâlâ** (*Sânsc.*) — Chama, luz.

Jvâlâjihva (*Sânsc.*) — "Que tem por língua uma chama", o deus Agni.

Jvâlâ-mukhî (*Sânsc.*) — Literalmente, "boca de fogo". Famoso local de peregrinação, no Norte do Penjab, onde brota fogo do solo. Segundo diz a lenda, é o fogo que Sâtî, esposa de Shiva, criou e no qual ela própria se queimou. (Dowson, *Dicionário Clássico Hindu*).

Jvalana (*Sânsc.*) — Fogo, fogo flamejante.

Jvara (*Sânsc.*) — Febre, dor, tristeza, inquietude.

Jyâ (*Sânsc.*) — A mãe Terra; força, violência.

Jyaikchtha (*Sânsc.*) — O mês de *Jyechtha* (ver). O dia da Lua cheia do referido mês.

Jyau (*Sânsc.*) — O planeta Júpiter.

Jyâyas (*Sânsc.*) — Melhor, superior, maior, mais poderoso, excelente, o melhor.

Jychtha (*Sânsc.*) — O mês hindu que corresponde ao nosso maio-junho; o décimo oitavo asterismo ou mansão lunar.

Jyechtha-varna (*Sânsc.*) — De casta superior; o brâhmane.

Jyotisha (*Sânsc.*) — Astronomia e Astrologia; um dos *Vedângas* [partes do *Veda*].

Jyotishâm-Jyotih (*Sânsc.*) — A "luz das luzes", o Espírito Supremo, assim chamado nos *Upanichads*.

Jyotichî (*Sânsc.*) — Estrela, planeta, constelação.

Jyotis (*Sânsc.*) — Luz, esplendor, fogo; estrela, astro, luzeiro; o Sol. Usado em número dual: o Sol e a Lua. *Jyotis* é também um dos três sacrifícios. (Ver *Ayus*.)

Jyotsnâ (*Sânsc.*) — Aurora; um dos [quatro] corpos que Brahmâ tomou; o crepúsculo matutino. [Claridade ou luz da Lua; noite de Lua.]

K

K — Décima primeira letra tanto do alfabeto inglês quanto do hebraico. Como número, representa 20, neste último, e 250 no primeiro, e com um traço horizontal em cima da letra (K), representa 250.000. Os cabalistas e maçons apropriaram-se da palavra *Kodesh* ou *Kadosh* como nome do deus judeu representado por esta letra. [O *K* é a décima quinta letra do alfabeto sânscrito e a primeira das consoantes; soa como o K ou como o *C* diante de *a*, *o* e *u*; há, além disso, no sânscrito, o *K* aspirado (a segunda das consoantes), que, nas transliterações, costuma ser escrito *Kh* ou *K com uma vírgula na parte superior* (K'). Esta última letra soa como o r. A letra *K* é símbolo de um dos *Nâdis* que procedem do coração. (*Râma Prasâd)*]

Ka (*Sânsc.*) — Segundo Max Müller, o pronome interrogativo "quem?", elevado, sem causa nem razão, à alta categoria de divindade. Contudo, tem seu significado esotérico e é um nome de Brahmâ em seu caráter fálico, como gerador ou *Prajâpati* (ver). [No sentido místico, *Ka* designa a Brahmâ, Vishnu, Kâma e Agni. Esta palavra designa também todo objeto, material ou espiritual, dotado de movimento: ar, vento, água; fogo, Sol, tempo etc.; corpo, alma, inteligência, alegria, gozo, prazer, felicidade etc. Na linguagem do Antigo Egito, *Ka* é o nome do corpo astral. (*Doutrina Secreta*, II, 670)]

Kaaba ou **Kabah** (*Ár.*) — Nome do famoso templo maometano de Meca, local principal de peregrinação. O edifício não é grande, porém é muito original; tem forma cúbica, de 24 x 24 codos, e 27 de altura, com uma só abertura voltada para o Leste, para receber luz. No ângulo nordeste, encontra-se a "Pedra Negra" de Kaaba, que, segundo se diz, foi baixada diretamente do céu e era branca como a neve, porém com o tempo tornou-se negra, por causa dos pecados da humanidade. A "pedra branca", que, segundo a fama, é a tumba de Ismael, está situada no lado Norte e o local de Abraão encontra-se a Leste. Se, como pretendem os maometanos, o templo em questão, a pedido de Adão depois de seu desterro, foi transportado por Alá ou Jehovah diretamente do Éden para a Terra, então os "pagãos" podem exclamar com justiça que, no que se refere à beleza de seus edifícios, avançaram muitíssimo em relação à primordial arquitetura divina.

Kag (*Alq.*) — Leite azedo.

Kabah — Ver *Kaaba*.

Kabalah — Ver *Cabala*.

Kabalista — Ver *Cabalista*.

Kabires-Dióscuros — Ver *Kabiri*.

Kabires-Titãs — Ver *Kabiri*.

Kabiri (*Fen.*) — *Kabirim* ou *Cabires*. Divindades e deuses muito misteriosos entre as nações antigas, incluindo os israelitas, alguns dos quais (como Tharé, pai de Abraão) os adoraram com o nome de *Teraphim*. Entre os cristãos, contudo, são agora demônios, embora os Arcanjos modernos sejam a transformação direta destes mesmos Cabires. Em hebraico, tal nome significa "os poderosos", *Gibborim*. Em outros tempos, todas as divindades relacionadas com o fogo (fossem divinas, infernais ou vulcânicas) eram chamadas *Cabirias*. [A palavra *Kabir* é derivada do hebraico *Habir*, grande, e também *Kabar*, um dos nomes de Vênus. Os cabires são os Espíritos planetários mais elevados, os maiores deuses e "os poderosos". Varron, seguindo Orfeu, denomina-os de "Poderes Divinos". Todos os deuses de mistério eram Cabires. Os mistérios dos Cabires em Hebron eram presididos pelos sete deuses planetários, entre outros por Júpiter e Saturno sob

K

seus nomes de mistério. Creutzer, por outro lado, demonstra que, tanto na Fenícia como no Egito, foram sempre os sete planetas conhecidos na Antiguidade, os quais, juntamente com seu pai, o Sol, ou seu "irmão maior", como querem outros, constituem um grupo de oito entidades; os oito poderes superiores ou os assessores do Sol, que executavam ao redor deste a sagrada dança circular, símbolo da translação dos planetas em torno do Sol (*Doutrina Secreta*, III, 315, 316) Na Samotrácia e nos templos egípcios mais antigos, os Cabires eram os grandes deuses cósmicos, os Sete e os *quarenta e nove* Fogos Sagrados, enquanto que nos santuários gregos seus ritos tornaram-se principalmente fálicos e, portanto, obscenos para o profano. Neste último caso, os Cabires eram três e quatro, ou sete (os princípios masculinos e femininos). Esta divisão explica por que alguns escritores clássicos sustentavam que os Cabires eram apenas três, enquanto outros citavam quatro, que eram: Axieros (em seu aspecto feminino, Demeter), Axiokersa (Perséfone), Axiokersos (Plutão ou Hades) e Kadmos ou Kasmilos (Hermes, "aquele da lenda sagrada" que se explicava apenas durante os Mistérios da Samotrácia). Outros escritores sustentavam, também com razão, que havia apenas dois Cabires, que eram esotericamente os dois Dióscuros, Castor e Pólux, e, exotericamente, Júpiter e Baco. Estes dois personificavam geodesicamente os dois polos terrestres e, astronomicamente, o polo terrestre e o polo celeste, e também o homem físico e o espiritual. Em astronomia, os dois polos são verdadeiramente a "medida celeste" e assim são os *Kabires-Dióscuros* e os *Kabires-Titãs*, a quem se atribui a invenção do Fogo e a arte de forjar o ferro. Estes últimos eram os geradores e reguladores das estações e das grandes Energias vulcânicas, os deuses que presidem a todos os metais e as obras terrestres e que, além disso, foram as Entidades benfeitoras que, simbolizadas em Prometeu, levaram luz ao mundo e dotaram a humanidade de intelecto e razão. São os Fogos divinos sagrados, três, sete ou quarenta e nove, segundo o requer a alegoria, os Filhos do Fogo, Gênios do Fogo etc. Seu culto era universal e estava sempre relacionado com o fogo, razão pela qual o Cristianismo fez deles deuses *infernais*. Não se pode esquecer que o título destes "grandes, benéficos e poderosos deuses" era genérico; eram de um e outro sexo, assim como eram terrestres, celestes e cósmicos. Em seu caráter de Regentes da humanidade, encarnados como Reis das "Dinastias divinas", deram o primeiro impulso à civilização e encaminharam a mente, com que haviam dotado os homens, para a invenção e o aperfeiçoamento de todas as artes e ciências. A eles se atribui a invenção das letras (o *devanâgarî* ou alfabeto e linguagem dos deuses), das leis, da arquitetura, de várias espécies de magia, do emprego medicinal das plantas etc. (*Doutrina Secreta*, II, 378 e ss.) A eles se deve também o conhecimento da agricultura. Os marinheiros consideravam-nos como gênios protetores da navegação e, por este motivo, colocavam na proa de suas embarcações imagens de tais deuses. Os Cabires eram divindades rodeadas de um mistério tão profundo e impenetrável que a nenhum profano era permitido falar deles ou nomeá-los e, em Mênfis, possuíam um templo tão sagrado que, segundo Heródoto, a ninguém, além dos sacerdotes, era permitida a entrada. (Ver *Cabires*.)]

Kabirim — Ver *Kabiri*.

Kachâya — Ver *Kashâya*.

Kâchima (*Sânsc.*) — Objeto de veneração situado num lugar consagrado, tal como uma árvore etc.

Kachta (*Sânsc.*) — Dor, mal físico ou moral. Como adjetivo, aflito, desgraçado, miserável.

Kâchtâ (*Sânsc.*) — Uma divisão do tempo equivalente a 3 segundos e 1/5. (*Râma Prasâd*)

Kachtakâraka (*Sânsc.*) — Literalmente, "local de miséria"; o mundo, a Terra.

K

Kachtasthâna (*Sânsc.*) — Mansão de dor, situação desagradável.

Kâdambarî (*Sânsc.*) — Filha de Chitraratha. Seu nome é o título de uma célebre obra em prosa, espécie de novela, escrita por Bâna-bhatta e impressa em Bombaim.

Kadana (*Sânsc.*) — Terror, perturbação, confusão; destruição, extermínio.

Kadara (*Sânsc.*) — Tormento, aguilhão, miséria.

Kadartha (*Sânsc.*) — Desventura, mal.

Kadesh-kadeshim (*Hebr.*) — Os santos; os consagrados ao Templo do Senhor.

Kadmon (*Hebr.*) — O homem arquétipo. (Ver *Adão Kadmon*.)

Kadmos ou **Kasmilos** — Ver *Kabires*.

Kadosh (*Hebr.*) — Escreve-se também *Kodesh*. Consagrado, santo. Alguma coisa separada para o culto do Templo. [Lugar santo ou de santidade.] Porém, entre o significado etimológico desta palavra e o subsequente significado em sua aplicação aos *Kadeshim* (os "sacerdotes" separados para certos ritos do Templo) há um abismo. As palavras *Kadosh* e *Kadeshim* figuram em *II Reis* antes como um título ignominioso, visto que os *Kadeshuth* da *Bíblia* eram idênticos, em seus ofícios e deveres, às jovens bailarinas de alguns templos da Índia. Eram os *galli*, os sacerdotes eunucos dos ritos obscenos de Vênus Astarté, que viviam "junto à casa do Senhor". É muito curioso que os termos *Kadosh* e outros tenham sido adotados e utilizados por vários graus da Maçonaria.

Kadrû (*Sânsc.*) — Esposa de Kazyapa, "a serpente de muitas cabeças". Dela saiu uma raça de *nâgas* destinadas a povoar o *Pâtâla* (que sem dúvida alguma é a América). (*Doutrina Secreta*, II, 141, 604)

Kadush (*Hebr.*) — O Sol.

Kadvada (*Sânsc.*) — "Que fala mal". Pessoa de ínfima classe, de educação escassa, de pouco valor.

Kaib (*Alq.*) — É o leite coalhado, azedo.

Kailâsa (Kailasa) (*Sânsc.*) — Em metafísica, "céu", a mansão dos deuses; geograficamente, uma cadeia de montanhas no Himalaia, ao norte do lago Mansaravâra, também chamado Mânasa. [Tal montanha é habitada por Kuvera e Shiva. É também designada pelos nomes de *Gana-parvata* e *Rajatâdri*, "montanha de prata".]

Kailem (*Hebr.*) — Literalmente, "vasos ou veículos"; os vasos para a fonte das Águas de Vida. Este termo aplica-se aos dez *Sephiroth*, considerados como os *núcleos* primitivos de todas as Forças do Kosmos. Alguns cabalistas acreditam que eles se manifestam no Universo através de vinte e dois condutos, representados pelas vinte e duas letras do alfabeto hebraico, compondo assim, com os dez *Sephiroth*, trinta e dois sendeiros de sabedoria. (W. W. W.)

Kainturath ou **Kaimarath** (*Per.*) — O último da raça dos reis *pré-humanos*. É idêntico a Adão Kadmon. Um fabuloso herói persa.

Kaivalya (*Sânsc.*) — Unidade, isolamento, independência, libertação, emancipação, bem-aventurança final. Resultado final da prática do *Yoga* de Patañjali, que consiste no isolamento do *Purucha* (Espírito) e sua libertação ou emancipação da *Prakriti* (Matéria), alcançando o *yogi* o estado de Unidade e vendo Deus manifestado em si mesmo. Eis aqui a definição de Patañjali: "*Kaivalya* é a resolução inversa das qualidades (*gunas*), carentes já de motivo para atuar em proveito do Eu (*Purucha*) ou, em outros termos, é o poder do Eu concentrado em si mesmo". (*Aforismos*, IV, 34.)

K

Kakchîvat (*Sânsc.*) — Sábio védico, filho de Dîrghatamas e autor de vários hinos do *Rig-Veda*, especialmente dos relacionados com o culto dos gêmeos *Azvins*.

Kâkî ou **Kâkin** (*Sânsc.*) — A Mônada, o Ser individual ou *Jiva*. A palavra *Kâkin* é composta de *Ka - ak - in*. A primeira sílaba, Ka, denota "prazer"; a segunda, *ak*, significa "dor", e a terceira, *in*, "possuidor". Assim, pois, aquele que experimenta prazer e dor – o Ser individual *(jîva)*, é denominado *Kâkin*. (*Uttara-Gîtâ*, I, 7)

Kakimie ou **Kachimie** (*Alq.*) — Mineral que ainda não atingiu sua perfeição ou semimetal que ainda se encontra em sua matriz, como a criança no ventre de sua mãe, nos primeiros meses de gestação.

Kakodæmon (*Gr.*) — O gênio do mal, em contraposição a *Agathodæmon*, o gênio do bem ou Divindade. É um termo gnóstico.

Kâkola (*Sânsc.*) — "Corvo". Uma das divisões do inferno.

Kala (*Sânsc.*) — Débil, surdo, confuso (em se tratando de sons); som surdo ou débil, zumbido, gorjeio das aves etc.; uma das diversas fases de um som. (D. K. Laheri, *Comentário do Uttara-Gîtâ*, I, 15)

Kalâ (Kala) (*Sânsc.*) — Uma medida do tempo; quatro horas, um período de 30 *kâchthâs*.

Kâla (*Sânsc.*) — Tempo, destino; um ciclo e um nome próprio ou um título dado a Yama, rei do mundo inferior e Juiz dos mortos. [*Kalâ* tem vários outros significados: o tempo, como regulador ou destruidor do mundo, e daí: destino, fado, fim; morte ou o deus dos mortos (Yama); idade, era estação etc.]

Kalabhana — Ver *Kâlanâbha*.

Kalâbhrit (*Sânsc.*) — A Lua.

Kâlabhrit (*Sânsc.*) — Um dos nomes do Sol.

Kâladharma (*Sânsc.*) — Literalmente, "a lei do tempo"; a morte.

Kâlâgni (*Sânsc.*) — Uma chama do tempo. Um Ser divino criado por Shiva; um monstro de mil cabeças. Um título de Shiva que significa "o fogo do destino" [A Chama do Tempo, o fogo que, no fim do mundo, consumirá a Terra. (*Doutrina Secreta*, I, 397) Assim lemos no *Bhagavad-Gîtâ* (XI, 25): "Quando olho tuas bocas... ardentes como o fogo devorador do fim do mundo..."]

Kalaha (*Sânsc.*) — Dissensão, disputa, contenda, rinha, combate; falsidade, engano.

Kalahamsa — Ver *Kâlahansa*.

Kâlahansa ou **Kâlahamsa** (*Sânsc.*) — Nome místico dado a Brahma (ou *Parabrahman*); significa "o cisne *em e fora* do tempo". Brahmâ (masculino) é denominado *Hansavâhana* ou Veículo do "Cisne". [A "Grande Ave"; "Doce é o repouso entre as asas d'Aquele que não nasceu nem morre, é o Aum através das eternidades". (*Voz do Silêncio*, I) (Ver *Hamsa*.)]

Kâlakarnikâ (*Sânsc.*) — Infortúnio, miséria.

Kâlakarnin (*Sânsc.*) — Desgraçado, miserável.

Kâlakrit (*Sânsc.*) — Um dos nomes do Sol.

Kâlamegha (*Sânsc.*) — A nuvem tenebrosa que deve anunciar o *pralaya* ou destruição do Universo.

Kalana (*Sânsc.*) — Mancha, defeito.

K

Kâlanâbha (*Sânsc.*) — O mesmo que Târaka. [Ver *Târaka*.]

Kâlânala (*Sânsc.*) — Ver *Kâlâgni*.

Kalandikâ (*Sânsc.*) — Inteligência, sagacidade.

Kalânidhi (*Sânsc.*) — A Lua; especialmente a Lua cheia.

Kalañjara (*Sânsc.*) — Sobrenome de Shiva. Assembleia de religiosos mendigos.

Kalanka (*Sânsc.*) — Mancha, mácula; vitupério, difamação, mancha inferida à reputação.

Kâlântara (*Sânsc.*) — Intervalo de tempo.

Kâlapâni (*Sânsc.*) — As negras águas (do oceano).

Kâlapûrna (*Sânsc.*) — A Lua.

Kâlarâtri (*Sânsc.*) — "Noite negra". A sétima noite do sétimo mês do septuagésimo sétimo ano da idade de uma pessoa; dessa noite em diante, que se supõe seja o término comum da vida, a pessoa está isenta de toda obrigação em relação ao culto.

Kâlasûtra (*Sânsc.*) — O segundo inferno ardente; nele se encontram em excesso doloroso as qualidades do *Vâyu-Tattva*. (*Râma Prasâd*)

Kâlâtita (*Sânsc.*) — "Que está acima ou fora do tempo". Brahma.

Kâlâtita-tâ (*Sânsc.*) — A qualidade de estar fora do tempo.

Kâlatraya (*Sânsc.*) — Literalmente, "os três tempos"; os três sacrifícios (*savanas*). (Ver *Savana* e *Trichavana*.)

Kalâvat (*Sânsc.*) — Outro dos nomes da Lua.

Kalavinka (Kalavingka) (*Sânsc.*) — Também chamada de *kuravikaya, karanda* etc. "A ave da imortalidade, dotada de voz doce." Eitel identifica-a com o *Cuculus melanoleicus*, por mais que a ave em si seja alegórica e não exista realmente. Sua voz é ouvida em certo período do *Dhyâna*, na prática do *Yoga*. [Ver *Voz do Silêncio*, I.] Conta-se que despertou o rei Bimbisara e o livrou assim da mordedura de uma serpente. Em seu significado esotérico, esta ave de voz doce é nosso Eu superior.

Kâlâvyavâya (*Sânsc.*) — Ausência de intervalo de tempo; continuidade.

Kalayat ou **Kalayant** (*Sânsc.*) — Medida, calculador, medidor, contador.

Kalevala (*Fin.*) — A epopeia finlandesa da Criação.

Kalevara (*Sânsc.*) — O corpo; o corpo morto ou cadáver.

Kali (*Sânsc.*) — Dissensão, discórdia, mal, perversidade; guerra, luta. O *Kali-yuga* personificado como espírito do mal. Nome do demônio de tal idade. Nome de um ciclo de 2.400 anos divinos. (*Râma Prasâd*)

Kâlî (Kali) (*Sânsc.*) — "A negra". Atualmente é o nome de Pârvatî, esposa de Shiva; porém, originalmente, era o nome de uma das sete línguas de Agni, deus do fogo – "a língua negra, ígnea".

Kâlichî (*Sânsc.*) — O tribunal de Yama, deus dos mortos.

Kalid — Autor de uma obra de Alquimia intitulada *Tratado das Três Palavras*.

Kâlidâsa (*Sânsc.*) — O maior poeta dramático da Índia. [Floresceu provavelmente no séc. I de nossa era e compôs várias obras, tais como o *Ciclo das Estações*, *A Dinastia de Raghu*, *A Nuvem Mensageira*, *O Nascimento do Deus da Guerra* etc.; porém a obra mestra deste autor, a que mais imortalizou seu nome, foi o belíssimo drama *Zakuntalâ*

K

ou *O Anel do Destino*, baseado num episódio do *Mahâbhârata*. A maior parte de suas obras foi traduzida para as principais línguas europeias.]

Kalikâ (*Sânsc.*) — A 16ª parte do globo da Lua; uma pequena divisão do tempo; um botão de flor; uma flor não-aberta.

Kâlika (*Sânsc.*) — Na estação, em tempo oportuno.

Kâlikâ (*Sânsc.*) — Sobrenome da deusa Kâlî (Durgâ ou Pârvati). Cantora celeste.

Kâlikâ-Purâna (*Sânsc.*) — Um dos dezoito *Purânas*. Tem por objetivo valorizar o culto da esposa de Shiva em uma ou outra de suas formas múltiplas.

Kalikâ-pûrva (*Sânsc.*) — Atos que engendram novo *Karma* ou *Karma* não relacionado com uma vida anterior. *(P. Hoult)*

Kalila (*Sânsc.*) — Confusão, desordem, caos.

Kâliman (*Sânsc.*) — Negrume, obscuridade.

Kâlini (*Sânsc.*) — Um dos asterismos lunares.

Kâliya (Kaliya) (*Sânsc.*) — A serpente de cinco cabeças, que foi morta por Krishna em sua infância, [lançando-a de um salto em uma vazante profunda do rio Yamuna.] Monstro mítico que simboliza as paixões humanas; o rio ou a água é um símbolo da matéria.

Kaliyuga (*Sânsc.*) — O quarto *yuga*, a idade *negra* ou de ferro; o atual período do mundo, cuja duração é de 432.000 anos. A última das idades na qual o período evolucionário do homem é dividido por uma série de tais idades. O *Kaliyuga* começou 3.102 anos antes de Cristo, no momento da morte de Krishna, e o primeiro ciclo de 5.000 anos terminou entre os anos de 1897 e 1898. [Idade da discórdia e do mal. *(Burnouf)* (Ver *Yuga*.)]

Kalkî ou **Kalkin** (*Sânsc.*) — "O Cavalo Branco". Sobrenome de Vishnu em seu décimo e último *avatâra*. (Ver *Kalki-avatâra*.)

Kalkî-avatâra (*Sânsc.*) — O "Avatâra do Cavalo Branco", que será a última encarnação *manvantárica* de Vishnu, segundo os brâhmanes; de Maitreya Buddha, segundo os budistas do Norte; de Sosiosch, o último herói e salvador dos zoroastrianos, como pretendem os parses; e do "Fiel e Verdadeiro" sentado no Cavalo Branco (*Apocalípse*, XIX, II). Em sua futura manifestação, os céus abrir-se-ão e surgirá Vishnu "sentado num corcel branco como o leite, com uma espada nua, resplandecente como um cometa, para o extermínio definitivo dos malvados, a renovação da 'criação' e o restabelecimento da pureza". (Compare com o *Apocalípse*.) Isso acontecerá no final do *Kaliyuga*, daqui a 427.000 anos. O último fim de cada *yuga* é denominado "a destruição do mundo", porque então a Terra muda sua forma exterior, submergindo uma série de continentes e surgindo outra série nova.

Kalluka Bhatta (*Sânsc.*) — Comentador das escrituras hindus *Manu Smriti*; reputado escritor e historiador.

Kalmacha (*Sânsc.*) — Pecado, culpa, manchinha; mancha de crime ou pecado.

Kâlodâyin (*Sânsc.*) — Nome de um Buddha futuro.

Kalpa (*Sânsc.*) — Período de uma revolução do mundo, geralmente um ciclo de tempo; porém, comumente, representa um "Dia" e uma "Noite" de Brahmâ, um período de 4.320 milhões de anos. [Por *Kalpa* entende-se geralmente um "Dia" de Brahmâ ou *manvantara*, período cronológico que representa mil *mahâyugas*, ou seja, a duração

K

do Universo, ou, em outros termos, o período de manifestação ou atividade cósmica, no fim do qual vem a Noite de Brahmâ, período de dissolução ou repouso. Assim lemos no *Bhagavad-Gîtâ* (IX, 17): "Ao fim de um *Kalpa*, todos os seres desaparecem em minha natureza material e de mim emanam outra vez, ao se iniciar um novo *Kalpa*". (Ver *Manvantara*, *Yuga* etc.) *Kalpa* é também o nome de uma árvore simbólica do paraíso de Indra, árvore que produz tudo quanto se deseje. Tal palavra tem vários outros significados: prescrição, regra (especialmente para os ritos ou atos próprios do sacrifício); costume, maneira, forma; prática religiosa etc.]

Kalpâdhikârins (*Sânsc.*) — "Senhores dos *Kalpas*". (Ver *Gana-devas*.)

Kalpakchaya (*Sânsc.*) — Período de declínio ou fim de um *Kalpa*.

Kalpânta (Kalpa-anta) (*Sânsc.*) — Fim de um *Kalpa*; dissolução de um Universo, que se resolve em Brahmâ. (Ver *Pralaya*.)

Kalucha (*Sânsc.*) — Misturado, confuso, turvo, obscuro. Como substantivo: falta, pecado.

Kalya (*Sânsc.*) — Disposto, hábil, são; que tem suas faculdades físicas e mentais íntegras; favorável, feliz.

Kâlya (*Sânsc.*) — Aurora, o amanhecer.

Kalyâna (*Sânsc.*) — Bem, fortuna, felicidade, prosperidade, riqueza. Como adjetivo: feliz, próspero, favorável, bom, justo.

Kalyânakrit (*Sânsc.*) — Que pratica o bem; homem de bem.

Kalyatva (*Sânsc.*) — Saúde.

Kâma (*Sânsc.*) — Mau desejo, lascívia, luxúria, concupiscência, volição; apego à existência. Kâma é geralmente identificado com *Mâra*, o tentador. [*Kâma* significa também desejo, apetite, paixão, afã; sensualismo, prazer; amor; o deus do amor, o Cupido hindu; objeto amado, coisa desejada ou apetecível etc. É também o quarto princípio na constituição humana, em cujo caso é designado pelo nome geralmente de *Kâma-rûpa*; o centro do homem animal, local dos desejos e paixões animais, formando a linha de demarcação que separa o homem mortal da entidade superior ou imortal. "É a vida que se manifesta no corpo astral e que por ele está condicionada. Caracteriza-se pelo atributo da sensibilidade sob a forma rudimentar de sensação ou sob a forma complexa de emoção ou de qualquer dos graus que há entre ambas. Tudo isso se reduz a desejo, isto é, aquilo que é atraído ou rechaçado pelos objetos, segundo causem prazer ou dor ao eu pessoal" (A. Besant, *Sabedoria Antiga*, cap. II) (Ver *Kâma-rûpa*, *Kâma-deva*, *Kâma-manas* etc.)]

Kâmachârin (*Sânsc.*) — Que segue seus desejos; que está entregue a seus desejos.

Kâma-deva (*Sânsc.*) — Segundo as ideias populares, é o deus do amor; um *Vizvadeva* no panteão hindu. Como o Eros de Hesíodo, degradado até o nível de Cupido pela lei exotérica, e mais degradado ainda pelo sentido popular que posteriormente se atribuiu a este termo; assim é *Kâma* um ponto sumamente misterioso e metafísico. A mais primitiva descrição védica de *Kâma* cita apenas o fundamental daquilo que simboliza. *Kâma* é o primeiro *desejo universal* consciente de bem e amor, em geral; para tudo o que vive e sente, requer proteção e benevolência; o primeiro sentimento de infinita e terna compaixão e piedade, que nasceu na consciência da criadora Força Única, logo que veio à vida e ser, como um raio do Absoluto. Diz o Rig-veda: "O desejo surgiu primeiro n'Ele, que foi o germe primitivo

K

da mente e que os Sábios, investigando com seu intelecto, descobriram em seu próprio coração ser o laço que une a Entidade com a Não-entidade", ou seja, o *Manas* com o puro *Âtmâ-Buddhi*. Não há qualquer ideia de amor *sexual* no conceito. *Kâma* é, por excelência, o divino desejo de criar felicidade e amor, e somente séculos depois, à medida que a humanidade começou a materializar, através da antropomorfização, seus maiores ideais em simples e áridos dogmas, *Kâma* tornou-se a potência que satisfaz o desejo no plano animal. Isso é demonstrado por tudo o que dizem todos os *Vedas* e alguns *Brâhmanas*. No *Atharva-Veda*, *Kâma* é representado como o Criador e a Divindade Suprema. No *Taittirîya-Brâhamana*, é o filho que Dharma, deus da Lei, da Justiça, teve de Zraddhâ, deusa da Fé. Noutro relato, surge do coração de Brahmâ. Outros o apresentam nascido da água, isto é, do caos primordial ou "Abismo". Daí um de seus nomes, *Irâ-ja*, "nascido da água", e *A-ja*, "inato", e *Âtma-bhu* ou "Existente por si mesmo". Pelo fato de levar em sua bandeira o signo de *Makara* (Capricórnio), também é chamado de *Makara-ketu*. A alegoria sobre Shiva, o "Grande Yogi", que reduz Kâma a cinzas com o fogo de seu Olho Central (ou terceiro), por ter inspirado ao *Mahâdeva* (epíteto de Shiva) desejos amorosos de sua esposa, enquanto se encontrava entregue a 'suas devoções, é muito sugestiva e diz que, através desse meio, reduziu Kâma à sua forma espiritual primitiva (ou incorpórea, Ananga, que é outro dos epítetos de Kâma.) (Ver *Ananga*, *Kâma* e *Kandarpa*.)

Kâma-dharana (*Sânsc.*) — O que alimenta o desejo. A satisfação ou cumprimento do desejo. *(P. Hoult)*

Kâmadhâtu (*Sânsc.*) — Por outro nome, *Kâmâvachara*, uma região que inclui o *Kâmaloka*. Segundo as ideias exotéricas, é a primeira das três regiões, *trailokyas* ou *trilokyas* (aplicadas também aos seres celestiais), ou sete planos ou graus, cada um dos quais representado por uma das três principais características, a saber: *Kâma*, *rûpa* e *arûpa*, ou sejam, as de desejo, forma e carência de forma. O primeiro dos *trailokyas*, chamado *Kâmadhâtu*, é composto da terra e dos seis *devalokas* inferiores, sendo preciso notar que depois da terra vem o *Kâmaloka* (ver estas palavras). Todos estes, tomados em conjunto, constituem os sete graus do mundo material de forma e satisfação sensual. O segundo dos *trailokyas* é denominado de *rûpadhâtu* ou "forma material" e é igualmente composto de sete *lokas* (ou localidades). O terceiro é *arûpadhâtu* ou "*lokas* imateriais". Contudo a palavra "localidade" é imprópria para traduzir a palavra *dhâtu*, que não significa de maneira nenhuma "lugar", em nenhuma de suas acepções especiais. Assim, por exemplo, *arûpadhâtu* é um mundo puramente subjetivo, antes um "estado" do que um lugar. Porém, como nas línguas ocidentais não há termos metafísicos adequados para expressar certas ideias, tudo o que podemos fazer é indicar a dificuldade.

Kâma-dhenu (*Sânsc.*) — A vaca que satisfaz os desejos. É designada também pelo nome de *Kâma-duh* (ver).

Kâma-dhuk — Nominativo singular de *Kâma-dulh* (ver).

Kâma-duh (*Sânsc.*) — Palavra composta de *Kâma* (desejo, objeto apetecido) e *duh* (ordenhar); "aquilo que proporciona ou faz surgir os objetos apetecidos". É o *cornu copiæ*, a vaca da abundância; a vaca prodigiosa que satisfaz todos os desejos e da qual pode-se extrair tudo quanto apeteça. Corresponde à cabra Amaltea da mitologia grega. Segundo Davies, é uma representação alegórica da terra, tão rica e variada em produtos. (Ver *Ichtakâmaduh*.)

K

Kâma-guna (*Sânsc.*) — Qualidade afetiva dos objetos, aquilo que neles excita nossos desejos; sensibilidade afetiva; afeição (prazer, amor, desejo); paixão; satisfação dos sentidos. (*Dicionário* de Burnouf-Leupol)

Kâmahaituka (*Sânsc.*) — Causado (apenas) pelo desejo *(Cappeller)*; que tem por causa o azar (*Burnouf* e *Leupol*); designado apenas para as concupiscências *(Davies)*; feito para o prazer; cuja causa é a sensualidade etc. Este termo de interpretação duvidosa figura no *Bhagavad-Gîtâ*, cap. XVI, vers. 8,

Kâma-kâmin (*Sânsc.*) — Entregue a seus desejos; que alimenta ou acaricia desejos.

Kâmâ-kâya (*Sânsc.*) — "Corpo de desejo" ou veículo *Kâmico*. Forma ou invólucro constituído pelos desejos animais, que persiste algum tempo depois da morte do corpo físico, levando uma vida independente no *Kâmaloka*.

Kamala (*Sânsc.*) — Água, lótus. Um centro de força nervosa situado no corpo. (*Râma Prasâd*)

Kâmala (*Sânsc.*) — Desejoso, amoroso, lascivo. Como substantivo, a primavera.

Kamalâsana (*Sânsc.*) — Que está sentado sobre o lótus: Brahmâ.

Kâma-loka (*Sânsc.*) — O plano semimaterial, subjetivo e invisível para nós, onde as "personalidades" desencarnadas, as formas astrais, chamadas *Kâmarûpa*, permanecem até se desvanecerem totalmente, graças ao completo esgotamento dos efeitos dos impulsos mentais que criaram estes *eidolons* das paixões e desejos humanos e animais. (Ver *Kâma-rûpa*.) E o Hades dos gregos antigos e o Amenti dos egípcios, a região das sombras silenciosas; uma divisão do primeiro grupo dos *trailokyas*. (Ver *Kâmadhâtu*.) [É o limbo ou purgatório dos católicos romanos e o *Summerland* dos espíritas americanos. (*Doutrina Secreta*, III, 373) *Kâma-loka* é a região ou mansão do desejo, a esfera anímica (terceiro e quarto princípios) da Terra – não necessariamente na superfície da Terra – onde os restos astrais dos defuntos corrompem-se e se decompõem. Nesta região, as almas dos mortos que não são puras, vivem (seja conscientemente ou em estado de estupor) até que seus *kâmarûpas* (formas de desejo) são abandonados por uma segunda morte e, ao se desintegrarem, verifica-se a separação dos princípios superiores. Ao se despojar dos princípios inferiores, a entidade imortal do homem, com seus afetos purificados e os poderes que tenha adquirido durante sua existência terrena, entra no estado de *Devachân*. (*F. Hartmann*) Assim, pois, o *Kâmaloka* é a primeira condição pela qual passa a entidade humana, depois da morte, a condição que precede o *Devachân*.

Kâma-manas (*Sânsc.*) — É o resultado da união ou fusão dos princípios humanos *Kâmico* e *Manásico*. "Assim o teósofo fala do *Kâma-Manas* para designar a inteligência que opera em e com a natureza do desejo, afetando a alma animal e sendo afetada por ela. Os vedantinos classificam ambos os princípios como um só e falam do Eu como funcionante no *manomayakosha*, invólucro constituído pela mente inferior, as emoções e as paixões. (A. Besant, *Sabedoria Antiga*, cap. IV)

Kâmana (*Sânsc.*) — Amante, desejoso.

Kâmanâ (*Sânsc.*) — Amor, desejo.

Kamar ou **Camar** (*Alq.*) — Prata.

Kâma-rûpa (*Sânsc.*) — Metafisicamente e em nossa filosofia esotérica, é a forma subjetiva criada, em virtude dos desejos e pensamentos mentais e físicos relacionados com objetivos materiais, por todos os seres sencientes, forma que sobrevive à morte do corpo. Depois desta morte, três dos sete "princípios" – ou, melhor dizendo, planos dos sentidos e da consciência, nos quais atuam por turnos ou instintos e a ideação do homem,

K

a saber: o corpo, seu protótipo astral e a vitalidade física, não tendo mais qualquer nova utilidade, permanecem na Terra; os três princípios superiores, agrupados num só, consomem-se no estado de *Devachân* (ver) onde o *Ego* superior persistirá até que chegue a hora de uma nova encarnação; e o *eidolon* da antiga personalidade fica sozinho em sua nova morada. Nela o pálido duplo do homem que foi vegeta durante certo período de tempo, cuja duração é variável e proporcional ao elemento de materialidade que nele restou e é determinado pela vida passada do defunto. Privado como se encontra de sua mente superior, espírito e sentidos físicos, fica abandonado a seus próprios desígnios insensatos, e se desintegrará e desvanecerá de modo gradual. Porém, se for atraído violentamente de novo para a esfera terrestre, seja pelos desejos apaixonados, seja pelas distâncias de amigos sobreviventes ou pelas práticas nigromânticas comuns – sendo a mediunidade uma das mais perniciosas –, o "fantasma" pode subsistir durante um certo período de tempo, que excede em muito o da vida natural de seu corpo. Uma vez conhecido o caminho de volta para os corpos humanos vivos, o *Kâmarûpa* converte-se em vampiro, que se nutre da vitalidade daqueles que tanto anseiam por sua companhia. Na Índia, estes *eidolons* são designados pelo nome de *pizâchas* e são muito temidos, como já se explicou. [O *Kâmarûpa* é nossa alma animal, o veículo ou corpo dos desejos e paixões, a forma astral do homem depois da morte do corpo. Porém, tem também outros significados: forma do desejo, ou seja, uma forma que muda conforme a vontade; e, como adjetivo, significa: que muda ou toma uma forma à (sua) vontade; que tem uma forma agradável ou sedutora. Assim diz o *Bhagavad-Gîtâ*, aludindo à índole variável do desejo e da paixão: "pertinaz inimiga do sábio, vela o conhecimento... adotando a *forma do desejo (Kârmarûpa)*, insaciável como o fogo" (III, 30); "... mata esse inimigo, que tem a *forma do desejo (Kâmarûpa)*..." (III, 43).]

Kâmâtman (*Sânsc.*) — De natureza sensual; entregue a seus próprios desejos; voluptuoso.

Kâmatva ou **Kâmatwa** (*Sânsc.*) — A qualidade ou o estado afetivo de um ser; a sensibilidade afetiva.

Kâmâvacharas (*Sânsc.*) — Entre os budistas, os deuses do primeiro céu. (Ver *Kâmadhâtu*.)

Kâmâvasâyin (*Sânsc.*) — Que põe fim aos desejos. Epíteto de Shiva.

Kâmâvasâyitâ e **Kâmâvasâyitva** (*Sânsc.*) — O poder de aniquilar os desejos.

Kamea (*Hebr.*) — Um amuleto, geralmente um quadrado mágico.

Kâmepsu (*Sânsc.*) — Que se esforça por alcançar o objeto de seus desejos; que alimenta desejos; desejos de objetos apetecíveis.

Kami (*Jap.*) — Literalmente, "superior". Este termo japonês aplica-se a um senhor, a qualquer dos deuses, semideuses ou heróis divinizados daquele país.

Kâmin (*Sânsc.*) — Amoroso, amante, apaixonado, desejoso.

Kâmita (*Sânsc.*) — Desejo.

Kâmitâ (*Sânsc.*) — Sensibilidade afetiva; afeição, amor, desejo, paixão, inclinação, benevolência.

Kamma (*Pál.*) — Sinônimo do sânscrito *Karma*.

Kâmopabhoga (**Kâma-upabhoga**) (*Sânsc.*) — Satisfação dos desejos; gozo dos prazeres.

Kampa (*Sânsc.*) — Agitação, temor, medo.

K

Kamra (*Sânsc.*) — Amoroso, lascivo, licencioso, libertino.

Kâmuka (*Sânsc.*) — O mesmo significado de *Kamra*.

Kâmya (*Sânsc.*) — Que se pode ou se deve amar; amável, desejável, apetecível; nascido ou acompanhado de desejo; sugerido pelo desejo; relacionado com o desejo.

Kâmyâ (*Sânsc.*) — Desejo, voto.

Kâmyakarma (*Sânsc.*) — Ato executado por impulsos do desejo; obra que se faz espontaneamente, de boa vontade, não obrigada.

Kânada (*Sânsc.*) — Nome de um sábio, autor dos *Aforismos vaizechika*. (Ver *Filosofia vaizechika*.)

Kâñchanagiri (*Sânsc.*) — O Monte de Ouro, o Sumeru.

Kâñchi (*Sânsc.*) — Uma das sete cidades sagradas dos hindus, chamada atualmente de Conjerevam.

Kandarpa (*Sânsc.*) — Sobrenome de Kâma, deus do amor, ou Ananga, como também é chamado; o Cupido hindu. É o senhor das *apsaras* ou ninfas celestes e é representado como um lindo jovem armado com arco e cinco flechas floreadas, com as quais fere os cinco sentidos.

Kandu (*Sânsc.*) — Santo sábio da segunda Raça-Mãe, um *yogi* a quem Pramlochâ (uma "ninfa" enviada por Indra para este fim) seduziu e com quem viveu pelo espaço de vários séculos. Finalmente, voltando a si, repudiou-a e a expulsou. Depois disso, ela deu à luz uma filha, Mârichâ. Este relato é uma fábula alegórica dos *Purânas*.

Kanichka (Kanichka) (*Sânsc.*) — Um rei de Tochari, que floresceu quando foi celebrado, em Cachemira, o terceiro Concílio Búdico, ou seja, em meados do século anterior ao nascimento de Jesus Cristo. Grande protetor do Budismo, erigiu os mais belos *stûpas* ou *dagobas* no Norte da Índia e Kabulistão.

Kanichthas (*Sânsc.*) — Uma classe de deuses que se manifestarão no décimo quarto ou último *manvantara* de nosso mundo, segundo os hindus.

Kânkchâ (*Sânsc.*) — Desejo, afã.

Kânkchî ou **Kânkchin** (*Sânsc.*) — Desejoso, ávido, ansioso.

Kânkchita (*Sânsc.*) — Desejado, esperado.

Kansa ou **Kanza** (*Sânsc.*) — O Herodes hindu. (Ver *Inocentes*, *Krishna*, *Devakî*, *Jesus* etc.)

Kansîya (*Sânsc.*) — Liga de zinco e cobre muito usada para a fabricação de vasilhas. (*Râma Prasâd*)

Kânta (*Sânsc.*) — Amado, desejado, agradável, belo; esposo.

Kântâ (*Sânsc.*) — Feminino de *Kânta*; amada, esposa etc.

Kânti (*Sânsc.*) — Desejo, amor, encanto, beleza.

Kanva ou **Kanwa** (*Sânsc.*) — Nome de um *Richi* a quem são atribuídos alguns hinos do *Rig-Veda*. Pai adotivo de Zakuntalâ, a quem encontrou abandonada por sua mãe e que criou e educou com grande esmero. (Ver *Zakuntalâ*.)

Kanyâ (*Sânsc.*) — Virgem ou donzela. [A Virgem: sexto signo do Zodíaco hindu, correspondente a *Virgem* ou a *Virgem-Escorpião*, quando ninguém, além dos Iniciados, sabia da existência de doze signos. *Virgem-Escorpião* era então seguido de *Sagitário*. No meio, ou seja, no ponto de união, onde agora encontra-se *Libra*, e

K

no signo atualmente chamado de *Virgem*, foram insertados dois signos místicos, que permaneceram ininteligíveis para os profanos. (Subba Row, *Os Doze Signos do Zodíaco*)]

Kanyâ Kumarî (*Sânsc.*) — "A Virgem donzela". Epíteto de Durgâ-Kâlî, adorada pelos *thugs* e *tantrikas*.

Kanza — Ver *Kansa*.

Kâphala (*Sânsc.*) — Mau fruto.

Kapi (*Sânsc.*) — Mono, símio.

Kapidhvaja (*Sânsc.*) — Epíteto de Arjuna, cujo estandarte (*dhvaja*) apresentava um mono.

Kapila (*Sânsc.*) — O *Richi* Kapila foi um grande sábio e um grande Adepto da Antiguidade. É o autor da filosofia *Sânkhya*. [Diz-se, nos *Purânas*, que ele com um só olhar reduziu a cinzas os sessenta mil (outros dizem cem mil) filhos brutais, viciosos e ímpios do rei Sagara. Estes filhos são uma personificação das paixões humanas, que um "simples olhar do sábio" (o Eu, que representa o mais alto estado da pureza a que se pode chegar na Terra) reduz a nada. "Sagara", por outro lado, é o nome do oceano e especialmente do golfo de Bengala, na desembocadura do Gânges. Porém a citada alegoria tem alguns outros significados cíclicos e cronológicos. Existiram vários personagens de nome *Kapila* e dois deles podem ter sido uma só e mesma *individualidade*, sem ser a mesma *personalidade*. É também o nome genérico dos *Kumâras*, os ascetas-virgens celestiais. (Ver *Doutrina Secreta*, II, 603-604.)]

Kapiladhârâ (*Sânsc.*) — Lugar de peregrinação; o Gânges.

Kapilavastu (*Sânsc.*) — A cidade onde nasceu o Senhor Buddha, chamada "mansão amarela"; capital do rei Zuddhodana, pai de Gautama Buddha. [Situava-se às margens do rio Rohiní. (Ver *Buddha Siddhârta*.)]

Kapiprabhu (*Sânsc.*) — O caudilho dos monos, no Râmâyana: Hanumân ou Râma.

Kapi-vaktra (*Sânsc.*) — Que tem cara de macaco; epíteto de Pesh-Hun.

Kâpyakara (*Sânsc.*) — Confissão.

Kara (*Sânsc.*) — Mão; tromba de elefante; raio de Sol ou de Lua; agente, autor, executor, causante, produtor.

Karâ (*Sânsc.*) — Ação, ato, operação, impulso, força, potência.

Kâra (*Sânsc.*) — Ato, ação, obra; obra piedosa; esforço, violência; agente, autor.

Karabtanos (*Gr.*) — O espírito do desejo cego ou animal; símbolo do *Kâma-rûpa*. O Espírito "sem sentido ou juízo", no *Codex dos Nazarenos*. É o símbolo da matéria e representa o pai dos sete espíritos de concupiscência engendrados por ele em sua mãe, o *Spiritus* da Luz Astral. [O espírito da matéria e da concupiscência; o *Kâma-rûpa* sem o *Manas* (a mente). (*Doutrina Secreta*, I, 217)]

Karaita ou **Caraita** (*Hebr.*) — De *Kara*, ler. Indivíduo de uma seita judaica que se atém estritamente à interpretação literal da *Escritura*, rechaçando a tradição oral.

Karam (*Sânsc.*) — Uma grande festa em honra do Espírito-Sol, celebrada pelas tribos kolarianas.

Karamba ou **Karambha** (*Sânsc.*) — Termo védico que expressa uma torta ou pastel feito com farinha, leite coalhado e, às vezes, manteiga.

K

Karana (*Sânsc.*) — Causa (metafisicamente). Significa também causa em geral; motivo; elemento, fator ou matéria principal; substância; órgão, instrumento, agente, meio; ação, ato, operação etc.

Kârana-deha (*Sânsc.*) — O corpo causal.

Kârana-guna (*Sânsc.*) — Causa essencial; uma propriedade elemental. (*P. Hoult*)

Kârana-kârana (*Sânsc.*) — A Causa das causas. (*P. Hoult*)

Kârana-sarîra (*Sânsc.*) — O "Corpo causal". Tem duplo significado. Exotericamente, é *avidyâ*, ignorância ou o que causa a evolução de um *ego* humano e sua reencarnação; daí o *Manas* inferior, esotericamente. O Corpo causal ou *Kârano-pâdhi* figura no *Târaka-Râja-Yoga* como correspondente ao *Buddhi* e ao *Manas* superior ou Alma espiritual. [O Corpo causal, que é a causa ou origem de todos os outros. (*Bhagavân Dâs*)]

Kâranâtmâ ou **Kâranâtman** (*Sânsc.*) — Cuja natureza é a causa de... (*Cappeler*) "Alma causal", um dos sete depósitos principais das Mônadas ou *Egos* humanos. (*Doutrina Secreta*, III, 58)

Kârana-vihîna (*Sânsc.*) — Sem causa.

Karanda (*Sânsc.*) — A "ave de voz doce". É o mesmo que *Kalavinka* [e que *Karshipta* (ver estas palavras).]

Kâranopâdhi (Kârana-upâdhi) (*Sânsc.*) — A base ou *upâdhi* do *Kârana*, a "alma causal". No *Târaka-Râja-Yoga* corresponde ao *Manas* e ao *Buddhi*. (Ver o quadro apresentado na *Doutrina Secreta*, I, p. 177, últ. ed.) [Ver *Corpo causal*.]

Karatala (*Sânsc.*) — De *kara*, mão, e *tala*, estado ou lugar. O estado em que a matéria faz-se tangível. Corresponde ao tato *(sparza)* e às Hierarquias de etéreos, semi-objetivos *Dhyân Chohâns* da matéria astral do *Mânasa manas* ou puro raio do *Manas*, que é *Manas* inferior antes de se misturar com o *Kâma*. São designados pelo nome de *Sparza-devas*, ou *devas* dotados de tato. (*Doutrina Secreta*, III, 565-566)

Kardecistas — São os partidários do sistema espírita de Allan Kardec, o francês que fundou o moderno movimento da escola espírita. Os espíritas da França diferem dos espíritas (espiritualistas) americanos ou ingleses, pois *seus* "espíritos" ensinam a reencarnação, enquanto que os dos Estados Unidos e da Grã-Bretanha qualificam esta crença de engano e erro herético, e denigrem todos os que a aceitam. "Quando os *espíritos* estão em desacordo..." [Ver *Espiritismo*.]

Kâri (*Sânsc.*) — Ação, ato, função, emprego. Como adjetivo: que faz ou executa; que tem função ou emprego.

Kârin (*Sânsc.*) — Que faz ou opera.

Karka (*Sânsc.*) — Quarto signo do Zodíaco hindu, correspondente a Câncer.

Karkâtaka (*Sânsc.*) — Câncer.

Karkaza (*Sânsc.*) — Áspero, rude, grosseiro, cruel, desapiedado.

Karkazavâkya (*Sânsc.*) — Linguagem dura, grosseira, descortês.

Karma ou **Karman** (*Sânsc.*) — Fisicamente, ação; metafisicamente, a Lei de Retribuição, a Lei de causa e efeito ou de Causa ética. Nêmesis, apenas no sentido de mau Karma. É o décimo primeiro *Nidâna* ou causa de existência no encadeamento de causas e efeitos, no Budismo ortodoxo; mas também é o poder que governa todas as

K

coisas, a resultante da ação moral, o *samskâra* ou o efeito moral de um ato submetido para a obtenção de algo que satisfaça um desejo pessoal. Há Karma de mérito e há Karma de demérito. O *Karma* não castiga nem recompensa; é simplesmente a Lei *única*, universal, que dirige infalivelmente e, por assim dizer, cegamente todas as demais leis produtoras de certos efeitos ao longo dos sulcos de suas causas respectivas. Quando o Budismo ensina que "o Karma é aquele núcleo moral (de todo ser), o único que sobrevive à morte e continua na transmigração" ou reencarnação, quer dizer simplesmente que, depois de cada *personalidade*, não resta nada além das causas que esta produziu, causas que são imorais, isto é, que não podem ser eliminadas do Universo, até que sejam substituídas por seus verdadeiros efeitos e por eles destruídas, e tais causas – a não ser que sejam compensadas por efeitos adequados, durante a vida da pessoa que as produziu – seguirão o *Ego* reencarnado e o alcançarão em sua reencarnação subsequente, até que a harmonia entre efeitos e causas seja totalmente restabelecida. Nenhuma "personalidade" – simples conjunto de átomos materiais e de peculiaridades instintivas e mentais – pode continuar como tal no mundo do Espírito puro. Só aquele que é imortal em sua própria natureza e divina essência, isto é, o *Ego*, pode existir para sempre. E, sendo o *Ego* aquele que escolhe a personalidade que vai animar, depois de cada *Devachân*, e aquele que recebe através de tais personalidades os efeitos das causas Kármicas produzidas, o *Ego*, o Eu que é o "núcleo moral" já mencionado e *Karma* encarnado, é o "único que sobrevive à morte". [Esta lei existe desde a eternidade e nela, porque é a própria Eternidade, e como tal, visto que nenhum ato pode ser coigual à Eternidade, não se pode dizer que atua, porque é a própria Ação. Não é a *onda* que afoga o homem, mas a ação *pessoal* que caminha deliberadamente e se coloca sob a ação *impessoal* das leis que governam o movimento do *oceano*. O Karma não cria nem designa nada. O homem é quem traça e cria as causas e a lei kármica ajusta os efeitos e este ajustamento não é um ato, mas a harmonia universal, que tende a recobrar sua posição primitiva, como um ramo de árvore que, se dobrado com violência, retorna com a força correspondente. Se fraturar o braço que o dobrou, diremos que foi o ramo que quebrou o braço ou que foi a imprudência que acarretou tal desgraça? O Karma não destrói nunca a liberdade intelectual e individual, como o deus inventado pelos monoteístas. Não envolveu seus decretos na obscuridade de modo intencional, para confundir o homem, nem mesmo castiga aquele que ousa esquadrinhar seus mistérios; pelo contrário, aquele que, através do estudo e da meditação, descobre seus sendeiros intrincados e lança alguma luz em seus obscuros caminhos, em cujas revoluções perecem tantos homens, por desconhecerem o labirinto da vida, trabalha para o bem de seus semelhantes. O Karma é uma lei absoluta e eterna no mundo de manifestação e, como só pode haver um Absoluto, assim como uma só Causa eterna sempre presente, os crentes no Karma não podem ser considerados como ateus ou materialistas, e menos ainda como fatalistas, visto que o Karma é uno com o Incognoscível, do qual é um aspecto, em seus efeitos no mundo fenomenal. (*Doutrina Secreta*, II, 319-320) Dentre as várias divisões do Karma estabelecidas (Karma individual e coletivo, Karma positivo e negativo, Karma masculino e feminino etc.), tem importância especial a tripla divisão em: 1º) *Karma* acumulado ou latente *(Sañchita Karma)*, que é constituído pela multidão de causas que vamos acumulando no decorrer de nossa vida e que não podem ter realização imediata; 2º) *Karma* ativo ou começado *(Prârabdha Karma)*, aquele cujos efeitos manifestam-se agora em nossa própria natureza, isto é, aquele que constitui o que chamamos de nosso caráter, as múltiplas circunstâncias que nos cercam na vida presente; e 3º) *Karma* novo, aquele que é atualmente engendrado por nossas atividades diversas *(Kriyamâna Karma)*. Esta divisão, exposta por J. C. Chatterji em *Filosofia Esotérica da Índia*, é a mesma encontrada na excelente obra de A. Besant, *Sabedoria Antiga*, nestes termos: "É

K

preciso distinguir entre o Karma maduro, pronto a se manifestar como acontecimentos inevitáveis na vida atual; o Karma de caráter, que se manifesta nas tendências que dão resultados de experiências acumuladas e que são suscetíveis de modificação na vida atual pelo mesmo Poder (o *Ego*) que as criou na vida anterior; e finalmente o Karma que agora está sendo produzido e que dá origem a acontecimentos vindouros e ao caráter futuro. Estas são as divisões designadas pelos nomes de *Prârabdha* (começado que deve ser efetuado na vida), *Sañchita* (acumulado), uma parte do qual se manifesta nas tendências, e *Kriyamâna*, em criação ou formação" (*op. cit.*, p. 326). São Paulo, o Iniciado, expressa de modo pitoresco a operação do *Karma*, dizendo: "Tudo o que o homem semear, colherá" (*Gálat.*, VI, 7), sentença análoga àquela dos *Purânas*: "Todo homem recolhe as consequências de seus próprios atos". A lei do Karma encontra-se inextricavelmente ligada à lei da Reencarnação.]

Karma (*Senhores do*) — Ver *Senhores do Karma, Lipikas,* etc.

Karma-bandhana (*Sânsc.*) — Laço que liga o *Karma* com a vida terrestre. Como adjetivo, significa: ligado ou encadeado pelas obras.

Karma coletivo — Aquele que afeta uma coletividade humana (família, povo, nação, a humanidade toda). É a resultante das forças em relação mútua dos indivíduos que compõem a coletividade e todos eles são conduzidos segundo a direção de tal resultante.

Karma futuro — Ver *Agâmi-Karma.*

Karma-ja (*Sânsc.*) — Nascido da ação ou das obras.

Karma-kânda (*Sânsc.*) — Ciência ou mistério do Karma.

Karmâkhila (*Sânsc.*) — A totalidade do ato; a perfeição do ato.

Karma maduro — É o mesmo que o *Prârabdha Karma* (ver *Karma*), isto é, aquele que está pronto a se manifestar nesta vida e que, portanto, é inevitável.

Karma-mârga (*Sânsc.*) — Sendeiro de ação. (Ver *Karma-yoga*.)

Karma-mîmânsâ (*Sânsc.*) — Ver Filosofia *Pûrva-mîmânsâ*.

Kârmana (*Sânsc.*) — Magia, feitiçaria, operação mágica; que encanta, enfeitiça ou fascina; pertencente às ações ou delas nascido.

Karma-Nemesis (*Sânsc.* e *Gr.*) — *Karma* e *Nemesis* são duas palavras quase sinônimas. Como se disse anteriormente, Karma é Nemesis apenas no sentido de mau Karma. Karma-Nemesis não é nada além do efeito dinâmico espiritual de causas produzidas e forças que nossas próprias ações despertaram e colocaram em atividade. É uma lei de dinâmica oculta, que "uma dada quantidade de energia gasta no plano espiritual ou astral produz resultados muito maiores do que a quantidade gasta no plano físico, objetivo da existência". Karma-Nemesis é sinônimo de Providência *sem* desígnio, bondade ou qualquer outro atributo e qualidade finitos, tão antifilosoficamente a ela atribuídos. Nenhum ocultista ou filósofo falará da bondade ou crueldade da Providência; porém, identificando-a com o Karma-Nemesis, ensinará que guarda os bons e vela sobre eles tanto nesta vida quanto nas vindouras, e que castiga o malfeitor até sua sétima reencarnação, até que tenha sido finalmente reajustado o efeito de ter perturbado o mais ínfimo dos átomos no mundo infinito de harmonia; porque o único decreto kármico – decreto eterno e imutável – é a Harmonia Absoluta, tanto no mundo material quanto no espiritual. (*Doutrina Secreta*, I, 704-705) (Ver *Fatalismo, Karma* etc.)

Karmanya (*Sânsc.*) — Que deve ser feito.

Karma-phala (*Sânsc.*) — O fruto *kármico*, fruto da ação.

K

Karmârambhaka (*Sânsc.*) — O *Karma* que, em seu curso, produz outros *Karmas*. (P. Hoult)

Karmasâkchin (*Sânsc.*) — Testemunha das ações: o Sol.

Karma-sanga (*Sânsc.*) — Apego ou afeição à obra.

Karma-sangin (*Sânsc.*) — Apegado à ação ou às obras.

Karma-sangraha (*Sânsc.*) — A totalidade dos atos.

Karma-sannyâsika (*Sânsc.*) — Asceta que renunciou às obras e reprime seus órgãos de ação para se consagrar à meditação espiritual.

Karma-siddhi (*Sânsc.*) — Cumprimento da obra; bom êxito da obra empreendida.

Karmâtman (Karma-âtman) (*Sânsc.*) — De natureza ativa, "cuja natureza é de ação".

Karma-vasha (*Sânsc.*) — Poder ou influência dos atos de uma vida anterior.

Karma-vaza — Ver *Karma-vasha*.

Karma-vidhi (*Sânsc.*) — Regra de ação, prática, observância.

Karmaya (*Sânsc.*) — Ver *Chatur-yonî*.

Karma-yoga (*Sânsc.*) — Execução das ações, especialmente das obras religiosas. Yoga de ação, união com o Eu divino, através da ação; sendeiro de ação ou devoção através das obras, tais como os atos religiosos e também as obras inerentes ao cargo ou condição de cada um, sendo necessário que estas sejam executadas como um dever, sem apego, sem intenções egoístas ou interesseiras, sem desejo de recompensa e como uma oferenda à Divindade. É o primeiro dos sendeiros de perfeição. É sinônimo de *Karma-mârga* (ver).

Karma-yuga (*Sânsc.*) — O *Kali-yuga*. (P. Hoult)

Karma-zuddha (*Sânsc.*) — Obra pura; ação meritória.

Karmendriyâni (*Sânsc.*) — As cinco potências ou faculdades de ação, das quais os órgãos físicos (língua, mãos, pés etc.) são apenas os instrumentos materiais através dos quais reagimos sobre o mundo exterior. Estas faculdades são: fala, manipulação, locomoção, excreção e geração. (Ver *Indriyas* e *Jñânendriyas*.)

Kârmika (*Sânsc.*) — Partidário da ação. Com este nome designa-se uma escola de filosofia búdica.

Karmin (*Sânsc.*) — Homem de ação, aquele que segue o *Karma-mârga* ou sendeiro das obras, em contraposição ao *jñânin* ou homem de conhecimento.

Karna (*Sânsc.*) — Literalmente, "orelha", "timão". Rei do país de Anga (Bengala) e um dos caudilhos da hoste dos Kurus. Era filho de Sûrya (o Sol) e de Prithâ, que o deu à luz antes de seu matrimônio com Pându, e, por temer a desonra, abandonou-o às margens do rio Yamunâ, onde foi recolhido por Nandana, seu pai adotivo, que era *sûta* (cocheiro ou condutor de carro) do rei Dhritarâchtra. Daí seu epíteto "Filho do *sûta*".

Karnaim (*Hebr.*) — Provido de chifres; atributo de Ashtoreth e Astarté. Os chifres simbolizam o elemento masculino, e convertem a divindade em um ser andrógino. Ísis é também representada, às vezes, com chifres. Compare-se também a ideia da Lua em seu quarto crescente — símbolo de Ísis — como provida de chifres. (W. W. W.)

Karnajit (*Sânsc.*) — "Vencedor de Karna". Epíteto de Arjuna.

K

Karnak (*Eg.*) — Ruínas dos antigos templos e palácios que existem atualmente no local onde se situava a antiga Tebas. São as mais esplêndidas e grandiosas mostras de arte e destreza dos primitivos egípcios. Algumas poucas linhas copiadas de Champollion, Denon e um viajante inglês mostram de modo mais eloquente o que são tais ruínas. Sobre Karnak, escreve Champollion: "O espaço de terra coberto pela massa de restos de construção é quadrado; cada um dos lados mede 549 metros. Fica-se atônito e *aniquilado pela grandeza* daqueles restos sublimes e pela prodigalidade e magnificência da mão de obra, que há em todas as direções. Nenhum povo dos tempos antigos ou modernos concebeu a arte arquitetônica em um grau tão sublime e tão grandioso como a existente entre os antigos egípcios, e a imaginação, que na Europa eleva-se tão acima de nossos pórticos, detém-se e *cai impotente* ao pé das cento e quarenta colunas do hipóstilo de Karnak. Em uma de suas salas caberia a Catedral de Notre Dame sem atingir o teto, parecendo pequeno adorno no centro de tal recinto". Outro escritor exclama: "Pátios, salões, passadiços, colunas, obeliscos, figuras monolíticas, esculturas, longas fileiras de esfinges encontram-se em tal profusão em Karnak que o espetáculo é demasiado grande para nossa compreensão". E o viajante francês Denon diz: "Dificilmente se pode acreditar, mesmo depois de a ter visto, que seja uma realidade a existência de tantos edifícios reunidos num só ponto, suas dimensões, a firme perseverança que exigiu sua construção e o custo incalculável de tanta magnificência. É preciso que o leitor pense que o que tem diante de si é um sonho, visto que, às vezes, o espectador, ao ver aquilo, chega a duvidar de que esteja acordado... *Dentro do recinto do santuário* há lagos e montanhas. Estes dois edifícios são escolhidos como amostras de uma lista *quase interminável*. Todo o vale e delta do Nilo, desde as cataratas até o mar, estava coberto de templos, tumbas, pirâmides, obeliscos e colunas. A execução das esculturas excede a todo enaltecimento. A perfeição mecânica com que aqueles artistas lavravam o granito, a serpentina, o mármore e o basalto é maravilhosa, segundo todos os peritos... os animais e as plantas parecem naturais e os objetos artificiais estão admiravelmente esculpidos; em todos os seus baixo relevos são vistos combates em terra e mar e cenas da vida doméstica".

Karneios (*Gr.*) — O *Apolo Karneios* é evidentemente um *avatar* do "Krishna karna" hindu. Ambos eram deuses-Sol; *Karna* significa "radiante" e *Karneios*, que era um epíteto de Apolo entre os celtas e os gregos, significa "nascido do Sol". (*Doutrina Secreta*, II, 47 da últ. ed. inglesa)

Karpanya (*Sânsc.*) — Piedade, compaixão; pobreza, miséria.

Karpatadhârin (*Sânsc.*) — Religioso mendicante, vestido de farrapos.

Karpatika e **Karpatin** (*Sânsc.*) — Mendigo.

Karr (*Eg.*) — O inferno dos Faraós. (Ver *Inferno.*)

Karshipta (*Masd.*) — A ave sagrada do céu, nas Escrituras masdeístas, da qual Ahura Mazda diz a Zaratushta que "ela recita o *Avesta* na linguagem das aves" (*Bund.* XIX e ss.). A ave é símbolo da "Alma", do Anjo e *Deva* em todas as religiões antigas. Vê-se facilmente, portanto, que esta "Ave Sagrada" representa o *Ego* divino do homem, ou seja, a "Alma". É o mesmo que *Karanda* (ver).

Karshvars (*Zend.*) — As "sete Terras" (nossa cadeia setenária), sobre as quais regem os *Amesha Spentas*, os Arcanjos ou *Dhyân-Chohâns* dos parses. São as sete Terras, das quais uma só, *Hvaniratha* (nossa Terra), é conhecida pelos mortais. As Terras (esotericamente) ou sete divisões (*esotericamente*) são nossa própria cadeia planetária, como se ensina no *Budismo Esotérico* e na *Doutrina Secreta*. Tal doutrina encontra-se claramente exposta no *Fargard*, XIX, 39, do *Vendidad*. [Ver *Hvaniratha*.]

Kartâ (*Sânsc.*) — Nominativo singular de *Kartri* (ver).

K

Kartâ-yuga *(Sânsc.)* — O *Krita-yuga.* *(P. Hoult)*

Kartikeya — Ver *Kârttikeya.*

Kartra *(Sânsc.)* — Feitiço, encanto, prestígio, ensalmo.

Kartri *(Sânsc.)* — Autor, agente.

Kartritva *(Sânsc.)* — Atividade, produção.

Kârttika *(Sânsc.)* — O mês (outubro-novembro) em que a Lua está cheia nas Pleyades. (Ver *Kârttikeya.*)

Kârttikeya ou **Kârttika (Kartika)** *(Sânsc.)* — O deus da guerra hindu, filho de Shiva, nascido da semente deste caída no Ganges. É também a personificação do poder do *Logos.* O planeta Marte. Kârttika é um personagem muito misterioso, criado pelas Plêiades e um dos Kumâras. [Kârttikeya é um dos Kumâras e chefe, por sua vez, destes e dos Rudras. Estas divindades eram, como os Cabires, a personificação dos Fogos Sagrados dos mais ocultos Poderes da Natureza. Kârttikeya, chamado também de *Skanda,* é o caudilho das hostes celestiais ou, melhor dizendo, dos *Siddhas.* É o protótipo de Miguel e de São Jorge; nasceu com o objetivo de matar Târaka, o Demônio, demasiado santo e sábio, cujas grandes austeridades tornaram-no temível aos deuses. Seu nascimento é prodigioso, visto que este deus foi engendrado sem pai nem mãe. A semente de Shiva foi lançada ao Fogo (Agni) e recebida, em seguida, no seio da Água (Gânges), nascendo assim do Fogo e da Água. As Plêiades encarregaram-se de criar e daí deriva seu nome de Kârttikeya. (*Doutrina Secreta,* II, *passim*)]

Karuna *(Sânsc.)* — Infeliz, miserável, digno de lástima.

Karunâ *(Sânsc.)* — Piedade, lástima, compaixão.

Karunâ-bhâvanâ *(Sânsc.)* — Meditação sobre a piedade e a compaixão, no *Yoga.*

Kârunika *(Sânsc.)* — Compassivo, misericordioso.

Kârunya *(Sânsc.)* — Piedade, compaixão, misericórdia.

Kârya *(Sânsc.)* — Que deve ser feito ou praticado; prescrito, obrigatório; dever, tarefa, ofício, ato obrigatório; motivo, objeto.

Kâryaputa *(Sânsc.)* — Que descuida de seu dever, que persegue um objeto impossível; imprudente, descarado.

Kâryavat *(Sânsc.)* — Ocupado, atarefado; solícito, serviçal.

Kasam *(Alq.)* — Ferro.

Kasbeck — A montanha da cordilheira do Câucaso onde Prometeu estava preso.

Kasdim — Os caldeus.

Kashâya *(Sânsc.)* — Aspereza, corrupção.

Kasi — Ver *Kâzî.*

Kasina *(Sânsc.)* — Cerimônia mística do *Yoga,* que se pratica para livrar a mente de toda a perturbação e agitação e conduzir o elemento kâmico a uma calma completa.

Kâsi khanda — Ver *Kâzî khanda.*

Kasyapa — Ver *Kazyapa.*

Katenoteismo (Kathenotheismo) — Do grego *Kata,* segundo, *heis* (*hen-*), um, e *theos,* deus. Uma forma de religião na qual se escolhe e adora a um só deus com exclusão dos demais. (Ver *Henoteísmo.*)

K

Katha (*Sânsc.*) — Nome de um dos *Upanichads* [*Kathopineichad*], comentado por Zankarâchârya.

Kathâ (*Sânsc.*) — Relato, narração, história, conto, conversação, diálogo, exposição, menção.

Kathopanichad (katha-upanichad) — Ver *Katha*.

Kâtyâyana (*Sânsc.*) — O *chela* favorito de Gautama o Buddha.

Kaumâra (*Sânsc.*) — [Adjetivo derivado de *Kumâra*.] - A "criação dos *Kumâras*", jovens virgens nascidos do corpo de Brahmâ. [Ver *Kûmaras* e *Criação kaumâra*.]

Kaumuda (*Sânsc.*) — A Lua do mês *Kârttika* (outubro-novembro).

Kaumudî (*Sânsc.*) — O dia de Lua cheia do mês *âzvina* e do mês *Kârttika*; festa em honra de Kârttikeya.

Kaundinya (*Sânsc.*) — Nome de um Buddha vindouro.

Kaunteya (*Sânsc.*) — "Filho de Kuntî". Nome patronímico de Arjuna.

Kaupin ou **Kaupina** (*Sânsc.*) — As partes genitais; pedaço de tecido usado para cobrir tais partes.

Kaurava (*Sânsc.*) — "Descendente de Kuru". Nome patronímico dos príncipes Kurus (ou Kuravas) e Pândavas, por ser Kuru o antecessor comum de ambos; aplica-se, porém, especialmente aos primeiros, ou seja, aos filhos de Dhritarâchtra.

Kauravya (*Sânsc.*) — Rei dos *Nâgas* (Serpente) no Pâtâla, exotericamente um inferno. Porém, esotericamente, significa coisa bem diferente. Há uma tribo dos Nâgas, na Índia superior; *Nagal* é atualmente o nome que se dá, no México, aos principais exorcistas e feiticeiros e era o dos principais Adeptos no alvorecer da história. Finalmente, *Patal* significa antípodas e é um nome da América. Daí o mito de que Arjuna fez uma viagem ao Pâtâla e se casou com Ûlûpî, filha do rei Kauravya, pode ser um fato tão histórico como tantos outros que, considerados inicialmente como fabulosos, verificou-se mais tarde serem verdadeiros. [Ver *Pâtâla*.]

Kautuka (*Sânsc.*) — Gozo, alegria, regozijo, prazer; festa, jogos ou espetáculos públicos etc.

Kauzala (*Sânsc.*) — Prosperidade, bom êxito, acerto; saudação.

Kavanim (*Hebr.*) — Também escrito como *Cunim*. Nome de certas tortas místicas oferecidas a Ishtar, a Vênus babilônica. Jeremias fala destes *Cunim* oferecidos à "Rainha do Céu" (VII, 18). Em nossos tempos, não oferecemos bolos, mas os comemos no dia de Páscoa. (W. W. W.)

Kavi (*Sânsc.*) — Poeta, sábio, vidente.

Kavya (*Sânsc.*) — Oferenda aos *Pitris* ou Antepassados.

Kâvya (*Sânsc.*) — Poesia épica cortesã; poesia épica artificial; poema épico ou heroico composto segundo as regras da arte, em contraposição aos *Itihâsas* e aos *Purânas*. Os Kâvyas principais são: *A Dinastia de Raghu* (*Raghu-vanza*) e o *Nascimento do Deus da Guerra* (*Kumâra-sambhava*) do grande poeta hindu Kâlidâsa.

Kavya-darza (*Sânsc.*) — "Espelho da poesia". Obra que trata da arte poética, composta por Zrî Dandî.

Kavya-vahana (*Sânsc.*) — O fogo dos *Pitris*.

Kâya (*Sânsc.*) — O corpo, organismo; coleção, massa.

K

Kâya-stha (*Sânsc.*) — "Que reside no corpo"; o Espírito.

Kayn (*Hebr.*) — Ver *Caim*.

Kaysir (*Alq.*) — Espuma do mar.

Kâzi ou **Kâzî** (*Sânsc.*) — Antigo nome da cidade santa de Benares.

Kâzî-khanda (*Sânsc.*) — Longo poema que faz parte do *Skanda-Purâna* e contém outra versão da lenda da cabeça de Dakcha. Este, tendo-a perdido numa luta, recebeu dos deuses uma cabeça de um carneiro *Mekha Zivas*, para substituir a sua perdida. Outras versões dizem que a cabeça é de um bode. Esta alteração muda consideravelmente a alegoria.

Kazyapa (Kasyapa) (*Sânsc.*) — Um sábio védico. Segundo as palavras do *Atharvaveda*, é "o nascido de si mesmo, que surgiu do Tempo". Além de ser pai dos *Âdityas*, à frente dos quais encontra-se Indra, Kazyapa é o progenitor das serpentes, répteis, aves e outros seres que andam, voam e se arrastam. [Era filho de Marîchi (filho de Brahmâ) e pai de Vivasvat (pai de Manu, progenitor da humanidade). É considerado como um dos *Prajâpatis* ou criadores. É também um dos sete grandes *Richis*.]

Kcham (*Véd.*) — A Terra.

Kchama (*Sânsc.*) — Paciente, tolerante, indulgente.

Kchamâ (*Sânsc.*) — Paciente, tolerante, indulgente.

Kchamî ou **Kchâmin** (*Sânsc.*) — Paciente, sofrido, resignado, tolerante, indulgente.

Kchana — Ver *Kshana*.

Kchanada (*Sânsc.*) — Água.

Kchanadâ (*Sânsc.*) — Noite.

Kchanadâchara (*Sânsc.*) — "Que anda de noite": râkchasa, demônio, mau espírito ou fantasma noturno.

Kchanadâkara (*Sânsc.*) — "Que faz a noite": a Lua.

Kchanika (*Sânsc.*) — Momentâneo, fugaz, transitório.

Kchânta (*Sânsc.*) — Paciência, indulgência; paciente, indulgente.

Kchânti (Kshanti) (*Sânsc.*) — Paciência, [indulgência. "A doce paciência que nada pode alterar" é uma das chaves de ouro de que se fala em *Voz do Silêncio*, III. Uma das seis "perfeições" ou *pâramitâs* (ver).]

Kchapâ (*Sânsc.*) ou **Kchapas** (*Védico*) — A noite.

Kchapâkara (*Sânsc.*) — O astro da noite: a Lua.

Kchapana (*Sânsc.*) — Insolente, descarado; destruidor.

Kchapanyu (*Sânsc.*) — Ofensa, pecado.

Kchapâta (*Sânsc.*) — Râkchasa ou demônio noturno.

Kchara (*Sânsc.*) — Esgotável, divisível, mortal, alterável, mutável.

Kchata (*Sânsc.*) — Violado, quebrado, ferido, morto.

Kchatavrata (*Sânsc.*) — Que violou ou quebrou um voto ou dever religioso.

Krhatra ou **Kchâttra** (*Sânsc.*) — Ver *Kshatra*.

Kchatradharma (*Sânsc.*) — Ver *Kshatradharma*.

K

Kchatriya ou **Kchattriya** — Ver *Kshatriya*.
Kshaya (*Sânsc.*) — Ver *Kshaya*.
Kchayakrit — Ver *Kshayakrit*.
Kchayita — Ver *Kshayita*.
Kchayitakalmacha — Ver *Kshayitakalmacha*.
Kchema (*Sânsc.*) — Bem, sorte, gozo, bem-estar, felicidade, posse; bom, feliz, afortunado.
Kchetra ou **Kchetram** — Ver *Kshetram*.
Kchetrajña ou **Kchetrajñezvara** — Ver *Kshetrajña*.
Kchetra-kchetrajñau — Ver *Kshetra-kshetrajñau*.
Kchetrî ou **Kchetrin** — Ver *Kshetrî*.
Kchipnu (*Sânsc.*) — Que opõe obstáculos.
Kchipta (*Sânsc.*) — Aflito; difamado; precipitado; depreciado; vil.
Kchira ou **Kchîra** (*Sânsc.*) — Leite.
Kchira-samudra (*Sânsc.*) — O oceano de leite batido pelos deuses [para extrair o *amrita*.]
Kchit (*Sânsc.*) — Senhor, governador, habitante.
Kchiti (*Sânsc.*) — Destruição, decaimento, fim, desaparecimento; habitação; a Terra; o deus de Terra.
Kchoba (*Sânsc.*) — Emoção, vibração, impulso, agitação, perturbação, temor.
Kebar-Zivo ou **Cabar-Zivo** (*Gn.*) — Um dos principais criadores, no *Codex* dos nazarenos. [É também conhecido pelo nome de *Nebat-lavar bar Iufin-Ifafin*; Senhor de esplendor; Timão e Vide do alimento da Vida – sendo ele a terceira *Vida* –, produz outras *sete vidas* (as virtudes cardeais), que brilham em sua própria forma e luz "lá do alto", opondo-se à influência dos sete princípios malignamente dispostos" (os sete pecados capitais) e restabelecendo o equilíbrio entre o bem e o mal, a luz e as trevas. (*Ísis sem Véu*, I, 300)
Keherpas (*Zend.*) — Forma aérea. [O terceiro Princípio, segundo o *Avesta*. (*Cinco Anos de Teosofia*)]
Kelly, *Edward* — Seu verdadeiro nome é Talbot. Nasceu em Worcester, no ano de 1555. Foi autor de uma obra escrita em latim, intitulada *Tratado da Pedra dos Sábios*, que, segundo seu editor Elias Ashmole, é uma tradução latina de uma antiga obra hermética, que tratava da transmutação dos metais e que foi encontrada na tumba de um bispo católico, obra que a casualidade colocou nas mãos de Kelly juntamente com uma certa quantidade de pó de projeção. Instruído pelo sábio alquimista Dr. Jean Dée, fabricou grandes quantidades de ouro na presença de numerosas personagens fidedignas, entre as quais são citados o médico da corte imperial, Tadeo de Hayek *(Agecius)*, outro médico chamado Nicolás Barnaud, o marechal Rosemberg e o próprio imperador Maximiliano II da Alemanha, que o cobriu de favores e o nomeou marechal da Bohemia. No final de sua vida, foi perseguido e encarcerado, morrendo, no ano de 1597, de um acidente infeliz que lhe aconteceu quando tratava de se evadir da prisão.
Kena (*Sânsc.*) — Literalmente, "com quê?" ou "por quê?". Título de um *Upanichad*. (Ver *Kenopanichad*.)

K

Kenopanichad (Kena-upanichad) *(Sânsc.)* — Este breve, porém importante, *Upanichad*, recebeu este nome por causa de sua palavra inicial. Foi traduzido pelo Dr. Röer para a *Biblioteca Índica*.

Kenosis *(Gr.)* — "A ação de evacuar ou esvaziar". A autolimitação da parte do *Logos* no ato da encarnação, sua aniquilação (esvaziamento) de si mesmo ou seu abandono, não só de seus atributos divinos, mas também de sua divina consciência de si mesmo, para os recobrar plenamente apenas na ascensão. Esta doutrina teológica está baseada na frase de São Paulo (*Filipenses.*, II, 6 e 7): "... que sendo em forma de Deus... aniquilou (esvaziou) a si mesmo, tomando forma de servo, feito à semelhança dos homens".

Ker *(Gr.)* — Hesíodo e Homero falam de alguns seres imaginários, que são personificações das causas imediatas. Seu aspecto é horrível; seguem os guerreiros nos campos de batalha e, lançando olhares sinistros, arrastam-se junto aos feridos e moribundos, cravando no corpo desses infelizes suas garras formidáveis e chupando seu sangue.

Keraunoscopia (do grego *Keraunos*, raio) — Uma espécie de adivinhação praticada através da observação do raio.

Kerneter *(Eg.)* — Literalmente, "Morada dos deuses". (Ver *Aahla* e *Amenti*.)

Kesava ou **Keshava** *(Sânsc.)* — De *Kesa*, cabelo. "Que tem cabeleira abundante ou opulenta"; "de cabeleira formosa"; "que tem cabelo longo". D. K. Laheri, em seu *Comentário do Unara-Gîtâ*, diz que o termo *Kesava* deriva de *Ka-îsa-va*, "que goza de felicidade"; porém é preciso levar em conta que a palavra *Ka* significa também *cabelo* ou *cabeleira*, além de *felicidade*. Davies, baseando-se em outra etimologia, traduz tal palavra no sentido de "aquele que dorme sobre as águas". Sobrenome de Vishnu ou Krishna.

Keshara *(Sânsc.)* — "Que passeia ou anda pelo céu", isto é, o *yogi* que pode viajar em sua forma astral. *Keshara* significa também filamentos do lótus e de outros vegetais, talvez porque flutuam no ar. [Segundo se declara no sexto *adhyâya* (capítulo) do rei dos tratados místicos, o *Dhyânezvari*, o corpo do *yogi* torna-se como que "formado de ar", como uma "nuvem da qual brotaram membros", depois do que "ele (o *yogi*) vê as coisas existentes mais além dos mares e das estrelas, ouve e compreende a linguagem dos *devas* (deuses) e percebe o que se passa na mente da formiga". (*Voz do Silêncio*, I.)]

Keshava — Ver *Kesava*.

Keshi ou **Keshin** *(Sânsc.)* — Literalmente, "cabeludo ou que tem cabeleira abundante". Nome de um *daitya*, demônio ou gigante, a quem Krishna matou em luta ferrenha.

Keshinichûdana *(Sânsc.)* — Literalmente, "matador de *Keshin*". Sobrenome de Krishna. (*Bhagavad-Gîtâ*, XVIII, 1)

Keshisûdana *(Sânsc.)* — Significado idêntico ao de *Keshichûdana*.

Kether *(Hebr.)* — A Coroa, o mais elevado dos dez *Sephiroth*; o primeiro da Tríada suprema. Corresponde ao Macroprosopo, Grande Face ou Arihk Anpin, que se diferencia em Chokmak e Binah. (W. W. W.) [O Ancião dos Anciões, o Desconhecido do Desconhecido, tem forma e, contudo, nenhuma forma. Tem uma forma através da qual se mantém o Universo. Mas não tem forma alguma, porque Ele não pode ser compreendido. Quando, no princípio, tomou esta forma (*Kether*, a Coroa, o primeiro *Logos*), deixou dele emanarem nove Luzes brilhantes (a Sabedoria e a Palavra, que com *Kether* formaram a Tríada, e em seguida os sete *Sephiroth* inferiores)... É o Ancião dos Anciões, o Mistério dos Mistérios, o Desconhecido do Desconhecido. Tem uma forma que lhe pertence, visto que se manifesta a nós (graças a ela) como o Ancião acima de todos, como o Ancião dos Anciões e como o mais Desconhecido dentre o Desconhecido. Porém,

K

através da qual se dá a conhecer, Ele próprio permanece sempre desconhecido (*Qabbalah* de Isaac Myer, do *Zoar*, p. 274-275. Citado por A. Besant, *Sabedoria Antiga*, p. 21, ed. inglesa.)]

Ketu (*Sânsc.*) — O nó descendente em astronomia; a cauda do Dragão celeste, que ataca o Sol durante os eclipses; é também um cometa ou meteoro. [Significa também: emblema, bandeira; marca, sinal; chefe, caudilho.]

Kevala (*Sânsc.*) — Só, único, puro, inteiro, todo.

Kevala-chaitanya (*Sânsc.*) — A mente pura, só ou isolada.

Kevalâtman (*Sânsc.*) — O Espírito puro.

Kevalin (*Sânsc.*) — Aquele que crê na doutrina da unidade do Espírito. Entre os jainas, um *Arhat*. (P. Hoult)

Keza — Ver *Kesa*.

Kezara — Ver *Keshara*.

Kezava — Ver *Keshava* ou *Kesava*.

Kezi ou **Kezin** — Ver *Keshi* ou *Keshin*.

Kezinichûdana — Ver *Keshinichûdana*.

Kh (*Sânsc.*) — Símbolo de um *nâdi*, que procede do coração. (*Râma Prasâd*)

Kha [ou **Kham**] (*Sânsc.*) — Sinônimo de *Âkâza*. [Espaço, éter, firmamento, céu, ar. Um dos cinco elementos grosseiros dos filósofos *sânkhyas*: terra, água, fogo, ar e éter (*Kha*).]

Kha (*Eg.*) — Entre os egípcios, é o primeiro princípio humano: o corpo.

Khaba (*Eg.*) — O terceiro princípio humano, entre os egípcios: a sombra.

Khachpa (*Sânsc.*) — Cólera, paixão; violência.

Khado (*Tib.*) — Demônios-fêmeas maus, segundo a crença popular. Na filosofia esotérica, são as forças ocultas e malignas da Natureza. Elementais conhecidos em sânscrito pelo nome de *Dâkinîs* (ver).

Khaldi — Os primeiros habitantes da Caldeia, que foram, no início, adoradores do Deus-Lua, *Deus-Lunus*, culto que a eles foi levado pela grande corrente da primitiva emigração hindu e posteriormente por uma casta de astrólogos e Iniciados regulares.

Khamismo — Nome dado pelos egiptólogos ao antigo idioma do Egito. Também chamado de *Khami*.

Khanda (*Sânsc.*) — Pedaço, fragmento; seção ou capítulo de um livro.

Khanda-kâla (*Sânsc.*) — Tempo finito ou condicionado, em contraposição ao tempo infinito, ou seja, a eternidade: *Kâla*.

Khâpagâ (*Sânsc.*) — O Gânges, considerado como um rio celeste.

Kharpara (*Sânsc.*) — Crânio; gamela do mendigo.

Khati (*Sânsc.*) — Fantasia, capricho.

Khattiya (*Pál.*) — Equivalente ao sânscrito *Kshaitriya* ou *Kchatriya*.

Khazarîrin (*Sânsc.*) — De *Kha*, éter, e *shârira*, corpo. Que tem um corpo glorioso ou etéreo.

Khechara (*Sânsc.*) — Que se movimenta no ar.

K

Khecharî (*Sânsc.*) — Uma prática do *Hatha-yoga* que consiste em voltar a ponta da língua para trás, em direção à garganta, tendo ao mesmo tempo o olhar fixado entre as sobrancelhas.

Kheda (*Sânsc.*) — Fadiga, tormento, tristeza, pesar, arrependimento.

Kheder (*Ár.*) — Nome que os muçulmanos dão ao profeta Elias, devido à sua vida imortal no paraíso.

Khela (*Sânsc.*) — Vacilação; vacilante.

Khem (*Eg.*) — O mesmo que Hórus; "O deus Khem vingará seu pai Osíris", diz o texto de um papiro. [Khem representa a divindade em seu duplo papel de pai e filho: como pai, é denominado "esposo de sua mãe"; como filho, é assimilado a Hórus. Simboliza ao mesmo tempo a vegetação e a geração. (Pierret, *Dict. d'Arch. Égypt.*) (Ver *Chnoufis.*)]

Khepra (*Eg.*) — Deus egípcio que preside o renascimento e a transmigração. É representado com um escaravelho sagrado no lugar da cabeça.

Kher (*Eg.*) — Segundo M. Birch, em seu estudo sobre o papiro *Abbot*, o *Kher* era o recinto funerário, o conjunto de construções e hipogeus dependentes de uma mesma sepultura ou de um grupo de sepulturas. O *Kher* real formava um edifício especial, que o referido papiro denomina *Kher* muito augusto dos milhões de anos do rei, ao ocidente de Tebas. Este mesmo documento cita também o *Kher* da rainha Ísis. Havia *Khers* de várias espécies. (*Dict. d'Arch. Égypt.*)

Kher-Heb (*Eg.*) — Nome dado ao sacerdote encarregado de fazer uso das palavras nas festas religiosas. Os papiros funerários representam-no lendo extratos do *Livro dos Mortos*, durante a cerimônia das exéquias. Era o mestre de cerimônias do culto egípcio. (*Dict. d'Arch. Égypt.*)

Khewt-neb-s (*Eg.*) — Deusa que personifica o Ocidente.

Khi (*Chin.*) — Literalmente, "alento"; significa o *Buddhi*.

Khidira (*Sânsc.*) — A Lua.

Khidra (*Sânsc.*) — Dor, tormento, miséria.

Khila (*Sânsc.*) — Vazio, deserto, inculto; suplemento, apêndice.

Khnoom — Ver *Khnum*.

Khnum [ou **Num** (*Khnoom*, segundo a transliteração inglesa)] (*Eg.*) — A Grande Profundidade ou o Espaço Primordial. [Ver *Chnoufis.*]

Khoda (*Per.*) — Nome aplicado à Divindade.

Kholmukha (*Sânsc.*) — O planeta Marte, devido à sua cor viva ou avermelhada.

Khons ou **Chonso** (*Eg.*) — Filho de Maut e Ammon; personificação da manhã. É o Harpócrates tebano, segundo certos autores. O mesmo que Hórus, oprime com o pé o crocodilo, emblema da noite e das trevas, ou Seb (Sebek), que é Tifón. Porém nas inscrições, é invocado como "Curador de enfermidades e exterminador de todo mal". É também o "Deus da caça" e Sir Gardner Wilkinson pretende ver nele o Hércules egípcio, provavelmente porque os romanos tinham um deus denominado Consus, que presidia as corridas de cavalos e por isso o chamavam de "ocultador de segredos". Porém este último é uma variante posterior do Khons egípcio, que é mais provavelmente um aspecto de Hórus, visto que tinha cabeça de falcão e portava o látego e o báculo de Osíris, o *tat* e a cruz *ansata*.

Khoom — Ver *Khum*.

K

Khordah-Avesta (*Masd.*) — O pequeno *Avesta*. Livro composto de *yashts* (invocações) e de orações para uso mais dos seculares do que dos sacerdotes, sendo muitas delas orações que os parses modernos rezam diariamente. Alguns de seus fragmentos são muito antigos e outros de data relativamente moderna. (Ver A. Besant, *Quatro Grandes Religiões*.)

Khordêhs (*Per.*) — As vinte e oito constelações, nas quais se encontram repartidos os doze signos do Zodíaco. *(Zend-Avesta)*

Khorschid (*Per.*) — O Sol, representado como um corcel vigoroso. *(Zend-Avesta)*

Khoti (*Sânsc.*) — Adivinhadora, mulher que diz a sorte.

Khou (*Eg.*) — Frequentemente se designa o defunto com este nome, no *Livro dos Mortos*. Porém este nome não se refere ao Espírito puro, como suspeita Pierret, mas ao "corpo astral" ou simulacro aéreo do cadáver ou da múmia, ou seja, aquilo que os hindus chamam de *bhût* e os chineses de *hauen*. (*Doutrina Secreta*, III, 242) *Khou* é também o nome que os egípcios davam à inteligência.

Khubilkhan (*Mong.*) ou **Shabrong** — No Tibete são os nomes dados às supostas encarnações de Buddha. Santos predestinados. [Ver *Chubilgan* e *Chutuktu*.]

Khu-en-ua (*Eg.*) — O piloto de cabeça de falcão, que guiava a barca condutora de almas através das negras águas que separam a vida da morte. (Ver *Caronte*.)

Khum (*Eg.*) — *Khoom* é a transliteração inglesa ou *Knuf (Knooph)*. A Alma do Mundo; uma variante de *Khnum* (ou *Khnoom*). ["O Ovo do Mundo estava colocado em *Khum*, a Água do Espaço ou Princípio Feminino abstrato, e, com a "queda" da humanidade na geração e no falicismo, *Khum* converteu-se em Ammon, o Deus criador." (*Doutrina Secreta*, I, 391)]

Khumbhânda (*Sânsc.*) — Divindades de certa ordem no Budismo.

Khunrath ou **Kunrath**, *Enrique* — Famoso cabalista, químico e médico. Nasceu no ano de 1502 e foi Iniciado na Teosofia (rosa-cruz) em 1544. Deixou várias obras cabalistas excelentes, sendo a melhor delas o *Anfiteatro de Eterna Sabedoria* (1598).

Khyâti (*Sânsc.*) — Ideia, noção, conhecimento; nome, reputação.

Kiau-men (*Tib.*) — Escola exotérica ou doutrina do Olho, em contraposição a *Tsung-men*, escola esotérica ou doutrina do coração. (*Voz do Silêncio*, II)

Kibel (*Cald.*) — Tradição, comunicação da palavra de Deus.

Kibrich ou **Kibrith** (*Alq.*) — Termo da Ciência Hermética, utilizado por alguns químicos para designar o enxofre filosófico.

Kim-puruchas (*Sânsc.*) — *Devas* monstruosos, meio homens, meio cavalos. [Literalmente, "que homens?". Uma classe de seres míticos, duendes, anões etc., que participam da natureza e do aspecto dos animais. Ultimamente esta palavra tornou-se sinônima de *Kinnaras*. "Um nome dos seres da segunda Raça." *(P. Hoult)*]

Kin (*Hebr.*) — Caim, ou o Mal, filho de Eva e Samael (o Diabo, que ocupava o lugar de Adão), segundo os ensinamentos dos rabinos. (*Doutrina Secreta*, II, 406)

Kings (*Chin.*) — Nome genérico das principais obras que tratam de religião e moral, da China.

Kin-nara (*Sânsc.*) — Literalmente, "Que homens?". Seres fabulosos da mesma espécie dos *Kim-puruchas*. Uma das quatro classes de seres chamados *Mahârâjas*. [Seres míticos que possuem corpo de homem e cabeça de cavalo; constituem uma classe de

K

Gandharvas (músicos celestes), que estão a serviço de Kuvera, deus das riquezas. (Ver *Kim-puruchas*.)]

Kioo-tche — Ver *Kiu-tche*.

Kirâtârjunîya *de Bhâdravi* (*Sânsc*.) — Poema épico sânscrito, que celebra a luta e as proezas de Arjuna com o deus Shiva, disfarçado de montanhês.

Kircher, *Anastácio* — Sábio jesuíta alemão, nascido no ano de 1602. Escreveu numerosas obras, entre elas o *Œdipus Ægyptiacus*, e foi autor de vários inventos, tais como o pantômetro e a lanterna mágica. Decifrava com extrema facilidade os hieróglifos egípcios e operou várias vezes a chamada "palingenesia das plantas", isto é, fazia reviver uma planta seca, morta, queimada e reduzida a cinzas, segundo o atestam numerosas pessoas sérias e fidedignas, e está detalhadamente escrito numa compilação intitulada *Anedotas da Medicina*, publicada em 1766. Luís Figuier, em sua curiosa obra *A Alquimia e os Alquimistas*, procura dar uma explicação científica de tão notável fenômeno.

Kirchmaier, *Jorge Gaspar* — Sábio alemão, nascido em Uffenheim, em 1615. Estudou as línguas orientais e escreveu grande número de obras sobre assuntos diversos. Figura entre os autores que escreveram sobre Alquimia.

Kirîta (*Sânsc*.) — Tiara, coroa, diadema.

Kiritin (*Sânsc*.) — "Que porta tiara ou diadema". Epíteto de Krishna e outros personagens.

Kirkeby — Famoso alquimista que, com alguns outros, obteve privilégios do rei Henrique VI da Inglaterra para fabricar em seus Estados o ouro e o elixir da longa vida, porque, segundo consta na ata de concessão, "encontraram o meio de transmutar indistintamente todos os metais em ouro".

Kîrti (*Sânsc*.) — Glória, honra, fama, luz, esplendor.

Kismet (*Ár*.) — Fado, destino.

Kiu-tche (*Chin*.) — *Kioo-tche*, na transliteração inglesa. Uma obra chinesa que trata de astronomia.

Kiver-Shans (*Chin*.) — O corpo *astral* ou "Corpo de pensamento".

Kiyun (*Hebr*.) — Por outro nome, o deus *Kivan*, adorado pelos israelitas no deserto e que era provavelmente idêntico a Saturno e também ao deus Shiva. De fato, como o H zendo é o S hindu (seu *hapta* é *sapta* etc.) e como as letras K, H e S são permutáveis, Shiva pode ter-se facilmente convertido em *Kiva* e *Kivam*.

Klaivya (*Sânsc*.) — Impotência, debilidade, desfalecimento.

Klesha (*Sânsc*.) — Amor à vida; porém, literalmente, "dor e miséria". Apego à existência e quase o mesmo significado de *Kâma*. [Amor ao prazer ou aos gozos mundanos, lícitos ou ilícitos. (*Voz do Silêncio*, III) *Klesha* significa também: dor, aflição, tristeza, angústia, afã, perturbação; obstáculo; distração. No Budismo, designa-se com este nome toda a imperfeição produzida pelo mal moral: há oito espécies, que são os pecados capitais, ou dez, entre os budistas do Ceilão. (Ver *Pañchakleshas*.)]

Klesha-kârins (*Sânsc*.) — Causas de dor ou de distração. É preciso advertir que toda distração, todo obstáculo, é causa de dor. Nos *Aforismos do Yoga de Patañjali*, mencionam-se cinco *Klesha-kârins*, que são: ignorância (*avidyâ*), egoísmo (*asmitâ*), desejo (*râga*), aversão (*dvecha*) e apego [à vida] (*abhi-niveza*). (Ver *Aforismos de Patañjali*, II, 3-9.)

Kleza — Ver *Klesha*.

K

Kleza-kârins — Ver *Klesha-kârins*.

Klikooska — Ver *Klikuska*.

Klikuska (*Rus.*) — Aquele que está possuído pelo espírito maligno. Literalmente, "gritador", "barulhento". Estes infelizes são periodicamente atacados por acessos, durante os quais relincham, cantam como os galos, zurram e profetizam.

Klippoth (*Hebr.*) — Cascas, invólucros. Termo usado na Cabala em vários sentidos: 1º) maus espíritos, demônios; 2º) as cascas ou invólucros de seres humanos defuntos, não o corpo físico, mas os restos da personalidade, após a saída do Espírito; 3º) os elementares de alguns autores. (W. W. W.)

Knef (*Eg.*) — Também se escreve *Kneph*, *Cnef* e *Nef*. Possui os mesmos atributos de Khem. Um dos deuses de força criadora, visto que se encontra relacionado com o Ovo do Mundo. Porfírio chamava-o de "Criador do Mundo"; Plutarco, "a divindade eterna e não criada"; Eusébio identificava-o com o *Logos*; Jâmblico chega quase a identificá-lo com Brahmâ, pois, falando do mesmo, diz: "este deus é o próprio intelecto, que percebe intelectualmente a si mesmo e *deve ser adorado em silêncio*". Uma de suas formas – acrescenta Bonwik – "era *Av*, que significa *carne*. Era criocéfalo, tinha um disco solar sobre a cabeça e estava de pé sobre a serpente Mehen (ver). Na mão esquerda tinha uma víbora e na direita uma cruz. Estava ativamente ocupado no mundo inferior, desempenhando uma missão de criação". Segundo Deveria, "sua viagem ao hemisfério inferior parece simbolizar as evoluções das substâncias, que nasceram para morrer e renascer". Milhares de anos antes de Kardec, Swedenborg e Darwin virem ao mundo, os antigos egípcios sustentavam suas respectivas filosofias. (*Crença Egípcia e Pensamento Moderno*). – [Ver *Água*.]

Kobold — Ver *Gnomo*.

Kosha — Ver *Kosha*.

Koilon (*Gr.*) — Literalmente, "vazio". Com este nome A. Besant e Leadbeater designaram a substância que contém os protótipos espirituais de todas as coisas, bem como seus elementos, onde são engendrados e onde evoluem. (Ver "Éter do Espaço", artigo publicado em *Sophia*, 1908.)

Koinobi (*Gr.*) — Uma seita que vivia no Egito no início do primeiro século da era cristã. Geralmente se confunde esta seita com a dos terapeutas. Eram tidos como magos.

Kokab (*Cald.*) — Nome cabalístico associado com o planeta Mercúrio. É também a Luz Astral. (W. W. W.)

Kol (*Hebr.*) — Uma palavra em letras hebraicas, Q U L. A Palavra do divino. (Ver *Bath Kol* e *Vâch*.) (W. W. W.)

Kols — Uma das tribos da Índia Central, muito afeita à magia. Seus membros eram considerados como grandes feiticeiros.

Komala (*Sânsc.*) — Brando, suave, terno, doce, aprazível, agradável. Como substantivo: água.

Konx-Om-Pax (*Gr.*) — Palavras místicas usadas nos Mistérios de Elêusis. Segundo se crê, estas palavras são a imitação, em grego, de antigos termos egípcios empregados, em outros tempos, nas cerimônias secretas do culto de Ísis. Vários autores modernos fornecem traduções fantásticas das mesmas, porém todas elas são apenas conjecturas sobre a verdade. (W. W. W.)

Koorgan — Ver *Kurgan*.

Kopa (*Sânsc.*) — Cólera, ira.

K

Kopakrama (*Sânsc.*) — Colérico, irascível, irritável.

Kopana (*Sânsc.*) — Significado idêntico de *Kopakrama*.

Kopin (*Sânsc.*) — O mesmo que *Kopakrama*.

Korão ou **Quran** (*Ár.*) — A Sagrada Escritura dos muçulmanos, revelada ao profeta Mahomé pelo próprio Alah (Deus). Esta revelação, contudo, difere daquela que Jehovah deu a Moisés. Os cristãos brincam com o *Korão*, qualificando-o de alucinação e obra de um impostor árabe, tanto que Mahomé prega em sua escritura a unidade da Divindade e venera o profeta cristão "Issa Ben Yussuf" (Jesus, filho de José). O *Korão* é um poema grandioso e sublime, repleto de ensinamentos morais e que proclama calorosamente a Fé, a Esperança e a Caridade. [*Korão*, *Corão* ou *Alcorão* (de *al-qoran*, a leitura ou o livro). É o livro sagrado dos maometanos, composto sob a inspiração de Alah por Mahomé, seu profeta. Este livro é também o Código através do qual se rege o povo muçulmano.]

Koridwen (*Celt.*) — O princípio feminino em suas múltiplas atribuições míticas. É a Matéria primordial, a Natureza, a Noite, a Lua etc. A lenda atribui a Koridwen dois filhos: *Creiz-viou*, a bela dispensadora de todos os bens, e *Avank-du*, o negro e feio monstro, autor de males sem fim. (*E. Bailly*)

Kortüm — Associado a Baehrens, publicou várias dissertações sobre Alquimia, cujos títulos são: *Da Dissolução Filosófica*, *Sobre a Teosofia Químico-Mística*, *Sistema da Arte Hermética* etc.

Kosha (*Sânsc.*) — Em geral, todo recipiente ou receptáculo que contém alguma coisa; qualquer coisa reservada num recipiente; assim, pois, tem numerosos e diversos significados: tesouro, dicionário, botão de flor; ovo, matriz, vaso, caixa, casca etc. (Ver *Koza*.)

Kosmos (*Gr.*) — O Universo, considerado como diferente do mundo, que pode significar nosso globo ou Terra. [A palavra *Kosmos*, escrita com *K*, aplica-se a todo o Universo; enquanto que Cosmos, com *C*, aplica-se somente à porção do Universo constituída por nosso sistema solar. (Ver *Cosmos*.)]

Kotha (*Sânsc.*) — Atacado de mal físico ou moral.

Kotî (*Sânsc.*) — Ponta, cúspide; correção, excelência. Uma quantidade equivalente a dez milhões de unidades. Também significa lombo. "O lombo (*Kotî*) é denominado *Talâtala*." (*Uttara-Gîtâ*, II, 27)

Kotsa — Ver *Kutsa*.

Kounboum (*Tib.*) — A árvore sagrada do Tibete ou "Árvore das dez mil imagens", como a denomina o abade Huc. Vegeta num cercado das terras do mosteiro da Lamaseria de mesmo nome e é muito bem cuidada. Segundo a tradição, nasceu da cabeleira de Tson-ka-pa, que foi enterrado em tal lugar. Este "Lama" foi grande reformador do Budismo do Tibete e é considerado como uma encarnação do Amita Buddha. Segundo o abade Huc, que viveu durante alguns meses em companhia de outro missionário chamado Gabet, perto desta árvore fenomenal, "Cada uma de suas folhas, ao se abrir, tem uma letra ou uma sentença religiosa, escrita em caracteres sagrados, de uma perfeição tal que os tipos de fundição de Didot não contém nenhum que possa ultrapassá-los. Abra as folhas, que o vegetal está a ponto de abrir, e nelas descobrirá, a se formarem, as letras ou palavras distintas que são a maravilha desta árvore sem par. Desvie a atenção das folhas e a fixe na casca do tronco e dos ramos e novos caracteres saltarão à vista. Não deixe decair seu interesse, retire camadas desta casca e aparecerão sempre novos caracteres sob aqueles cuja beleza tanto o impressionou. Porém não creia que estas camadas superpostas repitam a mesma *impressão*; não, pelo contrário, porque cada lâmina apresenta um tipo

K

diferente. Como podemos, então, suspeitar de alguma superstição? Fiz todo o possível para descobrir o mais leve indício de impostura humana, sem que meu contrariado juízo pudesse conservar a menor suspeita". Porém, muito rapidamente, o amável abade francês suspeita... do *Diabo*.

Kovida (*Sânsc.*) — Instruído, douto, sábio, *expert*.

Koza (Kosha) (*Sânsc.*) — Invólucro, casca, ovo, vaso, caixa, recipiente etc. Na classificação vedantina dos Princípios humanos, ou seja, a quinária, relacionada com os cinco *Tattvas* ou formas vibratórias do Éter, admitem-se cinco *Kozas*, que, por ordem ascendente, são: 1º) *Annamaya-koza*, correspondente ao corpo físico; 2º) *Prânamaya-koza*, correspondente ao *Prâna* e ao *Linga-zarîra*; 3º) *Manomaya-koza*, correspondente ao *Kâma-rûpa*; 4º) *Vijñânamaya-koza*, correspondente ao *Manas*; 5º) *Anandamaya-koza*, correspondente ao *Buddhi*. Nesta classificação, o *Âtmâ* não é considerado como Princípio, visto que é universal. (Ver *Kosha*.)

Krâm (*Sânsc.*) — Símbolo tântrico correspondente à ideia da mente humana, quando ultrapassa os limites comuns do visível, considerando assim o invisível. Os antigos filósofos tântricos tinham símbolos para designar quase todas as ideias. Isto era absolutamente necessário para eles, porque entendiam que se a mente humana estivesse fixa num objeto qualquer, com força suficiente, durante certo tempo, era certo que, pelo poder da vontade, alcançaria tal objeto. A atenção era reforçada geralmente recitando, sem cessar, certas palavras, com o que se mantinha sempre a ideia diante da mente. Por esta razão os símbolos eram empregados para indicar cada ideia. Assim, *Hrien* designa modéstia; *Kliw* denota amor; *Aiw* representa proteção; *Chaum* expressa bem-estar, e assim sucessivamente. Por este estilo, foram utilizados símbolos para nomear os vasos sanguíneos etc. A ciência tântrica está hoje quase completamente perdida. Atualmente não existe nenhuma chave clara e geral utilizável para a terminologia simbólica e por isso grande parte da linguagem simbólica encontra-se até hoje infelizmente ininteligível. (*Râma Prasâd*)

Krama (*Sânsc.*) — Marcha, progresso, sucessão; ordem, método; procedimento; conduta, regra de vida.

Krama-mukti (*Sânsc.*) — A obtenção da liberação final ou *Nirvâna* por graus, isto é, por repetidos renascimentos ou outros meios. (*P. Hoult*)

Kramana (*Sânsc.*) — Marcha, progresso.

Kramâyâta (*Sânsc.*) — Que procede seguindo uma ordem regular.

Kratu (*Sânsc.*) — Força, poder; ato, obra; sacrifício, oferenda. É também o nome de um dos *Prajâpatis*.

Kratu-dvichas (-dwishas) (*Sânsc.*) — Inimigos dos sacrifícios: os *daityas*, *dânavas*, *kinnaras* etc., todos eles representados como grandes ascetas e *yogis*. Isto indica quem se quer realmente designar. Eram os inimigos do ritualismo e das farsas religiosas.

Kratu-purucha (*Sânsc.*) — O Espírito divino que está presente no sacrifício.

Krauñcha (*Sânsc.*) — Um dos sete *dvîpas* ou divisões da Terra.

Kravya (*Sânsc.*) — Carne; carne crua.

Kravyâdh (*Sânsc.*) — Comedor de carne crua; homem ou animal carnívoro.

Krichna — Ver *Krishna*.

Krichnâ — Ver *Krishnâ*.

K

Krikila (*Sânsc.*) — A manifestação do princípio vital que causa a fome. (*Râma Prasâd*)

Kripa (*Sânsc.*) — Rei dos pañchâlas e um dos caudilhos do exército dos Kurus. Seu nome deve-se à compaixão do rei Santana, que encontrou Kripa e sua irmã Kripî abandonados entre as moitas do bosque e os recolheu para os criar e educar.

Kripâ (*Sânsc.*) — Compaixão, lástima, piedade.

Kripana (*Sânsc.*) — Infeliz, desventurado, mísero, ruim, digno de lástima.

Krishna (*Sânsc.*) — O mais célebre *avatar* de Vishnu, o "Salvador" dos hindus e seu deus mais popular. É o oitavo avatar, filho de Devakî e sobrinho de Kansa, o rei Herodes hindu, que, enquanto o procurava entre pastores e vaqueiros que o ocultavam, mandou matar milhares de crianças recém-nascidas. A história da concepção, nascimento e infância de Krishna é o verdadeiro protótipo da história relatada no *Novo Testamento*. Os missionários, como é natural, esforçam-se por demonstrar que os hindus roubaram, dos primeiros cristãos que chegaram à Índia a história do Natal de Jesus. [É representado por uma figura formosa, com o corpo escurecido (*Krishna*, negro), cabelos negros forteanelados com quatro braços, tendo nas mãos uma maça, um disco flamejante, uma joia e uma concha. Era filho de Vasudeva e da virgem Devakî e primo de Arjuna. Eis aqui, em ordem descendente, a genealogia de Krishna em sua forma mortal: Yadu, Vrichni, Devaratha, Andhaka, Vasu (ou Sûra) e Vasudeva (irmão de Kuntî). Para escapar da perseguição de seu tio Kansa, Krishna recém-nascido foi colocado sob o amparo de uma família de pastores, que vivia do outro lado do rio Yamunâ. Desde jovem pregava e, acompanhado de seus discípulos, percorreu a Índia ensinando a moral mais pura e operando prodígios inauditos. Morreu no início do *Kali-yuga*, ou seja, cerca de 5.000 anos atrás, com o corpo trespassado e cravado numa árvore pela flecha de um caçador. No fim da idade atual, aparecerá de novo para destruir a iniquidade e inaugurar uma nova era de justiça. No *Bhagavad-Gîtâ*, Krishna é a representação da Divindade suprema, *Âtman* ou Espírito imortal, que desce para iluminar o homem e contribuir para sua salvação. Por este motivo é representado desempenhando, em favor de Arjuna, o papel de guia ou condutor de seu carro no campo de batalha; assim como Arjuna é a representação do homem, ou melhor dizendo, da Mônada humana, como o prova o próprio significado de *Nara* (homem), que é um dos vários nomes de tal príncipe. Krishna é designado com vários epítetos: Vâsudeva (ou "Filho de Vâsudeva"); Yâdava ("Descendente de Yadu"), Hrichîkeza ("de cabelo anelado"), Kezava ("de cabeleira abundante"), Govinda ('Vaqueiro" ou "Pastor"), Kezinichûdana ("Matador de Keshin"), Madhusûdana ("Matador de Madhu") etc. (Ver *Bhagavad-Gîtâ, Inocentes, Jesus, Kansa* etc.) *Krishna* é também o nome que se dá à quinzena obscura, a quinzena em que a Lua mingua, ou seja, a segunda metade do mês lunar, desde o plenilúnio até a Lua nova (Ver *Zukla*.)]

Krishnâ (*Sânsc.*) — Nome pessoal de Draupadî, filha do rei Drupada e esposa comum dos cinco príncipes Pândavas. Este nome deve-se à cor negra ou escura (Krishna) de sua pele. (Ver *Draupadî*.)

Krishna Dwaipâyana (*Sânsc.*) — Assim chamado devido à cor escura *(Krishna)* de sua pele e por ter nascido numa ilha *(dwîpa)* do rio Yamunâ. Esta personagem, que não deve ser confundida com o deus Krishna, é conhecida geralmente pelo nome de Vyâsa (Ver *Vyâsa*.)

Krishna Mizra (*Sânsc.*) — Autor de um drama intitulado *Prabodha-chandrodaya* ou "Saída da Lua do Conhecimento", obra alegórica de caráter teológico-filosófico, na qual algumas abstrações, tais como a Revelação, a Vontade, a Razão, o Erro, o Vício, a Virtude e a Religião surgem em cena transformadas em seres vivos. É uma das produções mais notáveis da literatura hindu.

K

Krit (*Sânsc.*) — Autor, produtor, causador.

Krita (*Sânsc.*) — Ato, obra, especialmente obra religiosa, rito, sacrifício; serviço, benefício. Como adjetivo: feito, executado, obtido; próprio.

Krita-karman (*Sânsc.*) — Que fez sua obra ou terminou sua tarefa.

Kritakritya (*Sânsc.*) — Que fez sua obra; que cumpriu seu dever; que alcançou seu objetivo; que foi feito; que deve ser feito.

Kritanizchaya (*Sânsc.*) — Bem resolvido ou determinado; convencido, seguro.

Kritânta (*Sânsc.*) — "Fim da ação"; que põe fim ou termo à ação (qualificativo da *Vedânta*); concludente, terminante; demonstração, conclusão; matéria; causa; destino; morte ou o deus da morte; dogma, doutrina, filosofia, sistema.

Krita-yuga (*Sânsc.*) — A primeira das quatro idades (*yugas*) dos brâhmanes, também chamada de *Satya-yuga*. Um período de 1.728.000 anos de duração. [A primeira idade do mundo, a idade do ouro, na qual "reina a Verdade e a Justiça e nenhum benefício produz a iniquidade dos homens". (*Leis de Manu*, I, 81)]

Kritiyâ (*Sânsc.*) — Operação mágica.

Kritsna (*Sânsc.*) — Todo, totalidade, conjunto, o geral, o Universo. Como adjetivo: todo, inteiro, completo.

Kritsnavid (*Sânsc.*) — Que tudo sabe; onisciente.

Krittikâ (*Sânsc.*) — O terceiro asterismo ou mansão lunar, que compreende as Pleyades, e cujo signo é uma faca; a quinzena obscura da Lua. (Ver *Krishna*.)

Krittikâs (*Sânsc.*) — As Pleyades. As sete nutrizes de Kârttikeya, deus da guerra. [Na maior parte das obras, lê-se que as Pleyades são seis. Isso exige uma explicação. Quando os deuses entregaram Kârttikeya às *Krittikâs* (ou Pleyades), para que o criassem, estas eram apenas seis e, por esta razão, Kârttikeya é apresentado com *seis* cabeças; porém, quando a fantasia poética dos primeiros simbologistas arianos tornou-as esposas respectivas dos sete *Richis*, seu número chegou a *sete*, sendo seis delas visíveis e a sétima oculta. Seus nomes são: Ambâ, Dulâ, Nitatui, Abrayantî, Maghâyantî, Varchayantî e Chapunikâ. Alguns autores designam-nas por nomes diferentes. Seja como for, os sete *Richis* foram tornados esposos das sete Pleyades antes do desaparecimento da sétima. De outro modo, como poderiam os astrônomos hindus falar de uma estrela que ninguém podia ver sem o auxílio de telescópios muito potentes? As pleyades estão relacionadas com os maiores mistérios da Natureza oculta e completam o mais secreto e misterioso de todos os símbolos astronômicos e religiosos. (*Doutrina Secreta*, 11, 580-581 e 654-655)]

Kritya (*Sânsc.*) — Coisa que se deve fazer; coisa justa, devida; dever, ofício, ocupação; fim, propósito.

Kritya (*Sânsc.*) — Hostil, malfeitor, traidor, daninho.

Krityâ (*Sânsc.*) — Ação, ato. Divindade maléfica que perturba a harmonia conjugal.

Krityavat (*Sânsc.*) — Que se aplica para cumprir bem seu dever.

Kriyâ (*Sânsc.*) — Ação, operação, função, prática, obra, especialmente piedosa; labor, tarefa, atividade; dever; ofício; empresa; culto, rito, sacrifício; o rito purificatório; a ablução do corpo após a morte.

Kriyâlopa (*Sânsc.*) — Omissão de obras piedosas.

Kriyamâna (*Sânsc.*) — Que se faz ou executa; que se está efetuando ou formando.

K

Kriyamâna-karma (*Sânsc.*) — *Karma* em curso de formação ou criação; o *Karma* que cada um está criando na atual vida terrena.

Kriyâ-sakti (*Sânsc.*) — O poder do pensamento; uma das sete forças da Natureza. A potência criadora dos Siddhis (poderes) dos *yogis* perfeitos. [No *Livro de Dzyan*, segunda parte, estância VII, nº 21, lê-se: "A terceira Raça tomou-se veículo dos Senhores da Sabedoria. Criou filhos da Vontade e do *Yoga*, através do *Kriyâ-sakti* os criou...". *Kriyâ-sakti* é aquele misterioso e divino poder latente na *vontade* de cada homem e que, se não é chamado à vida, avivado e desenvolvido pela prática do *Yoga*, permanece inerte nos 999.999 de cada milhão de homens, razão pela qual chega a se atrofiar. É aquele poder misterioso do pensamento que, em virtude de sua própria energia inerente, permite-lhe produzir resultados fenomenais externos, perceptíveis. Os antigos sustentavam que uma ideia qualquer se manifestará exteriormente se a atenção [e a vontade] de alguém está profundamente concentrada nela. Do mesmo modo, uma volição intensa será seguida do resultado desejado. Através deste poder e do *Ichchhâsakti* (poder da vontade) é que o *yogi* opera geralmente seus prodígios. (*Doutrina Secreta*, I, 313 e II, 182)]

Kriyâvat (*Sânsc.*) — Ocupado em alguma obra; apto para desempenhar uma função ou realizar uma empresa.

Kriyâ-yoga (*Sânsc.*) — *Yoga* preliminar ou preparatório. Consiste na prática dos meios preparatórios, que conduzem ao verdadeiro *Yoga* e "compreende a mortificação, o estudo e o próprio abandono ao Senhor. Estas práticas têm por objetivo afirmar a concentração (*Samâdhi*) e diminuir os obstáculos ou distrações". (*Aforismos de Patañjali*, II, 1, 2) Alguns dão à expressão *Kriyâ-yoga* o significado de "*Yoga* prático", porém esta interpretação é incorreta e pode conduzir ao erro. (M. Dvivedi, *Comentário dos Aforismos*)

Kriyâ-zakti (*Sânsc.*) — Ver *Kriyâ-sakti*.

Krizâzva (*Sânsc.*) — Nome de um *Richi* guerreiro. (Ver *Filhos de Krizâzva*.)

Krodha (*Sânsc.*) — Ira, cólera, nojo, indignação; furor, frenesi, paixão, ódio, aversão. Toda paixão que participa da cólera.

Krodhana (*Sânsc.*) — Irascível, arrebatado, furioso, colérico.

Krodhin (*Sânsc.*) — Furioso, irritado.

Kronos (*Gr.*) — Saturno. O deus do tempo infinito e dos ciclos. (Ver *Cronos*.)

Krupsis (do grego *Kryptein*, ocultar) — A doutrina teológica de que Cristo, durante seu estado de humilhação, continuava a possuir de maneira velada ou oculta os divinos atributos da onipotência e da onisciência etc.

Krûra (*Sânsc.*) — Cruel, feroz, sanguinário, terrível, rude.

Krûra-buddhi (*Sânsc.*) — Que tem o ânimo propenso para o mal.

Krûra-lochana (*Sânsc.*) — Aquele "de mau olho" ou "de aspecto terrível". Termo aplicado a Zani, ao planeta Saturno hindu.

Krûra mânasa (*Sânsc.*) — De alma cruel.

Krûratâ (*Sânsc.*) — Aspereza, crueldade.

Ksana ou **Kshana** (*Sânsc.*) — Um instante incalculavelmente breve: a 90ª parte ou fração de um pensamento, a 4.500ª parte de um minuto, durante a qual ocorrem nesta Terra de noventa a cem nascimentos e outras tantas mortes. [Em geral significa:

K

momento, instante; momento favorável, ocasião oportuna; férias, festa ou feriado. M. Dvivedi define-o dizendo: "*Kshana* ou momento é aquela porção infinitesimal de tempo que já não pode ser mais dividida. E, segundo a doutrina *mâdhyamika* dos *Kshanâs* ou momentos, todas as coisas são constituídas apenas de uma série não interrompida de momentos apresentados à nossa consciência. O Universo, com todos os seus fenômenos, não é nada mais do que uma incessante e imediata sucessão de estados de propriedades." (M. Dvivedi, *Comentário aos Aforismos de Patañjali*) Esta explicação esclarece notavelmente o sentido dos seguintes *Aforismos*: "A sucessão de mudanças de estado das propriedades é causa da diversidade de formas ou modificações que o *substratum* experimenta" (III, 15); "Do *samyama* sobre os momentos e sua sucessão vem o conhecimento discernidor" (III, 52); "Sucessão é a série de modificações percebidas na relação com os momentos e que só se conhece no fim de tal série, ou seja, na última modificação" (IV, 33).]

Kshanti — Ver *Kchânti*.

Kshâtra ou **Kshattra** (*Sânsc.*) — Guerreiro, militar, indivíduo pertencente à segunda casta. Poder, domínio, supremacia. (Ver *Kshatriya*.)

Kshatradharma (*Sânsc.*) — Lei ou dever dos *Kshatras* ou *Kshatriyas*.

Kshatriya ou **Kshattriya** (*Sânsc.*) — Guerreiro; indivíduo pertencente à casta militar ou real. A segunda das quatro castas em que primitivamente os hindus estavam divididos.

Kshaya (*Sânsc.*) — Destruição, aniquilação, ruína, míngua, decadência, queda, fim.

Kshayita (*Sânsc.*) — Destruído, apagado, desvanecido.

Kshayitakalmacha (*Sânsc.*) — Que tem os pecados destruídos ou desvanecidos.

Kshetra ou **Kshetram** (*Sânsc.*) — O "Grande Abismo" da *Bíblia* e da Cabala; caos, *yoni*, *prakriti*; espaço. [Eis os outros significados desta palavra: campo, planície, terreno, sítio, lugar santo; olhar; meio; matéria, corpo; matriz; vida etc. No *Bhagavad-Gîtâ*, cap. XIII, v. 1º, lê-se: "Este corpo... é chamado Meio (*Kshetra*)"; porém, no caso atual, são admissíveis outras acepções da palavra *Kshetra*, tais como *residência* ou *morada*, *terreno*, *campo*, *matéria*, *corpo* etc. *Residência*, porque a matéria, tanto se estiver organizada (corpo humano, animal ou vegetal) como se for inorgânica (mineral), é morada do Espírito; *campo*, porque é o terreno onde são semeadas as boas e más sementes e onde se colhem os frutos de nossas obras; *corpo*, porque é o veículo de nosso Eu individual.]

Kshetrajña ou **Kshetrajñezvara** (*Sânsc.*) — O Espírito encarnado, o *Ego* consciente em suas manifestações mais elevadas; o Princípio que se reencarna, o "Senhor" que está dentro de nós. *Kshetrajña* significa literalmente "Conhecedor do Meio". É o Espírito individual, o verdadeiro Eu, o Espírito supremo e consciente que está em nós e em todos os seres do Universo.

Kshetra-kshetrajñau (*Sânsc.*) — O Meio (corpo) e o Conhecedor do Meio; o corpo (ou matéria) e o Espírito.

Kshira-samudra — Ver *Kchira-samudra*.

Kuaser (*Celt.*) — Filho dos deuses, dotado de um engenho tal que respondia satisfatoriamente a todas as perguntas que lhe eram feitas, por mais difíceis ou obscuras que fossem. Percorreu toda a Terra ensinando a sabedoria aos povos. Dois anões mataram-no à traição, recolheram seu sangue num vaso e, misturando-o com mel, confeccionaram uma bebida que transforma em poetas todos os que dela bebem. Vê-se com clareza que

K

com o sangue deste personagem tão sábio misturado com mel quer-se designar a razão e as graças, sem as quais não há verdadeira poesia. (Noel, *Dic. da Fábula*.)

Kubera — Ver *Kuvera*.

Kuch-ha-guf (*Hebr.*) — O corpo astral do homem. Franz Lambert escreve tal termo *Coach-ha-guf*; porém a palavra hebraica é *Kuch*, que significa *vis*, "força", causa original do corpo terrestre. (W. W. W.)

Kuhaka (*Sânsc.*) — Impostor, farsante; engano, farsa, impostura.

Kuhana (*Sânsc.*) — Invejoso.

Kuhanâ ou **Kûhanâ** (*Sânsc.*) — Hipocrisia, falsa devoção.

Kuhu (*Sânsc.*) — O *nâdî* que vai para os órgãos geradores.

Kuhû (*Sânsc.*) — Deusa que preside o dia seguinte ao da Lua nova. Em linguagem védica, a Lua nova.

Kuhul (*Alq.*) — Chumbo dos filósofos; latão que é preciso branquear; a matéria da obra em putrefação e tendo atingido o negro muito negro.

Kukkuta Padagiri (*Sânsc.*) — Também chamada *Guru-padagiri*, a "Montanha do Mestre". Está situada a cerca de sete milhas de Gaya e é famosa devido ao persistente rumor de que em suas cavernas vive ainda hoje o *arhat* Mahâkâzyapa.

Kukkuti (*Sânsc.*) — Hipocrisia, piedade fingida ou interessada.

Kuklos Anagkes (*Gr.*) — Literalmente, "Ciclo inevitável" ou "Círculo de Necessidade". Entre as numerosas catacumbas do Egito e Caldeia, as mais renomadas eram as criptas subterrâneas de Tebas e Mênfis. As primeiras começavam no lado ocidental do Nilo e se estendiam para o deserto do Líbano. Eram conhecidas pelo nome de catacumbas das Serpentes (Adeptos Iniciados). Nelas eram celebrados os sagrados mistérios do *Kuklos Anagkes* e instruídos os candidatos sobre as leis inexoráveis traçadas para todas as almas desencarnadas desde o princípio dos tempos. Estas leis eram que cada Entidade que se reencarna, depois de abandonar seu corpo, deve passar desta vida terrestre para outra vida num plano mais subjetivo, um estado de bem-aventurança, a não ser que os pecados da personalidade produzissem uma completa separação entre os "princípios" superiores e inferiores; que o "Círculo da Necessidade" ou *Ciclo inevitável* deve durar um período de tempo determinado (de mil até três mil anos, em alguns casos) e que, uma vez terminado, a Entidade *deve voltar à sua múmia*, isto é, a uma nova encarnação. Os ensinamentos egípcios e caldeus eram os da "Doutrina Secreta" dos teólogos. Os ensinamentos dos mexicanos também eram os mesmos. No *Popol Vuh* (ver a obra de Bourbourg), descreve-se o *agulheiro da cobra*, que é idêntico às "Catacumbas das Serpentes", ou passagem, acrescentando que este era subterrâneo e "terminava na raiz do céu", onde seu semideus Votan era admitido, por ser ele, por sua vez, "um filho das Serpentes" ou um *Dragão de Sabedoria*, isto é, um Iniciado. Em todo o mundo, os sacerdotes Adeptos davam-se os nomes de "Filhos do Dragão" e "Filhos do Deus-serpente". [Ver *Doutrina Secreta*, I, 396.]

Kula (*Sânsc.*) — Família, raça, casta, tribo, casa.

Kulagna (*Sânsc.*) — Matador ou destruidor de uma família.

Kullûka Bhatta (*Sânsc.*) — Célebre comentador de Manu.

Kumâra (*Sânsc.*) — Sobrenome de Skanda ou Kârttikeya, o deus da guerra hindu. É também o título que se dá a um príncipe real, herdeiro da coroa.

K

Kumârabudhi (*Sânsc.*) — Sobrenome dado ao *Ego* humano.

Kumâra-Egos (*Sânsc.-Lat.*) — Os "princípios" que se reencarnam neste *manvantara*. (Ver *Azvins*.)

Kumâra-guha (*Sânsc.*) — Literalmente, "o misterioso jovem virgem". Título dado a Kârtikeya, devido à sua origem estranha. [Ver *Kârttikeya*.]

Kumâra-loka (*Sânsc.*) — O *loka* (mundo ou região) dos Kumâras. (*P. Hoult*)

Kumâras (*Sânsc.*) — Jovens virgens ou solteiros. Os primeiros Kumâras foram os sete filhos de Brahmâ, nascidos dos membros do deus na chamada *nona* criação. Diz-se que lhes foi dado tal nome por se terem negado formalmente a "procriar suas espécies". Deste modo, permaneceram *yogis*, segundo a lenda. [*Kumâra* significa, literalmente, menino ou adolescente que não passa dos quinze anos e, em sentido figurado, equivale a "puro", "inocente". Os Kumâras (os sete sábios místicos) são deuses solares e também *pitris*; são os "Filhos do Fogo", porque são os primeiros seres, denominados de "Mentes" na Doutrina Secreta, saldos do Fogo primordial, filhos nascidos da mente de Brahmâ-Rudra, ou Shiva, o grande *Yogi* e excelso patrono de todos os *yogis* e místicos da Índia; são os *Dhyânis* derivados diretamente do Princípio supremo, muito imprópria e imprudentemente chamados "Anjos caídos" pela teologia cristã, uma vez que Sanaka, chefe dos Kumâras, é o protótipo de São Miguel e dos demais arcanjos. Nos *Purânas*, seu número é variável, segundo as exigências da alegoria. Geralmente se diz os "quatro Kumâras" (embora, na realidade, sejam em número de sete), porque Sanaka, Sananda, Sanâtana e Sanatkumâra são os principais *vaidhâtras* (ou "Filhos do Criador"), que surgiram do "mistério quádruplo" (*Doutrina Secreta*, I, 116). Nos textos exotéricos mencionam-se quatro e, às vezes, cinco Kumâras. Três deles, designados respectivamente pelos 'nomes de Sana, Kapila e Sanatsujâta, são ocultos e esotéricos. Nos ensinamentos exotéricos foram aplicadas as respectivas denominações: Sanaka, Sananda, Sanâtana, Sanatkumâra, Jâta, Vodhu e Pañchachikha e também alguns deles são designados por nomes diferentes, tais como Sanandana e Ribhu. Exotericamente, os Kumâras são a "criação de Rudra ou Nîlalohita (uma forma de Shiva) por Brahmâ... e de certos outros filhos nascidos da mente de Brahmâ", porém, segundo os ensinamentos esotéricos, são os progenitores do homem interior, do verdadeiro Eu espiritual do homem físico, os *Prajâpatis* superiores, enquanto que os *pitris* ou *Prajâpatis* inferiores são apenas pais do modelo ou tipo de sua forma física, "feita à sua imagem". Os Kumâras haviam recebido ordem de criar, porém, como ascetas virgens que eram, negaram-se a fazê-lo, sacrificando-se deste modo em prol da humanidade, para acelerar sua evolução; recusaram-se a criar o ser humano *material*, porém favorecem sempre o desenvolvimento das percepções espirituais superiores e o progresso do homem eterno *interior* (*Doutrina Secreta*, I, 495). Esta classe de *Dhyân Chohâns* merece atenção especial, porque encerra o mistério da geração e herança a que se alude no *Comentário à Estância VII*, ao tratar das quatro ordens de seres angélicos. (*Doutrina Secreta, passim*) (Ver *Criação Kaumâra*, *Agnichvâttas*, *Kapila* etc.)]

Kumâra-sambhava (*Sânsc.*) — *O Nascimento do Deus da* Guerra, título de um notável poema de Kâlidâsa.

Kumâravrata (*Sânsc.*)— Voto de celibato.

Kumârî (*Sânsc.*) — Epíteto de Sîtâ e de Durgâ. É também o nome do *Jambu-dvîpa* ou continente hindu, e particularmente do cabo Comorin, situado ao sul de tal região.

Kumbha (*Sânsc.*) — Décimo primeiro signo do Zodíaco hindu, correspondente a Aquário.

K

Kumbhaka (*Sânsc.*) — Retenção do alento, segundo as regras do *Hatha-yoga*. [Uma prática do *prânâyâma* que consiste em inspirar o ar tão profundamente quanto possível e reter o ar inspirado tanto tempo quanto se aguentar. *(Râma Prasâd)* Uma das três partes do *prânâyâma*, que consiste na suspensão dos movimentos respiratórios, ou seja, uma pausa entre a inspiração e a expiração. (Ver *Prânâyâma*, *Pûraka* e *Rechaka*; ver também *Bhagavad-Gîtâ*, IV, 29.)]

Kumbhakarna (*Sânsc.*) — Irmão do rei Râvana de Lankâ, raptor de Sîtâ, esposa de Râma. Segundo o *Râmâyana*, Kumbhakarna, sob o peso de uma maldição de Brahmâ, dormiu durante seis meses e, em seguida, permaneceu desperto por um só dia, para dormir outra vez e assim sucessivamente, pelo espaço de muitas centenas de anos. Foi desperto para tomar parte na guerra entre Râma e Râvana; prendeu Hanuman [aliado de Râma], mas, no fim, foi derrotado e Râma cortou-lhe a cabeça.

Kumbhîpâka (*Sânsc.*) — Um dos infernos.

Kumen (*Alq.*) — União, ligação das partes dos corpos. *(Rulland)*

Kumuda (*Sânsc.*) — Lótus branco comestível *(Nymphæa esculenta)*.

Kumuda-pati (*Sânsc.*) — "Senhor do lótus branco". A Lua.

Kumuda-priya (*Sânsc.*) — A Lua, "amiga do lótus branco", cuja flor abre-se à noite e se fecha de dia.

Kunckel, *João* — Célebre alquimista alemão, do séc. XVII. Entre várias descobertas que fez, uma delas foi o meio de obter o fósforo puro. Admitia a transmutação dos metais e chegou a fixar a quantidade de pedra filosofal necessária para executar tal operação. Escreveu várias obras notáveis e curiosas, entre as quais merece atenção especial seu *Laboratorium Chymicum*.

Kundalin (*Sânsc.*) — Serpente, pavão real; epíteto de Varuna.

Kundalini (*Sânsc.*) — Serpentino, enroscado como uma serpente, em espiral. A terminação feminina deste adjetivo é î (*Kundalinî*).

Kundalinî-sakti (ou **shakti**) (*Sânsc.*) — O poder de vida; uma das Forças da Natureza; o poder que engendra certa luz naqueles que se dispõem ao desenvolvimento espiritual e clarividente. É um poder conhecido apenas por aqueles que praticam a concentração e o *Yoga*. O poder serpentino ou em espiral, poder divino latente em todos os seres. *(Svâmi Vivekânanda)* O poder ou força que se move fazendo curvas. É o princípio universal de vida, que se manifesta em todas as partes da Natureza. Esta força inclui as duas forças de atração e repulsão. A eletricidade e o magnetismo são apenas manifestações suas. Este é o poder que produz o "ajuste contínuo das *relações internas com as relações externas*", que é a essência da vida, segundo Herbert Spencer, e o "ajuste contínuo das *relações externas com as internas*", que é a base da transmigração das almas (renascimento), segundo as doutrinas dos antigos filósofos hindus. (*Doutrina Secreta*, I, 312) Esta força, também chamada de "Poder ígneo", é um dos poderes místicos do *yogi* e é o *Buddhi* considerado como princípio ativo; é uma força criadora que, uma vez despertada, pode matar tão facilmente quanto criar. (*Voz do Silêncio*, I)

Kundzabchipenpa (*Tib.*) — Ilusão criadora de aparência.

Kunrath — Ver *Khunrath*.

Kuntî (*Sânsc.*) — Esposa de Pându e mãe dos Pândavas, heroicos adversários de seus primos, os Kuravas, no *Bhagavad-Gîtâ*. É uma alegoria do Buddhi ou Alma Espiritual. (Ver *Draupadî*.) [Kuntî, também chamada de Prithâ, era filha do rei Sûra e irmã

K

de Vasudeva. Primeira esposa de Pându, deu à luz os três primeiros príncipes Pândavas, Yudhichthira, Bhima e Arjuna, que, apesar de portarem o nome de seu pai adotivo (*Pândava* é um nome patronímico derivado de Pându), foram engendrados misticamente pelos deuses Dharma, Vâyu e Indra, respectivamente. De sua mãe, Arjuna recebeu os nomes de Kaunteya ("filho de Kuntî") e Pârtha ("filho de Prithâ"). Os outros príncipes Pândavas restantes, chamados respectivamente de Nakula e Sahadeva, eram filhos de Mâdrî, a outra esposa de Pându.]

Kuntibhoja (*Sânsc.*) — Literalmente, "Sustentador de Kuntî". Rei dos Kuntîs. Amigo do pai de Kuntî, adotou-a como filha, criou-a e educou-a e, finalmente, deu-a em matrimônio a Pându. Era aliado dos Pândavas. (Ver *Bhagavad-Gîtâ*, I, 5.)

Kura (*Sânsc.*) — Som, ruído.

Kuravas ou **Kauravas** — Ver *Kurus*.

Kûrdana (*Sânsc.*) — Jogo, diversão, brincadeira.

Kûrdanî (*Sânsc.*) — Festa em honra de Kâma, celebrada no dia da Lua cheia do mês *chaitra* (março-abril).

Kurgan (Koorgan) (*Rus.*) — Um montículo artificial, geralmente uma tumba antiga. Frequentemente se referem a tais montículos de terra tradições de caráter mágico ou sobrenatural.

Kurios — Ver *Kyrios*.

Kûrma (*Sânsc.*) — Tartaruga. A manifestação do princípio vital que causa o pestanejar. (*Râma Prasâd*)

Kûrma-avatâra (*Sânsc.*) — A encarnação de Vishnu em forma de tartaruga, segundo avatâra deste deus. Na primeira idade do mundo, o *Satya-yuga*, Vishnu apareceu em forma de tartaruga, para recuperar alguns objetos valiosos que se perderam no dilúvio. Para este fim, situou-se no fundo do mar de leite, formando, com seu dorso, a base do monte Mandara.

Kûrma-nâdi (*Sânsc.*) — O nervo onde reside o alento chamado *Kûrma*. Segundo um dos *Aforismos de Patañjali* (III, 31): "Se o ponto sobre o qual se pratica o *sanyama* é o nervo *Kûrma*, o corpo afirma-se de tal modo que nada pode movê-lo de seu lugar".

Kûrma-râja (*Sânsc.*) — A rainha das tartarugas, a tartaruga fabulosa que sustenta o mundo sobre seu dorso potente.

Kuru (*Sânsc.*) — Antigo rei da dinastia lunar, que ocupou o trono de Hastinâpura e foi o antecessor comum dos príncipes Kurus e Pândavas.

Kurukshetra (*Sânsc.*) — "Campo ou planície de Kuru"; também designado pelo nome de *Dharma Ksheira* (ver). A famosa planície onde ocorreu a encarniçada batalha entre Kurus e Pândavas, segundo descreve o *Mahâbhârata* (capítulo I do *Bhagavad-Gîtâ*). Esta planície dista poucas milhas de Delhi e atualmente é conhecida pelo nome de Sirhind.

Kurus, Kuravas ou **Kauravas** (*Sânsc.*) — Adversários dos Pândavas no campo de batalha de *Kurukshetra*, segundo se descreve no *Bhagavad-Gîtâ*. (Ver *Kurukshetra*.) [Os Kurus, do mesmo modo que os Pândavas, são descendentes do rei Kuru, porém o nome patronímico Kaurava aplica-se especialmente aos filhos de Dhritarâchtra, em contraposição aos Pândavas, filhos de Pându (irmão de Dhritarâchtra). O primogênito dos príncipes Kurus era Duryodhana. No *Bhagavad-Gîtâ* simbolizam a natureza inferior do

K

homem, com seus vícios, paixões e más tendências, assim como os Pândavas representam os princípios mais nobres e espirituais da dupla natureza humana.]

Kusa ou **Kusha** (*Sânsc.*) — Erva sagrada usada pelos ascetas da Índia e chamada de "erva de bom agouro". Tem significado e propriedades muito ocultas. [*Kusa* significa erva e, especialmente, a erva sagrada *Poa cynosuroides*, de virtudes purificantes e empregada com muita frequência nas cerimônias religiosas da Índia. (Ver *Bhagavad-Gîtâ*, VI, 11.) *Kusa* é também o nome de um dos *dvîpas* (ou divisões da Terra habitada). (Ver *Kusadvîpa*.)]

Kusadvîpa (*Sânsc.*) — Uma das sete ilhas [ou continentes] chamadas *Sapta-dwîpa* nos *Purânas*. (Ver *Doutrina Secreta*, II, p. 404.) [O quarto *dwîpa*, a antiga Atlântida. *(P. Hoult)*]

Kusala (*Sânsc.*) — Mérito, um dos principais constituintes do *Karma*. [*Kusala* significa também: agradável, bom, são, conveniente, virtuoso, feliz, inteligente, *expert*, hábil.]

Kusida (*Sânsc.*) — Usura; usurário.

Kusînara (*Sânsc.*) — A cidade perto da qual Buddha morreu. Situa-se nas imediações de Delhi, embora alguns orientalistas pretendam localizá-la em Assam.

Kusruti (*Sânsc.*) — Má conduta, depravação, perversidade.

Kusuma (*Sânsc.*) — Flor, fruto.

Kusumâkara (*Sânsc.*) — A estação florida; a primavera, ou seja, os meses compreendidos entre meados de março e meados de maio (no Hemisfério Norte). Tal estação é geralmente conhecida pelo nome de *Vasanta*. (Ver *Ritu*.)

Kusumapura (*Sânsc.*) — A cidade das flores: Pâtaliputra ou Patna.

Kusumâyudha (*Sânsc.*) — "Que tem um arco de flores ou florido". Epíteto de Kâma, deus do amor.

Kûta (*Sânsc.*) — Cume, cimo, ponta; a essência ou substância universal; a substância suprema e única contida em todas as coisas. Significa também: ilusão, engano, fraude, falsidade, cilada.

Kûtaka ou **Kûtakrit** (*Sânsc.*) — Enganoso, mentiroso, falaz.

Kûtârthabhâchitâ (*Sânsc.*) — Ficção, fábula, relato imaginário ou fantástico.

Kûtastha-chaitanya (*Sânsc.*) — De *Kûtastha* (eterno, excelso, imutável etc.) e *chaitanya* (alma, consciência etc.). Diz o *Uttara-Gîtâ* (I, 6): "... Aquele que permanece como simples testemunha passiva entre o *Hamsa* e o não-*Hamsa*, isto é, o *Paramâtma*, e a parte moral do ser humano, é o Espírito imortal *(Akchara Purucha)* na forma de *Kûtastha-Chaitanya*". Esta última dupla expressão – segundo o comentador K. Laheri – equivale ao *Âtma-Buddhi*, ou seja, a união dos dois princípios mais elevados da constituição humana.

Kûtastham (*Sânsc.*) — O indiferenciado, o Elemento indiferenciado. Com este nome designa-se, às vezes, o *Mûlaprakrit* (ver).

Kûtastha-nitya (*Sânsc.*) — Eternamente imutável ou inalterável. *(P. Hoult)*

Kûtastha-sattâ (*Sânsc.*) — Ser ou existência imutável; imutabilidade.

Kûthûmi (*Sânsc.*) — Nome de um venerável Mahâtmâ, a quem Sinnet dedicou sua obra *O Mundo Oculto* e do qual diz este autor: "aquele que, na compreensão da Natureza

K

e da Humanidade, ocupa, embora afastado, um lugar entre os filósofos e homens de ciência mais avançados".

Kuti (*Sânsc.*) — Árvore, corpo.

Kutî (*Sânsc.*) — Casa, choça, cabana.

Kutîchaka (*Sânsc.*) — "O homem que constrói uma cabana." O discípulo ou *chela* no segundo grau do Sendeiro, onde consegue livrar-se da personalidade e adquire o sentimento de unidade com a Vida única *(P. Hoult)*. O *Kutîchaka* chegou a um lugar de paz. Para o budista, é um *sakridâgâmin*, ou seja, o homem que renasce uma única vez. (A. Besant, *Sabedoria Antiga*).

Kutila (*Sânsc.*) — Curvo, encurvado, torcido, sinuoso; astuto, arteiro, enganoso.

Kutila-bhramana (*Sânsc.*) — Movimento espiral.

Kutsa (*Sânsc.*) — Nome de um antigo *Richi* e poeta, autor de vários hinos e orações dos *Vedas*. (Ver *Kotsa.*)

Kûtustha (*Sânsc.*) — Que está no cume ou no alto; situado no alto; que medita sobre a essência ou substância universal; que reside nesta substância e participa de sua identidade (*Burnouf* e *Leupol*); imóvel, imutável, firme; altíssimo, excelso, supremo, absoluto, permanente, eterno; o Espírito universal *(Thomson)*; o Espaço.

Kuvera [ou **Kubera**] (*Sânsc.*) — Deus do Hades e das riquezas, como o Pluto grego. Rei dos maus demônios no Panteão hindu. [*Ku-vera* significa, literalmente, "corpo monstruoso ou disforme", nome que concorda com este feio e disforme deus, que é representado com três pernas e oito dentes. É o deus e senhor das riquezas e habita as regiões das trevas como rei dos *yakchas* e *guhuyakas*, gênios guardiões de seus tesouros. É conhecido também pelos nomes de Vitteza (ver *Bhagavad-Gîtâ*, X, 23), Râja-râja ("Rei de reis") e Nara-râja ("Rei dos homens"), como alusão ao grande poder das riquezas.

Kuza — Ver *Kusa*.

Kuzâdwîpa — Ver *Kusadvîpa*.

Kuzâkara (*Sânsc.*) — O fogo e, mais propriamente, o fogo sagrado.

Kuzala — Ver *Kusala*.

Kuzika (*Sânsc.*) — Nome de antigos *Richis* védicos, descendentes de Kuza. Os mais renomados são: Vizvâmitra e Parazurâma.

Kuzilava (*Sânsc.*) — Ator, dançarino, bufão, gracioso.

Kuzita (*Sânsc.*) — Misturado, confuso.

Kuzottara (Kuza-uttara) (*Sânsc.*) — Coberto de erva sagrada (*Kuza* ou *Kusa*).

Kwan-shai-yîn (*Chin.*) — O *Logos* masculino dos budistas do Norte e dos da China; o "Deus manifestado".

Kwan-yin (*Chin.*) — O *Logos* feminino; a "Mãe de Misericórdia".

Kwan-yin-tien (*Chin.*) — O céu onde moram Kwan-yin e outros *Logoi*.

Kwei-Shans (*Chin.*) — O terceiro princípio humano: o corpo astral.

Kyrios ou **Kurios** (*Gr.*) — Senhor. *Kyrie* é o caso vocativo: Senhor, oh, Senhor!

L

L — Décima segunda letra do alfabeto inglês e também do hebraico, no qual Lámed, nome de tal letra, significa "aguilhão", signo de uma forma do deus Marte, a divindade *geratriz*. O valor numérico desta letra é 30. O nome hebraico divino correspondente ao *L* é *Limmud* ou *Douto*. [Em sânscrito há dois *L* vogais, um breve (*li*) e outro longo (*lî*), que são, respectivamente, a nona e a décima letras do alfabeto. Seu som é pouco perceptível ao ouvido. Não há nenhuma palavra sânscrita que comece por uma ou outra dessas duas vogais. Há, além disso, o *L* consoante ou semivogal, que é a 42ª letra do alfabeto e que se pronuncia como o *L* de nosso alfabeto. E, por último, existe outro *L*, chamado de védico, que é cerebral e tem um som pouco perceptível, como na palavra *flor*.]

La (*Sânsc.*) — Indra, deus do firmamento.

La (*Tib.*) — Nome que os lamas do Tibete dão ao Fo (Buddha) dos chineses.

Lâ (*Sânsc.*) — Dom oferecido ou recebido.

Lábaro (do latim *Labarum*) — Estandarte que era levado diante dos antigos imperadores romanos e que tinha no extremo superior uma águia, como emblema da soberania. Era uma longa lança com um pau cruzado, formando ângulos retos. Constantino substituiu a águia pelo monograma de Cristo, que levava a divisa Entou Tonika, que, mais tarde, foi interpretado no sentido de *In hoc signo vinces* ("com este sinal vencerás"). Em relação ao monograma, era uma combinação da letra X, *chi*, e P, *rho*, ou seja, a sílaba inicial de *Christos*. (Ver *Crismón*.) Porém o lábaro foi um emblema da Etrúria séculos antes de Constantino e da era cristã. Era também o signo de Osíris e de Hórus, frequentemente representado com a cruz latina prolongada, assim como a cruz peitoral grega é puramente egípcia. Em seu *Decadência e Queda do Império Romano*, Gibbon expôs a hipocrisia de Constantino. Este imperador, se é que teve alguma visão, deve ter sido a do Júpiter olímpico, em cuja fé morreu.

Labdha (*Sânsc.*) — Adquirido, obtido, alcançado.

Labadhavarna (*Sânsc.*) — Sábio, pandita.

Lâbha (*Sânsc.*) — Obtenção, aquisição, lucro, proveito.

Labhasa (*Sânsc.*) — Posse, riqueza.

Labhya (*Sânsc.*) — Que deve ser alcançado, que deve ser obtido.

Labirinto [do grego *labyrinthos*] — O Egito possuía o "Labirinto celeste", no qual eram introduzidas as almas dos defuntos, e também sua representação na Terra, o famoso Labirinto, uma série de recintos e passagens subterrâneas e com as mais extraordinárias voltas e reviravoltas. Segundo a descrição de Heródoto, constava de três mil câmaras ou recintos, metade acima do solo e metade abaixo do mesmo. Em seu tempo não era permitida a entrada de estranhos nas partes subterrâneas do Labirinto, porque estas continham os sepulcros dos reis que os construíram e outros mistérios. O "Pai da História" encontrou o Labirinto quase em ruínas e, contudo, considerava-o, mesmo em tal estado, muito mais maravilhoso do que as Pirâmides.

Labro — Santo romano solenemente beatificado. Sua grande santidade consistia em estar sentado junto a uma das portas de Roma, noite e dia, durante quarenta anos, sem lavar-se uma única vez durante todo este tempo. Em consequência, a miséria consumia-o até os ossos.

L

Labyrinthodon — Animal antediluviano da ordem dos Mudos, cujo crânio fóssil apresenta uma perfuração, que somente pode ser explicada por um extraordinário desenvolvimento da glândula pineal ou "terceiro olho", que, segundo vários naturalistas, entre eles E. Korscheldt, funcionava como um real e verdadeiro órgão da visão. (Ver *Doutrina Secreta*, II, 313, nota, e *Glândula pineal*.)

Lactâncio — Padre da Igreja, que declarou o sistema heliocêntrico uma doutrina herética e a existência dos antípodas uma "falácia inventada pelo diabo".

Ladaha (*Sânsc.*) — Belo, agradável, encantador.

Ladakh — O vale superior do Indo, habitado pelos tibetanos, mas pertencente ao râja de Cachemira.

Laena (*Lat.*) — Uma vestimenta com a qual os áugures romanos cobriam a cabeça, enquanto contemplavam o voo das aves.

Lagada (*Sânsc.*) — Belo, bem formado, bem feito.

Lâghava (*Sânsc.*) — Mesquinhez, insignificância, desprezo, falta de valor.

Laghiman (*Sânsc.*) — Leveza, falta de peso; o poder de neutralizar a ação da gravidade e de se tornar tão leve quanto um floco de algodão, uma pluma ou outros objetos semelhantes. "Através do *samyama* sobre a relação que existe entre o corpo humano e o éter e também se identificando com objetos leves, como, por exemplo, um floco de algodão, o *yogi* adquire o poder de viajar pelo espaço." (*Aforismos de Patañjali*, III, 42.)

Laghu (*Sânsc.*) — Leve, imponderável, rápido, pequeno, escasso, parco.

Laghuvritti (*Sânsc.*) — "Condição de leveza." Através de seu efeito, o corpo torna-se imponderável, como no estado de êxtase ou como um corpo glorioso. (Ver *Laghiman*, *Etrobacia*, *Levitação*.)

Laghvâzin (lagbu-âzin) (*Sânsc.*) — "Pouco comedor". Parco ou sóbrio na alimentação.

Lagna (*Sânsc.*) — Dedicado, atento; confuso; bardo, panegirista.

Lahgash (*Cab.*) — Linguagem secreta, encantamento esotérico; quase idêntico ao significado místico de *Vâch* [o poder oculto dos *Montras*].

Laicos, chelâs ou **Chelâs laicos** — São simplesmente homens do mundo que afirmam seu desejo de conhecer as coisas espirituais. Virtualmente todo membro da Sociedade Teosófica, que segue o segundo dos três objetos da mesma, é um *chelâ* laico, porque, embora não pertença ao número dos verdadeiros *chelâs*, tem a possibilidade de chegar a sê-lo, pois atravessou a linha divisória que o separava dos *Mahâhmâs* e se colocou, por assim dizer, sob sua observação. O *Chelado* laico não confere privilégio além daquele de trabalhar para contrair méritos, sob a observação de um Mestre. (Ver o excelente artigo de H. P. Blavatsky: "*Chelâs* (regulares) e *Chelâs* laicos", publicado em *Cinco Anos de Teosofia*.)

Lajjâ (*Sânsc.*) — "Poder"; uma semideusa, filha de Dakcha.

Lajjyâ (*Sânsc.*) — Pudor, recato, modéstia.

Lakcha (Laksha) (*Sânsc.*) — Marca, sinal, signo, nota; engano, fraude. É também chamado de *lakchâ*, *lak*, *lakh* ou *lac*, uma quantidade equivalente a cem mil unidades, seja em espécie, dinheiro ou qualquer outra coisa.

L

Lakchana (Lakshana) (*Sânsc.*) — Os trinta e dois signos corporais de um Buddha, ou sejam, os sinais através dos quais um Buddha é reconhecido. [Eis aqui outros significados desta palavra: marca, sinal, símbolo, atributo, signo característico ou distintivo; caráter, nome, designação; observação, vista, visão etc.]

Lakchana-parinâma (*Sânsc.*) — Mudança ou transformação do caráter.

Lakchmana (*Sânsc.*) — Marca, sinal, nome. Filho do rei Dazaratha e meio-irmão de Râma, esposo de Sîtâ (ver).

Lakchmî (*Sânsc.*) — "Prosperidade", fortuna, [beleza, esplendor]. A Vênus hindu, que nasceu quando os deuses agitavam o oceano de leite; é a deusa da beleza e esposa ou aspecto feminino de Vishnu. [Lakchmî é mãe de Kâma, deus do amor. É também o sobrenome de Sîtâ, esposa de Râma.]

Lakchmî-griha (*Sânsc.*) — O lótus vermelho, sobre o qual Lakchmî apareceu sentada.

Lakchmî-pati (*Sânsc.*) — "Senhor ou esposo de Lakchmî"; sobrenome de Vishnu.

Lakchmî-putra (*Sânsc.*) — "Filho de Lakchmî": Kâma. Em geral, filho de Sîtâ.

Lakchmîvat (*Sânsc.*) — Próspero, afortunado, de bom augúrio.

Lakchmîza (Lakchmî-îza) (*Sânsc.*) — Homem afortunado; Vishnu, esposo de Lakchmî.

Lakchya (*Sânsc.*) — Notável. Como substantivo: marca, signo, objeto a que se aspira.

Lakh — Ver *Lakcha*.

Laksha, Lakshana, Laksmi — Ver *Lakcha, Lakchana, Lakchmî*.

Lalâma (*Sânsc.*) — Risca, marca; adorno ou signo distintivo; chefe; dignidade, majestade.

Lâlasa (*Sânsc.*) — Desejo, sentimento; solicitação. Como adjetivo: desejoso, aneloso.

Lalita (*Sânsc.*) — Beleza, encanto; jogo, diversão. Adjetivo: agradável, divertido, encantador; simples, ingênuo.

Lalita-vistara (*Sânsc.*) — Célebre biografia de Sâkyamuni, o Senhor Buddha, composta por Dharmarakcha, no ano de 308 de nossa era.

Lam (*Lat.*) — Símbolo do *Prithivî-Tattva*. *(Râma Prasâd)*

Lama (*Tib.*) — Escreve-se "Clama". Este título, quando aplicado devidamente, corresponde apenas aos sacerdotes de graus superiores, aqueles que podem oficiar como *gurus* nos mosteiros. Desgraçadamente, cada membro comum do *gedun* (clero) chama-se ou permite que o chamem de "Lama". O verdadeiro *Lama* é um *gelong* ordenado e *três vezes* ordenado. Desde a reforma feita por Tsong-kha-pa, vários abusos ocorreram na *teocracia* do país. Há "Lamas astrólogos", os *chakhan* ou *tsikhan* (de *tsigan*, "cigano") comuns e os "Lamas adivinhos", de uma condição tal que lhes é permitido casarem-se e não pertencem absolutamente ao clero. Contudo, há muito poucos no Tibete oriental, pertencendo principalmente ao Tibete ocidental e a certas seitas que nada têm a ver com os *gelukpas* ou "Turbantes Amarelos". Infelizmente, os orientalistas, que quase nada sabem do verdadeiro estado de coisas do Tibete, confundem o Choichong da Lamaseria *(Lhassa)* de Gurmakhayas – os Iniciados esotéricos – com os charlatães e *dugpas* (feiticeiros) da seita dos *bhons*. Não é de se estranhar que – como diz Schlagintweit, em seu

L

Budismo do Tibete – "embora as imagens do rei Choichong (o 'deus da astrologia') sejam encontradas na maior parte dos mosteiros do Tibete ocidental e dos Himalaias, meus irmãos jamais viram um lama Choichong". Isso é muito natural. Nem o Choichong nem o *Khubilkhan* (ver) invadiram o país. Da mesma forma, o "Deus" ou "Rei" Choichong está tão longe de ser um "deus da astrologia" quanto qualquer outro *Dhyân Chohân* "planetário".

Lama-gylungs (*Tib.*) — Discípulos dos lamas.

Lamba (*Sânsc.*) — Grande, vasto, espaçoso; pendente, pendurado. Substantivo: presente.

Lambhana (*Sânsc.*) — Aquisição, obtenção; reprovação, censura.

Lamrin (*Tib.*) — Livro sagrado de regras e preceitos, escrito por Tsong-kha-pa, "para o progresso do conhecimento".

Lang-chu ou **Lang-shu** (*Chin.*) — Título de uma tradução da obra de Nâgârjuna, *Ekazloka-Shâstra*.

Langhan — Ver *Ashen*.

Langhana (*Sânsc.*) — Jejum.

Lang-shu — Ver *Lang-chu*.

Lankâ (*Sânsc.*) — Antigo nome da ilha atualmente chamada de Ceilão. É também o nome de uma montanha situada a sudeste do Ceilão, onde, segundo a tradição, havia uma cidade povoada por demônios, conhecida pelo nome de Lankâpuri. A grande epopeia *Râmâyana* descreve-a dizendo que era de grande magnificiência e de extensão gigantesca, "com sete fossos largos e sete estupendas muralhas de pedra, e metal". Atribui-se a sua fundação a Vizvakarma, que edificou tal cidade para residência de Kuvera, rei dos demônios, de quem foi tomada por Râvana, raptor da bela Sîtâ. O *Bhagavata Purâna* diz que Lankâ ou Ceilão era primitivamente o cume do monte Meru, que foi arrancado por Vâyu, deus do vento, e precipitado no oceano. Desde então tornou-se a sede da Igreja Búdica do Sul, a seita siamesa (dirigida atualmente pelo sumo sacerdote Sumangala), representação do mais puro budismo exotérico desta parte dos Himalaias.

Lânkâvatâra (*Sânsc.*) — Título de um tratado de filosofia búdica.

Lankeza (Lankâ-îza) (*Sânsc.*) — "Senhor de Lankâ". Epíteto de Râvana.

Lanoo — Ver *Lanu*.

Lanú (*Lanoo*, segundo a transliteração inglesa) (*Tib.*) — É o nome que, no Tibete, é dado aos *chelâs* ou estudantes da doutrina esotérica.

Lao-tzé (*Chin.*) — Um grande sábio, santo e filósofo, que precedeu a Confúcio. [Foi um grande reformista chinês.]

Lâpa (*Sânsc.*) — Palavra, linguagem.

Lapana (*Sânsc.*) — Fala ou ação de falar; a boca (que fala).

Lapis arenosi (*Alq.*) — Júpiter. (*Planiscampi*)

Lapis philosophorum (*Alq.*) — Enxofre ou matéria da obra fixada, que os químicos herméticos também chamam de *Sal de Ouro*.

Lapita (*Sânsc.*) — Palavra, linguagem; voz, lamento.

Lararium (*Lat.*) — Um aposento da casa dos antigos romanos, onde eram guardados, juntamente com outras relíquias da família, os *lares* ou deuses domésticos.

L

Lares (*Lat.*) — Os *Lares* são os *manes* ou sombras das pessoas desencarnadas. Havia três classes: *Lares familiares*, que eram os guardiões ou presidentes invisíveis da família; *Lares parvi*, pequenos ídolos utilizados para adivinhação e augúrios; *Lares, præstites*, que, segundo se supunha, mantinham a ordem entre os demais. Diz Apuleyo que a inscrição tumular: "Aos deuses manes que viveram" significa que a alma havia sido transformada num lêmur e acrescenta que, embora "a alma humana seja um demônio, que nossa linguagem pode denominar de gênio" e seja "um *deus imortal*, embora *em certo sentido nasça ao mesmo tempo que o homem em quem reside*, podemos, contudo, dizer que *morre da mesma maneira que nasce*". Usando uma linguagem mais clara, isso significa que os Lares e os Lêmures são simplesmente as cascas ou invólucros desprezados pelo Ego, a elevada Alma espiritual e imortal, cujo *invólucro*, bem como seu reflexo astral, a alma animal, morre, enquanto a Alma superior persiste por toda a eternidade. [Ver *Penates*.] [Tomados em outra acepção da palavra, os Lares são as divindades solares, os condutores e chefes dos homens. Como *Aletæ* (deuses ou adoradores do fogo), eram os sete planetas (astronomicamente), e como *Lares,* os regentes de tais planetas, nossos protetores e governadores (misticamente). (*Doutrina Secreta*, II, 377)

Larva (*Lat.*) — A alma animal. As *Larvas* são as sombras dos homens, que viveram e morreram.

Lâsa (*Sânsc.*) — Dança, especialmente de mulheres; jogo, diversão; prazeres amorosos.

Lâsaka (*Sânsc.*) — Aquele que dança, joga ou se diverte.

Lâsakî (*Sânsc.*) — Bailarina, cortesã.

Lascaris — Personagem misterioso de origem oriental. Apareceu na Alemanha no início do séc. XVIII. Dedicava-se com afinco ao estudo do Hermetismo e possuía uma tintura ou pó filosofal, com o qual operava a transmutação dos metais. Um dos experimentos que mais chamaram a atenção pública foi o fato de transmutar em ouro puríssimo todas as vasilhas de prata que a condessa de Erbach possuía em seu castelo; fato completamente autêntico, uma vez que as vasilhas em questão chegaram a ser objeto de litígio, devido ao fato de que, ao se separar da condessa, seu marido reclamava a metade de seu valor. O eminente químico Dippel pretendeu demonstrar que a tintura de que se servia Lascaris era de uma simples solução saturada de cloreto de ouro e que bastava calcinar o pó com que se preparava a tintura para reduzi-lo a ouro puro; porém dificilmente se explicava que, segundo afirma o próprio Dippel, uma parte em peso de tal tintura transmutasse em ouro 600 partes de prata; também não há maneira de explicar como uma prancha circular de cobre, de um pé de diâmetro, aquecida ao fogo e tratada com um pequeno grão de tintura, se convertesse totalmente em ouro, como foi demonstrado em seguida, cortando-se a prancha em pedaços, para que se visse claramente que não se tratava de uma simples alteração superficial, mas de uma verdadeira transmutação de toda a espessura da massa metálica. Lascaris teve inúmeros discípulos, tais como Bötticher, Braun, Martin, Schmolz de Dierbach e outros, que percorreram a Europa para demonstrar, com fatos práticos, a verdade da Ciência Hermética.

Lâsya (*Sânsc.*) — Dança acompanhada de canto e música instrumental; dança de mulheres, uma espécie de pantomima.

Latâ (*Sânsc.*) — Fio; ramo; planta trepadora.

Lâta (*Sânsc.*) — Linguagem pueril ou inconsciente; defeito, vício; tecido, vestido.

Lata (*Sânsc.*) — Ignorante, que fala como criança; defeito.

L

Latão (*Alq.*) — Mercúrio dos Sábios ou sua matéria considerada durante a putrefação. Este termo refere-se, mais geralmente, ao fixo dissolvido com o volátil.

Latão imundo (*Alq.*) — É a matéria em dissolução e em putrefação, a qual os Adeptos denominam também de terra sepulcral, corpo imundo, dragão babilônico, Cabeça de Corvo, negro mais negro que o próprio negro.

Latta (*Sânsc.*) — Homem vil, miserável.

Latro (*Alq.*) — Mercúrio dos filósofos *(Philaletho)*.

Lavana (*Sânsc.*) — Salino, salgado, salobro. Lavana era o nome de um *râkchasa*, filho de Madhu e rei de Mathurâ.

Lavanâmbhas (*Sânsc.*) — "Águas salgadas": o mar.

Lâvânya (*Sânsc.*) — Sabor salgado; graça, encanto, beleza.

Laya ou **Layam** (*Sânsc.*) — Palavra derivada da raiz *li*, "dissolver", "desintegrar"; um ponto de equilíbrio (ponto *zero* ou neutro), em física e química. No ocultismo, é o ponto em que a substância torna-se homogênea e é incapaz de operar ou de se diferenciar. [É o ponto da matéria acima ou abaixo do qual cessou toda a diferenciação ou troca de manifestação. Na prática do *Yoga*, *laya* é um momento crítico em que a mente, ao passar de um estado de consciência para outro chamado de "inconsciente", pode cair em uma condição de entorpecimento passivo, que conduz a todas as calamidades da mediunidade irresponsável. (Ver *Ponto* ou *centro laya*.)]

Laya-yoga (*Sânsc.*) — É uma espécie de *Yoga* que consiste em contemplar com atenção algum objeto exterior, ou mais propriamente o *nâda* (som) interno, que se percebe fechando os ouvidos. *(M. Dvivedi)*

Leão da Lei — Título aplicado a Buddha. (Ver *Voz do Silêncio*, II.)

Lebanon (*Hebr.*) — Ver *Líbano*.

Lebre — Em alguns momentos da antiguidade cristã, tais como pedras sepulcrais, lâmpadas, mármores etc., vê-se esculpida a figura deste animal, cujo significado, segundo confessa o abade Martigny, não pode ser definido claramente pelos antiquários. Assim, um mármore do cemitério de Saint-Urban é adornado com uma lebre, que corre para a esquerda, em direção a uma pomba, que leva no bico um ramo de oliveira carregado de folhas e frutos; numa pedra gravada, da coleção de M. Perret, vê-se uma lebre que corre para o monograma de Cristo e uma palmeira abaixo. Sobre a tumba de um menino, vê-se esculpida uma lebre, que está comendo um cacho de uva, e, numa pia batismal *(nymphæum)* de Pisauro (hoje Pésaro), vê-se um carneiro de frente para uma lebre. Do mesmo modo encontramos a lebre em lâmpadas de barro, entre elas uma que M. Cavallari recolheu numa catacumba cristã, nas cercanias de Girgenti, na Sicília, no ano de 1875. (Ver *Culto da lebre*.)

Leffas — Corpos astrais das plantas. Podem tornar-se visíveis, surgindo das cinzas das plantas, depois que foram queimadas. (Ver *Palingenesia*.) *(F. Hartmann)* (Ver também: *Gaffarillus* e *Kircher*.)

Leha e **Lehya** (*Sânsc.*) — Alimento; alimento divino.

Lei de Retribuição — Ver *Karma*.

Lei de Sacrifício — Ver *Sacrifício*.

Leis de Manu — Ver *Mânava-dharma-shâstra*.

L

Leite (*Herm.*) — Água mercurial dos filósofos. Alguns químicos imaginaram que este nome havia sido dado ao mercúrio devido à sua semelhança, em fluidez e brancura, com o leite comum, e acreditaram ter encontrado esta água mercurial na água branca do mercúrio vulgar trabalhado quimicamente; mas Zacarias (o Panapolitano) desiludiu-os, assegurando que tal nome foi dado porque o mercúrio dos filósofos talha-se e se coagula no meio do corpo fixo, que ele denomina de *Coágulo*.

Leite virginal (*Herm.*) — É o mercúrio dos Sábios sob a forma de água leitosa, via úmida. Alguns dão-lhe este nome na via seca, logo que está cozido ao branco.

Leito de Procusto — Procusto ou Procrusto era um famoso bandido da Ática que estendia suas vítimas sobre um leito de ferro, fazendo-as ajustarem-se exatamente ao comprimento do mesmo. Assim, cortava-lhes as extremidades das pernas, se estas fosse mais compridas, ou as estirava com força, se fossem mais curtas. Esta alegoria, da qual se falava várias vezes nas obras teosóficas, aplica-se principalmente aos dogmáticos que se empenham em ajustar, de modo forçado e violento, uma determinada ideia a seu próprio critério ou norma estabelecida.

Lekha (*Sânsc.*) — Risco, linha; letra, caráter (de letra); carta, missiva.

Lekhana (*Sânsc.*) — Escrito, escritura; folha de palmeira, casca de bétula (utilizadas para escrever, no lugar do papel).

Lêmures — São os *manes* ou sombras, que conhecemos pelo nome de *lares*. Quando se encontram a certa distância de nós e *nos mostram uma proteção benéfica*, honramos neles as divindades protetoras do lar doméstico; porém, se seus crimes condenam-nos a andar errantes, são denominados de *larvas*. Chegam a ser uma verdadeira praga para os homens maus e um *vão terror* para os bons. (*Ísis sem Véu*, I, 345) São os elementais do ar; elementais dos mortos; "espíritos chamadores ou golpeadores", que produzem manifestações físicas. (*F. Hartmann*) (Ver *Cabales, Elementares, Lares* etc.)

Lemúria — Termo empregado por alguns naturalistas e que os teósofos usam, atualmente, para designar um vastíssimo continente que, segundo a *Doutrina Secreta* do Oriente, precedeu a Atlântida. Seu nome oriental não revelaria muito aos ouvidos europeus. [A Lemúria constituía um antiquíssimo e gigantesco continente, anterior à África e à Atlântida. Foi destruída por terremotos e fogos subterrâneos e submergida no oceano há milhões de anos, deixando apenas, como recordação, vários picos de suas montanhas mais altas, que agora constituem várias ilhas, entre as quais figura a chamada Ilha de Páscoa, famosa por suas estátuas gigantescas. Este vastíssimo continente compreendia o sul da África, Madagascar, Ceilão, Sumatra, Oceano Índico, Austrália, Nova Zelândia, estendendo-se até grande parte do sul do Oceano Pacífico. Foi o berço ou residência da terceira Raça-Mãe, ou seja, da primitiva humanidade física e sexual, que, naqueles tempos remotos, tinha estatura gigantesca. Uma vez desaparecida a Lemúria, surgiu a Atlântida.]

Lemurianos — Constituíam a terceira Raça-Mãe. Eram de estatura gigantesca, andróginos e hermafroditas durante os primeiros períodos da Raça, porém, mais tarde, diferenciaram-se em formas distintas, masculinas e femininas. (*P. Hoult*) (Ver *Lemúria*.)

Leões de Fogo e **Leões de Vida** — Estes nomes, que expressam atributos ígneos, foram aplicados aos Seres elevados, que constituem a primeira das Hierarquias criadoras, pelo fato de ser a Vida e o Coração do Universo. (Ver *Hierarquias Criadoras*.)

León, *Moisés de* — Nome de um rabino judeu do séc. XIII. Foi acusado de ter composto o *Zohar*, que publicou como obra verdadeira de Simeão Ben Jachai. Seu nome completo encontra-se na *Qabbalah* de Myer e era Moisés Ben-Shem-Tob de León, rabino

L

espanhol, e o próprio autor demonstra, com clareza, que León não foi o autor do *Zohar*. Poucos diriam o contrário, porém todos devem suspeitar que Moisés de León falsificou consideravelmente o "Livro de Esplendor" *(Zohar)* original. Esta falta, contudo, pode ser compartilhada com os "cabalistas cristãos" da Idade Média e especialmente com Knorr von Rosenroth. Com toda a certeza nem o rabino Simeão, condenado à morte por Tito, nem seu filho, o rabino Eliezer, nem seu secretário, o rabino Abba, podem ser acusados de haver introduzido no *Zohar* doutrinas e dogmas puramente cristãos, inventados pelos padres da Igreja, alguns séculos após a morte dos primeiros rabinos mencionados. Isso, indo um pouco além do devido, seria uma suposta profecia divina.

Leopoldo I — Este imperador cobriu de favores o monge Venzel Zeyler, por este ter transformado, em sua presença, estanho em ouro. Diz-se que ele também realizou tal transformação.

Lerad *(Esc.)* — O abeto do Walhall, com cujas folhas alimenta-se a cabra Heidruna.

Leteu (do grego *Lethé*, esquecimento) — Um dos rios do inferno, chamado também de "Rio do Esquecimento". Após passarem muitos séculos nos infernos, onde expiam suas culpas, as almas, antes de abandonarem a região das sombras, foram obrigadas a beber das águas tranquilas e silenciosas de tal rio, que tem a virtude de apagar as lembranças de sua vida anterior ou de não deixar na memória nada além de reminiscências vagas e obscuras, dispondo-as, assim, a sofrer num novo corpo as provas e misérias da existência. Com esta engenhosa alegoria, os gregos explicavam a perda da memória das vidas passadas.

Levânah *(Hebr.)* — A Lua, considerada como planeta e como influência astrológica.

Levi, *Eliphas* — O verdadeiro nome deste sábio cabalista era Alfonso Luis Constant. Eliphas Levi Zahed era autor de várias obras sobre magia filosófica. Membro da *Fratres Lucis* (Irmãos da Luz), foi também, num certo tempo, sacerdote ou *abade* da Igreja Católico-Romana, que o secularizou quando adquiriu fama de cabalista. Morreu por volta de 1872, deixando cinco obras famosas: *Dogma e Ritual de Alta Magia* (1856); *História da Magia* (1860); *A Chave dos Grandes Mistérios* (1861); *Legendas e Símbolos* (1862) e *A Ciência dos Espíritos* (1865), além de algumas outras obras de menor importância. Seu estilo é sumamente claro e fascinante, porém com um selo marcado de ironia e paradoxo para ser o ideal de um cabalista sério.

Leviathã — No esoterismo bíblico, é a Divindade em sua dupla manifestação de bem e de mal. Seu significado pode ser encontrado no *Zohar* (II, 34, b): "O rabino Shimeon disse: A obra do princípio (de "criação") os companheiros (candidatos) estudam-na e compreendem; porém os *pequenos* (os completos e perfeitos Iniciados) são aqueles que compreendem a alusão à obra do princípio através do *Mistério da Serpente do Grande Mar* (a saber) *Thanneen, Leviathã*". (Ver também *Qabbalah*, de I. Myer.)

Levitação — "Suspensão de um corpo pesado no ar, sem qualquer sustentação visível". *(A. Besant)* A levitação e o fato de andar sobre a água podem ser executados com a ajuda dos elementos do ar e da água, respectivamente; porém, com mais frequência, emprega-se para isso um método distinto, assim expresso por Patañjali em um de seus *Aforismos do Yoga*: "Pelo domínio do ar vital chamado de *udâna*, o *yogi* adquire o poder de ascensão (ou levitação), de se sustentar sobre a água, sem tocá-la, e sobre o lodo, e de andar sobre abrolhos" (III, 39). (Ver *Etrobacia*.)

Leza *(Sânsc.)* — Diminuição; partícula; pequena quantidade.

Lha *(Tib.)* — Espíritos das esferas mais elevadas; desta palavra deriva o nome de *Lhassa*, residência do Dalai-Lama. O título de *Lha* é dado frequentemente, no Tibete, a

L

alguns *Narjols* (santos e *yogis* Adeptos), que alcançaram grandes poderes ocultos. [Lha é um termo antigo das regiões situadas além dos Himalaias; significa "Espírito", um Ser celestial ou *super-humano* qualquer e compreende toda a série de hierarquias celestes, desde o Arcanjo ou *Dhyâni*, até um anjo de trevas ou espírito terrestre. (*Doutrina Secreta*, II, 25)]

Lhagpa (*Tib.*) — O planeta Mercúrio [simbolizado por uma "mão". (Ver *Voz do Silêncio*, II.)]

Lhakang (*Tib.*) — Um templo; uma cripta, especialmente um templo subterrâneo para cerimônias místicas.

Lhamayin (*Tib.*) — Espíritos elementais do plano terrestre inferior. A fantasia popular torna-os demônios e diabos. [Espíritos elementais e malignos, invejosos e inimigos do homem. (*Voz do Silêncio*, III) Em uma das instruções expostas no recomendável artigo de H. P. Blavatsky, intitulado "Ocultismo Prático", lê-se: "Não se deve fazer uso de qualquer vinho, qualquer espírito, qualquer ópio, porque são à maneira dos *lhamayin* (maus espíritos) que se apoderam do imprudente e devoram o entendimento". Estes seres são diametralmente opostos aos *Lhas*, segundo se colhe da estância II, 8 do *Livro de Dzyan*: "Vieram os *Lhas* do Alto e os *Lhamayin* de Baixo".]

Lhassa (*Tib.*) — Cidade onde reside o Dalai-Lama. (Ver *Lha.*)

Li (*Sânsc.*) — Dissolução, destruição; igualdade, identidade.

Libações — Chabas (*Egiptologia*, p. 95) opina que a efusão de água em honra dos *manes* tinha um significado muito importante: era símbolo da frescura e umidade devolvidas ao corpo pela mumificação. Nos ritos funerários eram prescritas frequentes libações. (P. Pierret, *Dict. d'Arch. Égypt.*)

Líbano (*Lebanon*, em hebraico) — Uma cadeia de montanhas da Síria que conserva alguns poucos restos dos cedros gigantescos, um bosque que coroava seu cume em outros tempos. Conta a tradição que dali foi retirada a madeira para construir o Templo do Rei Salomão. (Ver *Drusos.*)

Libertação (*Mokcha*, em sânscrito) — Ver *Mokcha*.

Libra — Um dos signos do Zodíaco. (Ver *Tulâ.*)

Licantropia (do grego *lykanthropia*) — Fisiologicamente é uma enfermidade ou mania, durante a qual uma pessoa pensa ser um lobo e age como tal. Ocultamente, significa a mesma coisa que a palavra inglesa *werwolf*, a faculdade psicológica de certos feiticeiros de *aparecer* ou se apresentar com a *aparência* de lobo. Voltaire afirma que no Departamento de Polícia, no espaço de dois anos, entre 1598 e 1600, uns seiscentos licântropos foram sentenciados à morte por um juiz demasiado cristão. Isso não quer dizer que os pastores acusados de feitiçaria e *vistos como lobos* tinham o poder de se transformarem fisicamente em tais animais, mas que simplesmente possuíam o poder hipnótico de fazer as pessoas (ou aqueles que consideravam como inimigos) acreditarem que estavam vendo um lobo, quando, na realidade, não havia nenhum. O exercício de tal poder é verdadeira feitiçaria. A possessão "demoníaca" é no fundo *verdadeira*, exceção feita aos diabos da teologia cristã. Porém este não é lugar apropriado para um amplo exame de mistérios ocultos e poderes mágicos.

Licnomancia (do grego *lychnos*, chama, e *manteia*, adivinhação) — Como seu próprio nome expressa, é a adivinhação através da chama, segundo sua intensidade, cor, direção etc.

Lif (*Esc.*) — Lif e Lifthresir são os dois únicos seres humanos a quem foi permitido presenciar a "Renovação do Mundo". Por serem "puros e inocentes e livres de desejos

L

pecaminosos, foi-lhes concedido entrar no mundo onde agora reina a paz". O *Edda* apresenta-os escondidos na selva de Hoddmimir, submersos nos sonhos da infância, enquanto ocorria a derradeira luta. Estas duas criaturas e a alegoria de que fazem parte referem-se às poucas nações da quarta Raça-Mãe, que, sobrevivendo à grande submersão de seu continente e à maioria de sua Raça, passaram para a quinta e continuaram sua evolução étnica em nossa atual Raça humana.

Ligar (*Herm.*) — Reunir, aproximar, tornar aderentes as partes separadas de um corpo. Coagular. Em termos de filosofia hermética, *ligar* significa comumente *fixar*, assim como *desligar* significa *dissolver, volatilizar*.

Lilâ, Lila (*Sânsc.*) — Literalmente, jogo, diversão, passatempo. Nas escrituras ortodoxas hindus explica-se que "os atos da Divindade são *lîlâ* ou uma diversão".

Lil-in (*Hebr.*) — Os filhos de Lilith e seus descendentes. "Lilith é a mãe dos *Shedim* e dos *Muquishim* (enganadores, que estendem laços)." Todas as espécies de *Lil-ins*, contudo, são demônios na demonologia dos judeus. (Ver *Zohar*, II, 268 a.) [Ver *Lilith*.]

Lilith (*Hebr.*) — Segundo a tradição judia, era um demônio que foi a primeira esposa de Adão, antes que Eva fosse criada. Acredita-se que exerça influência fatal sobre as mães e crianças recém-nascidas. Lil é noite e Lilith é também a coruja e, nas obras medievais, é um sinônimo de Lamia ou demônio fêmea. (W. W. W.) [O *Talmud* descreve Lilith como feiticeira de cabeleira opulenta e ondulada ou, melhor, um animal feminino cabeludo de um caráter atualmente desconhecido que, nas alegorias cabalísticas e talmúdicas, é chamado de reflexo feminino de Samael, Samael-Lilith, ou seja, uma mistura de homem e animal, um ser denominado, no *Zohar*, Hayo Bischat, A Besta ou Besta Má, de cuja união contranatural nasceram os atuais monos. (*Doutrina Secreta*, II, 274) Após algumas desavenças, Lilith recusou-se a se submeter a seu esposo e o abandonou. Foi mãe de gigantes e de demônios. Ainda hoje é considerada como um espectro noturno, fatal às mães e recém-nascidos. A tradição atribui a esta diaba meretriz a sedução de vários jovens, cujo coração, após a morte, ficou preso a um fio de seus cabelos. Lilith é o protótipo dos seres chamados de *Khados*, do Tibete, e *Dâkinîs*, em sânscrito, pertencentes às raças pré-adâmicas, desprovidos de inteligência e dotados apenas de instinto animal. Adão teve filhos dela. (*Doutrina Secreta*, II, 183) A palavra *Lilith* (noturna) figura em *Isaías* (XXXIV, 14) e foi traduzida como Empusa, lâmia, kobold, coruja, zumaya etc. No *Dicionário Hebraica-Francês*, de Sander e Trenel, encontra-se traduzida: ave da noite, monstro, fantasma noturno, sereia. Goethe faz aparecer tão sinistro personagem na "Noite de Walpurgis" do *Fausto*. (Ver *Pramlochâ*.)]

Limbo da Natureza (*Herm.*) — Corpo reduzido a seus primeiros princípios elementados e não elementares. É preciso observar que, quando os químicos herméticos dizem reduzir os corpos à sua primeira matéria, não pretendem reduzi-los ao estado de elementos do fogo, do ar, da água e da terra, mas à primeira matéria composta destes elementos. Esta matéria é que constitui a base de todos os corpos dos três reinos: animal, vegetal e mineral.

Limbus Major [ou **Limbus Magnus**] (*Lat.*) — Termo usado por Paracelso para designar a matéria primordial (alquímica); "terra de Adão". [O mundo em conjunto; a matriz espiritual do Universo; o Caos, em que está contido aquele do qual é feito o mundo. *(F. Hartmann)*]

Linga ou **Lingam** (*Sânsc.*) — Um signo ou símbolo de criação abstrata. A Força converte-se no órgão da procriação masculino apenas nesta Terra. Na Índia há doze grandes *Lingams* de Shiva, alguns dos quais se encontram nas montanhas e rochas e

L

também nos templos. Tal é o *Kedareza* no Himalaia, uma ingente e informe massa de rochas. Em sua origem, o *Lingam* não teve nunca a grosseira significação relacionada com o falo, ideia que é de uma data completamente posterior. Este símbolo tem, na Índia, o mesmo significado que tinha no Egito, que é, simplesmente, que a Força criadora ou procriadora é divina. Designa também como era o Criador – masculino e feminino, Shiva e sua *Shakti* [sua esposa ou aspecto feminino]. A ideia grosseira e impúdica relacionada com o falo não é hindu, mas grega e sobretudo judia. Os *Bethels* bíblicos eram verdadeiras pedras priápicas, o *Beth-el* (falo) onde Deus reside. O mesmo símbolo estava encoberto na Arca da Aliança, o "Santo dos Santos". Assim é que o *Lingam*, até então considerado como um falo, não é "um símbolo de Shiva" unicamente, mas o de todo "criador" ou deus criador em cada nação, inclusive dos israelitas e seu "Deus de Abraão e Jacó". [A palavra *linga*, além de falo ou membro viril, significa: marcha, sinal, selo, signo característico ou distintivo, atributo, emblema, evidência, prova etc. (Ver *Linga-deha ou Linga-sharîra.*)]

Linga-deha (*Sânsc.*) — Também chamado de *linga* ou *linga-sharîra*. Significa literalmente "corpo caracterizante". Segundo a filosofia sânkhya, o *buddhi*, o *ahânkara*, o *manas* e os dez *indriyas*, agrupados e unidos através dos cinco elementos sutis ou *Tanmâtras*, formam o chamado "corpo sutil ou interno", que, sobrevivendo ao corpo físico, mortal, acompanha o *Purucha* (Espírito individual) em suas transmigrações sucessivas a outros corpos, até que o *Purucha* tenha-se livrado por completo de toda ligação com a matéria. O *linga-deha* é o que constitui a natureza, caráter ou disposição particular de cada indivíduo e forma a *individualidade* persistente através das numerosas existências por que passa a alma, em sua longa peregrinação; através dele, entra o Espírito em relação com o mundo exterior. Não se deve confundir este "corpo sutil" com o *linga-sharîra* (ou duplo astral) da literatura teosófica.

Linga-Purâna (*Sânsc.*) — Uma escritura dos *zaivas, shivaitas* ou adoradores de Shiva. Nela, *Mahesvara*, "o Grande Senhor", oculto no *Agni-linga*, explica a ética da vida: dever, virtude, sacrifício próprio e, finalmente, a libertação, através da vida ascética no fim do *Agni-kalpa* (a sétima Ronda). Como observa justamente o Prof. Wilson, "o espírito do culto (fálico) é tão pouco influenciado pelo caráter do símbolo quanto se possa imaginar. *Nada há nele que se pareça com as orgias fálicas da Antiguidade: todo ele é mistério e espiritualidade*".

Lingârchana (*Sânsc.*) — Culto fálico. (Ver Culto *fálico, Fálico, Linga-Purâna* etc.)

Linga-sharîra (*Sânsc.*) — O "corpo", isto é, o símbolo aéreo do corpo. Este termo designa o *Poppelgänger* ou "corpo astral" do homem ou do animal. É o *eidolon* dos gregos, o corpo vital e *prototípico*; o reflexo [ou duplo etéreo] do homem de carne. Nasce *antes* e morre ou se desvanece com o desaparecimento do último átomo do corpo. [Em linguagem teosófica, o *linga-sharîra* é o terceiro princípio da constituição humana, conhecido também pelos nomes de "duplo etéreo", "corpo fantasma", "duplo astral" etc., e faz parte do quaternário inferior. Este corpo, que tem a mesma forma do corpo físico, é um veículo e acumulador de vida *(prâna)*, cuja corrente dirige e distribui com regularidade, segundo as necessidades do organismo. Este "princípio" é simbolizado pelo pomo de cristal, de que se serviu Prometeu para guardar alguns raios de Sol com que animou a estátua de barro que havia fabricado. É também o fator que perpetua os tipos orgânicos do homem e dos demais seres vivos, determinando seus limites e estrutura, desenha ou molda suas formas orgânicas, assim como os caracteres típicos da espécie e da raça e também certos traços de família; em uma palavra, é o *nisus fomativus*, o agente que preside a evolução das formas orgânicas. É também o *linga-sharîra* o principal fator de onde se originam nossas enfermidades e que, provocando reações, crises e outras

L

operações saudáveis, converte-se em *força medicamentosa*, quando nosso organismo sofre algum dano. Neste corpo etéreo encontra-se o segredo dos efeitos admiráveis da medicina homeopática e das doses infinitesimais dos remédios. Por último, o *linga-sharîra* desempenha um papel importante nas sessões espíritas e pode, em certos casos, tornar-se perceptível à nossa visão e impressionar a chapa fotográfica. Não se deve confundir com o *linga-sharîra* da filosofia *sânkhya*. (Ver *Ginga-deha, Corpo astral* etc.)]

Linguagem do Mistério — Linguagem secreta sacerdotal usada pelos sacerdotes Iniciados, que a empregam unicamente quando discutem assuntos sagrados. Cada nação tem sua própria língua de "mistério", desconhecida de todos, exceto daqueles que foram admitidos nos Mistérios. [As raças pré-históricas tinham sua linguagem de mistério, que não é uma língua fonética, mas gráfica e simbólica. Na atualidade são pouquíssimos os que a conhecem, sendo para a maior parte da humanidade, desde há 5.000 anos, uma língua morta. Contudo a maior parte dos gnósticos, gregos e judeus ilustrados conheceram-na e a utilizaram, embora de modo bastante diferente. (*Doutrina Secreta*, II, 606)]

Linguagem dos deuses (em sânscrito, *Deva-nâgarî*) — Com este nome designa-se o alfabeto e a linguagem sânscritos mais frequentemente empregados, sobretudo no sul da Índia.

Linguagem dos Hierofantes — É uma linguagem universal, que tem sete "dialetos", por assim dizer, cada um dos quais se refere e é especialmente apropriado a um dos sete Mistérios da Natureza. Cada um deles tem seu simbolismo próprio. (*Doutrina Secreta*, I, 329).

Lipi (*Sânsc.*) — Escritura, escrito. (Ver *Lipikas*, no t. I da *Doutrina Secreta*.)

Lipikas (*Sânsc.*) — Os Registradores Celestes, os "Escrivães", aqueles que registram cada palavra proferida e cada ação executada pelo homem, enquanto vive nesta Terra. Como ensina o Ocultismo, são os agentes do Karma, a lei da Retribuição. [São os Registradores ou cronistas que imprimem – para nós –, nas tábuas invisíveis da Luz Astral, "a grande galeria de pinturas da eternidade, um registro fiel de cada ação e também de cada pensamento do homem, de tudo quanto foi, é ou será no Universo fenomenal. Como está expresso em *Ísis sem Véu*, este lenço divino e invisível é o *Livro da Vida*. Os *Lipikas* pesam os atos de cada personalidade no momento em que se efetua a separação definitiva de seus "princípios" no *Kâma-loka* e fornecem ao homem o molde de seu corpo etéreo futuro, molde ajustado às condições Kármicas, que hão de formar o campo de sua próxima vida. Como os *Lipikas* são aqueles que, desde a passiva Mente Universal, projetam na objetividade o plano ideal do Universo, sobre o qual os "Construtores" reconstroem o Kosmos após cada *Pralaya*, são aqueles que correm juntos com os sete Anjos da Presença ou Espíritos dos Astros, sendo assim os escreventes diretos da Ideação eterna ou "Pensamento divino", como a denomina Platão. (Ver *Inteligências, Karma, Senhores do Karma* etc.)]

Liquefação filosófica (*Alq.*) — Matéria da obra em putrefação. Encontra-se, então, dentro de uma verdadeira liquefação, uma vez que a putrefação é o princípio da dissolução.

Litania — O exame comparativo mais superficial entre a litania lauretana da Igreja Católica e as do Egito e da Índia, demonstra claramente que as duas últimas serviram de modelo para a primeira, que copiou ao pé da letra alguns de seus elogios ou atributos. (Ver *Ísis sem Véu*, II, 209.)

L

Livro da Criação — Este livro e o *Zohar* constituem as duas únicas obras fundamentais do sistema cabalístico que chegaram até nós. O *Livro da Criação* responde muito bem à ideia que, segundo o *Talmud*, podemos formar da *História da Gênese*. (A. Frank, *A Cabala*)

Livro das Chaves — Antiga obra cabalística. [O original já não existe, mas pode haver cópias espúrias e desfiguradas e falsificações do mesmo. (Glossário da *Chave da Teosofia*)]

Livros de bambu — Obras antiquíssimas e seguramente pré-históricas, escritas em chinês, que contêm os registros antediluvianos dos *Anais da China*. Foram encontrados na tumba do rei Seang de Wai, que morreu no ano de 295 a.C. e, com muita justiça, pode-se remontá-los a muitos séculos antes.

Livro de Dzyan — Este livro, cujo nome deriva da palavra sânscrita *dhyân* (meditação mística) é o primeiro volume dos *Comentários* sobre as sete folhas secretas do Kiu-te e um glossário das obras públicas de mesmo nome. Na biblioteca de qualquer mosteiro pode-se encontrar na posse dos monges *gelugpa* tibetanos trinta e cinco volumes de Kiute para fins exotéricos e para uso dos leigos e, além disso, catorze livros de comentários e anotações sobre os mesmos, escritos por Mestres Iniciados. Estes catorze livros de *Comentários*, alguns dos quais são de antiguidade incalculável, contêm uma recompilação de todas as ciências ocultas. (*Doutrina Secreta*, III, 405)

Livro de Enoch — Rechaçado pelos judeus e declarado apócrifo pelos cristãos. Atribui-se-lhe grande importância devido à menção do mesmo nos versículos 14 e 15 da apístola do apóstolo São Judas e também por ser citado por vários santos Padres da Igreja primitiva. O livro em questão é completamente simbólico e seus símbolos encontram-se misturados com mistérios astronômicos e cósmicos. Abrange as cinco Raças do *Manvantara* e faz algumas alusões às duas últimas. Não contém, pois, "profecias bíblicas", mas simplesmente fatos retirados dos Livros Sagrados do Oriente e é evidente que as doutrinas dos *Evangelhos* e também as do *Antigo Testamento* foram copiadas inteiramente do *Livro de Enoch*. (*Doutrina Secreta*, III, p. 82 e ss.) (Ver *Enoch*.)

Livro de Jó — É o livro da Iniciação *por excelência*. Nele se encontram expostas, sob forma simbólica as terríveis e longas provas pelas quais passa o neófito.

Livro dos Mortos — É uma antiga obra ritualista e oculta atribuída a Thot-Hermes. Foi encontrado nos ataúdes de múmias vetustas. [É uma coleção de orações divididas em 165 capítulos. Estas preces deviam ser recitadas pelo defunto, para salvar sua alma nas provas de além-túmulo e purificá-la no juízo final; com este fim, cada múmia possuía em seu ataúde um exemplar mais ou menos completo deste livro. O exemplar típico, publicado por M. Lepsius, é a reprodução de um manuscrito de Turin da XXVI dinastia, porém a redação de alguns de seus capítulos remonta a épocas mais antigas. (P. Pierret, *Dict. d'Arch. Égypt.*)]

Livro dos Números Caldeus — Esta obra contém tudo o que se encontra no *Zohar* de Simeão Ben-Jochai e muito mais. Deve ser anterior a ele em muitos séculos e, num certo sentido, o seu original, visto que encerra todos os princípios fundamentais expostos nas obras cabalísticas judias, porém sem nenhum de seus véus. É verdadeiramente uma obra raríssima, da qual existem apenas duas ou três cópias, e estas se encontram em mãos de particulares.

Lobha (*Sânsc.*) — Ambição, cobiça, avidez, avareza; um filho de Brahmâ nascido em má hora. [*Lobha* significa também: desejo, afã; veneração, adoração.]

Lobhopahata (Lobha-upahata) (*Sânsc.*) — Extraviado pela cobiça ou ambição.

L

Loção (*Alq.*) — Lavagem. Circulação da matéria no vaso dos filósofos; ela sobe em vapores e retorna como chuva sobre o terrestre, que está no fundo, branqueando-o e purificando-o.

Lochana (*Sânsc.*) — Olho.

Loder — Ver *Lodur*.

Lodur ou **Loder** (*Esc.*) — Segunda pessoa da Trindade de deuses nos *Eddas* dos antigos escandinavos e pai dos doze grandes deuses. Lodur dotou de sangue e cor o primeiro homem, feito do freixo. *(Ask.)*

Lodyna (*Esc.*) — Mãe de Thor.

Loefoa (*Esc.*) — Mãe de Loki.

Lofna (*Esc.*) — Uma das *asianas* (deusas).

Logi (*Esc.*) — Literalmente, "chama". Este gigante com seus filhos e parentes deram-se a conhecer, finalmente, como os autores de todo o cataclismo e conflagração no céu e na Terra, permitindo que os mortais os percebessem em meio às chamas. Estes demônios-gigantes eram todos inimigos do homem e se esforçavam por destruir sua obra onde quer que a encontrassem. São um símbolo dos elementos cósmicos.

Logia (*Gr.*) — Ensinamentos e lições secretas de Jesus, contidas no *Evangelho de São Mateus* — no original hebraico, não no texto grego espúrio, que possuímos – e conservados pelos ebionitas e nazarenos na biblioteca de Panfilo, em Cesareia. Este "Evangelho", chamado por muitos escritores de "o verdadeiro Evangelho de Mateus", estava em uso, segundo São Jerônimo, entre os nazarenos e ebionitas de Berea, Síria, em seu próprio tempo (séc. IV). Como os *Aporrheta* ou discursos secretos dos Mistérios, estes *Logia* só podem ser compreendidos com o auxílio de uma chave. Remetidos pelos bispos Cromacio e Heliodoro, São Jerônimo, depois de ter obtido permissão para isso, traduziu-os, porém viu que era tarefa muito difícil (e realmente o era) conciliar o texto do Evangelho "genuíno" com o evangelho grego espúrio, que já conhecia. (Ver *Ísis sem Véu*, II, 180 e ss.)

Logoi (*Gr.*) — Plural da palavra *Logos*.

Logos (*Gr.*) — A Divindade *manifestada* em cada nação e povo; a expressão exterior ou o efeito da Causa que permanece sempre oculta ou não manifestada. Assim, a linguagem é o *logos* do pensamento; por isso se traduz corretamente com os termos "Verbo" e "Palavra", em seu sentido metafísico. [Saído das profundezas da Existência Una, do inconcebível e inefável Um, um Logos, impondo-se um limite, circunscrevendo voluntariamente a extensão de seu próprio Ser, torna-se o Deus manifestado e, ao traçar os limites de sua esfera de ação, determina também a área de seu Universo. Dentro de tal esfera nasce, evolui e morre este Universo, que no Logos vive, move-se e tem seu ser. A matéria do Universo é a emanação do *Logos* e suas forças e energia são as correntes de sua vida. O *Logos* é imanente em cada átomo, é onipenetrante; tudo o sustenta, tudo o desenvolve. É o princípio (ou origem) e o fim do Universo, sua causa e objeto, seu centro e circunferência... Está em todas as coisas e todas estão nele. O *Logos* solta-se de si mesmo, manifestando-se em sua forma tríplice: o *Primeiro Logos*, raiz ou origem do Ser; dele procede o *Segundo Gogos*, manifestando os dois aspectos de vida e forma, a primitiva dualidade, que constitui os dois polos da Natureza, entre os quais se há de tecer a trama do Universo: Vida-forma, Espírito-matéria, positivo-negativo, ativo-receptivo, pai-mãe dos mundos; por último, o *Terceiro Logos*, a Mente Universal, na qual existe o arquétipo de todas as coisas, fonte dos seres, manancial das energias formadoras, arca onde

L

se encontram armazenadas todas as formas originais, que hão de se manifestar e aperfeiçoar nas classes inferiores da matéria, durante a evolução do Universo. (A. Besant, *Sabedoria Antiga*) Em outros termos: do Absoluto, ou seja, do *Parabrahman*, a Realidade única, *Sat*, que é por sua vez o Absoluto Ser e Não-Ser, procede: 1°) o *Primeiro Logos*, o *Logos* impessoal e não manifestado, precursor do manifestado. Esta é a "Causa Primeira", o "Inconsciente" dos panteístas europeus; 2°) o *Segundo Logos*: Espírito-Matéria, Vida; o "Espírito do Universo", *Purucha* e *Prakriti*; 3°) o *Terceiro Logos*, a Ideação cósmica, *Mahat* ou Inteligência, a Alma universal do mundo, o Númeno cósmico da Matéria, a base das operações inteligentes *em* e *da* Natureza, também chamado de *Mahâ-Buddhi*. (*Doutrina Secreta*, I, 44)]

Logos planetário — Cada mundo ou planeta tem seu próprio *Logos*, que o rege e faz evoluir. Este *Logos*, que chamaremos "planetário", extrai da matéria do sistema solar, emanada do mesmo Logos central, os toscos materiais de que necessita, e os elabora mediante suas próprias energias vitais, especializando assim cada *Logos* planetário a matéria de seu reino, procedente de um depósito comum (A. Besant, *Sabedoria Antiga*, p. 415.)

Lohitânga (*Sânsc.*) — O planeta Marte. [Assim chamado devido à sua cor vermelha (*lohita*).]

Loja Branca — Fraternidade ou Hierarquia de Adeptos, que velam pela humanidade e a guiam em sua evolução, conservando intatas as antigas verdades, que constituem a base de todas as religiões, pregando-as novamente de tempos em tempos aos homens, segundo as exigências da época. As duas colunas desta Loja são: Amor e Sabedoria. (A. Besant, *Sabedoria Antiga*)

Loka (*Sânsc.*) — Uma região ou um lugar circunscrito. Em metafísica, é um mundo, esfera ou plano. Os *Purânas* da Índia falam várias vezes de sete e catorze *lokas*, acima e abaixo de nossa Terra; de céus e infernos. [A classificação geral exotérica, ortodoxa e tântrica dos *Lokas* é a seguinte: 1°) *Bhûrloka*: o mundo terrestre, a Terra em que vivemos; 2°) *Bhuvarloka*: a região intermediária, ou seja, o espaço compreendido entre a Terra e o Sol, a região dos *Siddhas, Munis, Yogis* etc.; 3°) *Svar-loka* ou *Svarga-loka*: *o* céu ou paraíso de Indra, entre o Sol e a Estrela Polar; o mundo celeste; 4°) *Mahar-loka*: a mansão de Bhrigu e outros santos, que se supõe são coexistentes com Brahmâ; 5°) *Jana* ou *Janar-loka*: o mundo em que, segundo se supõe, moram os *munis* (santos), após a morte do corpo, e também os *Kumâras*, que não pertencem a este plano: Sanaka, Sânanda e Santkumâra; 6°) *Tapar-loka*: a região celeste onde residem as divindades chamadas de *Vairâjas* (ver); 7°) *Satya-loka* ou *Brahmâ-loka*: a mansão de Brahmâ e dos *nirvanis*. Além destes sete *Lokas* divinos, há os sete *lokas* infernais (ou terrestres), que são, enumerando-os do mais inferior ao mais superior: 1°) *Pâtâla* (nossa Terra), 2°) *Mahâtala*, 3°) *Rasâtala*, 4°) *Talâtala* (ou *Karatala*), 5°) *Sutala*, 6°) *Vitala* e 7°) *Atala*. A classificação dos *sânkhyas* e de alguns vedantinos é: 1°) *Brahma-loka*, o mundo das divindades superiores; 2°) *Pitri-loka*, aquele dos *Pitris, Richis* e *Prajâpatis*; 3°) *Soma-loka*, o do deus Soma (a Lua) e dos *Pitris* lunares; 4°) *Indra-loka*, o das divindades inferiores; 5°-) *Gandharvaloka*, o dos espíritos celestes; 6°) *Râkchasa-loka*, o dos *Râkchasas*; 7°) *Yakcha-loka*, aquele dos *Yakchas*; 8°) *Pizâcha-loka*, aquele dos demônios e espíritos malignos. Há, finalmente, a classificação vedantina, aquela que mais se aproxima da esotérica. Nela cada *Loka* corresponde esotericamente às Hierarquias cósmicas ou de *Dyân Chohans*, aos *Tattvas*, aos diversos estados de consciência humana e suas subdivisões (quarenta e nove) etc. Esta classificação, contando-se do superior ao inferior, é a seguinte: 1°) *Atala*, "lugar nenhum" (de *a*, prefixo de negação, e *tala*, lugar, condição ou estado); condição ou localidade âtmica ou áurea, de potencialidade plena, porém de não atividade; emana

L

diretamente do Absoluto e corresponde à Hierarquia dos Seres primitivos, não substanciais, dos *Dhyâni-Buddhas*, num lugar que não é lugar (pare nós), num estado que não é estado, no *Parasamâdhi*, no qual nenhum progresso é possível; 2º) *Vitala*: corresponde à Hierarquia dos *Buddhas* celestes ou *Bodhisattvas* e se refere ao *Samâdhi* ou consciência búdica do homem; em tal estado o ser sente-se unificado com o Universo; 3º) *Sutala*: corresponde à Hierarquia dos *Kumâras, Agnichvattas* etc. e está relacionado na Terra com o *Manas* superior e, portanto, com o Som, o *Logos*, nosso *Ego* superior e também com os *Buddhas* humanos ou encarnados. É o terceiro estado do *Samâdhi*; 4º) *Karatala* (ou *Talâtala*): corresponde às Hierarquias de etéreos, semi-objetivos *Dhyân Chohans* da matéria astral do *Mânasa-Manas* ou puro raio de *Manas*, que é o *Manas* inferior antes de se misturar com *Kâma*. Estes seres são chamados *Sparza-devas* ou *devas* dotados de tato, por estar este *loka* relacionado com tal sentido; 5º) *Rasâtala* ou *Rûpatala*: corresponde às Hierarquias de *Rûpa-devas* ou *devas* dotados de forma e também de visão, audição e tato. São as entidades *Kâma-manásicas* e os Elementais superiores (Silfos e Ondinas dos rosa-cruzes). Na Terra corresponde a um estado artificial de consciência, como aquele produzido pelo hipnotismo ou substâncias narcóticas (morfina etc.); 6º) *Mahâtala*: corresponde às Hierarquias de *devas* dotados de paladar e inclui um estado de consciência que compreende os cinco sentidos inferiores e as emanações da vida e do ser. Está relacionado com *Kâma* e com o *Prâna* no homem e com os Gnomos e as Salamandras na Natureza; 7º) *Pâtâla*: corresponde às Hierarquias de *devas* dotados de olfato (*gandha*), ao mundo inferior ou *Myalba* (ver). É a esfera dos animais irracionais, que não têm outro sentido senão o da própria conservação e satisfação dos sentidos, assim como dos seres humanos extremamente egoístas, dos *dugpas* animais, elementais de animais e espíritos da Natureza. É o estado terrestre e está relacionado com o olfato. (*Doutrina Secreta*, III, 564 etc.) A palavra *loka* significa: mundo, Terra, Universo, lugar, região, plano, esfera de existência; mansão, céu, paraíso; gente, geração, humanidade, multidão, comunidade; prática comum. E, como adjetivo: luminoso, claro, visível. (Ver *Troilokya* ou *Trilokya*.)]

Loka-bândhava (*Sânsc.*) — "Parente ou amigo do mundo"; o Sol.

Loka-chakshuh (*Sânsc.*) — Literalmente, "Olho do mundo": título do Sol (*sûrya*).

Lokâchâra (*Sânsc.*) — Uso ou prática do mundo; costume geral.

Loka-dhâtri (*Sânsc.*) — Literalmente, "Conservador ou criador do mundo". Epíteto de vários deuses, especialmente de Brahmâ e Vishnu.

Lokahita (*Sânsc.*) — Bem do mundo; proveito ou benefício da humanidade.

Lokaichanâ (*Sânsc.*) — Desejo de fama ou celebridade.

Lokajit (*Sânsc.*) — Literalmente, "que venceu o mundo", isto é, as afeições mundanas: um Buddha ou um santo budista.

Loka-Kalpa (*Sânsc.*) — Uma idade ou período do mundo.

Lokakchaya (*Sânsc.*) — A destruição do Universo, o fim do mundo.

Lokalochana (*Sânsc.*) — "O olho do mundo": o Sol.

Lokâloka (*Sânsc.*) — Literalmente, "Mundo e no mundo". Um fabuloso cinturão de montanhas que limita o extremo dos sete mares, dividindo o mundo visível das regiões de trevas. (Dowson: *Hindu Class. Dict.*)

Loka-mâtâ ou **Loka-mâtri** (*Sânsc.*) — "Mãe do mundo". Epíteto de Lakchmî.

Loka-mâyâ (*Sânsc.*) — Espaço: o que contém o mundo. (*P. Hoult*)

L

Loka-nâtha (*Sânsc.*) — "Senhor do mundo". Epíteto de Buddha.

Lokântaras (*Sânsc.*) — Termo búdico que expressa os infernos situados entre o mundo aqui debaixo e os mundos vizinhos.

Loka-pâlas (*Sânsc.*) — Os defensores, regentes e guardiões do mundo [em nosso Cosmos visível]. As divindades (deuses planetários) que presidem os oito pontos cardeais e dentre as quais figuram os quatro *Maharâjas*. ["... Soma, Agni, Sûrya, Anila, Indra, Kuvera, Varuna e Yama são os oito principais guardiões do mundo" (*Leis de Manu*, V, 96). A Soma corresponde o NE; a Agni, o SE; a Sûrva, o SO; a Anila ou Vâyu, o NO; a Indra, o E; a Kuvera, o N; a Varuna, o O e a Yama, o S. Cada uma dessas divindades tem um elefante, que atua na defesa e proteção de seu ponto respectivo e estes oito elefantes também são designados pelo nome de *Lokapâlas*.]

Loka-sangraha (*Sânsc.*) — Ordem, governo ou boa marcha do mundo; o bem ou bem-estar do mundo; o conserto de todas as coisas humanas; a massa dos homens; o conjunto das coisas que constituem a vida do mundo.

Loka-tattva (*Sânsc.*) — Verdadeiro conhecimento do homem (microcosmo). (*P. Hoult*)

Lokatraya (*Sânsc.*) — O mundo triplo ou os três mundos: céu, ou região superior (*svarga*), atmosfera, ar ou região intermediária (*antarikcha*) e Terra (*prithivi*). De acordo com outra classificação, os três mundos são: céu, Terra e inferno (ou região inferior). (Ver *Trailokya* ou *Trilokya*.)

Lokâyata (*Sânsc.*) — Ateísmo da seita dos *chârvâkas*; ateu.

Lokayâtika (*Sânsc.*) — Ateu.

Loke — Ver *Loki*.

Lokeza (loka-îza) (*Sânsc.*) — Literalmente, "Senhor do mundo": Brahmâ; um santo budista que venceu o mundo. (Ver *Lokajit*.)

Lokezvara (loka-îzvara) (*Sânsc.*) — Senhor do mundo.

Loki (*Esc.*) — O Espírito Maligno escandinavo, exotericamente. Na filosofia esotérica, é um "poder antagônico", só porque está em oposição à harmonia primordial. No *Edda*, é o pai do terrível lobo Fenris e da serpente Midgard. Pelo sangue, é irmão de Odin, o deus bom e valoroso, porém, por natureza, é seu antagonista. Loki-Odin são simplesmente dois em um. Como Odin é, em certo sentido, o calor vital, Loki é o símbolo das paixões produzidas pela intensidade do famoso calor.

Lokottara (loka-uttara) (*Sânsc.*) — Superior ao mundo; que se sobrepõe ao comum ou ordinário; não-usual; extraordinário. Este qualificativo aplica-se ao sistema *Râja-yoga*.

Lokottara-iddhî (*Pál.*) — Poder extraordinário, como aquele adquirido pelos *Arhats*.

Lola (*Sânsc.*) — Ansioso, desejoso, ávido, cobiçoso, inquieto, impressionável.

Lolatva (*Sânsc.*) — Desejo, afã, cobiça, avidez, paixão; agitação, inquietude, impaciência, volubilidade.

Longevidade — Numerosos monumentos egípcios nos mostram que o limite extremo de uma velhice sã e vigorosa é cento e dez anos, desde os tempos de Moisés. Este é o número de anos invariavelmente adotado para o formulário das inscrições, quando se

L

trata de pedir aos deuses a graça de uma existência dilatada e feliz. (Pierret, *Dict. d'Arch. Égypt.*) (Ver *Elixir da Longa Vida*.)

Longino, *Dionysius Kassius* — Célebre crítico e filósofo, que nasceu no início do séc. III (por volta do ano 213). Era um grande viajante, que assistiu, na Alexandria, às aulas de Ammonio Saccas, fundador do neoplatonismo, porém era antes mais um crítico do que um partidário. Porfírio (o judeu Malek ou Malchus) foi seu discípulo, antes de o ser de Plotino. Dizem que era uma biblioteca e um museu ambulantes. Até o término de sua vida, foi professor de literatura grega de Zenóbia, rainha de Palmira, que pagou os seus serviços acusando-o perante o imperador Aurélio de a ter aconselhado a se rebelar contra ele, por cujo delito Longino e muitos outros foram condenados à morte pelo imperador, no ano de 273. (Glossário de *A Chave da Teosofia*)

Lópt ou **Lopter** (*Esc.*) — Outros nomes de Loki.

Lorelei — Imitação ou cópia alemã da "Donzela do Lago" escandinava. Ondina é uma das denominações dadas a estas jovens, conhecidas na Magia *exotérica* e no Ocultismo pelo nome de Elementais da água.

Lótus — Planta de qualidades sumamente ocultas, sagrada no Egito, na Índia e em outros locais. Chamam-na "filho do Universo que leva em seu seio a semelhança de sua mãe". Houve um tempo "em que o mundo era um lótus *(padma)* de ouro", diz a alegoria. Uma grande variedade desta planta, desde o majestoso lótus da Índia até o lótus do pântano (trevo de pata de ave) e o *Dioscoridis* grego, é usada como alimento em Creta e outras ilhas. É uma espécie de *Nymphœa*, introduzida na Índia e no Egito, onde não era nativa. (Ver o texto do *Simbolismo Arcaico* no Apêndice VIII do t. I da *Doutrina Secreta*: "O Lótus como Símbolo Universal".) [Os egípcios viram no lótus um símbolo do renascimento do Sol e da ressurreição. Por este motivo colocam-no sobre a cabeça de Nowré-Toum, e Hórus é representado saindo do cálice desta flor. (Pierret, *Dict. Arch. Égypt.*)]

Lótus (*Senhor do*) — Ver *Senhor do Lótus*.

Lua — O satélite da Terra figurou muito como emblema nas religiões da Antiguidade e mais comumente foi representado como feminino, porém isso não é universal, visto que nos mitos teutônicos e das árvores e também nos conceitos dos *rájputs* da Índia (ver Tod., *Hist.*) e na Tartária, a Lua era do gênero masculino. Os autores latinos falam de *Lua* e também de *Lunus* [masculino], porém com extrema raridade. O nome grego é *Selene* e o hebraico é *Lebanah* e também *Yarcah*. No Egito, a Lua estava associada com Ísis, na Fenícia com Astarté e na Babilônia com Ishtar. Sob certos pontos de vista, os antigos consideravam a Lua como um ser andrógino. Os astrólogos indicam para a Lua uma influência sobre diversas partes do homem, segundo os vários signos do Zodíaco que atravessa, bem como uma influência especial produzida pela casa que ocupa num horóscopo. A divisão do Zodíaco nas vinte e oito casas da Lua parece ser mais antiga que a divisão em doze signos. Os coptas, egípcios, árabes, persas e hindus serviam-se da divisão em vinte e oito partes, há já muitos séculos, e os chineses ainda dela se servem. Os herméticos diziam que a Lua deu ao homem uma forma astral, enquanto a Teosofia ensina que os *Pitris* lunares foram os criadores de nosso corpo humano e dos princípios inferiores. (Ver *Doutrina Secreta*, I, 386, edição antiga – W.W.W.) [A Lua é, por excelência, a Divindade dos cristãos, sem que eles mesmos o saibam, por mediação dos judeus mosaicos e cabalistas. Para alguns antigos Padres da Igreja, tais como Orígenes e Clemente da Alexandria, a Lua era o símbolo vivo de Jehovah: o *doador* de vida e de morte, aquele que dispõe da existência (em *nosso* mundo). O cristianismo é uma religião totalmente baseada no culto solar e lunar (*Doutrina Secreta*, I, 415, etc.). A Lua é a *Diva triformis*, o Três em Um: Lua no céu, Diana na Terra e Hécate no inferno. As influências da Lua são

L

ordem psicofisiológica. É um astro morto, que exala emanações nocivas como um cadáver; vampiriza a Terra e seus habitantes, de modo que, se alguém dorme sob seus raios, (a menos que *esteja* protegido por uma vestimenta branca) experimenta seus maus efeitos, perdendo um pouco de sua força vital. Sob sua influência, as plantas adquirem qualidades maléficas e as que são venenosas têm maior atividade, quando colhidas sob os raios lunares. Tal influência varia contudo, segundo as fases do astro noturno. Assim, lemos no *Zend-Avesta* que a Lua aquece, dá ânimo e paz; quando está no novilúnio e plenilúnio, favorece o crescimento, o desenvolvimento e a vegetação e tem, geralmente, uma influência benfazeja e saudável. Exotericamente, a Lua é símbolo do *Manas* inferior e também o é da Luz Astral. (*Doutrina Secreta*, III, 562)]

Lubara (*Cald.*) — O deus da pestilência e da enfermidade.

Lubdha (*Sânsc.*) — Cobiçoso, avaro, desejoso, ávido, ambicioso.

Lucas, *Paulo* — Viajante francês que, no início do séc. XVIII, percorreu o Oriente às expensas do rei. Em Bursa encontrou um derviche chamado Usbeck com quem teve algumas palestras a respeito da filosofia hermética. Escreveu um curioso relato de sua viagem pela Ásia Menor, onde narra inúmeros feitos prodigiosos de que foi testemunha e que, ele mesmo confessa, são difíceis de acreditar.

Lúcifer (*Lat.*) — O planeta Vênus, considerado como a brilhante "Estrela Matutina". Antes de Milton, Lúcifer nunca havia sido um nome do Diabo. Pelo contrário, visto que no *Apocalipse* (XXII, 16) o Salvador cristão faz dizer de si mesmo: "Eu sou... a resplandecente estrela da manhã" ou Lúcifer. Um dos primeiros Papas de Roma possuía tal nome e havia até, no séc. IV, uma seita cristã denominada os *Luciferianos*. [*Lúcifer* vem de *Luciferus*, portador de luz, aquele que ilumina, e corresponde exatamente à palavra grega *Phosphoros*. A Igreja dá hoje ao Diabo o nome de "trevas", enquanto que no *Livro de Jó* chama-se de "Filho de Deus", a brilhante Estrela Matutina, Lúcifer. Há toda uma filosofia de artifício dogmático devido ao fato de que o primeiro Arcanjo, que surgiu das profundezas do Caos, foi chamado de *Lux* (Lúcifer), o luminoso "Filho da Manhã" ou Aurora Manvantárica. A Igreja transformou-o em Lúcifer ou Satã, porque é anterior e superior a Jehovah e tinha de ser sacrificado ao novo dogma. (*Doutrina Secreta*, I, 99-100) *Lúcifer* é o portador de luz da nossa Terra, tanto no sentido físico quanto místico. (*Doutrina Secreta*, II, 36). Na Antiguidade e na *realidade*, Lúcifer, ou *Luciferus*, é o nome da Entidade Angélica que preside a Luz da Verdade, o mesmo que a luz do dia. Lúcifer é a Luz divina e terrestre, o "Espírito Santo" e "Satã" ao mesmo tempo (*Idem*, II, 539). Está em nós; é nossa Mente, nosso Tentador e Redentor, o que nos livra e salva do animalismo puro. Sem este princípio – emanação da mesma essência do puro e divino princípio *Mahat* (Inteligência), que irradia de um modo direto da Mente divina – com toda certeza, não seríamos superiores aos animais. (*Ibidem*, II, 540). Lúcifer e o Verbo são um só em seu aspecto dual. Equivale ao Ezanas-Sukra da Índia. (Ver *Chandra-vanza, Luz Astral, Satã* etc.)]

Luís de Neus — Alquimista, natural da Silésia. No ano de 1483, fez na corte de Marburgo e na presença de grande número de testemunhas alguns experimentos com sua *tintura filosófica*, para transformar o chumbo em ouro puro. Em vista do êxito de tais operações, João Dornberg, ministro de Henrique III, exigiu-lhe que lhe revelasse o segredo e, tendo-se o alquimista negado, foi encerrado num cárcere, onde morreu de fome. Este e outros casos que poderiam ser relatados mostram quão certas e justas eram as regras traçadas no livro *De Alchymia*, atribuído a Alberto o Grande e que devem servir de norma aos alquimistas, para chegarem à grande obra. A primeira destas regras é a seguinte: "O alquimista será discreto e calado; não revelará a ninguém o resultado de suas operações". Outra de tais regras diz: "Evitará (o alquimista) ter qualquer relação com príncipes e senhores".

L

Lúlio ou **Lull (Lully)**, *Raimundo* — Alquimista, Adepto e filósofo nascido no séc. XIII, na Ilha de Maiorca. Conta-se dele que, num momento de necessidade, fez para o rei Eduardo III da Inglaterra vários milhões de "rosas nobres" de ouro, ajudando-o assim a prosseguir vitoriosamente a guerra. Fundou vários colégios para o estudo das línguas orientais e o cardeal Jimenez de Cisneros, um de seus protetores, tinha-o em grande estima, bem como o Papa João XXI. Morreu em 1314, com idade bastante avançada. A literatura conservou muitas histórias extravagantes sobre Raimundo Lúlio; reunidas formariam uma novela extraordinária. Era o filho mais velho do Senescal de Maiorca, de quem herdou muitos bens. [Raimundo Lúlio compôs várias obras de grande mérito, tais como *Arbor Scientiæ*, *Logica Nova*, *Ars Magna*, vasto sistema de filosofia que resume os princípios enciclopédicos da ciência de seu tempo e classifica, de maneira ordenada, todos os conhecimentos humanos, formando engenhosas combinações para obter com elas progressos rápidos nas ciências. É notabilíssimo seu *Livro de Amigo e de Amado (Llibre d'amich è d'amat)*, verdadeira obra mística e de ocultismo de boa lei, da qual, para amostra, traduzimos a seguinte passagem: "Dizia o Amigo ao Amado [a Divindade, Brahma]: Tu és tudo e existes em tudo e com tudo. A ti quero dar-me todo, de tal modo que eu te possua todo e tu me possuas todo. Respondeu o Amado: Não podes me possuir todo sem que tu todo não sejas meu. E disse o Amigo: Possua-me todo e eu possuirei a ti inteiro. Respondeu o Amado: Se tu me possuis todo, o que terão teu filho, teu irmão e teu pai? Contestou o Amigo: Tu és tão absolutamente todo, que podes ser até todo de cada um que se dê todo a ti". É verdadeiramente triste – dizia nosso malogrado irmão D. Francisco de Montoliu – ver como se falsifica o texto da obra na tradução espanhola, acrescentando-se frases inteiras que não existem no texto original, tão somente para aplicá-lo à ortodoxia reinante. Em sua obra *De Nova Logica*, obra raríssima impressa em Valência, no ano de 1512, Lúlio expõe a evolução quase como aquela das obras teosóficas, partindo do mineral ou pedra *(Lapis)* e passando sucessivamente pela chama *(Flamma)*, o vegetal *(Planta)*, o bruto *(Brutum)*, o homem *(Homo)*, o céu *(Celum*, sic), o anjo *(Angelus)* e chegando a Deus *(Deus)*, que está no ponto mais elevado da escala da evolução.]

Lunares, *deuses* — Ver *Deuses lunares*.

Lunares, *pitris* — Ver *Pitris lunares*.

Lundi ou **Lundikâ** *(Sânsc.)* — Observações dos deveres de um príncipe: justiça nas ações, juízos e sentenças.

Lupercais *(Lupercalia*, em latim*)* — Ver *Festas Lupercais*.

Lupta *(Sânsc.)* — Privado, perdido, suprimido.

Lupta-pinda *(Sânsc.)* — Privado da torta que se oferece aos antepassados, na cerimônia religiosa chamada *srâddha* (ver).

Lustração — Cerimônia religiosa praticada por gregos e romanos para purificar as cidades, os campos, rebanhos, casas etc., bem como crianças recém-nascidas e as pessoas manchadas por crimes ou infeccionadas por um objeto impuro. Tais práticas eram feitas geralmente através de aspersões, procissões e sacrifícios expiatórios. As lustrações propriamente ditas eram feitas através do fogo, do enxofre queimado, das fumigações de louro, sabina, oliveira e outras plantas, da aeração ou da água lustral (água purificada com um tição ardente retirado do fogo do sacrifício) e que se empregava em aspersões, como se faz com a água benta. A lustração das crianças era uma cerimônia análoga à do batismo próprio dos cristãos, visto que nela a criança recebia seu nome e era purificada com uma aspersão de água *lustral*. Era praticada no dia chamado *lustral*, que para os meninos era, geralmente, o nono após o nascimento e, para as meninas, o oitavo, terminando a cerimônia com um festim e grandes regozijos.

L

Luxor (*Ocult.*) — Palavra composta por *lux* (luz) e *aur* (fogo), significando assim a "Luz do Fogo (divino)". A *Fraternidade de Luxor* era certa associação de místicos. Melhor seria que nunca tivesse divulgado seu nome, pois isso foi causa de muitas pessoas de boa fé serem enganadas e alijadas de seu dinheiro por certa sociedade mística de especuladores, nascidos na Europa, que foram descobertos e fugiram para a América. O nome em questão deriva do antigo Lookshur em Beluquistão, situado entre Bela e Kedjee. Tal ordem é muito antiga e a mais secreta de todas. Desnecessário dizer que seus membros rechaçam qualquer relação com a "H. B. de L." e os *tutti quanti* de místicos mercantilistas, sejam eles de Glasgow ou de Boston.

Luz — A conexão entre luz e a entonação *(svara)* dos *Vedas* é um dos mais profundos segredos do esoterismo. *(T. Subba Row)* A luz é a mansão de Ormuzd, segundo os parsis; para apagar uma luz, abanam com a mão ou com um leque e, quando se trata de uma vela, cortam a ponta acesa umas três ou quatro linhas abaixo do pavio, levam para casa e deixam que se consuma perto do fogo. (*Zend-Avesta*, II, p. 567)

Luz Astral (*Ocult.*) — A região invisível que rodeia nosso globo, como rodeia a todos os demais, e corresponde, como segundo "princípio" do Cosmos (sendo o terceiro a Vida, do qual é veiculo), ao *Linga-sharîra* ou Duplo Astral do homem. É uma Essência sutil, visível apenas para um olho clarividente, e o mais inferior, exceto um (a Terra), dos sete Princípios *âkâzicos* ou cósmicos. Eliphas Levi denomina-a de a Grande Serpente e o Dragão, do qual irradia sobre a humanidade toda má influência. Assim é; porém por que não acrescenta que a Luz Astral não emite nada além do que recebeu, que é o grande crisol terrestre no qual as más emanações da Terra (morais e físicas), de que se nutre a Luz Astral, converteram-se todas em sua essência mais sutil, e as devolve intensificadas, convertendo-se assim em causa de epidemias morais, psíquicas e físicas? Finalmente, a Luz Astral é idêntica à *Luz sideral* de Paracelso e outros filósofos herméticos. Fisicamente é o éter da ciência moderna. Metafisicamente, e em seu sentido espiritual ou oculto, o éter é muito mais do que se costuma imaginar. Em física oculta e na Alquimia, demonstra-se muito bem que encerra dentro de suas ondas sem praia não apenas a *"promessa e potência* de cada qualidade de vida", de Tyndall, mas também a *realização* da potência de cada qualidade de espírito. Os alquimistas e herméticos acreditam que seu éter astral, ou sideral, além das qualidades superiores do enxofre e da magnésia branca e vermelha, ou *magnes*, é a *Anima Mundi*, a oficina da Natureza e de todo o Cosmos, espiritualmente tanto quanto fisicamente. O "Grande Magistério" sustenta-se no fenômeno do mesmerismo, na "levitação" do corpo humano e de objetos inertes e pode ser chamado de éter em seu aspecto espiritual. O nome *astral* é antigo e. foi empregado por alguns neoplatônicos, embora alguns autores pretendam que tal palavra tenha sido inventada pelos martinistas. Porfírio descreve o corpo celeste, que está sempre unido com a alma, como "imortal, luminoso e radiante como um astro". A raiz de tal palavra pode ser encontrada, talvez, no *Aist-aer* escítico, que significa astro ou no *Istar* assírio, que, segundo Burnouf, tem o mesmo sentido. *(Ísis sem Véu)* [A Luz Astral é idêntica ao Arqueu *(Archæus)*. Um elemento universal vivo e etéreo, mais etéreo e mais altamente organizado que o Âkâza; o primeiro é universal, enquanto o segundo é apenas cósmico, isto é, pertencente ao nosso sistema solar. É de uma só vez elemento e poder, que contém o caráter de todas as coisas. É o arquivo da memória do grande mundo, o Macrocosmo, cujo sentido pode incorporar-se e reencarnar-se em formas objetivas; é o arquivo da memória do pequeno mundo, o Microcosmo, ou seja, o homem, que através deste arquivo pode recordar-se de acontecimentos passados. Existe uniformemente em todos os espaços interplanetários. Contudo, a Luz Astral é mais densa e mais ativa ao redor de certos objetos, devido à sua atividade molecular, especialmente ao redor do cérebro e da medula espinhal dos seres humanos, que dela estão rodeados, como se fosse uma aura luminosa.

L

Através dessa aura, que circunda as células nervosas e tubos nervosos, o homem pode colher impressões feitas na aura astral do Cosmo e "ler na Luz Astral". Constitui o meio para a transmissão do pensamento e, sem este meio, nenhum pensamento poderia ser transmitido à distância. O clarividente pode vê-la e, como cada pessoa tem uma aura astral própria, aqueles que são dotados de tal faculdade podem ler o caráter de uma pessoa em sua Luz Astral. No caso de uma criança que ainda não engendrou nenhuma qualidade característica especial, a aura emanente é branca como leite; porém, no adulto, há sempre sobre esta cor fundamental outras, como o azul, o verde, o amarelo, o vermelho, o vermelho-escuro e também o negro. Todo nervo tem sua aura astral; todo mineral, vegetal ou animal e todas as coisas dotadas de vida e o corpo glorificado do espírito resplandecem com sua luz. (*F. Harmann*) A Luz Astral é, em alguns casos, sinônima de *Âkâza*. Assim, lemos na *Doutrina Secreta* (II, 538): "O *Akâza*, a Luz Astral, pode ser definida em breves palavras: é a Alma Universal, a matriz do Universo, o *Mysterium Magnum* do qual tudo o que existe nasceu por separação ou *diferenciação*. É a causa da existência; preenche todo o espaço infinito, é o próprio Espaço, em certo sentido, ou seus princípios sexto e sétimo de uma só vez. Porém, com o finito no Infinito, no que se refere à manifestação, está Luz tem seu lado tenebroso. E, como o Infinito jamais pode se manifestar, o mundo finito, por esta razão, tem que se contentar com a *sombra solar*, que estende suas ações sobre a humanidade e que os homens atraem e *colocam forçosamente em atividade*. Assim é que, enquanto a Luz Astral é a Causa Universal, em sua infinidade e unidade não manifestada, torna-se em relação à humanidade simplesmente os efeitos das causas produzidas pelos homens em suas vidas pecadoras. Não são os seus moradores resplandecentes – quer se chamem Espírito de Luz ou de Trevas – aqueles que produzem o Bem e o Mal, mas a humanidade é que determina a ação e reação inevitáveis no Grande Agente mágico... Assim, para o profano, a Luz Astral pode ser Deus e Diabo de uma só vez: *Dæmon est Deus inversus*, isto é, através de cada ponto do Espaço infinito vibram as correntes magnéticas e elétricas da Natureza *animada*, as ondas que dão vida e morte, pois a morte na terra significa vida em outro plano" (*Doutrina Secreta*, II, 538-539). (Ver *Âkâza, Éter* etc.)]

Luz, *Irmãos* — Ver *Irmãos da Luz*.

Luz do Logos — A Luz primordial; Fohat (ver *Fohat*). Este qualificativo de "criadora e geradora *Luz do Logos*" é também aplicado a diversas divindades, tais como Hórus, Brahmâ, Ahura Mazda etc., como manifestações primitivas do Princípio sempre não manifestado, quer se denomine Ain-suph, Parabrahman ou Zeruâna Akerne, Kâla ou Tempo Infinito. (*Doutrina Secreta*, II, 244)

Luz lunar — Lemos no *Bhagavad-Gîtâ* (VIII, 25): "Fumaça, noite, a quinzena em que a Lua mingua e os seis meses em que o Sol está no sul; então o *yogi* alcança apenas a luz lunar, para nascer novamente entre os mortais". Mohini M. Chatterji acha que esta "luz lunar" significa certas mansões de felicidade, onde a alma permanece até o momento em que há de voltar para a Terra. Râmânuja refere-se ao *Pitri-loka* ou reino dos Manes. Annie Besant relaciona tal luz com o corpo lunar ou astral *(Ginga-sharîra)*. Até que este corpo sutil seja destruído, a alma está sujeita ao renascimento. Thomson acha que esta passagem pode referir-se ao *Soma-loka* ou mundo lunar, inferior ao de Brahmâ, embora esteja mais inclinado a crer que se trate do *Deva-loka* ou mundo das divindades inferiores, baseando-se no texto de Manu, que, em seu livro IV, 182, substitui o *Soma-loka* pelo *Deva-loka*.

Luz primordial — Em Ocultismo, é a luz que nasce em e através das trevas preternaturais do Caos, que contém "o todo no todo", os sete raios que, mais tarde, passam a ser os sete Princípios da Natureza [Ver *Fohat*.]

Luz sideral — Nome que Paracelso e outros filósofos herméticos deram para a Luz Astral.

M

M — Décima terceira letra dos alfabetos hebraico e inglês, vigésima quarta do árabe, [trigésima nona do sânscrito]. Como algarismo romano representa 1000 em arábico. Com um traço sobre a parte superior ($\overline{M}$) significa um milhão. No alfabeto hebraico, *Mem* [nome da letra *M*] simboliza a água, e como número equivale a 40. O *Ma* [nome da letra *M*] sânscrito é equivalente ao número 5 e é, do mesmo modo relacionado com a água, através do signo zodiacal *Makara* (ver). Além disso, nas numerações hebraica e latina, a letra *M* expressa "um número definido em lugar de uma quantidade indefinida" *(Mackenzie, Mason, Cyclop.)* e "o nome sagrado de Deus adaptado a esta letra é *Meborach, Benedictus*". Entre os esoteristas, a letra *M* é o símbolo do *Ego* superior, *Manas*, a Mente. [*Mem* simboliza a cor azul e é uma letra-mãe porque juntamente com *Aleph* (amarelo), que gerou o ar e *Schin* (vermelho), que gerou o fogo, constitui o Ternário Universal que se transformou no Quaternário (como Iev se transformou em Ieve.) O ponto de equilíbrio das três letras-mães é *Aleph*.] MP

Ma, Mut *(Eg.)* — A deusa do mundo inferior, outra forma de Ísis, posto que é a Natureza, a Mãe Eterna. Era soberana e regente do vento norte, precursora da inundação do Nilo e designada pelo nome de "abridora dos vestíbulos nasais dos viventes". Era representada oferecendo o *ankh* (ou cruz), emblema da vida física, para seus adoradores. Era também chamada "Senhora do Céu".

Ma *(Sânsc.)* — Água, boa sorte; tempo, estação, Lua, a quarta nota da escala musical; verso ou fórmula mágica; veneno.

Mâ *(Sânsc.)* — Sobrenome de Lakshmî. [Significa ainda: medida; morte; luz; conhecimento; um dos cinco metros inferiores ao *gâyatrî*; *mâ* é, ademais, advérbio de negação e equivale a "não".]

Maât *(Eg.)* — Equivalente à Nemesis dos gregos, ao *Fatum* dos latinos e, de certo modo, ao *Karma* hindu.

Machagistia — Maga, tal qual se ensinava, antigamente, na Pérsia e Caldeia, e elevada em suas práticas ocultas à categoria de magismo-religião. Platão, ao falar de Machagistia ou Magismo, faz notar que é a mais pura forma do culto das *coisas divinas*.

Mach-chitta (Mat-Chitta) *(Sânsc.)* — Que pensa em mim; que tem o pensamento fixo em mim. *(Bhagavad-Gîtâ)*

Macrocosmo *(Gr.)* — Literalmente, o "Grande Universo" ou Cosmos. [É o Universo, o grande mundo, incluindo todas as coisas visíveis e invisíveis. *(F. Hartmann)* O Universo em contraposição ao homem (Microcosmo, ou pequeno Universo). Tanto o macrocosmo como o microcosmo têm uma constituição setenária.]

Macroprosopo (Macroprosopus) *(Gr.)* — Termo cabalístico formado por duas palavras gregas que significa: "Vasta ou Grande Face" (ver *Faces Cabalísticas*); um título de *Kether*, a Coroa, o *Sephira* mais elevado. É o nome do Universo, chamado *Arikh-Anpin*, a totalidade daquele de que o Microprosopo ou *Zauir-Anpin*, "a Face menor", é a parte e a antítese. Em seu sentido metafísico mais elevado ou abstrato, o Microprosopo é Adão Kadmon, o veículo de *Ain-Suph*, e a coroa da Árvore Sephirotal, como *Sephira* e *Adão Kadmon* são, na realidade, um sob dois aspectos, isto é, a mesma coisa. Várias são as interpretações dadas a este respeito, diferindo umas das outras. Na *Cabala* caldaica, Macroprosopo é uma pura abstração, o *Logos* ou a Palavra. Palavra que na verdade vem a ser um número plural (ou "Palavras"), quando reflexa a si mesma, ou desce até adquirir o aspecto de uma Hosta Angélica ou *Sephirot* – o "Número" é, entretanto,

M

coletivamente Um e, no plano ideal, zero; uma "Não-Coisa", *Ain*, o que existe negativamente. (*Doutrina Secreta*, I, 374; II, 662 etc.) (Ver *Rosto* ou *Face Superior* e *Tetragrammaton*.)

Madâzraya (*Sânsc.*) — Que recorre a mim, que em mim busca seu refúgio. (*Bhagavad-Gîtâ*)

Madbhakta (*Sânsc.*) — Meu adorador ou devoto.

Madbhakti (*Sânsc.*) — A devoção a mim.

Madbhâva (*Sânsc.*) — Meu ser, natureza ou condição; que é ou participa de meu ser, essência ou natureza.

Madgata (*Sânsc.*) — Que veio a mim; que está em mim; dirigido a mim.

Madgata-prâna (*Sânsc.*) — Que tem sua vida posta em mim; cuja vida está concentrada ou consagrada a mim; que me oferece sua vida.

Madhasûdana — Ver *Madhu-sûdana*.

Mâdhava (*Sânsc.*) — (1) Epíteto de Vishnu ou Krishna; (2) o mês de abril. [Literalmente, "Senhor ou matador de Madhu".]

Mâdhavi (*Sânsc.*) — Sobrenome de Lakshmi.

Madhu (*Sânsc.*) — Literalmente, "doce". Nome de um *daitya*, gigante ou demônio morto por Krishna. A primavera, o mês de *chaitra* (março-abril); leite, mel, açúcar.

Madhujit (*Sânsc.*) — "Vencedor de Madhu". Epíteto de Krishna ou Vishnu.

Madhumat (*Sânsc.*) — Literalmente, doce.

Madhuparka (*Sânsc.*) — Oferenda de hospitalidade constituída por mel, leite coalhado e fruta.

Madhupratikâ (*Sânsc.*) — Designa-se por este nome alguns *siddhis* (poderes) ocultos que Patañjali descreve nos aforismos 44 a 48 do livro terceiro.

Madhupurî (*Sânsc.*) — "A cidade de Madhu"; Mathurâ.

Madhusakha (*Sânsc.*) — Literalmente, "amigo da primavera". Epíteto de, Kâma, deus do amor.

Madhu-sûdana (*Sânsc.*) — "Matador de Madhu". Sobrenome de Krishna, devido ao fato de ter matado tal demônio.

Madhya (*Sânsc.*) — Dez mil bilhões. [Meio, centro, intervalo; situado no meio ou centro.]

Madhyadeza (*Sânsc.*) — País central. Região situada entre os montes Himalaia e Vindhya, a leste de Vinasana e a oeste de Prayâga. (*Leis de Manu*)

Madhyaga (*Sânsc.*) — Que vai ao centro; centrípeto.

Madhyama (*Sânsc.*) — Termo aplicado a algo sem princípio nem fim. Assim, de *Vâch* (Som, o *Logos* feminino, ou seja, a parte feminina de Brahmâ) afirma-se que existe em vários estados, um dos quais é o de *Madhyama* [ou *Mâdhyma*], o que é equivalente a dizer que o *Vâch* é eterno, de certo modo: "O Verbo (*Vâch*) era com Deus e em Deus" porque ambos são um. [No sistema vedantino, *Madhyama* é o terceiro aspecto de *Vâch*.]

Madhyama-loka (*Sânsc.*) — O mundo intermediário; a Terra.

M

Mâdhyamikas (*Sânsc.*) — Uma seita mencionada no *Vishnu-Purâna*. Segundo os orientalistas, é uma seita budista que é um anacronismo. Foi, provavelmente, a princípio, uma seita de hindus ateus. Na China e no Tibete originou-se de uma escola posterior designada por este nome, que ensinava um sistema de nihilismo sofístico, que reduz cada proposição a uma tese e sua antítese e nega a uma e a outra. Adota alguns princípios de Nâgârjuna, que foi um dos fundadores dos sistemas esotéricos *Mahâyâna*, não suas paródias *exotéricas*. A alegoria concernente ao *Paramârtha* de Nâgârjuna como um dom dos *Nâgas* (serpentes) prova que recebeu seus ensinamentos da escola secreta de Adeptos e que, portanto, as verdadeiras doutrinas são mantidas secretas.

Madhyandina (*Sânsc.*) — Uma escola védica, subdivisão da escola Vâjasaneyî, relacionado com o *Satapatha Brâhmana*.

Madhya-stha (*Sânsc.*) — "Que está no meio"; neutro, imparcial, indiferente.

Mâdrî (*Sânsc.*) — Irmã do rei dos madras e segunda esposa de Pându. Foi mãe dos dois últimos príncipes Pândavas, os gêmeos Nakula e Sahadeva, misticamente engendrados pelos gêmeos Azvins, Nâsatya e Dasra, respectivamente.

Madyajin (*Sânsc.*) — Que me adora, venera ou cultua. (*Bhagavad-Gîtâ*)

Madyoga (*Sânsc.*) — A devoção a mim.

Mãe do Mundo — Outro nome de *Kundalinî-shakti*. "Deixa que o ígneo poder [*Kundalinî-shakti*] se retire ao recinto mais interior, a câmara do coração e morada da Mãe do Mundo." (Voz *do Silêncio*, I) [Nome pelo qual é referida a Senhora, a Deusa Branca tríplice, anterior ao Deus e lembrada ainda pelos cultos votados à fertilidade. Trata-se daquela que serve para manifestar o Deus. Este, preexistente (segundo as doutrinas patriarcais) em Espírito, revela-se através da Mãe do Mundo, como Filho de si mesmo e se torna Pai. Substrato, assim, do dogma da Trindade, a Senhora ou Mãe do Mundo tem sido interpretada de muitas maneiras, inclusive, como, na doutrina cristã, coredentora com o Cristo.] (*Azlux*)

Magadha (*Sânsc.*) — Um antigo país da Índia, que se encontrava sob o domínio de reis budistas.

Mâgadha (*Sânsc.*) — Nas Leis de Manu designa-se sob este nome um homem nascido de um *vaizya* e de uma *kshatriya*. *Mâghadas* é também o nome dos habitantes de Magadha, o país de Behar (meridional), onde se falava palinês.

Magas (*Sânsc.*) — Sacerdotes do Sol [*Sûrya*] mencionados no *Vishnu Purâna*. São os Magos posteriores da Caldeia e do Irã. Os antecessores dos modernos parsis.

Magha (*Sânsc.*) — Felicidade, dom, recompensa. Nome de um dos grandes *dvîpas* ou continentes.

Mâgha (*Sânsc.*) — O décimo asterismo ou mansão lunar.

Maghâ (*Sânsc.*) — O mês hindu equivalente a nosso janeiro-fevereiro.

Maghavat ou **Maghavân** (*Sânsc.*) — Epíteto de Indra. Usada como adjetivo: instituidor ou chefe de um sacrifício; liberal, generoso.

Maghdim (*Cald.*) — Termo equivalente a "alta sabedoria" ou filosofia sagrada e do qual derivam *magismo* ou *magia*.

Magia — A grande "Ciência". Segundo Deveria e outros grandes orientalistas, "as trações mais antigas, mais cultas e ilustradas consideravam a Magia como uma ciência sagrada inseparável da religião". Os egípcios, por exemplo, constituíam um dos povos mais

M

sinceramente religiosos, como o eram e ainda permanecem sendo os hindus. "A Magia consiste no culto dos deuses e é adquirida mediante este culto", diz Platão. Como, pois, uma nação que, graças ao irrecusável testemunho de inscrições e papiros, havia acreditado firmemente em Magia durante milhares de anos, podia ter sido induzida em erro pelo espaço de tanto tempo? É provável que, geração após geração, uma hierarquia ilustrada e piedosa, muitos de cujos membros levaram uma vida de automartírio, santidade e ascetismo, pudesse ter continuado enganando a si mesma e ao povo (ou sequer, exclusivamente, a este último), pelo gosto de perpetuar a crença em "milagres"? Afirma-se que os fanáticos são capazes de qualquer coisa para inculcar a crença em seu deus ou seus ídolos. Contestaremos isto lembrando que em tal caso os brahmanes e os *rekhget-amens* ou hierofantes egípcios não teriam popularizado a crença *no poder do homem mediante as práticas mágicas, para dispor dos serviços dos deuses*; deuses que, em verdade, nada mais são que as potências ocultas da Natureza, personificadas pelos próprios sacerdotes instruídos, nas quais veneravam apenas os atributos do Princípio Uno desconhecido e sem nome. Conforme expressa muito sensatamente o platônico Proclo: "Quando os antigos consideraram que havia certa aliança e simpatia mútua entre as coisas naturais e as manifestas e entre as coisas manifestas e os poderes ocultos, e descobriram que todas as coisas subsistem em tudo, *fundaram desta mútua simpatia e similitude uma ciência sagrada...* e aplicaram para fins ocultos tanto a natureza celestial como, a terrestre, graças às quais, e por efeito de certa similitude, deduziram a existência de virtudes divinas nesta mansão inferior". A Magia é a ciência de se comunicar com Potências supremas e supramundanas e as dirigir, bem como de exercer domínio sobre as das esferas inferiores; é um conhecimento prático dos mistérios ocultos da Natureza, conhecidos unicamente por alguns poucos, pelo fato de serem tão difíceis de aprender sem incorrer em pecados contra a Natureza. Os místicos antigos e os da Idade Média dividiam a Magia em três categorias: *Teurgia, Goecia* e *Magia Natural*. "Desde há muito, a Teurgia tem sido apropriada como a esfera particular dos teólogos e metafísicos", afirma Kenneth Mackenzie. A Grécia é a magia *negra* e a Magia Natural (ou *branca*) elevou-se salutarmente com suas asas à elevada posição de um estudo exato e progressivo. Os comentários acrescidos por nosso pranteado e sábio irmão são dignos de atenção. Os desejos materiais, realistas, dos tempos modernos contribuíram para desacreditar a Magia e a submeter ao ridículo. A fé (em si mesmo) é um elemento essencial na Magia e existia muito tempo antes de outras ideias que presumem sua preexistência. Afirmou-se que é preciso um sábio para fazer um louco e as ideias de um homem devem ser exaltadas quase até à loucura, isto é, as aptidões de seu cérebro devem ser aumentadas até um nível muito mais elevado que o baixo e miserável estado da civilização moderna, antes que se possa converter num verdadeiro mago, posto que ir à busca desta ciência implica certo grau de isolamento e *abnegação*. Um isolamento muito grande, certamente, cuja realização constitui por si só um fenômeno maravilhoso, um milagre. Por outro lado, a Magia não é nada de *sobrenatural*. De acordo com Jâmblico, "eles, através da teurgia sacerdotal, declaram que podem remontar-se a *Essências mais elevadas e universais* e até àquelas que estão acima do destino, isto é, até Deus e o Demiurgo, sem empregar a matéria nem qualquer outra coisa, exceto a observação de um tempo razoável". Alguns já começam a reconhecer a existência de poderes e influências sutis na Natureza, dos quais, até agora, nada sabiam. Mas, como observa muito bem o Dr. Carter Blake, "o séc. XIX não foi aquele que observou a gênese de novos métodos de pensamento, nem a consumação dos antigos", ao que acrescenta Mr. Bonwich que, "se os antigos sabiam muito pouco de nosso método de investigação dos segredos da Natureza, sabemos menos ainda daqueles que empregavam". [Magia: Sabedoria; a ciência e arte de utilizar conscientemente poderes invisíveis (espirituais) para produzir efeitos visíveis. A vontade, o amor, a imaginação são poderes mágicos que todos possuem e aquele que sabe o modo de os desenvolver e deles se servir de

M

modo consciente e eficaz é um mago. Aquele que os emprega para bons fins, pratica a magia branca; o que os usa para fins egoístas ou maus, é um mago negro. Paracelso emprega a palavra Magia para designar o mais elevado poder do espírito humano para governar todas as influências exteriores com o objetivo de fazer o bem. Ação de se servir de poderes invisíveis para fins reprováveis, denomina-se *necromancia*, porque os elementais dos mortos são frequentemente utilizados como meio para transmitir más influências. A feitiçaria não é Magia, encontra-se em relação a esta como as trevas quanto à luz. A feitiçaria trata das forças da alma animal, a Magia trata do poder supremo do Espírito. (F. *Hartmann*)] ["Confunde-se, geralmente, na mesma reprovação, os magos e feiticeiros. É um erro. O mago, cujas obras passam quase desapercebidas, dedica-se exclusivamente ao bem, emprega judiciosamente as forças da Natureza para o bem de todos. O feiticeiro, frequentemente um ambicioso e ignorante, tendo apenas conhecimentos grosseiros, desencadeia forças que desconhece e produz apenas o mal". (Plytoff, G., *La Magie*)]

Magia branca ou "**benéfica**" — A Magia assim designada é a Magia divina, livre de egoísmo, de vontade de poder, de ambição, de lucro e que tende unicamente a fazer o bem ao mundo em geral e ao próximo em particular. O mais leve intento de utilizar os próprios poderes anormais para a satisfação pessoal faz de tais poderes feitiçaria ou magia negra.

Magia cerimonial — A Magia, segundo os ritos cabalísticos, operava, como afirmavam os rosa-cruzes e outros místicos, invocando Poderes espiritualmente mais elevados que o homem e exercendo império sobre os elementos que são muito inferiores a ele na escala da existência. (Glossário de *A Chave da Teosofia*)

Magia negra (*Ocult.*) — Feitiçaria, necromancia, evocação dos mortos e outros abusos egoístas ou interessados de poderes anormais. Este abuso pode ser feito sem intenção, contudo, mesmo assim, é *"magia negra"* quando e sempre se produzir fenomenalmente algo objetivando a mera satisfação pessoal. (Ver *Magia*.)

Mágico — Ver *Mago*.

Magismo — A filosofia ou doutrina dos antigos sacerdotes (magos) persas. ["O Adepto do Magismo deve ser impassível, sóbrio e casto... desinteressado, impenetrável e inacessível a todo o tipo de preconceito e terror; à prova de todas as contradições e de todas as penas. A primeira e a mais importante das obras mágicas é chegar a esta rara superioridade." (Levi, E., *Dognut e Ritual de Alta Magia*)]

Magistério (Magisterium) (*Lat.*) — A virtude curativa das substâncias medicinais, conservada em um veículo. (F. *Hartmann*) [Trata-se de uma obra da Grande Obra em que se separa o puro do impuro, volatiliza-se o fixo e se fixa o volátil, um através do outro. Os alquimistas afirmam que seu magistério tem por princípio um, quatro, três, dois e um. O primeiro um é a matéria prima; quatro são os elementos, três são os princípios (sal, enxofre e mercúrio); dois é o *Rebis* (o volátil e o fixo) e o um é a Pedra (ou Medicina). *(Azlux)*]

Magna Mater (*Lat.*) — "Grande Mãe". Título que nos tempos antigos dava-se a todas as principais deusas das nações, tais como a Diana de Éfeso, Ísis, Muth e muitas outras.

Magnes — Expressão empregada por Paracelso e teósofos medievais. É o espírito da luz, ou Âkâza. Termo muito usado pelos alquimistas da Idade Média [Algumas vezes se chamou *Magnes* ao *Caos* (*Doutrina Secreta*, I, 367) (Ver *Luz Astral*.)] [Em Alquimia indica a matéria do mercúrio filosófico. O *magnes* encerra em si um sal que serve para calcinar o ouro filosófico. Este sal devidamente preparado permite que se faça o magistério dos Sábios. *(Azlux)*]

M

Magnética, Maçonaria — Também chamada "Maçonaria iátrica". É descrita como uma fraternidade de curadores (taumaturgos) (de *iatriké*, palavra grega que significa "arte de curar") e é muito frequentada pelos "Irmãos da Luz", como afirma Kenneth Mackenzie em *Royal Masonic Cyclopadia*. Parece haver uma tradição em certas obras secretas maçônicas (assim o diz, pelo menos, Ragon, a grande autoridade maçônica) quanto ao fato de que havia um grau maçônico intitulado *Oráculo de Cos*, "instituído no séc. XVIII a.C., pelo fato de que Cos foi o lugar em que nasceu Hipócrates". O *iatriké* era uma qualidade característica distinta dos sacerdotes que tinham a seu cargo os enfermos nas antigas *Asclepias*, templos onde se acredita que o deus Asclépios (Esculápio) curava pacientes e feridos.

Magnetismo — Uma força que existe na Natureza e no homem. No primeiro caso é um agente que dá origem aos diversos fenômenos de atração, polaridade etc. No segundo caso, converte-se em magnetismo "animal", em contraposição ao magnetismo cósmico e terrestre. [O magnetismo, bem como a eletricidade, nada mais é que manifestação do *Kundalinî Shakti*, que inclui as duas grandes forças de atração e repulsão.]

Magnetismo Animal — Enquanto a ciência oficial qualifica-o de "suposto" agente e afasta por completo sua realidade, os numerosos milhões de pessoas dos tempos antigos e as nações asiáticas que vivem atualmente, ocultistas, teósofos, espíritas e místicos de toda a espécie proclamam-no como um fato bem comprovado. O magnetismo animal é um fluido, uma emanação. Algumas pessoas emitem-no para fins curativos pelos olhos e pelas pontas dos dedos, enquanto todas as demais criaturas, homens, animais e ainda todo objeto inanimado, emanam-no seja como uma *aura*, seja como uma luz variável, de um modo consciente ou não. Quando aplicado a um paciente por contato ou pela vontade de um operador humano, recebe o nome de "Mesmerismo" (ver).

Magnetismo Cósmico — A força universal de atração e repulsão conhecida desde os tempos de Empédocles de Agrigento e perfeitamente descrita por Kepler. Os chamados "sete filhos-irmãos" de Fohat representam e personificam as sete formas de magnetismo cósmico denominadas em Ocultismo prático os "Sete Radicais", cuja geração cooperativa e ativa são, entre outras energias, a eletricidade, o magnetismo, o som, a luz, o calor, a coesão etc. (*Doutrina Secreta*, I, 169, 540)

Magnum Opus (*Lat.*) — Em Alquimia é a consumação foral, a "Grande Obra" (*Grand Œuvre*); a produção da "Pedra Filosofal" e o "Elixir de Vida" que, embora seja considerado um mito por alguns céticos, é pleno de significação mística e deve ser admitido simbolicamente. [É um dos nomes que os filósofos químicos deram à sua Arte, pela dificuldade de aprendê-la, de obter sucesso e dos dois grandes objetivos a que se propõe fazer um remédio (Medicina) universal para as moléstias dos três reinos da Natureza; transmutar metais imperfeitos em ouro, mais puro inclusive que aquele das minas.] (*D. Pernety*) É frequente os alquimistas referirem-se a várias obras. Na verdade há apenas uma, dividida em etapas ou obras intermediárias. A *obra simples* é a preparação da matéria que precede a obtenção da medicina de segunda ordem, o elixir da longa vida e a obra da Arte (*obra média*). A terceira, a Grande Obra propriamente dita, é a obra da Arte e da Natureza que, segundo Filaleto, está totalmente encerrada nestes quatro números: 448, 344, 256 e 224, isto é, impossível obtê-la sem o conhecimento do regime do fogo indicado por estes números. Gostaria de acrescentar, para uso dos pesquisadores do arcano da Natureza, a seguinte e correta correlação: 313,6-Dó; 333,65-Ré; 354,8-Mi; 368, 6-Fá; 396-Sol; 423,5-Lá; 440,60-Si.] (*Azlux*)

É necessário que a grande obra seja uma coisa muito fácil de fazer, posto que os filósofos tanto se aplicaram a ocultá-la e, ao mesmo tempo, chamaram-na de capricho de mulheres e um jogo de crianças. Quando disseram que se tratava de um trabalho de mulheres, aludiram – frequentemente – à concepção do homem no ventre de sua mãe posto

M

que, segundo Morien, a obra da pedra é semelhante à criação do homem: primeiramente é preciso ocorrer a conjunção do macho e da fêmea; em segundo lugar, a concepção, depois o nascimento e, enfim, a nutrição e a educação.

A Grande Obra é também chamada *mar tempestuoso* – aqueles que nele navegam expõem-se perpetuamente ao naufrágio devido às grandes dificuldades encontradas para uma perfeita vitória. *(Dicionário Mito-Hermético)*

Magnus Limbus ou **Yliaster** de Paracelso — É o "Pai-Mãe" *no* Espaço, antes de nele aparecer; é a matriz universal do Cosmos, personificada no caráter dual do Macrocosmo e Microcosmo, isto é, o Universo e nossa Terra (de acordo com a filosofia antiga), por *Aditi-Prakriti*, a Natureza espiritual e física. Segundo a explicação de Paracelso, "o *Limbus Magnus* é a sementeira da qual se desenvolveram todas as criaturas, do mesmo modo que uma árvore desenvolve-se de uma pequena semente; com a diferença, entretanto, de que o grande *Limbus* origina-se do Verbo de Deus, enquanto que o *Limbus* menor (a semente ou esperma terrestre) recebe-o da terra. O grande *Limbus* é o germe de que procedem todos os seres e o pequeno *Limbus* é cada ser primário *(ultimate)* que reproduz sua forma e que por sua vez foi produzido pelo grande. O *Limbus* pequeno possui todas as qualidades do grande, assim como um filho possui uma organização similar à de seu pai" (*Doutrina Secreta*, I, 364).

Mago ou **Mágico** — De *Mag* ou *Maha*. Esta palavra é a raiz de que deriva o termo "mágico". O *Maha-âtmâ* (grande Alma ou Espírito) da Índia tinha seus sacerdotes em tempos anteriores aos *Vedas*. Os magos eram sacerdotes do deus do fogo; encontramo-los entre os assírios e os babilônios, tanto quanto entre os persas adoradores do fogo. Os três Magos, também chamados Reis, de que se diz presentearam ouro, incenso e mirra ao menino Jesus, eram adoradores do fogo, como os demais, e astrólogos, posto terem visto a estrela do recém-nascido. O sumo sacerdote dos parsis, em Surat, é designado com o nome de *Mobed*. Outros derivam este nome de *Megh*; *Meh-ab* significa algo grande e nobre. Os discípulos de Zoroastro eram chamados *meghestom*, segundo diz Kleuker.

O termo *Mago* ou *Mágico*, em outros tempos um título honorífico e de distinção, decaiu completamente de seu verdadeiro significado. Sendo, antigamente, sinônimo de tudo quanto era honorável e digno de respeito, do que possuía ciência e sabedoria, degenerou num epíteto para designar um impostor, farsante e pelotiqueiro; um charlatão, numa palavra, ou quem "vendeu sua alma ao diabo", que faz mau uso de seu saber e o emprega para fins reprováveis e perigosos, segundo os ensinamentos do clero e uma massa de néscios supersticiosos que acreditam ser o mago um bruxo e um "encantador". Tal palavra deriva de *Magh*, *Mah*, em sânscrito *Maha* (grande) e significa um homem muito versado na ciência esotérica. Mas os cristãos, segundo parece, esquecem que Moisés também era um mago, e Daniel, "Príncipe dos magos, astrólogos, caldeus e adivinhos" (*Daniel*, V, II). (*Ísis sem Véu*, I, XXXIV)

Magos (*Magi*, em latim) — Nome dos antigos sacerdotes hereditários e Adeptos instruídos da Pérsia e da Média. Palavra que deriva de *Maha*, grande, que posteriormente se transformou em *mog* ou *magh*, que em pelvi significa sacerdote. Porfírio descreve-os (*Abst.*, IV, 16) dizendo: "Os homens instruídos que entre os persas dedicam-se ao serviço da Divindade são chamados Magos" e Suidas informa-nos que "entre os persas, os amantes da sabedoria (*philalethai*) são conhecidos pelo nome de Magos". O *Zend-Avesta* (II, 171, 261) divide-os em três graus: 1º) os *Herbeds* ou "noviços"; 2º) *Mobeds* ou "mestres" e 3º) *Destur Mobeds* ou "mestres perfeitos". Os caldeus tinham colégios parecidos, como também os egípcios, cujos hierofantes dos Mistérios, tais como praticados na Grécia e no Egito, eram idênticos aos *Destur Mobeds*.

Magus (*Lat.*) — No *Novo Testamento* significa sábio, um homem sábio dos caldeus. Em inglês usado com frequência para designar um mago, um promotor de prodígios

M

qualquer. Na Sociedade Rosa-cruz é o título dos membros mais elevados do IX grau; o Magus supremo é o Chefe da Ordem na seção "externa". Os magos da "interna" são desconhecidos, exceto aqueles que pertencem ao VIII grau. (W.W.W.)

Mah (*Cab.*) — Nome secreto cabalístico aplicado à ideia de Formação. (*Doutrina Secreta*, III, 207)

Maha (*Sânsc.*) — Grande, poderoso, rico, abundante.

Mahâ (*Sânsc.*) — No princípio de uma palavra composta tem o mesmo significado que *mahat* ou *marhant*. Por exemplo: *Mahâdeva* significa Grande Deus.

Mahâbâhu (*Sânsc.*) — Literalmente, "de grande ou poderoso braço". Qualificativo honorário aplicado aos príncipes arianos, bem como aos deuses e heróis em geral.

Mahâbhâchya (*Sânsc.*) — O "Grande Comentário" de Patañjali sobre a *Gramática de Pânini*.

Mahâbhâga (*Sânsc.*) — Muito eminente, muito ilustre, muito virtuoso, muito afortunado.

Mahâbhâgya (*Sânsc.*) — Proeminência, grande poder ou importância, condição suprema.

Mahâbhârata (*Sânsc.*) — Literalmente, "a Grande Guerra", famoso poema épico da Índia (provavelmente o mais extenso poema do mundo), que inclui uma síntese do *Râmâyana* e do *Bhagavad-Gîtâ*, "Canto Celeste" [bem como vários outros interessantes episódios, tais como a história de Nala e a lenda de Shakuntalâ, que serviu de base para o célebre drama de mesmo nome]. Não há dois orientalistas que concordem sobre a data de sua composição, mas é sem dúvida muito antigo.

[O *Mahâbhârata*, ou a "Grande (guerra dos) Bhâratas", contém 220.000 versos divididos em 18 livros (*parvas*) e foi composto, segundo se acredita, por Krishna Dvaipâyana, chamado o *Vyâsa* ("ordenador" ou "compilador"). O tema da obra são os fatos ocorridos nos últimos períodos do *Dvâpara-yuga* (idade que precedeu à nossa, isto é, há 5.000 anos atrás) entre dois ramos rivais descendentes do rei Bharata, que lutaram entre si para alcançar a soberania de Hastinâpura. O mais antigo de tais ramos conservava o nome de um de seus antepassados, o rei Kuru, enquanto o mais recente era designado com o nome de Pândava, nome derivado de Pându, pai putativo dos cinco principais chefes da mesma. Numa época longínqua reinava em Hastinâpura um rei da dinastia lunar chamado Vishitravîrya. Este rei era filho de Shantanu e Satyavatî; Bhîshma e Krishna Dvaipâyana, chamado o Vyâsa eram seus meio-irmãos, sendo o primeiro por parte de pai e o outro por parte de mãe. Casou com duas irmãs, Ambikâ e Ambalikâ, mas, tendo morrido sem deixar sucessores, o grande *Richi* chamado o Vyâsa, obedecendo às instigações de Bhîshma, casou-se com as duas viúvas e engendrou dois filhos, Dhritarâshtra e Pându, que passaram por filhos do rei Vishitravîrya e depois da morte de Vyâsa foram educados por seu tio Bhîshma que, durante a menoridade de ambos, teve a seu cargo a regência do reino. Dhritarâshtra, o primogênito, casou-se com Gândhârî, da qual teve cem filhos, que foram os príncipes Kurus ou Kuravas, o mais velho dos quais se chamava Duryodhana. Pându, o irmão mais novo, casou-se inicialmente com Prithâ (ou Kuntî, por outro nome) e mais tarde com Mâdrî, das quais teve os cinco príncipes Pândavas, que, apesar de seu nome patronímico, foram engendrados misticamente por várias divindades. Dhritarâshtra, por ser cego de nascença, teve de renunciar à coroa em favor de seu irmão Pându, designando para o suceder no trono a Yudhishthira, primogênito dos Pândavas. Estes cinco príncipes, por sua vasta instrução e seus brilhantes feitos de armas, excitaram o ciúme e a inveja de seu primo Duryodhana que, depois de ter tentado livrar-se deles por meios criminosos, fez um acordo com seu tio Shakuni, habilíssimo jogador, para arruinar seus rivais. Convidado a jogar, Yudhishthira perdeu tudo quanto lhe pertencia, seu reino e sua própria esposa Draupadî, que uma vez separada de seu consorte foi tratada, ignominiosamente, como escrava. De acordo com o combinado, Duryodhana deveria ocupar o trono pelo período de doze anos, enquanto os doze príncipes Pândavas, acompanhados de sua esposa comum Draupadî, foram condenados ao desterro sofrendo todo tipo de privações. Uma vez expirado o prazo e transcorrido outro ano em que os infelizes Pândavas passaram incógnitos no reino de Matsya, Yudhishthira, alegando inquestionáveis direitos, reclamou a coroa, mas o pérfido Duryodhana opôs-se a tão legítimas pretensões. Em vista disso, os Pândavas decidiram conquistar seu reino através da força e para tal fim reuniram seus aliados e amigos, formando um poderoso exército para atacar seus rivais, que também se apressaram a reunir todas as suas forças. As duas hostes inimigas puseram-se em marcha, encontrando-se em *Kurukshetra*, ou planície sagrada de Kuru. O valente e esperto Bhîshma, segundo filho de Pându, assumiu o comando do exército Pândava, enquanto Bhîshma figurava à testa do exército contrário. De um momento para outro iria irromper o combate; soavam com estrondo atroador tímbales, trombetas, trompas e outros instrumentos guerreiros; os combatentes, cheios de impaciência e em formação de batalha, mantinham preparados seus arcos, prontos a semear a morte. Em instantes tão críticos, Arjuna, terceiro dos príncipes Pândavas, tomado de dor e sofrimento ao ver seus parentes e amigos que militavam numa e noutra hoste, lança ao solo seu arco, declarando que se deixará matar sem resistência antes de levantar armas contra aqueles em cujas veias corre o mesmo sangue. Krishna (o deus que guiava seu carro de guerra) responde, mostrando-lhe o lamentável erro em que incorria ao tomar semelhante resolução e lhe expondo as sublimes doutrinas do *Bhagavad-Gîtâ*, do Canto celestial. Arjuna escuta, submisso e atento, a seu divino Instrutor e, por fim, vencendo a si mesmo, toma parte extremamente ativa na porfia e os valorosos príncipes Pândavas retomam seus domínios depois de vencer e exterminar seus iníquos opressores. Como se pode notar, o *Mahâbhârata* é uma obra em que a realidade permanece encoberta sob o ofuscante véu da alegoria e da fábula. Para maiores detalhes, ver a notável recensão desta epopeia que, com o título de *História da Grande Guerra*, escreveu a sra. A. Besant. Em Pânini encontramos o termo *Mahâbhârata*, sem aplicá-lo a esta epopeia, mas como designativo de cada um dos Bhâratas (Jâbâla, Hailihila) que se distingue de um modo especial. (Weber, *Indische Literatur-geschichte*)]

Mahâbhautik (*Sânsc.*) — [Adjetivo derivado de *Mahabhûta*.] Pertencente ou relativo aos príncipes macrocósmicos.

Mahâbhikshu (*Sânsc.*) — "O grande Mendigo". Epíteto de Buddha.

Mahâbhûta (*Sânsc.*) — "Grande Ser" ou "Grande elemento". Sinônimo de Tattva.

Mahâbhûtas [ou mais propriamente, *mahâbhûtâni*, plural de *mahâbhûta*] — Os Princípios elementares grosseiros da matéria. [Os cinco grandes elementos, ou elementos compostos, da filosofia *Sânkhya*: éter, ar, fogo, água e terra, que, ao se combinarem entre si, formam o mundo material. Estes elementos, produtos do *Prakriti* (matéria), correspondem aos cinco sentidos da mesma ordem, isto é: o éter, ao ouvido; o ar, ao tato; o fogo, à visão; a água, ao paladar; a terra, ao olfato. Lemos, deste modo, no *Bhagavad-Gîtâ*: "Sou sabor nas águas... som no éter... fragrância na terra... esplendor no fogo..." (VII, 8, 9). Deve-se lembrar, entretanto, que cada um desses elementos afeta não apenas ao sentido correspondente mas, além disso, por ser composto, aos demais sentidos, num grau menor. (Ver *Tanmâtras* ou *Elementos sutis*.)]

Mahâbodhi (*Sânsc.*) — Literalmente, "Grande Sábio": um Buddha.

M

Mahâbuddhi (*Sânsc.*) — *Mahat*. A Alma Inteligente do mundo. Os sete *Prakritis*, ou sete "naturezas" ou planos, contam-se a partir do *Mahâbuddhi* para baixo. (Ver *Mahat*.)

Mahâ-Chohan (*Sânsc.*) — Chefe de uma hierarquia espiritual ou de uma escola de Ocultismo; o chefe dos místicos da região situada além do Himâlaya.

Mahâ-deva (*Sânsc.*) — Literalmente, "Grande Deus"; epíteto de Shiva. [No *Yajuveda Branco* aplica-se tal qualificativo ao deus Rudra. No plural, os *Mahâdevas* ou *Chaturdevas* tornaram-se sinônimos dos quatro Mahârajâs. (Ver A. Besant, *Sabedoria Antiga*, 350.)

Mahâ-Guru (*Sânsc.*) — Literalmente, "Grande Instrutor": o Iniciador. [O Ser prodigioso que desceu de uma das regiões superiores ao princípio da Terceira Idade, antes da separação dos sexos na terceira Raça; a árvore de que brotaram todos os grandes Sábios e Hierofantes *historicamente* conhecidos; o excelso personagem que muda de forma, permanecendo sempre o mesmo; o Ser sem nome, apesar da multiplicidade de nomes com que foi designado; o Iniciador chamado *Grande Sacrifício* porque se sacrificou em benefício da espécie humana, a fim de a arrancar das cadeias da carne e da ilusão. Sob a direção e guia deste grande Instrutor, todos os demais Instrutores e Mestres, menos divinos que ele, vieram guiar a humanidade terrestre. Estes "Filhos de Deus" lançaram os fundamentos das antigas civilizações e ensinaram à humanidade, quando esta se encontrava em sua infância, as primeiras noções de todas as artes e ciências, bem como o conhecimento espiritual. (*Doutrina Secreta*, I, 228, 229)]

Mahâ-îshvara — Ver *Maheshvara*.

Mahâjvala ou **Mahâwala** (*Sânsc.*) — Literalmente, "grande chama ou fogo". Nome de um inferno.

Mahâkâla (*Sânsc.*) — "Grande Tempo". Título de Shiva como "Destruidor" e de Vishnu como "Conservador". [O inferno em que as qualidades do *Prithivî Tattva* estão em doloroso excesso. *(Râma Prasâd)]*

Mahâkalpa (*Sânsc.*) — "Grande Era". [Ou "Grande Ciclo". Uma Idade ou Era de Brahmâ, equivalente a 100 anos de Brahmâ, ou seja, o enorme número de 311.040.000.000.000 de anos solares, de acordo com o cômputo brahmânico do tempo.]

Mahâkarana-shakîra (*Sânsc.*) — "O grande corpo causal", o corpo búdico.

Mahâ-kâvyas (*Sânsc.*) — Grandes poemas. Há seis, entre os quais em primeiro plano: A *Dinastia de Raghu*, *O Nascimento do Deus da Guerra* e *A Nuvem Mensageira*.

Mahâkâza (Mahâ-âkasha) (*Sânsc.*) — Literalmente, "Grande Espaço". O Espaço.

Mahâlaya (*Sânsc.*) — Mansão suprema, o mundo de *Brahmâ*: o Ser supremo; santuário; lugar de peregrinação.

Mahâmanvantara (*Sânsc.*) — Literalmente, "o grande intervalo de tempo entre dois Manus". O período de atividade universal. *Manvantara* implica aqui, simplesmente, um período de atividade, em contraposição ao *Pralaya*, ou período de repouso, sem referência alguma à longitude do ciclo de tempo.

Mahâmaya (*Sânsc.*) — A grande ilusão ou manifestação. Este Universo e tudo quanto há nele em suas mútuas relações é denominado Grande Ilusão, ou *Mahâ-mâyâ*. Este também é o título comum dado à imaculada mãe de Gautama, o Buddha. *Mâhâdevî*, ou "Grande Mistério", como a denominam os místicos. [O Universo objetivo. *(Voz do Silêncio)*]

M

Mâhâ-moha (*Sânsc.*) — Grande ilusão ou erro. Um dos cinco sofrimentos de Patañjali. Sinônimo de *râga* (afã de adquirir ou entesourar).

Mahâmudra (*Sânsc.*) — Entre os *yogis* atitude especial das mãos e dos pés.

Mahânubhava (*Sânsc.*) — De grande ou alta dignidade; magnânimo, eminente, poderoso.

Mahâpapâ (*Sânsc.*) — Grande pecado ou crime.

Mahâpâpman (*Sânsc.*) — "Grande Pecador"; muito malvado ou perverso.

Mahâparinibbâna Sutta (*Pál.*) — Uma das escrituras sagradas dos budistas mais plenas de autoridade.

Mahâpâsaka (*Sânsc.*) — Religioso mendicante.

Mahâpâtâla (*Sânsc.*) — Lugar pavoroso semelhante a um inferno ardente e ao fogo do Juízo final. (Ver *Uttara-Gîtâ*.)

Mahâpatha (*Sânsc.*) — "Grande Via", a morte. (Ver *Mahaprâsthana*.)

Mahâprâjña (*Sânsc.*) — Sapientíssimo.

Mahâ-pralaya (*Sânsc.*) — O oposto a *Mahâ-manvantara*. Literalmente, "grande Dissolução", a "Noite", que segue ao "Dia de Brahmâ". É o grande repouso e sonho de toda a Natureza, depois de um período de ativa manifestação. Os cristãos ortodoxos diriam: "Destruição do Mundo".

Mahaprâsthana (*Sânsc.*) — A grande viagem, a morte.

Mahâ-purânas (*Sânsc.*) — "Os Grandes Purânas": o *Vishnu* e o *Bhâgavata-Purâna*.

Mahâ-Purusha (*Sânsc.*) — Grande ou supremo Espírito. [Epíteto de Vishnu. Equivalente a *Paramâtman*.]

Mahârâja (*Sânsc.*) — Grande rei ou soberano.

Mahârâjâs ou **Mahârâjahs** (*Os Quatro*) (*Sânsc.*) — Entre os budistas do Norte são as quatro divindades kármicas colocadas nos quatro pontos cardeais a fim de guardar a humanidade. [*Mahârâjâs* ou *Devarâjâs* são os quatro regentes que presidem, respectivamente, os quatro pontos cardeais, governando as Forças cósmicas de tais pontos, cada uma das quais possuindo uma propriedade oculta. Tais seres são os protetores da humanidade e se relacionam com o Karma, de quem são agentes na Terra, razão pela qual são designados, também, pelo nome de "deuses kármicos". (Ver *Lipika*, *Senhores do Karma*, *Quatro Mahârâjâs*, *Inteligências* etc.) Com o nome de Mahârâjahou Vallabhâchârya designa-se uma seita oriental que pratica o mais vergonhoso e desenfreado culto fálico. (*Chave da Teosofia*, p. 280) (Ver *Goswâmi Mahârâjah* e *Vallabhâchârya*.)]

Mahârâjikâs (*Sânsc.*) — Uma classe (*gana*) de divindades [inferiores] em número de 236. No ensino esotérico, são certas Forças.

Mahâratha (*Sânsc.*) — "Que tem um grande carro". Qualificativo dos grandes heróis, chefes ou caudilhos de exército.

Mahâraurava (*Sânsc.*) — O quinto inferno ardente.

Maharchi (Mahâ-richi) (*Sânsc.*) — Grande *Richi*. No plural: os grandes *Richis* ou *Prajâpatis*. (Ver *Richi*.)

Maharib Ain (Ma'arib Ain) (*Hebr.*) — Falsa aparência que poderia levar à confusão nas normas (fundamento da máxima rigidez formal).

M

Mahariv (Ma'ariv) (*Hebr.*) — Serviço litúrgico do entardecer (diário).

Mahar-loka (Mahâ-loka) (*Sânsc.*) — Região em que moram os *Munis* ou "santos" durante o *pralaya*, segundo declaram os *Purânas*. É a residência ordinária de Bhrigu, um dos *Prajâpatis* (progenitores) e um dos sete *Richis* que, segundo se diz, são coexistentes com Brahmâ. (Ver *Loka*.)

Mahârupaka (*Sânsc.*) — Drama, representação dramática.

Mahâsena (*Sânsc.*) — "Grande capitão". Epíteto de Kârttikeya, deus da guerra.

Maha sûnyatâ (*Sânsc.*) — Espaço ou lei eterna; o grande vazio ou caos.

Mahâsura (*Sânsc.*) — O grande *asura* [*mahâ-asura*]. Esotericamente, Satã ou Lúcifer; esotericamente, o grande deus [*mahâ-sura*].

Mahat ou **Mahant** (*Sânsc.*) — Literalmente, "O grande". Primeiro princípio de consciência e inteligência universais [ou cósmicas]. Na filosofia *purânica* é o primeiro produto da Natureza radical ou *Pradhâna* (isto é, o *Mûlaprakriti*); o produtor do *Manas* (princípio pensante) e do *Ahankâra* (egoísmo ou sentimento do "eu sou eu" (no *Manas* inferior). [*Mahat* é o nome que, por antonomásia, dá-se ao *Buddhi* ou *Mahabuddhi*, intelecto ou princípio intelectual. Significa, também, grande, vasto, abundante, numeroso, considerável, poderoso, eminente, ilustre etc.]

Mahâtala (*Sânsc.*) — Exotericamente significa "grande lugar", mas esotericamente expressa um lugar que inclui todos os demais subjetivamente e que potencialmente inclui tudo que o precede. O *Mahâtala* corresponde às hierarquias de *Rasadevas* ou Devas do paladar e inclui um estado de consciência que abarca as emanações da vida e do ser e dos cinco sentidos inferiores. Corresponde ao *Kâma* e ao *Prâna* no homem e, aos gnomos e salamandras na Natureza. (*Doutrina Secreta*, III, 565-566) Segundo se diz no *Uttara-Gîtâ* (II, 27), "a porção inferior do músculo (*jânu*) chama-se *Mahâtala*". (Ver *Loka, Tala.*)

Mahâtma ou **Mahâtman** (*Sânsc.*) — Literalmente, "grande Alma ou Espírito". Um Adepto de ordem mais elevada. Os *Mahâtmas* são seres eminentes que, tendo obtido o domínio de seus princípios inferiores, vivem, deste modo, livres dos impedimentos do "homem carnal" e estão de posse de um conhecimento e poder proporcionados segundo o nível que alcançaram em sua evolução espiritual. Em pali são chamados *Rahats* ou *Arhats*. Também são designados por *Siddhas*, são seres perfeitos, que por sua poderosa inteligência e santidade chegaram a uma condição semidivina. (Ver M. Dvivedi, *Comentários dos Aforismos de Patañjali* (II, 32). Estes Seres magnânimos, poderosos, de alma excelsa, primeiros frutos da humanidade, alcançaram a consciência *âtmica* ou *nirvânica*, a que pertence a vida do quinto plano e completaram o ciclo da evolução humana. São designados com o nome de Mestres, Grandes Espíritos ou *Jivan-muktas* [almas libertadas] e continuam, entretanto, ligados ao corpo físico para ajudar o progresso da humanidade. (A. Besant, *Sabedoria Antiga*, 220) (Ver *Mestre, Mahâguru*.)

Mahâtmya (*Sânsc.*) — "Magnanimidade", uma lenda de um altar, de um sepulcro ou de qualquer outro lugar sagrado. [*Mahâtmya* tem várias outras acepções: majestade, eminência, grandeza, excelsitude etc. É, ainda, um título de um livro dedicado a descrever a potência do *Bhâgavata*.]

Mahatowarat (*Sânsc.*) — Qualificativo aplicado a *Parabrahm*; maior que as maiores esferas.

Mahat-tattva (*Sânsc.*) — A primeira das sete criações chamadas, respectivamente, nos *Purânas*: *Mahat-tattva*, *Bhûta*, *Indriya*, *Mukhya*, *Tiryakzrotas*, *Urdhvazrotas* e

M

Arvâk-zrotas. [Literalmente, "o grande elemento"; o mesmo que *âdi-tattva* e provavelmente é assim chamada porque, como raiz primordial que é, inclui em sua grandeza todos os demais elementos. *(Bhagavân Dâs)* Na filosofia *sânkhia*, *Mahat-tattva* ou *Mahâ-tattva* é *Mahat*, *Buddhi* ou Grande Princípio, primeira e principal produção de *Prakriti*.]

Mahâvanso *(Pál.)* — Obra histórica búdica escrita pelo *bhikshu* Mohânâma, tio do rei Dhatusma. É uma autoridade na história do Budismo e sua difusão na ilha do Ceilão.

Mahâvastu *(Sânsc.)* — "A Grande História". Título de um livro búdico.

Mahâvideha *(Sânsc.)* — Literalmente, "grande incorpóreo". O professor Manilal Dvivedi, em seu *Comentário aos Aforismos de Patañjali* (II, 43) assim explica esta palavra: "Sempre pensamos em relação com o *Ego* que está em nós e, portanto, em relação com o corpo. Mesmo quando dirigimos nosso pensamento a alguma parte exterior a nosso corpo, sempre está em relação com o eu pensante. Quando esta relação encontra-se interrompida por completo e a mente existe, por assim dizê-lo, espontaneamente, alheia e independente do corpo, o poder originado é chamado *Mahâvideha*. Nesta condição, todo tipo de conhecimento está ao alcance do asceta, sem que este faça o menor esforço, porque se dissipou o véu das três qualidades *(gunas)* que impede a iluminação *sâttvica* intuitiva". Eis aqui o aforismo em questão: "Quando se alcançou a condição mental que é externa, independente do corpo e não afetada por este, então se dissipa o véu que impede a iluminação".

Mahâvidya *(Sânsc.)* — A grande ciência esotérica. Apenas os mais altos iniciados possuem esta ciência, que abarca quase o conhecimento universal. [Grande ou perfeito conhecimento; sabedoria, nome de um dos aspectos de *Shakti*. *(Bhagavân Dâs)*.]

Mahâvira *(Sânsc.)* — Herói. Agni, o fogo celeste ou sagrado, o raio. Epíteto de Buddha.

Mahâvirya *(Sânsc.)* — Dotado de grande força ou poder. Brahmâ.

Mahâvizishta *(Sânsc.)* — Dotado de grandes qualidades.

Mahâvrata *(Sânsc.)* — Muito piedoso; que pratica grande austeridade, muito fiel a seus votos. Epíteto de Shiva.

Mahâvyâhriti *(Sânsc.)* — "A grande exclamação", isto é, as três palavras místicas: *bhûr, bhuva(s), svar*.

Mahâyajña *(Sânsc.)* — Grande sacrifício. Há cinco de tais sacrifícios que os chefes de família devem celebrar diariamente: a leitura ou estudo do *Veda (Brahma-yajña)*; a oferenda que se faz aos deuses e que consiste em derramar manteiga derretida no fogo *(Devayajña)*; libação e oferenda em honra dos manes *(Pitriyajña)*; as oferendas depositadas em vários lugares, no solo, para os espíritos e todos os seres vivos *(Bhûta-yajña)* e a oferenda aos homens, que consiste na hospitalidade, especialmente aos brahmanes mendicantes *(Manuchya-yajña)*. (Ver *Leis de Manu*, III, 69-70.)

Mahâyâna *(Sânsc.)* — Nome de uma escola (de filosofia búdica). Literalmente, "o grande veículo". Sistema místico fundado por Nâgârjuna. Seus livros foram escritos no séc. II a.C. [As escolas *mahâyânas* são "contemplativas" (Prefácio de *Voz do Silêncio*). (Ver *Hînayâna*.)] Quer se considere o budismo filosofia ou religião, permanece o fato de ser um sistema amplamente sintetizante. Mantém-se aberto a toda a vida, sub ou suprahumana; vê a vida como absolutamente contínua, sem começo nem fim. Um velho não é mais a mesma "persona" de sua infância, suas células já foram renovadas, mas subsiste uma continuidade de consciência. O velho não é o menino de seu próximo nascimento, mas sua subconsciência permanece contínua abaixo da "barreira de potencial" do ego, tal como é encontrada na física atômica de nossos dias. Esta continuidade pode ser

M

estabelecida através do *yoga*, consoante o ensinamento seguinte do Buddha, que se pode encontrar no *Lonafaga Vaga*, do *Angutara-Nikaya*: "Neste estado de concentração em si (o estado de meditação, tal como é concebido pelo Oriente), se o espírito estiver fixado sobre o conhecimento de um objeto, este objeto será atingido", e, mais adiante: "No estado de concentração em si, o espírito estando fixado sobre a aquisição de não importa que objeto, este objeto é obtido". É um ponto basilar do método *yogi* para recuperar o conteúdo subconsciente, ou, como é aceito tanto pelo budismo (particularmente o mahâyanista) como pela psicologia ocidental, a região da consciência onde está tudo o que é latente.

Sustenta o budismo que o espírito, enquanto realidade última, não se trata de nenhuma consciência individualizada, mas de todas em geral, evidenciando assim que falar em imortalidade pessoal" é apenas sustentar a diferenciação (neste caso, de *persona*) numa escala mais refinada. A confusão que aqui se dá, segundo cremos, no choque com o pensamento ocidental, é ilusória, por um mal-entendido terminológico. O Ocidente pensa no que podemos distinguir como "alma"; a possibilidade mais completa do vir-a-ser (noção que implica na felicidade eterna do ponto de vista Oriental), e só nesta acepção, eterna. O budismo não trata da dissolução desta transferência perpétua, o que seria um contrassenso, pois destruiria a si mesma, mas apenas da *persona* enquanto continuado apequenamento da plenitude espiritual.

O julgamento apressado do Ocidente, ao pensar que o budismo almeja a destruição do ser, esquece que, após o pecado original, a geração de todas as ilusões, inclusive a do "ego", deve ser tida como virtual e não real. Temos então a primeira heterogeneidade do espírito que gerou todas as outras, num longo ciclo impulsionado poderosamente em sua origem, que, tanto pelas tradições ocidentais como orientais, agora se esgota, ao nos aproximarmos do fim desta Idade do Ferro *(Kalli-yuga)*.

Repetimos: o budismo pensa na destruição do ego para a plenitude do ser (ou eternidade do espírito: libertação) ser possível. Não vemos aqui incompatibilidade com os grandes místicos ocidentais, em especial os contemplativos. (Pugliesi – Paula Lima, Introdução ao *Bardo Thödol*) [O *Mahâyâna* ou Grande Sendeiro tem hierarquia sacerdotal organizada, um ritual bem definido, extensa doutrina quanto às manifestações divinas, crença num Buddha primordial, insistência quanto à possibilidade de vinculação ou Yoga. *(Azlux)*]

Mahâyoga (*Sânsc.*) — O fato de ver ao Eu como uno com Deus *(Swâmi Vivekânanda)*. Constitui a perfeição no *Yoga*.

Mahâyogi (Mahâiogue) (*Sânsc.*) — "O grande *yogi* ou asceta". Epíteto de Shiva.

Mahâyuga (*Sânsc.*) — Literalmente, "grande Idade". É o conjunto de quatro *yugas* ou idades, que consta de 4.320.000 anos solares, ou seja, a milésima parte de um "Dia de Brahmâ", segundo o cômputo brahmânico. (Ver *Yuga*.)

Mahâzana (*Sânsc.*) — Grande comedor; voraz.

Mahendra (Mahâ-Indra) (*Sânsc.*) — "O grande Indra". Qualificativo deste deus. Uma das sete cadeias montanhosas da Índia.

Mahesha (*Sânsc.*) — "Grande Senhor" *(Mahâ-îza)*. Epíteto de Shiva. Sinônimo de Maheshvara.

Maheshvara (Mahâ-îzvara) (*Sânsc.*) — "Grande Deus ou Senhor". Um dos títulos de Shiva.

Mahesvara-Purâna (*Sânsc.*) — Título de um dos *Purânas*.

Mahî (*Sânsc.*) — A terra; solo, país, reino; vaca.

M

Mahîkchit (*Sânsc.*) — Rei, príncipe ou senhor da terra.

Mahimâ ou **Mahiman** (*Sânsc.*) — Grandeza, majestade, poder. O poder de se estender ou se dilatar no espaço; o poder mágico de aumentar de tamanho, segundo a vontade. Um dos oito *vibhûtis* ou poderes anormais mais elevados do *yogi*.

Mahîpati (*Sânsc.*) — "Senhor da terra"; rei, príncipe.

Mahoraga (**Mahâ-uraga**) (*Sânsc.*) — "Grande serpente". Sesha ou algumas outras.

Mahûrta — Ver *Muhûrta*.

Maia — Mãe de Mercúrio (Budha, Thot, Hermes). *Maia*, entre os gregos, veio a significar "mãe" e deu seu nome ao mês de maio, que era consagrado a todas as deusas, antes de ser consagrado a Maria. (Ver *Maya, Mâyâ* e *Maria*.)

Maitra (*Sânsc.*) — Amigo, amistoso, amável, benévolo, bondoso, afetuoso.

Maitrabha (*Sânsc.*) — Nome do 17º asterismo ou mansão lunar. (Ver *Maitrî*.)

Maitrâkchajyotika (*Sânsc.*) — Um tipo de espírito maligno, que se nutre de matérias purulentas. (*Leis de Manu*, XII, 72)

Maitreya (*Sânsc.*) — Benévolo, amável, afetuoso. Nome de um Bodhisattva. (Ver *Maitreya Buddha*.)

Maitreya Buddha (*Sânsc.*) — O mesmo que o *Kalkî Avatar* de Vishnu (o *Avatar* do "Cavalo Branco") e de Sosiosch e outros Messias. A única diferença está nas datas de suas aparições respectivas. Assim, enquanto se espera que Vishnu apareça em seu cavalo branco, no final do atual *Kali-yuga*, "para extermínio final dos malvados, renovação da criação e restabelecimento da pureza", Maitreya é esperado antes. O ensinamento popular ou exotérico, diferenciando-se muito pouco da doutrina esotérica, afirma que Sâkyamuni (Gautama Buddha) visitou Maitreya em Tuchita (uma mansão celeste) e o comissionou para sair dali e se dirigir à Terra, como seu sucessor, ao término de cinco mil anos após a sua morte (de Buddha). Para que isto ocorra, faltam menos de 3.000 anos. A filosofia esotérica ensina que o próprio Buddha aparecerá durante a sétima (sub-) raça desta Ronda. Fato é que Maitreya é sequaz de Buddha, um célebre *Arhat*, embora não seu discípulo direto, e que foi fundador de uma escola filosófica esotérica. Segundo declara Eitel *(Dicionário Sânscrito-Chinês)*, "erigiram-se estátuas em sua honra, numa época tão longínqua quanto 350 a.C." [Maitreya é o nome secreto do quinto Buddha e o *Kalkî Avatara* dos Brâhmanes, o derradeiro Messias, que virá na culminação do Grande Ciclo. Em todo o Oriente, é crença universal que este *Bodhisattva* aparecerá como nome de Maitreya Buddha, na sétima Raça. (*Doutrina Secreta*, I, 412, 510)]

Maitri, Maitrâyani (*Sânsc.*) — Título de um dos *Upanichads*.

Maitrî (*Sânsc.*) — Amizade, benevolência, caridade; a caridade universal. O 17º asterismo lunar.

Maitrya (*Sânsc.*) — Amizade.

Makara (*Sânsc.*) — "Crocodilo". Décimo signo do Zodíaco, equivalente ao Capricórnio dos europeus. Esotericamente, é uma classe mística de *devas*. Entre os hindus, é veículo de Varuna, deus das águas. [*Makara* significa crocodilo, ou melhor, um monstro aquático, sempre associado com a água. (*Doutrina Secreta*, I, 412) É um monstro marinho provido de uma espécie de tromba um pouco parecida com a de um elefante e no qual Varuna, deus do oceano, cavalga. Signo do Zodíaco equivalente ao

M

nosso Capricórnio e representado com a forma de um animal que possui a cabeça e as patas dianteiras de um antílope e o corpo e a cauda de peixe. (Ver *Kâma-deva*, *Makaram* e *Makara-ketu*.]

Makara-ketu (*Sânsc.*) — [Literalmente, "que tem, por emblema ou bandeira, o *makara*".] Sobrenome de Kâma, o deus hindu do amor e do desejo. [Ver *Kâma-deva*.]

Makaram ou **Pañchakaram** (*Sânsc.*) — Na simbologia oculta, é o pentágono, a estrela de cinco pontas, os cinco membros ou extremidades do homem. É bastante místico. [*Makaram* pode servir para expressar o microcosmo e o macrocosmo, como objetos externos de percepção. (Subba Row, *Os Doze Signos do Zodíaco*). (Ver *Pentágono*.)

Mâkâras (*Sânsc.*) — As cinco M M dos *tântrikas*. (Ver *Tantra*.) Estas cinco M M aludem aos cinco requisitos para o culto tântrico, que são: *Madya* (vinho), *Mansa* (carne), *Matsya* (pescado), *Mudrâ* (grão seco e gesticulações místicas) e *Maithuna* (comércio sexual). (Dowson, *Dicionário Clássico Hindu*.)

Mala (*Sânsc.*) — Impureza, sujeira, mancha, pó, mácula.

Mâla (*Sânsc.*) — Vil, abjeto, ruim.

Malachim (*Hebr.*) — Mensageiros, anjos.

Maladoram (*Alq.*) — Sal-gema.

Malâpakarchana (*Sânsc.*) — Limpeza, purificação.

Malaribio (*Alq.*) — Ópio.

Malaya (*Sânsc.*) — Jardim; o paraíso de Indra.

Malech (*Alq.*) — Sal comum.

Malina (*Sânsc.*) — Sujo, negro, manchado pelo pecado, criminal. Como substantivo: mancha, pecado, crime, vício, defeito, imperfeição.

Malina-mukha (*Sânsc.*) — "De rosto negro". Selvagem, feroz, cruel. Qualificativo dos *râkchasas* e outras espécies de demônios.

Malkuth (*Hebr.*) — O Reino, o décimo *Sephira*, correspondente à H (*hé*) final do *Tetragrammaton* ou I H V H. É a Mãe inferior, a esposa do Microprosopo (ver), chamada também de "Rainha". Em certo sentido é o *Shekinah*. W.W.W.)

Mâlya (*Sânsc.*) — Colar, diadema, grinalda, flor.

Mâm (*Sânsc.*) — Pronome pessoal: "a mim".

Mama (*Sânsc.*) — Pronome possessivo: "meu".

Mamitu (*Cald.*) — A deusa do Destino. Uma espécie de Nemesis.

Mâna (*Sânsc.*) — Medida, peso; ponderação, consideração, respeito, honra, apreço, opinião, conceito, intenção, indiferença ou raciocínio; arrogância, soberba, orgulho, alto apreço de si mesmo; vontade, capricho; néscio, fátuo.

Maná (*Alq.*) — Mercúrio dos filósofos; chamado também de Maná Divino, pois dizem que o segredo de sua extração é um dom de Deus, como a própria matéria deste mercúrio.

Mânakara (*Sânsc.*) — Que forma ou constitui autoridade.

Manana (*Sânsc.*) — De um modo cuidadoso, atento ou reflexivo.

Mânana ou **Mânanâ** (*Sânsc.*) — Veneração, respeito.

M

Manas ou **Manah** (*Sânsc.*) — Literalmente, "a mente", a faculdade mental, que faz do homem um ser inteligente e moral e o distingue dos seres brutos; é sinônimo de *Mahat*. Esotericamente, contudo, quando não especificado, significa o *Ego* superior, ou seja, o princípio senciente, que se reencarna no homem. Quando qualificado, é chamado pelos teósofos de *Buddhi-Manas*, ou seja, a Alma espiritual, em contraposição a seu reflexo humano, o *Kâma-Manas*. [*Manas*, quinto princípio da constituição humana, deriva da raiz sânscrita *man*, "pensar", e significa a mente propriamente dita, o Pensador, o que pensa em nós, o *Ego* que se reencarna inúmeras vezes, acumulando em si as experiências recolhidas na vida terrestre. Este princípio é dual em sua essência e daí sua divisão em *Manas* ou Inteligência inferior, terrestre, que está intimamente ligada com a alma animal *(Kâma)* e o *Manas* ou Inteligência superior, relacionada com *Âtma* e *Buddhi* e veículo ou instrumento da alma espiritual *(Buddhi)*. O *Manas* superior, juntamente com o *Buddhi* e o *Âtman*, constitui a Tríada superior, imortal; enquanto o *Manas* inferior, unido aos princípios inferiores (corpo físico, duplo etéreo, princípio vital e alma animal), forma o quaternário inferior, isto é, a *personalidade* transitória. O *Manas*, no homem, é o reflexo da Mente Universal, ou seja, o terceiro princípio constituinte do Universo, contado de baixo para cima. (*Râma Prasâd*) - O *Manas* da literatura teosófica não deve ser confundido com aquele da filosofia *sânkhya*. De acordo com esta última, *Manas* é o órgão interno de percepção e conhecimento, o sentido comum ou interno, que regula e governa a ação dos sentidos. É o analisador das impressões que deles recebe; o princípio que combina, sintetiza e elabora as sensações, transformando-as em conceitos rudimentares, que logo transmite ao *ahankâra* e ao *buddhi*. É também a faculdade que sente, deseja, duvida, pensa, discorre e reflete; a mente impulsiva, que incita o funcionamento dos cinco órgãos de ação. Assim, pois, no referido sistema, a palavra *Manas* significa, então: mente, pensamento, alma, ânimo, coração, sentimento; inteligência, razão, conhecimento, intenção, vontade, inclinação, desejo, disposição etc. Frequentemente o *Manas* é incluído entre os *indryas*. (Ver *Indriyas*.) (Ver também *Quaternário, Ego inferior, Ego superior* e *Tríada superior*.)]

Manas inferior — A mente ou inteligência terrestre, aquela que atualmente predomina na espécie humana. Está intimamente relacionada com a alma animal (razão pela qual se designa o *Manas* inferior pelo nome de *Kâma-Manas*) e, profundamente egoísta e passional como é, aplica a inteligência na satisfação dos sentidos, das paixões e dos instintos da besta humana, para obter um refinamento dos prazeres dos sentidos e originar certas aberrações e anomalias, que colocam o homem abaixo dos seres brutos. Mefistófeles referia-se a isso, quando, ao falar do homem, dirigiu ao Senhor estas palavras: "Viveria um pouco melhor se não lhes houvesse dado esse vislumbre da luz celeste, à qual dá o nome de Razão, e que utiliza apenas para ser mais animal do que o animal". (*Fausto*, Prólogo no céu) O *Manas inferior* é o que faz com que a personalidade se considere como Eu e, enganada pelo sentimento de separação, se julgue diferente e isolada dos demais Eus, sem enxergar a unidade, que está acima de tudo aquilo que os sentidos podem alcançar. O *Manas* inferior atua, nos animais, como instinto. (Ver *Manas, Manas-Kâma, Manas superior* etc.

Manas-Kâma (*Sânsc.*) — Literalmente, "a mente do desejo ou passional". Entre os budistas, é o sexto dos *chadâyatanas* (ver), os seis órgãos de percepção ou de conhecimento e, daí o mais elevado destes, sintetizados pelo sétimo, chamado *Kichata*, a percepção espiritual do que vicia este *Manas* (inferior) ou, por outro nome, a alma humano-animal, como a denominam os ocultistas. Assim como o *Manas* superior ou o *Ego* está diretamente relacionado com o *Vijñâna* (o décimo dos doze *nidânas*), que é o conhecimento perfeito de todas as formas de conhecimento, seja referente ao objeto ou ao sujeito no encadeamento nidânico de causas e efeitos, o inferior, o *Kâma-Manas*, é apenas

M

um dos *indriyas* ou órgãos (raízes) dos sentidos. Muito pouco se pode dizer aqui do *Manas* dual, pois a doutrina que trata deste ponto só se encontra devidamente explicada nas obras esotéricas. Assim, pode-se falar apenas de um modo superficial.

Manas sanyama [ou **Manas samyama**] (*Sânsc.*) — Perfeita concentração da mente e domínio da mesma durante as práticas do *Yoga*.

Manas superior — Apenas muito raramente se manifesta no período atual da evolução humana. É aspecto mais nobre e sublime da mente, o princípio imortal da Egoidade, o *Ego* permanente e imperecível, que, em sua marcha evolutiva, vai recolhendo todas as experiências mais elevadas e tende, sem cessar, a retomar para a Alma espiritual *(Buddhi)*, ao eterno, ao divino. Após renascimentos repetidos, o *Manas* inteiro adquire uma condição sublime, reconcentra-se na *individualidade* e o homem, já purificado, cheio de altruísmo absoluto, iluminado pela luz do *Manas* superior, goza da visão do "olho interno", da intuição pura, e se converte num gênio verdadeiro, em um *Mahâtmâ*. Então, o homem adquire plenamente o livre-arbítrio e sua vontade atua sempre de acordo com a Lei divina. Outro dos poderes do *Manas* superior é o chamado *Kriyasakti*, ou seja, o misterioso poder de pensamento, que permite a produção de resultados fenomenais externos e perceptíveis, graças à sua própria energia inerente. (Ver *Manas, Manas inferior* etc.)

Manas-sûtrâtmâ (*Sânsc.*) — Esta palavra composta significa: "mente" e "alma-fio". É sinônimo de *Ego* ou a entidade que se reencarna. É um termo técnico da filosofia vedantina. (Glossário de *Chave da Teosofia*) (Ver *Sûtrâtmâ*.)

Manas-taijasa (Manas taijasi) (*Sânsc.*) — Literalmente, o "Manas radiante"; um estado do *Ego* superior, que só os maiores metafísicos são capazes de conceber e compreender. [É a alma humana *(Manas)* iluminada pela emanação do *Buddhi*.]

Mânasa ou Manaswin (*Sânsc.*) — "A emanação da mente divina", explicada no sentido de que tal emanação significa os *mânasa* ou filhos divinos do *Brahmâ-virâj* (ver). Nilakantha, que é a autoridade para esta declaração, explica mais adequadamente o termo *Mânasa* no sentido de *manomâtra-sharîra* ("corpo puramente mental"). Estes Mânasa são os filhos sem corpo *(arûpa)* do *Prajâpati Virâj*, segundo outra versão. Porém, sabendo que Arjuna Mizra identifica Virâj com Brahmâ e sabendo que Brahmâ é *Mahat*, a Mente Universal, o véu exotérico torna-se claro. Os *Pitris* são idênticos aos *Kumâras*, os *Vairaja*, os *Mânasa-putras* (Filhos da Mente) e, finalmente, são identificados com os *Egos* humanos. *Mânasa* significa "nascido da mente", mental, espiritual; e como substantivo: alma, ânimo, mente, coração, pensamento, sentido interno. No *Mahâbhârata*, tal nome aplica-se ao "deus primitivo, sem princípio nem fim, indivisível, imutável e imortal". Também é o nome de um lago sagrado do Himâlaya e local de peregrinação. (Ver *Mânasa-sarovara*.)

Manasâ (*Sânsc.*) — Nome da divindade que reina sobre as serpentes e protege contra sua mordedura. (Ver *Manasâ-devî*.)

Mânasâ (*Sânsc.*) — Mente, ânimo, alma, coração.

Mânasa-devas (*Sânsc.*) — Os devas *rûpa* ou *arûpa* do mundo mental. *(P. Hoult)*

Manasâ-devî (*Sânsc.*) — Irmã do rei das serpentes Zecha e esposa do sábio Jaratkâru. Tinha o poder especial para neutralizar o veneno das serpentes. (Ver *Manasâ*.)

Mânasa Dhyânis (*Sânsc.*) — Os mais elevados *Pitris* nos *Purânas*; os *Agnichvâttas* ou Antecessores solares do homem, que fizeram deste um ser racional, encamando-se nas formas desprovidas de sentido dos semi-etéreos homens de carne da terceira Raça. (*Doutrina Secreta*, II)

M

Mânasa-Manas (*Sânsc.*) — É o puro raio do *Manas*, ou seja, o *Manas* inferior antes de se misturar com o *Kâma*, como acontece com o menino. (*Doutrina Secreta*, III, 566)

Mânasa-pitris (*Sânsc.*) — Aqueles *Pitris* que dotam as Mônadas humanas de mente e princípios racionais; os *Agnichvâttas*. (*P. Hoult*)

Mânasa-putras (*Sânsc.*) — Os "Filhos da Mente" ou "Filhos nascidos da Mente"; nome dado a nossos *Egos* superiores, antes de se encarnarem na humanidade. Nos *Purânas* exotéricos, embora alegóricos e simbólicos, é o título dado aos filhos de Brahmâ nascidos da Mente, os *Kumâras*. (Glossário da *Chave da Teosofia*) Os *Mânasa-putras* são os Filhos da Sabedoria que, na última parte da terceira Raça-Mãe, dotaram de "mente" as formas (cascas ou invólucros) desprovidas de sentido, criadas e modeladas pelos *Pitris*. (*Doutrina Secreta*, I, 203; II, 643) (Ver *Prajâpatis*.) Considerados sob outro ponto de vista, os *Mânasa-putras*, "Filhos da Mente Universal", são "o Pensamento *individualiza*do, ao qual os teósofos denominam "verdadeiro *Ego* humano, a Entidade pensante, aprisionada num invólucro de carne e osso. Tais Entidades são os Egos que se encarnam e animam a massa de matéria animal chamada humanidade, e que são designadas pelo nome de *Mânasa* ou "Mentes". (*A Chave da Teosofia*, p. 184).

Mânasa-rûpa (*Sânsc.*) — O corpo mental. Assim como o *Kâma-rûpa* refere-se ao eu astral ou *pessoal*, o *Mânasa-rûpa* relaciona-se com a individualidade ou Eu, que se reencarna. (*Voz do Silêncio*, I)

Mânasa-sarovara (*Sânsc.*) — Foneticamente, pronuncia-se *Mansoravara* [ou *Mânsarovara*]. Um lago sagrado do Tibete, nos Himalaias, também chamado de *Anavatapta*. *Mânasa-sarovara* é o nome da divindade tutelar de tal lago e, segundo a crença popular, diz-se que é um *nâga* ou "serpente", o que, traduzido para a linguagem esotérica, significa um grande Adepto ou sábio. O referido lago é um importante local de peregrinação anual para os hindus e se pretende que em suas margens foram escritos os *Vedas*. [Os sete cisnes, que, como se crê, descem do céu no lago Mansarovara são, segundo a fantasia popular, os sete *Richis* da Ursa Maior, que adotam tal forma para visitar o lugar em que foram escritos esses livros sagrados. (*Doutrina Secreta*, I, 382)]

Mânasas (*Sânsc.*) — Aqueles que dotaram de *manas* ou inteligência a humanidade, os *Egos* imortais nos homens. (Ver *Manas*.)

Mânasatva (*Sânsc.*) — Forma de pensamento. (*P. Hoult*)

Manásico, plano — Ver *Plano manásico*.

Manasija (*Sânsc.*) — "Nascido no *manas*"; mental; o amor; Kâma.

Manasizaya (*Sânsc.*) — O mesmo significado de *Manasija*.

Manaskâra (*Sânsc.*) — "Operação do *manas*". Atenção, percepção interior, sentido interno.

Manasvin (*Sânsc.*) — Inteligente, razoável, atento. (Ver *Mânasa*.)

Mana(s)prasâda (*Sânsc.*) — A paz do coração.

Mânava (*Sânsc.*) — Um país da Antiga Índia; um *Kalpa* ou Ciclo. Nome de uma arma utilizada por Râma. Adjetivo derivado de *Manu*. [Homem, ser humano, gente, humanidade; humano. Nome de uma escola védica.]

Mânava-dharma-shâstra (*Sânsc.*) — Antigo código de leis de Manu. [Literalmente, *Livro de leis de Manu*. Este código é atribuído ao primeiro Manu, intitulado Svâyambhuva, que floresceu 30 milhões de anos atrás e é a primeira e principal obra classificada

M

como *Smriti* (ou baseada na tradição autorizativa), sendo por isso tida no maior respeito e constituindo o fundamento da lei hindu. Diz-se que, originalmente, constava de 100.000 versos, distribuídos em 24 capítulos; que Nârada a abreviou, reduzindo-a a 12.000 versos e que Sumati reduziu-a ainda mais, restando 4.000, dos quais há atualmente 2.685. (Ver *Manu-sanhitâ*.)]

Mânavarjita (*Sânsc.*) — Modesto, humilde.

Manavas (*Sânsc.*) — Plural de *Manu*.

Mânavî (*Sânsc.*) — Forma feminina de *Mânava*: mulher. A filha de Manu.

Manbruck (*Alq.*) — Prata comum.

Manda (*Sânsc.*) — Adormecido, indolente, inerte, preguiçoso, apático; débil; néscio; mesquinho.

Mandâkini (*Sânsc.*) — O *Gangâ* ou Gânges celestial.

Mandala (*Sânsc.*) — Um círculo e também as dez divisões do *Rig-veda*. [Disco do Sol ou da Lua; território; coleção; grupo, multidão etc.]

Mandala-nritya (*Sânsc.*) — Dança circular, como aquela das *gopîs* (donzelas) ao redor de Krishna e Râdhâ. (Ver *Dança*.)

Mandapâla (*Sânsc.*) — Um santo *Richi*, do qual se fala no *Mahâbhârata*.

Mandara (*Sânsc.*) — A montanha de que se serviram os deuses como batedor, para bater o oceano de leite, segundo referem os *Purânas*.

Mandehas (*Sânsc.*) — Uma classe de *râkchasas* inimigos do Sol, ao qual trataram de devorar.

Mandella (*Sânsc.*) — Semente de heléboro negro.

Mandjusry — Ver *Manjushrî*.

Mandrágora — Planta cuja raiz tem forma humana. No Ocultismo, é utilizada pelos magos negros para vários fins ilícitos e alguns dos ocultistas "da mão esquerda" fazem *homúnculos* com ela. Segundo a crença popular, lança gritos quando é arrancada do solo. [A Mandrágora, de que fala o *Gênese* (XXX, 14 e ss.), é uma planta cujas raízes são carnosas, peludas e forquilhadas, representando toscamente os membros e até a cabeça de um homem. Suas virtudes mágicas e misteriosas foram proclamadas na fábula e no drama, desde os tempos mais remotos. Desde Raquel e Lea, que com ela se entregaram à feitiçaria, até Shakespeare, que fala de seus arrepiantes chiados, a mandrágora é planta mágica por excelência. Aparentemente das raízes não parte nenhum caule e de sua cabeça brotam folhas grandes, como uma gigantesca cabeleira. Apresentam pouca semelhança com o homem, quando colhidas na Espanha, Itália, Ásia Menor ou Síria; porém na ilha de Candia e na Caramania, próximo à cidade de Adan, apresentam uma forma humana, que assombra, e são extremamente apreciadas como amuletos. Também são levadas pelas mulheres à guisa de amuleto contra a esterilidade e outros diversos fins. São especialmente eficazes na magia negra. (*Doutrina Secreta*, II, 30) Os antigos germanos veneravam, como lares, ídolos feios e disformes, semelhantes a pequenas figuras, fabricados com a raiz de mandrágora; daí seu nome de *alrunes*, derivado da palavra alemã *Alraune* (mandrágoras). Aqueles que possuíam em sua casa uma dessas figurinhas, acreditavam-se felizes, pois elas velavam pela casa e por seus moradores, preservando-os de todo mal, e prediziam o futuro, emitindo certos sons ou vozes. O possuidor de uma mandrágora, além disso, obtinha bens e riquezas, através de sua influência. (Ver *Drusos*.)

M

Mândûkya (*Sânsc.*) — Título de um dos *Upanichads*: o *Mândûkyopanichad* (*Mândûkya-Upanichad*).

Mândya (*Sânsc.*) — Entorpecimento, lentidão, indolência, apatia.

Manes ou **Manus** (*Lat.*) — "Deuses" benévolos, isto é, "espíritos" do mundo inferior (*Kâmaloka*); as sombras dos mortos divinizadas pelos antigos profanos e os *espiritus* "materializados" dos espíritas modernos, que, segundo se acreditava, eram as almas dos defuntos; assim sendo, são apenas suas imagens ou invólucros vazios. [Ver *Pitris*.]

Mangala (*Sânsc.*) — O Marte hindu. O planeta Marte, identificado com Kârttikeya, deus da guerra.

Mangonaria (*Ocult.*) — Poder mágico, através do qual os corpos pesados podem ser levantados sem grande esforço físico; suspensão mágica; levitação. Comumente este fenômeno é executado mudando-se a polaridade de tais corpos, em relação à atração (gravidade) da Terra. (*F. Hartmann*) (Ver *Levitação* e *Etrobacia*.)

Manheb (*Alq.*) — Escórias de metal.

Mania (*Gr.*) — Entusiasmo, furor divino, transporte religioso, inspiração dos deuses. Platão enumera quatro tipos de mania: 1°) musical; 2°) teléstica ou mística; 3°) profética e 4°) aquela pertencente ao amor. O entusiasmo, na verdadeira acepção da palavra, surge quando aquela parte da alma, que se encontra acima do intelecto, é exaltada até os deuses, de quem provém sua inspiração. Uma destas *manias* (especialmente a amorosa) pode ser suficiente para fazer a alma remontar à sua divindade e bem-aventurança primitivas, porém existe uma união íntima entre todas elas, e a progressão comum, pela qual a alma se eleva, é primeiramente o entusiasmo musical, em seguida o teléstico, depois o profético e, finalmente, o entusiasmo do Amor. (*Zanoni, Introdução*)

Manîchin (*Sânsc.*) — Sábio, douto, pensador, devoto.

Mânin (*Sânsc.*) — Orgulhoso, soberbo, presunçoso.

Manipûra (*Sânsc.*) — Um dos sete *padmas* ou plexos do corpo. Situa-se no umbigo e é o mais importante de todos no que se refere à disposição dos nervos do corpo, pois constitui o eixo de todo o organismo. Assim, lemos num dos *Aforismos de Patañjali* (III, 29): "Pela prática do *Samyama* sobre o círculo (*chakra* ou plexo) do umbigo, obtém-se o conhecimento da disposição ou estrutura do corpo". É o terceiro lótus ou *padma* dos *yogis*, aquele oposto ao coração. (*Swâmi Vivekânanda*)

Maniqueus — Uma seita do séc. III, que acreditava em dois princípios eternos, do bem e do mal; o primeiro dá à humanidade as almas e o segundo, os corpos. Esta seita foi fundada por um certo místico semicristão, chamado Mani, que se fazia passar pelo esperado "Confortador", Messias e Cristo. Muitos séculos depois, após a extinção da seita, surgiu uma Fraternidade, que se intitulava de "Maniqueus", que tinha um caráter maçônico, com vários graus de Iniciação. Suas ideias eram cabalísticas, porém foram mal interpretadas.

Mañju e **Mañjula** (*Sânsc.*) — Belo, agradável; famoso, reputado; de som agradável.

Mañjukezin (*Sânsc.*) — De formosa cabeleira. Epíteto de Krishna.

Manjushrî (**Manjusri** ou **Mandjusri**) (*Tib.*) — O deus da Sabedoria. Na filosofia esotérica é um certo *Dhyân Chohan*. [*Bodhisattva* humano. (*Doutrina Secreta*, II, 37) No Budismo do Norte, é o terceiro *Logos*, o Criador. (*P. Hoult*)]

Manmanas (*Sânsc.*) — Que tem o coração ou o pensamento posto em mim ou dirigido a mim. (*Bhagavad-Gîtâ*)

M

Manmaya (*Sânsc.*) — Meu devoto; entregue a mim; absorto em mim; pleno de mim; de minha natureza ou condição. *(Bhagavad-Gîtâ)*

Manna Chymicorum ou **Manna Mercurialis** (*Alq.*) — É um precipitado branco de mercúrio, que se faz passar, em seguida, pelo alambique sob forma branca como a neve. Dá-se-lhe também o nome de *Aquila cœlestis*. Beguin diz, em seu *Química*, que este maná é obtido ao se dissolver o mercúrio em água forte, precipitando-o, em seguida, com água do mar ou salgada e, depois, destila-se este precipitado em fogo brando.

Mano (*Gn.*) — O Senhor da Luz. *Rex Lucis*, no *Codex Nazarœus*. É a segunda "Vida" da segunda Trindade ou Trindade manifestada, "a Vida e Luz celestes e mais antigas que o arquiteto do céu e da Terra". (*Cod. Naz., vol.* I, p. 145). Estas trindades são as seguintes: o supremo Senhor de esplendor e de luz, luminoso e refulgente, antes do qual nenhum outro existia, chamado de Coroa; o Senhor Ferho, a vida não revelada, que existia desde a eternidade; e o Senhor Jordão, o Espírito, a Água viva de graça. (*Cod. Naz.*, II, p. 45-51) É o único que pode nos salvar. Estes três constituem a Trindade *in abscondito*. A segunda Trindade é composta das três Vidas. A primeira é a imagem do Senhor Ferho, através da qual ele defluiu, e o segundo Ferho é o Rei de Luz: Mano. A segunda Vida é *Ish Amon* (Pleroma), o vaso de eleição, que contém o pensamento visível do *Jordanus Maximus*, a *imagem* (ou seu reflexo inteligível), o protótipo da Água viva, que é o "Jordão espiritual" (*Cod. Naz.*, II, p. 211). A terceira Vida, produzida pelas outras duas, é Abatur (*Ab*, o Pai). Este é o misterioso e decrépito "Ancião dos Anciões", o Antigo, *Senem sui obtegentem et grandœvum mundi*. Esta última terceira Vida é o Pai do Demiurgo Fetahil, o Criador do mundo, a quem os ofitas denominam Ilda-Baoth (ver), embora Fetahil seja o *único engendrado*, o reflexo do Pai, Abatur, que o engendra considerando a "obscura água". Sophia Achamoth engendra igualmente seu Filho Ilda-Baoth, o Demiurgo, considerando o caos da matéria. Porém o Senhor Mano, "o Senhor de Excelsitude, o Senhor de todos os gênios, é superior ao Pai, neste *Codex* cabalístico, pois um é puramente espiritual e o outro é material. Assim, por exemplo, enquanto o "único engendrado" de Abatur é o gênio Fetahil, o criador do mundo físico, o Senhor Mano, o "Senhor de Excelsitude", que é Filho d'Ele, que é "o Pai de todos os que pregam o Evangelho", produz também um "único engendrado", o Senhor Lehdaio, "um Senhor Justo". É o *Christos*, o ungido, que derrama a "graça" do Jordão invisível, o Espírito da *Coroa Suprema*. (Para maiores detalhes, ver *Ísis sem Véu*, II, p. 227 e ss. da ed. inglesa.)

Mano (*Sânsc.*) — Esta palavra sânscrita, nas palavras compostas (p. ex., *Manomaya*, *manodhâtu*, etc.), equivale a *Manas*.

Manobhâva (*Sânsc.*) — O amor; *Kâma*.

Manobhû ou **Manobhûta** (*Sânsc.*) — Significado idêntico ao de *Manobhâva*. A mente, com invólucro que corresponde ao mundo físico. A paixão de amor. *(P. Hoult)*

Manodhâtu (*Sânsc.*) — Literalmente, "Mundo da mente", o que significa não apenas todas as nossas faculdades mentais, mas também uma das divisões do plano da mente. Cada ser humano tem seu *manodhâtu* ou plano de pensamento de acordo com o grau de seu intelecto e de suas faculdades mentais; porém, além delas, só pode avançar estudando e desenvolvendo suas faculdades espirituais mais elevadas numa das esferas superiores do pensamento.

Manodvâra-varjana (ou **vajjana**) (*Pál.*) — A abertura das portas da mente, a convicção da transitoriedade de tudo o que é do mundo. No Budismo, é a mudança que se opera no homem, quando este se torna consciente de que as coisas visíveis são temporárias

M

e, assim, daí em diante, consagra suas energias vitais às coisas invisíveis ou eternas. Seu equivalente, em sânscrito, é *Viveka*, ou seja, o perfeito discernimento entre o real e o irreal.

Manogata (*Sânsc.*) — Que existe na mente; uma ideia, um conceito. *(P. Hoult)*

Manogavi (*Sânsc.*) — Desejo.

Manohara (*Sânsc.*) — Que embeleza o coração; sedutor, atraente; o que atrai e embeleza a mente.

Manoja (*Sânsc.*) — Nascido no coração. O amor.

Manojanman (*Sânsc.*) — Significado idêntico ao de *Manoja*.

Manojava (*Sânsc.*) — Que compreende imediatamente; prontidão de engenho ou talento.

Manojña ou **Manojñam** (*Sânsc.*) — O que conhece ou satisfaz a mente; que conhece o caminho do coração; belo, sedutor. Nome de um *gandharva*.

Manokâya (*Sânsc.*) — O *sub-kosha* ou invólucro que corresponde ao mundo mental inferior. *(P. Hoult)*

Manolaya (*Sânsc.*) — Perda de consciência.

Manomani (*Sânsc.*) — "No olho esquerdo e relacionado com a direção *ichânya* (desejo, impulso), está o *Shiva-loka* (região de Shiva), conhecido pelo nome de *Manomani*. (*Uttara*-Gîtâ, II, 24).

Manomaya (*Sânsc.*) — Constituído ou formado pela mente; de natureza mental.

Manomaya-jagat (*Sânsc.*) — O mundo da mente.

Manomaya-kosha (*Sânsc.*) — Termo vedantino que significa invólucro (*kosha*) do *Manomaya*; um equivalente dos quarto e quinto 'princípios" do homem. Na filosofia esotérica, este *Kosha* corresponde ao *Manas* dual. É o terceiro invólucro da Mônada divina, o princípio mental; a mente individualizada, que é, por assim dizer, uma casca ou cobertura para que nela se manifeste a energia espiritual, daquela maneira particular como encontramos a mente trabalhando. *(Râma Prasâd)* É a alma animal juntamente com as partes inferiores do princípio intelectual, ou seja, o invólucro do Eu composto pela mente inferior e pelo princípio ou local das emoções e paixões, a união do corpo mental com o corpo passional (alma animal, ou corpo astral, como outros denominam).

Manorama (*Sânsc.*) — O que atrai, agrada e embeleza a mente.

Manoratha (*Sânsc.*) — "Prazer do coração"; desejo, anelo, gosto, deleite, contentamento, prazer.

Mânsa (*Sânsc.*) — Carne.

Mânsa-bhakcha (*Sânsc.*) — Comedor de carne; carnívoro.

Mânsarovara — Ver *Mânasa-sarovara*.

Mansão de dor — A terra; o "vale de lágrimas", como foi qualificado. (*Voz do Silêncio*, I) No plano físico, é onde reina a dor mais intensa. Por essa razão deu-se à nossa terra o nome de "inferno". (Ver *Myalba*.)

Manticismo ou **Frenesi Mântico** — Durante tal estado, desenvolve-se o dom da profecia. As duas expressões são quase sinônimas. Uma era tão honrada quanto a outra.

M

Pitágoras e Platão tinham-no em alta estima e Sócrates aconselhava a seus discípulos que estudassem o Manticismo. Os padres da igreja, que condenam com tanta severidade o furor mântico dos sacerdotes pagãos e das pitonisas, não deixam de o aplicar particularmente. Os montanistas, que tomaram este nome de Montano, bispo da Frígia, que era considerado como divinamente inspirado, competiam com os *manteis* ou profetas. "Tertuliano, Agustin e os mártires de Cartago figuravam entre eles", diz o autor de *Profecia Antiga e Moderna*. "Segundo parece, os montanistas assemelhavam-se às *bacantes*, no entusiasmo frenético que caracterizava suas orgias", acrescenta o citado autor. Há diversas opiniões sobre a origem da palavra *manticismo*. Houve a famosa Mantis, a Vidente, nos tempos de Melampo e Preto, rei de Argos, e havia também Manto, filha do profeta de Tebas, Tirésias, que por sua vez era profetisa. Cícero descreve a profecia e o furor mântico dizendo que "nas profundezas da mente oculta-se e se encontra reclusa a profecia divina, um impulso divino, que, quando arde mais vivamente, é denominado furor", frenesi. (*Ísis sem Véu*) [Ver *Soma*.]

Mantra ou **Mantram** (*Sânsc.*) — Os *mantras* são versos tirados das obras védicas e usados como encantamentos e feitiços. Entende-se por *mantras* todas aquelas porções dos *Vedas* que são distintas dos Brâhmanas ou sua interpretação. [*Mantras* ou encantamentos etc. são certas combinações de palavras ritmicamente dispostas, através das quais se originam certas vibrações, que produzem determinados efeitos ocultos. Esotericamente, os *mantras* são mais invocações mágicas do que orações religiosas. Como ensina a ciência esotérica, cada som no mundo físico desperta um som correspondente nos reinos invisíveis e incita a ação de uma força ou outra no lado oculto da Natureza. (*Doutrina Secreta*, III, 451) O som é o mais poderoso e eficaz agente mágico e a primeira das chaves para abrir a porta de comunicação entre os mortais e os Imortais. (*Idem*, I, 502) Por outro lado, cada letra tem seu significado oculto e sua razão de ser; é uma causa e um efeito de outra causa precedente e a combinação deles produz, frequentemente, os efeitos mágicos. Sobretudo as vogais contêm as potências mais ocultas e formidáveis (*Doutrina Secreta*, I, 121). Todos os *mantras* são retirados de livros especiais, que os brâhmanes ocultam e, segundo se diz, cada um deles produz um efeito mágico, pois quem os recita ou lê, bastando cantá-los (com a devida entonação), origina causas secretas, que se traduzem em efeitos imediatos (*Idem*, I, 511). Na maioria dos casos – diz Leadbeater – a fórmula serve apenas para fortalecer a vontade daquele que faz uso da mesma e para imprimir, na mente do indivíduo, o resultado que deseja obter. A obtenção do resultado depende da firme confiança do operador e a fé cega do indivíduo. A palavra *mantra* tem, além disso, outras acepções: linguagem, especialmente a sagrada; sentença, texto, hino védico; oração, reza; encantamento; feitiço, conjuração; verso ou fórmula mística de encantamento etc. (Ver *Encanto*, *Dhâranî* e *Soma*.)]

Mantra, *Período* — Ver *Período Mântrico*.

Mantra-bîja (*Sânsc.*) — "Semente mágica". A primeira sílaba de um *mantra*, em que se dá a nota fundamental. (*P. Hoult*)

Mantra-gandaka (*Sânsc.*) — Ciência ou conhecimento dos *mantras*.

Mantra-prabhâva (*Sânsc.*) — Poder da magia.

Mantra-sanhitâ (*Sânsc.*) — Coleção de hinos védicos.

Mantra-shakti (*Sânsc.*) — O poder ou um meio de encantamento.

Mantra-shâstra (*Sânsc.*) — Escritos brahmânicos sobre a ciência oculta ou encantamentos.

M

Mantra-tantra-shâstras (*Sânsc.*) — Obras que tratam de encantamentos, porém especialmente de magia.

Montra-vâdin (*Sânsc.*) — Que pronuncia *mantras*; que sabe ou que faz fórmulas de encantamento.

Montra-vid (*Sânsc.*) — Conhecedor dos *mantras*.

Montra-vidyâ (*Sânsc.*) — Literalmente, "conhecimento dos *mantras*". Arte mágica.

Montra-yoga (*Sânsc.*) — Um tipo de *Yoga*, que consiste em recitar mentalmente certas fórmulas, com meditação atenta sobre seu significado. Este processo é útil em todo ato, tando do *Hatha-yoga* como no *Râja-yoga*. (*M. Dvivedi*)

Mantrezvara (Mantra-izvara) (*Sânsc.*) — Senhor dos *mantras*.

Mântrika (*Sânsc.*) — Recitador de texto ou salmos; encantador, feiticeiro.

Mantrika shakti — Ver *Mantrikâshakti*.

Mantrikâshakti (*Sânsc.*) — O poder ou a potência oculta dos sons, palavras, letras ou números místicos dos *mantras*. [A influência da música é uma de suas manifestações. O poder do mirífico nome inefável é a coroa deste *shakti*. (*Doutrina Secreta*, I, 312)]

Manu (*Sânsc.*) — O grande legislador hindu. Este nome deriva da raiz sânscrita *man*, "pensar", humanidade; porém, realmente, significa *Swâyambhuva*, o primeiro dos Manus, que surgiu de *Swayambhu*, "aquele que existe por si mesmo", e é, portanto, o *Logos* e o progenitor da humanidade. Manu é o primeiro legislador, quase um ser divino. [O *Código* ou *Livro de Leis de Manu* (*Mânava-dharma-shâstra*) é atribuído a este grande legislador, ao qual, para o diferenciar dos Manus restantes, foi dado o nome de Manu Swâyambhuva. (Ver *Manus* e *Mânava-dharma-shastra*.)]

Manubhu (*Sânsc.*) — "Nascido de Manu"; homem.

Manu-já (*Sânsc.*) — Literalmente, "Nascido de Manu"; homem.

Manus (*Sânsc.*) — Os catorze Manus são os patronos ou guardiões dos ciclos de raça de um *manvantara* ou Dia de Brahmâ. Os Manus primitivos são sete, porém, nos *Purânas*, seu número chega a catorze. [Os *Manus* - propriamente *Manavas*, no plural - são em número de catorze em cada *Kalpa* e cada um deles preside seu período correspondente de tempo ou *Manvantara* (*Manu-antara*, ou período entre dois Manus). Esotericamente, cada Manu, como patrono antropomorfizado de seu ciclo (ou Ronda) especial, não é mais do que a ideação personificada do "Pensamento divino" (como o Poimandres hermético; sendo, portanto, cada um dos Manus o deus especial, o criador e modelador de tudo quanto aparece em seu próprio ciclo respectivo de existência ou *Manvantara*. (*Doutrina Secreta*, I, 93) Manu é o Ser concebido como *substratum* do terceiro princípio do Universo, contando de baixo para cima. A *ideia* da humanidade de um dos ciclos conhecidos pelo nome de *Manvantara* (*Râma Prasâd*)]

Manu-sanhitâ (*Sânsc.*) — "Coleção de Manu". (Ver *Mânava-dharma-shâstra* ou *Livro de Leis de Manu*.)

Manu-Swâyambhuva (*Sânsc.*) — O homem celeste, Adão Kadmon, a síntese dos catorze Manus [ou *Prajâpatis*. Filho de *Swayambhû* ou Brahmâ, segundo o *Bhâgavata Purâna* é o primeiro dos Manus. "Deste *Manu Swâyambhuva* (nascido do Ser existente por si mesmo) descendem outros seis Manus, dotados de alma sublime e de grande potência emanadora, tendo cada um deles emitido sua criação própria, e são: Svârochicha, Auttami, Tâmasa, Raivata, o gloriosíssimo Châkchucha e o filho de Vivasvat"

M

(*Mânavâ-dharma-shâstra*, I, 61). Na *Doutrina Secreta* (II, 323) encontramos uma lista dos catorze Manus mencionados anteriormente, na ordem respectiva e em relação a cada Ronda: Swâyambhuva e Swârochi ou Svârochicha, correspondentes à primeira Ronda; Auttami e Tâmasa, à segunda; Raivata e Châkchucha, à terceira; Vaivasvata (nosso Progenitor) e Sâvarna, à quarta; Dakcha-Sâvama e Brahma-Sâvarna, à quinta; Dharma-Sâvarna e Rudra-Sâvarna, à sexta; Rauchya e Bhautya, à sétima. Segundo a *Doutrina Secreta*, o primeiro Manu não era um homem, mas a representação das primeiras raças humanas, desenvolvidas com a ajuda dos *Dhyân Chohans (Devas)* no início da primeira Ronda. Porém, no *Mânava-dharma-shâstra*, lemos que cada um dos *Kalpa* possui catorze Manus, com o que catorze *Manvantaras* formam um Dia de Brahmâ ou *Kalpa*, devendo entender-se por tal o intervalo entre um *pralaya* menor e outro. (*Doutrina Secreta*, II, 321)]

Manusha (*Sânsc.*) — Humano; pertencente aos homens. Dia *manusha*, o dia comum de vinte e quatro horas; ano *manusha*: o ano solar comum. O mês lunar é designado pelo nome de "dia dos pais" (*pitrîya*); o ano solar, por sua vez, é designado como "dia dos deuses". *(Râma Prasâd)*

Manushî (*Sânsc.*) — Forma feminina de *Manusha*; mulher.

Mânushi ou **Mânushi Buddhas** (*Sânsc.*) — Buddhas humanos, *Bodhisattvas* ou *Thyân Chohans* encarnados. [Ver *Dhyâni Buddhas*.]

Manushya (*Sânsc.*) — Homem; humano.

Manushya-dharma (*Sânsc.*) — Condição humana.

Manushya-loka (*Sânsc.*) — O mundo dos mortais ou humano. Compreende todas as esferas materiais de existência, inclusive o céu (*svarga*).

Manushya-yajña (*Sânsc.*) — Oferenda aos homens. Um dos cinco sacrifícios (*yajñas*) diários, que um chefe de família hindu deve praticar: a hospitalidade. (Ver *Mahâyajña*.)

Manvantara ou **Manwantara** (*Sânsc.*) — Um período de manifestação [do Universo], oposto ao *pralaya* (repouso ou dissolução); termo aplicado a vários ciclos, especialmente a um Dia de Brahmâ, que compreende 4.320.000.000 de anos solares e ao reinado de um Manu, equivalente a 306.720.000 (*Doutrina Secreta*, II, p. 69 e ss.). Literalmente significa "período entre dois Manus" (*Manu-antara*). [A expiração do Princípio Criador; o período de atividade cósmica entre dois *pralayas*. Cada *manvantara* divide-se em sete períodos ou Rondas e, assim, cada Globo tem sete períodos de atividade, durante um *manvantara*. (A. Besant, *Sabedoria Antiga*, 419) O *Manvantara*, ou período entre dois Manus, constitui uma Ronda ou ciclo de existência correspondente a um Manu e durante o qual existe uma humanidade de certo tipo. Catorze *Manvantaras* formam um *Kalpa* ou Dia de Brahmâ. Contudo, os *Manvantaras*, assim como os *Kalpas*, segundo se expressa na linguagem dos *Purânas*, hão de se estender em suas diversas referências, pois tais idades referem-se tanto aos grandes períodos como aos pequenos, aos *Mahâkalpas* e aos ciclos menores. (*Doutrina Secreta*, I, 396). Estes diversos modos de apreciação são notados, sobretudo, quando se comparam os dados da ciência ortodoxa com aqueles da ciência esotérica. (*Ibidem*, II, 752) Assim, pois, a duração do *Manvantara*, considerado como décima quarta parte de um *Kalpa* ou Dia de Brahmâ, seria de 308.448.000 anos (ou de 306.720.000, como se lê em outras partes); enquanto que, considerado como um ciclo de 71 *Mahâ-yugas*, constituiria um período de 36.720.000 anos. Atualmente nos encontramos no sétimo *Manvantara*, chamado *Vaivasvata*, nome do sétimo Manu.]

Manvantárico — Pertencente a um *Manvantara*.

M

Mânya (*Sânsc.*) — Honorável, venerável, respeitável.

Mão — Nos monumentos cristãos dos quatro primeiros séculos, a ideia, a ação, a onipotência ou a intervenção da Divindade eram expressas por uma mão isolada, que, em geral, saía de uma nuvem. Assim, então, dava-se a entender que Deus era um Ser incorpóreo e invisível, que só se nos manifesta por suas obras. Tudo quanto se pareça a uma materialização ou personificação de Deus repugnava essencialmente ao espírito cristão e o próprio Santo Agostinho condenava toda prática dessa natureza, com as seguintes palavras: "Tudo aquilo que possa, tratando-se de Deus, despertar a ideia de uma semelhança corpórea, deve ser rechaçado de teu pensamento, deves repudiar, renegar e fugir dele". Embora nos primeiros tempos do Cristianismo não houvesse nascido ainda a heresia dos antropomorfitas, tais prevenções eram, contudo, necessárias contra outros hereges e contra os estoicos, que figuravam um Deus corpóreo. Porém, em vários monumentos cristãos posteriores ao séc. IV vemos já antropomorfizada a figura da Divindade, representada como um velho, como um homem de idade madura e até um jovem. (Ver Martigny, *Dict. des Antiq. Chrét.*, verbete "Deus" – *Dieu.*)

Maquom (*Cald.*) — "Lugar secreto", na fraseologia do *Zohar*, um lugar oculto, seja referente a um objeto sagrado de um templo, seja a "Matriz do Mundo" ou a matriz humana. É um termo cabalístico.

Mar de Fogo — Com este nome designa-se a Luz superastral (isto é, numenal), a primeira radiação da Raiz *Mûlaprakriti*, Substância cósmica indiferenciada, que passa a ser Matéria astral. O Mar de Fogo é também denominado Serpente ígnea ou de Fogo.

Mâra (*Sânsc.*) — O Deus da Tentação, o Sedutor, que tratava de afastar Buddha de seu Sendeiro. É denominado "Destruidor" e "Morte" (da Alma). É um dos nomes de Kâma, deus do amor. [O grande Enganador, o Tentador ou Destruidor. Nas religiões exotéricas, Mâra é um demônio, um *asura*; porém, na filosofia esotérica, é a Tentação personificada pelos vícios humanos, e traduzindo literalmente esta palavra, temos: "o que mata" a Alma. É representado como um Rei (Rei dos *Mâras*), com uma coroa na qual brilha uma joia com um resplendor tal que cega a todos os que a olham, significando este brilho a fascinação produzida pelo vício sobre certas naturezas. (*Voz do Silêncio*, I) É o Diabo dos budistas.]

Marabut — Peregrino maometano, que esteve em Meca; um santo, cujo corpo, após a morte, é colocado num sepulcro aberto erigido sobre o solo, como as demais construções, porém em meio às ruas e praças das cidades populosas. Colocado dentro do único e pequeno recinto da tumba (e muitos destes sepulcros públicos de ladrilho e argamassa podem ser vistos hoje nas ruas e praças do Cairo), a devoção dos transeuntes mantém sempre acesa uma lâmpada sobre a cabeça do santo. As tumbas de alguns destes *marabuts* são famosas pelos milagres a elas atribuídos.

Mârajit (*Sânsc.*) — "Vencedor de Mâra". Epíteto de Buddha.

Mâraka ou **Maraka** (*Sânsc.*) — Destruidor; epidemia, peste, contágio, mortalidade.

Marana (*Sânsc.*) — Morte.

Marcionitas — Antiga seita gnóstica [do séc. II], fundada por Marcion, que foi devoto cristão, tanto que nenhum dogma de criação humana veio viciar os conceitos puramente transcendentais e metafísicos e as criações *originais* dos primeiros cristãos. Tais crenças primitivas eram de Marcion. Este negava os fatos *históricos* (tais como hoje se encontram nos *Evangelhos*) do nascimento, da encarnação e paixão de Cristo, assim como a ressurreição do corpo de Jesus, sustentando que tais afirmações constituíam apenas a *canalização* do simbolismo e das alegorias metafísicas e uma degradação da

M

verdadeira ideia espiritual. Como todos os demais gnósticos, Marcion acusava os "Padres da Igreja", como se lamentava disso o próprio Irineu, de "forjarem sua doutrina (cristã) segundo a capacidade de seus ouvintes, inventando coisas obscuras para os cegos, conforme sua cegueira; para o néscio, segundo sua necessidade, e para aqueles que estavam imersos no erro, segundo seus próprios erros".

Mârdava (*Sânsc.*) — Mansidão, doçura, bondade, benignidade, ternura, docilidade.

Mârddhava (*Sânsc.*) — Homem de casta vil.

Mârga (*Sânsc.*) — "Sendeiro". O *Achtânga mârga* [sendeiro óctuplo], o "sendeiro santo" ou sagrado, é o único que conduz ao Nirvâna. O sendeiro óctuplo passou do sétuplo, graças à adição do (agora) primeiro do sendeiro óctuplo, isto é, "a possessão das opiniões ortodoxas", com as quais o *verdadeiro Yogâcharya* nada tem a ver. [*Mârga* significa: via, método, sendeiro. Os quatro sendeiros da libertação, conhecidos no hinduísmo, são: o *Karma-mârga ou* sendeiro das obras, o *Jñâna-mârga* ou sendeiro do conhecimento, o *Bhakti-mârga* ou sendeiro de devoção e o *Dhyâna-mârga ou* sendeiro da meditação.]

Mârgazîrcha (*Sânsc.*) — De *mriga-zîrcha*, "cabeça de antílope". Nome derivado de uma constelação de três estrelas, figurada por uma cabeça de antílope. Mês constituído pela segunda quinzena de novembro e primeira de dezembro. Antigamente era o primeiro mês do ano, também denominado *âgrahâyana*, "princípio do ano", e é o melhor de todos, porque as colheitas estão na estação e, além disso, o calor foi mitigado devido às chuvas periódicas.

Mâri (*Sânsc.*) — Morte, destruição, ruína, pestilência.

Maria — Maria, Maia e Maya constituem um nome genérico. *Maia* provém da raiz *ma* (nutriz) e, entre os gregos, passou a significar "mãe", e ainda deu seu nome ao mês de maio, consagrado a todas as deusas, antes de ser consagrado a Maria. De fato, o pagão Plutarco expõe que "maio é consagrado a Maia ou Vesta, nossa mãe terra, nossa nutriz e sustentadora personificadas". (*Doutrina Secreta*, I, 426) Maria, mãe de Jesus, é também chamada de *Mâyâ*, pois Maria é *Mare*, o mar, a grande Ilusão, simbolicamente falando. Maria, além disso, tem por inicial a letra *M*, a mais sagrada de todas, que simboliza a Água em sua origem, o Grande Abismo, e, em todas as línguas, tanto ocidentais como orientais, representa graficamente as ondas e, no esoterismo ariano, bem como no semítico, tal letra representa as Águas. (*Doutrina Secreta*, I, 412)

Mariam (*Ár.*) — Maria, entre os muçulmanos.

Mârichâ ou **Mârichî** (*Sânsc.*) — Filha do sábio Kandu e de Pramlochâ, a *apsara*-demônio do céu de Indra. Foi mãe de Dakcha. É uma alegoria referente ao mistério da segunda e terceira Raças humanas. (Ver *Pramlochâ*.)

Marîchi (Mârîchi) (*Sânsc.*) — Um dos filhos nascidos da mente de Brahmâ, segundo os *Purânas*. Os brâhmanes fazem dele a Luz personificada, o pai de *Sûrya*, o Sol, o antecessor direto de Mahâkâzyapa. Os budistas do Norte, pertencentes à escola *Yogachârya*, veem em Marîchi Deva um *Bodhisattva*, enquanto os budistas chineses (especialmente os taoístas) fizeram deste conceito a Rainha dos Céus, a deusa de luz, regente do Sol e da Lua. Entre os piedosos e iletrados budistas, sua fórmula mágica "*On Marîchi svâha*" é muito poderosa. Falando de Mârîchi, Eitel menciona "Georgi, que explica tal termo como uma transcrição chinesa do nome da santa virgem Maria" (!!). Considerando que Marîchi é o chefe dos *Maruts* [personificações dos ventos] e um dos sete *Richis* primitivos, aquela suposta derivação parece muito longínqua. [*Marîchi* significa, literalmente, "raio de luz". É um dos *Prajâpatis* (procriadores) e um oito pontos do céu. Esotericamente, é um dos antecessores solares da humanidade, os *Egos* humanos inteligentes.]

M

Mârja ou **Mârjana** (*Sânsc.*) — Limpeza, purificação, abluição.

Mârkandeya (*Sânsc.*) — Famoso asceta, filho de Mrikanda; autor do *Mârkandeya Purâna* e célebre por seus estudos e severas austeridades. A seu respeito há inúmeras menções no *Mahâbharata*; conta-se que, tendo-se unido a Bhagavat (Vishnu), através do pensamento, por força do ascetismo e meditação, apareceu-lhe Hari (Vishnu-Krishna) sob a dupla figura de Nara e Nârâyana. Conta-se também que ele, pelo favor de Hrichikeza, "venceu a morte, tão difícil de vencer", e daí seu sobrenome de *Dîrghâyus*, "o de longa vida".

Marta (*Sânsc.*) — Mortal, homem.

Mârtanda ou **Mârttanda** (*Sânsc.*) — Nome védico do Sol [ou Deus Sol, um dos filhos de Aditi.]

Martelo de Thor (*Mitologia escandinava*) — Uma arma que possuía a forma de cruz *svástika* e que os maçons e místicos europeus designavam pelo nome de "Cruz hermética" e também "Cruz *jaina*", *croix cramponnée*. É o símbolo mais arcaico e mais sagrado e universalmente respeitado. (Ver *Svástika*.) [Ver também *Ísis sem Véu*, I, 160-161, ed. inglesa.]

Martini — Professor de filosofia em Helmstadt, célebre por suas críticas severas contra a Alquimia. Um dia, em uma de suas aulas públicas, enquanto vociferava impropérios contra os pesquisadores da pedra filosofal e lançava argumento após argumento contra suas doutrinas, um cavalheiro estrangeiro, ali presente, interrompeu-o educadamente e lhe propôs uma discussão pública. Depois de ter refutado um a um todos os argumentos do professor, o cavalheiro pediu-lhe um cadinho, um forninho e chumbo e, ato contínuo, realizou a transmutação: converteu tal metal em ouro e o ofereceu a seu estupefato adversário, dizendo-lhe: *Domine, solve mi hunc syllogismum* (Senhor, resolva-me este silogismo). Esta demonstração tão evidente causou a completa conversão de Martini, que, na edição seguinte de seu *Tratado de Lógica*, expressa-se nestes termos: "Nada direi contra a verdade desta arte, pois não pude rechaçar os testemunhos de tantas pessoas honradas, que asseguram ter visto com seus próprios olhos a sublimação dos metais e de elas próprias a terem realizado. Mentir aqui seria uma loucura, sobretudo para um discípulo da Sabedoria". (Figuier, *L'Alchimie et les Alchimistes*, p. 246)

Martinistas — Sociedade fundada na França por um grande místico chamado Marquês de Saint Martin, discípulo de Martinez Pasqualis. Foi estabelecida primeiramente em Lion, como uma espécie de sociedade maçônica oculta, cujos membros acreditavam na possibilidade de comunicação com os espíritos planetários, os deuses menores e os gênios das esferas ultramundanas. Luís Cláudio de Saint Martin, nascido no ano de 1743, começou sua vida como brilhante oficial do exército, porém abandonou a carreira militar para se consagrar aos estudos e às *belles letres*, tornando-se, afinal, um teósofo fervoroso e discípulo de Jacobo Boehme. Tratou de fazer a maçonaria retomar a seu primitivo caráter de Ocultismo e Teurgia, porém fracassou em seu desempenho. Em primeiro lugar, fez com que seu "Rito retificado" constasse de dez graus, porém estes ficaram reduzidos a sete, devido ao estudo das ordens maçônicas originais. Os maçons lamentam o fato de que Saint Martin tenha introduzido certas ideias e adotado certos ritos "que não estão de acordo com a história arqueológica da maçonaria"; porém o mesmo fizeram Cagliostro e Saint-Germain antes dele, como todos os outros que conheciam bem a origem da franco-maçonaria.

Mârttanda — Ver *Mârtanda*.

Martya (*Sânsc.*) — Mortal, humano; homem; a Terra, o mundo dos mortais.

M

Martya-loka (*Sânsc.*) — O mundo dos homens ou dos mortais.

Martya-mukha (*Sânsc.*) — Literalmente, "de rosto humano". Um ser *(kinnara, yakcha* etc.) no qual se encontram combinadas as figuras de homem e animal.

Marut — Vera *Maruts*.

Maruta ou **Mâruta** (*Sânsc.*) — Vento, ar; sopro vital. (Ver *Maruts*.)

Mârut-jîvas (*Sânsc.*) — As Mônadas de Adeptos que alcançaram a libertação final, porém preferem reencarnar-se na Terra, em benefício da humanidade. Contudo, não devem ser confundidos com os *Nirmânakâvas*, que ocupam um lugar muito mais elevado.

Marutpâla (*Sânsc.*) — "Senhor dos Maruts": Indra, deus do firmamento.

Maruts [**Marutas** ou **Mârutas**] (*Sânsc.*) — Entre os orientalistas, são os deuses das tormentas, porém, no *Veda*, são algo muito mais místico. Nos ensinamentos esotéricos, devido ao fato de se reencarnarem em cada Ronda, são simplesmente idênticos a alguns dos *Agnichvâtta-Pitris*, os *Egos* humanos inteligentes. Daí a alegoria de que Shiva transformou as *massas de carne em crianças* e as denominou *Maruts*, para designar homens desprovidos de sentido, transformados para chegar a ser veículos dos *Pitris ou Maruts* ígneos e, portanto, seres racionais, [*Marut* significa: vento, ar, aleto, sopro vital. No plural (*Maruts* ou *Marutas*), são deuses, gênios ou personificações dos ventos. São filhos de Rudra e de Diti e amigos ou aliados de Indra. São em número de sete (sete vezes sete, ou quarenta e oito, segundo outros) e seu chefe é Marîchi. (Ver *Diti*.)]

Masal (*Alq.*) — Termo empregado em algumas obras Químicas para significar leite azedo ou água mercurial dos filósofos, no princípio da coagulação.

Masardegi (*Alq.*) — Chumbo.

Masarea (*Alq.*) — Pilosela.

Masben (*Cald.*) — Termo maçônico que significa "o Sol em putrefação". Tem relação direta (talvez esquecida pelos maçons) com sua "Palavra em voz baixa".

Masdeísmo — Sistema religioso do *Zend-Avesta*, antiga religião dos parsis cuja origem, embora posterior àquela do hinduísmo, remonta à noite dos tempos, pois os historiadores gregos remontam os ensinamentos de Zarathustra (ou Zoroastro) a cerca de 9.000 anos antes de nossa era, sendo bastante provável que sejam ainda mais antigos. É a segunda das religiões saídas do tronco ariano. Nela o Fogo é símbolo do Deus supremo, emblema da Vida divina e, portanto; o símbolo sagrado mais venerado pelos masdeístas. O Ser supremo é Ahura-Mazda, "trino diante das outras criaturas", o supremo, o universal, onipresente, origem é fonte da vida e criador do mundo. Ahura-Mazda, por sua vez, surgiu de Zeroana Akerna, o Tempo sem limites ou a Causa desconhecida. Seguem-se as hierarquias das Inteligências celestes, dirigidas pelos sete grandes Espíritos, os *Ameshaspentas*, os sete deuses ou arcanjos presidentes. "Pensamentos puros, palavras puras e obras puras": eis o famoso axioma da religião dos parses. "A pureza é o melhor dos bens", diz também um de seus livros sagrados. (Para maiores detalhes, ver Annie Besant, *Quatro Grandes Religiões*.)

Masdeísta — Palavra derivada de (Ahura) Mazda. (Ver Spiegel, *Yasna I*.) Os masdeístas eram os antigos nobres persas, que adoravam a Ormuzd e, rechaçando as imagens, inspiraram aos judeus o mesmo horror a toda representação concreta da Divindade. Parece que, no tempo de Heródoto, foram substituídos pelos que professavam a religião dos magos. Os parsis e guebros (*geberim*, homens poderosos do *Gênese*, VI e X, 8) parecem ser os magos protestantes. (Ver *Ísis sem Véu*, I, XXXVI.)

M

Masellum (*Alq.*) — Estanho, Júpiter.

Mash-Mak — Por tradição, uma palavra atlântida da quarta Raça, usada para expressar um fogo cósmico misterioso ou, melhor dizendo, uma Força, que, segundo se dizia, era capaz de pulverizar, num segundo, cidades inteiras e destruir o mundo.

Masora ou **Massorah** (*Hebr.*) — Nome aplicado especialmente a uma coleção de notas explicativas, gramaticais e críticas, que se encontram na margem de antigos manuscritos ou em rolos do *Antigo Testamento*. [O objetivo dos rabinos ao redigir tais notas era conservar a leitura genuína e a inteligência do sagrado texto hebraico. Há o *Grande Masora* e o *Pequeno Masora*, que é um extrato do anterior.

Masoretas — Também denominados *melquitas*. [Gramáticos hebreus, que se ocupavam da divisão, estudo, acentuação, palavras, letras e formas gramaticais do texto hebreu do *Antigo Testamento*.]

Masoréticos — Ver *Pontos masoréticos*.

Massa de Coquemar (*Alq.*) — Matéria da Obra.

Massalis (*Alq.*) — Mercúrio dos filósofos.

Masserium (*Alq.*) — Mercúrio hermético.

Mastaba (*Eg.*) — A parte superior de uma tumba egípcia, que, como dizem os egiptólogos, constava sempre de três partes, a saber: 1ª) a *Mastaba* ou capela comemorativa erguida sobre o solo; 2ª) uma cova de 20 a 90 pés de profundidade, que conduzia, através de uma passagem, à 3ª) *câmara sepulcral*, onde se encontrava o *sarcófago*, que continha a *múmia*, dormindo o sono de longos séculos. Uma vez enterrada a múmia, fechava-se a cova e a entrada ficava oculta. Assim dizem os orientalistas, que dividem a última morada da múmia em quase os mesmos princípios usados pelos teólogos para dividir o homem: corpo, alma e espírito ou mente. Fato é que estas tumbas dos antigos eram simbólicas como seus outros edifícios sagrados, e que esta simbologia refere-se diretamente à divisão setenária do homem. Porém, na morte, a ordem inverte-se e, assim como o *Mastaba*, com suas cenas da vida diária pintadas nas paredes, sua mesa de *oferendas*, para a *larva*, a *sombra* ou *linga shârîra*, era um objeto comemorativo dos dois princípios da Vida que havia abandonado, o que constituía um trio inferior na Terra, a *cova*, a passagem e a câmara sepulcral e a múmia do sarcófago eram os símbolos objetivos erigidos aos dois "princípios" perecíveis, a mente *pessoal* e o *Kâma* e aos três imortais, a Tríada superior, agora fundidos em um. Este "Um" era o Espírito do bem-aventurado, que descansa atualmente no Círculo feliz de Aanru.

Mata (*Sânsc.*) — Pensamento, opinião, crença, doutrina, intenção, consideração, sentença, ditame. Como adjetivo: pensado, considerado, julgado, declarado, conhecido, suposto, aprovado.

Matallikâ (*Sânsc.*) — Excelência.

Matanga (*Sânsc.*) — Uma das castas inferiores da Índia; elefante; nuvem. Nome de um personagem de quem se fala no *Mahâbhârata* e no *Râmâyana*.

Mâtari-svan — Ver *Mâtarizvan*.

Mâtarizvan (Mâtarishvâ) (*Sânsc.*) — Um ser aéreo representado, no *Rig-veda*, surgindo do alto ou produzindo fogo (*agni*) para os *Bhrigus*, que são designados pelo nome de "Consumidores" e são descritos, pelos orientalistas, como "uma classe de seres míticos, pertencentes à classe média ou aérea de deuses". No Ocultismo, os *Bhrigus* são simplesmente as "Salamandras" dos rosa-cruzes e cabalistas. [*Mâtarizvan*: personagem divino

M

intimamente relacionado a Agni, deus do fogo dos *Vedas*. (*Doutrina Secreta*, II, 431) Literalmente, "aquele que dorme no espaço". Este termo aplica-se ao *Prâna*, no sentido de que desempenha as funções de registrar os atos dos homens. (*Râma Prasâd*). Alguns autores supõem que é o vento em geral e, no *Dicionário* de Burnouf, diz-se que é o nome do chefe dos quarenta e oito *Maruts*, que rodeiam o carro de Indra. (Ver *Prometeu*.)]

Matéria — Espírito e Matéria são dois polos ou aspectos sob os quais se manifesta o *Logos*. Como Ser absoluto que é, a Divindade suprema é, por sua vez, Espírito e Matéria. A Matéria é a Mãe do Mundo, assim como o Espírito é o Pai. A vida do *Logos* aparece como Espírito; seu *Mâyâ*, como Matéria. (A. Besant, *Sabedoria Antiga*, 364) Em outros termos: a natureza inferior do *Logos*, a material, é origem ou matriz de todos os seres, enquanto sua natureza superior, a espiritual, é o Elemento vital que os anima e sustenta: "Todos os seres, que chegam a existir, sejam animados ou inanimados, são produtos da união da Matéria com o Espírito" (*Bhagavad-Gîtâ*, XIII, 26.) A Matéria, portanto, é eterna, não criada e indestrutível, enquanto as formas da mesma, que constituem o mundo de *Mâyâ* ou de ilusão, são criadas, transitórias e transformantes; não são permanentes nem têm realidade verdadeira. No Universo manifestado, não há matéria morta. A Matéria é viva e, assim, podemos afirmar que "não há força sem matéria, nem matéria sem força"; uma e outra estão unidas em matrimônio indissolúvel. Encontra-se em movimento contínuo, tomando forma sob cada estremecimento ou vibração de vida e se adaptando a cada mudança de movimento. (*Sabedoria Antiga*, 55, 142) A atividade essencial da Matéria consiste em sua natureza retentiva. Ao receber impulsos de vida, organiza-se em formas e estas mantêm-se graças a tais impulsos, mas desagregam-se quando cessa tal influência. (*Ibidem*, 366) A Matéria é também o fator indispensável, a base ou veículo necessário, uma condição *sine qua non* para a manifestação das forças ou agentes físicos (luz, calor, eletricidade etc.) no plano físico. (*Doutrina Secreta*, I, 536) A Matéria oferece diversos graus de densidade, segundo o plano ou subplano a que corresponda. Seu grau de vitalidade é também muito diverso. Assim, a Matéria do plano mental é muito mais sutil que a do plano astral e esta, por sua vez, o é muito mais do que a do plano físico. Por esta razão, uma atravessa e penetra facilmente na outra. No plano físico, temos diferentes estados da matéria: sólido, líquido e gasoso; porém, investigando mais profundamente, encontramos um quarto estado, o etéreo, que, por sua vez, existe em quatro estados perfeitamente definidos como aqueles dos sólidos, líquidos e gasosos. (*Sabedoria Antiga*, 57-58)

Segundo a filosofia *Sânkhya*, a *Prakriti* ou *Pradhâna* é a Matéria primária, caótica ou manifestada, raiz da Matéria e causa material do universo. Contrariamente a *Purucha* (Espírito), que é simples, a *Prakriti* é uma substância composta, constituída pelos três *gunas* (modos ou qualidades), denominados respectivamente *sattva*, *rajas* e *tamas*, que não são meros acidentes da Matéria, mas são da mesma natureza e entram em sua composição, como os ingredientes que integram um produto. Os três *gunas* encontram-se universalmente difundidos na natureza material; existem em todas as criaturas, determinando o caráter ou condição individual, através da proporção em que se encontram reunidos em cada um dos seres, (Ver *Gunas*.) A *Prakriti* é um princípio ilimitado, universal, a matéria cósmica, que se apresenta como massa sutil, informe, sem diferenciação ou manifestação qualquer. Porém, graças à sua incessante atividade e à sua potência produtora, é causa material dos diferentes desenvolvimentos, manifestações, formas ou produtos da Matéria. Assim, pois, a Matéria apresenta-se em dois estados diferentes: 1°) Matéria indiferenciada, imanifestada, caótica, disforme, raiz ou essência da Matéria (*Mûlaprakriti*), eterna causa material do Universo físico, e 2°) Matéria diferenciada, manifestada, que constitui as inumeráveis formas ou diferenciações materiais acidentais ou transitórias da massa de Matéria caótica ou indiferenciada, formas que, após uma existência longa ou curta, se

M

destróem, desvanecendo-se no oceano de matéria disforme ou caótica, de onde procederam. A *Prakriti* é inconsciente e toda a sua atividade é empregada exclusivamente a favor e proveito do *Purucha*, para sua experiência e para, assim, conduzi-lo ao conhecimento de si mesmo. A associação do Espírito e da Matéria foi comparada com a aliança entre um paralítico (o consciente e inativo *Purucha*) e um cego (o inconsciente, porém ativo *Prakriti*). Se o cego carregar o guia paralítico às costas, podem os dois chegar juntos ao término de sua peregrinação. Não confundir Matéria com Substância (ver). (Ver também *Purucha, Prakriti* e *Mûlaprakriti*.)

Em termos da filosofia hermética, a Matéria é o objeto das práticas desta Ciência Real. Há uma preocupação enorme, por parte dos Adeptos, em ocultar o nome comum deste objeto. Alguns tratadistas empregaram diversos nomes para designá-la: Leão, Rei, Sol dos Corpos, Ser Hermético, Mercúrio Vermelho, Antimônio, e alguns autores contemporâneos têm insistido seja a pirita ferrosa antimoniada o verdadeiro segredo da Grande Obra Solar. Entretanto é conveniente lembrar que outras correntes pretendem seja a Matéria-prima o próprio homem. Armand Barbault, em seu *Ouro da Milésima Manhã*, narra como a partir de terra e orvalho, coletado durante o mês de maio, obteve substâncias novas, sob o ponto de vista químico.

Materialistas — Não é necessariamente apenas aquele que não crê nem em Deus nem na alma, nem na sobrevivência desta última, mas também o é toda pessoa que materializa o que é puramente espiritual; aqueles que creem numa divindade antropomórfica, numa lama capaz de arder no fogo do inferno, num inferno e num céu como localidades, ao invés de estados de consciência. Os "substancialistas" americanos, que constituem uma seita cristã, são *materialistas*, bem como os "espiritualistas". (Glossário de *A Chave da Teosofia*)

Materializações — No espiritismo, esta palavra significa a aparição objetiva dos chamados "espíritos" dos mortos, que, em certas ocasiões, revestem-se de matéria, isto é, formam-se para si mesmos, utilizando os materiais que têm à mão, que se encontram na atmosfera, e as emanações dos circunstantes, um corpo temporal, que se parece com o defunto, quando este estava vivo. Os teósofos aceitam o fenômeno da "materialização", porém rechaçam a teoria de que esta seja produzida por "Espíritos", isto é, os princípios imortais de pessoas desencarnadas. Os teósofos acreditam que, quando o fenômeno é verdadeiro e genuíno – o que é um fato muito mais raro do que geralmente se acredita –, é produzido pelas larvas, formas astrais *(eidola)*, "fantasmas" *kâmalókicos* das personalidades mortas. (Ver, *Kâmadhâtu, Kâmaloka* e *Kâmarûpa*.) Considerando que o *Kâmaloka* encontra-se no plano terrestre e difere do grau de materialidade deste apenas no grau de seu plano de consciência, razão pela qual se oculta de nossa visão normal, a aparição fortuita de tais cascas é tão natural quanto a dos globos elétricos e outros fenômenos atmosféricos. A eletricidade, como matéria fluida ou atômica (visto que os ocultistas sustentam com Maxwell que é atômica), embora invisível, existe sempre no ar e se manifesta sob várias formas, porém apenas quando existem certas condições para "materializar" o fluido, quando este passa de seu próprio plano para o nosso e se torna objetivo. Coisa parecida acontece com as formas astrais dos mortos. Estão presentes ao nosso redor, porém, encontrando-se em outro plano, não nos veem, como nós também não as vemos. Mas, sempre que os desejos veementes das pessoas vivas e as condições administradas pelas constituições anormais dos médiuns combinam-se, estas formas astrais são atraídas, melhor dizendo, *arrancadas* de seu plano para caírem no nosso e se tornarem objetivas. Isso é necromancia; não faz nenhum bem aos mortos e sim grave dano aos vivos, além do fato de se opor a uma das leis da Natureza. A materialização eventual dos "corpos astrais" ou *duplicados* de pessoas vivas é uma questão inteiramente diferente. Estes "astrais" muitas vezes são tomados equivocadamente por aparições de

M

mortos, pois, como um camaleão, nossos próprios "elementares", da mesma forma que os "elementais" desencarnados e cósmicos, adotam frequentemente a aparência daquelas imagens que, com maior força, temos no pensamento. Numa palavra: naquelas sessões denominadas de "materializações", as pessoas presentes e o médium criam a semelhança especial das aparições. As "aparições" independentes pertencem a outro tipo de fenômenos psíquicos. As materializações são designadas também pelos nomes de "manifestações de forma" e "estátuas-retratos". Chamá-las de "espíritos materializados" é inadmissível, pois na realidade, não são espíritos, mas estátuas-retratos.

Math (*Cel.*) — A Natureza.

Mathâdhipatis (*Sânsc.*) — Chefes ou cabeças de várias fraternidades religiosas da Índia; grandes sacerdotes dos mosteiros.

Mathana (*Sânsc.*) — Agitação, rotação. Como adjetivo: aflitivo, daninho, destruidor.

Mathedoram (*Alq.*) — Sal-gema.

Mati (*Sânsc.*) — Opinião, crença, parecer, sentença, pensamento, juízo, conceito, inteligência, mente: determinação, consideração, estimativa, propósito; meditação, devoção, culto, voto. (Ver *Deona*.)

Matkarmakrit (*Sânsc.*) — Que pratica obras por mim ou em minha honra. (*Bhagavad-Gîtâ*)

Matpara (*Sânsc.*) — Que faz de mim sua meta ou fim supremo ou o objeto de suas aspirações; consagrado, devoto, entregue a mim; consagrado somente a mim; entregue completamente a mim; que pensa apenas em mim; que tem o coração dirigido a mim; que têm o ânimo ou o pensamento fixo em mim; que me olha como o supremo; que me tem por seu principal objeto; atento apenas a mim. (*Bhagavad-Gîtâ*)

Matparama (*Sânsc.*) — O mesmo significado de *Matpara*.

Matparâyana (*Sânsc.*) — Que me tem ou me considera como fim, meta ou objetivo supremo; que faz de mim o objeto de seus anseios ou aspirações; que está inteiramente pleno ou penetrado por mim; devoto, atento ou consagrado a mim. (*Bhagavad-Gîtâ*)

Mâtra (Mâtrâ) (*Sânsc.*) — Curtíssimo período de tempo, aplicado à duração dos sons e equivalente a um piscar de olhos. Medida em geral, limite, quantidade, tamanho, duração; medida do verso, pequena quantidade; um pouco, um momento; átomo, partícula; matéria, elemento, instrumento. *Mâtra* significa também "manifestação". Os três *mâtras* são: o *Adhi-bhûta*, *Adhi-daiva* e *Adhi-yajña*, que são equivalentes ao Âtma-Buddhi-Manas dos vedantinos. (*P. Hoult*) Ao fim de uma palavra composta, significa: só, puro, simples. (Ver *Mâtrâ*.)

Mâtrâ (*Sânsc.*) — A quantidade de uma sílaba sânscrita. Matéria, elemento, medida, limite, quantidade, tamanho, duração; partícula, átomo. (Ver *Mâtra*.)

Mâtrâsparza (*Sânsc.*) — Contato material; choque ou encontro de elementos materiais.

Mâtri (*Sânsc.*) — Mãe. No sentido figurado: a terra; a vaca.

Mâtrikâ (*Sânsc.*) — O *Abhidharma* ou terceira parte do *Tripitaka* dos budistas.

Mâtripadma (*Sânsc.*) — A mãe-lótus; a matriz da Natureza.

Mâtris (*Sânsc.*) — "Mães": as mães divinas. São em número de sete. São os poderes e aspectos femininos dos deuses como Brahmânî, de Brahmâ; Vaishnavî, de Vishnu; Aindrî ou Indrâni, de Indra etc.

M

Matriz (*Herm.*) — Os filósofos dão este nome ao minério de seu mercúrio e a seu vaso. O primeiro, porque é no minério que se incorpora e se forma; o segundo, porque o vaso faz a função da matriz dos animais onde se aperfeiçoa a geração. A *matriz* da matéria, de onde os filósofos extraem seu mercúrio, é a terra, segundo Hermes, em sua *Tábua de Esmeralda*. Alguns químicos dizem que o sal marinho é a matriz da natureza metálica.

Matronethah (*Hebr.* e *Cald.*) — O mesmo que *Malkuth* ou *Malcuth*, o décimo Sephira. Literalmente, Matrona é a "mãe inferior".

Matsanstha (*Sânsc.*) — Que está, vive ou descansa em mim; que está unido a mim; que está concentrado em mim. *(Bhagavad-Gîtâ)*

Matsara (*Sânsc.*) — Invejoso, ciumento; inveja, ciúme. Um dos seis pecados ou paixões capitais.

Mâtsara ou **Matsarin** (*Sânsc.*) — Invejoso, ciumento.

Matstha (*Sânsc.*) — Que está, vive ou reside em mim. *(Bhagavad-Gîtâ)*

Matsya (*Sânsc.*) — "Peixe". O *Matsya avatar* foi a primeira encarnação de Vishnu. É também um nome geográfico.

Matsya-Purâna (*Sânsc.*) — Um dos *Purânas* que trata da encarnação ou *avatar* de Vishnu, em forma de peixe.

Matsyodarî (*Sânsc.*) — Epíteto de Satyavatî, mãe de Vyâsa, que foi encontrada no ventre (*udara*) de um peixe.

Matta (*Sânsc.*) — Ébrio, furioso, frenético, louco, insensato.

Mattâ (*Sânsc.*) — Bebida embriagante.

Mauhûrta ou **Mauhûrtika** (*Sânsc.*) — Astrólogo.

Maula (*Sânsc.*) — Palavra derivada de *mûla* (raiz): radical. De raça pura, de origem nobre.

Maulî (*Sânsc.*) — A Terra.

Mauna (*Sânsc.*) — Derivado de *Muni*. A condição de um *muni*; o silêncio.

Mauna-vrata (*Sânsc.*) — Literalmente, "voto do muni". Voto de silêncio.

Maunin (*Sânsc.*) — Silencioso; asceta; que pratica o silêncio.

Mau olhado — Influência maléfica que uma pessoa pode exercer sobre outra, olhando-a de certa maneira e, particularmente, às crianças. Esta crença é extremamente disseminada na Espanha, Itália, Alemanha, Grécia e muitos outros países, mas sua origem é oriental. O próprio *Thalmud* fala dela. As crianças, sobretudo, são as mais expostas a tal ação funesta. Em *Ísis sem Véu* (II, 633), relata-se um caso curioso, cujo protagonista foi o padre jesuíta Girad, que, no ano de 1731, foi julgado pelo Parlamento de Aix, por seduzir sua penitente, a bela e virtuosa Srta. Catalina Cadière, de Toulon, e por certos crimes repugnantes a ela relacionados. O mau olhado é o efeito do poder que algumas pessoas têm de comprimir o fluido astral e lançar um raio do mesmo, consciente ou inconscientemente, contra um objeto determinado, com força fatal. Há pessoas que podem matar aves e sapos com apenas um olhar e, do mesmo modo, podem matar seres humanos. A malignidade de seu desejo acumula num foco as forças maléficas, que são disparadas como um dardo mortífero. (Ver *Ísis sem Véu*, I, 380.)

M

Maya (*Sânsc.*) — Maya, Maia, Maria formam um nome genérico. (Ver *Maria* e *Maia*.) *Maya* é também o nome de um *asura*, mago por excelência, de que se serviram os deuses para diversos fins, tais como a edificação de cidades aéreas e outros fatos portentosos, mencionados no *Bhâgavata-Purâna*.

Mâyâ (*Sânsc.*) — Ilusão. O poder cósmico que torna possíveis a existência fenomenal e as percepções da mesma. Segundo a filosofia hindu, apenas aquilo que é imutável e eterno merece o nome de *realidade*; tudo aquilo que é mutável, que está sujeito a transformações por decaimento e diferenciação e que, portanto, tem princípio e fim, é considerado como *mâyâ*: ilusão. [*Mâyâ*: arte, poder ou virtude mágica extraordinária ou prodigiosa; prestígio, magia, ilusão, ficção; poder de ilusão que origina a aparição ilusória de coisas do mundo; a ilusão personificada como um ser de origem celeste; a personificação da irrealidade das coisas mundanas; o universo objetivo ou a natureza considerada como ilusão. O poder ilusório, a mágica potência do pensamento, capaz de criar formas passageiras ou ilusórias e pelo qual tem existência o mundo fenomenal. A potência criadora através da qual o universo chega à manifestação. Segundo a filosofia vedante, todo o universo visível é apenas uma grande ilusão *(mahâ-mâyâ)*, pois tem princípio e fim e está sujeito a transformações incessantes; assim como a única realidade é o Espírito, por ser eterno e imutável. (Ver *Maria*.)]

Mâyâkâra (*Sânsc.*) — Mago; ator.

Mâyâmaya (*Sânsc.*) — Mágico. Um fato ou manifestação em que haja prestidigitação ou ilusão; ilusão criadora ou mágica.

Mâyâ-moha (*Sânsc.*) — ["Contusão ou engano causado pela ilusão".] – Uma forma ilusória adotada por Vishnu com o objetivo de alucinar alguns ascetas *daityas*, que, por suas grandes austeridades, chegaram a um grau excessivo de santidade e, portanto, tornaram-se demasiado perigosos por seu poder, como diz o *Vishnu-Purâna*.

Mâyântika (*Sânsc.*) — Mágico, que produz ilusão.

Mâyâvat (*Sânsc.*) — Mágico, ilusório. Sobrenome de Kansa.

Mâyâvi ou **Mâyâvin** (*Sânsc.*) — Mago, charlatão.

Mayavico — Palavra que deriva do sânscrito *mâyâ* e equivale a "ilusório".

Mâyâvi-rûpa (*Sânsc.*) — "Forma ilusória", o "duplo", na filosofia esotérica; *Doppelgänger* ou "perispírito", em alemão e português, respectivamente. [Corpo ou forma de ilusão; o corpo do plano mental inferior. Um veículo ou invólucro artificial formado de elementos mentais e astrais, através de exercício da vontade de um Adepto (isto é, através do *Kriyâsaktt*), com o objetivo de funcionar em tais dois mundos ou planos. *(P. Hoult)* Em outros termos, segundo A. Besant: corpo mental ou ilusório disposto a funcionar de modo independente no mundo mental inferior e do qual o *chela* se serve, livre temporalmente de seu invólucro físico (*Sabedoria Antiga*, 150). Este corpo é suscetível de se trasladar a grandes distâncias, em plena consciência.]

Mâyâ-sakti (*Sânsc.*) — Potência ou força ilusória.

Mâyâ-yoga (*Sânsc.*) — O *yoga* da ilusão ou magia. *(P. Hoult)*

Mâyin (*Sânsc.*) — Mago; que alucina ou causa ilusão.

Mazda (*Zend.*) — Ver *Ahura-Mazda*.

Mazdiasniano — Zoroastriano. Literalmente, "que adora a Deus".

M

M'bul (*Hebr.*) — As "águas do dilúvio". Esotericamente, as emissões periódicas de impurezas astrais sobre a Terra; períodos de iniquidades e crimes psíquicos ou de cataclismas morais, que se apresentam de maneira regular.

Medha (*Sânsc.*) — Sacrifício, imolação.

Medhâ (*Sânsc.*) — Inteligência, conhecimento, sabedoria, sagacidade; prêmio, recompensa.

Medhâvin (*Sânsc.*) — Inteligente, sagaz, sábio.

Medinî (*Sânsc.*) — A Terra; assim chamada por causa da medula *(meda)* dos demônios [chamados Kaitabha e Madhu]. Estes monstros, saindo do ouvido de Vishnu, enquanto este dormia, preparavam-se para matar Brahmâ, que estava deitado no lótus, que nasce do umbigo de Vishnu, quando o deus conservador despertou e os matou. Seus corpos foram lançados ao mar e produziram tamanha quantidade de gordura e medula que Nârâyana utilizou-as para formar a Terra.

Meditação — A inexplicável e ardente inspiração do homem interior pelo Infinito. *(H. P. Blavatsky)* Nos *Aforismos de Patañjali*, é assim definida: "Meditação *(dhyâna)* é a contínua e prolongada corrente de pensamento, dirigida a um determinado objeto até chegar a se absorver nele". É uma das principais práticas do *Râja-yoga* e seus resultados são de enorme transcendência, como se pode julgar por estas palavras de A. Besant, referentes à disciplina a que deve se submeter o *chela*: "O aspirante deverá ser adestrado na meditação e esta prática eficaz, fora do corpo físico avivará e exercitará ativamente muitas das faculdades superiores. Durante a meditação, chegará às mais altas regiões da existência, aprendendo mais da vida do plano mental. Ser-lhe-á ensinado como utilizar seus poderes crescentes a serviço da humanidade e, durante muitas das horas de sono do corpo, trabalhará com afinco no plano astral, ajudando as almas que a morte tenha levado para lá, dando refrigério às vítimas de acidentes, ensinando àqueles menos instruídos do que ele e ajudando de mil maneiras aos que necessitam de seu auxílio. Deste modo, e segundo seus meios humildes, participa da obra benéfica dos Mestres, associado à sublime Fraternidade, como colaborador, por menor que seja sua participação" (*Sabedoria Antiga*, 399-400). (Ver *Dhyâna*.)

Médium — É um ser diametralmente oposto ao Adepto. O médium é um instrumento *passivo* de influências estranhas, enquanto o Adepto exerce de modo *ativo* seu poder sobre si mesmo e sobre todas as potências inferiores. (*Ísis sem Véu*, II, 588) Na mediunidade, o indivíduo, por ser passivo, está exposto à influência de qualquer entidade astral que se encontre nas imediações. Normalmente, é inconsciente; não sabe o que se faz através de seu organismo nem quem o faz; não recorda nada ao despertar de sua espécie de sono. Seu estado é aquele de uma verdadeira obsessão. Por outro lado, os melhores médiuns físicos são pessoas doentes, neuróticas, histero-epiléticas ou, o que é ainda pior, propensas a algum vício anormal. A mediunidade, tal como praticada atualmente, é talvez um dom menos desejável do que a túnica de Neso. (*Ísis sem Véu*, I, 488-489) (Ver *Mediunidade*.)

Mediunidade — Palavra hoje admitida para designar aquele estado anormal psicofisiológico que leva uma pessoa a considerar como realidades as fantasias de sua imaginação, bem como suas alucinações reais ou artificiais. Nenhuma pessoa inteiramente sã, nos planos fisiológico e psíquico, jamais chegará a ser médium. Aquilo que os médiuns veem, ouvem ou sentem é "real", porém *não verdadeiro*; provém ou do plano astral, tão enganoso em suas vibrações e sugestões, ou de puras alucinações, que só têm existência real para quem as percebe. A "mediunidade" é uma espécie de qualidade vulgarizada de

M

mediador, na qual aquele que sofre tal faculdade supõe converter-se em agente de comunicação entre um homem vivo e um "Espírito" desencarnado. Há verdadeiros métodos para produzir o desenvolvimento desta faculdade tão pouco invejável. (Glossário de *A Chave da Teosofia*) (Ver *Médium*.)

Megacosmo (*Gr.*) — O mundo da Luz astral ou, conforme o explica um maçon, é "um grande mundo, não idêntico ao Macrocosmo, o universo, mas algo situado entre este e o Microcosmo, o pequeno mundo", ou seja, o homem.

Megha (*Sânsc.*) — Nuvem. Nome de um demônio.

Meghadvâra (*Sânsc.*) — A atmosfera.

Meghavâhana (*Sânsc.*) — Levado sobre uma nuvem; um deus (Indra, Shiva etc.)

Meghavahni (*Sânsc.*) — O fogo das nuvens, o raio.

Meguila (*Hebr.*) — Literalmente, *rolo*. Termo aplicado ao *Cântico dos Cânticos*, *Livro de Rute*, *Lamentações*, *Eclesiastes* e *Ester* (principalmente a este último). Usado atualmente com referência a qualquer narrativa extremamente prolongada.

Mehen (*Eg.*) — Segundo os mitos populares, é a grande serpente que representa a parte inferior da atmosfera. No Ocultismo, é o mundo da Luz astral, simbolicamente denominada a Serpente e o Dragão cósmico. (Ver as obras de Eliphas Levi, que denominou esta Luz de *Serpente do Mal* e outros nomes, atribuindo-lhe todas as más influências na Terra.) [Segundo P. Pierret, *Mehen* é a serpente mitológica que figura no hemisfério inferior e que parece simbolizar as sinuosidades do curso do Sol noturno. (*Dict. d'Arch. Egypt.*)

Mehour ou **Mehur** (*Eg.*) — "A grande plenitude"; personificação do Espaço, nome utilizado para designar o princípio feminino da Divindade. (Pierret, *Dict. d'Arch. Egypt.*)

Meia Lua — Sin era o nome assírio da Lua e *Sin-ai* o Monte, o local de nascimento de Osíris, de Dionísio, Baco e vários outros deuses. Segundo Rawlinson, na Babilônia, a Lua era mais estimada que o Sol, pelo fato de *as trevas terem precedido a luz*. A meia-Lua era, portanto, um símbolo sagrado em quase todas as nações, antes de chegar a ser a insígnia dos turcos. Como diz o autor de *Crença Egípcia*; "A meia-Lua... não é essencialmente uma insígnia maometana. Pelo contrário, era uma insígnia cristã, derivada, através da Ásia, de Astarté babilônica. Rainha do céu ou da Ísis egípcia... cujo emblema era a meia-Lua. O Império greco-cristão de Constantinopla tinha tal insígnia como seu paládio. No princípio da conquista dos turcos, o sultão maometano adotou-a como símbolo de seu poder. Desde então, a meia-Lua foi tomada como contraposição à ideia da cruz".

Mel (*Alq.*) — Solvente dos filósofos.

Mela (*Sânsc.*) — Reunião, assembleia.

Melekh (*Hebr.*) — Literalmente, "Rei". Um título do Sephira Tiphereth, a V, ou *vau* do *Tetragrammaton* — o filho do Microprosopo (a Face menor).

Melhas (*Sânsc.*) — Uma classe de deuses do fogo ou Salamandras.

Melosinæ (*Cab.*) — Espíritos elementais da água, que aparecem comumente sob a figura de mulher, porém podem tomar a forma de serpentes ou peixes. Têm alma, mas não princípio espiritual; este pode ser adquirido ao se unirem ao homem. (O quarto princípio unindo-se ao quinto.) Sua verdadeira forma é a humana; suas formas animais são emprestadas. São também designadas pelo nome de Ondinas. (*F. Hartmann*)

M

Memória — Em geral, entende-se por memória a faculdade mental de recordar ou reter o conhecimento dos pensamentos, atos e acontecimentos passados; a faculdade de reproduzir impressões anteriores através de associação de ideias sugeridas principalmente por coisas objetivas ou por alguma ação sobre nossos órgãos sensoriais externos. Esta faculdade depende completamente do funcionamento mais ou menos são ou normal de nosso cérebro *físico*. Contudo, memória é um nome genérico, pois, além da *memória em geral*, temos: 1°) a *lembrança*; 2°) a *retenção* e 3°) a *reminiscência*. A lembrança e a retenção são atributos e auxiliares da memória em geral. A reminiscência é coisa inteiramente diferente; os ocultistas e teósofos definem-na dizendo que é "a memória da alma" e, portanto, não é física nem passageira, nem depende das condições fisiológicas do cérebro. A reminiscência dá ao homem a certeza de ter vivido antes e de ter de viver novamente. De fato, segundo Wordsworth: "Nosso nascimento é apenas um sono e um esquecimento; a alma que surge conosco, a estrela de nossa vida, teve seu ocaso em outro local e vem de longe" (*A Chave da Teosofia*, p. 124 e ss.). Por tudo o que foi dito, explica-se o fato de o homem perder a memória de suas existências anteriores. Os gregos explicavam isso através da engenhosa alegoria do rio Letes, o rio do esquecimento, cujas águas tranquilas e silenciosas tinham a virtude de fazer esquecer o passado. O que desaparece realmente é a memória física ou *cerebral*, que dura apenas o tempo de uma existência ou parte dela, restando, porém, a reminiscência, o reflexo dos fatos passados na memória da alma (como o perfume deixado por uma flor, reminiscência bastante vaga e contudo latente na imensa maioria das pessoas, mas que, em determinadas condições – sonambulismo, êxtase etc. –, desperta como recordação viva), até o ponto em que o homem que tenha chegado a uma das etapas superiores da evolução se dê conta da longa série de suas vidas passadas.

Memrab (*Hebr.*) — Na Cabala, é "a palavra da vontade", isto é, as forças coletivas da natureza em atividade, conhecidas pelo nome de "Palavra" ou *Logos* pelos cabalistas judeus.

Mendaitas (Mandaitas ou Mandeanos) — Também denominados *sabeus* e cristãos de São João. Esta última denominação é incorreta, segundo todas as declarações e mesmo as próprias, porque não têm absolutamente nada a ver com o cristianismo, *ao qual abominam*. A seita moderna dos mendaitas encontra-se extremamente difundida na Ásia Menor e em outras partes, e vários orientalistas acreditam, com razão, que é um sobrevivente direto dos gnósticos. Porque, segundo se explica no *Dictionnaire des Apocryphes*, do abade Migne (verbete *Le Code Mazarean*, vulgarmente chamado *Livro de Adão*), tal palavra (que, em francês, se escreve *Mandaites*, nome que pronunciam *Mandai*) significa ciência, conhecimento ou *gnosis*. Assim, pois, mendaitas são equivalentes a gnósticos" (*op. cit.*, nota à p. 3). Segundo relata a obra anteriormente mencionada, embora numerosos viajantes tenham falado de uma seita conhecida pelos nomes de sabeus, cristãos de São João e mendaitas, e que se encontram espalhados pelos arredores de Schat-Etarab, na confluência do Tigre com o Eufrates (principalmente em Basora, Hoveiza, Korna etc.), Norberg foi o primeiro a indicar uma tribo pertencente à mesma seita estabelecida na Síria e que é a mais interessante de todas. Essa tribo, composta de 14 ou 15.000 membros, reside cerca de uma jornada de distância a leste do Monte Líbano, principalmente em Elmerkah (Lata-Kieh). Intitulam-se indistintamente nazarenos e galileus, pois originalmente chegaram à Síria procedentes da Galileia. Pretendem que sua religião seja a mesma de São João Batista e que não mudou nada desde o tempo desse santo. Nos dias festivos, vestem-se de pele de camelo, dormem sobre peles de camelo e comem gafanhotos e mel, como fazia seu "Pai, São João Batista". Contudo, chamaram Jesus Cristo de *impostor*, *falso Messias* e Nebso (ou seja, o planeta Mercúrio em sua parte malígna), e

M

o representam como um produto do Espírito das "sete estrelas em má configuração" (ou planetas). (Ver *Codex Nazaræus*, que é sua Escritura.) [Ver também *Sistema bardesiano*.]

Mendes (*Gr.*) — Nome do *bode demônio*, que a Igreja de Roma supunha ter sido adorado pelos templários e outros maçons. Porém este bode foi um mito criado pela péssima fantasia do *odium theologicum*. Nunca existiu semelhante criatura nem seu culto foi conhecido entre os templários ou seus predecessores, os gnósticos. O deus de Mendes, ou o Mendesio grego, nome que se dava ao Baixo Egito nos tempos pré-cristãos, era Ammon, o deus de cabeça de carneiro, o espírito santo e vivo de Ra, o Sol doador de vida, e isso levou certos autores gregos ao erro de afirmar que os egípcios chamavam de Mendes à própria "rês cabra" (ou seja, o deus de cabeça de carneiro). Ammon foi, durante séculos, a principal divindade do Egito, o deus supremo; Ammon-Ra, o "deus oculto" ou *Amen* (o oculto), o Engendrado por si mesmo, que é "seu próprio pai e seu próprio filho". Esotericamente, era Pá, o deus da Natureza ou a Natureza personificada e, provavelmente, o pé fendido de Pã, o pé de cabra, contribuiu para produzir o erro de que tal deus era uma rês cabra. Considerando que o altar de Ammon situava-se em *Pabi-neb-tat*, "a morada de *Tat* ou do Espírito, Senhor de *Tat* (*Bindedi*, nas inscrições assírias), os gregos, inicialmente, adulteraram este nome, convertendo-o em *Bendes* e, posteriormente, em *Mendes*, derivado de "Mendesio". Tal "erro" serviu demasiado bem para certos desígnios eclesiásticos para ser corrigido, mesmo depois de reconhecido.

Menes (*Eg.*) — Nome egípcio da mente; *mens*, em latim. (*Doutrina Secreta*, II, 95)

Mensa Isíaca — Ver *Tabuinha de Bembo*.

Mensambulismo (do latim *mensa*: mesa) — Palavra inventada por certos cabalistas franceses, para designar o fenômeno das "mesas giratórias".

Mental, *corpo* — Ver *Corpo mental*.

Mente — É a energia do *Manas* (o Pensador), que atua dentro das limitações do cérebro físico. (A. Besant, *Sabedoria Antiga*, 107) (Ver *Manas*.)

Mente demiúrgica — O mesmo que "Mente Universal". *Mahat*, primeiro produto de Brahmâ, ou o próprio.

Menyw ou **Menyu** (*Celt.*) — É, sem dúvida alguma, o equivalente a Adão Kadmon da Cabala, a Manu Svâyambhuva da Índia. Da mesma forma que os dois últimos, Menyw é testemunha da criação e, daí seu sobrenome de Filho dos Três Gritos, das Três Vozes, das Três Exclamações: é o *Logos*. (E. Bailly)

Meracha phath (*Hebr.*) — Termo aplicado ao "alento" do Espírito divino, no ato de se mover sobre as águas do espaço, antes da criação. (Ver *Siphra Dzeniutha*.)

Mercavah ou **Mercabah** (*Cald.*) — Um carro. Dizem os cabalistas que o Ser supremo, após ter estabelecido os dez Sephiroth [que, em sua totalidade, são Adão Kadmon, o Homem arquetipal ou celeste], utilizou-os como carro ou trono de glória, para descer com ele sobre as almas dos homens. Os rabinos judeus davam à sua série religiosa secular o nome de *Mercavah* (o corpo exterior, "o veículo" ou a *coberta que encerra a alma oculta*, isto é, sua ciência secreta mais elevada). (*A Chave da Teosofia*, 6)]

Merodach (*Cald.*) — Deus da Babilônia, o Bel dos tempos posteriores. É filho de Davkina, deusa das regiões inferiores ou terra, e de Hea, deus dos mares e do Hades, entre os orientalistas. Porém, esotericamente e entre os acádicos, é o Grande Deus da Sabedoria, "aquele que ressuscita os mortos". Hea, Ea, Dagon ou Oannes e Merodach são apenas um.

M

Meru (*Sânsc.*) — Nome de uma suposta montanha do centro (ou "umbigo") da Terra, onde se situa o *Svarga*, o Olimpo dos hindus. Contém as "cidades" dos maiores deuses e as mansões de vários *devas*. Considerada geograficamente, é uma montanha desconhecida, situada ao Norte dos Himalaias. Segundo a tradição, o Meru era a "Região da Bem-Aventurança" dos tempos védicos primitivos. É designado também pelos nomes de *Hemâdri* ("a Montanha de Ouro"), *Ratnasânu* ("Monte de Pedra Preciosa"), *Karnikâchala* ("Montanha de Lótus"), *Amarâdri* e *Devaparvata* ("Montanha dos deuses"). Os ensinamentos ocultos colocam tal monte no próprio centro do Polo Norte e indicam que constituiu o primeiro continente de nossa Terra, depois da solidificação do globo. [O *Meru* ou *Su-meru* é uma montanha simbólica altíssima, situada no próprio centro da Terra, isto é, no centro do *Jambu-dvîpa* (Índia ou continente hindu), que, por sua vez, encontra-se no meio de outros seis continentes. O cume deste monte está no céu, sua parte mediana na Terra e sua base nos infernos. Em seu cume, situa-se a Cidade de Brahmâ ou Mansão de Bem-Aventurança. O Meru não é uma montanha de terra como aquelas que vemos na superfície de nosso globo. É a linha divisória, que separa a atmosfera terrestre do ar superior, isto é, do éter puro; ou, usando nossa terminologia, o Meru é o círculo que limita o *Prâna* terrestre. Do lado de cá, o círculo é nosso planeta, com sua atmosfera; do lado de lá, é o *Prâna* celeste, a mansão dos deuses. O sábio Vyâsa descreve o *Bhûrloka* (a Terra) como estendendo-se desde a superfície do mar até a parte de trás do Meru. No lado exterior da montanha vivem os seres celestiais e, portanto, o limite da Terra é sua espádua Esta linha divisória é denominada montanha (*parvata, achala*), devido à sua posição fixa e imutável. (*Râma Prasâd*)

Meru-danda (*Sânsc.*) — Nome dado simbolicamente à espinha dorsal. (*Uttara-Gîtâ*, II, 13-14)

Mesha (*Sânsc.*) — Primeiro signo do Zodíaco hindu, correspondente ao nosso Áries.

Meshia e **Meshiana** (*Zend.*) — Adão e Eva dos Zoroastrianos, segundo o primitivo sistema persa; o primeiro par humano.

Mesmer, *Federico-Antonio* — Famoso médico que redescobriu e aplicou praticamente ao homem aquele fluido magnético, que foi designado pelo nome de "magnetismo animal" e, desde então, "mesmerismo". Nasceu em Schwaben, em 1734, e morreu em 1815. Era membro iniciado da Fraternidade dos *Fratres Lucis* [Irmãos da Luz] e de *Lukshoor* (ou Luxor) ou o ramo egípcio desta última. O Conselho de *Luxor* elegeu-o – segundo as ordens da "Grande Fraternidade" – para atuar, no séc. XVIII, como explorador comum, enviado no último quarto de cada século para instruir na ciência oculta uma pequena parte das nações ocidentais. O Conde de Saint-Germain, neste caso, inspecionou o desenrolar dos acontecimentos e, mais tarde, Cagliostro foi comissionado para prestar seu concurso, porém, tendo cometido uma série de erros mais ou menos fatais, foi *destituído de seu cargo*. Destes três personagens, que inicialmente foram considerados como charlatães, Mesmer já está vingado. A justificação dos dois restantes ocorrerá no séc. XX. Mesmer fundou a "Ordem da Harmonia Universal", em 1783, na qual, como era de se supor, ensinava-se apenas o magnetismo animal, porém, na realidade, expunham-se as doutrinas de Hipócrates, os métodos dos antigos *Asclepieia*, os Templos de cura, e muitas outras ciências ocultas.

Mesmerismo — Termo derivado de Mesmer, que redescobriu a força magnética e suas aplicações práticas. É uma corrente vital, que pode ser transmitida de uma pessoa para outra e através da qual se produz um estado anormal no sistema nervoso, que permite exercer uma influência direta sobre a mente e a vontade do *indivíduo* ou pessoa mesmerizada. (Glossário de *A Chave da Teosofia*) A referida corrente de *Prâna* é a energia vital, que, especializada pelo duplo etéreo, o mesmerizado emite para restaurar uma pessoa débil e para curar as doenças. (*Sabedoria Antiga*, 64) O mesmerismo, que em

M

outros tempos foi objeto de grossa zombaria, é aceito modernamente pela ciência oficial sob o nome de Hipnotismo. (Ver *Magnetismo animal.*)

Messias (*Hebr.*) — Literalmente, *ungido* (em hebraico, *mechi-ákh*) pelo sacerdote para o exercício da soberania. Por extensão: *libertador*.

Mestre — Tradução da palavra sânscrita *Guru*, "Instrutor espiritual", adotada pelos teósofos para designar os Adeptos, dos quais receberam seus ensinamentos. (Glossário de *A Chave da Teosofia*) Os Mestres são certos grandes Seres, pertencentes à nossa raça, que completaram sua evolução humana e constituem a Fraternidade da *Loja Branca*, cujo objetivo é ativar e dirigir o desenvolvimento da raça. Estes grandes Seres encarnam-se voluntariamente em corpos humanos, a fim de formar um laço de união entre a humanidade e os seres sobre-humanos e permitem que aqueles, que reúnem determinadas condições de virtude, pureza, devoção e trabalho desinteressado em prol da humanidade, cheguem a ser seus discípulos, com o propósito de acelerar sua evolução e se dispor a ingressar na grande Fraternidade, cooperando no glorioso e benéfico labor em proveito do homem. (A. Besant, *Sabedoria Antiga*, 388-9) (Ver *Mahâtmâ*.)

Metafísica (do grego *meta*, sobre, além, e *phisica*, as coisas do mundo material exterior) — Traduzir esta palavra no sentido de "além da Natureza" ou *sobrenatural* é esquecer o espírito e se ater à língua morta, pois é muito mais do que além do natural, visível ou concreto. A metafísica, em ontologia e filosofia, é o termo comum para designar aquela ciência que trata do ser real e permanente em contraposição ao ser irreal, ilusório ou *fenomenal*. (Glossário de *A Chave da Teosofia*) A Metafísica é representada sob a figura de uma matrona que, como rainha das ciências, leva um cetro na mão; contempla um globo celeste adornado de estrelas; possui uma venda nos olhos, disposta de maneira tal que, sem privá-la da luz do alto, impede que olhe para baixo, apenas para o globo da Terra, sobre o qual está apoiada e que cobre com parte de sua vestimenta, para ocupar-se apenas de contemplações mais elevadas.

Metal (*Alq.*) — Os metais dos filósofos são aquela matéria da qual extraem o espírito, da qual fazem a pedra ao branco e a pedra ao rubro. Seus metais perfeitos são estas mesmas pedras. Frequentemente eles os denominam de *Corpos*. Os Químicos antigos deram aos metais os nomes de sete planetas, pois acreditavam encontrar neles propriedades e cores análogas àquelas que o Astrólogo reconhece nos Planetas. São, em consequência, respectivamente: *Saturno* – chumbo; *Júpiter* – estanho; *Marte* – ferro; Sol – ouro; *Vênus* – cobre; *Mercúrio* – mercúrio, e *Lua* – prata.

Distinguem-se os metais em perfeitos (o ouro e a prata) e imperfeitos (cobre, ferro, chumbo, estanho e mercúrio). Os filósofos chamam também de *Metais imperfeitos* a matéria da obra, visto que, durante as operações, é afetada por outras cores além do branco e do vermelho. Estas duas últimas compõem os reinos do Sol e da Lua, os outros são os reinos dos outros Planetas.

A maior parte dos químicos não contam o mercúrio entre os metais e pretendem que ele seja apenas a semente; mas a verdadeira matéria dos metais é, propriamente dita, apenas um vapor, um espírito que se corporifica nas entranhas da Terra, à medida que o fogo central a sublima em direção à superfície; torna-se uma água viscosa, que se une a diferentes enxofres; coze-se e se digere com eles, de uma maneira mais ou menos perfeita, de acordo com a maior ou menor pureza da matriz onde os metais se formaram.

Metamorfose (do grego *metamorphôsis*) — Transformação de uma pessoa ou coisa em outra ou mudança do estado de uma pessoa ou coisa para outro distinto. A metamorfose é expressa em egípcio com a palavra *vir a ser, transformar-se*, e é simbolizada pelo escaravelho, *Khepra*. É um atributo divino, um privilégio prometido aos justos. Em

M

todos os capítulos do *Livro dos Mortos*, o defunto pede a faculdade de *revestir todas as formas que lhe aprouverem*. (P. Pierret, *Dict. d'Arch. Égypt.*) (Ver *Metempsicose*.)

Metatron (*Hebr.*) — O cabalístico "Príncipe das Faces", a inteligência do primeiro Sephira e o suposto guia de Moisés. Seu número é 314, o mesmo do título da Divindade *"Shaddai"*, Todo-poderoso. É também o Anjo do mundo de Briah e aquele que conduziu os hebreus através do deserto e, portanto, é o próprio "Senhor Deus" Jehovah. Tal nome assemelha-se à palavra grega *metathronon* ou "próximo ao trono". (W. W. W.) [*Metatron* é, em grego, *anjos* (mensageiros) ou o Grande Guia. (*Doutrina Secreta*, III, 388) Este nome aplica-se também ao Homem perfeito ou divino. (*Ibidem*, I, 362)]

Metempsicose [Palavra derivada do grego e que equivale a transmigração das almas para outros corpos.] — É a passagem da alma de um estado de existência para outro. Vulgarmente se acredita (e assim está simbolizado) que a metempsicose refere-se a renascimentos em corpos de animais. É um termo geralmente mal interpretado por todas as classes da sociedade europeia e americana, incluindo muitos homens da ciência. *Metemppsicose*, deveria ser aplicada apenas aos animais. O axioma cabalístico: "A pedra converte-se em planta, a planta em animal, o animal em homem, o homem em espírito e o espírito em Deus", encontra explicação no *Mânava-Dharma-Shâstra* e outros livros brahmânicos. [A crença dos egípcios na transmigração da alma nos corpos de animais, atestada por Heródoto (II, 123), parece ser confirmada pelos monumentos. Os capítulos LXXVI a LXXXVIII do *Livro dos Mortos* são consagrados à transformação do homem em gavião, andorinha, serpente, crocodilo e até em lótus. (*Dict. d'Arch. Egypt.*) "Não é natural – diz o autor do *Dicionário Filosófico* – que todas as metamorfoses existentes na Terra tenham feito imaginar, no Oriente, que nossas almas passavam de um corpo a outro? Um ponto quase imperceptível transforma-se em larva, esta larva converte-se em mariposa; um ovo transforma-se em ave; a água passa a ser nuvem; a madeira transforma-se em fogo e cinzas; tudo, enfim, parece metamorfoseado na Natureza. A ideia da metempsicose é, talvez, o dogma mais antigo do Universo conhecido". (Ver *Metamorfose*, *Reencarnação* etc.)]

Metis (*Gr.*) — Sabedoria. A teologia grega associava *Metis* (Sabedoria divina) com *Eros* (amor divino). Tal palavra – como também *se diz* – fazia parte da divindade dos templários, ou seja, o ídolo Baphomet, que alguns autores derivam de *Baphe*, batismo, e *Metis*, sabedoria; outros, contudo, dizem que o ídolo em questão representava os dois mestres que os templários negavam igualmente: o Papa e Mahoma. (W. W. W.)

Mezuzá (*Hebr.*) — Estojo que contém um pergaminho enrolado, contendo as passagens do *Deuteronômio* 6:4-9 e 11:13-21, escritas a mão e aposto ao umbral direito de todas as portas das casas dos judeus.

Microcosmo ou **Microcosmos** (do grego *mikrós*, pequeno, e *Kosmos*, mundo) — O homem, que é um compêndio e retrato fiel do universo ou macrocosmo. O *pequeno* universo, entendendo-se por esta palavra o homem, feito à imagem de seu Criador, o Macrocosmo, ou *grande* universo, e contendo tudo o que este contém. Os dois termos são empregados no Ocultismo e na Teosofia. (Glossário de *A Chave da Teosofia*) A palavra *Microcosmo*, pequeno mundo, em geral é aplicada ao homem. Um mundo pequeno é um microcosmo, quando comparado com outro maior. Nosso sistema solar é um microcosmo em comparação com o Universo e um macrocosmo quando comparado com a Terra. Do mesmo modo, o homem é um microcosmo em comparação com a Terra e um macrocosmo quando comparado a um átomo de matéria. Um átomo de matéria é um microcosmo, porque nele estão todas as potencialidades para o desenvolvimento de um macrocosmo, se fornecidas as condições necessárias. Tudo o que está contido num microcosmo em estado de desenvolvimento, está

M

contido no microcosmo em germe. *(F. Hartmann)* O homem é chamado de espelho do Universo, imagem ou reflexo de Deus e, assim, o homem repete em miniatura a evolução do Universo. (A. Besant, *Sabedoria Antiga,* 213) Os filósofos dão também este nome a seu magistério, pois, dizem, ele contém todas as virtudes das coisas superiores e inferiores.

Microprosopo — Palavra grega que significa, literalmente, "Cara pequena" ou "Face menor". Em seu sentido metafísico mais elevado, Microprosopo é Adão Kadmon, o Homem celeste ou arquétipo; o veículo de Ain Suph. Este termo aplica-se igualmente ao Microcosmo (*Doutrina Secreta,* I, 235) e à Tétrade (*Idem,* II, 663). (Ver *Face inferior, Faces* ou *Rostos Cabalísticos, Macroprosopo, Tetragrammaton* etc.)

Micha (*Sânsc.*) — Inveja, engano, fraude.

Middha (*Sânsc.*) — Sonolência, entorpecimento, estupidez.

Midgard (*Esc.*) — A grande Serpente dos *Eddas,* que rói as raízes de *Igdrasil,* a Árvore da Vida e do Universo, segundo a lenda dos antigos escandinavos. *Midgard* é a Serpente do Mal. Sob outro ponto de vista, *Midgard* é a Terra, mansão do homem, em contraposição a *Asgard,* morada dos deuses, e *Utgard,* residência dos gigantes. Une-se ao *Asgard* pela ponte do arco-íris. *Midgard* é também a Serpente do mundo, oculta no oceano, cujos anéis ou espirais circundam todo o nosso planeta.

Midrash (*Hebr.*) — Outro nome do *Zohar.* (*Doutrina Secreta,* III, 167)

Midrashim (*Hebr.*) — "Antigo"; o mesmo que *Purâna.* Os antigos escritos dos judeus, como os *Purânas,* são designados pelo nome de "Antigas" (Escrituras da Índia).

Migmar (*Tib.*) — O planeta Marte. É simbolizado por um Olho. "Contempla como *Migmar,* com seu "Olho" coberto por um véu carmesim, passa majestosamente acariciando a Terra adormecida". (*Voz do Silêncio,* II).

Miguel — É o *Metatron* dos cabalistas judeus. Foi designado por numerosos títulos: Miguel-Jehovah. Anjo da Face, Príncipe das Faces do Senhor, Glória do Senhor, Guia de Israel, Caudinho dos Exércitos do Senhor etc. Os católicos romanos identificam Cristo com Miguel, que é seu *Ferouer* (ver). Segundo a alegoria primitiva arcaica, Miguel luta com Satã o Dragão, e o vence bem como a seus anjos. (*Doutrina Secreta,* II, 503, III, 388 etc.)

Milagre — Segundo Chambers, é todo fenômeno que excede o poder do homem e se afasta da ação comum das leis da Natureza. Webster diz, mais acertadamente: "Um desvio das leis *conhecidas* da Natureza". Sabemos por experiência – diz Leadbeater – que, atualmente, o homem conhece apenas uma parte mínima das leis naturais e que, portanto, ocorrem muitas coisas que não consegue explicar. Porém, apoiando-nos na analogia, bem como na observação direta, estamos completamente certos de que tais leis são imutáveis e que, sempre que ocorre um fenômeno para nós inexplicável, a falta de tal explicação deve-se à nossa ignorância dessas leis e não a nenhuma contravenção das mesmas. Assim, à medida que se vai alargando o círculo de nossos conhecimentos, proporcionalmente se reduz o campo do milagroso. Aquilo que chamamos de "milagres" não são fatos que estão *supra vires naturæ* (acima das forças da Natureza), mas constituem simplesmente efeitos ou manifestações da Lei, que está acima de nosso saber e compreensão atuais. Assim, pois, a Teosofia ensina que não existe nem pode existir o milagre e que negar um fato que nos pareça extraordinário ou o declarar impossível, *a priori,* é prova simples de ignorância. Tudo o que acontece é resultado da Lei eterna e imutável e muitos ignoram que há leis outrora conhecidas e que hoje são desconhecidas pela ciência oficial. Não concluem as *possibilidades* ali onde terminam nosso saber e nosso alcance intelectual, por maiores que nos pareçam. Muitas novidades, que nossos avós qualificariam de sobrenaturais ou milagrosas, constituem para nós fatos completamente naturais, pela

M

simples razão de conhecermos os seus mecanismos. Tendo em vista os surpreendentes avanços da ciência, quem seria bastante ousado para dizer que já conhecemos *todas* as leis da Natureza? Palavras tais como "milagre" e "sobrenatural" e outras mais figuram apenas no vocabulário da ignorância. Porém há muitas pessoas, aparentemente doutas, que, levadas por um excesso de presunção e não querendo confessar sua própria ignorância, negam totalmente a possibilidade de tudo o que exceda sua limitada compreensão. A tais pessoas podemos aplicar as palavras que Goethe coloca na boca de Fausto: "Tenha por certo que aquilo que chamam de talento é, frequentemente, fatuidade e inteligência limitada". Aconselhamos. Pois a prudência e o bom senso sempre que nos encontremos diante de um fenômeno natural, cuja explicação nos escape, e que nos esforcemos em a procurar utilizando todos os meios possíveis.

Mîmânsâ (*Sânsc.*) — Um sistema de filosofia, um dos seis que existem na Índia. Há duas escolas filosóficas com este nome: a primeira, chamada de *Pûrva-Mîmânsâ* [ou *Mîmânsâ* anterior], foi fundada por Jaimini; a segunda, *Uttara Mîmânsâ* [ou *Mîmânsâ* posterior], foi fundada por um Vyâsa e atualmente é conhecida pelo nome de Escola *Vedânta*. Sankarâchârya foi seu mais eminente apóstolo. A escola *Vedânta* é o mais antigo dos seis *darzanas* (literalmente, "demonstrações"), mas ainda ao *Pûrva-Mîmânsâ* não se atribui uma antiguidade que passe do ano 500 a.C. Os orientais, que patrocinam a ideia absurda de que todas essas escolas "são devidas à influência grega", quiseram assinalar-lhes uma data posterior, para apoiar sua teoria. Os *Chad-darzana* (ou seis demonstrações) têm todos um mesmo ponto de partida e afirmam que *ex nihilo nihil fit* ["do nada, nada se faz"]. [Ver *Filosofia pûrva-mîmânsâ* e *Filosofia vedânta*.]

Mimer — Ver *Mimir*.

Mimir (*Esc.*) — Um sábio gigante, nos *Eddas*. Um dos *Jotuns* ou Titãs. Tomava conta de um poço (Poço de Mimir), que continha as águas da Sabedoria primitiva, bebidas por Odin para adquirir o conhecimento dos acontecimentos passados, presentes e futuros.

Mîna (Minas) (*Sânsc.*) — O mesmo que *Meenam*. Décimo segundo signo do Zodíaco hindu, correspondente ao nosso *Peixes*.

Minas — Ver *Mîna*.

Ministério (*Alq.*) — Mercúrio solvente dos Sábios, que o chamam, algumas vezes, de *primeiro ministério*, visto que inicia a obra pela purificação das matérias e que é nesta purificação que se forma o mercúrio dos filósofos.

Minium (*Alq.*) — Enxofre vermelho ou minério de fogo celeste.

Minos (*Gr.*) — O grande Juiz do Hades. Um antigo rei de Creta.

Miölner ou **Mioelner** (*Esc.*) — O martelo de combate de Thor (ver *Svastika*), fabricado para ele pelos anões. Com este martelo, venceu a homens e deuses. É a mesma espécie de arma mágica que o *Agneyastra* hindu, a arma de fogo.

Mishnah (*Hebr.*) — [Literalmente, "instrução" ou "repetição".] A parte mais antiga do *Talmud* judeu, ou lei oral, que se compõe de regras secundárias para guiar os judeus, com um extenso comentário. Seu conteúdo está ordenado em seis seções, que tratam, respectivamente, de Sementes, Festas, Mulheres, Danos, Coisas Sagradas e Purificação. O rabino Judas Haunasee codificou o *Mishnah* no ano de 140 d.C. aproximadamente.

Mistagogia — Palavra derivada do grego. Doutrinas e interpretações dos Mistérios sagrados.

Mistagogo (em grego, *Mystagogus*) — Chefe dos Iniciados. Sacerdote que Iniciava os neófitos nos Mistérios.

M

Mistelten (*Esc.*) — Uma arvorezinha ou arbusto com o qual Oeder, instigado por Loke, matou Baldur.

Mistérios — Em grego, *teletai*, consumações, cerimônias de Iniciação ou Mistérios. Eram cerimônias geralmente ocultas aos profanos e pessoas não Iniciadas e, durante as quais eram ensinadas, através de representações dramáticas e outros métodos, a origem das coisas, a natureza do espírito humano, as relações deste com o corpo e o método de sua purificação e reposição a uma vida superior. A ciência física, a medicina, as leis da música, a adivinhação, eram todas ensinadas da mesma maneira. O juramento de Hipócrates era apenas um compromisso místico. Hipócrates era um sacerdote de Asclépios (Esculápio), alguns de cujos escritos casualmente tornaram-se públicos. Porém os Asclepíades eram Iniciados do culto da serpente de Esculápio, como as bacantes eram-no no dionisíaco e ambos os ritos, com o tempo, foram incorporados aos eleusinos. Os Mistérios sagrados eram celebrados nos templos antigos pelos hierofantes Iniciados, para proveito e instrução dos candidatos. Os Mistérios mais solenes e secretos eram certamente celebrados no Egito pela "companhia de guardadores do segredo", como Bonwick denomina os Hierofantes. Maurice descreve graficamente sua natureza em poucas linhas. Falando dos Mistérios celebrados em Filé (Ilha do Nilo), diz que "nestas sombrias cavernas, os grandes e místicos segredos da deusa (Ísis) eram revelados ao adorador aspirante, enquanto o hino solene de Iniciação ressoava em toda a ampla extensão destas recônditas profundidades de granito". A palavra "Mistérios" deriva do grego *muô*, "fechar a boca", e cada símbolo a eles relacionado tinha um significado oculto. Segundo Platão e muitos outros sábios da Antiguidade, os Mistérios eram altamente religiosos, morais e benéficos como escola de ética. Os Mistérios gregos, os de Ceres e Baco, eram apenas imitações dos egípcios, e o autor de *Crença Egípcia e Pensamento Moderno* ensina-nos que a "palavra inglesa *chapel* (capuz ou *capela*) diz-se ser o *Caph-El* ou Colégio de *El*, a divindade solar. Os tão conhecidos *Kabiri* ou Cabires estavam associados aos Mistérios. Em poucas palavras, os Mistérios eram, em todos os países, uma série de representações dramáticas, nas quais os mistérios da cosmogonia e da Natureza, em geral, eram personificados por sacerdotes e neófitos, que desempenhavam o papel dos diferentes deuses e deusas, repetindo supostas cenas (alegorias) de suas respectivas vidas. Estas eram explicadas em seu sentido oculto aos candidatos à Iniciação e incorporadas nas doutrinas filosóficas.

Mistérios de Elêusis — Os Mistérios Eleusinos são os mais famosos e mais antigos de todos os Mistérios gregos (exceto os da Samotrácia), e eram celebrados nas cercanias da aldeia de Elêusis, perto de Atenas. Epifânio remonta-os aos tempos de machos (1.800 a.C.) e foram fundados, como se expressa em outra versão, por Eumolpo, rei da Trácia, e Hierofante. Eram celebrados em honra de Demeter, a Ceres grega e a Ísis egípcia, e o último ato da representação aludia a uma vítima sacrificial expiatória e uma ressurreição, quando o Iniciado era admitido ao grau supremo de *Epopta* (ver). A festa começava no mês de *Boëdromion* (setembro), época da vindima, e durava do dia 15 ao dia 22, ou seja, sete dias. A festa hebraica dos Tabernáculos, festa das Colheitas, no mês de *Ethanim* (o sétimo), começava também no dia 15 e terminava no dia 22 desse mês. O nome do mês (*Ethanim*) deriva, segundo alguns, de Adonim, Adonia, Attenim, Ethanim, e era consagrado a Adonai ou Adonis (Thammuz), cuja morte os hebreus lamentavam nos bosques de Bethlehem. O sacrifício do "Pão e do Vinho" era executado antes dos Mistérios da Iniciação e, durante a cerimônia, revelavam-se aos candidatos os mistérios do *Petroma*, espécie de livro composto de duas tabuinhas de pedra (*petrai*), unidas lateralmente e dispostas para se abrirem como os demais livros. (Para maiores detalhes, ver *Ísis sem Véu*, II, p. 44 e 91 e ss.)

M

Mistérios Órficos (do grego *Orphica*) — Vieram depois dos Mistérios de Baco, porém diferiam muito destes. O sistema de Orfeu caracterizava-se por sua moralidade puríssima e severo ascetismo. A teologia que Orfeu ensinava é, por outro lado, puramente hindu. Para ele, a Essência divina é inseparável de tudo o que é no Universo infinito, pois todas as formas estão ocultas nela desde toda a eternidade. Em determinados períodos, essas formas são manifestadas emanando da Essência divina ou manifestando-se por si mesmas. Assim, graças a esta lei de emanação (ou evolução), todas as coisas participam de tal Essência e constituem partes e membros *impregnados* de natureza divina, que é onipresente. Como todas as coisas d'Ela procederam, a Ela devem voltar necessariamente e, portanto, é preciso haver inúmeras transmigrações ou reencarnações e purificações antes de chegar à consumação final. Isso é pura filosofia *Vedânta*. Por outro lado, a Fraternidade órfica não ingeria alimentos animais, usavam roupas de linho branco e praticavam muitas cerimônias semelhantes àquelas dos brahmanes.

Misticismo — Toda doutrina envolta no mistério e na metafísica e que trata mais dos mundos ideais do que do nosso Universo real positivo. (Glossário de *A Chave da Teosofia*) Outra acepção desta palavra é: o estado da pessoa que se dedica a Deus e às coisas espirituais.

Místico (do grego *mystikós*) — Na Antiguidade, era aquele que figurava entre os que eram admitidos nos antigos Mistérios; atualmente, é o que pratica o misticismo e professa ideias místicas, transcendentais etc. (Glossário de *A Chave da Teosofia*) Segundo se lê em *Ísis sem Véu* (I, XXXVI), dá-se o nome de místico aos Iniciados; porém, na Idade Média e nos períodos posteriores, aplicava-se tal termo àqueles homens que, como Jacobo Boehme o Teósofo, Molinos o Quietista, Nicolas de Basilea e outros, acreditavam numa comunhão direta com Deus, análoga à inspiração dos profetas.

Mita (*Sânsc.*) — Parco, reduzido, limitado, conciso; dividido, distribuído; conhecido, examinado; fixo, firme, sólido.

Mitabhâchin ou **Mîtabhâchitri** (*Sânsc.*) — Que fala pouco. Nos *Vedas*, é um epíteto de certos ministros do Sacrifício.

Mitadru (*Sânsc.*) — O mar, o oceano.

Mitakchara (*Sânsc.*) — Literalmente, "palavra medida". Verso.

Mitâzana (*Sânsc.*) — Que come pouco; sóbrio, frugal.

Mithilâ (*Sânsc.*) — Nome de uma cidade situada a nordeste de Bengala.

Mithra — Ver *Mitra*.

Mithuna (*Sânsc.*) — Par, parelha, união. Terceiro signo do Zodíaco hindu, correspondente ao nosso *Gêmeos*.

Mithyâ (*Sânsc.*) — Mítico, fabuloso, falso, fingido, hipócrita.

Mithyâchâra (*Sânsc.*) — Conduta indevida, incorreta, que atua com falsidade ou hipocrisia; hipócrita; falso devoto.

Mithyâdhyavasiti (*Sânsc.*) — Perseverança no erro; confirmação de um erro através de um falso raciocínio.

Mithyâdrichti (*Sânsc.*) — Visão falsa; ilusão; erro; heresia.

Mithyâvachana (*Sânsc.*) — Falsidade, mentira.

Miti (*Sânsc.*) — Medida, peso; apreciação, valor; juízo, prova.

M

Mito (*Mythos*, em grego) — Comumente se entende por mito uma fábula ou ficção alegórica, que encerra no fundo uma verdade geralmente de ordem espiritual, moral ou religiosa. Porém, é preciso levar em conta que os antigos escritores davam à palavra *mythos* o significado da tradição, palavra, relato, rumor público etc., e que a palavra latina fábula era sinônimo de alguma coisa dita, ocorrida em tempos pré-históricos e não necessariamente uma ficção ou invenção. (Ver *Doutrina Secreta*, III, 33) Os mitos têm um duplo significado. Muitos deles resultam em realidades e a maior parte não são invenções, mas *transformações*, pois têm como ponto de partida fatos reais. "Os mitos – diz atinadamente Pococke –, está provado agora, são *fábulas* na mesma proporção em que *os compreendemos mal* e são *verdades* na proporção em que *eram compreendidos noutro tempo*. Os mitos tiveram e têm ainda, para as massas populares, o valor de dogmas e realidades e constituem a base das religiões exotéricas." "De onde vem – diz Eugênio Talbot – esse consentimento unânime e persistente em crenças baseadas no erro?" Desta lei lógica e indiscutível de que "todo erro tem base na verdade". Em outras palavras, como o compreendeu tão bem Otfried Müller, os mitos não são consequência elaborada de um sistema, mas uma criação espontânea, irreflexiva e repentina do espírito humano em sua infância; o mito é o antípoda da abstração. Assim, não é de surpreender que a humanidade siga aferrada, em todos os tempos, ao mito. Este faz parte dela própria e, quando a humanidade chega à idade adulta, não pode renegar as crenças de seu berço. Os estudos modernos de Mitologia comparada lançaram muita luz sobre a gênese do mundo, do homem e dos deuses, bem como sobre a história e evolução das principais religiões do globo. Para todo pensador é de suma importância examinar, com a maior atenção, os mitos sob *todos* os aspectos, aplicando-lhes cada uma das sete chaves, e descobrir as verdades transcendentais ocultas no fundo de tais ficções.

Mitra (*Sânsc.*) — Um dos doze *Âdityas* (filhos de Aditi) ou personificações do Sol. Nos *Vedas*, encontra-se geralmente associado com Varuna, sendo Mitra aquele que rege o dia e Varuna o que rege a noite. À semelhança do nome e por ser uma forma do Sol, guarda estreita relação com o *Mithra* persa. (Ver *Mitra* ou *Mithra*.) *Mitra* significa também: amigo, companheiro, aliado.

Mitra ou **Mithra** (*Per.*) — Antiga divindade iraniana, um deus-Sol, como o demonstra o fato de ter cabeça de leão. Este nome existe também na Índia e significa uma forma do Sol. O *Mithra* persa, aquele que fez Ahriman sair do céu, é uma espécie de Messias que, segundo se espera, voltará como juiz dos homens e é um Deus que *arca com os pecados* e expia as iniquidades da humanidade. Como tal, contudo, encontra-se diretamente relacionado com o ocultismo supremo, cujos ensinamentos eram expostos durante os Mistérios mitraicos. [Esta divindade é o princípio mediador colocado entre o bem e o mal, entre Ormuzd e Ahriman; Mitra é Khorschid, o 'primeiro dos *Izeds*, o doador de luz e de bens, mantenedor da harmonia no mundo e guardião protetor de todas as criaturas. Sem ser propriamente o Sol, é a representação do astro-rei e é invocado como este. Através de documentos relativos à Pérsia – diz E. Bournof – sabemos que o viril figurava também nas cerimônias masdeístas, nas quais representava Mithra, e que Mithra não era nada mais do que a força imanente do Sol, concebido como regulador do tempo, iluminador do mundo e agente de vida. O *Veda* confirma sobejamente esta interpretação do símbolo e dá ao próprio tempo o primeiro sentido da fórmula cristã *per quem omnia fatia sunt* ("pelo qual todas as coisas foram feitas".]

Mitra — Chapéu ou adorno de cabeça de um dignatário religioso, como aquele de um bispo católico romano: um chapéu que termina em fenda, como uma cabeça de peixe com a cauda aberta – cabeça de tainha –, associada com Dagon, a divindade babilônica, sendo preciso notar que a palavra *dag* significa "peixe". O curioso é que o orifício da matriz também foi assim denominado (os *tincæ* ou "focinho de tainha'] na mulher e o

M

peixe está relacionado com a deusa Afrodite, que surgiu do mar. É também curioso que as antigas lendas caldeias falam de um instrutor religioso, chamado de Oannes e Anedoto, meio homem, meio peixe, que, saindo do mar, chegou àquele país. (W. W. W.)

Mitratâ (*Sânsc.*) — Amizade.

Mitravatsala (*Sânsc.*) — Que inspira afeto, simpático.

Mitrayu (*Sânsc.*) — Afetuoso, benévolo, amigo, simpático.

Mitta (*Pál.*) — Benevolência compassiva. Esta doutrina enobrece o Budismo e o coloca num lugar eminente entre as religiões do mundo. Esta palavra é sinônima de *Maitreya* (ver) nome do Buddha vindouro. (Olcott, *Catecismo búdico*, 42ª ed., p. 47)

Mitzvá (*Hebr.*) — Literalmente, mandamento, boa ação (consciente). Há *mitzvot* (plural de *mitzvá*) essenciais e inerentes ao homem e outros decorrentes de normas legais.

Mizra (*Sânsc.*) — Mistura; misturado, misto, múltiplo.

Mizraim (*Eg.*) — Nome do Egito em tempos antiquíssimos. Este nome é atualmente relacionado com a maçonaria. (Ver *Rito de Mizraim* e *Rito de Mênfis* nas *Enciclopédias maçônicas*.)

Mizraka (*Sânsc.*) — Paraíso, jardim celeste; canto.

Mizrakâvana (*Sânsc.*) — O paraíso de Indra.

Mizrita (*Sânsc.*) — Misturado, adicionado; respeitável.

Mlechchha (*Sânsc.*) — Pária, sem casta. Este nome é aplicado aos estrangeiros (bárbaros) em geral e aos que não são arianos.

Mnevis (*Eg.*) — O outro Mnevis, filho de Ptah e símbolo do deus-Sol Ra, do mesmo modo que se supunha que Ápis era Osíris na forma sagrada de touro. Sua residência era Heliópolis, a cidade do Sol. Era negro e levava sobre os chifres o *urœcus* (áspide) e o disco.

Mobeds (*Zend.*) — Sacerdotes zoroastrianos ou parses. (Ver *Mago*.)

Modalismo — Doutrina exposta, pela primeira vez, por Sabellius, de que o Pai, o Filho e o Espírito Santo não são três pessoas distintas, mas apenas três modos diferentes de manifestação.

Mogha (*Sânsc.*) — Vão, inútil.

Moghajñâna (*Sânsc.*) — De saber ou conhecimento vão.

Moghakarman (*Sânsc.*) — De ações vãs.

Moghâza (*Sânsc.*) — De esperanças vãs.

Moha (*Sânsc.*) — Ilusão, erro, engano, ofuscação, confusão, perturbação, insensatez; inconsciência, ignorância; perplexidade; apatia; esquecimento; negligência, descuido; pena, tormento. É sinônimo de *asmitâ*, um dos cinco "sofrimentos" de Patañjali.

Moha-jâla (*Sânsc.*) — A ilusão do mundo dos objetos dos sentidos. *(P. Hoult)*

Moha-mantra (*Sânsc.*) — Um mantra que cria um encantamento ou ilusão. *(P. Hoult)*

Mohana (*Sânsc.*) — Erro, confusão, engano, ilusão; que causa confusão, erro ou engano; falaz, enganoso, ilusório.

Moha-shâstra (*Sânsc.*) — Doutrina falsa ou que induz a erro.

M

Mohin (*Sânsc.*) — Que perturba a compreensão ou os sentidos; que causa vertigem ou delírio.

Moira (*Gr.*) — Equivalente ao *Fatum* latino; destino, o poder que governa as ações, os sofrimentos, a vida e as lutas humanas. Porém, *Moira* não é *Karma*; é apenas uma de suas forças-agentes. (Para maiores detalhes, ver *Doutrina Secreta*, II, 639, nota 3.)

Moisés — Há dados que fazem crer que os livros atribuídos a Moisés foram escritos na Babilônia, durante o cativeiro dos israelitas ou imediatamente depois de Esdras. De fato, em tais escritos encontram-se apenas terminações persas e caldeias: *Babel*, porta de Deus; *Phegor-beel* ou *Beel-phegor*, deus do abismo; *Daniel*, juízo de Deus; *Zebuth-beel* ou *Beel-zebuth*, deus dos insetos; *Bethel*, casa de Deus; *Gabriel*, homem de Deus; *Jahel*, aflito de Deus; *Jaiel*, vida de Deus; *Israel*, que vê a Deus; *Oziel*, força de Deus; *Rafael*, socorro de Deus; *Uriel*, fogo de Deus. (*Dicionário filosófico*, verbete *Moisés*). Há muitos séculos as fábulas orientais atribuíam a Baco tudo o que os judeus disseram de Moisés. De fato, alguns escritores eruditos, tais como Vossius, M. Huet e o padre Tomassin, observaram pontos curiosos de semelhança entre o deus Baco e o renomado legislador do povo hebreu: 1º) Baco nasceu no Egito e teve duas mães: a ninfa Semele e seu próprio pai Júpiter, que recolheu o menino do seio de sua mãe, morta por um raio, mantendo-o em sua coxa até o dia de seu nascimento. Moisés nasceu no Egito e também teve duas mães, uma que o deu à luz e outra que o adotou; 2º) Baco foi encontrado exposto na ilha de Naxos. Esta circunstância valeu-lhe o sobrenome de Myfas, que significa "salvo das águas". Moisés foi abandonado na margem do Nilo e por ter sido salvo das águas foi chamado Moisés, de *mo*, que em egípcio significa "água" e *yses*, "salvo"; 3º) Baco cruzou o Mar Vermelho com um exército composto de homens e mulheres a fim de conquistar as Índias. Moisés também atravessou este mar, com uma hoste igualmente composta de homens e mulheres para encontrar a Terra da Promissão; 4º) Baco, da mesma forma que Moisés, transformou as águas em sangue; 5º) a fábula dota o deus Baco de cornos e lhe coloca na mão um tirso temível (bastão terminado em pinha e enfeitado de hera e pâmpanos). Moisés tinha dois raios luminosos na fronte e trazia na mão uma vara miraculosa; 6º) Baco foi criado no monte Nisa, Moisés passou quarenta dias no monte Sinai, de que Nisa parece ser um anagrama; 7º) Baco vingou-se de Penteu, rei de Tebas, que se opunha à introdução do culto de tal deus em seu reino. Moisés castigou ao Faraó que não queria que o povo de Deus saísse para celebrar sacrifícios; finalmente, Baco plantou a vinha em diversos lugares e, nos dias de Moisés, os exploradores enviados, por este, à terra de Cannã regressaram com um enorme cacho de uvas, que dois homens transportavam em um varal. (*Connaissance de la Mythologie*, Lyon, 1817, p. 83)

[Segundo Orféu, em seu *Hino a Adonis*, Apolo, Baco, Dioniso, o Sol, Adonis – são nomes de um mesmo personagem.]

Moksha (Mokcha) (*Sânsc.*) — "Liberação". Liberação dos vínculos da carne e da matéria ou da vida nesta Terra. (Ver *Mukti*.) O mesmo que *Nirvâna*; um estado *postmortem* de repouso e bem-aventurança da Alma-peregrina. [*Moksha* significa: liberação, desligamento, emancipação, salvação; é a liberação definitiva dos laços do corpo e da matéria em geral e, consequentemente, liberação das dores da existência mundana. Em tal estado, o Espírito individual, isento de toda nova reencarnação, é absorvido no Espírito Universal. Esta liberação final, portanto, é considerada como a suprema bem-aventurança. Tal palavra tem, ainda, outras acepções: morte, justiça, equidade, equilíbrio etc. (Ver *Mukti*.)]

Moksha-dharma (*Sânsc.*) — Título da terceira parte do *Zânti-Parvan* do *Mahâbhârata*.

M

Moksha-jñâna (*Sânsc.*) — Conhecimento que dá a salvação ou conhecimento salvador.

Mokshopâya (Mokcha-upâya) (*Sânsc.*) — Devoto que pensa exclusivamente na liberação final.

Moldes — Nome dado no Egito a tabuinhas de pedra calcária que, em verdade, não são moldes, mas figuras impressas. Tais tabuinhas apresentam a imagem da ave *Benou*, ave pernalta e palmípede, semelhante à fênix que nasce das próprias cinzas e, portanto, emblema da reprodução ou renovação. (Ver *Benou*.) Parecem indicar que a múmia, a que acompanham, dará nascimento a um novo ser destinado a cumprir uma nova existência. (Pierret, *Dict. d'Arch. Égypt.*)

Moloch — Ver *Baal*.

Mônada (do grego *monas*, unidade) — A Unidade, o *um*, mas em Ocultismo significa, muitas vezes, a Triada unificada. *Atmâ-Buddi-Manas*, ou a Díada *Âtma-Buddhi*, a parte imortal do homem que se reencarna nos reinos inferiores e progride gradualmente através deles até o homem e depois até a meta final [veja a discussão deste ponto no *Corpus Hermeticum* de Hermes Trismegistos]: o *Nirvâna*. [A Mônada é a Centelha divina, o *Jîva*, o Eu, o Raio do *Logos*. Ainda que seja una em essência, penetra em todos os planos e regiões do ser e se encarna em todas as formas ao percorrer os arcos ascendente e descendente (evolução e involução). Por este motivo se a designa, segundo o caso, pelos nomes de Mônada elemental, mineral, vegetal, animal, humana, de um Espírito Planetário etc. Contém em germe ou estado latente os atributos e poderes divinos, poderes que se vão manifestando em virtude das impressões nascidas do contato com os objetos do universo com que a Mônada se relaciona. (*Doutrina Secreta, passim*) É designada por Mônada tanto se se trata da Mônada do Espírito-Matéria (*Âtmâ*), como se se trata da Mônada da forma (*Âtmâ-Buddhi*) ou da Mônada Humana (*Âtmâ-Buddhi-Manas*). Em cada um destes casos é uma unidade e atua como uma unidade, tenha um só aspecto, dois ou três. (A. Besant, *Sabedoria Antiga*)]

Mônada animal — Ver *Mônada*.

Mônada Cósmica — Buddhi. (Ver *Doutrina Secreta*, I, 200.)

Mônada divina — Ver *Âtman*.

Mônada Dual — Este termo, empregado entre os estudantes de Ocultismo da escola Âryâsanga, aplica-se ao *Âtma-Buddhi*.

Mônada espiritual — É una, universal, infinita e indivisível, cujos Raios, entretanto, formam aquilo que, em nossa ignorância, chamamos "Mônadas individuais" dos homens. (*Doutrina Secreta*, I, 200) Só existe num estado *latente por completo*. (*Doutrina Secreta*, II, 83)

Mônada Humana — É o conjunto de *Âtma-Buddhi-Manas*. Estes três princípios constituem a parte imortal do homem, o Eu superior, que transmigra sucessivamente de um corpo para outro, até alcançar a liberação final, ou seja, sua completa emancipação da matéria. (Ver *Mônada*.)

Mônadas individuais — Ver *Mônada espiritual* e *Mônada universal*.

Mônada mineral — Ver *Mônada*.

Mônada Universal — O *Logos*, do qual emanam, como Centelhas ou raios, as Mônadas individuais.

Mônada vegetal — Ver *Mônada*.

M

Mônadas ex-lunares — Nome introduzido pela senhora Besant (*Genealogia do Homem*) para diferenciar dos Seres mais avançados (os *Barhishads* e os *Pitris* solares) as sete classes inferiores de entidades da Cadeia lunar, a que se alude frequentemente, na *Doutrina Secreta*, com o nome de "*Pitris* lunares". *(P. Hoult)*

Monádica, *essência* — Ver *Essência Monádica*.

Monas (*Gr.*) — O mesmo que *Mônada*: "Um", uma unidade. No sistema pitagórico, a díada emana do *Monas* superior e único que, portanto, é a "Causa primeira".

Monismo — O Monismo, ou doutrina da Substância única, é a mais sutil forma de psicologia negativa, que um de seus defensores, o professor Bain, denomina acertadamente "materialismo disfarçado". Esta doutrina, que admite o pensamento e os fenômenos mentais como radicalmente diferenciados da matéria, considera-os como dois lados ou aspectos de uma só e única substância em algumas de suas condições. (*Doutrina Secreta*, I, 149-150) Também se chama de Monismo ou Advaitismo (não-dualismo) uma das escolas da filosofia *Vedânta*. Esta escola admite a doutrina da unidade ou identidade do *Âtmâ* humano com o *Paramâtmâ*, isto é, a identidade do Espírito individual com o Espírito universal; doutrina que se acha resumida e formulada nas palavras: "Tu és Aquilo *(Brahman)*" *(Tat twan asi)*. (Ver *Advaita*.)

Monjas — Havia monjas no antigo Egito, assim como no Peru e na antiga Roma pagã. Eram as "esposas virgens" de seus respectivos deuses (solares). Como diz Heródoto: "as esposas de Ammon são excluídas de todo trato com os homens"; são as "esposas do céu" e virtualmente vem a ser mortas para o mundo, exatamente como o são agora. No Peru eram "puras virgens do Sol" e em algumas inscrições fala-se das *pallakistas* de Ammon Ra, dizendo que são as "esposas divinas". A irmã de Un-nefer, primeiro profeta de Osíris durante o reinado de Ramsés II, é descrita como "Taia, senhora abadessa de Monjas". *(Mariette Bey)*

Mono — Contrariamente ao que afirmam vários naturalistas modernos, o homem não descende do mono ou macaco, ou de qualquer antropóide da presente espécie animal. O mono é um homem degenerado. (Ver *Doutrina Secreta*, I, 212, II, 757 etc.)

Monogenes (*Gr.*) — Literalmente, "unigênito"; um nome de Prosérpina e de outros deuses e deusas.

Monogênese — Literalmente, "geração única". Geração direta, em que todos os seres vivos se reproduzem diretamente e com fases de desenvolvimento idênticas, por ovo ou por óvulo, em oposição à digênese ou geração alternante. *(Van Beneden)*

Monogenismo — Doutrina antropológica segundo a qual toda a família humana descende de um tipo primitivo e único.

Monograma de Cristo — Ver *Crismon*.

Monoteísmo (do grego *monos*, único e *Theos*, Deus) — Doutrina teológica dos que não reconhecem mais que um único Deus, contrariamente aos politeístas, que admitem a existência de muitos deuses.

Monstra (*Lat.*) — Ver *Monstros*.

Monstros — Seres não naturais, geralmente invisíveis, que podem provir da corrupção ou de uma união sexual contranatural, da putrefação (astral) do esperma ou dos efeitos de uma imaginação mórbida. Todas estas coisas e outras parecidas podem passar do estado simplesmente subjetivo ao estado objetivo, posto que "objetivo" e "subjetivo" são termos relativos e se referem mais à nossa capacidade para perceber tais seres que

M

a suas próprias qualidades essenciais. O que pode ser puramente subjetivo para uma pessoa que se encontre num determinado estado de existência pode ser completamente objetivo para outra que se encontre num estado distinto. Assim, por exemplo, no *delirium tremens*, a loucura, as alucinações subjetivas parecem objetivas ao paciente, ao passo que, durante nosso sonho, tudo que nos parecia objetivo em nosso estado de vigília desaparece e deixa de ser objetivo para nossa consciência. *(F. Hartmann)*

Montanismo — Heresia que apareceu na igreja cristã na última metade do séc. II, fundada pelo profeta e "enviado de Deus" Montano de Frígia, que promoveu uma reação em favor da antiga severidade ascética e disciplina eclesiástica.

Monte Meru — Ver *Meru*.

Moral egípcia — Os egípcios eram amáveis, benévolos, caridosos. São conhecidos vários tratados de moral daquele país: as *Máximas de Ftá-hotep*, as *Máximas do Escriba Ani* etc. O papiro demótico do Louvre apresenta, também, excelentes máximas morais.

Moral iraniana — O pequeno livro, que tem por título *Antiga Moral Iraniana e Zoroastriana*, compilado por Dhunjibhoy Jansetjee Medhora, teósofo parsi de Bombaim, é um excelente tratado repleto dos mais sublimes ensinamentos morais, em inglês e gujerati, e fará conhecer ao estudante, melhor que muitas outras obras, a ética dos antigos iranianos.

Moriah, *Monte* — Lugar em que se situava o primeiro templo de Salomão em Jerusalém, de acordo com a tradição. Foi para este monte que Abrahão se encaminhou para sacrificar seu filho Isaac.

Morte — Para aqueles que estão plenamente convencidos de que a entidade humana não é constituída principalmente pelo corpo físico e que este nada mais é que o envoltório passageiro do homem eterno, ou seja, da individualidade, a morte não existe, é um sonho; é a maior das ilusões da Terra porque nada mais é que uma mudança nas condições da vida perene e incessante, uma mudança de existência que dá ao homem uma liberação parcial, posto que, com o abandono e desintegração do corpo grosseiro, liberta-se da mais pesada das cadeias que o escravizam. O que chamamos "morte" é um nascimento para outra vida superior, mais ampla; um retorno à verdadeira pátria da alma, depois de um breve desterro na Terra, a passagem da prisão do corpo à liberdade do ar do alto. A morte, enfim, é o trânsito da vida material, objetiva, à vida subjetiva, isto é, à verdadeira vida da alma. Nada, pois, mais ilógico, mais absurdo que este aparato fúnebre, tétrico, com que se costuma revestir a morte em nossos tempos excessivamente materialistas. (*Sabedoria Antiga*, p. 206-207.) (Ver *Kâmaloka*, *Devachán* etc.)

De acordo com uma fórmula que se encontra nas inscrições funerárias, os egípcios "amavam a vida e detestavam a morte". Assim, tinham muito cuidado em afastar a ideia da morte, até o extremo de, nos textos, não figurar tal palavra. A aniquilação era considerada como o supremo castigo dos malvados; os justos desciam à tumba apenas para ali se prepararem para novas existências. A região infernal é a Terra dos *viventes* e, nas inscrições tumulares, o nome do defunto, muitas vezes, é seguido pelo epíteto: *revivente*. (Pierret, *Dict. d'Arch. Egypt.*) [Em termos da Alquimia, é o estado atual da putrefação dos mistos. Há dois estados de morte, em verdade. Um estado acidental e um estado essencial. A morte essencial é aquela em que o germe foi destruído. O misto perdeu suas raízes e sua forma íntima. A morte acidental é aquela que se processa a fim de se produzir a regeneração. A semente morre para que a planta nasça. O homem morre para que seu Espírito viva. O minério morre para que seu Espírito seja aperfeiçoado.] (Azlux, *De Alchimia*).

M

Morte da alma — Ver *Segunda morte*.

Morte segunda — Ver *Segunda morte*.

Mortos vivos — Qualificação dos homens que ignoram a Sabedoria e as verdades esotéricas, em *Voz do Silêncio*, II.

Morya (*Sânsc.*) — Uma das casas reais budistas de Magadha, à qual pertenciam Chandragupta e seu neto Azoka. É, também, o nome de uma tribo *râjput*.

Mosaico — Adjetivo que se aplica ao pertencente ou relativo a Moisés.

Mosardegi (*Alq.*) — Chumbo.

Mosel — Estanho, Júpiter. Para alguns alquimistas, mercúrio.

Môt (*Fen.*) — O mesmo que *ilus*, lodo ou barro, o caos primordial. Palavra empregada na cosmogonia etrusca. (Ver *Ilus* e *Suidas*) [Em Alquimia, Mot (ou Moot) indica a matéria prima dos sábios, ou a chamada pedra ao branco.]

Mout ou **Muth** (*Eg.*) — A deusa-mãe; a deusa primordial, posto que "todos os deuses nasceram de Muth", como se disse. Astronomicamente, a Lua. (Ver *Chnouphis*.)

Mrigaziras (*Sânsc.*) — O quinto asterismo lunar, figurado por uma cabeça de antílope *(mriga)*.

Mrigazirshâ (Mrigashirchâ) (*Sânsc.*) — Mesmo significado que o verbete anterior.

Mrit (*Sânsc.*) — A terra, barro.

Mrita (*Sânsc.*) — Morte, mendicidade. Usada adjetivamente: morto.

Mrityu (*Sânsc.*) — A morte. Epíteto de Yama, deus dos mortos.

Mrityusainya (*Sânsc.*) — Literalmente, "exército da morte": as paixões, na linguagem budista.

Mu (*Sen.*) — A palavra mística (ou melhor, uma parte dela) no Budismo do Norte. Significa a "destruição da tentação" durante a prática do *Yoga*.

Mû (*Sânsc.*) — Laço, vínculo.

Mud (*Sânsc.*) — Alegria, júbilo, delírio, embriaguez.

Mudâ (*Sânsc.*) — Alegria, gozo, júbilo; deleite.

Mûdha (*Sânsc.*) — Turbado, confuso; errado, cego; iludido, insensato, irracional.

Mûdhagrâha (*Sânsc.*) — Que tem a imaginação extraviada; ideia ou intenção desacertada; compreensão errônea.

Mûdhasattva (*Sânsc.*) — Insensato.

Mudita (*Sânsc.*) — Alegre, contente, gozoso, deleitado. Entre os budistas, uma das cinco categorias de meditação; a meditação da alegria ou gozo.

Mudrâ (*Sânsc.*) — Selo Místico. Sistema de signos secretos feitos com os dedos. Tais signos imitam antigos caracteres sânscritos de eficácia mágica. Usado primeiramente pela escola *Yogâcharia* do Budismo do Norte, foram adotados posteriormente pelos *tântrikas* hindus, que frequentemente os utilizaram mal – para fins de magia negra.

[Mudrâ é também uma prática do *Hatha-yoga*, que consiste em certo número de atitudes e contorções de membros do corpo.]

Muhira (*Sânsc.*) — Amor, desejo; *Kâma*.

M

Muhurta (*Sânsc.*) — A trigésima parte do dia, cerca de 48 minutos; um momento, um tempo breve.

Mukha (*Sânsc.*) — Boca, rosto; voz, som; direção; princípio, meio; o *Veda* (saído da boca de Brahma).

Mukhya (*Sânsc.*) — Chefe, caudilho; primeiro, primário, principal, o melhor. Nos *Purânas*, é a quarta criação, ou seja, a do reino vegetal. Chama-se *Mukhya* ou "primária" porque inicia a série de quatro. É, pois, o ponto médio entre os três reinos inferiores e os três superiores que representam os sete reinos esotéricos do Kosmos e da Terra. (*Doutrina Secreta*, I, 490)

Mukhya-Kârana (*Sânsc.*) — Causa principal.

Mukhya-prâna (*Sânsc.*) — O *Prâna* principal. A manifestação objetiva do Âtmâ no corpo. (*P. Hoult*)

Mukta (*Sânsc.*) — Livre, liberto, emancipado, isento, beatificado ou salvo. O candidato ao *Moksha* (liberação dos empecilhos da carne, da matéria ou da vida nesta Terra). [O Espírito livre da existência condicionada, ou livre dos laços do corpo.] Ver *Mukti*.

Muktasanga (*Sânsc.*) — Livre de interesse ou apego; isento de desejos.

Muktâtman (*Sânsc.*) — O Espírito desligado da matéria.

Mukti (*Sânsc.*) — Liberação da vida sensitiva. (Ver, *Mukta*.) [Isenção, emancipação, liberação dos sofrimentos da vida terrestre; liberação final, beatitude; *Nirvâna*. Sinônimo de *Moksha*.]

Mukti-marga (*Sânsc.*) — Sendeiro da libertação.

Mukunda (*Sânsc.*) — Pedra preciosa. Epíteto de Vishnu e de Krishna.

Mûla (*Sânsc.*) — Raiz, base, fundamento; origem, princípio, causa; principal, original. Nome do décimo nono asterismo lunar que corresponde à cauda do Escorpião.

Mûladhâra (*Sânsc.*) — O centro ou *chakra* inferior de distribuição das correntes, chamado em linguagem poética "lótus inferior", situado na extremidade inferior da medula espinal e oposto ao *sahasrâra* ou "lótus superior", situado no cérebro. Conforme o *Dicionário de Termos Teosóficos* de Powis Hoult, é o lótus fundamental dos *iogis*, onde está latente a Kundalinî. (Veja a respeito, Sir Arthur Avalon, *O Poder da Serpente*.)

Mûladhâra-Chakra (*Sânsc.*) — O plexo sacro. (Ver. *Mulâdhâra*.)

Mûlakârana (*Sânsc.*) — A causa primeira; a causa fundamental.

Mûlakarman (*Sânsc.*) — Operação mágica.

Mûlaprakriti (*Sânsc.*) — Literalmente, "Raiz da Natureza (*prakriti*) ou da Matéria". A raiz parabrâhmanica, o princípio abstrato deífico feminino: a substância indiferenciada, *Âkâza*. [A matéria cósmica indiferenciada, matéria primordial, essência ou raiz da matéria, eterna causa material e substância não-manifestada de todo ser; ou seja, a imensa massa de matéria informe, caótica ou indiferenciada da qual surgem todas as formas ou manifestações materiais do Universo visível, assim como da informe massa de barro saem todas as figuras e vasilhas fabricadas pelo oleiro. Os alquimistas ocidentais dão-lhe o nome de "Terra de Adão" e os vedantinos *Parabrahman*, embora, a rigor, "o *Mûlâprakriti* seja apenas o véu lançado sobre *Parabrahman*". (*Doutrina Secreta*, I, 39, nota.)

Mulil (*Cald.*) — Nome do caldaico Bel.

M

Mul-lil *(Acad.)* — Ver *Dingir*.

Muluk-Taus (Muluk-Taoos) *(Ár.)* — De *Maluh*, "regente" ou "governador", forma posterior de *Moloch, Melek, Malayak, Malachim*, "mensageiros", anjos. É a divindade adorada pelos *yezidis*, seita persa, benevolentemente chamada pela teologia cristã de "adoradores do diabo", sob a forma de um pavão real. O senhor "Pavão Real" não é Satã, nem o diabo, posto que é simplesmente o símbolo da Sabedoria de *cem olhos*; a ave de Sarasvatî, deusa da sabedoria, de Karttikeya el Kumâra, a virgem celibatária dos mistérios de Juno, e de todos os deuses e deusas que têm relação com a sabedoria secreta.

Múmia — Nome dado aos corpos humanos embalsamados e conservados segundo o antigo método egípcio. A mumificação é um rito de suma antiguidade na terra dos Faraós e era considerada como uma cerimônia das mais sagradas. Era, além disso, uma operação que demonstrava grandes conhecimentos de química e cirurgia. Vemos múmias que têm mais de cinco mil anos tão bem conservadas e frescas como quando acabaram de sair das mãos dos *parashistas*. [As múmias de Tebas conservam uma flexibilidade notável e podem ser dobradas sem que se rompam; em algumas delas, pressionando-se um dedo sobre a carne, nota-se que esta ainda cede. A mão esquerda é adornada com anéis e escaravelhos. (Ver *Escaravelho*.) As múmias de Mênfis estavam, frequentemente, carregadas de amuletos de escaravelhos e a seu lado, ou entre suas pernas, depositavam-se papiros (exemplares do *Livro dos Mortos*) no ataúde; vários desses manuscritos estavam meio desenrolados e estendidos da cabeça até aos pés da múmia. *(Dict. d'Arch. Égypt.)*]

Mumia — A essência vital contida em algum veículo (*Jiva*, vitalidade, que se une a alguma substância material). As partes do corpo humano, animal ou vegetal, separadas do organismo, retém por algum tempo sua potência vital e sua ação específica, como está comprovado pelo enxerto, ou transplante de pele, vacinação, envenenamento por infecção cadavérica, feridas anatômicas, infecção por úlceras etc. (As bactérias são estes veículos de vida.) O sangue, as matérias excretadas etc. podem manter vitalidade durante algum tempo após terem saído do organismo e pode haver alguma simpatia entre tais matérias e a vitalidade do organismo, e, atuando-se sobre aquelas, este último pode ser afetado. Conta-se um caso em que se efetuou uma operação plástica no nariz de um homem, implantando neste um pedaço de pele de outra pessoa. O nariz artificial manteve-se conservado por largo espaço de tempo, enquanto viveu a pessoa de quem se obteve o pedaço de pele. Quando esta morreu, o nariz do outro homem entrou em putrefação. Registram-se, também, casos em que uma pessoa sentiu dor devida à pressão de uma pedra sobre uma perna amputada – quando se retirou a pedra, a dor cessou imediatamente. Esta simpatia existente entre a coincidência do homem e seu corpo é a causa de que a forma astral de um morto pode sentir agudamente qualquer dano que se faça em seu cadáver. O "espírito" de um suicida pode sentir os efeitos de uma autópsia *post-morrem* tão vivamente como se o corpo estivesse vivo. Tudo isto não é surpreendente nem misterioso se lembrarmos que todas as coisas são apenas substância da vontade tornada objetiva e que a harmonia existente entre duas partes pertencentes à mesma qualidade de vontade não para necessariamente de existir, quando as duas partes se separam. *(F. Hartmann)* Com a descoberta das *vitaminas*, a ciência oficial moderna corrobora o que foi exposto anteriormente. Demonstrou-se de modo concludente que o valor nutritivo dos alimentos depende principalmente das vitaminas que contêm ou, em outras palavras, de seu grau de vitalização. Os alimentos não vitalizados não só causam nutrição deficiente, mas originam também diversas enfermidades (escorbuto, raquitismo etc.). As crianças submetidas à lactância artificial não se desenvolvem tão bem como aquelas que se alimentam de leite materno. Observou-se que vacas alimentadas em pastos verdes produzem um leite rico, cremoso e abundante, enquanto que vacas alimentadas com forragem seca produzem

M

pouco leite e aguado. Devido à ausência de vitalidade, um ovo ou uma semente perde a faculdade de gerar um novo indivíduo após o transcorrer de algum tempo. Nos efeitos saudáveis que, em nosso organismo, produzem as exalações vitais das substâncias orgânicas em estado fresco baseiam-se inúmeras práticas da medicina popular e da oficial, tais como a aplicação de testículos, pelos de coelho, pedaços de carne crua e até urina e excrementos de animal sobre a parte enferma do corpo. Em Roma, as pessoas decrépitas e doentes acudiam ao *Spoliarium* para chupar as últimas gotas que fluíam das feridas dos gladiadores, absorvendo com o sangue os últimos eflúvios vitais, que deviam revigorar ou rejuvenescer aqueles organismos extenuados pela doença ou pela mão do tempo.

Mumukcha — Ver *Mumukchatwa*.

Mumukchatwa (*Sânsc.*) — Desejo de liberação (da reencarnação e da escravidão da matéria).

Mumukchu (*Sânsc.*) — Desejo de liberação.

Munda (*Sânsc.*) — Literalmente, "calvo". Nome de um demônio *(daitya)*, morto por Durgâ.

Mundaka (*Sânsc.*) — Título de um *Upanichad*.

Mundakya-Upanichad (Mundakopanichad) (*Sânsc.*) — Literalmente, "Doutrina esotérica *Mundaka*". Obra muito antiga. Foi traduzida pelo rajá Rammohun Roy.

Mundo — *Árvore* ou *ovo* ou qualquer outro objeto simbólico nas mitologias do mundo. *Meru* é a "Montanha do Mundo"; a Árvore *Bodhi* ou *Ficus religiosa* é a Arvore do Mundo dos budistas, bem como o *Yggdrasil* é a Árvore do Mundo dos antigos escandinavos.

Mundo — Nome associado a montanhas, árvores etc., que denota uma crença universal. Assim, a "Montanha do Mundo" dos hindus era o Meru. Como se diz em *Ísis sem Véu*: "Todos os montes, ovos, árvores, serpentes e colunas do mundo encerram, pode-se provar, verdades da filosofia natural cientificamente demonstradas. Todas essas montanhas contêm, com ligeiras variações, a descrição alegoricamente expressa da cosmogonia primitiva; os ovos do mundo, a subsequente evolução do espírito e da matéria; as serpentes e colunas, recordações simbólicas dos diversos atributos desta evolução dupla em sua infinita correlação de forças cósmicas. Dentro dos misteriosos retiros da montanha – a matriz do Universo – os deuses (poderes) preparam os germes atômicos da vida orgânica e, ao mesmo tempo, o licor da vida, que, uma vez degustado, desperta na matéria humana o *espírito* humano. O *Soma*, bebida sacrificial dos hindus, é esse sagrado licor; porque, na criação da *matéria prima*, enquanto as partes mais grosseiras eram utilizadas para o mundo físico embrionário, sua essência mais divina impregnava o Universo, penetrando de modo invisível e incluindo em suas ondas etéreas a criança recém-nascida, desenvolvendo-o e estimulando-o para a atividade, à medida que vai saindo do caos eterno. Da poesia do conceito abstrato, estes mitos passaram gradualmente a imagens concretas de símbolos cósmicos, tais como são encontrados atualmente pela arqueologia". (Ver *Árvore do Mundo*, *Ovo do Mundo*, *Yggdrasil* etc.)

Mundo astral — Também denominado de *Plano astral*. É a região do Universo imediata ao plano físico, se podemos empregar a palavra "imediata" nesse sentido, porque os planos do Universo não são zonas ou camadas concêntricas superpostas, mas esferas concêntricas que se interpenetram mutuamente, separando-se umas das outras apenas por sua respectiva constituição. Neste plano, a vida é mais ativa e a forma é mais plástica do que no plano físico. A matéria astral é muito mais sutil que a do plano físico, de modo que penetra facilmente em todo corpo de nosso plano terrestre. Os objetos astrais são combinações de matéria astral, da mesma maneira que os objetos físicos são combinações

M

de matéria física. Devido à sua extraordinária ductilidade, as entidades astrais podem modificar rapidamente seu aspecto, porque a matéria astral, que as compõe, toma forma sob cada impulso do pensamento. Uma parte deste plano é constituída pelo *Kâma-loka*. (A. Besant, *Sabedoria Antiga*, p. 73 e ss.)

Mundo briático — Ver *Briah* e *Mundos* (Os Quatro).

Mundo oculto — Título do primeiro livro que tratou de Teosofia, de sua história e de algumas de suas doutrinas. Foi escrito por A. P. Sinnett, editor, naquela época, do importante periódico hindu *The Pioneer* de Allahabad, Índia.

Mundos, *Os Quatro* — Os cabalistas reconhecem quatro Mundos de existência, a saber: *Atziluth* ou arquétipo; *Briah* ou criador, primeira reflexão do supremo; *Yetzirah* ou formativo e *Assiah*, o mundo das cascas ou *Klippoth*, e o universo material. A essência da Divindade, concentrando-se nos *Sephiroth*, manifesta-se inicialmente no mundo de *Atziluth* e seus reflexos produzem-se sucessivamente em cada um dos quatro planos com uma radiação e pureza que vão diminuindo gradualmente até chegar ao universo material. Alguns autores dão a estes quatro planos os nomes de Mundos intelectual, moral, sensitivo e material. (W. W. W.)

Mundos inferior e superior — Os ocultistas e cabalistas concordam em dividir o Universo em mundos superior e inferior, os mundos da Ideia e da Matéria. "Como é acima, assim é abaixo", afirma a filosofia hermética. O mundo inferior é formado segundo seu protótipo: o mundo superior e "todas as coisas do inferior são apenas imagens (ou reflexos) do superior". (*Zohar*, II, fl. 20 a.)

Munen ou **Munin** (*Esc.*) — Hugen e Munen são os dois corvos mensageiros do deus principal da Mitologia escandinava, Odin, a quem informavam de tudo o que viam e ouviam no mundo.

Muni (*Sânsc.*) — Santo sábio. [Literalmente, "silencioso". Solitário, asceta, contemplativo; santo iluminado. Anacoreta ou monge solitário, que observa o voto do silêncio e vive no retiro, entregue à vida contemplativa. Por sua santidade e suas grandes austeridades, participa de uma natureza semidivina e é dotado de grande sabedoria e poderes sobrenaturais.]

Munîndra (*Sânsc.*) — Literalmente, "Senhor dos santos ou *munis*". Um *Buddha*, um *Arhat* ou sábio budista em geral.

Munisthâna (*Sânsc.*) — Literalmente, "residência ou morada de um *Muni*"; ermida.

Mura (*Sânsc.*) — Nome de um *daitya* ou *asura*.

Murâri (*Sânsc.*) — Epíteto de Krishna ou Vishnu. Literalmente, "inimigo de Mura".

Muro guardião ou **protetor** — Nome sugestivo dado à legião de Adeptos (*Narjols*) ou Santos coletivamente, que, se supõe, velam pela humanidade, ajudando-a e protegendo-a. No Budismo místico do Norte, esta é a chamada doutrina *Nirmânakâya*. [Conforme se ensina, os esforços acumulados de longas gerações de *yogis*, santos e Adeptos e, especialmente, de *Nirmânakâyas* criaram, por assim dizer, em torno da humanidade, um muro de proteção, que a defende de males ainda piores. (*Voz do Silêncio*, III)]

Muro protetor — Ver *Muro guardião*.

Mûrta (*Sânsc.*) — Que tem corpo; corpóreo; material, massivo.

Mûrti (*Sânsc.*) — Forma, signo e também face. Assim, *Trimûrti* significa: as "três faces" ou imagens. [Corpo, forma corpórea, figura, imagem, aspecto, pessoa.]

M

Mûrtimat (Murttimat) (*Sânsc.*) — Alguma coisa inerente ou encarnada em outra coisa e dela inseparável, como, por exemplo, a *umidade* na água, que é coexistente e contemporânea a ela. Este nome é aplicado a alguns atributos de Brahmâ e outros deuses. [*Mûrtimat* significa também: que tem corpo, corpóreo; encarnado, personificado, corpo.]

Músicos celestes — Ver *Gandharvas*.

Muspel (*Esc.*) — Um gigante do *Edda*, o deus do fogo e o pai das chamas. Os filhos maus do bom Muspel, depois de ameaçarem destruir Glowheim (Muspelheim), juntaram-se, formando um exército formidável, e realizaram a "última batalha" no campo de Wigred. A palavra Muspel é traduzida no sentido de "Fogo do Mundo". A ideia de *Dark Surtur* (Fumaça Negra), da qual partem línguas flamígeras cintilantes, estabelece uma conexão entre Muspel e o deus hindu Agni. [Também se designa com o nome de *Muspel* ou Muspelhem uma região de fogo situada ao Sul.]

Muth — Ver *Mout*.

Mutham ou **Mattam** (*Sânsc.*) — Templos da Índia com claustros e mosteiros para estudantes e ascetas regulares.

Myalba (*Tib.*) — Na filosofia esotérica do Budismo do Norte, é o nome da nossa Terra, chamada de *inferno*, destinado àqueles que se reencarnam para seu castigo. Exotericamente, a palavra *Myalba* é traduzida no sentido de um inferno. [*Myalba* é a nossa Terra, propriamente chamada "Inferno" e o maior de todos os infernos, pela escola esotérica. A doutrina esotérica não reconhece um inferno, ou lugar de castigo, maior do que uma Terra ou planeta habitado por homens. (*Voz do Silêncio*, III)]

Mystagogia — Ver *Mistagogia*.

Mysterium (*Lat.*) — Esta palavra é explicada pelo Dr. Hartmann, segundo os textos originais de Paracelso, da seguinte maneira: Segundo este grande rosa-cruz, *Mysterium* é tudo aquilo a partir do que pode desenvolver-se algo, que nele está contido apenas germinalmente. Uma semente é o *Mysterium* de uma planta; um ovo, o *Mysterium* de uma ave etc. (*Doutrina Secreta*, I, 304)

Mysterium magnum (*Lat.*) — "O grande Mistério", expressão usada em Alquimia e relacionada com a preparação da "Pedra Filosofal" e o "Elixir da Longa Vida". [*Mysterium magnum* é também a matéria original, a matéria de todas as coisas; a última essência; a essencialidade da Natureza interior; a qualidade específica da parte semimaterial das coisas. Todas as formas procedem originalmente do *Mysterium magnum* e todas a ele retornam; o *Parabrahman* dos vedantinos. Segundo Jacobo Boehme, o *Mysterium magnum* é Deus. "Deus é o mais secreto e também o mais revelado. A obscuridade está diante dos olhos, mas a angústia, que nela existe, é incompreensível, a menos que a vontade nela penetre e, então, será sentida e experimentada, se a vontade perde sua luz." (*Quarenta Perguntas*, I, 51) "Os que encontrarem o *Mysterium magnum* saberão o que é, porém, para o ateu, é incompreensível, porque não quer nem deseja compreendê-lo. Encontra-se aprisionado pela essência terrestre a ponto de não poder atrair a vontade para o mistério de Deus." (*Ibidem*, XVII, 13) (*F. Harmuinn*) Akâza; a Luz astral é a matriz do Universo, o *Mysterium magnum* do qual nasce por separação ou *diferenciação* de tudo quanto existe. (*Doutrina Secreta*, II, 538) Este nome também foi dado ao Espírito e ao Caos (*Paracelso*). (Ver *Ideos*.)]

Mystes (*Gr.*) — Na Antiguidade, este nome era dado aos novos Iniciados; atualmente é dado aos cardeais romanos, que, tendo tomado seus ritos e dogmas dos

M

"pagãos" arianos, egípcios e gregos, ofereceram-se também para o *mysis* (palavra grega que significa "a ação de fechar os olhos, a boca etc.") dos neófitos. Têm de *manter fechados os seus olhos e a sua boca em sua consagração* e, portanto, são denominados *Mistæ*.

Mystica Vannus Iacchi — Comumente estas palavras são traduzidas no sentido *Abanico* místico; porém, numa antiga *terracota* do Museu Britânico, o abanico é uma Cesta, a qual os mistérios dos antigos exibiam com conteúdo místicos; Inman diz que com *testículos* emblemáticos. (W. W. W.)

N

N — Décima quarta letra do alfabeto inglês e hebraico. Nesta última língua, a letra N chama-se *Nûn* e significa "peixe". É símbolo da matriz ou princípio feminino. Seu valor numérico é 50, no sistema cabalístico, porém os peripatéticos tornaram-no equivalente a 900 e, com um traço horizontal em cima (900), equivale a 9.000. Entre os hebreus, contudo, o *Nûn* final era 700. [Em sânscrito, há três tipos de *N*: dental, cerebral e gutural, que se articulam tocando com a ponta da língua os dentes incisivos superiores (no primeiro caso), tocando com a ponta da língua o palato (no segundo caso) e lhe dando um som nasal (no terceiro caso). Nas transliterações, estas letras diversas costumam ser expressas com um ponto colocado em cima ou embaixo do *n*; porém, para fins de pronúncia, raramente há necessidade de estabelecer diferenças entre elas, uma vez que, sem nos darmos conta, pronunciamos de modo distinto o *n* das palavras *nâdi*, *prâna* e *anga*, nas quais o som é dental, cerebral e gutural, respectivamente. Há, além disso, em sânscrito, outra letra equivalente ao *ñ* do espanhol, como nas palavras *yajña*, *Patañjali*, que muitos escrevem como *n*.]

N — Símbolo de um dos *nâdis* (ver), que parte do coração. *(Râma Prasâd)*

Na (*Sânsc.*) — Não (negação).

Naassênios ou **Nahassênios** — Seita cristã gnóstica, cujos indivíduos, intitulados "adoradores de serpentes", consideravam a constelação do Dragão como símbolo de seu *Logos* ou Cristo.

Nabaswat ou **Nabhasprâna** (*Sânsc.*) — O vento.

Nabateus — Uma seita que, por suas crenças, era quase idêntica à dos nazarenos e sabeus, e cujos membros professavam maior veneração a João Batista do que a Jesus. Maimônides os identificava com os astrólatras. "No que se refere à crença dos *sabeus* - diz - o mais famoso é o livro intitulado *Agricultura dos Nabateus*." E sabemos que os ebionitas, os primeiros dos quais eram amigos e parentes de Jesus, segundo a tradição, ou em outros termos, os primeiros e mais primitivos cristãos, "eram os prosélitos e discípulos diretos da seita nazarena", segundo Epifânio e Teodoreto. (Ver *Contra Ebionitas*, de Epifânio, e também *Galileus* e *Nazarenos*.)

Nabhas (*Sânsc.*) — Nuvem, atmosfera, céu.

Nabha(s)chakchus (*Sânsc.*) — Literalmente, "olho do céu". O Sol.

Nabha(s)chamasa (*Sânsc.*) — A Lua.

Nabha(s)prâna (*Sânsc.*) — Ver *Nabhaswat*.

Nabha(s)sad (*Sânsc.*) — Literalmente, "sentado sobre uma nuvem"; um deus.

Nabhastala (*Sânsc.*) — A região inferior da atmosfera; o espaço.

Nabhi (*Sânsc.*) — Pai de Bharata, que deu seu nome ao *Bhârata-varcha*, ou seja, à Índia.

Nâbhi (*Sânsc.*) — Umbigo, Kchatriya, rei, chefe.

Nâbhichakra (*Sânsc.*) — Plexo umbilical, o mais importante dos plexos, no que se refere à disposição dos nervos do corpo humano, visto que é o eixo de todo o sistema. (M. Dvivedi, Comentário dos *Aforismos de Patañjali*) É também o local do princípio do desejo, situado próximo do umbigo.

N

Nâbhija e **Nâbhijanman** (*Sânsc.*) — Brahmâ, nascido do umbigo de Vishnu.

Nâbhipadma (*Sânsc.*) — O lótus que sai do umbigo de Vishnu e sustenta Brahmâ.

Nabia (*Hebr.*) — Profecia, adivinhação. É o mais antigo e respeitado de todos os fenômenos místicos. Na *Bíblia* este nome é dado ao dom profético, que com razão encontra-se incluído entre os poderes espirituais, tais como a adivinhação, visões clarividentes, êxtase e oráculos. Porém, assim como os encantadores, feiticeiros, adivinhos e até os astrólogos são rigorosamente condenados nos livros de Moisés, a profecia, a visão extraordinária e o *nabia* aparecem como dons especiais do céu. Nos tempos primitivos, aqueles que possuíam tais dons eram denominados *epoptai* (videntes), palavra grega que significa *Iniciados*. Também eram designados pelo nome de *nebim*, "plural de Nebo, deus da Sabedoria na Babilônia". O cabalista distingue o *vidente* do *mago*; um é passivo, o outro é ativo; *nebirah* é aquele que olha o futuro e o clarividente; *nebi-poel* é aquele que possui poderes mágicos. Sabemos que Elias e Apolônio recorriam ao mesmo meio para se isolarem das perturbadoras influências do mundo exterior, isto é, envolvendo completamente suas cabeças com um manto de lã, por ser este material mau condutor de eletricidade, segundo devemos supor.

Nabiim (*Hebr.*) — Profetas.

Nabin (*Hebr.*) — Profeta, vidente.

Nabu (*Cald.*) — Geralmente chamado Nebu ou Nebo. O deus da Sabedoria secreta dos caldeus, do qual deriva o termo bíblico *Nabiim* (profetas). Este filho de Anu e Ishtar era adorado principalmente em Borsippa, porém tinha também um templo na Babilônia, em cima do de Bel, dedicado aos sete planetas. (Ver *Nazarenos* e *Nebo*.)

Nach — O Tentador. (Ver *Doutrina Secreta*, II, 226.)

Nachash (*Hebr.*) — Serpente; bronze.

Nachta (*Sânsc.*) — Perdido, destruído, morto; privado, carente.

Nachtâtman (*Sânsc.*) — "Privado de alma"; que perdeu ou arruinou a alma; insensato.

Nada — Ver *Nâda*.

Nâda (**Nada**) (*Sânsc.*) — Som, voz. A "Palavra insonora" ou "Voz do Silêncio". "Aquele que pretenda ouvir a voz do *Nâda*, o "Som insonoro" e compreendê-la, tem que aprender a natureza do *dhâranâ*. (*Voz do Silêncio*, I)

Nâdi (*Sânsc.*) — Rio, torrente, corrente, corrente de água.

Nâdi (*Sânsc.*) — Condutor, tubo, vaso (veia ou artéria), nervo, órgão condutor de corrente vital, nervosa ou outra força do corpo humano. Esta palavra aplica-se indistintamente aos vasos sanguíneos e aos nervos. A ideia que representa é a de um tubo, vaso, conduto ou uma linha ao longo da qual flui algo, seja líquido, seja uma corrente de força. (*Râma Prasâd*) Também se dá o nome de *nâdi* aos plexos, gânglios, nós e, em geral, a todos os centros de força vital ou nervosa do corpo. Os nâdis sagrados são aqueles que correm ao longo do *Suchumnâ* ou por cima dele. Seis deles são conhecidos da ciência e outro, situado próximo da vértebra cervical "atlas", é desconhecido. Até os *yogis* do *Târaka-Rajâ* falam apenas de seis, sem mencionarem o sétimo sagrado. (*Doutrina Secreta*, III, 547) (Ver *Idâ*, *Pingalâ*, *Suchumnâ* etc.)

Nadî (*Sânsc.*) — Água, corrente de água, rio.

Nâdi Brahma (*Sânsc.*) — Também chamado *Suchumnâ* (ver).

N

Nâdi-chakra *(Sânsc.)* — O coração. *(P. Hoult)*
Nadî-ja *(Sânsc.)* — Oceano; Varuna, deus das águas.
Nadîna *(Sânsc.)* — Nascido da água. *(P. Hoult)* Aquático.
Nâdîtaranga *(Sânsc.)* — Aquele que faz horóscopos.
Nafta ou **Betume** *(Alq.)* — Matéria da obra em putrefação, assim chamada porque o betume é de cor negra e a matéria dos filósofos em putrefação assemelha-se à resina negra.
Naga *(Sânsc.)* — Árvore, montanha.
Nâga *(Sânsc.)* — Literalmente, "serpente". No Panteão hindu, é o nome dos espíritos dragão e serpente, assim como dos habitantes do *Pâtâla* (inferno). Porém, como *Pâtâla* significa os antípodas e era o nome dado à América pelos antigos, que conheciam e visitaram esse continente antes que a Europa tivesse ouvido falar do mesmo, tal termo é provavelmente análogo aos *nagais* mexicanos, os (atuais) feiticeiros e salmistas. Os *Nâgas* são os *Nats* da Birmânia, deuses-serpentes ou "demônios-dragões". No esoterismo, contudo, como já se disse, este é um sobrenome aplicado aos "homens sábios" ou Adeptos. Na China e no Tibete, os "Dragões" são considerados como as divindades tutelares do mundo e de vários pontos da Terra e a tal palavra deu-se a significação de Adeptos, *yogis* e *narjols*, a cujo grande saber e conhecimento se refere o termo em questão. Isso também está provado nos *sûtras* antigos e nas biografias de Buddha. O *Nâya* é sempre um homem sábio, dotado de extraordinários poderes mágicos na América do Sul e Central, assim como na Índia, Caldeia e Antigo Egito. Na China, o culto dos *Nâgas* era muito difundido e adquiriu maiores proporções ainda desde que Nâgârjuna (literalmente, o "grande *Nâga*", o "grande Adepto"), o décimo quarto patriarca budista, visitou a China. Os *Nâgas* são considerados como "celestiais", como "os deuses ou espíritos tutelares das cinco regiões ou pontos cardeais e do centro, como os guardiões dos cinco lagos e quatro oceanos". *(Eitel)* Isto, seguido até sua origem e traduzido esotericamente, significa que os cinco continentes e suas cinco Raças-mãe estiveram sempre sob a guarda de "divindades, terrestres", isto é, de Sábios Adeptos. A tradição de que os *Nâgas* banharam Gautama Buddha em seu nascimento, protegeram-no e guardaram as relíquias de seu corpo quando morto, indica também que os *Nâgas* são simplesmente homens sábios, *Arhats*, e não monstros ou dragões. Isso é igualmente corroborado pelas inumeráveis histórias de *Nâgas* convertidos ao budismo. O *Nâga* de um lago situado na selva das imediações de Râjagriha e muitos outros "Dragões" foram assim convertidos, por Buddha, à boa Lei. [Entre os ocultistas, os *Nâgas*, assim como as serpentes e os dragões, têm significação setenária. Exotericamente, são seres semidivinos, que têm rosto humano e cauda de dragão ou serpente. Segundo a crença vulgar, são *asuras* ou demônios. Na *Doutrina Secreta*, os primeiros *Nâgas* são seres mais sábios do que as serpentes; são os "Filhos da Vontade e do Yoga", nascidos antes da completa separação dos sexos, "amadurecidos nos ovos portadores de homens, produzidos pelo poder *(Kriyâsakti)* dos Santos Sábios" da primitiva terceira Raça. (*Doutrina Secreta*, II, 191-192) Esotericamente, são os Adeptos, Sábios ou Mestres de Sabedoria. Na teogonia e na evolução antropológica, são deuses e homens, quando se encarnam no mundo inferior. *(Ibidem, II, 221)* Astronomicamente falando, os *Nâgas* (juntamente com os *Richis*, *Gandharvas* e outros seres) acompanham o Sol, através dos doze meses solares. São os *Seraphim* dos judeus. *(Ibidem, II, 527)* Também se designa como *Nâga* a manifestação de vida que causa a eructação. *(Râma Prasâd)* Nâga, além disso, significa: elefante, nuvem, período astronômico; e no sentido figurado, homem cruel, violento. (Ver *Nâgadvipa*.)]

N

Nâgabandhu (*Sânsc.*) — A figueira sagrada *(Ficus religiosa)*.

Nâgâdhipa (*Sânsc.*) — "Senhor dos *Nâgas*". Epíteto de Ananta.

Nâgâdvipa ou **Nâgadwipa** (*Sânsc.*) — Literalmente, "Ilha dos Dragões", uma das sete divisões do Bhâratavarcha, ou seja, a Índia moderna, segundo os *Purânas*. Não temos meios de comprovar quem eram os *nâgas* (seja como for, um povo histórico), embora a teoria mais admitida seja a de que se tratava de uma raça escítica. Porém não temos prova nenhuma disso. Quando os brâhmanes invadiram a Índia, diz a lenda, "encontraram uma raça de homens *sábios*, meio deuses, meio demônios"; homens que foram instrutores de outras Raças e que vieram a ser instrutores dos hindus e dos próprios brâhmanes. Acredita-se, com razão, que Nagpur é a parte sobrevivente do Nâgadvîpa. Na atualidade, Nagpur encontra-se virtualmente em Râjoutana, próximo a Udeypore, Ajmere etc. E não é bem sabido que houve um tempo em que os brâhmanes iam aprender com os Râjputs a Sabedoria secreta? Existe, além disso, uma tradição, segundo a qual Apolônio de Tiana foi instruído na magia pelos *Nâgas* de Cachemira.

Naga-ja (*Sânsc.*) — Elefante.

Nagal — Título do principal feiticeiro ou bruxo de algumas tribos mexicanas. Estas têm sempre um *daimon* ou deus em forma de serpente, e, às vezes, algum outro animal sagrado — de quem recebem inspirações, segundo se diz.

Nagalismo — Foi vulgarmente qualificado de culto diabólico. (*Doutrina Secreta*, II, 192)

Nâgaloka (*Sânsc.*) — "Residência dos *Nâgas*". O *Pâtâla* (ver).

Nâgamalla (*Sânsc.*) — O elefante de Indra.

Nâgamâtri (*Sânsc.*) — Manasâ, deusa dos *Nâgas*.

Nâgântaka (*Sânsc.*) — "Destruidor de Serpentes". Epíteto de Garuda.

Nagapati (*Sânsc.*) — Literalmente, "Rei das montanhas": o Himâlaya.

Nâgapura (*Sânsc.*) — Nome da antiga Delhi.

Nâgara (*Sânsc.*) — Hábil, astuto. Como substantivo: desejo de liberação final; a escritura *devanâgari*.

Nâgarâja (*Sânsc.*) — Rei das Serpentes.

Nâgarâjas (*Sânsc.*) — Nome usual dado a todos os supostos "espíritos guardiões" de lagos e rios e que significa literalmente: "Reis Dragões". Segundo as crônicas budistas, todos eles foram convertidos à vida monástica do budismo, isto é, de *Yogis* que eram passaram a *Arhats*.

Nâgarita (*Sânsc.*) — Libertino, dissoluto, licencioso, relaxado.

Nâgarjuna (*Sânsc.*) — Um *Arhat*, um eremita (natural da Índia Ocidental) convertido ao budismo por Kapimala e décimo quarto patriarca, atualmente considerado como um *Bodhisattva-Nirmânakâya*. Tornou-se célebre por sua sutileza dialética em argumentos metafísicos. Foi o primeiro mestre da doutrina *Amitâbha* e um representante da escola *Mahâyâna*. Considerado como o maior filósofo dos budistas, diz-se que foi "um dos quatro sóis que iluminam o mundo". Nasceu no ano de 223 a.C. Depois de sua conversão, dirigiu-se para a China, onde converteu todo o país ao budismo.

Nâgas celestes — Os quatro Dragões de Sabedoria ocultos, que os chineses denominam: Guerreiro negro, Tigre branco, Ave vermelha e Dragão azul. (*Doutrina Secreta*, I, 440)

N

Nâgavârika (*Sânsc.*) — Epíteto de Garuda.

Nâgavîthî (*Sânsc.*) — "Via do elefante (de Indra)": a Via Láctea.

Nagkon Wat (*Siam.*) — Imponentes ruínas que se encontram na província de Siamrap (Sião Oriental), se é que podem ser chamadas de ruínas. É um edifício abandonado de dimensões gigantescas, que, juntamente com o grande templo de Angkortham, são os restos históricos melhor conservados de toda a Ásia. Depois das Pirâmides, este é o mais secreto edifício de todo o mundo. É de forma oblonga, mede 243 metros de comprimento por 179 de largura e é todo construído de pedra, inclusive o teto, mas *sem argamassa*, como as Pirâmides de Ghizeh, e as pedras encontram-se tão perfeitamente ajustadas que ainda hoje pode-se apenas distinguir as junções. Tem um pagode central de 76 metros de altura e quatro pagodes menores, nos quatro ângulos, de cerca de 53 metros cada um. Segundo as palavras textuais de um viajante (Frank Vincent, *O País do Elefante Branco*, p. 209): "pelo estilo e beleza de arquitetura, solidez de construção, bem como por suas esculturas magníficas e primorosas, o grande Nagkon Wat não tem certamente nenhum outro superior ou rival atualmente". (Ver *Ísis sem Véu*, I, 561-566.)

Nagna e **Nagnâta** (*Sânsc.*) — Nu; mendigo nu; gimnosofista.

Nagnatâ (*Sânsc.*) — Nudez.

Nâhala (*Sânsc.*) — Homem de casta degradada ou bárbara.

Nahas — Ver *Nahash*.

Nahash ou **Nahas** (*Hebr.*) — "O Privado". O Mau, o Diabo ou a Serpente, segundo os cabalistas ocidentais.

Nahassênios — Ver *Naassênios*.

Nahbkun (Nahbkoon) (*Eg.*) — O deus que une os "duplos"; termo místico que se refere aos "princípios" humanos desencarnados.

Naich ou **Nair** (prefixo) — Ver *Nir* ou *Nis*.

Naichkarmya (Naichkarmya = nis-karmya) — Literalmente, "isenção de ação"; não-ação, inatividade, quietude, repouso; isenção de toda obra ou ação.

Naichkritika (nis-kritika) (*Sânsc.*) — Mau, malvado, perverso, ruim; ocioso, negligente.

Naichthika (*Sânsc.*) — Final, último, extremo, supremo, definitivo; perfeito, completo. Brâhmane que permanece até o fim sob a direção de seu mestre.

Naichthurya (*Sânsc.*) — Dureza, severidade.

Naigama (*Sânsc.*) — Guia, direção; via, caminho. Um dos *Upanichads*.

Naika (na-eka) (*Sânsc.*) — Literalmente, "não único"; numerosos, vários, diversos.

Naimicha (*Sânsc.*) — Nome de um bosque consagrado a Vishnu.

Naimichâranya (*Sânsc.*) — Significado idêntico ao do verbete anterior.

Naimittika (*Sânsc.*) — Ocasional, acidental, fortuito, casual, incidental. Aplica-se a uma das quatro classes de *pralayas* (ver). [Que tem alguma causa particular; produzido por uma causa extraordinária.]

Naimittika-pralaya (*Sânsc.*) — Destruição ou dissolução acidental.

Nain (*Esc.*) — O "Anão da Morte".

N

Naipuna (*Sânsc.*) — Habilidade, destreza. Ocupação que requer habilidade.

Nairantarya (*Sânsc.*) — Falta de interrupção; continuidade; sucessão ou consequência imediata.

Nairapekchya (*Sânsc.*) — Indiferença, desvio, desatenção.

Nairâtmya (*Sânsc.*) — Privado de alma; que não tem alma.

Nairâzya (*Sânsc.*) — Falta de esperança; desespero.

Nairghrinya (*Sânsc.*) — Falta de compaixão; dureza de coração, crueldade.

Nairgunya (*Sânsc.*) — Falta de qualidades ou virtudes.

Nairmalya (*Sânsc.*) — "Ausência de mancha ou impureza". Pureza, limpeza.

Nairrita (*Sânsc.*) — Demônio, *râkchasa*, gênio mau. O Regente do Sudoeste. Nome de uma mansão lunar.

Nairrita-deva (*Sânsc.*) — "Próximo do ouvido direito, há a região da Morte... e a seu lado encontra-se a esfera do *Nairrita-deva*, conhecida pelo nome de 'região de *Nairrita*'" (*Uttara-Gîtâ*, II, 21).

Nairrita-loka (*Sânsc.*) — "Junto à região da Morte há um local cujos nervos permitem a mastigação de alimentos duros, como a carne etc., razão pela qual este local recebeu o nome de *Nairrita-loka* ou *Râkcha-loka*" (*Uttara-Gîtâ*, II, 21; Comentário de D. K. Laheri). Terá isso alguma relação com o grande desenvolvimento do arco zigomático que os animais carnívoros apresentam?

Nairritî (*Sânsc.*) — A região do Sudoeste.

Nairukta (*Sânsc.*) — Comentador, etimologista; baseado na etimologia.

Najo — Bruxa, feiticeira.

Nâka (*Sânsc.*) — Céu, atmosfera; paraíso.

Nâkanâtha (*Sânsc.*) — "Senhor do céu": Indra.

Nakchatra (Nakshatra) (*Sânsc.*) — Asterismo ou mansão lunar. Astro, luzeiro, constelação; asterismo; cada uma das vinte e sete mansões celestes, que a Lua percorre em seu curso mensal. Os mais antigos manuscritos sânscritos, referentes à astronomia, começam sua série de vinte e sete *Nakchatras* com o signo de *Krittikâ*. (*Doutrina Secreta*, II, 581) Com o tempo, seu número chegou a vinte e oito. Segundo se conta, os *Nakchatras* são as vinte e sete *Dâkchâyinis* (ou filhas de Dakcha), casadas com o deus Lua. (Ver *Dâkchâyinîpatî*.)

Nakchatramâlâ (*Sânsc.*) — Zodíaco lunar ou sistema dos vinte e sete asterismos lunares.

Nakchatranemi (*Sânsc.*) — A Lua; a estrela polar.

Nakchatranemî (*Sânsc.*) — O último asterismo lunar.

Nakchatreza (Nakchatra-îza) (*Sânsc.*) — Literalmente, "rainha dos astros noturnos": a Lua, que ultrapassa a todos em brilho.

Nâkchatrika (*Sânsc.*) — Mês de aproximadamente vinte e sete dias ou a revolução da Lua.

Nakha (*Sânsc.*) — Unha; parte, porção.

Nâkin (*Sânsc.*) — Deus do céu.

Nakshatra — Ver *Nakchatra*.

N

Naktamukhâ (*Sânsc.*) — A noite.

Nâku (*Sânsc.*) — Montanha; montículo.

Nakula (Na-kula) (*Sânsc.*) — Literalmente, "sem família" (?). Quarto príncipe Pândava, filho de Mâdrî, segunda esposa de Pându, porém engendrado misticamente por Nâsatya, um dos gêmeos Azvins.

Nala (*Sânsc.*) — Rei de Nichadha e esposo de Damayantî. Sua história constitui um dos mais interessantes episódios do *Mahâbhârata*. Nala é também nome de um chefe de macacos, que militavam no exército de Râma e cuja história é relatada no *Râmâyana*.

Nâla (*Sânsc.*) — Tubo, vaso, veia, artéria.

Nâli ou **Nâlî** — Ver *Nala*.

Nalina (*Sânsc.*) — Lótus, água. Sobrenome do Gânges celeste.

Nalinezaya (*Sânsc.*) — Vishnu, que dorme sobre o lótus.

Nâma (*Sânsc.*) — Nome, título. Como adjetivo: nominal, proveniente de nome; vão; hipócrita; chamado, intitulado.

Namah ou **Namas** (*Sânsc.*) — Em páli, *namo*. Primeira palavra de uma invocação diária entre os budistas, que traduzida, diz assim: "Humildemente eu creio, adoro ou reconheço" ao Senhor; como: *Namo tasso Bhagavato Arahato* etc., dirigida ao Senhor Buddha. Os sacerdotes são chamados "Senhores de *Namah*" - tanto os budistas quanto os taoístas -, porque esta palavra é empregada na liturgia e nas preces na invocação do *Triratna* (ver) e, com uma leve modificação, nos encantamentos secretos dos *Bodhisattvas* e *Nirmânakâyas*. [*Namah* significa: saudação, acatamento, a ação de se inclinar em sinal de respeito, reverência, adoração etc.]

Nâman (*Sânsc.*) — Nome, título, designação.

Nâma-rûpa (*Sânsc.*) — Nome e forma (dos objetos sensíveis); a forma em razão da qual recebem o nome; a forma ideal. Um dos *nidânas*: a personalidade. (*P. Hoult*)

Namas — Ver *Namah*.

Namaskâra (*Sânsc.*) — Saudação, acatamento, adoração.

Namata (*Sânsc.*) — Senhor.

Nâma-yajña (*Sânsc.*) — Sacrifício ou culto puramente nominal, vão, hipócrita.

Nâmazecha (*Sânsc.*) — "Que perdeu o nome": morto, destruído. Perda do nome: morte, destruição.

Namoguru (*Sânsc.*) — Instrutor, mestre espiritual.

Nâmya (*Sânsc.*) — Renomado; célebre, famoso.

Nânâ (*Sânsc.*) — Vário, diverso, diferente, múltiplo; separado; muitos.

Nanak ou **Nannak** (*Cald.*) — Também chamado de *Nanar* e *Sin*. Um nome do deus Lua. Segundo se diz, era filho de Mulil, o Bel mais antigo e o Sol, na mitologia posterior. Na mais primitiva, a Lua é mais antiga do que o Sol.

Nânâprakâra (*Sânsc.*) — De formas variadas.

Nanar — Ver *Nanah*.

Nânârûpa (*Sânsc.*) — De muitas ou diversas formas.

N

Nânâtva (*Sânsc.*) — Variedade, diversidade.

Nânâvidha (*Sânsc.*) — Dividido em várias partes; múltiplo, variado, diverso, distinto.

Nanda (*Sânsc.*) — Um dos reis de Magadha (cuja dinastia foi deposta por Chandragupta). [Nanda é também o nome do vaqueiro que amparou e criou Krishna, livrando-o da perseguição de seu tio Kansa. Um dos nove tesouros de Kuvera.]

Nandâ (*Sânsc.*) — Gozo, regozijo, alegria. O primeiro, sexto, ou décimo primeiro dia da quinzena. Sobrenome de Pârvatî.

Nandana (*Sânsc.*) — Aquele que alegra ou regozija; alegria, felicidade; rebento, filho; o paraíso de Indra.

Nandapâla (*Sânsc.*) — Sobrenome de Varuna.

Nandaputrî (*Sânsc.*) — "Filha de Nanda": Durgâ.

Nandi (*Sânsc.*) — O sagrado touro branco de Shiva, que lhe serve de veículo (*vâhan*). [É o guardião de todos os quadrúpedes.]

Nandî (*Sânsc.*) — Gozo, alegria; o paraíso de Indra.

Nandikâ (*Sânsc.*) — O jardim ou paraíso de Indra.

Nândi-mukhas (*Sânsc.*) — Uma classe de *Pitris* ou manes.

Nândi-mukhî (*Sânsc.*) — Sopor, sono.

Nandinî (*Sânsc.*) — A vaca da abundância, pertencente ao sábio Vasichtha.

Nandi-purâna (*Sânsc.*) — Título de um dos *Purânas*.

Nandivardana (*Sânsc.*) — Filho; amigo; o dia do plenilúnio e do novilúnio.

Nandîza ou **Nandîzvara** (*Sânsc.*) — "Senhor de Nandi". Epíteto de Shiva.

Nanna (*Esc.*) — A bela esposa de Baldur, que lutou com o cego Hodur ("aquele que reina sobre as trevas") e foi morta por ele através de arte mágica. Baldur é a personificação do Dia; Hodur, da Noite e a formosa Nanna, da Aurora.

Nannak — Ver *Nanak*.

Nantri (*Sânsc.*) — Modificador; uma coisa que altera outra.

Nânuchtheya (*Sânsc.*) — Que não se deve imitar ou seguir.

Não-Ser — Este termo não se refere à negação do Ser Abstrato, mas à negação daquilo que os sentidos apresentam à mente como Ser, que é tudo absolutamente ilusão. (*Jyotis Prâcham*) O Não-Ser é o Absoluto, a Existência Absoluta; o Um e eterno Não Ser é o único e verdadeiro Ser; Não Ser é Ser absoluto. Isto pode parecer um paradoxo a quem não se lembre que limitamos nossas ideias do Ser à nossa consciência presente na Existência, dele fazendo um termo específico ao invés de um termo genérico. Um exemplo esclarecerá um pouco este ponto: a existência do oxigênio e do hidrogênio como água pode ser considerada como um estado de não-ser, que é um ser mais real do que sua existência como gases. (*Doutrina Secreta*, I, 85)

Naos (*Eg.*) — Capela fechada por uma porta de duas folhas, onde eram guardadas as estátuas dos deuses e, às vezes, as de simples particulares. Ali se encerrava também "seja um animal sagrado, seja um emblema diante do qual se recitavam preces nos dias assinalados pelas leis religiosas". Os templos possuíam *naos* de todas as dimensões e de todo tipo de material. No fundo do santuário elevava-se o *naos* por excelência, construído de granito ou de basalto e de proporções colossais. (Mariette, *Catál. de Boulaq.*) O Louvre possui um *naos* desta espécie, feito de granito rosa, que tem o nome do rei Amasis. (Pierret, *Dict. d'Arch. Égypt.*)

Nara (*Sânsc.*) — "Homem"; o homem original, eterno. Filho de Dharma e Mûrti, quarto avatar de Vishnu; o Espírito Divino, *Paramâtman* ou Alma Suprema. Segundo os *Purânas*, a Água, terceiro princípio do Kosmos material e o terceiro do reino espiritual, é o corpo de *Nara*. (*Doutrina Secreta*, I, 404) *Nara* é um dos nomes utilizados para designar Arjuna. *Nara* significa também: herói, esposo, homem em geral e, propriamente, homem da raça ariana. Nas *Leis de Manu* (I, 10), por *Nara* ou *Nârâyana* deve-se entender Brahmâ. (*Doutrina Secreta*, I, 494); (Dicionário de Dowson e P. Hoult, Comentário do *Mânava-Dharma-Sâstra*, por A. Loiseleur-Deslongchamps etc.) (Ver *Nârâyana*.)

Nârâ (*Sânsc.*) — As águas do Espaço ou Grande Abismo; daí o nome de Nârâyana ou Vishnu. (Ver *Nârâyana*.)

Narabhû e **Narabhûmi** (*Sânsc.*) — A terra dos arianos: a Índia Central.

Nârada (*Sânsc.*) — Um dos sete grandes *Richis*, filho de Brahmâ. Este Progenitor é um dos mais misteriosos personagens da simbologia sagrada *brahmânica*. Esotericamente, Nârada é aquele que rege os acontecimentos durante vários ciclos kármicos e é a personificação, em certo sentido, do grande ciclo humano; um Dhyân Choan. Desempenha papel importante no Brahmanismo, que lhe atribui alguns dos hinos mais secretos do *Rig-Veda*, onde é descrito como "pertencente à família de Kanva". É denominado de Deva-Brahmâ, mas como tal, tem um caráter diferente daquele que adota na Terra ou *Pâtâla*. Dakcha maldisse-o por ter persuadido seus cinco mil e dez filhos a permanecerem como *Yogis* e celibatários, a fim de renascerem várias vezes nesta Terra *(Mahâhhârata)*. Mas isto, como se compreende desde o início, é uma alegoria. Foi inventor do *Vînâ*, espécie de alaúde, e foi também um grande legislador. Sua história é demasiado longa para ser exposta aqui. [Era chefe dos *Gandharvas*, os músicos celestes, e, neste sentido, tem alguma semelhança com Orfeu. "Nârada é a grande figura cíclico-oculta de nosso planeta e oferece ainda mais interesse sob o nome de Pesh-Hun." (*F. de Montoliu)* É um dos *Richis* divinos e também um dos dez Progenitores da Humanidade, nascidos da mente de Brahmâ. Era também grande amigo e admirador de Krishna, em cuja época encarnou-se novamente. (Ver *Bhagavad-Gîtâ*, X, 13, 26.) Em sua primeira encarnação está diretamente relacionado com os "Construtores" e, portanto, com os seres "Reitores" da Igreja cristã, que "ajudaram Deus na obra da criação". Conta-se que ele desceu às regiões infernais *(Pâtâla)* e que "achou tal lugar delicioso". Isso prova simplesmente que Nârada foi um alto Iniciado diretamente relacionado com os Mistérios e que, como todos os demais neófitos, teve de andar "no abismo entre espinhos e abrolhos", na "condição de *Chrest* do sacrifício", como a vítima doente, a quem se fez ali descer – um verdadeiro mistério! O fato de desobedecer a Brahmâ, seu pai, negando-se a procriar e povoar a Terra, para se submeter fiel a seus votos de castidade, prova também que era um Iniciado que ia contra a religião e o culto ortodoxo. No sétimo dia, o terceiro de sua última prova, surgiu o neófito, homem regenerado, que, tendo passado por seu segundo nascimento espiritual, voltou à Terra como um triunfante e glorioso vencedor da Morte, um Hierofante. (*Doutrina Secreta*, III, 291-292) Nârada é o único confidente e executor dos decretos universais do Karma e Adi-Budha, uma espécie de *Logos* ativo e que se encarna

N

sem cessar, que guia e dirige os assuntos humanos do início ao fim do *Kalpa*. (Para maiores detalhes, ver *Doutrina Secreta*, II, 51-53; e também *Pesh-Hun* e *Zecha*.)]

Narâdhama (*Sânsc.*) — Ínfimo entre os homens.

Narâdhârâ (*Sânsc.*) — Literalmente, "sustentação do homem": a Terra.

Narâdhipa (*Sânsc.*) — "Senhor dos homens"; rei, soberano.

Naraka (*Sânsc.*) — Segundo o conceito popular, é um inferno, uma "prisão sob a Terra". Os infernos ardentes e frios, havendo oito de cada um, são simplesmente emblemas dos globos de nossa cadeia setenária, com a adição da "oitava esfera", que, supõe-se, esteja localizada na Lua. Este é um *véu* transparente, uma vez que estes "infernos" são chamados de *infernos vivificantes*, razão pela qual, segundo se explica, todo ser que morre em um deles nasce imediatamente no segundo, em seguida no terceiro e assim sucessivamente, durante a vida em cada um deles 500 anos (um véu sobre o número de ciclos e reencarnações). Como estes infernos constituem um dos seis *gatis* (condições da existência senciente) e como a pessoa renasce num ou noutro segundo seus méritos ou deméritos, o *véu* em questão torna-se transparente a todas as luzes. Além disso, estes *Narakas* são antes purgatórios do que infernos, a partir do momento em que é possível livrar-se deles *através das ações e pela intercessão dos sacerdotes mediante uma remuneração*, como na Igreja Católico-romana, que, neste ponto, parece ter copiado o ritualismo chinês com bastante fidelidade. Como se disse anteriormente, a filosofia esotérica reduz todo inferno à vida terrena, em uma ou outra forma de vida senciente. [Por *Naraka* entende-se comumente o inferno ou mundo inferior, lugar onde os mortais expiam suas culpas, sofrendo os castigos por elas merecidos. É preciso levar em conta que os estados *post-mortem* são puramente subjetivos. O *Naraka*, assim como o *Svarga* ou céu, não é eterno. Depois de passar ali um período de tempo mais ou menos longo, segundo seus pecados, o indivíduo renasce na Terra, seguindo o curso de suas transmigrações, para acabar de expiar suas faltas. As opiniões variam sobre o número e os nomes dos infernos. Nas *Leis de Manu* (IV, 87-90) são mencionados vinte e um infernos ou lugares de sofrimento. A filosofia esotérica localiza todo e qualquer inferno na vida terrestre. (Ver *Inferno, Myalba, Pâtâla* etc.)]

Naraka (*Sânsc.*) — Nome de um *asura* ou *daitya*, filho da Terra. Sua história é relatada no *Mahâbhârata*, no *Vishnu-Purâna* e no *Hari-vanza*, porém nesta última obra a lenda difere das demais.

Naraka-jit (*Sânsc.*) — "Vencedor de Naraka." Epíteto de Vishnu.

Narakâmaya (*Sânsc.*) — A alma depois da morte.

Narakasthâ (*Sânsc.*) — O rio do inferno.

Nara-loka (*Sânsc.*) — "O mundo dos homens": a Terra.

Nara-Nârâyana (*Sânsc.*) — Epíteto de Vishnu, de quem Nara e Nârâyana são o duplo avatar. Estes dois nomes aplicam-se algumas vezes a Krishna *(Nârâyana)* e a Arjuna *(Nara)*. Nara-Nârâyana são também dois antigos *Richis*, filhos de Dharma e Ahinsa.

Narapungava (*Sânsc.*) — Literalmente, "touro entre os homens". Título honorífico que equivale a rei, príncipe, o mais eminente dos homens, guerreiros ou heróis, poderoso entre os homens etc.

Narâs (*Sânsc.*) — Centauros; homens que têm corpo humano e membros ou extremidades de cavalo.

N

Nara-sinha [ou **Nri-sinha**] (*Sânsc.*) — Literalmente, "homem-leão". Um avatar de Vishnu. [Em seu quarto avatar, Vishnu adotou esta forma para livrar o mundo da tirania de Hiranya-kazipu, demônio que, por um favor especial de Brahmâ, tinha se tornado invulnerável aos ataques dos deuses, homens e animais.

Nara-vyâghra (*Sânsc.*) — "Homem-tigre". Homem eminente, poderoso.

Nârâyana (*Sânsc.*) — Aquele "que se move sobre as águas" do Espaço. Epíteto de Vishnu, em seu aspecto de Espírito Santo, que se move sobre as Águas da Criação. (Ver *Manu*, livro II.) Na simbologia esotérica, representa a primeira manifestação do princípio vital, difundindo-se no Espaço Infinito. ["As águas foram chamadas de *nârâs* porque foram produzidas por *Nara* (o Espírito Divino, o Espírito nascido de si mesmo) e, por serem elas o primeiro lugar do movimento *(ayana)* de Nara, este foi denominado de Nârâyana (o que se move sobre as águas) (*Leis de Manu*, I, 10). É preciso notar que por Nara ou Nârâyana deve se entender Brahmâ, o Criador. (Ver *Nara*.) Entre os Iniciados do Norte, a ciência sagrada ou sabedoria secreta é representada pela Água; esta última é a produção ou corpo de Nara *(Paramâtman)* e assim Nârâyana significa: "aquele que reside no abismo" ou está submerso nas Águas da Sabedoria. (*Doutrina Secreta*, II, 520)]

Nargal (*Cald.*) — Este nome designava os chefes dos Magos caldeus e assírios *(Rab-Mag)*.

Nârî (*Sânsc.*) — Mulher; coisa ou palavra feminina.

Nârîduchana (*Sânsc.*) — Vício feminino. Há seis deles: fazer uso de bebidas fortes, abandonar o marido, frequentar más companhias, andar de casa em casa frequentemente, permanecer ou dormir fora de casa.

Narjol (*Sânsc.*) — Um Santo, um Adepto glorificado. [Um homem limpo de pecado; homem santo, mestre de Sabedoria Secreta (*Voz do Silêncio*, III) (Ver *Lha.*)]

Narmadâ (*Sânsc.*) — O Nerbudda, um dos rios sagrados.

Narmatha (*Sânsc.*) — Diversão; prazer; união sexual. Libertino.

Naros ou **Neros** (*Hebr.*) — Um céu que, segundo os orientalistas, consta de 600 anos. Porém, que anos? Havia três tipos de *neros*: o maior, o médio e o menor. Apenas este último ciclo era o que constava de 600 anos. (Ver *Neros*.)

Nâsad âsit (*Sânsc.*) — Um dos hinos do Rig-Veda, o 129º da décima *Mandala* (seção), que começa com tais palavras. Neste hino encontra-se o germe da *Ciência do Alento*. (*Râma Prasâd*)

Nâsatya (*Sânsc.*) — "Verídico". Nome do primeiro dos irmãos gêmeos Azvins. No plural (dual) aplica-se aos dois.

Nascida do Ovo — No *Livro de Dzyan*, este nome é dado à terceira Raça-Mãe, em seu período médio.

Nascida do Suor — Qualificativo aplicado à primitiva terceira Raça-Mãe, que deu origem à Nascida do Ovo.

Nâsti (**na-asti**) (*Sânsc.*) — Literalmente, "não há". Não existência, inexistência. *Satyât nâsti paro dharma*: Não há religião mais elevada do que a verdade (Lema da Sociedade Teosófica).

Nâstika (*Sânsc.*) — Ateu, ou melhor, aquele que não adora nem reconhece os deuses e ídolos. [Cético, incrédulo. A *Doutrina Secreta* não prega o ateísmo, salvo no sentido da palavra sânscrita *nâstika*, ou seja, rechaçamento de ídolos, inclusive todo deus antropomórfico. Em tal conceito, todo ocultista é um *nâstika*. (*Doutrina Secreta*, I, 300)]

N

Nastikatâ (*Sânsc.*) — Incredulidade, ceticismo, ateísmo.

Natal — Ver *Hórus*.

Natântikâ (*Sânsc.*) — Pudor, recato, modéstia.

Natezvara (nata-îzvara) (*Sânsc.*) — "Senhor da dança". Epíteto de Shiva.

Nâth ou **Nâtha** (*Sânsc.*) — Senhor. Palavra que se aplica aos deuses e aos homens. É um título que se agrega ao primeiro nome de homens e coisas, como *Badarî-nâth* (Senhor de montanhas), famoso local de peregrinação, e *Gopînath* (Senhor de pastoras), aplicado a Krishna etc.

Nâtha — Ver *Nâth*.

Nâtimânitâ (na-atimânitâ) (*Sânsc.*) — "Falta de orgulho ou de presunção. Modéstia, humildade.

Nâtra (*Sânsc.*) — Elogio, louvor.

Natureza — É preciso estabelecer uma diferença entre a Natureza objetiva, material, ilusória, que é a "soma total das coisas existentes que nos rodeiam, o agregado de causas e efeitos no mundo da matéria, a criação ou Universo, conjunto de coisas e ilusões, e por outro lado a Natureza eterna e não criada, contemporânea da Divindade, da qual é o corpo ou a manifestação visível, externa". (Ver *A Chave da Teosofia*, 64, ed. inglesa.) Segundo do a Teosofia, a Divindade objetiva-se como Natureza e assim é que Parabrahman e a Natureza são respectivamente a Alma e o Corpo do Grande Todo. (*Doutrina Secreta*, I, 278; II, 199) A Natureza é a Grande Mãe Universal, de cujo seio surgiu o Universo manifestado; é a Esposa do Espírito, o elemento cósmico feminino ou passivo, personificado na deusa Ísis. (Ver *Pradhâna*, *Prakriti* etc.)

Nau (*navis*, em latim; *nau*, em sânscrito) — É um símbolo cristão. Nos monumentos cristãos mais antigos, a Igreja é representada por uma nau e os apóstolos são pescadores e pilotos que a guiam. Nas *Constituições Apostólicas* pode se ler estas palavras: "Bispo, quando reunires a assembleia de Deus, procures *patrono desta grande nau...*, antes de tudo, o edifício será comprido, em forma de *nau* e voltado para o *oriente*...". Nos cemitérios de Roma, há naus esculpidas que marcham na direção de um farol, que brilha à distância, e que, em alguns casos, é substituído pelo monograma de Cristo. (Martigny, *Dict. des Antiq. Chrétien.*)

Nau de cristal — Para os celtas, a morte era uma viagem para um mundo maravilhoso, uma ilha misteriosa para onde se dirigiam as almas, navegando numa nau de vidro ou cristal. (*E. Bailly*)

Naubandhana (*Sânsc.*) — Literalmente, "sujeição *(bandhana)* à *nau* (navio)". O ponto do Himâlaya onde se fixou a nau do dilúvio. (Ver *Dilúvio*.)

Naufrágio (*Herm.*) — Os filósofos herméticos designam assim os erros dos Químicos na procura da pedra dos Sábios, uma vez que chamam seu mercúrio de *mar* e que este mercúrio e suas propriedades são absolutamente desconhecidos dos químicos comuns.

Nautches (*Ár.*) — Dançarinas do templo e públicas. O mesmo que Almeh.

Nava (*Sânsc.*) — Novo, recente; louvor.

Navachhâtra (*Sânsc.*) — Noviço.

N

Navadvâra (Navan-dvara) *(Sânsc.)* — Literalmente, "que tem nove portas". O corpo humano com suas nove aberturas. (Ver *Bhagavad-Gîtâ*, V, 13.)

Navâha *(Sânsc.)* — Dia novo; o primeiro dia da quinzena lunar.

Navama *(Sânsc.)* — Nono dia da quinzena lunar.

Navan *(Sânsc.)* — Nove.

Nava-nidhi *(Sânsc.)* — Literalmente, "as nove joias"; consumação do desenvolvimento espiritual, no misticismo.

Navânza (Navânsha) *(Sânsc.)* — A nona parte de um signo do Zodíaco.

Navya *(Sânsc.)* — Louvor, elogio.

Naya *(Sânsc.)* — Harmonia; conduta, direção (física ou moral); guia, diretor. Parte teológica do corpo dos *Vedas*.

Nâya — Ver *Naya*.

Nayades (do grego *naiein*, fluir) — Ninfas às quais se tributava antigamente um culto especial, como divindades que presidiam as fontes e os rios.

Nâyaka *(Sânsc.)* — Guia, condutor, caudilho, chefe. Epíteto de Buddha.

Nâyakâdhipa *(Sânsc.)* — Rei, soberano.

Nayana *(Sânsc.)* — Conduta, guia, direção; olho.

Nâza *(Sânsc.)* — Ruína, destruição, perdição; quebranto; morte, extermínio.

Nâzana *(Sânsc.)* — Destruidor, matador, exterminador.

Nazarenos (palavra derivada do hebraico) — São os cristãos de São João, também chamados de *mendaitas* ou *sabeus*. Aqueles nazarenos que abandonaram a Galileia, há muitos séculos, para se estabelecerem na Síria, a leste do monte Líbano, também se chamam galileus, embora qualifiquem a Cristo de "falso Messias" e reconheçam apenas São João Batista, a quem chamam de "Grande Nazareno". Os nabateus, com muito pouca diferença, aderiram à mesma crença dos nazarenos ou sabeus. E mais: os ebionitas, que, segundo Renán, contam entre sua seita todos os alegados sobreviventes de Jesus, parecem ter sido prosélitos da mesma seita, se acreditarmos em São Jerônimo, que escreve estas palavras: "Eu recebi permissão dos nazareus, que, em Berea da Síria, usavam este (Evangelho de São Mateus, escrito em hebraico), para traduzi-lo... O *Evangelho que os nazarenos e ebionitas usam*, que recentemente traduzi do hebraico para o grego" (Jerônimo, *Coment. a São Mateus*, livro II, capítulo XII, e Jerônimo, *De Viris Illust.*, cap. 3). Este suposto Evangelho de Mateus, quem quer que seja aquele que o tenha escrito, "exibia matéria – como disso se queixa São Jerônimo (*Op. cit.*) - não para a edificação, mas para a destruição" (do cristianismo). Porém o fato de que os ebionitas, os *genuínos cristãos primitivos*, "rechaçando os demais escritos apostólicos, utilizavam exclusivamente este Evangelho (hebraico de São Mateus)" (*Adv. Hær.*, I, 26), é muito significativo. Porque, como declara Epifânio, os ebionitas acreditavam firmemente, assim como os nazarenos, que Jesus era apenas um homem "da semente do homem" (Epif., *Contra Ebionites*). Além disso, sabemos, pelo *Codex* dos nazarenos, do qual fazia parte o "Evangelho segundo Mateus", que estes gnósticos, sejam galileus, nazarenos ou gentios, levados por seu ódio à astrolatria, em seu *Codex* chamavam Jesus de *Nabu-Maschiha* ou "Mercúrio". (Ver *Mendaitas*.) Isso não revelava muito cristianismo ortodoxo, tanto por parte dos nazarenos como dos ebionitas; ao contrário, parece provar que o cristianismo dos primeiros séculos e a moderna teologia cristã são duas coisas diametralmente opostas.

N

Nazareu, Nazar (*Hebr.*) — "Separado" ou "afastado". Uma classe monástica temporal de celibes mencionados no *Antigo Testamento*, que não se casavam nem bebiam vinho durante o tempo de seu voto; possuíam o cabelo comprido, cortado unicamente no ato da Iniciação. São Paulo deve ter pertencido a esta classe de Iniciados, porque, como ele mesmo disse ao gálatas (I, 15), foi separado ou "posto de lado" desde o momento em que nasceu e que cortou o cabelo em Cencrea, porque "tinha um voto" (*Atos*, XVIII, 18), isto é, havia sido Iniciado como nazareu, depois do que passou a ser "mestre-construtor" (*I Corint.*, III, 10). José é título nazareu (*Gênese*, XIX, 26). Sansão, Samuel e muitos outros também eram *nazareus*.

Nâzita (*Sânsc.*) — Destruído, desvanecido, perdido, morto.

Nazitri (*Sânsc.*) — Destruidor, matador, exterminador.

Nebban ou **Neibban** (*Chin.*) — O mesmo que *Nirvâna*; *Nippang*, no Tibete.

Nebim — Ver *Nabia*.

Nebo [ou **Nebu**] (*Cald.*) — O mesmo que o Budha hindu, filho de Soma, a Lua, e do planeta Mercúrio. (Ver *Nabu*.) [Nebo era, na Babilônia e Mesopotâmia, o deus-profeta da Sabedoria e criador das quarta e quinta Raças. Como personificação da Sabedoria Secreta, era um vidente e profeta. (*Doutrina Secreta*, II, 477) (Ver *Mendaitas*.)]

Nebu-Meschiha — Mercúrio. (Ver *Nazarenos*.)

Necessidade, Ciclo ou **Círculo de** — Também chamado de "Círculo inevitável". É a contínua e dilatada série de metempsicoses e renascimentos de uma mesma Individualidade, através de seu ciclo de vida, graças à qual vai se desenvolvendo até chegar à maior perfeição possível. (Ver *Ciclo de encarnação* e *Universo*.)

Nechtri (*Sânsc.*) — Condutor; em linguagem védica, é um dos sacerdotes oficiantes.

Necrocômica (*Ocult.*) — Visões de acontecimentos futuros no ar. *(F. Hartmann)*

Necrocômico (*Herm.*) — Termo inventado por Paracelso para a alma animal do homem. Diz que ela habita a água que se encontra ao redor do coração e que não é maior do que a grossura do dedo mínimo da mão de um homem. Acrescenta que há três vidas ou essências no homem: *Espírito*, saber, espírito do céu ou ar; espírito do *microcosmo*, que é propriamente a alma animal, e o espírito de todos os músculos.

Necrolatria (*Gr.*) — Veneração aos mortos. *(M. Treviño)*

Necromancia (*Gr.*) — Evocação das imagens dos mortos, considerada na Antiguidade e pelos ocultistas *modernos* como uma prática de magia negra. Jâmblico, Porfírio e outros teurgos estigmatizaram tal prática, assim como Moisés, que condenava à morte "feiticeiras" de seu tempo, feiticeiras que eram apenas nigromantes, como no caso da pitonisa ou feiticeira de Endor e Samuel. [Feitiçaria, bruxaria, a arte de evocar os elementares inconscientes dos mortos, infundindo-lhes vida e utilizando-os para maus objetivos. (*F. Hartmann*) A evocação dos mortos para obter revelações sobre os acontecimentos futuros. (*M. Trevino*)]

Néctar — Ver *Amrita*.

Nectromancia — A percepção do interior (a alma) das coisas; psicometria; clarividência. Pela arte da nectromancia, o homem percebe as coisas interiores; não há mistério no que se refere ao ser humano que não se possa conhecer, através desta arte, e pode-se obrigar os *flagæ* (ver) a revelá-lo, seja através da persuasão, seja pela força de vontade, porque os *flagæ* obedecem à vontade do homem, do mesmo modo que um inferior obedece a um superior. (F. Hartmann, *Os Elementais*)

N

Nef — Ver *Knef*.

Nefelheim (*Esc.*) — Lugar nebuloso; região de trevas e desolação.

Neftis [**Nephtys** ou **Nephthys**] (*Eg.*) — Irmã de Ísis e, filosoficamente, apenas um de seus aspectos. Como Osíris e Tifón são apenas um sob dois aspectos diversos, assim Ísis e Neftis são um mesmo símbolo da Natureza sob seu aspecto dual. Assim, pois, enquanto Ísis é a esposa de Osíris, Neftis é a esposa de Tifón, inimigo de Osíris e seu assassino, ainda que ela por ele chore. É representada muitas vezes junto ao féretro do grande deus Sil, tendo sobre a cabeça um disco entre os dois chifres da meia Lua. Neftis é o gênio do mundo inferior e Anúbis, o Pluto egípcio, é seu filho. Plutarco deu uma explicação bastante esotérica das duas irmãs. Diz assim: "Neftis designa aquilo que está sob a Terra e que não se vê (isto é, seu poder de desintegração e de reprodução) e Ísis representa o que está sobre a Terra e é visível (ou seja, a natureza física)... O círculo do horizonte, que divide estes dois hemisférios e que é comum a ambos, é Anúbis". A identidade das duas deusas é demonstrada pelo fato de que Ísis é chamada também de mãe de Anúbis. Assim uma e outra constituem o Alfa e Omega da Natureza.

Negação absoluta — Para nossa limitada inteligência, a Única Realidade, Parabrhaman, o Absoluto, a Essência que está fora de toda relação com a existência condicionada, é a Negação Absoluta. (*Doutrina Secreta*, I, 43) Porém este *Nada* é o *Tudo*. (*Ibidem*, I, 462)

Negro mais negro que o próprio negro (*Alq.*) — É a matéria da obra em putrefação, visto que se assemelha à resina fundida.

Nehaschim — Ver *Nehhaschim*.

Nehbka (*Eg.*) — Personagem simbólico com cabeça de víbora, representado também sob a figura de uma serpente sustentada por duas pernas humanas. Segundo parece, personifica o rejuvenescimento. (Pierret, *Dict. d'Arch. Egypt.*)

Nehhaschim (*Hebr.*) — "As obras da Serpente". Nome dado à Luz astral, "a grande Serpente enganadora" (*Mâyâ*), durante certas operações práticas de magia. [Como expressa o *Zohar*, "chama-se *Nehhaschim* esta prática mágica, porque os magos (cabalistas práticos) atuam *rodeados da luz da Serpente primordial* (Luz astral), que percebem no céu como zona luminosa composta de miríades de pequenas estrelas." (*Doutrina Secreta*, II, 427)]

Neibban — Ver *Nebban*.

Neilos (*Gr.*) — O rio Nilo e também um deus.

Neith, Neithes (*Eg.*) — A Rainha do céu; a deusa Lua, no Egito. É conhecida com vários outros nomes: Nout, Nepte, Nur. (Para seu simbolismo, ver *Nout*.) [Neith ou *Neit* é uma deusa frequentemente representada armada com arco e flechas. Os gregos a assemelhavam a Minerva. Personificava o Espaço celeste e, no culto de Sais, desempenhava papel parecido ao de Hathor. De fato, foi chamada de "a vaca geradora" ou a "mãe geradora do Sol". (Pierret, *Dict. d'Arch. Égypt.*)]

Nekheb (*Eg.*) — Deusa de figura humana, tocada com o *atew*. É representada também sob a forma de um abutre provido dos emblemas da vida e da serenidade. É a deusa do Meio-dia. (Pierret, *Dict. d'Arch. Égypt.*)

Nema (*Sânsc.*) — Parte, porção; época, período, limite; engano, fraude.

Nemesias (*Gr.*) — Festas em honra da deusa Nemesis celebradas antigamente na Grécia.

N

Nemesis (*Gr.*) — Entre os gregos primitivos, Nemesis não era propriamente uma deusa, mas antes um *sentimento moral*, segundo a expressão de Decharme; uma barreira contra o mal e a imoralidade; porém, com o tempo, tal sentimento foi deificado e sua personificação tornou-se uma deusa sempre fatal e castigadora. Assim é que, se pretendêssemos relacionar *Karma* com *Nemesis*, deveríamos fazê-lo em seu triplo caráter, como Nemesis, Adrasteia e Themis, porque, assim como esta última é a deusa da harmonia e da ordem universal, e que, como Nemesis, está encarregada de reprimir todo excesso e manter o homem dentro dos limites da Natureza e da justiça sob severas penas, Adrasteia, a "inevitável", representa Nemesis como o efeito imutável de causas criadas pelo próprio homem. Nemesis é a deusa justa e imparcial, que reserva sua cólera apenas para aqueles cuja inteligência encontra-se extraviada pelo orgulho, pelo egoísmo e pela impiedade. Em uma palavra: assim como Nemesis é uma deusa mitológica, exotérica, ou uma Potência personificada e antropomorfizada em seus diversos aspectos, Karma é uma verdade altamente filosófica, uma expressão sumamente divina e nobre da intuição primitiva do homem concernente à Divindade. (*Doutrina Secreta*, II, 319) (Ver *Fatalismo, Karma* e *Karma-Nemesis*.)

Nenufareni (*Alq.*) — Elementais do ar: silfos. *(F. Hartmann)*

Neocoros (*Gr.*) — Entre os gregos, era o guardião de um templo.

Neófito (em grego, *neóphitos*) — Noviço, postulante ou candidato aos Mistérios. Havia vários métodos de Iniciação. Os neófitos, em suas provas, tinham de passar através dos quatro elementos, para sair, no quinto, como iniciados glorificados. Assim, depois de passarem pelo fogo (Divindade), pela água (Espírito divino), pelo ar (Alento de Deus) e pela terra (Matéria), eram marcados com um signo sagrado, um *tat* e um *tau* ou uma + e um **T**. Este último era o monograma do ciclo denominado *Naros* ou *Neros*. Segundo demonstra E. V. Kenealy, em seu *Apocalipsis*, a cruz, em linguagem simbólica (uma das sete significações) "+ representa, por sua vez, três letras primitivas, com as quais se compõe a palavra Lvx [*Lux*] ou Luz... Os Iniciados eram marcados com este signo, quando admitidos nos Mistérios perfeitos. O *Tau* e o *Resh* são encontrados sempre unidos desta forma ₸. Estas duas letras, no antigo samaritano, tal como as encontramos em algumas moedas, representam, a primeira, 400, e a segunda, 200 = 600. Este é o báculo de Osíris". Assim é, de fato; mas isto não prova que o *Naros* fosse um ciclo de 600 anos, mas que simplesmente a Igreja apropriou-se de mais um signo pagão. (Ver *Naros* e *Neros* e também *I.H.S.*) – [Neófito: "aquele nascido de novo", o novo prosélito; o recém-convertido a uma religião. *(M. Treviño)*]

Neofobia — Aversão ao novo ou às inovações.

Neomenia (do grego *neos*, novo, *mênê*, Lua) — Festa celebrada pelos antigos no reaparecimento de cada Lua nova. Era uma das práticas mais antigas e universais antes do Dilúvio. No fim do quarto minguante, quando a Lua em conjunção havia cessado de aparecer, o povo ia para um lugar alto para perceber melhor a nova fase, sendo depois praticado o sacrifício.

Neoplatônicos — Prosélitos do neoplatonismo, escola de filosofia que apareceu entre o segundo e terceiro séculos de nossa era e foi fundada por Ammonio Saccas, de Alexandria. É a mesma escola dos filaleteos e dos analogistas. Dava-se-lhes também o nome de teurgistas e vários outros. Eram os teósofos dos primeiros séculos. O neoplatonismo é a filosofia platônica com a adição do êxtase, o *Râja-yoga* divino. (Glossário de *A Chave da Teosofia*) (Ver *Neoplatonismo*.)

N

Neoplatonismo — Literalmente, "novo platonismo" ou nova escola platônica. Era uma eclética escola panteísta de filosofia, fundada, em Alexandria, por Ammonio Saccas, da qual foi chefe seu discípulo Plotino (anos 189-270 d.C.). Esta escola procurava conciliar os ensinamentos de Platão e o sistema aristotélico com a Teosofia oriental. A pura filosofia espiritual, a metafísica e o misticismo constituíam sua principal ocupação. A teurgia foi introduzida em seus últimos anos. Foi o último esforço de inteligências elevadas para resistir à superstição ignorante sempre crescente e a fé *cega* dos tempos; o último produto da filosofia grega, que foi finalmente destruído pela força bruta. [Entre seus prosélitos encontram-se Plotino, Porfírio, Jâmblico, Orígenes e outros sábios não menos distintos.]

Nepa (*Sânsc.*) — Sacerdote de família; diretor, guia espiritual.

Nephesh (*Hebr.*) — Alento de vida. *Anima, Mens, Vita*. Apetites. Este termo é empregado de modo muito vago na *Bíblia*. Geralmente significa *prâna*, "vida"; na Cabala, equivale a paixões animais e a alma animal. (W. W. W.). Portanto, segundo os ensinamentos teosóficos, *Nephesh* é sinônimo do princípio *prâna-kármico*, ou seja, a alma animal do homem. [É alento do céu ou de vida, a Vida ou Alma vital, que existe em todos os seres vivos, em toda molécula animada e até em cada átomo mineral. É alento de Vida animal no homem e instintiva no bruto. É a faísca vital, o elemento animador, a Alma vivente, o alento de vida animal insuflado em Adão. Não é o *Manas* nem tem espiritualidade. (Ver *Ruach* e *Neshamah*.)]

Nephesh Chia (*Cab.*) — Alma animal ou vivente.

Nephilim (*Hebr.*) — *Gigantes*; titãs; os Anjos caídos.

Nephtys — Ver *Neftis*.

Nepsu (*Alq.*) — Estanho.

Nerfe — Ver *Caos*.

Nergal (*Cald.*) — Nas tábuas assírias é descrito como o "gigante rei da guerra, senhor da cidade de Cutha". Nergal é também o nome hebraico do planeta Marte, associado invariavelmente com a má sorte e o perigo. Nergal-Marte é o "derramador de sangue". Em astrologia oculta, é menos maléfico do que Saturno, porém é mais ativo em suas associações com os homens e sua influência sobre eles.

Neros (*Hebr.*) — Segundo demonstrou E. V. Kenealy, este "ciclo narônico" era um *mistério*, um verdadeiro "segredo de Deus", cuja revelação, durante o predomínio dos mistérios religiosos e da autoridade sacerdotal, era castigada com a morte. Tal autor parecia supor que o *Neros* tinha a duração de 600 anos; porém estava errado. (Ver *Naros*.) A instituição dos Mistérios e dos ritos da Iniciação também não foi devida simplesmente à necessidade de perpetuar o conhecimento do verdadeiro significado do Neros e de manter este ciclo oculto aos olhos dos profanos, porque os Mistérios são tão antigos quanto a atual raça humana e devia ocultar segredos muito mais importantes do que cifras de ciclo nenhum. (Ver *Neófito*, *I.H.S.* e *Naros*.) O mistério do 666, "número do grande coração", como foi chamado, é muito melhor representado por *Tau* e *Resh* do que 600.

Nerthus (*Saxão antigo*) — A deusa da Terra, do amor e da beleza, entre os antigos germanos. O mesmo que Freya ou Frigga entre os escandinavos. Tácito menciona as grandes honras tributadas a Nerthus, quando sua imagem foi levada triunfalmente em um carro, através de vários territórios.

Neshamah (*Hebr.*) — Alma, *anima*, *afflatus*. Na Cabala, segundo ensina a ordem rosa-cruz, é uma das três almas ou essências mais elevadas da Alma humana,

N

correspondente ao *Sephira Binah* (W. W. W.) [*Neshamah* equivale a *Âtmâ*, ou seja, o Espírito puro, o sétimo princípio do setenário humano. (*Doutrina Secreta*, I, 262-263, 265 etc.) (Ver *Nephesh* e *Ruach*.)]

Nesku ou **Nusku** (*Cald.*) — Nas tábuas assírias, é descrito como aquele "que empunha o cetro de ouro, o deus excelso".

Netra (*Sânsc.*) — Chefe, caudilho, guia, olho.

Netunais — Festas que os romanos celebravam em honra de Netuno, no dia 23 de julho. Durante tais festas, os cavalos e mulas, coroados de flores, eram afastados de todo trabalho e gozavam de um repouso que ninguém ousava perturbar, porque se acreditava que Netuno havia formado o primeiro cavalo e havia ensinado aos homens a maneira de utilizar este nobre animal. Hoje existe entre nós um costume parecido: a festa religiosa popular celebrada no dia de Santo Antonio Abad (17 de janeiro).

Netzach (*Hebr.*) — Vitória. O sétimo dos dez *Sephiroth*, uma potência ativa masculina. (W. W. W.)

Neusi (*Alq.*) — Magistério ao rubro.

Ni (*Sânsc.*) — Este prefixo sânscrito implica na ideia de descenso, separação ou privação.

Nî (*Sânsc.*) — Guia, caudilho, chefe.

Nibaddha (*Sânsc.*) — Ligado, encadeado, sujeito, dependente de...

Nibandha (*Sânsc.*) — Sujeição, escravidão, prisão.

Nibarhana (*Sânsc.*) — Destruição, destruidor.

Nibbâna (*Sânsc.*) — O mesmo que *Nirvâna*.

Nibha (*Sânsc.*) — Aparência falsa ou enganosa.

Nibhâlana (*Sânsc.*) — Descrição.

Nibhrita (*Sânsc.*) — Oculto, secreto; modesto, humilde; cheio; firme, constante, fiel, devoto, atento; certo. Como substantivo: segredo, mistério, silêncio.

Nich (*Sânsc.*) — Forma eufônica do prefixo *nir* ou *nis*. (Ver *Nir*.)

Nîcha (*Sânsc.*) — Baixo, profundo, inferior; vil, abjeto.

Nichada — Ver *Nishada*.

Nichâda — Ver *Nishâda*.

Nicheda (*Sânsc.*) — Proibição.

Nichiddha (*Sânsc.*) — Vedado, proibido.

Nichka (*Sânsc.*) — Peso de ouro equivalente a quatro *suvarnas*. (*Leis de Manu*, VIII, 137) O *suvarna* equivale a pouco mais de onze gramas e meio, porém sofreu algumas variações. *Nikcha* significa também ouro em geral, moeda cunhada, colar etc.

Nichkala (*Sânsc.*) — Impotente, sem virilidade, débil, vão.

Nichkâma (**Nishkâma**) (*Sânsc.*) — Desinteressado; não egoísta; sem desejo (egoísta).

Nichkâmatâ (*Sânsc.*) — O oposto a *Kâma*: desinteresse, desprendimento.

Nichkrama (*Sânsc.*) — Degradação, perda ou inferioridade de casta. Exercício intelectual, ocupação mental. (*Burnouf*)

N

Nichkraya (*Sânsc.*) — Preço, valor; prêmio, recompensa; soldo, salário; resgate.

Nichkriya (*Sânsc.*) — Inativo; que não pratica ritos piedosos.

Nichpanda (*Sânsc.*) — Imóvel; firme.

Nichpanna (*Sânsc.*) — Saído, nascido, produzido, derivado; efetuado, cumprido; próspero, medrado, obtido.

Nichpâpa (*Sânsc.*) — Sem pecado, isento de pecado.

Nichpâra (*Sânsc.*) — Infinito, ilimitado.

Nichparyanta (*Sânsc.*) — O mesmo significado do verbete anterior.

Nichpatti (*Sânsc.*) — Término, conclusão.

Nichpâva (*Sânsc.*) — Purificado, limpo, puro; purificação, limpeza; ar, vento.

Nichphala (*Sânsc.*) — Sem fruto, estéril, inútil, vão.

Nichprabha (*Sânsc.*) — Sem brilho, sem luz, obscuro.

Nichprakcha (*Sânsc.*) — Ignorante, néscio, estúpido.

Nichpratâba (*Sânsc.*) — Sem dignidade; indigno.

Nichpratibha (*Sânsc.*) — Sem brilho: apático, ignorante.

Nichpratyâza (*Sânsc.*) — Sem esperança, desesperançado.

Nichprayojana (*Sânsc.*) — Sem motivo, razão, fundamento ou objetivo; inútil; inofensivo.

Nichpriha (*Sânsc.*) — Não invejoso; contente, satisfeito.

Nichpîti (*Sânsc.*) — Sem gozo; que não se regozija em...

Nichtha (*Sânsc.*) — Que está ou que reside; atento, devoto, dedicado, consagrado.

Nichthâ (*Sânsc.*) — Base, fundamento; pináculo; meta, fim; morte; decisão; sentença; estado, condição; morada; hábito, conduta; bons costumes, práticas piedosas, devoção; via, senda; método; disciplina; regra de vida.

Nichthita (*Sânsc.*) — Dedicado, entregue, aplicado; devoto; fixo; firme; hábil, versado.

Nichtya (*Sânsc.*) — Homem de casta degradada ou bárbara.

Nicolás Flamel — Um dos mais célebres alquimistas que já existiram. Nasceu em Pontoise, aproximadamente no ano de 1330. Era escritor público e livreiro juramentado da Universidade de Paris. Através da descoberta da pedra filosofal, segundo se afirma, adquiriu imensas riquezas, grande parte das quais converteu em fundações (igrejas, hospitais, asilos etc.), algumas delas ainda não destruídas pela mão implacável do tempo. Atribuem-se-lhe várias obras sobre a arte hermética: *Livro das figuras hieroglíficas de Nicolás Flamel*, *Sumário filosófico*, *Tratado das Lavaduras* ou *Desejo desejado*. Esta última obra existe manuscrita em duas bibliotecas de Paris. Flamel, de costumes simples, viveu sempre muito modestamente. Morreu em 1418. Na fachada de sua casa da rua de Marivaux (Paris), encontram-se esculpidos preciosos símbolos herméticos.

Nictóbata — Ver *Noctâmbulo*, *sonâmbulo*.

Nida (*Sânsc.*) — Peçonha, veneno.

Nidâ (*Sânsc.*) — Reprovação, desprezo.

N

Nidâgha (*Sânsc.*) — Calor ardente; a estação quente (maio e junho).

Nidâghakara (*Sânsc.*) — "Que produz calor": o Sol.

Nidâna (*Sânsc.*) — As doze causas da existência ou uma cadeia de causas; "um encadeamento de causa e efeito em todo o transcurso da existência, através de doze elos. Este é o dogma fundamental da doutrina búdica, "cuja compreensão resolve o enigma da vida, revelando a inanidade da existência e preparando a mente para o *Nirvâna*". (Eitel, *Dicionário Sânscrito-Chinês*) Eis aqui os doze elos: 1°) *Jâti* ou nascimento, conforme um dos quatro modos de entrar na corrente da vida e reencarnação ou *chatur-yonî* (ver); 2°) *Jarâmarana*, "decrepitude e morte" ou morte por velhice, que segue a maturidade dos *Skandhas* (ver); 3°) *Bhava*, o agente kármico que conduz cada novo ser senciente a nascer neste ou naquele modo de existência no *Trailokya* e *Gati*; 4°) *Upâdâna*, a causa criadora de *Bhava*, que assim se torna a causa de *Jâti*, que é o efeito, e esta causa criadora de nescimento é o apego á vida; 5°) *Trichnâ*, amor, seja puro ou impuro; 6°) *Vedâna* ou sensação; percepção pelos sentidos; este é o quinto *Skandha*; 7°) *Sparza*, o tato; 8°) *Chadâyatana*, os órgãos dos sentidos; 9°) *Nâma-rûpa*, a personalidade, isto é, uma forma com seu nome correspondente, símbolo da irrealidade das manifestações dos fenômenos materiais; 10°) *Vijñâna*, perfeito conhecimento de todas as coisas perceptíveis e de todos os objetos em seu encadeamento e unidade; 11°) *Samskâra*, ação no plano da ilusão; 12°) *Avidyâ*, falta da verdadeira percepção ou ignorância. Como os *nidânas* correspondem às mais sutis e abstrusas doutrinas do sistema metafísico oriental, é impossível aprofundar mais este assunto. [*Nidâna* ou causa de existência é o princípio fundamental de toda a doutrina de Buddha. Tal palavra significa: cadeia de causas ou, melhor, "origem de dependência". Em seu *Catecismo Búdico*, H. S. Olcott enuncia os *doze nidânas*, com seus nomes pális, da seguinte maneira: *Avijjâ*, ignorância da verdade da religião natural; *Samkhârâ*, ação causal ou *Karma*; *Viññâna*, consciência da personalidade, o "eu sou eu"; *Nâma-rûpa*, nome e forma; *Salayatana*, seis sentidos; *Phassa*, contato; *Vedanâ*, sentimento, sensação; *Tanhâ*, desejo de gozo; *Upâdâna*, apego; *Bhava*, existência individualizante; *Jati*, nascimento, casta; *Jarâ, marana, sokaparideza, dukkha, domanassa, upâyâsa*: decaimento, morte, dor, lamento, desespero. (*Op. cit.*, 42ª ed., p. 72.) (Para maiores detalhes, ver *Doutrina Secreta*, III, p. 544 e 585.) *Nidâna* significa também: causa, origem, causa primeira ou principal, essência; forma original, conhecimento das causas; purificação; pureza; corda, atadura etc.]

Nidâna-sûtra (*Sânsc.*) — Obra antiga que trata da métrica dos Vedas.

Nidarzana (*Sânsc.*) — Exemplo, demonstração.

Nideza (*Sânsc.*) — Indicação, instrução; ordem, mandato; autoridade, poder; proximidade.

Nidhana (*Sânsc.*) — Fim, morte, destruição.

Nidhâna (*Sânsc.*) — Depósito, arca, tesouro, vaso, recipiente; mansão.

Nidhi (*Sânsc.*) — Tesouro. Os nove tesouros do deus Kuvera (o Satã védico); cada um deles está confiado à guarda de um demônio. Tais tesouros estão personificados e são outros tantos objetos de culto entre os *tântrikas*. [*Nidhi* significa também: oceano, coleção, reunião etc.]

Nidhogg (*Esc.*) — A serpente "do mundo". [Também se escreve Nidhoegg.]

Nidrâ (*Sânsc.*) — Sono. É também a forma feminina de Brahmâ. [A deusa do sono; o sono sem sonhos.]

N

Niftheim [ou **Nifl-Heim**] (*Esc.*) — O inferno frio do *Edda*. Um lugar de eterna inconsciência e inatividade. (Vera *Doutrina Secreta*, II, 256) [Ver também, *Hel.*]

Nigada (*Sânsc.*) — Palavra, discurso, recitação, interpelação.

Nigama (*Sânsc.*) — Local de reunião; mercado; comércio, tráfico; evidência; verdade demonstrada; o *Veda*, a Sagrada Escritura.

Nigana (*Sânsc.*) — A fumaça da oferenda.

Niggantha (*Pál.*) — Ver *Nirgrantha*.

Nighanthu (*Véd.*) — Em linguagem védica: vocabulário.

Nighna (*Sânsc.*) — Submisso, dócil, obediente.

Nighuchta (*Sânsc.*) — Ruído, tumulto.

Nigraha (*Sânsc.*) — Restrição, repressão, sujeição, refreamento, continência, domínio, disciplina, obediência, castigo, repressão; luta, resistência. Como adjetivo: que luta, que resiste, que recusa.

Nigrâha (*Sânsc.*) — Ódio, aversão, inimizade.

Nigrihîta (*Sânsc.*) — Fechado, reprimido, refreado, dominado, disciplinado, vencido.

Nigromancia (do grego *nekros*, morto, e *manteya*, adivinhação) — Evocação dos mortos para adivinhar acontecimentos futuros. Uma das práticas da magia negra. (Ver *Necromancia*.)

Nigu (*Sânsc.*) — Raciocínio, intelecto.

Nigûdha (*Sânsc.*) — Oculto, misterioso, profundo.

Nihata (*Sânsc.*) — Morto, destruído, aniquilado.

Nikara (*Sânsc.*) — Abundância, multidão; tesouro; dom, presente.

Nikâra (*Sânsc.*) — Resistência hostil; ofensa, agravo; reprovação.

Nîkâra (*Sânsc.*) — Desdém, menosprezo, degradação.

Nikârana (*Sânsc.*) — Morte, assassinato, matança, carnificina.

Nikâza (*Sânsc.*) — Evidência, certeza.

Niketa (*Sânsc.*) — Habitação, morada.

Nikrita (*Sânsc.*) — Separado; abatido, humilhado; baixo, vil, abjeto; perverso; indecoroso, indecente.

Nikriti (*Sânsc.*) — Abatimento, envelhecimento, baixeza, abjeção, miséria; rechaçamento.

Nikurumba (*Sânsc.*) — Reunião, assembleia, multidão.

Nîla (*Sânsc.*) — Cor azul. Um dos tesouros do deus Kuvera; uma das cadeias de montanhas que separam os *dvîpas*.

Nîlabha (*Sânsc.*) — A Lua; nuvem.

Nîlagrîva (*Sânsc.*) — Literalmente, "vermelho e azul". Epíteto de Shiva. (Ver *Nîlakantha*.)

Nîlakamala (*Sânsc.*) — Lótus azul.

Nîlakantha (*Sânsc.*) — Epíteto de Shiva, que significa "pescoço azul", o qual, segundo se diz, é resultado de um veneno que este deus bebeu. [Shiva, por ato de

N

sacrifício, tomou uma bebida venenosa e corrosiva saída do oceano e destinada a causar a morte do Universo. (Ver *Blâgavata Purâna*.)]

Nîlalohita (*Sânsc.*) — Literalmente, "vermelho e azul". Epíteto de Shiva ou de Rudra, que é uma forma de Shiva. (*Doutrina Secreta*, I, 493) (Ver também a *Op. cit.*, II, 202.)

Nîlâmbara (*Sânsc.*) — Sobrenome de Balarâma e do planeta Saturno.

Nîlâmbujanman (*Sânsc.*) — Lótus azul.

Nîlâñjasâ (*Sânsc.*) — Raio. Nome de uma das ninfas celestes *(apsaras)*.

Nîlapadma e **Nîlapatra** (*Sânsc.*) — Lótus azul.

Nîlavasana e **Nîlavasas** (*Sânsc.*) — O planeta Saturno.

Nilo — Ver *Deus Nilo*.

Nilo — Este nome não tem nada de egípcio. O nome sagrado deste rio é Hapi. Nas representações que nos oferecem os muros dos templos, há um Nilo do Sul e um Nilo do Norte, figurados por dois personagens carregados de oferendas e que portam na cabeça plantas características das regiões fecundadas por suas águas. O nome profano do Nilo é *Atour* ou *Aour*, isto é, rio designado como *revivificador*, por causa de seu reaparecimento anual. O Nilo era considerado como um fluxo saído dos membros de Deus, para dar vida aos homens e fazer germinar as plantas. O personagem de forma humana, que representa este rio, parece participar dos dois sexos. Em Silsilis celebravam-se cerimônias em sua honra. Os papiros conservavam um hino ao deus Nilo. (Pierret, Dict. d'Arch. Égypt.) (Ver *Deus Nilo*.)

Nîlotpala (**Nîla-utpala**) (*Sânsc.*) — Lótus azul.

Nimajjana (*Sânsc.*) — Imersão, submersão, fusão, absorção, dissolução.

Nimbo (*Nimbus*, em latim) — A auréola que circunda a cabeça de Cristo e dos santos das Igrejas grega e romana é de origem oriental. Como sabe todo orientalista, Buddha é representado com a cabeça rodeada por uma auréola brilhante de seis codos de extensão. Segundo demonstrou Hardy (*Monarquismo Oriental*), "seus discípulos principais são representados pelos pintores com um sinal semelhante de eminência". Na China, no Tibete e no Japão, as cabeças dos santos são sempre rodeadas de um nimbo. [*Nimbo* ou *halo* é o nome dado ao disco ou aura parcial, que emana da cabeça de uma divindade ou de um santo. As divindades da Índia, China, Japão, Egito, Grécia, Yucatan, Peru e outras nações são representadas com uma aura simbólica, que circunda suas cabeças. No Egito, o nimbo ou aura da cabeça foi atribuído, no início, ao deus solar Ra; mais tarde, na Grécia, foi adotado pelo deus Apolo. Na Índia, pode se ver atualmente, nas grutas de Ellora, a figura de Indrani, esposa de Indra, que, em outros tempos, foi o deus principal da Índia, tendo nos braços o menino deus-Sol e, num dos antigos templos da Índia, há uma pintura de Krishna amamentando por sua mãe, a virgem Devaki. O halo que rodeia as cabeças da mãe e do menino é idêntico ao que vemos atualmente em todas as famosas pinturas da Virgem e do Menino, próprias da arte cristã. Na iconografia cristã, o nimbo ou diadema, como reflexo da glória celeste, é atributo de santidade. Também o era de realeza, como se vê em algumas moedas e medalhas de Trajano, Antonino Pio, Constantino, Justiniano etc. Os artistas cristãos davam ao nimbo cores diversas (vermelho, verde etc.), porém concedendo a superioridade ao nimbo de ouro, que melhor expressa a luz; por esta razão, era reservado para os santos e para os imperadores cristãos. (Ver *Aura*.)

N

Nimecha ou **Nimicha** [**Nimesha**] (*Sânsc.*) — Uma divisão do tempo equivalente a 8/45 de segundo. Literalmente, significa um "pestanejar" ou seja, vulgarmente, "um piscar de olhos".

Nimechakrit (*Sânsc.*) — O raio.

Nimicha — Ver *Nimecha*.

Nimitta (*Sânsc.*) — 1) Iluminação interior desenvolvida pela prática da meditação; 2) a causa eficiente espiritual, em contraposição à causa material, *Upâdâna*, na filosofia vedantina. (Ver também *pradhâna*, na filosofia sânkhya.) [*Nimitta* tem, além disso, as seguintes acepções: marca, sinal, selo, vestígio, indício; condição; causa, motivo, causa eficiente ou instrumental; instrumento, augúrio, presságio.]

Nimitta-mâtra (*Sânsc.*) — Instrumento da causa; simples instrumento; simples ou única causa. (Ver *Mâtra*.)

Nindâ (*Sânsc.*) — Censura, opróbrio, vitupério, infâmia, desonra; ultraje, ofensa, injúria.

Nindant (*Sânsc.*) — Infamante, enxovalhante.

Ninfas — Elementais das plantas da água. (*F. Hartmann*) As ninfas são divindades subalternas que povoam todo o Universo. Havia ninfas celestes (*uranias*), que governavam a esfera do céu, e terrestres (*epigeas*); estas últimas subdividiam-se em ninfas das águas, que eram designadas com os nomes de *oceânicas* ou *nereidas* (ninfas do mar), *nayades* (das fontes), *potâmidas* (dos rios) etc., e ninfas da Terra, chamadas de *oréadas* (das montanhas), *dríadas* e *hamadríadas* (das selvas), *napeas* (das florestas) etc.

Nioerd ou **Niörd** (*Esc.*) — Um dos deuses (assírios) da mitologia escandinava. Era pai de Freya e tornou-se o Netuno na mitologia romana.

Nippang (*Tib.*) — Termo equivalente a *Nirvâna*. (Ver *Nebban*.)

Nir (*Sânsc.*) — Prefixo sânscrito que significa: livre, isento, privado, alheio, fora de, carente; falta, carência, sem. (Ver *Naich, nair, nis, niz, ni(s), nich* etc.)

Nira (*Sânsc.*) — Agulha, suco, líquido, licor.

Nirabâdha (*Sânsc.*) — Livre de perturbação ou de tormento; tranquilo, sossegado.

Nirâchâra (*Sânsc.*) — Sem costumes; sem regra de conduta, imoral, depravado.

Niragni (*Sânsc.*) — Que não tem fogo ou lar; que se descuida ou não acende o fogo sagrado (o do sacrifício).

Nirahankâra (*Sânsc.*) — Livre de egoísmo, egotismo ou personalismo; não egoísta.

Nirâhâra (*Sânsc.*) — Que não come, que jejua; abstinente.

Nîraja (*Sânsc.*) — "Nascido na água"; aquático; lótus.

Nîrâjana (*Sânsc.*) — Purificação.

Nirâkâra (*Sânsc.*) — Privado de forma". O Espírito Divino; o Não Manifestado.

Nirâkriti (*Sânsc.*) — Sem forma ou figura; não perceptível; não manifestado.

Nirâlamba ou **Nirâlambha** (*Sânsc.*) — Sem ajuda, apoio ou sustentação; sustentado por si mesmo.

Nirâlamba-samâdhi (*Sânsc.*) — "*Samâdhi* apoiado por si mesmo." Sem ajuda, apoio ou sustentação. "Quem contempla o Espírito *(Âtman)* como se nada houvesse

N

acima, nada abaixo, nada no meio, nada ao redor, encontra-se naquela condição denominada de *Samâdhî*". (Isto é, o *Nirâlamba-samâdhi*.) (*Uttara-Gîtâ*, I, 33)

Nirañjana (*Sânsc.*) — Sem mancha, imaculado, limpo, puro.

Nirañjanâ (*Sânsc.*) — Literalmente, "sem obscuridade": o dia da Lua cheia.

Nirañjanapada (*Sânsc.*) — Um lugar *(loka)* do mundo divino; o plano paranirvânico. *(P. Hoult)*

Nirankuza (*Sânsc.*) — Sem freio; livre; dono de si mesmo.

Nirantara (*Sânsc.*) — "Que não oferece intervalo"; contínuo, imediato; cheio, sem vazio.

Nirapatrapa (*Sânsc.*) — Sem pudor; desavergonhado.

Nirapâya (*Sânsc.*) — Que não engana; infalível; certo; indestrutível.

Nirarbuda (*Sânsc.*) — O segundo inferno gelado.

Nirargala (*Sânsc.*) — Não impedido, não obstruído.

Nirarthaka (*Sânsc.*) — Vão; sem valor, significado ou importância.

Nîrasa (*Sânsc.*) — Sem sabor, insípido.

Nirata (*Sânsc.*) — Contente, satisfeito, feliz, gozoso, deleitado; dedicado, aplicado, atento.

Niravadya (*Sânsc.*) — Que não se pode desdenhar: belo, apreciável.

Niravadyâ (*Sânsc.*) — Beleza, valor, bondade.

Niravagraha (*Sânsc.*) — "Que não se pode colher"; independente, livre.

Niraya (*Sânsc.*) — "Sem êxito". Inferno.

Nirâzis (*Sânsc.*) — Sem esperanças ou desejos.

Nirâzraya (*Sânsc.*) — Sem refúgio, amparo ou sustentação; sem lar ou abrigo; sem dependência; confiante em si mesmo.

Nirbandha (*Sânsc.*) — Obstinação; inoportunidade.

Nirbhara (*Sânsc.*) — Excessivo, desmedido, sem limites.

Nirbhartsana (*Sânsc.*) — Ameaça; burla, zombaria.

Nirbhaya (*Sânsc.*) — "Sem medo"; impávido, ousado.

Nirbîja ou **Nirvîja** (*Sânsc.*) — Sem semente.

Nirbîja-Samâdhi (*Sânsc.*) — Meditação "sem semente" ou inconsciente. É aquela meditação inconsciente ou sem uma consciência definida, em que, pelo efeito da completa suspensão das transformações *(vrittis)*, a mente ou princípio pensador permanece num perfeito estado de equilíbrio e resta apenas o sempre inalterável vidente (o Espírito ou *Purucha*), o único percebedor, em perfeito estado de *Sattva*. Este é o verdadeiro estado de *Yoga* supremo. É um estado de completa absorção da mente no Espírito e de oniciência intuitiva. Há diversos procedimentos para obter este resultado. Em seu *Introdução ao Yoga*, A. Besant coloca alguns exemplos engenhosos para elucidar esta abstrusa questão. Siga – diz – uma cadeia lógica de raciocínio, passo a passo, elo a elo; não permita que a mente se desvie um milímetro desta linha e disso resultará a fixidez mental. Quando tiver chegado ao último ponto de seu raciocínio e tenha chegado ao último elo desta cadeia, quando a mente já não possa ir mais longe, além de um ponto em que nada mais possa ver, então se detenha. Aferre-se com todas as suas

N

forças ao ponto supremo, ao último elo da cadeia de seu raciocínio e, conservando a mente em perfeito equilíbrio, quietude e fixidez, espere tranquilamente o que vier. Este último elo, a ideia ou pensamento capital da cadeia do raciocínio, o resíduo que sobra na mente do objeto da meditação consciente é aquilo que recebeu o nome de "semente" e, por este motivo, este tipo de meditação é chamado de *sabîja-samâdhi*, ou seja, *samâdhi* "com semente". Se, uma vez atingido tal ponto, descarta-se esta ideia capital, ou semente, porém mantendo com a maior firmeza e cuidado a mente na situação adquirida, no ponto mais alto que tenha alcançado, alcança-se, então, a "meditação sem semente". O *nirbîja-samâdhi* também foi designado pelos nomes de *nirvikalpa-samâdhi* e *asamprajñâta-samâdhi* (ver estas palavras).

Nirdaya (*Sânsc.*) — Desapiedado, cruel.

Nirdeza (*Sânsc.*) — Designação, indicação, descrição, exposição, prescrição.

Nirdhâra e **Nirdhârana** (*Sânsc.*) — Certeza, afirmação; separação, determinação.

Nirdharma (*Sânsc.*) — Sem lei, sem religião; imoral, ímpio, infiel.

Nirdhârya (*Sânsc.*) — Ativo, enérgico, resoluto, audaz, empreendedor.

Nirdhauta (*Sânsc.*) — Lavado, purificado, puro.

Nirdhûta (*Sânsc.*) — Apagado, retirado, extirpado.

Nirdhûtakalmacha (*Sânsc.*) — Que tem seus pecados apagados; que está limpo de pecados.

Nirdocha (*Sânsc.*) — Imaculado, puro, limpo, inocente; sem culpa, sem pecado, sem manchas, incorruptível.

Nirdvandva ou **Nirdwandwa** (*Sânsc.*) — Livre de dúvida; livre dos pares de opostos ou indiferente a isso; sem falsidade, sincero.

Nirgara (*Sânsc.*) — Entre os jainas, é a eliminação de todos os desejos. *(P. Hoult)*

Nirgrantha (*Sânsc.*) — "Livre dos laços do mundo". Nome aplicado aos partidários da seita jaina (Ver *Niggatha*.)

Nirguna (*Sânsc.*) — Atributo negativo; desligado ou sem *gunas*, (atributos), isto é, aquele que é desprovido de todas as qualidades, opostamente a *sa-guna*, aquele que tem atributos ou qualidades. (Ver *Doutrina Secreta*, II, 100) Por ex., Parabrahman é *nirguna*; Brahmâ é *sa-guna*. Nirguna é um termo que indica a impessoalidade da coisa de que se fala [*Nirguna*: livre ou isento de atributos, modos ou qualidades *(gunas)*. Significa também desprovido de méritos. Como nenhum ser mais ou menos material é desprovido de *gunas*, só pode ser qualificado de *nirguna* o Espírito puro, o *Purucha*, a Alma em seu estado de pureza essencial. (Ver *Gunas*.)]

Nirguna-Brahman (*Sânsc.*) — Brahma sem manifestação. *(P. Hoult)*

Nirgunatva (*Sânsc.*) — Falta ou ausência das qualidades *(gunas)*.

Nirîha (*Sânsc.*) — Que não se esforça; que carece de ardor, zelo ou afinco.

Nirindriya (*Sânsc.*) — Privado de algum sentido.

Nirîzvara ou **Anîzvara** (*Sânsc.*) — Literalmente, "sem Senhor", "sem Deus". Ateu.

Nirîzvara-sânkhya (*Sânsc.*) — "Sânkhya ateu", ou seja, "sem Senhor ou Deus". Com este nome designa-se a filosofia *sânkhya* propriamente dita, em contraposição à filosofia *Yoga* de Patañjali ou *sezvara (sa-îzvara)* sânkhya, isto é, *sânkhya* "com Senhor ou Deus" ou teísta.

N

Nirjara (*Sânsc.*) — "Que não envelhece": um imortal, um deus: ambrosia.

Nirmada (*Sânsc.*) — Tranquilo, aprazível, sereno.

Nirmala (*Sânsc.*) — Sem mancha, imaculado, puro, limpo.

Nirmalatva (*Sânsc.*) — Pureza, incorruptibilidade.

Nirmama (*Sânsc.*) — "Ausência do meu" Não egoísta, desprendido, desinteressado livre de egoísmo ou de interesse pessoal; sem orgulho, sem presunção; modesto, humilde.

Nirmâna (*Sânsc.*) — Livre de egoísmo, orgulho ou amor próprio.

Nirmâna (*Sânsc.*) — Ato produtor; produção, criação, ação; objeto para o qual se produz alguma coisa; medição; medida.

Nirmânakâya (*Sânsc.*) — Em filosofia esotérica, uma coisa completamente diferente do significado popular que se dá a esta palavra e das ideias dos orientalistas. Alguns denominam o corpo *nirmânakâya* de "Nirvâna com restos" (Schlagintweit e outros), supondo provavelmente que seja uma espécie de condição nirvânica, durante a qual se conservam a consciência e a *forma*. Outros dizem que é um dos *trikâya* (três corpos), com o "poder de adquirir qualquer forma aparente para propagar o Budismo" (segundo *Eitel*); e também que é o avatar encarnado de uma divindade" (*Idem*), e assim sucessivamente. Em ocultismo, por outro lado, *Nirmânakâya*, embora signifique literalmente um "corpo" transformado, é um estado ou condição. A forma é a do Adepto ou *yogi* que escolhe ou entra em tal estado *post-mortem* preferencialmente à condição *Dhamanakâya* ou estado nirvânico *absoluto*. E atua assim porque o último *kâya* [corpo] alija-o para sempre do mundo da forma, conferindo-lhe um estado de bem-aventurança *egoísta,* do qual nenhum outro ser vivo pode participar; assim sendo, o Adepto fica impossibilitado de ajudar a humanidade ou aos próprios *devas*. Como *Nirmânakâya*, contudo, o homem deixa atrás de si apenas seu corpo físico e conserva todos os demais "princípios" exceto o *kâmico*, porque o extirpou para sempre de sua natureza, durante a vida, sem que possa jamais ressurgir em seu estado *post-mortem*. Assim, pois, ao invés de entrar em bem-aventurança egoísta, escolhe uma vida de auto sacrifício, uma natureza que termina apenas com o ciclo de vida, a fim de poder ajudar a humanidade de modo invisível, porém sumamente eficaz. (Ver *Voz do Silêncio*, III, *Os Sete Portais*.) Portanto, um *Nirmânakâya* não é, como se crê vulgarmente, o corpo "com que aparece na Terra um Buddha ou um Bodhisattva", mas aquele que, seja um *chutukta* ou um *khubilkhan* (ver estas palavras), um Adepto ou um *yogi* durante a vida, converteu-se desde então num membro daquela Hoste invisível, que, sem cessar, vela sobre a humanidade e a protege dentro dos limites kármicos. Com frequência tomada erroneamente por um "Espírito", por um Deva, pelo próprio Deus etc., um *Nirmânakâya* é sempre um anjo protetor, compassivo, um verdadeiro *anjo da guarda*, para aquele que se torna digno de seu auxílio. Quaisquer que sejam as objeções que se possa apresentar contra esta doutrina, e por mais que se a negue, porque, a bem da verdade, até agora nunca se tornou pública na Europa e, por conseguinte, visto que é desconhecida dos orientalistas, deve ser necessariamente "um mito de invenção moderna"; ninguém se atreveria a dizer que esta ideia de auxiliar a humanidade doente, à custa do quase interminável sacrifício de si mesmo, não é uma das ideias maiores e mais sublimes que já saíram do cérebro humano. [(Ver *Voz do Silêncio*, II.) - *Nirmânakâya* (literalmente, "corpo, invólucro ou vestimenta livre de egoísmo") é aquele que purificou todo o seu ser de um modo tal,

N

que chegou a se sobrepor à divina ilusão de um *devachanî* (habitante do *Devachan*). Tal Adepto permanece no plano astral (invisível) relacionado com nossa Terra e, desde então, atua e vive na posse de todos os seus princípios, exceto do *Kâmarûpa* e do corpo físico. (*Doutrina Secreta*, III, 446) (Ver *Dharmakâya*, *Sambhogakâya* e *As Três Vestimentas*.)]

Nirmathya (*Sânsc.*) — O fogo sagrado produzido pela fricção de dois pedaços de madeira; o fogo chamado *pavamâna* nos *Purânas*. A alegoria aqui contida é um ensinamento oculto. [Ver *Pavamâna*.]

Nirmâtri (*Sânsc.*) — Autor, criador.

Nirmukta (*Sânsc.*) — Livre, isento, desligado, libertado, emancipado, salvo.

Nirnaya (*Sânsc.*) — Investigação, exame, observação, estudo; discussão; dedução.

Nirodha (*Sânsc.*) — Impedimento; obstrução; cessação, suspensão, interrupção; interceptação; destruição. Na filosofia Yoga de Patañjali, esta palavra é aplicada à interceptação de todas as transformações mentais ou distrações. (Ver *Aforismos de Patañjali*, III, 9 e o correspondente Comentário de *M. Dvivedi*.)

Nirodhaparinâma (*Sânsc.*) — Transformação da mente em interceptações. Este termo se aplica a uma das espécies de *Samâdhi*. (Ver *Aforismos*, III, 9 e ss.)

Nirriti (*Sânsc.*) — A deusa da morte e da decadência. [A divindade do mal; preside o Sudoeste; desgraça, infortúnio.]

Niruddha (*Sânsc.*) — Refreado, reprimido, subjugado, dominado, disciplinado.

Nirvâpa (*Sânsc.*) — Oferenda aos manes.

Nirvapana (*Sânsc.*) — Oferenda, doação.

Nirvâpana (*Sânsc.*) — Extinção, cessação.

Nirvarâna (*Pál.*) — Impedimento, obstáculo. "Os cinco *Nirvarânas* ou obstáculos para o progresso espiritual são: a cobiça, a malícia, a preguiça, o orgulho e a dúvida." (Olcott, *Catecismo Búdico*)

Nirvârya (*Sânsc.*) — Ousado, audaz, intrépido.

Nirveda (*Sânsc.*) — Indiferença; desdém, aversão, desalento, desespero; ignorância.

Nirveza (*Sânsc.*) — Gozo; recompensa; paga; expiação.

Nirvichâra (*Sânsc.*) — "Não deliberativo", "não reflexivo", sem reflexão, ou seja, sem ajuda de nenhum processo mental. Isso se refere à intuição ultra-meditativa, na qual, sem o menor esforço do pensamento, aparecem de um modo instantâneo na mente o passado e o futuro, os antecedentes e consequentes de um fenômeno atual. (*Râma Prasâd*) (Ver *Aforismos de Patañjali*.)

Nirvichâra-samâdhi (*Sânsc.*) — Concentração ou meditação não deliberativa ou não reflexiva. Quando esta atinge seu maior grau de pureza, sobrevém a placidez e com ela, a iluminação espiritual. O conhecimento assim adquirido é superior ao que se obtém através dos outros meios de conhecimento porque, além de se ajustar completamente à verdade, refere-se não a generalidades, mas aos detalhes particulares. (Ver *Aforismos de Patañjali*, I, 47-50.)

Nirvîja (*Sânsc.*) — Ver *Nirbîja*.

Nirvikalpa (*Sânsc.*) — Inconsciente. É o mesmo que *asamprajñâta* (ver).

N

Nirvikalpa Samâdhi (*Sânsc.*) — *Samâdhi* inconsciente. A concentração subjetiva da mente, na qual a mente e o alento vital encontram-se num estado de absoluta imobilidade, como uma chama resguardada do ar. (K. Laheri, Coment. do *Uttara-Gîtâ*, I, 9) É o limite ou o resultado final, a autoconsciência das alturas nirvânicas, o *samâdhi* mais elevado, o *Kaivalya*, ou seja, o verdadeiro *Yoga*. Este tipo de *samâdhi* é designado também pelo nome de *asamprajñâta-samâdhi* (ver). (Ver também os *Aforismos de Patañjali*, III, 4-8.)

Nirvikâra (*Sânsc.*) — Sem mudança, imutável, inalterável, firme.

Nirvindhyâ (*Sânsc.*) — Um rio da Índia cujas águas são sagradas.

Nirvinna (*Sânsc.*) — Desalentado, abatido, cansado, desgostoso, enfastiado.

Nirvitarka (*Sânsc.*) — Sem raciocínio, sem investigação, não raciocinado, não argumentativo. Este qualificativo aplica-se, entre outras coisas, a certo tipo de intuição (*samâpatti*), que Râma Prasâd denomina de "intuição sem palavras". É aquele estado de lucidez mental no qual as verdades da Natureza brilham por si mesmas, sem intervenção de palavras. *(As Forças mais Sutis)* (Ver *Intuição*.)

Nirvitarka-samâdhi (*Sânsc.*) — Aquele estado de meditação ou concentração mental em que se encontra presente apenas a *ideia* do objeto meditado, independentemente de seu nome, forma etc., por terem desaparecido da memória as relações existentes entre estes e aquela. (*Aforismos de Patañjali*, I, 43)

Nirvizecha (Nirvishesha) (*Sânsc.*) — Sem especialidade; sem marcas ou sinais distintivos.

Nirvrita (*Sânsc.*) — Ao abrigo de, na segurança de, coberto, resguardado; abrigo, albergue, mansão; que descuida das práticas ou cerimônias religiosas.

Nirvriti (*Sânsc.*) — Gozo, prazer; ousadia, temeridade. Às vezes esta palavra é empregada com o significado de *nirvritti*: partida, desaparecimento, morte; cessação, conclusão, término; repouso, não ação etc.

Nirvritta (*Sânsc.*) — Terminado, cessado, cumprido.

Nirvritti (*Sânsc.*) — Conclusão, cessação; fim, término; morte, partida, desaparecimento; desistência; supressão; inatividade, passividade, não ação, repouso; abstenção, renúncia; beatitude ou bem-aventurança final; volta ou retorno à existência (ou vida terrena).

Nirvyûdha (*Sânsc.*) — Abandonado, deixado, desamparado; coisa que se deixa de fazer.

Niryogakchema (*Sânsc.*) — Livre de aquisição e conservação; livre do afã de entesourar.

Nis, ni(s), niz, nich (*Sânsc.*) — Ver *Nir*.

Nisarga (*Sânsc.*) — Natureza, caráter, índole, mandato, ordem.

Nishada (*Sânsc.*) — Uma cadeia de montanhas ao Sul do Meru, o Norte dos Himalaias. O país de Nala.

Nishâda (*Sânsc.*) — (1) Uma das sete qualidades do som – único atributo do *Âkâza*. (2) A *sétima* nota da escala musical hindu. (3) O filho sem casta de um brâhmane e uma mulher *sûdra*. (Ver *Nishada*.)

Nishtâ — Ver *Nichtâ*.

N

Nisors (*Hebr.*) — O Espírito. *(P. Hoult)*

Nisshreyas — Ver *Ni(s)zreyas*.

Nissi (*Cald.*) — Um dos sete deuses caldeus.

Ni(s)spriha (*Sânsc.*) — Não desejoso; indiferente; livre de desejos ou afãs.

Nistraigunya (*Sânsc.*) — Livre das três qualidades *(gunas)*.

Ni(s)zreyas ou **Ni(s)zreyasa** (**Nisshreyas**) (*Sânsc.*) — "O que não tem melhor ou superior." O sumo bem; o bem supremo; a libertação final; beatitude ou bem-aventurança suprema.

Nîta (*Sânsc.*) — Que tem boa conduta; ganância; riqueza.

Nitala (**ni-tala**) (*Sânsc.*) — Uma das sete divisões do *Pâtâla*. No corpo humano corresponde à parte superior da articulação da perna com o pé, ou seja, o tornozelo. (Ver *Uttara-Gîtâ*, II, 26.)

Nitânta (*Sânsc.*) — Excessivo, desmedido.

Nîtha (*Sânsc.*) — Guia, condutor. Em linguagem védica: oração, hino.

Nîti (*Sânsc.*) — Prudência; ética moral. [Conduta em geral; proceder; política; retidão, boa conduta.]

Nîti-mañjarî (*Sânsc.*) — Uma obra de ética ilustrada com histórias e lendas, com especial referência aos *Vedas*. Foi composta por *Dyâ-Dviveda*.

Nîtizâstras (*Sânsc.*) — Obras que versam sobre moral e política. São constituídas por provérbios, máximas, fábulas e histórias em prosa ou em verso.

Nitya (*Sânsc.*) — Eterno, permanente, pertinaz, constante, contínuo, assíduo; indestrutível, imutável; habitual; essencial; interior; próprio; obrigatório; devoto, concentrado, consagrado. Nome de um dos quatro *pralayas* (ver).

Nityâ (*Sânsc.*) — Epíteto de Pârvatî e de Manasâ.

Nityâbhiyukta (**nitya-abhiyukta**) (*Sânsc.*) — Sempre atento, sempre unido pelo pensamento; sempre devoto; versado, competente.

Nityagati (*Sânsc.*) — Ar, vento.

Nityajâta (*Sânsc.*) — Que sempre nasce; sempre sujeito à transmigração ou ao renascimento.

Nityakarma (*Sânsc.*) — Dever, ato obrigatório ou prescrito pela Lei. É o oposto ao *Kâmyakama* (ver).

Nityakritya (*Sânsc.*) — Significado idêntico ao de *Nityakarma*.

Nityam (*Sânsc.*) — Sempre, sem cessar, constantemente, continuamente.

Nitya-parivrita (*Sânsc.*) — Literalmente, extinção contínua.

Nitya-pralaya (*Sânsc.*) — Literalmente, *Pralaya* ou dissolução "perpétua". As contínuas e imperceptíveis mudanças experimentadas pelos átomos, durante todo o *mahâmanvantara*, uma idade (ou século) completa de Brahmâ, que exige quinze algarismos para ser expressa. Um período de mudança e dissolução crônicos, os estados de progresso e decadência. É a duração de "Sete Eternidades". (Ver *Doutrina Secreta*, I, 398, e II, 73 a 323.) Há quatro tipos de *pralayas* ou estados de imutabilidade: o *naimittka* [ocasional ou incidental], no qual Brahmâ está dormindo; o *prakritika*, um *pralaya* parcial de todas as coisas, durante o *manvantara*; o *âtyantika*, no qual o homem se

N

identificou com o Um Absoluto (um sinônimo de *Nirvâna*); e *nitya*, especialmente para as coisas físicas, como um estado de profundo sono sem sonhos. [No *Bhâgavata-Purâna* o *nityapralaya* ou dissolução contínua é explicado da seguinte maneira: é a mudança incessante que se verifica de modo imperceptível em tudo o que existe neste Universo, deste o globo até o átomo. É desenvolvimento e decadência, vida e morte. A contínua e perpétua destruição de tudo o que nasceu.]

Nitya-sarga (*Sânsc.*) — O estado de contínua criação ou evolução, opostamente ao *nitya-pralaya* ou estado de perpétua e incessante dissolução (ou mudança de átomos), desintegração de moléculas; daí a mudança de formas. [É a contínua ou perpétua criação ou emanação. (*Doutrina Secreta*, II, 323.)]

Nitya-siddha (*Sânsc.*) — Sempre perfeito. Qualificativo do Espírito.

Nityatva (*Sânsc.*) — Constância, perseverança, assiduidade, continuidade, perpetuidade, eternidade.

Nityayukta (*Sânsc.*) — Sempre devoto, aplicado, atento, solícito; sempre fervoroso, constante, concentrado, abstraído, equilibrado ou misticamente unido.

Nityazas — Ver *Nityam*.

Nityodita (pitud-udita) (*Sânsc.*) — "Sempre presente." Nos *Aforismos de Patañjali*, este qualificativo é aplicado ao poder sempre presente de inteligência da alma. (*M. Dvivedi*) (Ver *Abhivyangya*.)

Nivâsa (*Sânsc.*) — Mansão, morada, residência, habitação; assento, sustentação.

Nivâtastha (*Sânsc.*) — Que está resguardado ou ao abrigo do vento.

Nivritta (*Sânsc.*) — Que voltou, retornou; alijado, ausentado, desaparecido, desviado, afastado; cessado, terminado; reprimido.

Nivritti (*Sânsc.*) — Volta, retorno; cessação, término, fim; morte, desaparecimento; supressão; desistência, não ação, inatividade, passividade; repouso; abstenção, renúncia; desvio do mundo; inversão, reversão.

Nivritti-mârga (*Sânsc.*) — Sendeiro de renúncia, de não ação ou de retorno. O sendeiro da não ação ou de renúncia da ação é oposto ao sendeiro da ação (*pravritti-mârga*). Por sendeiro de retorno pode se entender aquele que conduz novamente à existência terrena, ou seja, a reencarnação e também, como se lê nas *Leis da Vida Superior* de A. Besant, o sendeiro através do qual o Espírito individual (*Jîvâtma*) retorna à Fonte ou ponto de origem de seu ser, seguindo o arco ascendente da evolução. Este retorno carrega junto consigo o sacrifício de alguém com a renúncia ao fruto das ações e, por este motivo, tal sendeiro é também o Sendeiro da Renúncia e de Não Ação, porque desapareceu então para o homem todo estímulo capaz de incitá-lo a ação.

Nixies — Espíritos das águas: ondinas.

Niyama (*Sânsc.*) — Refreamento, domínio, continência; promessa, compromisso; obrigação, dever; prática obrigatória ou prescrita; dever piedoso; observância. Uma das oito partes do *Yoga* (*yogângas*): consiste na pureza corporal e mental, a alegria, a mortificação, o estudo e a submissão (ou devoção) ao Senhor. (Ver *Aforismos de Patañjali*, II, 29 e 32.)

Niyâma (*Sânsc.*) — Observância religiosa; prática obrigatória.

Niyâmaka (*Sânsc.*) — Guia, diretor.

N

Niyâma-sthiti (*Sânsc.*) — Perseverança nos deveres religiosos; contínuo domínio de si mesmo. Ascetismo. (*P. Hoult*)

Niyashes (*Masd.*) — Preces ou orações das partes.

Niyata (*Sânsc.*) — Necessário, obrigatório, prescrito; submetido, refreado, disciplinado, dominado, restringido, moderado; forçado, compelido, obrigado; destinado, estabelecido; imposto; ordinário, habitual; ordenado, regular, determinado; exato, pontual; constante, permanente, eterno.

Niyatâhâra (-âhâra) (*Sânsc.*) — Que restringe sua alimentação; de alimentação moderada, regulada ou ordenada; parco ou sóbrio na alimentação.

Niyatamânasa (*Sânsc.*) — Que tem o pensamento dominado; cuja mente está disciplinada.

Niyatâtman (*Sânsc.*) — Que domina a si mesmo.

Niyati (*Sânsc.*) — Necessidade; obrigação; dever piedoso.

Niyoga (*Sânsc.*) — Ordem, mandato.

Nizâ (*Sânsc.*) — Noite.

Nizâhasa (*Sânsc.*) — Lótus branco.

Nizâkara e **Nizâpati** (*Sânsc.*) — A Lua.

Nizchala (*Sânsc.*) — Imóvel, firme, imutável, inalterável, permanente.

Nizchaya (*Sânsc.*) — Convicção, opinião, ideia, propósito, intenção, resolução; conclusão, sentença, decreto, preceito, afirmação.

Nizchita (*Sânsc.*) — Fixo, certo, positivo; determinado, resoluto; preciso, concreto; decisivo, estabelecido, firme, convencido.

Nizir (*Cald.*) — A "Montanha do Dilúvio"; o Ararat dos babilônios, onde Xisuthrus representa Noé. [Ver *Dilúvio*.]

Nizreyas e **Nizreyasa** — Ver *Ni(s)zreya* e *Ni(s)zreyasa*.

Noé (*Noah*, em inglês) — O novo homem da nova Raça, cujo protótipo é Vaivasvata Manu e idêntico ao Zichta hindu, a semente humana para povoar novamente a Terra depois do Dilúvio. Noé, pois, representa a Raiz-Manu e a Semente-Menu. Também representa a Hoste setenária dos *Elohim*, porque é o criador (ou conservador) de toda vida animal. (*Doutrina Secreta*, II, 632) Numericamente, na Cabala, Jehovah, Adão e Noé são apenas um. (Ver *Dilúvio, Deucalião, Vaivasvata Manu* etc.)

Noerve ou **Narfve** (*Esc.*) — Nome de um gigante, pai da Noite.

Noetarka — Com este nome os filósofos ecléticos de Alexandria designavam o primeiro princípio.

Nofir-hotpu (*Eg.*) — O mesmo que o deus Khonsu (ou Khonsoo), o deus lunar de Tebas. Literalmente, significa: "aquele que está em repouso absoluto". Nofir-hotpu é uma das três pessoas da Trindade egípcia, composta por Amon, Moth e seu filho Khonsu ou Nofir-hotpu.

Nogah (*Cald.*) — O planeta Vênus; esplendor radiante.

Noite (*Alq.*) — Os filósofos chamam de *noite* sua matéria ao negro ou em putrefação.

Noite de Brahmâ — É o período entre a dissolução e a vida ativa do Universo. Este período tem a mesma duração do Dia de Brahmâ, ou seja, 2.160.000.000 de anos, durante

N

os quais Brahmâ, diz-se, está dormindo. Ao despertar, começa novamente o processo, que continua assim pelo espaço de uma Idade (ou século) de Brahmâ, composta de Dias e Noites alternados, que duram 100 anos (cada um deles com 2.160.000.000 anos solares). São necessários quinze algarismos para expressar a duração de semelhante Idade, ao término da qual começa o *Mahâpralaya* ou Grande Dissolução, que dura, por sua vez, o mesmo espaço de tempo de quinze algarismos. [Ver *Dia de Brahmâ, Pralaya* e *Mahâpralaya*.]

Nomancia (palavra derivada do grego) — Adivinhação através das letras do nome da pessoa, cujo destino deseja saber-se.

Nome — Ao pronunciar um nome não apenas se define um ser (uma entidade), mas também se o coloca, em virtude da emissão da palavra, sob a influência de uma ou mais potências ocultas. Para cada um de nós, as palavras são aquilo que faz delas a Palavra na hora de se as pronunciar. As palavras e os nomes são *benéficos* ou *maléficos*, daninhos ou saudáveis, segundo as influências ocultas que a suprema Sabedoria atribuiu a seus elementos, isto é, às *letras* que os compõem e aos *números* relativos a tais letras. (*Doutrina Secreta*, I, 121) Grande é o poder dos nomes e é conhecido desde que os primeiros homens foram instruídos pelos Mestres *divinos*. (*Ibidem*, II, 811) (Ver *Mantra*.)

Nome inefável — Entre os judeus, era o substituto do "nome de *mistério*" da divindade de sua tribo *Eh-yeh*, "*Eu sou*" ou Jehovah. Como o terceiro mandamento proibia o uso deste último nome "em vão", os hebreus o substituíram pelo de *Adonai* ou "o Senhor". Porém os cristãos protestantes, ao traduzirem indistintamente *Jehovah* e *Elohim* – que também é um substituto per se, além de ser o nome de uma divindade *inferior* – pelas palavras "Senhor" e "Deus", tornaram-se, neste caso, mais papistas que o Papa e incluíram na proibição os dois nomes. Atualmente, contudo, nem os judeus nem os cristãos parecem recordar, ou pelo menos suspeitar, a razão pela qual a qualificação de Jehovah ou YHVH tornou-se reprovável. A maior parte dos cabalistas ocidentais parece também ignorar o caso. A verdade é que o nome que apresentam como "inefável" não o é de modo algum. É o nome "impronunciável", se alguma coisa é, e isso por razões simbólicas. Em primeiro lugar, o "Nome inefável" do verdadeiro ocultista *não é* nome, absolutamente, e menos ainda o de Jehovah. Este último implica, até em seu significado esotérico, cabalístico, numa natureza andrógina, YHVH, ou seja, uma natureza masculina e feminina. É simplesmente Adão e Eva, isto é, homem-mulher fundidos em um e tal como agora é escrito e pronunciado, este nome é, *por sua vez, um substituto*. Porém os rabinos não têm interesse de recordar o que diz o Zohar em relação ao significado de YHVH, que é "*não como Eu sou escrito, sou lido*" (*Zohar*, fol. III, 230 a). É preciso saber dividir o *Tetragrammaton* até o infinito antes que se possa chegar ao *som* do nome verdadeiramente impronunciável do deus judeu do mistério. Que os ocultistas orientais têm seu próprio "Nome inefável", é preciso apenas repetir. [Quando, durante as cerimônias religiosas do templo, o sacerdote hebreu pronunciava em voz alta o nome de Jehovah, produzia-se um ruído estrondoso, para que o nome inefável não chegasse aos ouvidos do povo. Uma reminiscência deste costume, ainda conservado nas Igrejas católicas, é a de tocar grande número de sinos ruidosos presos a uma roda, à qual se dá muitas voltas através de uma corda, quando, na missa maior, o sacerdote oficiante entoa as primeiras palavras do *Gloria* e do *Credo*, nas quais figura o nome de *Deus*. Porém isto não é obstáculo para que, nos mesmos templos católicos, pronuncie-se a cada passo,

N

desde o púlpito, o nome da Divindade, do modo mais claro possível, para que todos os fiéis o ouçam.]

Nona onda — O número *nove*, quadrado de três, era objeto de grande adoração entre os celtas e a *nona onda* do mar, a mais poderosa e a que mais longe se estende na praia, desempenha importante papel nos cantos dos bardos. É o trono da gaivota, rainha do oceano. (*E. Bailly*)

Noo — Ver *Nu*.

Noócrata (palavra derivada do grego) — Aquele que tem prudência suficiente para sujeitar suas paixões à razão. *(M. Treviño)*

Noógeno (palavra derivada do grego) — O que foi produzido pela reflexão e pela inteligência. *(M. Treviño)*

Noologia — Ciência que trata das faculdades do espírito. *(M. Treviño)*

Noom — Ver *Num*.

Noon — Ver *Nun*.

Noor llahee (*Ár.*) — Literalmente, "*A luz dos Elohim*". Esta luz, segundo acreditam alguns muçulmanos, foi transmitida aos mortais "através de cem guias-profetas". Conhecimento divino; a Luz da Sabedoria Secreta.

Noot — Ver *Nut*.

Nornas (*Esc.*) — As três deusas irmãs do *Edda*, que transmitem aos homens os decretos de *Orlog* ou Destino. São representadas saindo das desconhecidas distâncias *envoltas num véu obscuro*, em direção ao Freixo *Yggdrael* (ver), para "regá-lo diariamente com a água da Fonte de Urd, para que não seque, pelo contrário, mantenha-se sempre verde, fresco e vigoroso" (*O Asgard e os Deuses*). Os nomes das normas são: *Urd*, o Passado, *Werdandi*, o Presente e *Skuld*, o Futuro, "que ou é rico em esperanças ou triste em lágrimas". Assim, elas revelam os decretos do Destino, "porque do passado e do presente nascem os acontecimentos e as ações do futuro" (*loc. cit.*). [São divindades semelhantes às Parcas e que presidem a vida dos homens. (*Edda*)]

Nosk (*Zend.*) — Nome dado às diversas partes ou divisões do *Avesta*.

Nosomanta (palavra derivada do grego) — Aquele que adivinha, à primeira vista, as enfermidades e as curas com remédios secretos. *(M. Treviño)*

Nostradamus, *Michel* — Hábil médico e astrólogo famoso do séc. XVI. Nasceu em Saint Remi, a 14 de dezembro de 1503. Estudou em Montpellier, de onde passou para Tolouse e Bordeaux. De volta a Provença, publicou, em 1555, suas sete primeiras "Centúrias", tão apreciadas por Henrique II, que chamou o autor à sua presença e o gratificou com 2.000 escudos de ouro. Catarina de Medicis tinha muita fé nas predições de Nostradamus, e Charles IX nomeou-o seu médico particular. Tornou públicas suas três últimas "Centúrias" em 1558 e morreu em Salon no dia 2 de julho de 1566.

Notaricon (*Cab.*) — Uma divisão da Cabala prática. Trata da formação das palavras valendo-se das letras iniciais e finais das palavras de cada oração ou, ao contrário, forma-se uma oração das palavras cujas letras iniciais ou finais são as da própria palavra (W. W. W.)

Nouf — Ver *Chnoufis*.

N

Noum ou **Khnoum** — Ver *Chnoufis*.

Noumeno (*Gr.*) — A verdadeira natureza essencial do ser, diferente dos objetos ilusórios dos sentidos [ou, em outros termos: a coisa, essência ou substância desconhecida, tal como é em si mesma, opostamente ao *fenômeno*, ou seja, a forma através da qual se manifesta aos sentidos ou à compreensão. Assim, a faísca elétrica é um fenômeno da eletricidade etc.]

Nous (*Gr.*) — Com este termo, Platão designava a Alma ou a mente superior. Significa Espírito, opostamente à alma animal *(Psyche)*; a mente ou consciência divina no homem. *Nous* era o nome com o qual Anaxágoras designava a Divindade suprema (o terceiro *Logos*). Tomado do Egito, onde se chamava *Nout*, foi adotado pelos gnósticos para seu primeiro Éon consciente, que, entre os ocultistas, é o terceiro *Logos*, cosmicamente, e o terceiro "princípio" (contado de cima para baixo), ou seja, o *Manas* no homem. (Ver *Nout*.) [Para observar melhor a diferença existente entre *Nous*, a divina Sabedoria superior, e *Psyche*, a inferior e terrestre, ver o que diz São Tiago, em sua *Epístola*, III, 15-17: "... esta sabedoria não é a que desce do alto, mas é a terrena, animal, diabólica... Mas a sabedoria que é do alto, primeiramente é pura, depois pacífica, modesta, benigna, cheia de misericórdia e de bons frutos, não julgadora nem fingida". (Ver *Doutrina Secreta*, I, 219.)]

Nout (*Eg.*) — No Panteão egípcio, esta palavra significava o "Um-só-um", porque, em sua religião popular ou exotérica, os egípcios não iam além da *terceira* manifestação, que procede do Desconhecido e Incognoscível, o primeiro *Logos* não manifestado e o segundo *Logos* na filosofia esotérica de todas as nações. O *Nous* de Anaxágoras era o *Mahat* dos hindus, Brahmâ, a *primeira* Divindade *manifestada*, "a Mente ou o Espírito potente por si mesmo" e assim, por conseguinte, este Princípio criador é o *primum mobile* de tudo o que existe no *Universo*: sua Alma e Ideação. (Ver *Os Sete Princípios do Homem*.) [A deusa egípcia Nout personifica o Espaço celeste, porém especialmente a abóbada celeste, sob a forma de uma mulher encurvada sobre a Terra. É chamada "Mãe dos Deuses". Pintada sobre a tampa do féretro, estende-se sobre a múmia a quem protege. Num papiro do Louvre, diz ao defunto: "Tua mãe Nout recebeu-te em paz. Ela põe seus braços por detrás de tua cabeça a cada dia; protege a ti dentro do féretro, guarda-te na montanha funerária; estende sua proteção sobre tuas carnes; vela sobre a vida e toda integridade de saúde" (Pierret, *Études Égyptologiques*, I, 71). Esta deusa é também representada num sicômoro oferecendo às almas a água celeste, que as regenera. Para melhor estabelecer sua identificação com Hathor, é pintada, às vezes, com cabeça de vaca.]

Nouter-kher (Neter-xer) (*Eg.*) — "Divina região inferior", designação hieroglífica da mansão das almas. (Ver *Amenti*.) - Assim também era designada a necrópole. (Pierret, *Études Égyptologiques*)

Nove — A "Cabala das Nove Câmaras" é uma forma de escritura secreta em cifras, que teve sua origem entre os rabinos hebreus e foi utilizada por diversas sociedades com o objetivo de guardar segredo do sentido daquilo que foi escrito. Tal forma de escrita foi adotada especialmente por alguns graus da Maçonaria. São traçadas duas linhas paralelas horizontais e outras duas verticais, que cruzam as duas primeiras, o que forma nove câmaras, das quais a central é um quadrado comum e as restantes são figuras de dois ou três lados, destinadas a representar as diversas letras em qualquer ordem que seja conveniente. Há também uma aplicação cabalística dos dez *Sephiroth* para estas nove câmaras, porém não foi tornada pública (W. W. W.). [O número nove é o triplo ternário e se reproduz sempre sob todas as formas e números em toda multiplicação. É o signo de toda

N

circunferência, visto que seu valor, em graus, é igual a nove, isto é, 3 + 6 + 0 = 9. Em certas condições, é um número fatal; se o seis era o símbolo de nosso globo disposto para ser animado por um Espírito *divino*, o nove simboliza nossa Terra animada por um *mau* Espírito. (*Doutrina Secreta*, II, 614) O nove é o número da energia masculina ou fálica, assim como o sete é o sagrado número feminino. (*Ibidem*, II, 227)

Novendial (*Novendialis*, em latim) — Sacrifícios e festas celebradas pelos antigos romanos, durante nove dias, para propiciar a seus deuses. Este nome também era dado aos funerais, porque estes eram celebrados nove dias após a morte. O cadáver era guardado durante sete dias, queimado no oitavo e as cinzas enterradas no nono.

Nowré-Toum (*Eg.*) — Deus, filho de Ptah e Sejet, e cujo título mais conhecido é o de "protetor ou diretor dos dois mundos". Costuma ser representado de pé sobre um leão, tocado com uma flor de lótus, da qual saem longas plumas, e tendo apoiado sobre o ombro o bastão mágico chamado *our-kekau*. O papel desta divindade, segundo os egiptólogos, é difícil de se precisar. (Pierret, *op. cit.*)

Noz — Os santos Padres e, em particular, São Gregório Filon, consideraram a noz como símbolo da perfeição. Assim vemos que, na igreja primitiva, colocavam-se nozes nas tumbas de alguns cristãos para indicar sua consumada virtude. Porém os escritores dos primeiros séculos acreditavam ver em tal fruto o símbolo de Cristo, segundo se depreende de certas passagens curiosas de Santo Agostinho e São Paulino. Eis o que diz o segundo autor: "Na noz está Cristo; a matéria lenhosa da noz é Cristo, porque no interior da noz está o alimento; a casca é o exterior; porém sob ela há um córtex verde que é amargo. Eis aqui Deus-Cristo velado por nosso corpo, que é frágil pela carne, alimento pelo verbo e amargo pela cruz". (Ver Martigny, *Dict. des Antiq. Chrét.*)

No zoud (*Zend.*) — Iniciado parse. (Ver *Zend-Avesta*, Tradução de M. Anquetil du Perron, t. II, 533.)

No zoudi (*Zend.*) — Iniciação parse. (*Ibidem*)

Nrasthimâlin (*Sânsc.*) — Epíteto de Shiva, devido ao colar de ossos humanos portado por ele.

Nri (*Sânsc.*) — Homem, herói. No plural: gente, homens.

Nri-loka ou **Nara-loka** (*Sânsc.*) — O mundo dos homens ou mortais: a Terra.

Nri-sinha ou **Nara-sinha** (*Sânsc.*) — "Homem-leão". O quarto avatar de Vishnu. Este deus tomou forma mista, meio homem e meio leão, para livrar a Terra da tirania do terrível *daitya* (demônio) Hiranyakazipu, que era invulnerável aos ataques dos deuses e animais.

Nri-yajña (*Sânsc.*) — Também chamado de *Manuchvayajña* ("sacrifício aos homens") ou sacrifício de hospitalidade. (Ver *Mahâyajña*.)

Nu ou **Noo** (*Eg.*) — As águas primordiais do Espaço, chamadas "Pai-Mãe"; a "face do abismo" da Bíblia; porque sobre o *Nu* alimenta-se o alento de Knef, que é representado tendo na boca o Ovo do Mundo.

Nuah (*Cald.*) — É o Noé caldeu, que "flutua sobre as águas" em sua arca. Alegoria do Espírito caindo na Matéria e, uma vez nela aprisionado, fica como que embriagado. Sob outro aspecto, Nuah é a "Mãe universal" (o Noé feminino, considerado como um com sua arca).

N

Num ou **Noom** (*Eg.*) — Um escultor celeste, que, segundo as lendas egípcias, cria uma formosa jovem a qual envia, como outra Pandora, a Batu ("homem"), cuja felicidade, desde então, fica destruída. O "escultor" ou artista é Jehovah, arquiteto do mundo, e a jovem é "Eva". (Ver *Khnum*.)

Number Nip — Um elfo, rei poderoso do *Riesengebirge* (Montes dos Gigantes), o mais potente dos gênios do folclore escandinavo e alemão. Este elfo, também chamado de *Rübezahl*, é celebrado em numerosas baladas, lendas e *sagas*, onde é representado sob formas diversas (mineiro, caçador, anão, gigante etc.). Conta-nos que socorre os pobres e oprimidos e mostra o caminho aos viajantes que se extraviaram durante a noite; porém abre guerra encarniçada contra os soberbos e malvados. A origem de seu nome é obscura.

Números — Existe uma ciência sagrada dos números, conhecida por diversos nomes, que era ensinada nos templos da Ásia e do Egito. Esta ciência é de suma importância para o estudo do ocultismo, uma vez que nos fornece a chave de todo o sistema esotérico. O mistério de todo o Universo baseia-se, salvo algumas poucas exceções, nas Hierarquias e nos verdadeiros números destes Seres, invisíveis para nós. (*Doutrina Secreta*, I, 116, 188 etc.) A chave numérica aplica-se à Bíblia e a todas as Escrituras Sagradas em geral. Para apoiar este segredo, que os fanáticos partidários da letra morta sem dúvida condenariam como heresia, citarei a seguinte passagem do Abade Martigny: "Não há dúvida de que, nas Santas Escrituras, em razão do duplo sentido que encerram, os números não tenham frequentemente um significado simbólico. Podemos invocar aqui o testemunho de Filon o Judeu, assim como o de São Clemente de Alexandria, a epístola atribuída a São Barnabé e o *Pastor* de Hermas. Quem não sabe que Santo Ambrósio e Santo Agostinho empregavam, a cada passo, em suas homilias o simbólico sentido dos números? Prova evidente de que tal linguagem era familiar à maior parte dos fiéis, pois, se assim não fosse, as explicações evangélicas dos doutores da Igreja teriam sido carta fechada para eles". (*Dict. des Antiq. Chret.*, p. 503)

Nummus (*Alq.*) — Matéria da obra ao negro.

Nun (Noon) (*Eg.*) — O rio celestial que corre no *Nut*, o abismo cósmico, ou *Nu*. Por terem sido todos os deuses engendrados no rio (o *Pleroma* gnóstico), recebeu o nome de "Pai-Mãe dos deuses".

Nuntius (*Lat.*) — O "Sol-lobo", um dos nomes do planeta Mercúrio. É o acompanhante do Sol, *Solaris luminis particeps* (partícipe da luz solar). (Ver *Doutrina Secreta*, II, 31.)

Nusku — Ver *Nesku*.

Nut (Noot) — O Abismo celeste, segundo o Ritual do *Livro dos Mortos*. É o espaço infinito personificado, nos *Vedas*, por Aditi, a deusa que, como Nun (ver), é a "mãe de todos os deuses".

Nuvem da virtude ou **de mérito** — Ver *Dharma megha*.

Nyâda (*Sânsc.*) — Alimento.

Nyagrodha (*Sânsc.*) — Figueira sagrada *(Ficus religiosa)*.

Nyakcha (*Sânsc.*) — Completo, inteiro, total.

Nyarna (*Sânsc.*) — Atormentado, molestado.

Nyâsa (*Sânsc.*) — Ação de confiar ao Espírito; depósito; renúncia, abandono, desistência.

N

Nyaya (*Sânsc.*) — Perda, quebra, destruição.

Nyâya (*Sânsc.*) — Um dos seis sistemas ou escolas (darzanas) da filosofia hindu. Sistema de lógica fundado pelo *Richi* Gautama. (Ver *Filosofia nyâya*.) *Nyâya* significa: conveniência, propriedade, lógica, justiça, guia.

Nyâya-darzana — Ver *Filosofa nyâya*.

Nyâyya (*Sânsc.*) — Conveniente, próprio, justo, devido, regular, lógico, natural, bom.

Nyima (*Tib.*) — O Sol, astrologicamente. (Ver *Voz do Silêncio*, II.)

Nyingpo (*Tib.*) — O mesmo que *Alaya*, "a Alma do Mundo", também chamada de *Tsang*.

Nymphœ (*Lat.*) — Ver *Ninfas*.

Nyochana (*Sânsc.*) — Combustão.

Nyûna (*Sânsc.*) — Defeituoso, incompleto, mutilado; vil, desprezível.

Nyunkha (*Sânsc.*) — "Agradável". A ação de repetir seis vezes o monossílabo sagrado Om. O *Sâma-Veda*.

O

O — Décima quinta letra e quarta vogal no alfabeto inglês. Não tem equivalente em hebraico, cujo alfabeto, com só uma exceção, carece de vogais. Como número, entre os antigos, significava 11 e, com um traço horizontal sobre a letra, 11.000. Entre outros povos antigos também era uma letra muito sagrada. Na escritura *devanâgarî*, ou dos deuses, tem significado múltiplo, porém falta-nos espaço para exemplos. [No alfabeto sânscrito, a letra O é a décima terceira vogal, que figura entre as compostas, duplas ou ditongos, equivalentes a A-U. Assim, Om é o mesmo que Aum; *Kâranopâdhi* equivale a *Kârana-upâdhi* etc. Como vogal longa que é, Burnouf escreve-a sempre Ô. (Ver *E*.)]

Oannes [ou **Oes**] (*Gr.*) — Musarus Oannes, o Annedoto, conhecido nas lendas caldeias transmitidas por Beroso e outros escritores antigos pelo nome de *Dag* ou *Dagón*, o "homem-peixe". Oannes apresentou-se aos antigos babilônios como reformador e instrutor. Ao surgir do Mar Eritreu, levou-lhes a civilização, as letras e as ciências, as leis, a astronomia e a religião e lhes ensinou a agricultura, a geometria e as artes em geral. Houve Annedotos que chegaram após este, em número de cinco (note-se que a nossa é a quinta Raça), "todos eles como Oannes no que se refere à forma e ao que ensinavam", porém Musarus Oannes foi o primeiro a surgir, o que ocorreu durante o reinado de Ammenon, terceiro dos dez reis antediluvianos, cuja dinastia terminou com Xisuthrus, o Noé Caldeu. (Ver *Xisuthrus*.) Oannes era um "*animal dotado de razão... e cujo corpo era de um peixe, mas que tinha uma cabeça humana sob a de peixe, com pés semelhantes aos dos homens* junto à cauda e *cuja voz e linguagem também eram articuladas e humanas*" (Polyhistor e Apolodoro). Isso fornece a chave para a alegoria. Designa Oannes como um *homem* e um "sacerdote", um *Iniciado*. Há muito tempo, Layard demonstrou (ver *Nineveh*) que a "cabeça de peixe" era simplesmente uma touca ou adorno da cabeça, a *mitra* portada pelos sacerdotes e os deuses, feita com a forma de cabeça de peixe e que, de forma um pouco modificada, vemos ainda hoje na cabeça dos grandes lamas e dos bispos da Igreja romana. Osíris portava uma mitra semelhante. A cauda do peixe é simplesmente a cauda de um longo manto estriado, tal como se encontra pintado em algumas tábuas assírias, cuja forma vemos reproduzida na áurea vestimenta sacerdotal usada pelo moderno clero grego, durante as cerimônias religiosas. Esta alegoria de Oannes, ou Annedoto, recorda-nos o "dragão" e os "Reis-Serpentes"; os *Nâgas*, que, nas lendas búdicas, instruem o povo na sabedoria, junto aos lagos e rios e acabam por se converter à boa Lei, chegando a ser *Arhats*. O significado disso é claro. O "peixe" é um símbolo antigo e muito sugestivo na linguagem do mistério, como o é também a "água". Ea ou Hea era o deus do mar e da Sabedoria e a serpente do mar era um de seus emblemas, visto que seus sacerdotes eram "serpentes" ou Iniciados. Daí por que o Ocultismo inclui Oannes e os demais Annedotos no grupo daqueles antigos "Adeptos" que eram chamados de "dragões da água" ou "marinhos", isto é, *Nâgas*. A água representava sua origem humana (pois é um símbolo da terra e da matéria e também da purificação), opostamente aos "*Nâgas* do fogo", isto é, os Seres imateriais, espirituais, sejam *Boddhisattvas* celestes ou *Dhyânis* planetários, considerados também como instrutores da humanidade. O significado secreto resulta claro para o ocultista, uma vez que se indica que "este ser (Oannes)" costumava passar o dia entre os homens, ensinando, e ao chegar o ocaso retirava-se novamente para o mar, passando a noite no fundo das águas, "porque era anfíbio", isto é, pertencia aos dois planos: o espiritual e o físico, uma vez que a palavra grega *amphibios* (de *amphi*, ambas as partes, e *bios*, vida) significa simplesmente "vida em dois planos". Na Antiguidade, esta palavra aplicava-se frequentemente àqueles homens que, embora apresentassem sempre forma humana, haviam se tornado quase divinos por seu saber e viviam tanto na Terra como nas regiões espirituais suprassensíveis. Oannes encontra-se confusamente refletido em Jonas e até em João, o Precursor, um e outro relacionados com o Peixe e a Água [Ver *Dag* ou *Dagon* e *Annedoto*.]

O

Ob (*Hebr.*) — A Luz astral – melhor dizendo, suas correntes daninhas, personificada para os judeus como um Espírito, o Espírito de *Ob*. Entre eles, todos os que tratavam com espíritos e se ocupavam com a necromancia eram designados como possuídos pelo Espírito de *Ob*. [*Ob* é o mensageiro da morte utilizado pelos feiticeiros, o fluido maligno funesto. (*Doutrina Secreta*, I, 105)]

Obeah — Feiticeiros e feiticeiras da África e das Índias Ocidentais. Seita de magos negros, encantadores de serpentes; bruxos, feiticeiros etc.

Obeliscos — Pilares de pedra muito altos, de quatro faces iguais e terminados por uma ponta piramidal achatada. Estes monolitos eram muito usados pelos antigos egípcios e se encontravam cobertos de inscrições hieroglíficas, algumas das quais ocultavam importantes segredos e representavam os mistérios da religião egípcia. Quando Cambises, rei dos persas, apoderou-se do Egito, exigiu que os sacerdotes descobrissem o significado de tais inscrições e, como se negassem a lhe obedecer, matou-os e destruiu todos os obeliscos que pôde encontrar. Estes monumentos estavam relacionados com o culto do Sol e, por este motivo, os sacerdotes denominavam-nos de dedos desse astro. Os obeliscos foram venerados como símbolos do deus itifálico Amón, o procriador. (Ver Pierret, *Dict. d'Arch. Égypt*) [Os quatro lados do obelisco representavam os quatro pontos cardeais e seus respectivos regentes (os quatro *Mahârajahs*, em sânscrito). (*Doutrina Secreta*, I, 150-151)]

Obelo — Marca ou sinal empregado nos antigos manuscritos, para assinalar passagens duvidosas, especialmente nos "Setenta", para indicar passagens que não figuram no texto hebraico.

Objetivo — O referente aos objetos reais, exteriores; o que podemos observar fora de nós, através de nossos sentidos; opostamente ao *subjetivo*, ou seja, o que se refere a nosso interior, a nosso modo especial de sentir ou pensar. (Ver *Subjetivo*.)

Objetivos da Sociedade Teosófica — São os três seguintes:

1º) Formar um núcleo de Fraternidade Universal da humanidade, sem distinção de raça, credo, sexo, casta ou cor.

2º) Fomentar o estudo comparativo das religiões, literaturas e ciências dos arianos e de outros povos orientais.

3º) Investigar as leis explicadas da Natureza e poderes psíquicos latentes no homem. (Só uma parte dos membros da Sociedade dedica-se a este objeto.)

A adesão ao primeiro destes objetivos é indispensável ao ingresso na Sociedade Teosófica. A nenhum dos aspirantes são feitas perguntas a respeito de suas opiniões religiosas ou políticas; porém, em troca, exige-se de todos, antes de sua admissão, a promessa formal de respeitar as crenças dos demais membros.

Obra (*Herm.*) — Os Filósofos contam várias obras, embora exista propriamente uma, dividida em três partes. A primeira é denominada *obra simples*, é a medicina de primeira ordem ou a preparação da matéria, que precede a preparação perfeita, é a obra da Natureza. A segunda parte é chamada de *obra mediana* e é a preparação perfeita, a medicina de segunda ordem, o elixir e a obra da Arte. A terceira é a multiplicação e a obra da Arte e da Natureza. A primeira purga modifica os corpos e os tinge, mas sua tintura não é permanente. A segunda operação, ou medicina de segunda ordem, modifica e tinge os corpos de modo permanente, mas sem muito proveito. A medicina de terceira ordem é propriamente a *Grande Obra*. Ela demanda mais sagacidade e indústria e tinge perfeitamente os corpos com muito proveito, visto que um único grão converte em ouro ou prata milhões de grãos de metais imperfeitos.

O

Obscuração — Período mais ou menos prolongado de repouso ou inércia, em que desaparece a vida ativa de um globo da cadeia planetária. É uma espécie de *pralaya* (*pralaya* cíclico), durante o qual a Natureza, isto é, todas as coisas visíveis e invisíveis de um planeta em repouso, permanece em condição estacionária. A Natureza repousa e dorme; suspende-se no globo toda obra de destruição bem como todo trabalho ativo; todas as formas, assim como seus tipos astrais, permanecem como estavam no momento posterior de sua atividade. (*Doutrina Secreta*, II, 697) Tal termo é aplicado também aos períodos de obscuridade do Espírito, nos quais este submerge nos abismos da materialidade, bem como aos períodos de obscurecimento da Matéria, nos quais o Espírito ascende glorioso aos reinos da espiritualidade mental. (*Ibidem*, I, 198)

Obscuridade ou **Trevas** — "As Trevas são Pai-Mãe e a Luz é seu Filho", diz um antigo provérbio oriental. A luz é inconcebível, a não ser que seja considerada como procedente de uma origem que seja sua causa; e como, no que se refere à Luz Primordial, tal origem é desconhecida, por mais que a reclamem a razão e a lógica, é denominada de "Trevas", de um ponto de vista intelectual. As Trevas são, pois, a eterna matriz onde aparecem e desaparecem as origens da Luz. Em nosso plano, nada mais se acrescenta às trevas para delas fazer a luz nem à luz para dela se obter as trevas. Luz e trevas são duas coisas permutáveis entre si e, cientificamente, a luz é apenas um modo de ser das trevas e vice-versa. Contudo, ambas são fenômeno de um mesmo número, que é a Obscuridade Absoluta para a inteligência científica. (*Doutrina Secreta*, I, 72) Sendo a Luz Absoluta a essência das Trevas, estas são consideradas como a representação alegórica apropriada da condição do Universo durante o *pralaya*. Segundo as doutrinas rosa-cruzes, "Luz e Trevas são idênticas entre si, sendo apenas diferenciáveis na mente humana" e, no conceito de R. Fludd, "as Trevas adotaram a iluminação a fim de se tornarem visíveis" (*Ibidem*, I, 98-99). Como expressa o *Gênese,* a Luz foi criada das Trevas "e as Trevas estavam sobre a face do abismo". A Luz Absoluta é Obscuridade Absoluta e vice-versa; na realidade, não há nenhuma luz nem trevas nos reinos da Verdade. Nem uma nem outra existem *per se*, pois cada uma delas tem de ser engendrada e criada a partir da outra para chegar à existência. (*Ibidem*, II, 100)

Obsecrações — Preces e sacrifícios, que, por ordem do Senado, eram celebrados em Roma em tempos de calamidade.

Obsessão — Dá-se este nome ao apoderamento do ânimo de uma pessoa por um "espírito", geralmente mau, que trabalha e influi sobre ela de modo pertinaz e, às vezes, irresistível, como um agente externo, isto é, sem entrar em seu corpo, opostamente à possessão, em que tal "espírito" trabalha sobre a pessoa como agente interno e a ela unido. (Ver *Possessão*.)

Obstinação — Divindade mitológica, que passava por filha da Noite. Era representada como mulher, que tem na fronte um prego fincado na parte posterior da cabeça, leva um braseiro aceso na mão e está apoiada sobre a cabeça de um asno. Também é representada por uma figura com orelhas de burro e que tem a mão à frente dos olhos, para não ver a luz, e está vestida de negro, cor que não reflete a luz.

Ocasião — Divindade alegórica, que presidia o momento mais favorável para se ter bom êxito em alguma empresa. Os gregos fizeram dela um deus, chama do *Kairos*. (Ver *Cerus*.)

Oceano de Sabedoria — Nome dado a certo reino da Terra, um mar interior. Em épocas remotíssimas, possuía doze centros, em forma de pequenas ilhas, que representavam os doze signos do Zodíaco – dois dos quais permaneceram por séculos como "signos

O

misteriosos" – e que constituíam a morada dos doze hierofantes e mestres de sabedoria. Tal Oceano existiu, durante séculos, na região em que, atualmente, estende-se o Deserto de Gobi. (Ver *Doutrina Secreta*, II, 528.)

Ocha (*Sânsc.*) — Queima, combustão.

Ochadhi ou **Ochadî** (*Sânsc.*) — Erva, planta, vegetal.

Ochadhîpati (*Sânsc.*) — Literalmente, "Senhor das plantas". O médico e, principalmente, a Lua, pela ação reguladora que exerce sobre as plantas.

Ochadhi-prastha (Oshadi-prastha) (*Sânsc.*) — Literalmente: "Meseta ou local de plantas medicinais". Uma cidade misteriosa dos Himâlayas, mencionada desde o período védico. Conta a tradição que, em outros tempos, ali viviam sábios, grandes Adeptos na arte de curar, que empregavam unicamente ervas e outras plantas, como o faziam os antigos caldeus. Tal cidade é mencionada no *Kumâra Sambhava* (ou "Nascimento do Deus da Guerra") de Kâlidâsa.

Ochêma (*Gr.*) — Veículo. Este nome era utilizado na filosofia platônica para designar o corpo físico.

Ocultas, Ciências — Ver *Ciências ocultas*.

Ocultismo — É a ciência que estuda os mistérios da Natureza e o desenvolvimento de poderes psíquicos latentes no homem. Esta ciência versa sobre as coisas que estão fora da percepção dos sentidos e especialmente sobre os fatos que não podem ser explicados pelas leis da Natureza universalmente conhecidas, porém cujas causas são um mistério para aqueles que não penetraram de modo bastante profundo nos arcanos da Natureza, para compreendê-los devidamente. O que pode ser oculto, para uma pessoa, pode ser perfeitamente compreensível para outra. Quanto mais se desenvolvem a espiritualidade e a inteligência do homem, mais este se liberta das atrações dos sentidos; quanto mais se acrescenta e amplia seu poder de percepção, menos oculto lhe parece o proceder da Natureza. O oculto é de fato aquilo que está fora do poder dos sentidos externos para poder ser percebido, porém que é perfeitamente perceptível e compreensível para a inteligência interior espiritual, depois de se ter desenvolvido e tornado ativos os sentidos internos do homem. (*F. Hartmann*) As ciências ocultas não são as ciências imaginárias descritas pelas enciclopédias; são ciências reais, verdadeiras e muito perigosas nas mãos daquele que não faz delas o devido uso. Ensinam as forças e influências secretas das coisas da Natureza, desenvolvendo os poderes ocultos *latentes no homem*, graças aos quais dão a este enormes vantagens sobre os mortais mais ignorantes. O ocultismo ocupa-se com o estudo dos mundos suprafísicos, que, como tais, escapam da observação de nossos sentidos comuns. Revela ao Iniciado a Natureza tal como é na realidade e não tal como se a costuma julgar pelas aparências; estuda não apenas os fenômenos físicos, cuja origem nos é desconhecida, mas também aqueles que escapam a nossos sentidos físicos, mas que podem ser compreendidos e interpretados devidamente por nosso sentido interno. Finalmente, considera a vida que se manifesta através das formas, enquanto que a ciência física considera tão somente a aparência exterior. (*Extr. et Abrégé d'un Gloss. Théos.*) O método de estudo do Ocultismo difere completamente dos demais, pois para ele é mister observar determinadas regras de vida e de disciplina mental. Não se pode confundir o Ocultismo com a Teosofia. Um homem pode ser um bom teósofo sem ser, de modo algum, um ocultista; porém ninguém pode ser um verdadeiro ocultista sem ser um teósofo em toda a extensão da palavra; de outro modo, não será nada além de um mago negro, consciente ou inconscientemente. Uma vez que, se o ocultista, ao invés de pôr em prática o ideal moral mais elevado, trabalhando com a maior abnegação em prol da humanidade, trabalhar movido apenas pelo interesse pessoal e com fins egoístas,

O

chega a se converter em inimigo do mundo e das pessoas que o rodeiam, torna-se muito mais temível por seus poderes. O ocultista pratica a Teosofia *científica,* baseada no conhecimento exato das operações secretas da Natureza, enquanto que o teósofo que ponha em prática os poderes chamados anormais, sem a luz do Ocultismo, tenderá simplesmente a uma forma perigosa de mediunidade, porque trabalha às escuras, apoiado numa fé sincera, porém *cega.* Quem quer que tente cultivar algum dos ramos da ciência oculta, sem o conhecimento da razão filosófica dos referidos poderes, torna-se um barco sem leme em meio a um mar tempestuoso. (*AChave da Teosofia,* 25-27) (Ver *Ciências Ocultas* e *Ocultista.*)

Ocultista — Aquele que estuda os diversos ramos da ciência oculta. Este termo é empregado pelos cabalistas franceses (ver as obras de *Eliphas Levi*). O ocultismo abrange todo o campo dos fenômenos psicológicos, fisiológicos, cósmicos, físicos e espirituais. A palavra ocultismo deriva da palavra latina *occultus* (oculto ou secreto) e se aplica ao estudo da Cabala, da Astrologia, Alquimia e todas as ciências arcanas em geral. [O Glossário de *A Chave da Teosofia* define o ocultista nos seguintes termos: "Aquele que pratica o Ocultismo; um Adepto das ciências secretas". Porém este nome é aplicado frequentemente ao simples estudante de tais ciências.]

Ocultistas brancos e negros — São também denominados de ocultistas da mão direita e ocultistas da mão esquerda, respectivamente. Os que se dedicam completamente e de maneira desinteressada ao cumprimento da vontade divina ou que se esforçam por adquirir estas virtudes são chamados de "brancos"; os que são egoístas e trabalham contra o desígnio divino no Universo são denominados de "negros". A abnegação expansiva, o amor e a devoção são as qualidades que caracterizam os primeiros; o egoísmo concentrado, o ódio e a arrogância insolente são os sinais distintivos dos segundos. Entre uns e outros há uma classe cujos objetivos são mistos e que, então receberam a denominação de "cinzentos". [Ver A. Besant, *Sabedoria Antiga,* 92.]

Ocultistas da mão esquerda e da mão direita — Ver *Ocultistas brancos e negros.*

Od (*Gr.*) — De *odos,* passagem, trânsito; a passagem daquela força desenvolvida por várias forças menores ou por agentes tais como os imãs, uma ação química ou vital, o calor, a luz etc. É também denominada de força "ódio" ou "odílica". Reichenbach e seus discípulos consideravam-na como uma força incitativa independente (como, sem dúvida, o é), que se encontra na Natureza e armazenada no homem. [No conceito de Eliphas Levi, "o *Od, Ob* ou *Aour* é um agente único universal de todas as formas e da vida, ativo e passivo, positivo e negativo, é a primeira Luz da criação". Porém é preciso fazer uma distinção entre os três termos mencionados: *Od* é a pura Luz doadora de vida, ou seja, o fluido magnético; *Ob* é o mensageiro da morte utilizado pelos feiticeiros, o mal fluido funesto; *Aour* é a síntese de ambos, propriamente chamada de Luz Astral. Podem os filólogos dizer por que *Od,* termo empregado por Reichenbach para designar o fluido vital, é também uma palavra tibetana que significa luz, brilho, esplendor? Num sentido oculto, também significa "céu". (*Doutrina Secreta,* I, 105)]

Od (*Esc.*) — Nome do esposo de Freya.

Odacon — O primeiro Annedoto ou Dagón (ver *Oannes*), que apareceu durante o reinado de Euedoresco [ou Aerodach], procedente de Pentebiblon, também "do Mar Eritreu, como o primeiro, tendo a mesma forma mista de *peixe e homem.* (Apolodoro, *Cory,* p. 30)

Odé (*Zend.*) — *Dev* ou gênio maligno que distrai os homens, durante suas orações. (*Zend-Avesta*)

O

Odem ou **Adm** (*Hebr.*) — Uma pedra (cornalina) do racional do sumo sacerdote hebreu. Tem cor vermelha e é dotada de grande virtude medicinal.

Odico — Magnético. (Ver *Od.*)

Odin (*Esc.*) — O deus das batalhas, o antigo *Sabbaoth* germano; o mesmo que o Woden [ou Wotan] escandinavo. É o grande herói do *Edda* e um dos criadores do homem. A antiguidade romana o considerava idêntico a Hermes ou Mercúrio (Buddha) e o orientalismo moderno (Sir W. Jones), por conseguinte, o confundia com Buddha. No Panteão dos antigos escandinavos, é o "pai dos deuses" e da Divina Sabedoria e como tal é, portanto, Hermes ou a Sabedoria criadora. Odin, ou Wotan, ao criar o primeiro homem das árvores – *Ask* (freixo) e *Emblo* (amieiro) –, dotou-o de vida e alma; *Honir* dotou-o de intelecto e *Lodur* de forma e cor. [É o deus principal da mitologia escandinava. O nome Odin poderia ser o próprio nome de Deus, que com tanta alteração encontrada nas diversas línguas, poderia ser decomposto em *O'din*, o Deus. (Ver *Eddas.*) Foi considerado também como o deus Marte escandinavo, por ser o deus das batalhas e que adota como seus filhos todos os guerreiros que morrem com as armas na mão. Também é denominado de "Deus dos corvos", porque sobre seus ombros encontram-se sempre pousadas duas aves desta espécie, que lhe dizem ao ouvido tudo quanto averiguaram. Um deles se chama *Hugin* (entendimento) e o outro *Munnin* (memória). Odin solta-os todos os dias e, depois de percorrerem o mundo, retornam ao anoitecer.]

Odinsdag (*Esc.*) — Literalmente, "dia de Odin". A quarta-feira, dia consagrado a tal deus.

Odur (*Esc.*) — É o esposo humano da deusa Freya, um descendente da estirpe divina, na mitologia do Norte.

Oeaihu ou **Oeaihwu** — A maneira de pronunciar esta palavra depende do acento. É um termo esotérico aplicado aos seis em um do místico *sete*. O nome oculto para designar a sempre presente manifestação do Princípio Universal "de sete vogais".

Oeaohu ou **Oeaohoo** — É o Um; o primeiro *Logos* não manifestado; o Pai-Mãe dos deuses; o "Seis em Um" ou a Raiz setenária, da qual tudo procede. Tudo depende do acento dado a estas sete vogais, que podem ser pronunciadas como uma, três e até sete sílabas, acrescentando um *e* após o *o* final. Este nome místico é revelado porque, sem um completo domínio de sua tripla pronúncia, permanece sempre ineficaz. Diz-se que é "Um" referindo-se à não separação de tudo quanto vive e tem seu ser, seja em estado ativo, seja em passivo. Em certo sentido, Oeaohoo é a Raiz sem raiz de Tudo e, portanto, é uno com Parabrahman; noutro sentido, é o nome que se dá à Vida Una manifestada, à eterna Unidade vivente. A "Raiz" significa o eterno *Sat*, a perene Realidade incondicionada, seja *Parabrahman*, seja *Mûlaprakriti*, porque ambos são os dois símbolos do Uno. "Contempla... a refulgente glória sem par, o Espaço luminoso, filho do Espaço obscuro, que surge das profundezas das grandes Águas negras. É o Oeaohoo, o mais jovem (a 'Nova Vida'), o * * * (a quem tu conheces agora como *Kwan-Shai-Yin*). Brilha como o Sol, é o resplandecente Dragão divino de Sabedoria (o *Logos*, o Verbo do Pensamento Divino). Contém em si mesmo as sete Hostes Criadoras *(Sephiroth)* e, assim, é a essência da Sabedoria manifestada Aquele que se banha na luz de Oeaohoo jamais será enganado pelo véu de *Mâyâ* [ilusão]". (*Estâncias de Dryan*, III, 7 e comentário)

Oergelmer (*Esc.*) — O mesmo que Imer ou Ymir.

Oferendas — Dons oferecidos às divindades. As oferendas mais antigas consistiam em frutas da terra, pão, vinho, azeite, sal, leite, manteiga, reses etc. Os parses não

O

podiam ingerir substância alguma dotada de vida sem antes levar uma parte para uma pira, como oferenda, ou melhor, como expiação pelo crime de ter retirado a vida de um ser animado para dele obter alimento. (Noel, *Dic. de la Fable*)

Ofiólatra — Adorador de serpentes.

Ofiolatria (do grego *ophis*, serpente, e *latreia*, adoração) — Adoração ou culto das serpentes.

Ofiomancia (do grego *ophis*, serpente, e *mateia*, adivinhação) — Como expressa seu nome, era a adivinhação através das serpentes. Este meio de saber o futuro era muito usado entre os antigos e vários exemplos são encontrados nos poetas. Consistia em tirar presságios nos diversos movimentos de tais répteis.

Ofiomorfo (de *ophis*, serpente, e *morphé*, forma) — Literalmente, "que tem forma de serpente". O mesmo que Ofis, porém em seu aspecto material, como o *Ophis-Christos*. Entre os gnósticos, a serpente representava a "Sabedoria na Eternidade". (Ver *Ofis*.)

Ofiozenes (do grego *Ophiozenes*) — Nome dado em Chipre aos encantadores de serpentes venenosas e outros animais.

Ofis (*Ophis* em grego) — O mesmo que *Chnufis* ou *Knef*, ou *Logos*; o deus-serpente ou *Agathodæmon*. Ofis é também a Sabedoria divina ou *Christos*. (Ver *Ennoia*.)

Ofis-Christos (*Ophis-Christos*, em grego) — O Cristo serpente dos gnósticos.

Ofitas (do grego *Ophites*) — Fraternidade gnóstica do Egito e uma das mais primitivas seitas do Gnosticismo ou *Gnosis* (sabedoria, conhecimento), conhecida pelo nome de "Irmandade da Serpente". Floresceu no início do séc. II e, embora sustentasse alguns dos princípios de Valentino, tinha seus próprios ritos ocultos e sua simbologia. Uma serpente viva, que representava o princípio – *Crhistos* (isto é, a Mônada Divina que se reencarna no Jesus, o homem), – era exibida em seus mistérios e venerada como símbolo de Sabedoria, *Sophia*, representação de todo-bom e do todo-sábio. Os gnósticos não constituíam uma seita cristã; na acepção comum da palavra, como o *Christos* do conceito pré-cristão e da *Gnosis* não era o "Deus-homem" Cristo, mas o Ego divino, unificado com o *Buddhi*. Seu *Crhistos* era o "eterno Iniciado", o Peregrino, representado por centenas de símbolos ofídios, alguns milhares de anos antes da era dita "cristã". Isso pode ser visto na "tumba de Belzoni" do Egito, em forma de *serpente alada com três cabeças (Âtmâ-Buddhi-Manas) e quatro pernas humanas*, que simbolizavam seu caráter andrógino; nos muros da baixada das câmaras sepulcrais de Ramsés V encontra-se sob a forma de serpente com asas de abutre, sendo necessário advertir que o abutre e o falcão são emblemas solares. "Os céus estão rabiscados de inumeráveis serpentes", escreve Herschel falando do mapa celeste dos egípcios. "O *Meissi* (Messias?), que significava a *Palavra sagrada*, era uma boa serpente", diz Bonwick em seu *Crença Egípcia*. "Esta serpente de bondade, com sua cabeça coroada, estava montada sobre uma cruz e constituía o estandarte sagrado do Egito." A este "Sanador" e "Salvador" é que se referiam os ofitas e não a Jesus nem às suas palavras. "Como Moisés levantou a serpente no deserto, assim convém que seja levantado o Filho do Homem", segundo disse ao explicar o significado de sua *ofis*. Tertuliano, sabendo ou não, fazia uma mescla dos dois. A serpente com asas é o deus Chnufis. A boa serpente levava a cruz da vida ao redor de seu pescoço ou suspensa pela boca. As serpentes aladas passaram a ser os Serafins *(Seraph, Saraph)* dos judeus. No capítulo 87 do *Ritual (Livro dos Mortos),* a alma humana transformada em *Bata*, a serpente onisciente, diz: "Eu sou a serpente *Ba-ta*, de longos anos, Alma da Alma, sepultada e nascida todos os dias; sou a Alma que desce à Terra", isto é, o Ego.

O

Og — Nome de um gigante, rei de Basán, mencionado por Moisés (*Deuteronômio*, III, 11), e cuja cama de ferro possuía nove codos de comprimento por quatro de largura. Segundo os rabinos, era um dos antigos gigantes que viveram antes do Dilúvio e que se salvou do cataclismo subindo sobre o telhado da arca de Noé.

Ogam — Ver *Ogham*.

Ogdôada (*Gr.*) — A tétrada ou "quaternário", ao se refletir, produz a *ogdôada*, o "oito", segundo os gnósticos marcosianos. Os oito grandes deuses foram denominados de a "sagrada Ogdôada". [De certo modo, a Ogdôada é Aditi com seus oito filhos. (*Doutrina Secreta*, I, 101)]

Ogha (*Sânsc.*) — Reunião, massa, abundância, multidão; rio, torrente, caudal; coleção de preceitos; ensinamento, instrução, tradição.

Ogham ou **Ogam** (*Celt.*) — Linguagem misteriosa das raças celtas primitivas, usada pelos druidas. Uma das formas desta linguagem consistia na associação de folhas de certas árvores com as letras. A isso era dado o nome de *Beth-luis-nion-Ogham* e, para formar palavras e frases, as folhas eram penduradas na devida ordem num cordão. Godfrey Higgins indica que, para completar a confusão, interpunham-se entre tais folhas outras que nada significavam. (W. W. W.) Alfabeto simbólico, melhor dizendo, mágico, de que se serviam os *mystes* antigos para alguns encantamentos, cujo caráter musical não pode ser colocado em dúvida. Provavelmente derivam de tal termo as palavras musicais *gama, gamma* ou *gamut* dos ingleses. (*E. Bailley*)

Ogir ou **Hler** (*Esc.*) — Um chefe dos gigantes e aliado dos deuses, no *Edda*. O mais elevado dos deuses das águas, equivalente ao *Okeanos* grego.

Ogmio (Ogmius) — Deus da sabedoria e eloquência entre os druidas; de certo modo é, pois, Hermes.

Ogygia (*Gr.*) — Antiga ilha submersa, conhecida pelo nome de Calipso e identificada por alguns com a Atlântida. Em certo sentido isso é exato. Porém, então, que parte da Atlântida seria, já que esta última era um continente?

Oha (*Sânsc.*) — Atenção, serviço, favor; conceito, ideia, noção.

Ohabrahman (*Sânsc.*) — Brahmâne verdadeiro.

Ohas (*Sânsc.*) — Conceito, noção, ideia.

Oi-Ha-Hou — Permutação de *Oeaohoo*. O significado literal dessa palavra, entre os ocultistas orientais do Norte, é um vento circular, um torvelinho; porém, neste caso, é um termo utilizado para expressar o eterno e incessante Movimento Cósmico, ou melhor, a Força que o produz, a Força tacitamente admitida como uma Divindade, mas que nunca é denominada. É o *Kârana* [causa] eterno, a Causa sempre operante. (*Doutrina Secreta*, I, 120, nota.)

Oitava Esfera — Pouquíssimo é o que se revelou desta misteriosa esfera, que deve continuar sendo um arcano oculto de obras tais como a *Doutrina Secreta*, apesar da afirmação algo aventureira de Sinnet de que "não há agora muito mistério no enigma da oitava esfera". É preciso colocar em julgamento algumas das afirmações feitas a esse respeito em certas obras, como o *Buddhismo Esotérico*. As personalidades que, por suas continuadas obras más, desviam-se constantemente do caminho da reta evolução, podem ver-se separadas da Origem de seu ser e passar a uma região conhecida pelo nome de "Oitava Esfera" para ali serem desintegradas e resolvidas em seus elementos cósmicos. (*P. Hoult*) (Ver *Naraka*.)

O

Oitzoe (*Per.*) — A deusa invisível, cuja voz era ouvida através das rochas e a quem, segundo Plínio, os magos deviam consultar para a escolha de seus reis.

Ojas (*Sânsc.*) — Força, energia, vigor, poder, vida; luz, esplendor; potência ou força vital. No *Râja-Yoga*, este nome é dado a todas as energias do corpo e da mente, transformadas em força espiritual e armazenadas no cérebro. (*Swâmi Vivekânanda*)

Ojasvwin ou **Ojasvin** (*Sânsc.*) — Forte, enérgico, animado, valoroso; poderoso; brilhante, radiante.

Ojaswita (*Sânsc.*) — Força, vigor, energia, poder.

Ojodâ (*Sânsc.*) — Vigorizador, fortalecedor.

Oka (*Sânsc.*) — Casa, mansão.

Okal (*Ár.*) — Ver *Okhal*.

Okas (*Sânsc.*) — Casa, morada, refúgio; uso, costume; local de repouso; bem-estar, comodidade, prazer, gosto.

Okhal ou **Okal** (*Ár.*) — Sumo-sacerdote dos drusos; aquele que Inicia nos mistérios.

Okhema (*Gr.*) — Termo platônico que significa "veículo" ou "corpo".

Okuthor [Ok-Thor] (*Esc.*) — O mesmo que Thor, o "deus do raio".

Olæus Borrichius — Autor de uma obra em latim intitulada *De ortu et progressu chemicæ* (Origem e Progresso da Química), na qual remonta a Alquimia aos tempos bíblicos, situando seu berço nas oficinas de Tubalcain.

Oleum Ardens (*Alq.*) — Óleo de tártaro retificado.

Oleum Colchotharinum (*Alq.*) — Óleo vermelho de vitriol.

Oleum Palestrinum (*Alq.*) — Vinagre.

Oleum Vitrioli Aurificatum (*Alq.*) — Óleo de vitrio edulcorado com ouro. É propriamente o óleo incombustível dos filósofos.

Olhado, Mau — Ver *Mau Olhado*.

Olho — Segundo Plutarco, o olho humano era um dos símbolos de Osíris. Assim é que, em alguns monumentos antigos do Egito, encontrava-se um olho ao lado da cabeça de Osíris, o Sol. Diz-se também que o olho era consagrado a Apolo ou deus do Sol, pelo fato de que este astro dirige seus olhares para todos os lados.

Olho de Dangma — O olho interno ou espiritual, o olho de que dispõe o Adepto mais elevado (*Dangma* ou *Mahâtmâ*). O "Olho aberto de *Dangma*" é a faculdade da intuição espiritual, através da qual se obtém o conhecimento direto e seguro, faculdade intimamente relacionada com o "terceiro olho" (ver). O "Olho de *Dangma*" é aquilo que, na Índia, conhece-se pelo nome de "Olho de Shiva". (*Doutrina Secreta*, I, 77)

Olho de Horus — Símbolo muito sagrado no Antigo Egito. Era denominado de *outa*: o olho direito representava o Sol e o esquerdo a Lua. Como disse Macróbio: "O *outa* (ou *uta*) não é o emblema do Sol, rei do mundo, que, de seu trono elevado vê sob si todo o Universo?". [Ver *Culto da Vaca* e *Uzat* ou *Udja*.]

Olho de Shiva — Ver *Olho de Dangma* e *Terceiro Olho*.

Olho simbólico — Também denominado "Olho sagrado". (Ver *Uzat* ou *Udja*.)

O

Olho, *Terceiro* — Ver *Terceiro Olho* e *Glândula pineal*.

Olhos divinos — Os "olhos" que em si mesmo desenvolveu o Senhor Buddha, na vigésima hora de sua vigília, quando, sentado ao pé da árvore Bo, estava alcançando a condição de Buddha. São os olhos do Espírito glorificado, para os quais a matéria deixou de ser um obstáculo físico e que têm a faculdade de ver todas as coisas dentro do espaço do Universo ilimitado. Na manhã seguinte àquela noite memorável, no fim da terceira vigília, o "Senhor de Compaixão" atingiu o supremo Conhecimento.

Olimpiodoro — O último neoplatônico de fama da Escola de Alexandria. Viveu no séc. VI, durante o reinado do imperador Justiniano. Houve vários escritores e filósofos com este nome nas épocas anterior e posterior a Cristo, sendo um deles o mestre de Proclo; outro, um historiador do séc. VIII e alguns outros. (Glossário de *A Chave da Teosofia*)

Olimpo (*Gr.*) — Montanha da Grécia que, segundo Homero e Hesíodo, era a mansão dos deuses. [Com o tempo, o Olimpo foi considerado como o próprio céu ou empíreo.]

Ollus (*Alq.*) — Matéria ao negro.

OM ou AUM (*Sânsc.*) — Uma sílaba mística, a mais sagrada de todas as palavras da Índia. É "uma invocação, uma benção, uma afirmação e uma promessa", tão sagrada que era verdadeiramente *a palavra em voz baixa* da Maçonaria oculta *primitiva*. Ninguém deve estar perto, quando se pronuncia esta palavra para algum fim. Esta sílaba é colocada geralmente no início das Sagradas Escrituras e é anteposta às preces. É composta de três letras A, U, M, que, segundo a crença popular, constituem a representação dos três *Vedas* e também dos três deuses *A* (Agni); *V* (Varuna) e *M* (Maruts), ou seja: Fogo, Água e Ar. Na filosofia esotérica, estes são os três fogos sagrados, o "fogo triplo" no Universo e no Homem, além de muitas outras coisas. Em linguagem oculta, este "fogo triplo" representa igualmente a suprema *Tetraktis* e é simbolizado por *Agni* [Fogo], denominado de *Abhimânin* (ver), e sua transformação em seus três filhos Pâvaka, Pavamâna e Zuchi, "que bebe a água até a última gota", isto é, aniquila os desejos materiais. Este monossílabo é chamado de *Udgîtha* e é muito sagrado tanto entre os brahmânes como entre os budistas. [O *Pranava*, Om, é, como já se disse, uma sílaba composta pelas letras *A*, *U*, *M*, das quais as duas primeiras se combinam para formar a vogal composta *O*. É a sílaba mística, emblema da Divindade Suprema, ou seja, a Trindade na Unidade, visto que representa o Ser Supremo (Brahma) em sua tripla condição de Criador (Brahmâ, A), Conservador (Vishnu, U) e Destruidor ou, melhor dizendo, Renovador (Shiva, M). É preciso advertir que a seita dos vishnuitas altera a ordem destas três divindades, colocando em primeiro lugar Vishnu (A) seguido de Shiva (U) e Brahmâ (M). OM é o Mistério dos mistérios, fonte de todo poder e verdadeira essência de todo ensinamento. É também a essência dos *Vedas*; é a expressão laudatória ou glorificadora com a qual começam todos os livros sagrados e místicos. Tal palavra é pronunciada pelos *yogis* e pelos místicos em geral durante a meditação. Segundo os comentaristas exotéricos, dos termos denominados *vyâkritis* ou *Aum, Bhû, Bhuvas, Swar* (Om, Terra, Atmosfera, Céu), o *Pranava* é talvez a mais sagrada. (*Doutrina Secreta*, I, 466) A palavra *Om* ou *Aum*, que corresponde ao Triângulo superior, quando pronunciada por um homem muito puro e santo, chamará ou despertará não apenas as potências menos elevadas, que residem nos elementos e espaços planetários, mas também seu Eu superior, ou seja, o "Pai" que está em seu interior. Pronunciada de modo devido por um homem medianamente bom, contribuirá para fortalecer sua moralidade, sobretudo se, entre dois Aums, medita profundamente sobre o Aum que reside dentro de si, concentrando toda a sua atenção em sua glória inefável. Porém, ai daquele que a pronuncia após cometer uma falta grave e transcendental! Por este único fato atrairá, sobre sua fotosfera impura, forças e presenças

O

invisíveis que, de outro modo, não poderiam atravessar o envoltório divino. (*Doutrina Secreta*, III, 450) "A representação do Senhor supremo é a palavra glorificadora [Om]. – A contínua repetição deste nome em voz baixa deve ser feita meditando-se profundamente sobre seu significado. Disso surge o conhecimento do interno [do Eu] e o desaparecimento dos obstáculos ou distrações que impedem a chegada ao *Samâdhi*" (*Aforismos de Patañjali*, I, 27-29). Ver *Aum* e *Pranava* bem como o artigo notável de N. C. Paul, intitulado: "Om e seu Significado Prático", em *Cinco Anos de Teosofia*, p. 345 e ss.

Oma (*Sânsc.*) — Protetor, amigo.

Oman (*Sânsc.*) — Proteção, favor, assistência.

Omanvant (*Sânsc.*) — Amistoso, benévolo, propício, favorável.

Ômega e **Alpha** (*Gr.*) — Ver A e Ω (*Alpha e Ômega*).

Omito-Fo (*Chin.*) — Nome de Amita-Buddha, na China.

Omkâra (*Sânsc.*) — [Literalmente, "a palavra Om".] O mesmo que Om ou Aum. É também o nome de um dos *doze lingams*, representado por um secreto e sacratíssimo sacrário de Ujjain, que já não existe desde o tempo do Budismo.

Omm-Alketab (*Ár.*) — Tábua ou livro dos decretos divinos, onde, segundo a creça dos muçulmanos, está escrito em caracteres indeléveis o destino de todos os homens.

Omorôka (*Cald.*) — O "mar" e a mulher que o personifica, no conceito de Beroso ou, melhor, de Apolodoro. Contudo, como água *divina*, Omorôka é o reflexo de Vishnu do alto. [Segundo Beroso, Omorôka é a Senhora de Urka, a Lua, a *Thavatth* ou *Tralatth* caldeia. (*Doutrina Secreta*, II, 122 e 143)]

Omphis (*Eg.*) — Epíteto de Osíris, que significa: "benfeitor", qualificativo muito apropriado ao astro do dia, do qual tal divindade era representação.

Ond (*Esc.*) — Espírito.

Onda de vida — Expressão utilizada pelos teósofos para representar o descenso do *Logos* nos mundos objetivos. Descreve-se a Divindade tri-una manifestando-se em três Ondas de Vida: a primeira é a emanação de vida do terceiro *Logos*, o Brahmâ dos hindus, o Espírito Santo dos Cristãos. Estendendo-se de dentro para fora, dota a substância dos diversos mundos de uma simples capacidade para responder ao impulso ou vibração (os *tanmâtras*). A vida do segundo *Logos*, o Vishnu dos hindus, o *Christos* dos cristãos, de modo parecido inunda então os diferentes planos, produzindo, como emanações, os *devas* e os *pitris*, agrupando os átomos em formas e formando centros estáveis, que se desenvolvem lentamente através do choque e da resposta ou reação ao choque, com o que adquirem consciência própria e uma consciência ainda mais vívida, até que se encontrem preparados para a descida da terceira Onda de Vida, a do primeiro *Logos*, Shiva, o Pai, graças ao qual chegam a ter consciência de si mesmos, entrando assim nas filas da humanidade. (As *Ondas de Vida* de "O Sonhador", obra citada por P. Hoult.)

Ondinas (*Undines*, em inglês) (*Cab.*) — Ninfas e espíritos das águas. Uma das quatro classes principais de espíritos elementais, que são: Salamandras (do fogo), Silfos (do Ar), Ondinas (da Água) e Gnomos (da Terra). [Ver *Elementais*.]

Onech (*Hebr.*) — A Fênix, assim chamada de Enoch ou Fenoch. Porque Enoch (ou Khenoch) significa, literalmente, *Iniciador* ou *instrutor* e, portanto, o Hierofante que revela o *último mistério*. A Fênix está sempre associada com urna árvore, a mística *Ababel* do *Korão*, a *Árvore de Iniciação* ou *do Conhecimento*.

O

Onicomancia (do grego *onyx*, unha) — Adivinhação do futuro, particularmente das crianças, através do exame dos traços ou figuras que ficam marcadas nas unhas, esfregando-as previamente com azeite e fuligem e expondo-as em seguida ao Sol.

Onirocracia ou **Onirocricia** — Arte de explicar ou interpretar os sonhos. A onirocricia (ou oneirocricia) – diz o sábio bibliófilo M. Paul Lacroix – é um dos frutos do simbolismo oriental. Chegou a ser uma arte, que tinha praticantes entusiastas, uma ciência que tinha seus promotores e doutores, uma religião que tinha seus sacerdotes e seus fanáticos, uma potência que tinha seus escravos submissos e seus depositários respeitados. Podia se prometer um futuro brilhante e ilimitado. Porém, por desgraça, a indústria, filha da cobiça, dela se apoderou e, primeiro, fê-la perder a dignidade e depois seu poder; por último, o charlatanismo fê-la cair no maior descrédito, até o ponto de, hoje em dia; não ter quase mais nenhum devoto além das pessoas ignorantes e supersticiosas. Contudo é possível que a arte onírica, despojada de seus erros e prejuízos, deixe, um dia, de ser objeto de desdém talvez excessivo e ocupe o lugar honroso de antigos tempos. (Ver Christian, *História da Magia*, p. 442 e ss. Ver também *Erodiniumn*.)

Onirocrítico (em grego, *Onirokriticós*) — Intérprete dos sonhos. Epíteto de Mercúrio.

Onirologia — Tratado do sonambulismo. *(M. Treviño)*

Oniromancia — Adivinhação do futuro através dos sonhos. No *Gênese*, XL e XLI, são relatados casos notáveis dessa índole, nos quais José interpretava os sonhos do Faraó e de dois de seus eunucos. (Ver *Erodinium* e *Onirocracia*.)

Onirósofo — Aquele que interpreta os sonhos *(M. Trevino)*. (Ver *Onirocrítico*.)

Onnofre ou **Oun-nofré** (*Eg.*) — O rei do país dos mortos, o mundo inferior, e neste conceito é idêntico a Osíris, que [em sua qualidade de Sol noturno ou desaparecido] "reside no *Amenti* [ou região inferior], junto a Oun-nefer, rei da eternidade, grande deus manifestado no abismo celeste" (um hino da XIX dinastia). (Ver *Osíris*.)

Onokoro (*Jap.*) — A ilha do mundo que Tsanagi criou, cravando sua lança na massa caótica de nuvens de água, graças ao que apareceu a terra seca. (*Doutrina Secreta*, I, 238)

Onomancia — Adivinhação de acontecimentos futuros através do nome de uma pessoa, ou seja, pelo valor numérico e anagramático das letras que entram no nome e sobrenome de um indivíduo.

Onomatomancia — Este gênero de adivinhação distingue-se da onomancia por ser feita através de horóscopos e não de nomes de pessoas, mas dos lugares e das coisas.

Onufis (Onuphis) (*Eg.*) — Touro muito corpulento e de cor negra, consagrado a Osíris e cujos pelos, segundo se diz, estavam na direção contrária ao natural, disposição que parecia representar, para os egípcios, o Sol. Este touro era alimentado com muito cuidado e tinham por ele um respeito religioso. (*Art. expl.*, obra citada por Noël)

Oógenes — Literalmente, "nascido de um ovo". Sobrenome de Eros, o Amor, que saiu de um ovo.

Oomancia — Adivinhação através dos signos ou figuras que aparecem nos ovos. Suidas atribui a origem deste meio de adivinhação a Orfeu, que ensinou a maneira de perceber na gema e clara do ovo, em certas condições, o que a ave dele nascida teria visto ao seu redor durante sua breve vida. (*Doutrina Secreta*, I, 388) (Ver *Ooscopia*.)

O

Ooscopia — Arte de adivinhar através dos ovos. Em Suetônio há um caso deste gênero de adivinhação.

Ophanim (*Hebr.*) — A maneira mais correta de escrever é *Auphanim*. As "rodas" vistas por Ezequiel e por São João no *Apocalipse*: esferas-mundos. (Ver *Doutrina Secreta*, I, 119.) Símbolo dos querubins ou *Karubs* (as esfinges assírias). Como estes seres estão representados no Zodíaco por *Tauro*, *Leo*, *Scorpio* e *Aquarius*, ou seja, o Touro, o Leão, a Águia e o Homem, é evidente o significado oculto destes seres colocados em companhia dos quatro evangelistas. Na Cabala constituem um grupo de seres destinados ao *Sephira Chokmah*, Sabedoria. (Ver *Auphanim* e *Os quatro Animais*.)

Ophis, **Ophiomorfos**, **Ophites**, *etc.* — Ver *Ofis*, *Ofiomorfo*, *Ofites* etc.

Opostos — Ver *Pares de opostos ou contrários* e *Dvandvas*.

Ops — Irmã de Saturno e deusa das riquezas (*opes*, em latim), fertilidade e abundância. Idêntica a Cibeles, Rhea e até à Terra, já que desta procedem todas as riquezas.

Or ou **Our** (*Cald.*) — Fogo puro, luz não criada, esplendor eterno, sob cuja imagem os caldeus representavam a Divindade.

Oração — Um dos principais elementos das religiões exotéricas. Se lermos e meditarmos bem nas seguintes palavras de São Mateus, encontraremos nelas a norma fiel que nos guiará na oração: "Mas tu, quando orares, entra em tua câmara e, com a porta fechada, ora a teu Pai que está em segredo e teu Pai, que vê em segredo, recompensar-te-á em público... Não vos assemelheis a eles (aos gentios), porque vosso Pai sabe o que quereis antes que o peçais" (VI, 6-8). O significado desta passagem é que, uma vez consentidos em nós mesmos e fechadas as portas dos sentidos a todo tipo de impressões exteriores, fixemos nosso pensamento no Espírito de Deus, que mora no sacrário de nosso coração, em nosso Eu interno, único Deus que podemos conhecer, procurando com esforço perseverante elevar-nos a Ele e trabalhar sempre de acordo com Sua vontade, com o desígnio divino. Assim, pois, o verdadeiro teósofo, ao invés de orar diante de seres *criados* e finitos e de dirigir suas preces ao Absoluto, que é pura abstração, trata de substituir a oração, vã e estéril, por atos meritórios e boas ações, completamente alheias a *todo* interesse pessoal, tanto no que se refere à vida atual como à futura. A oração, tal como geralmente é entendida, paralisa a atividade e destrói no homem a confiança em si mesmo. Por outro lado, se uma pessoa consegue um bem moral ou material apenas por dirigir um pedido a um Deus ou a um santo, de que recompensa é merecedor? Além disso, para que pedirmos, pobres ignorantes que somos, graças e dons a uma Divindade onisciente que, como tal, sabe muito melhor que nós todas as nossas necessidades? Esta reflexão tem um peso ainda maior se levarmos em conta que, na maioria das vezes, a oração obedece a interesses puramente egoístas, visto que pedimos com afã favores pessoais, que resultam em dano a nós mesmos ou em grave prejuízo ao nosso próximo. Eis em que termos se expressa Leadbeater sobre este ponto: "Sinto ainda, como teósofo, o que sempre senti como sacerdote da Igreja cristã: que pedir a Deus em favor de si próprio ou para obter alguma coisa pessoal, implica falta de fé n'Ele, pois indica claramente que Deus precisa que lhe digam o que convém a seus filhos. Jamais me senti tão seguro do que mais me convinha, de que como poderia eu acreditar na disposição de ordenar algo ao supremo Governador de céus e Terra. Sempre me pareceu que Ele sabia muito melhor do que eu, e que, sendo Pai amoroso, já fazia por mim o que poderia ser feito, sem qualquer necessidade de súplicas, com tanto mais razão quanto meus pedidos pudessem ser provavelmente encaminhados para a obtenção de um desejo que de modo algum me conviesse". (Ver "*Inspiração*", por Leadbeater, no *Lótus branco* de julho e agosto de 1917.) Além disso, supondo que alguém reze suas orações com verdadeira devoção e não de modo rotineiro e com ânimo distraído (que é o mais comum), a imensa maioria das preces serve somente para afagar e satisfazer a condição egoísta, cobiçosa e pedinte dos falsos devotos, que, como dizia Ruiz de Alarcón:

"Tanto a intenção cruel
só a este fim endereçam,
que se o Pai-nosso rezam,
é porque pedem com ele".

Por último, não é um contrassenso notório e, além disso, uma falta de submissão à vontade divina formular pedidos e mais pedidos, conforme nosso próprio gosto, quando, por outro lado, na oração dominical, dizemos a nosso Pai celeste: "Seja feita a tua vontade? A palavra "oração", além do significado que geralmente se lhe dá de *rogo* ou *pedido*, significava principalmente, em outros tempos, *invocação* ou *encanto*. O *mantra*, ou seja, a oração rítmica cantada dos brâhmanes, tem precisamente este sentido. Para o teósofo e para o ocultista, a oração não é uma súplica ou pedido, é antes um mistério, um processo oculto através do qual os pensamentos e desejos finitos e condicionados transformam-se em volições espirituais e em vontade. Tal processo é denominado de "transmutação espiritual". A intensidade, as veemências de nossas aspirações ardentes transformam a oração em "pedra filosofal", que converte o chumbo em ouro. Nossa "oração de vontade" converte-se em força ativa e criadora, que produz efeitos de acordo com nossos desejos. O poder da vontade converte-se em um poder vivente. (*A Chave da Teosofia*, p. 66-70). (Ver *Mantras, Som* etc.)

Oráculos — Contestações dadas pelas divindades, pela boca das pitonisas e dos sacerdotes do paganismo, às consultas feitas diante de seus ídolos. Também se dava o nome de oráculo a uma figura ou imagem que representava a divindade cujas respostas eram pedidas. O mais famoso dos oráculos era o de Delfos; também eram renomados os de Claros, Ammon, Serapis, Heliópolis e alguns outros. Hanse foi atribuído por alguns ao diabo. Porfírio, Jâmblico e outros filósofos platônicos admitiam que os oráculos eram expressados por "demônios", palavra que os antigos cristãos tomaram no sentido de "diabo" e não naquele de "gênio" ou "divindade", como deve ser entendido. (Ver *Daimon*.) Outros opinam que os oráculos não passam de fraudes hábeis, das quais parece que não poucas foram comprovadas. (Ver *Dicionário Filosófico*, verbete *Oracles*.) A maior parte dos oráculos tinha um caráter equívoco ou de ambiguidade, de modo que, por seu duplo sentido, podiam ser interpretados de diversas maneiras, segundo foi demonstrado em numerosos exemplos da História Antiga, como o expresso no seguinte verso latino: *Credo equidem Eacidas Romanos vincere posse*, que tanto podia significar que os romanos podiam vencer aos eácidos, como estes podiam vencer aos romanos. Não se deve confundir estes oráculos com as predições que, durante o "furor profético", são feitas por algumas pessoas dotadas de alto grau de espiritualidade. (Ver *Chrestos*.)

Orai (*Gr.*) — Nome do anjo regente de Vênus, segundo os gnósticos egípcios.

Orco (Oscus) — O abismo sem fundo, segundo o *Codex* dos nazarenos. [O inferno ou mundo inferior; é também um sobrenome de Plutão, deus das regiões infernais.]

Ordálias — Este nome era utilizado para designar as diversas provas do fogo, do ferro candente, da água em ebulição ou fria, do duelo e outras provas usadas na Idade Média para provar a verdade de alguma coisa ou a inocência de uma pessoa. Tais provas eram comumente chamadas de "Juízos de Deus".

Ordrærer ou **Odreyer** (*Esc.*) — Um cubo onde foi lançado o sangue de Qvaser, que é a poesia.

Oréadas ou **Oréades** — Ninfas das montanhas. (Ver *Ninfas*.)

O

Oreus — Um dos seis espíritos estelares produzidos ou emanados de Ialdabaoth. (*Doutrina Secreta*, I, 484)

Orfeoteleste — Intérprete dos Mistérios que Orfeu introduziu na Grécia.

Orfeu (*Orpheus*, em grego) — Literalmente, "enegrecido". A mitologia fá-lo filho de Eagro e da musa Calíope. A tradição esotérica identifica-o com Arjuna, filho de Indra [misticamente] e discípulo de Krishna. Percorreu o mundo ensinando às nações a sabedoria e as ciências e estabelecendo mistérios. A própria história de Orfeu ter perdido sua esposa Eurídice e de a encontrar no Hades, no mundo inferior, é outro dos pontos de semelhança com a história de Arjuna, que vai ao *Pâtâla* (*Hades* ou inferno, porém, na realidade, aos antípodas ou América) onde encontra Ulûpî, filha do rei Nâga e com ela se casa. Isso é tão significativo como o fato de Orfeu ter a pele de cor enegrecida ou escura, como acreditavam os próprios gregos, que nunca tiveram uma tez muito bonita. [Sabemos, por Heródoto, que Orfeu levou os mistérios à Índia, que, segundo a ciência oficial, são anteriores aos caldeus e egípcios. Sabe-se que, no tempo de Pausânias, havia uma família sacerdotal que, da mesma forma que os brâhmanes com os *Vedas*, confiavam à memória todos os Hinos Órficos, que dessa maneira eram transmitidos de geração a geração. (*Doutrina Secreta*, III, 297) Músico consumado, cultivou a cítara, que recebeu dos deuses, e acrescentou duas cordas às sete que possuía anteriormente; tinha tal destreza em tocar a lira, que com seus acordes amansava as feras. Levou vida extremamente pura e abstinha-se de ingerir carne e outros alimentos de origem animal. (Ver *Mistérios Órficos*.) É digno de nota o fato de que nos monumentos cristãos primitivos encontra-se algumas vezes, em meio aos profetas da Bíblia e santos da nova Lei, a figura de Orfeu rodeada de animais ferozes e domésticos atraídos pelo som de sua lira. Isso se relaciona com o fato de que, nos primeiros séculos do cristianismo, o insigne cantor da Trácia era objeto de uma singular veneração e até de uma espécie de culto por parte dos próprios santos Padres da Igreja (Martigny, *Dict. des Antiq. Chrét.*)]

Örgelmir (*Esc.*) — Literalmente, "barro fervente". O mesmo que Ymir, o gigante; ser errático, indômito, turbulento; símbolo da matéria primordial, de cujo corpo, depois de tê-lo morto, os filhos de Bör criaram uma nova Terra. Örgelmir é também a causa do Dilúvio nos Cantos escandinavos, por ter arrojado seu corpo no Ginnungapap, o abismo aberto, que, tendo sido preenchido por ele, transbordou o sangue, produzindo uma grande inundação, na qual se afogaram todos os Hrimthurses, os gigantes de gelo; apenas um deles, o astuto Bergelmir, salvou-se juntamente com sua esposa em um barco e se tornou o pai de uma nova raça de gigantes: "E havia gigantes na Terra naqueles dias".

Orientação — Certos regulamentos que, segundo se crê, remontam à própria origem da Igreja Cristã e foram inseridos nas *Constituições Apostólicas*. Prescreviam que as igrejas fossem dispostas de maneira que a porta estivesse voltada para o ocidente e que a ábside apresentasse sua convexidade voltada para o oriente; assim os fiéis, ao orarem, teriam seu rosto voltado para o oriente. Esta regra foi abolida desde os primeiros séculos e, segundo se diz, para se conservar pelo menos o espírito do uso primitivo, nas igrejas orientadas ao inverso, o altar era disposto de maneira que o celebrante tivesse o rosto voltado para o povo e, portanto, para o oriente. (Ver Martigny, *Dict. des Antiq. Chrét.*, p. 544.)

Orígenes — Célebre doutor da Igreja, que nasceu no final do séc. II, provavelmente na África [Alexandria] e sobre o qual sabe-se muito pouco, se é que realmente se sabe alguma coisa dele, uma vez que seus fragmentos biográficos, em idades posteriores, passaram pela autoridade de Eusébio, o mais desenfreado falsificador que já existiu. A ele se atribui o fato de ter colecionado mais de cem cartas de Orígenes (ou Orígenes Adamancio) que, segundo se diz agora, foram perdidas. Para os teósofos, a mais

O

interessante de todas as obras de Orígenes é sua *Doutrina da Preexistência das Almas*. Foi discípulo de Ammonio Saccas e durante muito tempo ouviu as lições deste grande mestre de filosofia. (Glossário de *A Chave da Teosofia*) [Escreveu também *Comentários de Toda a Bíblia* e uma obra famosa contra Celso.]

Orion (*Gr.*) — O mesmo que Atlas, que sustenta o mundo sobre seus ombros.

Orlog (*Esc.*) — Fado, destino, cujos agentes foram as três Nornas, as Parcas escandinavas. [Ver *Nornas*.]

Ormasio — Corruptela do nome *Ormuzd*.

Ormuzd ou **Ahura Mazda** (*Zend.*) — O deus dos zoroastrianos ou parses modernos. É simbolizado pelo Sol, pois é a Luz de todas as luzes. Esotericamente, é a síntese de seus seis *Amshaspends* ou *Elohim* e o *Logos* criador. No sistema masdeísta exotérico, Ahura-Mazd é o Deus supremo e uno com o Deus supremo da idade védica, Varuna, se lermos os *Vedas* literalmente. [Ormuzd significa literalmente: "Grande Rei" ou, segundo Burnouf, "Mestre Sábio". É o Princípio do Bem, em contraposição a Ahriman, sua sombra, que é o Princípio do Mal. Por corruptela, o nome de Ormuzd foi transformado em Oromazes ou Oromasio. (Ver *Ahura Mazda* e *Ahriman*.)]

Ornitomancia (do grego *ornis*, aves, e *manteya*, adivinhação) — Modo de predizer acontecimentos futuros através do voo, grito ou canto das aves.

Ornitoscopia — Adivinhação pelo voo, canto ou presença de certas aves. (*M. Treviño*)

Oromazes, Oromasio, Ormasio etc. — Ver *Ormuzd*.

Oroûazeschté (*Zend.*) — O fogo que está no homem; a vida da alma. Um *Ferouer*. (*Zend Avesta*)

Orpheus — Ver *Orfeu*.

Ortodoxia (do grego *orthós*, reto e *doxa*, opinião) — Burnouf define a palavra ortodoxia nos seguintes termos: "Um conjunto de ideias, símbolos e ritos ligados a uma organização sacerdotal mais ou menos completa; porém - acrescenta o autor - esta palavra implica ao mesmo tempo a exclusão de toda doutrina, de todo culto e de todo sacerdócio estranhos; cada ortodoxia acredita que é única boa e a única verdadeira. Quase não há nenhuma igreja para a qual a intolerância assim entendida não tenha sido um princípio fundamental e uma condição de existência. Algumas igrejas budistas professam certa tolerância em relação às demais comunhões; porém, se o sacerdócio budista serviu de tipo e modelo para outras organizações clericais, as doutrinas do Budismo, seus ritos e seus símbolos são tão filosóficas e sua moral é tão humana que, de todas as religiões, é talvez a única que não levou ao mundo nenhum elemento ideal de hostilidade. (Emilio Burnouf, *A Ciência das Religiões*)

Ortodoxo — O que está de acordo com as doutrinas geralmente aceitas ou estabelecidas, especialmente em assunto religioso. É o contrário de *heterodoxo*.

Orus — Ver *Hórus*.

Oshadi-Prastha — Ver *Ochadi-prastha*.

Osíris — O deus supremo do Egito; filho de Seb (Saturno), fogo celeste, e de Neith, matéria primordial e espaço infinito. Isso o apresenta como o Deus existente por si mesmo e autocriado, a primeira divindade manifestada (nosso terceiro *Logos*), idêntico a Ahura Mazda e a outras "Primeiras Causas". Assim como Ahura Mazda é uno com os *Amshaspends*, ou a síntese deles, Osíris, a Unidade Coletiva, quando diferenciada e

O

personificada, converte-se em Tífon, seu irão, Ísis e Neftis, suas irmãs, Hórus, seu filho, e seus outros aspectos. Nasceu no monte Sinai, o Nyssa do Antigo Testamento (ver *Êxodo*, XVII, 15), e foi sepultado em Abidos, depois de ter sido morto por Tífon aos vinte e oito anos de idade, segundo a alegoria. Segundo Eurípedes, é idêntico a Zeus e Dionisos, o *Dio-Nysos*, "o Deus de Nysa", visto que Osíris (de acordo com este autor) foi criado em Nisa, na Arábia "Feliz". E perguntamos agora: quanto esta tradição teve influência? O que há de comum entre ela e a afirmação da *Bíblia* de que "Moisés erigiu um altar e chamou o nome Jehovah *Nissi*" ou, cabalisticamente, *"Dio-lao-Nyssi'?* (Ver *Ísis sem Véu*, II, 165.) Os quatro aspectos principais de Osíris eram: Osíris-Ftah (Luz), o aspecto espiritual; Osíris-Hórus (Mente), o aspecto intelectual *monásico*; Osíris-Lunus, o aspecto "lunar" ou psíquico ou astral; Osíris-Tífon, o aspecto daimônico ou físico, material, e por conseguinte passional, turbulento. Nestes quatro aspectos, Osíris simboliza o Ego dual, isto é, o divino e o humano, o cósmico-espiritual e o terrestre.

Dos numerosos deuses supremos, este conceito egípcio é o maior e o mais significativo, pois abrange todo o campo do pensamento físico e metafísico. Como divindade solar, tem sob si doze deuses menores, os doze signos do Zodíaco. Embora seu nome seja o "Inefável", cada um de seus quarenta e dois atributos tinham seu nome e seus sete aspectos duais completavam o número de 49, ou seja, 7 x 7; os primeiros são simbolizados pelos catorze membros de seu corpo ou duas vezes sete. Assim o deus está fundido no homem e o homem é deificado ou convertido em um deus. Era invocado pelo nome de *Osíris-Eloh*. Dunbar T. Heath fala de uma inscrição fenícia que, uma vez lida, dava a seguinte inscrição tumular em honra da múmia: "Bendita seja Ta-Bai, filha de Ta-Hapi, sacerdote de *Osíris-Eloh*. Nada fez contra qualquer pessoa com cólera. Não falou qualquer falsidade contra ninguém. Justificada diante de Osíris, bendita sejas diante de Osíris! A paz seja contigo". E logo acrescenta as seguintes observações: "Suponho que o autor desta inscrição fosse pagão, visto que a justificação diante de Osíris é o objeto de suas aspirações religiosas. Contudo, dá a Osíris a denominação de *Eloh*. Eloh é o nome empregado pelas dez Tribos de Israel para designar os *Elohim* de duas Tribos. Jehovah-Eloh (*Gênese*, III, 21), na versão utilizada por Efraim, corresponde a Jehovah-Elohim na versão utilizada por Judá e por nós mesmos. Assim sendo, pode-se fazer com segurança a pergunta e se deve contestá-la humildemente: qual o significado que se pretendia dar às duas expressões, respectivamente: *Osíris-Eloh* e *Jehovah-Eloh*? De minha parte, posso encontrar apenas uma resposta: que Osíris era o deus nacional do Egito, Jehovah o de Israel e que *Eloh* equivale a *Deus, Gott* ou *Dieu*". No que se refere ao seu desenvolvimento humano, é, como diz o autor de *Crença Egípcia*, "... um dos Salvadores ou Libertadores da humanidade... Como tal, nasceu no mundo. Veio como benfeitor, para remediar a tribulação do homem... Em seus esforços para fazer o bem, encontra o mal e é temporalmente vencido. É morto... Osíris é sepultado. Sua tumba foi objeto de peregrinação durante milhares de anos. Porém não permaneceu em sua sepultura. Ao fim de três dias, ou quarenta, ressuscitou e ascendeu ao céu. Tal é a história da Humanidade". *(Crença Egípcia)* Mariette Bey, falando da sexta Dinastia, diz-nos que "o nome de Osíris... começa a ser mais usado. Encontra a fórmula de *Justificado*", e acrescenta que "ela prova que este nome (do Justificado ou *Makheru*) não era dado apenas ao defunto". Porém prova também que a lenda de Cristo já se encontrava pronta, em quase todos os seus detalhes, milhares de anos antes da era cristã e os padres da Igreja não fizeram mais do que aplicá-la a um novo personagem. [Ver no verbete *Jesus* a diferença estabelecida entre o Cristo *histórico* e o Cristo *mítico* ou lendário.] [Conforme lemos no *Livro dos Mor*tos, "Osíris é o Princípio bem e o mau, o Sol diurno e noturno, o Deus e o homem mortal". Reinou como príncipe na Terra, onde, por seus benefícios, tornou-se a representação do bem, assim como Set, seu assassino, é a representação do mal. De um ponto de vista mais elevado, Osíris é a própria Divindade, o Deus "cujo nome é desconhecido",

O

o Senhor que está sobre todas as coisas, o Criador, o Senhor da Eternidade, o "Único" cuja manifestação material é o Sol e cuja manifestação moral é o Bem. Morre o Sol, porém renasce sob a forma de Hórus, filho de Osíris; o Bem sucumbe sob os golpes do Mal, porém renasce sob a forma de Hórus, filho e vingador de Osíris, representação de todo renascimento e, com este nome, reaparece o Sol no horizonte oriental do céu. Na qualidade de Sol morto ou desaparecido, Osíris é o rei da divina região inferior (regio infarna) ou Amenti. (Pierret, *Dict. d'Arch. Égypt.*) (Ver *Hórus, Onnofre, Omphis* etc.)]

Osíris-Ísis (*Eg.*) — O *Logos* dual: o grande Pai-Mãe. Exotericamente, o Sol e a Terra. Personifica o Fogo e, a Água, metafisicamente, e o Sol e o Nilo, fisicamente. (*Doutrina Secreta*, II, 616) É o princípio masculino-feminino, o princípio germinal de todas as formas. (*Ibidem*, II, 227.)

Osor-Ápis — Nome do Ápis morto, isto é, convertido em Osíris (ou defunto). De tal nome os gregos produziram Serapis (Pierret, *op. cit.*)

Ossa (*Gr.*) — Um monte assim chamado, a tumba dos gigantes (alegoricamente). [Este monte da Grécia Antiga está separado do Olimpo pelo rio Peneu e o vale de Tempe. Seu nome moderno é Kiovo.]

Ostraca — Este nome é utilizado para designar alguns textos em escrita egípcia, copta ou grega, traçados em fragmentos de vasilhas de barro, jarros ou pedaços de pedra, quando o papiro tinha um preço muito elevado. (Pierret, *op. cit.*)

Otto-Tackenius — Célebre alquimista, que descobriu um processo para obter o *alkahest*, mênstruo ou dissolvente universal.

Otz (*Hebr.*) — "Árvore", a Árvore do Jardim do Éden, a dupla vara hermafrodita. O valor das letras que compõem tal palavra é 7 e 9, sendo o sete o sagrado número feminino e o nove o número da energia fálica ou masculina. (*Doutrina Secreta*, I, 139 e II, 227)

Otz-Chiim (*Hebr.*) — A Árvore da Vida, ou melhor de Vidas. Nome dado aos dez *Sephiroth* ordenados num diagrama de três colunas. (W. W. W.)

Ouadj ou **Ouadji** (*Eg.*) — Deusa que simboliza o Norte e oposta a Nejeb (ou Nekheb), a deusa da Melodia ou do Sul. É uma forma de Sejet (ou Sekhet). *(Pierret)*

Ouas (*Eg.*) — Nome hieroglífico do cetro, que certos deuses levavam na mão; termina em uma cabeça de lebre com as orelhas para trás, suposto emblema da quietude. (*Idem*)

Oudja (*Eg.*) — Olho simbólico ou sagrado. Os dois *oudjas* são os dois olhos do Sol, frequentemente personificados por Shou e Tewnout. Segundo o sistema de M. Grébaut *(Hino a Ammon-Ra)*, o Sol, em seu curso do leste para o oeste, olha com um de seus olhos para o Norte e com o outro para o Sul, razão pela qual as duas regiões do Egito e as duas regiões do céu são denominadas de *oudjas*. As duas asas do disco são frequentemente substituídas por dois olhos. Os dois *oudjas* também designam o Sol e a Lua A palavra *oudja* significa: "saúde", "bem-estar". *(Ibidem)*

Oulam ou **Oulom** (*Hebr.*) — Esta palavra não significa "eternidade" ou duração *infinita*, como se encontra traduzida nos textos, mas significa simplesmente um vasto período de tempo, cujo princípio e cujo fim não se conhece. A palavra "eternidade", propriamente dita, não existe na língua hebraica com a significação aplicada pelos vedantinos ao Parabrahman, por exemplo. (*Doutrina Secreta*, I, 378)

Oulom — Ver *Oulam*.

O

Ouphnekhat — É o mesmo que *Upanichad*, diferenciando-se ambas as palavras unicamente segundo o método de transliteração adotado.

Our — Ver *Or*.

Ouranos (*Gr.*) — Toda a extensão do céu conhecida pelas denominações de "Águas do Espaço", Oceano celeste etc. Muito provavelmente este nome deriva do Varuna védico, personificado como deus da água e considerado como o principal *Aditya* entre os sete deuses planetários. Na teogonia de Hesíodo, Ouranos (ou Urano) é o mesmo que *Coelus* (Céu), o mais antigo de todos os deuses e pai dos titãs divinos.

Outa (*Eg.*) — O olho simbólico de Hórus. (Ver *Uzat*, *Cinocéfalo* e *Culto da Vaca*.)

Ovo Áureo — Também chamado de "Ovo Luminoso" ou "Invólucro áureo". É uma espécie de aura magnética, sutilíssima, invisível, de forma ovalada, que envolve cada homem e que é a emanação direta: 1°) do Raio âtmico em seu triplo aspecto de criador, conservador e destruidor (ou regenerador) e 2°) do *Buddhi-Manas*. O *sétimo* aspecto deste Aura individual é a faculdade de assumir a forma do corpo e se converter no "Radiante", o luminoso *Augoeides* (ver). No momento da morte, o Corpo áureo assimila a essência do *Buddhi* e do *Manas* e se torna o veículo destes princípios espirituais, que não são objetivos, e recebendo do alto a radiação plena do *Âtman*, ascende como *Manas Taijasi*, o estado devachânico (*Doutrina Secreta*, III, 445-446). Pelo fato de refletir todos os pensamentos, palavras e ações do homem, o Ovo áureo é o conservador de cada registro Kármico e também é o armazém de todos os poderes humanos, bons ou maus, recebendo e distribuindo à vontade – melhor dizendo, com o único pensamento – todas as potencialidades, que se convertem em potências em atividade. O Ovo áureo contém o homem divino e o homem físico e está diretamente relacionado com ambos. Esta Aura é o espelho no qual os sensitivos e clarividentes percebem o verdadeiro homem e o veem *tal como é*, não como parece ser. (*Ibidem*, II, 495). É designada por vários nomes: é o *Sûtrâtmâ*, o fio argênteo que se encarna do princípio ao fim do *manvantara*, recolhendo o aroma espiritual de cada personalidade. Dá ao homem sua forma astral, na qual é modelada a entidade física, já como feto ou como menino ou homem e é também o material do qual o Adepto forma seus corpos astrais. (*Ibidem*, III, 446)

Ovo da Babilônia — Ver *Ovos de Páscoa*.

Ovos — No Egito, os ovos eram consagrados a Ísis e, por esta razão, os sacerdotes egípcios não os comiam nunca. (*Doutrina Secreta*, I, 392) (Ver *Ísis*.)

Ovos de Páscoa — Desde os tempos primitivos, os ovos são simbólicos. Havia o "Ovo do Mundo", no qual Brahmâ esteve contida durante a gestação, chamado pelos hindus de *Hiranya garbha*, e o Ovo do Mundo dos egípcios, que procede da boca da "Divindade não criada e eterna", Knef, e que é emblema do poder criador. Havia o Ovo da Babilônia, que incubou Ishtar, a Vênus babilônica, e que, segundo se diz, caiu do céu no rio Eufrates. Por isso os ovos coloridos foram muito usados todos os anos durante a primavera, em quase todos os países e no Egito, eram trocados como símbolos sagrados, na estação primaveril, que foi, é e sempre será emblema de nascimento ou de renascimento cósmico e humano, celeste e terrestre. Eram pendurados nos templos egípcios e até hoje podemos vê-los suspensos nas mesquitas maometanas.

Ovo do Mundo — Ver *Ovos de Páscoa* e *Mundo*.

Oxyrinco — Nome de um peixe consagrado à deusa egípcia Hathor. Existem alguns monumentos em bronze onde podem ser vistos estes peixes, que possuem na cabeça o disco e os chifres de tal deusa. *Pisce Venus latuit*, diz Ovídio. (Pierret, *op. cit.*)

P

P — Décima sexta letra dos alfabetos grego e inglês e décima sétima do hebraico, no qual é designado pelo nome de *pe* e é simbolizada pela boca, correspondendo também, como no alfabeto grego, ao número 80. Os pitagóricos tornavam-no também equivalente a 100 e, com um traço horizontal sobre a mesma ($\overline{P}$), representa 400.000. Os cabalistas associavam esta letra ao nome sagrado de *Phodeh* (Redentor), embora para isso não exista qualquer razão válida. [Em sânscrito, é a trigésima quinta letra e a primeira consoante labial e soa como em nosso alfabeto; porém há também uma *P* aspirada, como nas palavras *phla, phena* etc., que se escreve *ph*, mas que não deve ser confundida com o signo *ph* de várias línguas antigas e modernas (como nas palavras *philosophic, philharmonisch, phosphoros* etc., nas quais tem som de *f*), uma vez que *ph* em sânscrito soa como a nossa *p* acompanhada de leve aspiração.]

P e Cruz — Geralmente chamado de *Lábaro* de Constantino. Contudo é um dos mais antigos emblemas da Etrúria, antes do Império Romano. Era também o signo de Osíris. Tanto a cruz larga latina como a peitoral grega são egípcias, pois vemos muitas vezes a primeira na mão de Hórus. "A cruz e o Calvário, tão comuns na Europa, são encontrados no peito das múmias" *(Bonwick)*. [Ver *Crismon* e *Monograma de Cristo*.]

Pa ou **Pam** — Ver *Touro da Paz*.

Pã (*Gr.*) — O deus da Natureza, do qual deriva a palavra *Panteísmo*; o deus dos pastores, caçadores, lavradores e habitantes das campinas. Segundo Homero, é filho de Hermes e Dríope. Seu nome significa "Todo". Foi inventor da chamada flauta do deus Pã e uma ninfa que ouvisse o som deste instrumento não resistia ao fascínio do grande Pã, apesar de sua figura grotesca. Pã tem certa relação com o bode de Mendes, no que este representa, como um talismã de grande potência oculta, a força criadora da Natureza. Toda a filosofia hermética baseia-se nos segredos ocultos da Natureza e assim como Baphomet era inegavelmente um talismã cabalístico, o nome de Pã era de grande virtude mágica naquilo que Eliphas chamava de "Conjuração dos Elementais". Há uma lenda piedosa muito conhecida e que se tornou popular no mundo cristão desde o tempo de Tibério e que significa que "o grande Pã morreu". Porém o povo equivoca-se muito nisso, pois nem a Natureza nem qualquer de suas forças pode morrer. Algumas podem ficar sem uso e esquecidas, podem ficar como que adormecidas durante longos séculos. Porém, assim que se apresentam as condições apropriadas para seu despertar, entram novamente em atividade, com uma potência dez vezes maior do que anteriormente.

Pachacamac (*Peru*) — Nome dado pelos peruanos ao Criador do Universo, representado como uma *hoste de criadores*. Em seu altar as pessoas piedosas depositavam apenas os primeiros frutos e flores. [Este nome que os peruanos davam ao Ser Supremo significa: "aquele que anima o mundo" e o tinham em tal veneração que não se atreviam a proferi-lo e, quando se viam obrigados a isso, faziam-no com grandes demonstrações de submissão e respeito. Os mais sensatos, embora fervorosos adoradores do Sol, professavam um respeito ainda maior por Pachacamac, que consideravam como primeiro princípio da vida e alma do Universo. Para eles, o Sol era o deus visível e presente, assim como Pachacamac era seu Deus invisível, a quem invocavam em todos os seus trabalhos.]

Pacht — Ver *Pasht*.

Pacis Bull (*Sânsc.*) — Nome da letra P em sânscrito. É símbolo de *Vâyu-tattva*, por ser a primeira letra da palavra *pavana*, sinônimo de *vâyu*, ar ou vento. (*Râma Prasâd*)

P

Pada (*Sânsc.*) — Pé, pegada; sinal, senda; meta; o *Nirvâna* ou mansão de bem-aventurança; lugar, paragem; morada; posição; ponto de vista; objeto; conceito, noção; palavra; verso; quarta parte de uma estância ou *stanza*. Entende-se por texto *pada* de uma obra aquele em que cada palavra *(pada)* encontra-se separada e distinta, isto é, não está unida à imediata, segundo as regras da coalizão *(sandhi)*.

Pâda (*Sânsc.*) — Pé, perna; raio ou radiação de um astro; verso de uma estância; capítulo ou seção. Aquela modificação da matéria vital que atua na caminhada ou marcha. *(Râma Prasâd)*

Padabandha (*Sânsc.*) — Ordenação das palavras; composição literária; poema.

Padabhañjana (*Sânsc.*) — Explicação das palavras difíceis; etimologia.

Padabhañtjikâ (*Sânsc.*) — Registro; calendário, almanaque.

Pâdaja (*Sânsc.*) — O *sûdra* ou indivíduo da quarta casta (nascido dos pés de Brahmâ).

Padajâtas (*Sânsc.*) — As partes do discurso.

Padaka (*Sânsc.*) — Brâhmane versado no *Veda*.

Padam — Ver *Pada*.

Pâdamûla (*Sânsc.*) — Planta do pé; calcanhar.

Padârtha bhâvâna (*Sânsc.*) — O estado de consciência em que se concebe a verdade. *(P. Hoult)*

Padârthas (*Sânsc.*) — Predicamento das coisas existentes, assim chamados no sistema de filosofia *vaizechika* ou "atômico", fundado por Kanâda. Esta escola constitui um dos seis *Darzanas* (ver). [*Padârtha* significa: objeto, matéria, pessoa; categoria, atributo ou predicado, ou seja, as categorias ou classes a que se reduzem as coisas ou entidades físicas. No sistema de Kanâda há sete *padârthas*: substância *(dravya)*, qualidade *(guna)*, ação *(Karma)*, generalidade *(sâmânya)*, particularidade *(vizecha)*, conexão ou relação íntima *(samavâya)* e negação ou privação *(abhâva)*. Este último *padârtha* foi acrescentado pelos autores que seguiram Kanâda.]

Padavi ou **Padavî** (*Sânsc.*) — Rota, senda, via, caminho.

Padavritta (*Sânsc.*) — Elemento constitutivo dos versos, ou seja, a quantidade das sílabas.

Paddhati (*Sânsc.*) — Ritual; compêndio; caminho trilhado; fileira, série.

Padma (*Sânsc.*) — Sinônimo de *Kamala*. Lótus. Um dos tesouros de Kuvera; o sétimo inferno gelado; certa atitude do corpo durante a meditação religiosa. [Dá-se também o nome de *padmas* aos diversos plexos *(chakras* ou lótus formados por nervos e gânglios e várias partes do corpo). Em geral acredita-se que sejam em número de sete e são denominados de: *âdhâra* (situado no ânus), *adhisthâna* (entre o umbigo e o membro viril), *manipûra* (no umbigo), *anâhata* (no coração), *vichuddhi* (na garganta), *âjnâ* (entre as sobrancelhas) e *sahasrâra* (na glândula pineal) (?). (Ver M. Dvivedi, *Comentários dos Aforismos de Patañjali*, p. 53.) (Ver também. *Manipûra* e *Nâbhichakra*.)]

Padma, *Criação* — Ver *Criação pâdma*.

Padmâ (*Sânsc.*) — Terminação feminina de *Padma*. Sobrenome de Lakchmî, a Vênus hindu, que é a esposa ou aspecto feminino de Vishnu.

P

Pâdma (*Sânsc.*) — Adjetivo derivado de *padma*. Literalmente, "saído do lótus". Epíteto de Brahmâ.

Padma-âsana (Padmâsana) (*Sânsc.*) — Uma atitude ou posição do corpo prescrita e praticada por alguns *yogis* para desenvolver a concentração mental. [Consiste em se sentar com as pernas cruzadas uma sobre a outra, tendo o corpo erguido. (Ver *Padma*.) *Padmâsana*, literalmente "sentado no lótus", é também um epíteto de Brahmâ.]

Padma-bhava (*Sânsc.*) — Literalmente, "nascido do lótus". Outro epíteto de Brahmâ.

Padma-garbha — Ver *Padmaja*.

Padmaja (*Sânsc.*) — Significado idêntico ao de *Padma-bhava*.

Padma-kalpa (*Sânsc.*) — Nome do último *Kalpa* ou o *manvantara* precedente, que era um ano de Brahmâ. [O *Padma-Kalpa* é também chamado de "Kalpa do Lótus de ouro" e representa uma metade da vida de Brahmâ.]

Padma-nâbha (*Sânsc.*) — Epíteto de Vishnu, de cujo umbigo brota um lótus.

Padma-pâni (*Sânsc.*) — Literalmente, "que tem um lótus na mão". Padmapâni ou Avalokitezvara é o Chenresi Tibetano. É o grande *Logos* em seu aspecto superior e nas regiões divinas. Porém, nos planos manifestados, é como Dakcha, o progenitor (no sentido espiritual) dos homens. Padmapâni-Avalokitezvara é chamado esotericamente de *Bodhisattva* (ou *Dhyân Chohan*) Chenresi Vanchung, "o poderoso e onividente". É considerado como o maior protetor da Ásia em geral e do Tibete em particular. A fim de guiar os Tibetanos e os *Lamas* no caminho da santidade e proteger os grandes *Arhats* no mundo, acredita-se que este divino Ser manifesta-se de idade em idade sob forma humana. Diz uma lenda popular que, sempre que a fé começa a se extinguir no mundo, Padmapâni-Chenresi emite um brilhante raio de luz e se encarna imediatamente em um dos grandes *Lamas*: o *Dalai* e o *Teschu*. Acredita-se, finalmente, que se encarnará como o *Buddha* mais perfeito no Tibete. Padmapâni é a síntese de todas as raças precedentes e o progenitor de todas as raças *humanas*, depois da terceira, a primeira completa. É representado com quatro braços (alusão às quatro raças), dois dos quais estão dobrados; na mão do terceiro tem um lótus (flor que simboliza a geração) e na do quarto segura uma serpente, emblema da Sabedoria que está em seu poder. No pescoço tem um rosário e, sobre a cabeça, algumas linhas onduladas, signo da água (matéria, dilúvio), enquanto que na fronte encontra-se o Terceiro Olho, o Olho de Shiva, aquele da visão espiritual. Seu nome é "Protetor" (do Tibete), "Salvador da Humanidade". Esotericamente, Padmapâni significa Sustentador dos Kalpas, o último dos quais é chamado de *Pâdma* e representa uma metade da vida de Brahmâ, a idade em que este surgiu do lótus. (*Doutrina Secreta*, II, 188-189) Porém quem é, na realidade, Padmapâni? Cada um de nós há de o reconhecer por si mesmo, quando estiver disposto a isso. Cada um de nós tem em seu interior a "Joia no Lótus", quer se chame Padmapâni, Krishna, Buddha, Cristo ou qualquer outro nome dado ao nosso Eu divino. (*Doutrina Secreta*, III, 438) Padmapâni é igualmente um epíteto de Brahmâ e o Sol. (Ver *Avalokitezvara* e *Chenresi*.)

Padma-patra (*Sânsc.*) — Folha do lótus.

Padma-puchpa (*Sânsc.*) — Flor do lótus.

Padma-purâna ou **Pâdma-purâna** (*Sânsc.*) — O segundo dos *Purânas*, assim chamado porque contém um relato do período em que o mundo era um lótus (*padma*) de ouro e de todos os acontecimentos de tal período.

Padmarekhâ (*Sânsc.*) — Assim se chama uma linha da palma da mão que pressagia prosperidade.

P

Padmâsana (*Sânsc.*) — Ver *Padma-âsana*.

Padmâvatî (*Sânsc.*) — Epíteto de Lakchmî. É também o nome de uma cidade situada, segundo parece, na cordilheira Vindhya.

Padma-yoni (*Sânsc.*) — Um título de Brahmâ (também chamado de *Abjayoni*). Significa: "nascido do lótus".

Padmodbhava (Padma-udbhava) (*Sânsc.*) — Literalmente, "nascido do lótus". Epíteto de Brahmâ.

Pai-Mãe — Pai e Mãe são os princípios masculino e feminino, respectivamente, na Natureza radical ou original, os polos opostos que se manifestam em todas as coisas de todos os planos do Kosmos, ou Espírito e Substância, num aspecto menos alegórico e cuja resultante é o Universo, ou seja, o Filho. Em linguagem esotérica, Brahmâ é Pai-Mãe-Filho ou Espírito, Alma e Corpo de uma só vez, sendo cada personagem símbolo de um atributo e cada atributo ou qualidade uma emanação gradual do Alento Divino em sua diferenciação cíclica, involucionária e evolucionária. Em seu sentido cósmico-físico, é o Universo, a Cadeia planetária e a Terra; em seu sentido puramente espiritual, é a Divindade desconhecida, o Espírito planetário e o Homem, filho dos dois, o produto do Espírito e Matéria (*Doutrina Secreta*, I, 72-73). Por Pai-Mãe entende-se também o Fogo e a Água; o Raio divino e o Caos (*Idem*, I, 99); as Águas primordiais do Espaço, o Espaço, as Trevas etc. (Ver *Nu*, *Obscuridade* etc.)

Padya (*Sânsc.*) — Parte de uma palavra; métrica poética.

Padyâ (*Sânsc.*) — Hino; canto com métrica.

Paean (*Gr.*) — Um hino de júbilo e louvor em honra ao deus-Sol Apolo ou Hélios.

Pagão (do latim *paganus*) — No início esta palavra não tinha qualquer significado pejorativo; equivalia simplesmente ao habitante dos campos ou dos bosques, ou seja, aquele que vive a grande distância dos templos da cidade e desconhece, portanto, a religião do Estado e seus ritos. A palavra "gentil" (*heathen*, em inglês) tem significado parecido e designa aquele que vive nos campos (*heaths*, em inglês). Porém, na atualidade, os dois termos significam *idólatras*.

Pagãos, *Deuses* — Ver *Deuses pagãos*.

Pâhâns (Pahans) (Prácrito) — Sacerdotes de aldeia.

Pahlavas (*Sânsc.*) — Uma raça de *Kshatriyas*, que degeneraram gradualmente até a condição de *súdras*. (*Leis de Manu*, X, 43-44) Segundo os comentaristas, parece que se trata dos antigos persas.

Pahlavi ou **pehlevi** — Ver *Pelvi*.

País do Sol perpétuo — A tradição situa-o além das regiões árticas, no Polo Norte. É "a terra dos deuses, onde o Sol nunca se põe".

Pajas (*Sânsc.*) — Força, energia, poder.

Pakcha (Paksham) (*Sânsc.*) — Um cálculo astronômico; uma metade do mês lunar de catorze dias; dois *pakchams* compõem um mês dos mortais, porém apenas um dia dos *Pitar devata* ou "deuses dos pais" (*pitris*). Pakcha significa também: asserção, tese, réplica; partidário, amigo; tribo, classe; asa, pluma; flanco, costado; parte, partido.

Pakchdhara — Ver *Pakchaja*.

Pakchaja (*Sânsc.*) — A Lua.

P

Pakchaka *(Sânsc.)* — Lado, flanco; partidário, associado.

Pakchânta *(Sânsc.)* — O último dia da quinzena lunar *(pakcha)*.

Pakchapâta *(Sânsc.)* — Espírito de partido.

Pakchin *(Sânsc.)* — Ser alado, pássaro, ave. O dia da Lua cheia.

Pakchisinha *(Sânsc.)* — Garuda; rei das aves.

Pala *(Sânsc.)* — Uma medida; um peso que equivale a aproximadamente 38 g. *(Ramâ Prasâd)* Segundo o *Dicionário* de Burnouf é um peso de ouro equivalente a 74 g e 649 mg. Este nome significa também carne.

Pâla e Pâlaka *(Sânsc.)* — Guardião, protetor; rei, senhor.

Palâda *(Sânsc.)* — Râkchasa comedor de carne.

Pâlana *(Sânsc.)* — Guarda, proteção, conservação.

Palavra — Como diz P. Christian acertadamente e de acordo com os ensinamentos esotéricos, pronunciar uma palavra é evocar um pensamento e torná-lo presente; a potência magnética da linguagem humana é o princípio de toda manifestação no mundo oculto... As coisas, para cada um de nós, são aquilo que delas faz a palavra ao as nomear. As palavras de um homem são benéficas ou maléficas segundo as influências ocultas de seus elementos, isto é, das *letras* que as compõem e dos *números* correlativos às mesmas. (*História da Magia*, obra citada na *Doutrina Secreta*, I, 121) A Palavra é o poder gerador da criação. (*Doutrina Secreta*, II, 584) (Ver *Logos, Mantra, Nome, Vâch* etc.)

Palavra Perdida — Dever-se-ia dizer "palavras perdidas" e segredos perdidos, em geral, porque aquilo que se chamou de "Palavra" perdida não é palavra de maneira alguma, como no caso do Nome Inefável (ver). O Grau do Arco Real da maçonaria está à "procura dela" desde que foi fundado. Porém os "mortos", principalmente os *assassinados*, não falam e também, quando o "Filho da Viúva" retornar à vida "materializada", dificilmente poderá revelar aquilo que jamais existiu na forma com que *hoje* é ensinado. O *Shemhamphorash* (o nome separado, através de cujo poder Jeshu Ben Pandira, segundo seus detratores, operou milagres depois de o ter roubado do Templo), derivado ou não da "substância existente por si mesma" do *Tetragrammaton*, jamais poderá substituir o *Logos* perdido da magia divina. [Séculos antes da nossa era, os Iniciados dos templos interiores e os *mathams* (comunidades monásticas) escolhiam um conselho superior presidido por um todo-poderoso *Brahmâtmâ*, chefe supremo de todos estes *mahâtmâs*, único guardião da mística fórmula e o único que podia explicar o significado da palavra sagrada Aum e o de todos os ritos e símbolos religiosos. Porém existia e existe ainda hoje uma Palavra que supera em muito o monossílabo misterioso e que torna quase igual a Brahma aquele que possui sua chave. Os *Brahmâtmâs* são os únicos que possuem esta chave e sabemos que no sul da Índia há atualmente dois Grandes Iniciados que a possuem e só podem transmiti-la na hora da morte, porque é a "Palavra perdida". Nenhum tormento, nenhum poder humano poderia obrigar a um brâhmane, que a conhecesse, revelar um segredo que está tão bem guardado no Tibetee. (*Doutrina Secreta*, III, 411-412) Com muita razão dizia o vidente Swedenborg: "Procura a Palavra Perdida entre os Hierofantes da Tartária, da China e do Tibete".]

Palâza (Palasa) *(Sânsc.)* — Também chamado de *Kanaka (Butea frondosa)*. É uma árvore de flores vermelhas, que possuem virtudes muito secretas.

Paleolítico — Termo geológico que significa "idade da pedra antiga", em contraposição ao termo *neolítico*, à idade da pedra "mais nova".

P

Páli — A antiga língua de Magadha, que precedeu o sânscrito mais refinado. As escrituras búdicas são todas escritas nesta língua.

Páli (*Sânsc.*) — Linha, fileira; fronteira, limite.

Palingenesia [do grego *palin*, novo, e *gênesis*, nascimento.] — Renascimento, regeneração, transformação. ["Se uma coisa perde sua substância material, resta ainda a forma invisível na Luz da Natureza (a Luz Astral) e, se pudermos revestir tal forma com matéria visível, podemos torná-la visível novamente. Toda matéria é composta de três elementos conhecidos em Alquimia pelos nomes de *enxofre, mercúrio* e *sal*. Por meios alquímicos é-nos possível criar uma atração magnética na forma astral, de modo que possa atrair os princípios dos elementos (o *Âkâza*), que tinha antes de sua modificação, e os incorporar, tornando-se visível novamente. Platão, Sêneca, Erasto, Avicena, Averroes, Alberto Magno, Caspalin, Cardano, Cornelio Agrippa, Eckastshausen e muitos outros autores escreveram sobre a palingenesia das plantas e dos animais. Kircher ressuscitou uma rosa das cinzas na presença da rainha Cristina da Suécia, em 1687. O corpo astral de uma forma individual permanece com os restos desta última até que tais restos tenham sido completamente decompostos e, através de certos métodos conhecidos pelos alquimistas, pode ser revestida de matéria e se tornar de novo visível. (F. Hartmann) (Ver *Kircher, Gaffarillus, Leffas, Reencarnação* etc.)]

Pallacidas — Mulheres egípcias de classe elevada, que se consagravam especialmente ao culto de uma divindade. Havia *pallacidas* de Bast, de Ísis etc. As mais célebres eram as de Ammon. O texto grego do decreto de Canope qualifica-as de *virgens*, mas sabemos, pelos monumentos, que podiam casar-se. (Pierret, *Dict. d'Arch. Égypt.*)

Pallava (*Sânsc.*) — Gema; ramo; crescimento, paixão nascente; instabilidade.

Pallavâstra (*Sânsc.*) — Sobrenome de Kâma ou deus do Amor.

Pam — Ver *Pa*.

Pâmara (*Sânsc.*) — Vil, ruim, desprezível.

Pampas (*Sânsc.*) — Dor, sofrimento, aflição.

Pana (*Sânsc.*) — Jogo; preço, valor, salário; objeto de comércio; negócio; uma moeda equivalente a 80 pequenas conchas empregadas como moedas.

Pancha, Pâncha *e seus derivados e compostos* — Ver *Pañcha* etc.

Pañcha ou **Pañchan** (*Sânsc.*) — Cinco.

Pañcha-balâni (*Sânsc.*) — Os "cinco poderes" que devem ser adquiridos na prática do *Yoga*: fé plena ou confiança, energia, memória, meditação e sabedoria. (*Ver Bala*.)

Pañchadaza (*Sânsc.*) — Décimo quinto.

Pañchadazî (*Sânsc.*) — O décimo quinto dia da Lua.

Pañtchâgni (*Sânsc.*) — Os cinco fogos (um de cada ponto cardeal e o Sol), entre os quais certos penitentes praticam suas austeridades.

Pañcha-indriyas (*Sânsc.*) — Ver *Pānchendriyas*.

Pañchajana (*Sânsc.*) — Famoso gigante que vivia no fundo do mar em forma de molusco e que foi morto por Krishna em seu próprio elemento. *Pañchajana* significa também homem em geral.

Pancha-janâ(s) (*Sânsc.*) — A quinta Raça; a Raça ariana.

P

Pañchajanya (*Sânsc.*) — A concha do demônio marinho Pañchajana, utilizada por Krishna como trombeta ou caracol. (Ver *Bhagavad-Gîtâ*, I, 15.)

Pancha-jñâna (*Sânsc.*) — Um *Buddha*, um santo budista.

Pañchakachâya ou **Pañchakleza** (*Sânsc.*) — Os "cinco vícios ou imperfeições", segundo o Budismo: paixão, cólera, ignorância, vaidade e orgulho.

Pañcha-kâma (*Sânsc.*) — As cinco formas de sensualidade. [As cinco maneiras de satisfazer a natureza sensual.] *(P. Hoult)*

Pañchakaram — Ver *Mararam* e *Pentágono*.

Pañchakleza — Ver *Pañchakachâya*.

Pañcha-Kosha (*Sânsc.*) — Os cinco "envoltórios" ou "invólucros" (em que se encontra encerrada a Mônada divina]. Segundo a filosofia vedantina, o *vijñânamaya-Kosha*, o quarto invólucro, é composto de Buddhi ou é o Buddhi. Já se disse que os cinco invólucros pertencem aos dois princípios superiores: *Jîvâtma* e *Zâkchi*, que representam respectivamente o divino Espírito *uphahita* [condicionado (?)] e *anuphahita* [não condicionado (?)]. A divisão estabelecida na doutrina esotérica difere desta, pois divide o aspecto físico-metafísico do homem em sete princípios. [A divisão quinária ou vedantina está intimamente relacionada com os cinco *tattvas* ou formas vibratórias do Éter, que dão origem às cinco sensações que conhecemos através de nossos sentidos físicos: audição, tato, visão, paladar e olfato.]

Pañcha-Krishtaya (*Sânsc.*) — As cinco raças.

Pañcha-krita ou **Pañchakritam** (*Sânsc.*) — Um elemento combinado com pequenas porções dos outros quatro elementos.

Pañchâla (*Sânsc.*) — Nome de um país situado no norte da Índia.

Pañchâlâ (*Sânsc.*) — Sobrenome de Draupadî.

Pañchalakchana (*Sânsc.*) — Os cinco caracteres distintivos ou pontos capitais de um *Purâna*. (Ver *Purâna*.)

Pañchama (*Sânsc.*) — Uma das *cinco* qualidades do som musical, o quinto; o *Nichâda* e o *Daivata* completam os sete; a nota *sol* (G) da escola diatônica.

Pañchamahâyajña (*Sânsc.*) — No plural (*pānchamahâyajnâs*), os cinco grandes sacrifícios (*mahâyajñâs*) (ver).

Panchamukha (*Sânsc.*) — Literalmente: "de cinco faces". Epíteto de Shiva. (Ver *Pañchânana*.)

Panchamûla (*Sânsc.*) — Termo de medicina que significa: as cinco raízes.

Pañchânana [**Pancha-ânana**] (*Sânsc.*) — Que tem cinco faces". Sobrenome de Shiva. Alusão às cinco Raças (desde o princípio da *quinta*), que ele representa, como o Kumâra que sempre se reencarna de um extremo a outro do *manvantara*. Na sexta Raça-mãe será chamada de "seis faces".

Pañchaprâna (*Sânsc.*) — No plural (*pañcha-prânâs*), os cinco ares, alentos ou espíritos vitais. (Ver *Ares vitais* e *Prâna*.)

Pañcharâtras (*Sânsc.*) — Nome dos indivíduos de uma seita dos *vaishnavas* ou adoradores de Vishnu, também denominados de *bhâgavatas*, porque identificam Vâsudeva (Vishnu) com o Ser Supremo *(Bhâgavata)*, dele fazendo a única causa do Universo.

P

Pañcharshis (*Sânsc.*) — "Que lança cinco raios de fogo ou de luz". Um dos nomes do planeta Mercúrio.

Pañcha-sikha (*Sânsc.*) — Um dos sete Kumâras que foram render culto a Vishnu, na ilha de *Sweta-dwîpa*, segundo a alegoria.

Pañcha-sila (*Sânsc.*) — As cinco virtudes, moralidades ou preceitos universais. Estes cinco preceitos encontram-se incluídos na seguinte fórmula do Budismo: "Eu observo o preceito de me abster de destruir a vida dos seres; de me abster de roubar, de me abster de todo comércio sexual ilícito; de me abster de mentir; de me abster do uso de bebidas embriagantes. (Olcott, *Catecismo Búdico*, 42ª ed., p. 40) (Ver *Zîla*.)

Pañchaskandha (*Sânsc.*) — Os cinco *skandhas* (ver).

Pañchatâ e **Pañchatva** (*Sânsc.*) — Conjunto de cinco. Os cinco elementos: éter, fogo, ar, água e terra.

Pañchatantra (*Sânsc.*) — Literalmente, "que tem cinco séries ou livros". Título de uma famosa coleção de fábulas ou apologias compilada por um sábio brâhmane chamado Vishnu-Zarman, no fim do séc. V de nossa era, para a educação dos três filhos do rei Amarazakti. Esta obra foi o original de outra mais universalmente conhecida, que leva o nome de *Hitopadeza* (ver). O *Pañchatantra* foi traduzido para o persa, árabe, hebraico, grego, inglês, alemão e outros idiomas. Na Inglaterra esta obra hindu popularizou-se com o nome de *Fábulas de Bidpay*.

Pañchatapas (*Sânsc.*) — Os cinco fogos. (Ver *Pañchâgni*.) Aquele que se encontra exposto aos cinco fogos.

Pañchataya (*Sânsc.*) — Que tem cinco partes ou membros.

Pañchavâna (*Sânsc.*) — "Que tem cinco flechas". Epíteto de Kâma, deus do amor. (Ver *Kâma* e *Kandarpa*.)

Pañchâvastha (*Sânsc.*) — Literalmente, "restituído aos cinco elementos": o cadáver.

Pañchavata (*Sânsc.*) — O cordão brahmânico.

Pañchavrikcha (*Sânsc.*) — As cinco árvores do *Svarga*: *Mandâra*, *Pârijataka*, *Santâna*, *Kalpavrikcha* e *Harichandana*. (Ver *Dicionário Clássico Hindu* de Dowson.)

Pañcha-yajñâ (*Sânsc.*) — Os cinco sacrificados. (Ver *Pañcha-mahâyajñâ*.)

Pañchazikha — Ver *Pañcha-sikha*.

Pañcha-zîla — Ver *Pañcha-sila*.

Pañchechu (*Sânsc.*) — Significado idêntico ao de Pañchavana.

Panchen Rimboche (*Tib.*) — Literalmente, "o grande Oceano ou Mestre de Sabedoria". Título do *Techu Lama* em Tchigadze; uma encarnação de Amitâbha, "pai" celestial de Chenresi, o que quer dizer que é um *avatar* de Tsong-kha-pa. (Ver *Son-kha-pa*.) Por direito, o *Techu Lama* é o segundo depois do *Dalai Lama*; de fato, é superior, uma vez que *Dharma Richen*, o sucessor de Tsong-kha-pa no áureo mosteiro fundado pelo último reformador e estabelecido pela seita dos *gelukpas* ("Turbantes Amarelos"), é aquele que criou os *Dalai Lamas* em Lhassa e foi o primeiro da dinastia dos "Panchen Rimboche". Assim como aos primeiros *(Dalai Lamas)* dá-se o título de "Joia de Majestade", os últimos gozam de um tratamento muito superior, que é o de "Joia de Sabedoria", uma vez que são altos Iniciados.

P

Pañchendriya-gocharâs (*Sânsc.*) — As cinco classes de sensações; as cinco "pastagens", domínios, esferas ou objetos dos sentidos.

Pañchendriyas (Pañcha-indriyas ou, mais propriamente, **pañcha-indriyâni**) (*Sânsc.*) — Os cinco sentidos. (Ver *Indriyas*.)

Pañchîkarana (*Sânsc.*) — Esta palavra significa literalmente "quíntuplo". Foi traduzida grosseiramente como divisão em cinco. Significa o processo ou operação de uma parte mínima de um *tattva* composto com as de outros. Assim, depois do processo, cada molécula do *Prithivî tattva*, por exemplo, constará de oito partes mínimas:

$$\text{Prithivî} = \frac{Prithivî}{4} + \frac{Âkâza}{8} + \frac{Vâyu}{8} + \frac{Agni}{8} + \frac{Apas}{8}$$

e assim sucessivamente. Em *ânanda*, os *tattvas* são simples; em *Vijñâna* e nos seguintes, cada um deles é quíntuplo e, portanto, cada um deles tem uma cor etc. (*Râma Prasâd*)

Pañchi-krita (*Sânsc.*) — Desenvolvido nos cinco elementos grosseiros.

Pañchikrita-vâyu (*Sânsc.*) — Ver *Vâyu*. (P. Hoult)

Pañchopâkhyâna (Pañcha-upâkhyâna) (*Sânsc.*) — Literalmente, "cinco historietas ou episódios". Dá-se este nome também ao *Pañchatantra*.

Panda (*Sânsc.*) — Eunuco.

Pandâ (*Sânsc.*) — Ciência, saber, conhecimentos adquiridos.

Pândara (*Sânsc.*) — Palidez; pálido, branco, amarelado.

Pândava (*Sânsc.*) — "Filho ou descendente de Pându": [Com este nome patronímico são designados os cinco príncipes rivais dos Kurus ou Kuravas. Estes príncipes, cujos nomes são Yudhichthira, Bhîma, Arjuna, Nakula e Sahadeva, representam, no *Bhagavad-Gîtâ*, a natureza superior do homem, com suas tendências e aspirações mais elevadas. (Ver *Mahâbhârata* e *Pându*.)]

Pândavaranî (*Sânsc.*) — Literalmente, "a Rainha Pândava". Título de Kuntî, mãe dos [três primeiros] príncipes Pândavas. (Todos eles são símbolos personificados sumamente importantes na filosofia esotérica.) [É preciso notar que Kuntî era mãe dos três primeiros príncipes, isto é, de Yudhichthira, Bhîma e Arjuna; os dois príncipes restantes, Nakula e Sahadeva, eram filhos de Mâdrî, a outra esposa de Pându.]

Pândavâyana (*Sânsc.*) — Literalmente, "companheiro dos Pândavas": epíteto de Krishna.

Pandita (Pundit) (*Sânsc.*) — Sábio, doutor, letrado, professor. Como adjetivo: sábio, douto, inteligente, ilustrado. [Título honorífico dado, na Índia, aos brâhmanes versados na ciência religiosa e aos fundadores das seitas e inclusive aos homens verdadeiramente competentes em todo tipo de conhecimentos. (Bérgua, *O Râmâyana*, p. 821, notas)]

Panditamânin e Panditammanya (*Sânsc.*) — Um pedante que se acredita sábio.

Panditya (*Sânsc.*) — Ciência, sabedoria (de um *pandita*).

Pandora (*Gr.*) — Mulher formosa criada pelos deuses sob as ordens de Zeus [Júpiter], para ser enviada a Epimeteu, irmão de Prometeu. Ela possuía uma caixa onde estavam encerrados todos os males, todas as paixões e todas as pragas que afligem a linhagem humana. Pandora, cheia de curiosidade, abriu a funesta caixinha, deixando em liberdade todos os males que assolam a humanidade.

P

Pându (*Sânsc.*) — "O pálido", literalmente. Pai adotivo dos príncipes pândavas, adversários dos Kuravas, no *Mahâbhârata*. [Segundo filho de Krishna Dvaipâyana, chamado o *Vyâsa*, e meio-irmão de Dhritarâchtra, que, por ser cego, teve de renunciar à coroa em favor de Pându. Este teve duas esposas, chamadas Kuntî (ou Prithâ, por outro nome), a primeira, e Mâdrî, a segunda, das quais nasceram os cinco príncipes pândavas, que, apesar do nome patronímico, foram engendrados misticamente por outros tantos deuses, uma vez que, segundo lhe foi predito, Pându morreria no caso de pretender juntar-se com alguma de suas esposas. Assim os três primeiros pândavas (Yudhchthira, Bhîma e Arjuna) eram filhos de Kuntî por obra dos deuses Dharma, Vâyu e Indra, respectivamente; enquanto que os dois restantes, Nakula e Sahadeva, eram filhos de Mâdrî por obra dos gêmeos Azvins, respectivamente Dasra e Nasâtya. (Ver *Mahâbhârata*.)

Pânduka ou **Pândura** (*Sânsc.*) — Palidez, icterícia.

Paneno (*Panœnus*, em grego) — Filósofo platônico da Escola Alexandrina dos filaleteus.

Pâni (*Sânsc.*) — Mão; o poder manual. (*Râma Prasâd*)

Pânigraha (*Sânsc.*) — Literalmente, "união das mãos" (de ambos os contraentes). Parte essencial da cerimônia do matrimônio; por extensão, o próprio matrimônio.

Pânigrahana (*Sânsc.*) — Matrimônio. (Ver *Pânigraha*.)

Pânini (*Sânsc.*) — Célebre gramático, autor da famosa obra intitulada *Pâninîyam*. Um *Richi* que, segundo se supõe, recebeu sua obra do deus Shiva. Ignorando a época em que viveu, os orientalistas situam a obra entre os anos 600 a.C. e 300 d.C. A obra de Pânini é a principal autoridade no que se refere à gramática sânscrita e, como diz o prof. Goldstücker, é uma espécie de história natural de tal língua. Está escrita sob a forma de aforismos *(sûtras)*.

Panis (*Sânsc.*) — Literalmente: "tacanho". Demônios *(dasyus)* aéreos, invejosos, falsos, ímpios, maledicentes, inimigos de Indra, que costumavam roubar vacas e as esconder em cavernas.

Pañji (*Sânsc.*) — Registro, comentário; almanaque.

Pañjikara (*Sânsc.*) — Escritor, escrivão.

Panna (*Sânsc.*) — Movimento para alguma parte; partida; descenso, queda.

Pannaga (*Sânsc.*) — Ver *Nâga*.

Pannagâzana (*Sânsc.*) — "Comedor de serpentes". Epíteto da ave Garuda (ver).

Pansil ou **Pari-sîla** (*Sânsc.*) — Ver *Dasa-sîla* e *Pañcha-sila*.

Pantaclo (*Pantacle*, em inglês) (*Gr.*) — O mesmo que *Pentalfa*. É o triplo triângulo de Pitágoras ou estrela de cinco pontas. Este nome foi-lhe dado porque reproduz a letra A (*Alpha*) em seus cinco lados ou em cinco posições diversas. Contudo, seu número é composto do primeiro número ímpar (3) e do primeiro número par (2). É muito oculto. Em Ocultismo e na Cabala representa o Homem ou Microcosmo, o "Homem celeste" e, como tal, era um poderoso talismã para manter à distância os maus espíritos ou elementais. Na teologia cristã relaciona-se com as cinco chagas de Cristo, porém seus intérpretes deixaram de acrescentar que estas "cinco chagas" simbolizavam o Microcosmo ou "pequeno universo", ou seja, a Humanidade, designando tal símbolo a queda do Espírito puro *(Christos)* na matéria (*Iassous*, "vida" ou homem). Na filosofia esotérica, o *Pentalfa* ou estrela de cinco pontas é símbolo do Ego ou *Manas* superior. Os maçons utilizam-no no conceito de cinco pontas, relacionando-o com sua interpretação fantástica (Ver *Pentaclo*.)

Panteísmo (do grego *pan*, todo, e *Theos*, Deus) — Sistema filosófico que identifica Deus com a Natureza e vice-versa, e em virtude do qual a Natureza é apenas o aspecto físico, a manifestação visível ou corpo da Divindade suprema ou, melhor dizendo, da Alma do Mundo, Princípio infinito e onipresente que a tudo anima. Segundo os ensinamentos do *Bhagavad-Gîtâ*, a Divindade suprema (Brahma), o Absoluto, é de uma só vez Espírito e Matéria. Sua natureza inferior, a matéria, é origem ou matriz de todos os seres, enquanto sua natureza superior, a espiritual, é o Elemento vital que os anima e sustenta (VII, 4-6). Brahma é, portanto, o Grande Todo, a Causa eficiente e material de todas as criaturas e de todas as formas de matéria ou, segundo se expressa numa comparação gráfica, é o oleiro e o barro usado para fazer a vasilha. (Ver *Deus* e *Panteísta*.)

Panteísta — [Aquele que professa o panteísmo.] Aquele que identifica Deus com a Natureza e vice-versa. O povo costuma impugnar o panteísmo e julgá-lo reprovável. Porém, como pode um filósofo considerar a Divindade como infinita, onipresente e eterna, e não considerar a Natureza como um de Seus aspectos e não considerar que Ele anima cada um dos átomos da Natureza?

Panther (*Hebr.*) — Segundo o *Sepher Toldosh Jeshu*, um dos Evangelhos judeus qualificados de apócrifos, Jesus era filho de Joseph Panther e de Maria e, por conseguinte, Ben [filho de] Panther. A tradição faz de Panther um soldado romano. (W. W. W.)

Panyastrî (*Sânsc.*) — "Mulher que se vende"; prostituta.

Pão e Vinho — O Batismo e a Eucaristia têm sua origem no Egito pagão. Ali eram usadas as "Águas de purificação" (os persas tomaram do Egito a fonte batismal mitriaca), assim como o Pão e o Vinho. "O vinho, no culto dionisíaco, bem como na religião cristã, representa o sangue, que em diversos sentidos é a vida do mundo" (Brown, no *Mito dionisíaco*). Justino Mártir diz: "Em imitação, o diabo fez o mesmo nos Mistérios de Mithra, pois vós sabeis ou podeis saber que *eles também tomam do pão e de um copo de água* nos sacrifícios daqueles que estão Iniciados e *pronunciam certas palavras sobre isso*". (Ver *Água benta* e *Eucaristia*.)

Paout Nouterou (*Eg.*) — Esta expressão designa a essência da Divindade, a *Substância divina*. (Pierret)

Pâpa (*Sânsc.*) — Mal; dano; pecado, culpa, crime, falta; perturbação. Como adjetivo: pecador, ímpio, malvado, criminoso, malfeitor, mau, perverso.

Pâpabandha (*Sânsc.*) — Uma série não interrompida de maus atos.

Pâpabhâj (*Sânsc.*) — Que toma parte em alguma ofensa ou crime; cúmplice, culpável.

Pâpabuddhi (*Sânsc.*) — Mal-intencionado; malicioso; má intenção; malevolência

Pâpâchâra (*Sânsc.*) — Que tem maus costumes.

Pâpachetas (*Sânsc.*) — Perverso, malicioso, mal-intencionado.

Pâpahan (*Sânsc.*) — Destruidor do pecado ou do pecador.

Pâpaka (*Sânsc.*) — Mal, dano, culpa, pecado; vilão, ruim, pessoa malvada.

Pâpakarman (*Sânsc.*) — Má ação, delito, crime, pecado; malfeitor, criminoso, pecador.

P

Pâpakrit (*Sânsc.*) — Pecador, criminoso, delinquente, malfeitor.

Pâpakrita (*Sânsc.*) — Ação culpável, falta, crime, pecado.

Pâpakrittama (*Sânsc.*) — O maior dos malvados, pecadores ou criminosos.

Pâpaloka (*Sânsc.*) — O mundo do mal ou do pecado; lugar dos malvados.

Pâpamati (*Sânsc.*) — Ver *Pâpabuddhi*.

Pâpamitra (*Sânsc.*) — Amigo ou companheiro do pecado; mau conselheiro, tentador.

Pâpanizchaya (*Sânsc.*) — Malévolo, mal-intencionado.

Pâpânubandha (*Sânsc.*) — Maus resultados ou consequências.

Pâpa-purucha (*Sânsc.*) — Literalmente, "homem de pecado"; a personificação em forma humana de todo pecado e de toda maldade. Esotericamente, aquele que renasce ou se reencarna saindo do estado de *Avitchi*, por conseguinte, "desalmado" ou "sem alma".

Pâparhaita (*Sânsc.*) — Livre de culpa; inocente.

Pâparoga (*Sânsc.*) — Uma classe de doença vergonhosa.

Papas magos — A história registra vários deles; por exemplo, o Papa Silvestre II, o artista que fez "uma cabeça oracular", semelhante àquela fabricada por Alberto Magno, ilustre bispo de Ratisbona. O Papa Silvestre foi considerado como um grande "encantador e feiticeiro" pelo cardeal Benno e a "cabeça" foi feita em pedaços por São Tomás de Aquino, porque falava demais. Houve depois os Papas Benedito IX e João XX e os Gregórios VI e VII, todos eles considerados como magos por seus contemporâneos. O último Gregório citado foi o famoso Hildebrando. No que se refere aos bispos e sacerdotes menores que estudaram Ocultismo e chegaram a ser especialistas nas artes mágicas, são inumeráveis.

Pâpâtman (pâpa-âtman) (*Sânsc.*) — Má pessoa; pecador, perverso, malvado, mal-intencionado; miserável.

Pâpatva (*Sânsc.*) — Má condição; desventura, infortúnio, miséria.

Pâpayoni (*Sânsc.*) — De origem pecaminosa; de mau ou baixo nascimento; engendrado ou concebido em pecado: nascido de pecado; pecador de origem, que contraiu o pecado original.

Pâpazîla (*Sânsc.*) — "De mau caráter"; perverso, malvado.

Papi e **Papis** (*Sânsc.*) — O bebedor: o Sol, a Lua.

Pâpin (*Sânsc.*) — Que atua mal; malfeitor.

Pâpman (*Sânsc.*) — Pecador, pernicioso, daninho, malvado. Como substantivo: mal, dano, pecado, crime; causa pecaminosa.

Papu (*Sânsc.*) — Protetor,

Papuri (*Sânsc.*) — Liberal, generoso, abundante.

Par de opostos ou **Par de contrários** — Ver *Dvandva*.

Para (*Sânsc.*) — "Infinito" e "supremo"; em filosofia: o último limite. *Param* é o fim e a meta da existência: *pârapara* é o limite dos limites. (A palavra *para* serve, em geral, para expressar aquilo que excede certa medida, aquilo que vai ou se estende além de certo ponto; assim, pois, tem numerosas acepções: superior, supremo, altíssimo, excelso, sublime, excessivo; extremo, último; outro, estranho, alheio, diferente, adverso, oposto; longínquo, remoto; passado, antigo, anterior; posterior, ulterior, seguinte, vindouro; melhor, pior; maior; mais poderoso, mais eminente etc. Como substantivo, significa: o Absoluto, o Espírito supremo; a bem-aventurança final; a beatitude suprema; a meta suprema; o grau ou ponto mais elevado ou extremo; a matéria ou ocupação principal; aquele ou aquilo que está acima de... No fim de uma palavra composta significa: que consiste inteiramente de; cheio de; afeito ou devoto de; atento, dedicado ou entregue a; que tem ou olha (esta ou aquela coisa) como seu objetivo principal ou supremo.]

Pâra (*Sânsc.*) — A margem oposta; limite extremo.

Parâbhâva (*Sânsc.*) — Superioridade; altivez; desdém; falta de respeito; destruição.

Parabrahm [ou **Parabrahman**] (*Sânsc.*) — Literalmente, "superior a Brahmâ". O supremo e infinito Brahma, o "Absoluto", a Realidade sem atributos e sem segundo. O princípio universal, impessoal e inominado. O supremo Princípio eterno, onipresente, infinito, imutável, inconcebível e inefável; o Único Todo Absoluto, a Única Realidade Absoluta, Aquele, o supremo e eternamente não manifestado, que antecede a todo o manifestado; Causa sem causa do Universo, Raiz sem raiz de "tudo o que foi, é e será". Parabrahman não é "Deus" pela razão de que não é um Deus. Como diz o *Mândûkya Upanichad*, é Aquele "que é supremo e não supremo *(parâvara)*": é supremo como causa e não supremo como efeito. É, como Realidade, sem segundo, o oni-inclusivo Kosmos ou, melhor dizendo, o infinito. Espaço cósmico, no mais elevado sentido espiritual; é, em resumo, o agregado coletivo do Kosmos em sua infinitude e eternidade, o Aquele e o Este (Universo ou *Jagat*) aos quais não se podem aplicar agregados distributivos. Para nossos sentidos e para a percepção dos *seres* finitos, Aquele é Não-Ser, no sentido de que é a única *Seidade (Beness)*; porque neste Todo encontra-se oculta sua coeterna e coetânea emanação ou radiação inerente, que, convertendo-se periodicamente em Brahmâ (a Potência masculino-feminina), desdobra-se (transformando-se) no Universo manifestado. O Espírito (ou Consciência) e a Matéria são os dois símbolos ou aspectos de Parabrahm, o Absoluto, que constituem a base do Ser condicionado, seja subjetivo ou objetivo. (*Doutrina Secreta*, I, 36, 43) (Ver *Brahma* e *Brahmâ*; *Aquele* etc.)]

Parabrahman (*Sânsc.*) — Ver *Parabrahm*.

Paracelso — Pseudônimo adotado pelo maior ocultista dos tempos medievais, Felipe Bombast Aurelio Teofrasto de Hohenheim, nascido em Einsideln, cantão de Zurique, em 1493. Foi o mais hábil médico de seu tempo e o mais renomado pela cura de quase todas as doenças, através da virtude de talismãs que ele mesmo preparava. Jamais teve um amigo; pelo contrário, vivia rodeado de inimigos, dos quais os mais exacerbados eram os eclesiásticos e seus partidários. Não é de surpreender que tenha sido acusado de ter feito pacto com o diabo nem que tenha morrido assassinado, por um desconhecido, com apenas 48 anos. Morreu em Salzburg, deixando para a posteridade inúmeras obras que são, ainda hoje, altamente apreciadas pelos cabalistas e ocultistas. Muito do que disse resultou profético. Era um clarividente de grandes faculdades, um dos mais ilustrados e eruditos filósofos e místicos, um alquimista eminente. A química deve-lhe a descoberta do gás nitrogênio. [A Paracelso, pai da química moderna, como já foi chamado, deve-se também a descoberta de muitos preparados químicos e sua aplicação na arte de curar. Como médico, adquiriu renome universal. Eis uma de suas máximas: "Se amas a teu próximo, não digas: não há nada a fazer em teu caso; antes deves dizer: posso auxiliar-te sem saber como. Porém não se deve empreender as curas apenas com os remédios contrários, como faziam os antigos, mas é preciso fazê-lo também valendo-se dos meios semelhantes; não

P

só *contraria contrariis*, mas também *similia similibus*". Tinha uma cátedra na Universidade da Basileia; escreveu várias obras de suma importância, cheias de pensamentos profundos e de ideias luminosas, entre as quais merecem menção especial a *Filosofia Oculta, De Natura Rerum, De Generatione Hominis* etc. São também notáveis os seus trabalhos sobre o arqueu, a pedra filosofal, o *alkaest*, os homúnculos etc. Seu saber extraordinário e suas obras maravilhosas atraíram a inveja e o rancor de inúmeros adversários, que se valeram da calúnia e atribuíram a Paracelso livros e escritos apócrifos para denegri-lo. Morreu pobre, pois, dotado de elevados sentimentos altruístas, compartilhou seus bens com os pobres.]

Parâch (parâ-anch) (*Sânsc.*) — "Que vai em direção contrária". Oposto, contrário, inimigo.

Parachhanda (*Sânsc.*) — Que depende da vontade alheia.

Parachittajñâna (*Sânsc.*) — Termo búdico que significa: conhecimento do pensamento de outras pessoas.

Paradha — Ver *Parârdha*.

Paradharma (*Sânsc.*) — A lei ou condição de outro; o dever alheio.

Parâdhîna (*Sânsc.*) — Sujeito, submetido a outro.

Paradhyâna (*Sânsc.*) — A mais profunda meditação. (*P. Hoult*)

Paradvechin (*Sânsc.*) — Hostil, malévolo.

Parâga (*Sânsc.*) — A ação de marchar sem obstáculo, de seguir a própria inclinação. Passagem de um astro pela frente de outro; eclipse. Celebridade, fama.

Pâragata (*Sânsc.*) — "Que passou para a outra margem." No budismo, este termo aplica-se ao santo, ao homem perfeito que, triunfando sobre todos os obstáculos, através da prática das *Parâmîtas*, alcançou o *Nirvâna*. (Ver *Voz do Silêncio*, III.)

Paraíso — Ver *Svarga, Loka, Céu, Éden* etc.

Paraíso de Indra — Ver *Svarga* etc.

Parajâta (*Sânsc.*) — "Nascido para outro"; dependente, sujeito; afilhado, adotado.

Parâjaya (*Sânsc.*) — Derrota; separação.

Parajita (*Sânsc.*) — Vencido, submetido; mantido por um estranho.

Parakîyâ e **Parakchetra** (*Sânsc.*) — A mulher alheia.

Parâkrama (*Sânsc.*) — Ataque; força, poder; valor.

Paraloka (*Sânsc.*) — O outro mundo.

Param (*Sânsc.*) — Ver *Para*.

Parama (*Sânsc.*) — Supremo, [sublime, excelso, altíssimo, perfeito, principal, excelente, o melhor. No fim de uma palavra composta, tem o mesmo significado de *para*.]

Paramadhâma (*Sânsc.*) — A mansão suprema. O *Nirvâna*.

Paramâgati (*Sânsc.*) — A via suprema.

Paramahansa ou **Paramahamsa** (*Sânsc.*) — Literalmente, "que se eleva acima do *Hamsa* ou do Eu". Aquele que chegou à quarta e última etapa do Sendeiro. Este nome equivale ao de Arhat dos budistas. O estado de *Hamsa* é aquele em que o homem, completamente livre dos desejos e de apego a tudo o que é do mundo, sobrepondo-se a todo tipo de ilusões e gozando de uma visão profunda, consegue ver a verdadeira e

P

permanente Realidade e vê o próprio "Eu" nos demais, isto é, dá-se conta de sua unidade com os demais "Eus". Quando, à medida que a visão espiritual torna-se mais e mais clara e vai-se ampliando a consciência do asceta, este se sobrepondo ao estado de *Hamsa* converte-se em *Parahamsa*, eleva-se acima do "eu" e, rompendo o último elo da cadeia da separatividade, chega à compreensão clara e exclama: "eu sou Aquele". (A. Besant, *Sabedoria Antiga*, 405-406, e *Quatro Grandes Religiões*) O termo *Parahansa* aplica-se também ao devoto, que se dedica a meditar sobre o princípio supremo chamado *Hansa*. (*Dic. Sânsc*. de Burnouf) (Ver *Hamsa* e *Hansa*.)

Paramânna (*Sânsc.*) — Alimento divino: a oblação de arroz com leite e açúcar.

Paramânu (*Sânsc.*) — O átomo primordial e simples.

Paramapada (Paramapadha) (*Sânsc.*) — [Meta ou mansão suprema.] O lugar onde – segundo os vedantinos *vizichtadvaitas* – gozam de bem-aventurança aqueles que conseguem a liberação *(mokcha)*. Tal "lugar" não é material, mas, como expressa o catecismo da referida seita, é feito de "*Suddasattva*, de cuja essência é formado o corpo de *Îzvara*, o Senhor".

Paramapadâtmavat (*Sânsc.*) — Mais além ou acima da condição do Espírito, "mais supremo" que o Espírito, raiando o Absoluto.

Paramapaha (*Sânsc.*) — Um estado que já é uma existência condicionada.

Parama-purucha (*Sânsc.*) — O supremo *Purucha* (ver). (Ver também *Puruchottama*.)

Paramarchis (Paramarshis) (*Sânsc.*) — Palavra composta de *parama*, supremo, e *Richis*: Supremos *Richis* ou Grandes *Richis* ou Santos. (Ver *Richis*.)

Paramârhata (*Sânsc.*) — O supremo *Arhat*.

Paramarshis — Ver *Paramarchis*.

Paramârtha (*Sânsc.*) — Existência absoluta. [A suprema realidade ou verdade; a verdade toda; o objeto supremo. O conhecimento puro; a reflexão evidente por si mesma ou que se analisa a si própria. (*Voz do Silêncio*, III) Consciência e existência absolutas, que são Inconsciência e Não-Ser absolutos. (*Doutrina Secreta*, I, 78) Autoconsciência ou consciência verdadeira. Existem algumas diferenças na interpretação do significado de *Paramârtha* entre os *yogâchâryas* e os *madhyamikas*, mas nenhum dos dois explica, porém, o verdadeiro sentido esotérico de tal termo. (*Ibidem*, I, 75, nota)]

Paramârtha-satya (*Sânsc.*) — A Verdade única absoluta, a única Realidade absoluta.

Paramârthika (*Sânsc.*) — O único verdadeiro estado de existência, segundo a *Vedânta*. [Um dos três estados de existência, segundo os vedantinos: a única real e verdadeira existência. (*Doutrina Secreta*, I, 35, 380)]

Parâmarza (*Sânsc.*) — Distinção; discernimento; juízo.

Paramâtman [ou **Paramâtmâ**] (*Sânsc.*) — A Alma suprema do Universo. [O Espírito Universal ou supremo, Deus; o Eu supremo, que é um com o Espírito Universal.]

Paramechthî ou **Paramechthin** (*Sânsc.*) — "Que reside no lugar mais alto", "Altíssimo". Qualificativo aplicado a um deus de ordem superior e também a alguns mortais eminentes (sábios, heróis etc.).

Paramethi sûkta (*Sânsc.*) — "Hino supremo". Assim se intitula o grandioso hino do *Rig-Veda*, que começa com as palavras *Nâsad âsît* (Nem algo nem nada existia). (Ver a tradução do mesmo na *Doutrina Secreta*, t. I, depois do *Prólogo*.)

P

Parameza (Paramesha) (Parama-îza) (*Sânsc.*) — O Senhor excelso ou supremo. Qualificativo de Vishnu. (Ver *Paramezvara*.)

Paramezvara (Parama-îzvara) (*Sânsc.*) — O mesmo significado de *Parameza*. Qualificativo de vários deuses.

Paramika (*Sânsc.*) — Supremo, excelso, principal.

Pâramitâs (*Sânsc.*) — Perfeições ou virtudes transcendentais, "nobres portas de virtude, que conduzem ao *Bodhi* e *Prajñâ*, o sétimo escalão da sabedoria". Há seis delas para os leigos e dez para os sacerdotes. Em *Voz do Silêncio* são enumeradas as sete, que constituem outras tantas "chaves de ouro" dos sete Portais que conduzem à "outra margem" *(Nirvâna)*: *Dâna* (caridade, amor); *Zîla* (pureza, harmonia na palavra e na ação); *Kchânti* (paciência); *Viraga* (indiferença ao prazer e à dor); *Vîrya* (energia); Dhyâna (contemplação, meditação) e *Prajñâ* (conhecimento, sabedoria). Praticar o Sendeiro *Pâramitâ* é converter-se num *yogi*", com a intenção de chegar a ser asceta. (*Voz do Silêncio*, II e III)

Parampada (*Sânsc.*) — A mansão suprema.

Parampara (*Sânsc.*) — Sucessivo, tradicional; que passa ou se transmite de um para outro.

Paramparâ (*Sânsc.*) — Sucessão, continuidade; tradição, ordem, método etc.

Paramparâka (*Sânsc.*) — O sacrifício tradicional; a imolação de vítimas.

Paramparâprâpta (*Sânsc.*) — Recebido ou transmitido de um para outro por sucessão ou tradição.

Paramparîna (*Sânsc.*) — Tradicional.

Parâmrita (Para-amrita) (*Sânsc.*) — A suprema ambrosia; a chuva.

Paranatellons (*Gr.*) — Na Astronomia antiga aplicava-se este nome a certas estrelas e constelações extrazodiacais, isto é, que se encontram acima ou abaixo das constelações do Zodíaco. Eram em número de trinta e seis, indicados pelos *decanatos* ou terços de cada signo. Os *paranatellons* sobem ou descem com os *decanatos* alternadamente; assim, quando *Escorpião* sai, Orion em seu *paranatellon* põe-se, do mesmo modo que o Cocheiro. Isso deu origem à fábula de que o Sol assustava os cavalos de Faeton com um Escorpião e o Cocheiro caía no rio Pó, isto é, a constelação do rio Erídano, que está abaixo da estrela do Cocheiro. (W. W. W.)

Parângada (*Sânsc.*) — Epíteto de Shiva.

Paranirvâna [ou **Parinirvâna**] (*Sânsc.*) — Absoluto *Não-Ser*, equivalente ao Absoluto *Ser* ou "Seidade" *(Beness)*. É o estado que a Mônada humana alcança no fim do Grande Ciclo. (Ver *Doutrina Secreta*, I, 160.) Esta palavra é sinônimo de *Paranishpanna*. [*Paranirvâna* significa "superior ao *Nirvâna*". É o *Summum bonum*, a perfeição absoluta que alcançam todas as Existências no fim de um grande período de atividade ou *Mahâmanvantara* e no qual permanecem no período de repouso seguinte. Até o tempo da escola *yogâchârya*, ensinava-se publicamente a verdadeira natureza do *Paranirvâna*; porém, desde então, passou a ser completamente esotérica e por isso há a seu respeito tantas interpretações contraditórias. Só um verdadeiro idealista pode compreendê-la. Todas as coisas precisam ser consideradas como ideais, exceto o *Paranirvâna*, por aquele que deseja compreender tal estado e fazer uma ideia de como o Não-Eu, o Vazio e as Trevas são três em um e são o único que existe por si mesmo e é perfeito. É absoluto, contudo, tão somente no sentido relativo, uma vez que deve dar lugar a uma perfeição

P

ainda mais absoluta, de acordo com um tipo mais elevado de excelência no período seguinte de atividade, do mesmo modo que uma flor perfeita deve deixar de ser tal flor e morrer, a fim de se desenvolver e se converter num fruto perfeito, se podemos assim nos expressar; uma vez que a *Doutrina Secreta* ensina o desenvolvimento progressivo de todas as coisas, tanto mundos quanto átomos, desenvolvimento estupendo, que não tem princípio concebível nem fim imaginável. (*Doutrina Secreta*, I, 74) Assim, o estado paranirvânico, embora ilimitado do ponto de vista da inteligência humana, tem um limite na Eternidade. Uma vez alcançado, a mesma Mônada surgirá novamente dele como um ser ainda mais eminente, num plano muito mais elevado, para começar seu novo ciclo de atividade aperfeiçoada. O *Paranirvâna* é aquele estado em que todas as influências psíquicas, mentais e fisiológicas perderam completamente seu poder sobre a Mônada; aquele estado de subjetividade que não tem relação com coisa alguma a não ser com a única e Absoluta Verdade em seu próprio plano. (*Ibidem*, I, 84.) Em tal estado, todos os seres "fundir-se-ão em Brahma", ou seja, a Unidade Divina: a Chispa tornará a ser Chama (*Ibidem*, I, 286-287) O "Sendeiro Secreto" conduz igualmente à felicidade *paranirvânica*, porém no final de *Kalpas* sem número; de *Nirvânas* ganhos e perdidos por piedade e compaixão imensa para com o mundo dos mortais iludidos. Como já se disse: "O último será o maior". (*Voz do Silêncio*, II)]

Paranishpanna — Sinônimo de *Paranirvâna*. (Ver *Paranirvâna*.)

Parañja (*Sânsc.*) — Espada, especialmente a do deus Indra.

Parañjana (*Sânsc.*) — Sobrenome de Varuna.

Parânmukha (*Sânsc.*) — Literalmente, "Que tem o rosto voltado para o outro lado". Inimigo, adversário.

Parânna (*Sânsc.*) — Que vive às expensas de outro; parasita.

Parantapa (*Sânsc.*) — "Perseguidor, vencedor ou destruidor de inimigos". Epíteto de Arjuna.

Parapâkarata (*Sânsc.*) — Que observa suas cerimônias.

Parapa-purucha (*Sânsc.*) — O Princípio masculino supremo; o Ser ou Espírito supremo. (Ver *Purucha* e *Puruchottama*.)

Paraprakriti (*Sânsc.*) — A natureza superior da Divindade; a natureza espiritual, o Elemento vital que anima e sustenta todos os seres. (Ver *Bhagavad-Gîtâ*, VII, 5) Entende-se também por *Para-prakriti* a *Prakriti* não manifestada. *(P. Hoult)* (Ver *Daiviprakriti* e *Apara-prakriti*.)

Parapuchta (*Sânsc.*) — Alimentado por outro.

Parârdha (*Sânsc.*) — O período que compreende uma metade da existência ou Idade de Brahma.

Parârdhya (*Sânsc.*) — Distinto, notável, principal.

Parasajñaka (*Sânsc.*) — Inteligência.

Parasakti ou **Parashakti** (*Sânsc.*) — "A grande ou suprema Força": uma das seis Forças da Natureza, aquela da luz e do calor.

Parasamâdhi (*Sânsc.*) — Concentração inconsciente ou abstrata (*Aforismos de Patañjali*, I, 21-23) É um estado que não é um estado e no qual não é possível nenhum novo progresso. Corresponde ao *Atala*, segundo a classificação vedantina dos *Lokas* e a hierarquia dós *Dhyâni-Buddhas*. (Ver *Lokas*.)

P

Parâsana (*Sânsc.*) — Derrota infligida ao inimigo; carnificina, matança.

Parâsara (*Sânsc.*) — Um *Richi* védico [ao qual são atribuídos alguns hinos do *Rig-Veda*], narrador do *Vishnu-Purâna*.

Parâsarin (*Sânsc.*) — "Que segue a regra do Parâsara": religioso mendigo.

Paraspâ (*Sânsc.*) — Protetor.

Paraspara (*Sânsc.*) — Mútuo, recíproco.

Paraspatva (*Sânsc.*) — Proteção, amparo.

Parasthâna (*Sânsc.*) — Lugar estranho.

Parâsu (*Sânsc.*) — Morte.

Paratantra (*Sânsc.*) — Aquele que não tem existência própria, mas somente através de uma conexão de dependência ou causal. [Que depende da vontade alheia. (*Burnouf*)]

Paratara (*Sânsc.*) — Comparativo de *para*. Mais excelso, mais eminente; melhor, superior.

Paratra (*Sânsc.*) — Em outra parte; em outro mundo.

Paravâch (*Sânsc.*) — O *Vâch* é de quatro tipos: *parâ*, *pashyantî*, *madhyamâ* e *vaikharî*... Parabrahman é o aspecto ou forma parâ (que está acima do númeno de todos os números) do *Vâch* (*Doutrina Secreta*, I, 465-466) (Ver *Vâch*.)

Paravairâgya (*Sânsc.*) — "Absoluto desprendimento ou desinteresse, completa ausência de desejos." É aquele estado da mente em que suas manifestações tornam-se absolutamente potenciais e perdem todo poder de entrar no atual sem consentimento da alma. Em tal estado, toda faculdade superior aparece com facilidade na mente. (*Râma Prasâd*). – Ver *Vairâgya*.

Paravâni (*Sânsc.*) — Juiz, governador.

Paravant ou **Paravat** (*Sânsc.*) — Sujeito a outra pessoa; dependente de devoto de; impotente, desvalido.

Parâvara (**Para-avara**) (*Sânsc.*) — Superior e inferior; supremo e não supremo. (Ver *Parabrahman*.)

Parâvarta (*Sânsc.*) — Mudança, retorno.

Paravattâ (*Sânsc.*) — Sujeição, dependência.

Paravidyâ (*Sânsc.*) — Supremo conhecimento, sabedoria divina; o conhecimento do Espírito.

Paravîra (*Sânsc.*) — Inimigo, adversário.

Paravrata (*Sânsc.*) — Fiel a seus votos; piedoso.

Parâyana (**Para-ayana**) (*Sânsc.*) — Último refúgio, extremo ou supremo recurso; objetivo ou fim supremo; saída, partida; matéria ou ponto principal; aspiração suprema; último fim. Como adjetivo e no fim de uma palavra composta: que tem por objetivo supremo, que considera como o principal... atento, devoto ou inteiramente consagrado a...

Parâyana (*Sânsc.*) — Consideração, reflexão, meditação; a meditação personificada: Saraswâtî; luz.

Pârâyanika (*Sânsc.*) — Escolar, discípulo, aluno.

P

Parâyatta (*Sânsc.*) — Subordinado à vontade de outrem.

Parâzakti — Ver *Parasakti*.

Parâzara — Ver *Parâsara*.

Pârâzara-Purâna (*Sânsc.*) — Um dos *Purânas* menores.

Pârâzarin — Ver *Parâsarin*.

Pârazikas (*Sânsc.*) — Nome antigo dos persas.

Parazudhara (*Sânsc.*) — "Que tem um machado ou uma acha." Epíteto de Ganeza.

Parazurâma (*Sânsc.*) — "Râma com sua acha". O primeiro dos três Râmas, considerado como o sexto avatar de Vishnu.

Parechti — Ver *Pareza*.

Paresha (*Sânsc.*) — "Rei dos mortos". Yama.

Pareta (*Sânsc.*) — Morto, defunto.

Paretarâj (*Sânsc.*) — O Altíssimo: Brahmâ.

Pareza (Paresha: Para-îza) (*Sânsc.*) — Senhor supremo.

Paribâdhâ (*Sânsc.*) — Perturbação, dor.

Parobarha ou **Parivarha** (*Sânsc.*) — Acompanhamento, cortejo; opulência, luxo, insígnias da realeza.

Paribbajaka (*Pal.*) — Ver *Parivrajaka*.

Paribhâchâ (*Sânsc.*) — Acordo, convênio, ajuste; prognóstico de uma enfermidade.

Paribhâchana (*Sânsc.*) — Conversação, prática; reprovação, censura; persuasão; acordo, ajuste.

Paribhava e **Paribhâva** (*Sânsc.*) — Desprezo; injúria, ofensa; maltrato; desastre, derrota.

Parîbhâva (*Sânsc.*) — Falta de respeito.

Paribhavin (*Sânsc.*) — Que injuria, que humilha; injúria, ofensa, maltrato; desastre, derrota.

Parichad ou **Pârichad** (*Sânsc.*) — Espectador, assistente, concorrente; que faz parte de uma assembleia; reunião, assembleia.

Parichada — Ver *Parichad*.

Parichara (*Sânsc.*) — Servidor, companheiro.

Parichâraka (*Sânsc.*) — Servidor.

Paricharikâ (*Sânsc.*) — Servente, servidora.

Paricharyâ e **Parichârya** (*Sânsc.*) — Serviço, servidão; domesticidade; assistência; devoção.

Parichaya (*Sânsc.*) — Prática, hábito, experiência; acumulação.

Parichâya (*Sânsc.*) — Acumulação; o fogo sagrado.

Parichhada ou **Parichhanda** (*Sânsc.*) — Cortejo, acompanhamento, companhia.

Parichheda (*Sânsc.*) — Seção, divisão de um livro; distinção, diferença; definição.

Parichhedana (*Sânsc.*) — Seção, divisão de um livro.

P

Parîchti (*Sânsc.*) — Investigação científica; boa vontade; serviço.

Parichyuta (*Sânsc.*) — Miserável, decaído.

Paridâna (*Sânsc.*) — Mudança, troca.

Paridevanâ (*Sânsc.*) — Lamentação; acontecimento triste; motivo de pranto ou lamento.

Paridhi (*Sânsc.*) — Circunferência; o disco solar ou lunar.

Paridhvansa (*Sânsc.*) — Queda, ruína.

Paridîna (*Sânsc.*) — Aflito, triste, compassivo.

Paridyûna (*Sânsc.*) — Triste, aflito.

Parigata (*Sânsc.*) — Envolto, rodeado.

Parigha e **Parighâta** (*Sânsc.*) — Ato de ferir ou matar. Arma, maça.

Parighocha (*Sânsc.*) — Ressonância, murmúrio; linguagem inconveniente.

Pariglâna (*Sânsc.*) — Cansado, lânguido.

Parigraha (*Sânsc.*) — Prosperidade, posse, aquisição; aquilo que circunda, aquilo que rodeia alguém, o meio ambiente; reunião; ocupação; tarefa, negócio, empresa; esposa, família, servidão, companhia; casa, lar; honra; graça; ação de tomar ou colher; origem, ponto de partida.

Parigrâha (*Sânsc.*) — Sítio escolhido para o estabelecimento de um dos fogos sagrados.

Parigrihyâ (*Sânsc.*) — Mulher, esposa.

Parihâra (*Sânsc.*) — Falta de respeito.

Parihâsa (*Sânsc.*) — Riso, jogo; brincadeira, diversão.

Parijana (*Sânsc.*) — Acompanhamento, companhia, escolta, servidão.

Parijman (*Sânsc.*) — "Que circula". O fogo sagrado; a Lua.

Parijñana (*Sânsc.*) — Conhecimento, sabedoria.

Parijñatâ ou **Parijñatri** (*Sânsc.*) — Conhecedor.

Pari-Kamma (*Pál.*) — Em linguagem búdica, "preparação para a ação"; indiferença aos frutos da ação. É o segundo grau do Sendeiro Probatório. *(P. Hoult)* Pari-kamma equivale ao sânscrito *Pari-karma*.

Parikampa (*Sânsc.*) — Espanto, medo, temor, terror.

Parikânchin e **Parkânchita** (*Sânsc.*) — Literalmente, "que não tem desejos". Asceta mendicante.

Parikara (*Sânsc.*) — Distinção, discernimento, a ação de começar ou empreender; multidão.

Parikathâ (*Sânsc.*) — História, geralmente fictícia; conto, fábula, apologia, lenda.

Parikchâ (*Sânsc.*) — Lodo, barro, lama.

Parîkchâ (*Sânsc.*) — Investigação, exploração, exame.

Parikchaka (*Sânsc.*) — Investigador, examinador.

Parikchana — Ver *Parîkchâ*.

Pariklechtri (*Sânsc.*) — Agente de tortura ou tormento, perseguidor.

P

Parilaghu (*Sânsc.*) — Muito leve, muito sutil, diminuto, mínimo.

Parimâna (*Sânsc.*) — Medida, limite, extensão, dimensão, tamanho, duração; número, valor.

Parimandala (*Sânsc.*) — Esfera, globo, círculo.

Parimukta (*Sânsc.*) — Libertado, emancipado.

Parinâma (*Sânsc.*) — Mudança de estado, alteração, modificação, transformação, metamorfose; fim, término; resultado, consequência; curso, progresso, desenvolvimento.

Parinâma-vâda (*Sânsc.*) — A doutrina da evolução através de modificações sucessivas; a teoria da mudança, transformação, evolução e dissolução, em virtude da ação mútua entre dois fatores (Espírito e Matéria). *(Bhagavân Dâs)*

Parinati (*Sânsc.*) — Inclinação; metamorfose; maturidade.

Parinaya (*Sânsc.*) — Cerimônia do matrimônio.

Parinichthâ (*Sânsc.*) — Local de residência; morada, domicílio; assento; último limite; o ponto mais elevado; perfeição.

Parinichthita (*Sânsc.*) — Que está em...; completamente versado em...

Parinirvâna — Ver *Paranirvâna*.

Parinivrita (*Sânsc.*) — Que alcançou o *Nirvâna*.

Parinivritti (*Sânsc.*) — Completa libertação da roda de nascimentos e mortes. *(P. Hoult)*

Paripadin (*Sânsc.*) — Adversário, inimigo, rival; obstáculo.

Paripâna (*Sânsc.*) — Proteção, amparo, refúgio.

Paripâna (*Sânsc.*) — Bebida.

Paripanthaka e **Paripanthim** — Ver *Paripadin*.

Paripâti (*Sânsc.*) — Método, ordem, sucessão.

Paripâtha (*Sânsc.*) — Enumeração completa.

Pariplava (*Sânsc.*) — Trêmulo, móvel; agitado.

Pariprazna (*Sânsc.*) — Interrogação, pergunta, indagação.

Pariprepsu (*Sânsc.*) — Desejoso de libertação.

Paripûrna (*Sânsc.*) — Cheio.

Paripûrnatâ e **Paripûrnatva** (*Sânsc.*) — Plenitude.

Parîra (*Sânsc.*) — Fruto.

Pârirakchaka (*Sânsc.*) — Asceta mendicante.

Paristanika (*Sânsc.*) — Leito fúnebre. *(Bérgua)*

Parîta (*Sânsc.*) — Rodeado, envolto, coberto.

Paritâpa ou **Parîtâpa** (*Sânsc.*) — Calor, ardor; tormento que consome. Uma das divisões do inferno.

Parîtat (*Sânsc.*) — Estendido em todas as direções.

Paritrâna (*Sânsc.*) — Proteção, amparo, defesa, refúgio.

Paritta (*Pal.*) — Textos consoladores ou confortantes, pertencentes à literatura

P

búdica. Tais textos costumam ser recitados para os enfermos e publicamente nos tempos de calamidade geral. (Ver Olcott, *Catecismo Búdico*, p. 78, 42ª ed.)

Parityâga (*Sânsc.*) — Abandono, renúncia, liberação.

Parityâgi ou **Parityâgin** (*Sânsc.*) — Renunciante, aquele que abandona.

Parivâda (*Sânsc.*) — Calúnia, reprovação.

Parivâdaka ou **Parivâdin** (*Sânsc.*) — Caluniador, detrator, acusador.

Parivâha (*Sânsc.*) — Inundação.

Parivâpita (*Sânsc.*) — Raspado, rapado, barbeado.

Parivâra ou **Parîvâra** (*Sânsc.*) — Invólucro, coberta, forro, bainha; cortejo, acompanhamento; partidário, seguidor, prosélito.

Parivarha — Ver *Paribarha*.

Parivarjana (*Sânsc.*) — Ação de evitar ou fugir.

Parivarta (*Sânsc.*) — Revolução, mudança, troca; vicissitude; fuga, retirada; fim de um Kalpa ou destruição de um universo; o avatar de Vishnu em forma de tartaruga; mansão; lugar.

Parîvarta (*Sânsc.*) — Ver *Parivarta*.

Parivartana (*Sânsc.*) — Troca, mudança.

Parivatsara (*Sânsc.*) — Revolução de um ano.

Parivecha (*Sânsc.*) — Preparação ou distribuição de alimento; círculo, especialmente um halo ao redor do Sol ou da Lua.

Pariveda (*Sânsc.*) — Conhecimento completo.

Parivedana (*Sânsc.*) — Tormento, ansiedade; miséria. (Ver *Pariveda*.)

Parivîta (*Sânsc.*) — O arco de Brahma.

Pari-vraj, **Pari-vrâja** e **Pari-vrâjaka** (*Sânsc.*) — Em linguagem búdica, é o religioso mendicante, que vagueia de um lugar para outro, sem lar próprio. 1°) Um brâhmane no quarto e último grau de sua vida religiosa. 2°) Um *sannyâsî*. 3°) O *chela* que passou por sua primeira iniciação e entrou no sendeiro. (*P. Hoult*)

Parivrâjya (*Sânsc.*) — Condição ou estado do religioso mendicante.

Parivridha (*Sânsc.*) — Pessoa a quem se corteja. Chefe, mestre, superior.

Parivritta (*Sânsc.*) — Retorno, volta; mudança, troca.

Parivritti (*Sânsc.*) — Estendido ao redor; duradouro; terminado, concluído.

Parizichta (*Sânsc.*) — Apêndice, suplemento.

Parizrama (*Sânsc.*) — Esforço; lassidão, fadiga, pena.

Parizraya (*Sânsc.*) — Assembleia; recinto; defesa; amparo; refúgio, asilo.

Parjanya (*Sânsc.*) — Chuva.

Parokcha (*Sânsc.*) — Apreensão intelectual de uma verdade. Aquilo que só pode ser considerado mentalmente. (*P. Hoult*) Aquilo que está fora do alcance da visão; invisível, imperceptível, ininteligível, obscuro.

Parsis (*Parsees*, em inglês) — Os seguidores de Zoroastro. Este nome é dado aos restos da outrora poderosa nação iraniana, que permaneceram fiéis à religião de seus

P

antepassados, ou seja, o culto ao fogo. Estes seguidores, em número de uns cinquenta mil, vivem hoje na Índia, principalmente em Bombaim e Guzerat.

Parsvamaud (*Sânsc.*) — Acovardado, diminuído, fugitivo, temeroso. *(Bérgua)*

Pârtha (*Sânsc.*) — "Filho de Prithâ". Nome patronímico dos três primeiros príncipes pandavas e especialmente aplicado a Arjuna.

Pâruchya (*Sânsc.*) — Aspereza no trato; dureza de linguagem. insolência, insulto.

Parva ou **Parvan** (*Sânsc.*) — Nó, articulação; membro; divisão; seção ou capítulo de um livro; época ou tempo determinado; ocasião; momento favorável; período de tempo; momento em que o Sol entra num signo do Zodíaco; festa ou dia consagrado. Em linguagem védica, certas épocas do mês lunar.

Parvadhi (*Sânsc.*) — A Lua.

Parvan — Ver *Parva*.

Pârvana (*Sânsc.*) — Cerimônia em honra dos manes ou antepassados, também chamada de *zrâddha* (ver).

Parvasandhi (*Sânsc.*) — Ponto de união de um *parva*; o momento do novilúnio ou do plenilúnio.

Parvata (*Sânsc.*) — Montanha, árvore.

Parvatâdhâra (*Sânsc.*) — A terra.

Parvata-râja (*Sânsc.*) — "O rei das montanhas". O Himalaia.

Parvatâri (*Sânsc.*) — Epíteto do deus Indra.

Pârvatî (*Sânsc.*) — Nome da esposa de Shiva, também chamada de Durgâ.

Paryâlocha (*Sânsc.*) — Circunspecção; deliberação, reflexão.

Paryanta (Pari-anta) (*Sânsc.*) — "Que está além dos limites"; fim, término, limite.

Paryantikâ (*Sânsc.*) — Excesso, furor; depravação.

Paryâpta (*Sânsc.*) — Apto, hábil, capaz; suficiente; abundante; logrado, obtido; completo.

Paryâpti (*Sânsc.*) — Conclusão, fim; satisfação; suficiência; aptidão, capacidade.

Paryavasâna (*Sânsc.*) — Fim, término.

Paryâya (*Sânsc.*) — Circuito, volta, inversão; revolução do tempo; mudança, mutação; ocasião, oportunidade; ordem, método; propriedades de uma substância.

Paryayana (*Sânsc.*) — Negligência; perda de tempo; o ato de andar ao redor.

Paryâyazayana (*Sânsc.*) — Ato de dormir em horas reguladas.

Paryechanâ (*Sânsc.*) — Investigação, averiguação, informação.

Paryuchita (*Sânsc.*) — Velho, passado, corrupto, inútil.

Paryudañchana (*Sânsc.*) — Dívida.

Paryupâsana (*Sânsc.*) — Culto, veneração; amizade; cortesia; ato de rodear ou de estar sentado ao redor.

Paryupasthita (*Sânsc.*) — Que está ao redor; próximo; iminente, ameaçador.

Paryutsuka (*Sânsc.*) — Muito intranquilo, pesaroso, aflito; ansioso, desejoso.

Pârzva (*Sânsc.*) — Próximo, vizinho.

P

Parzvastha (*Sânsc.*) — Associado, companheiro; um dos atores do drama.

Pârzvika (*Sânsc.*) — Associado; partidário; companheiro; farsante.

Pâsa (*Sânsc.*) — Laço ou corda que Shiva, em algumas de suas representações, tem em sua mão direita [para amarrar os pecadores obstinados. *Pâsa* significa também: corda em geral, laço, nó etc.]

Pasch — Jovem médico alemão que valorosamente sacrificou sua vida para libertar o célebre alquimista Bötticher, que se encontrava numa prisão.

Paschalis, *Martinez* — Homem muito instruído, místico e oculista. Nasceu por volta do ano de 1700, em Portugal. Viajou muito, adquirindo vasto saber onde pôde, no Oriente, Turquia, Palestina, Arábia e Ásia central. Foi um grande cabalista. Foi também mestre ou Iniciador do Marquês de Saint Martin, que fundou a Escola e as Lojas místicas martinistas. Segundo se diz, Paschalis morreu em São Domingos, aproximadamente em 1779, deixando para a posteridade várias obras excelentes.

Páscoa (do hebraico *pésaj*, trânsito) — Seu termo equivalente em inglês, *Easter*, vem evidentemente de Ostara, a deusa escandinava da primavera. Era o símbolo da ressurreição de toda a Natureza e era adorada no início da estação das flores. Era costume entre os pagãos escandinavos antigos, em tal época do ano, a troca de ovos coloridos, chamados de "ovos de Ostara", que se tornaram os atuais "ovos de Páscoa". Segundo a obra *Asgard e os Deuses*, "o cristianismo deu outro significado a este antigo costume, relacionando-o com a festa da Ressurreição do Salvador, o qual, como a vida latente no ovo, dormiu no sepulcro durante três dias antes de despertar para a nova vida". Isso era natural, uma vez que Cristo era identificado com o próprio Sol da primavera, que desperta em toda a sua glória, depois da lúgubre e prolongada morte do inverno. Esta mesma ideia, embora ligeiramente velada, é exposta por Goethe na belíssima e pitoresca cena do domingo de Páscoa, da primeira parte do *Fausto*. Uma das provas palmares da íntima relação existente entre o cristianismo e o culto do Sol e da Lua é o fato de a Igreja Romana ter fixado a festa da Páscoa da Ressurreição no domingo (dia do Sol) que segue imediatamente o décimo quarto dia da Lua de março. Os cristãos do Oriente celebram tal festa no décimo quarto dia da Lua que segue o equinócio de primavera, qualquer que seja o dia da semana em que caia. Daí o nome de *quartodecimans*. Por outro lado, há estreita relação entre a festa pascal e a vida da Natureza, no fato significativo da distinção estabelecida entre a Páscoa de Ressurreição ou *florida*, assim chamada por ser celebrada na época do florescimento das plantas, e a Páscoa de Pentecostes, que é celebrada sete semanas depois, no tempo em que começa a colheita dos frutos da terra, motivo pelo qual é chamada nas Escrituras de *Festa das Primícias*, também celebrada solenemente pelos judeus cinquenta dias depois da primeira Páscoa. (Ver *Ovos de Páscoa* e *Pentecostes*.)

Pasht (*Eg.*) — [Também chamado de Sejet ou Sekhet.] – A deusa de cabeça de gato, a Lua. No Museu Britânico há grande número de estátuas e representações da mesma. É a esposa ou aspecto feminino de *Ptah* (filho de Knef), o princípio criador ou o Demiurgo egípcio. Também é chamada de *Beset* ou *Bubastis* e é, então, tanto o princípio que reúne como aquele que divide ou separa. Sua divisa é: "Castiga o culpado e extirpa o vício" e um de seus emblemas é o gato. Segundo o visconde Rougé, o culto desta deusa é extremamente antigo (uns 3.000 anos a.C.). Pasht é a mãe da raça

P

asiática, a raça que se estabeleceu no norte do Egito. Como tal, é chamada de Ouato. (Ver *Sejet.*)

Pashut (*Hebr.*) — "Interpretação literal". Um dos quatro modos de interpretar a *Bíblia*, usados pelos judeus.

Pashyantî (*Sânsc.*) — O segundo dos quatro graus (*Parâ, Pashyantî, Madhyamâ* e *Vaikharî*) em que se divide o som [*vâch*], segundo sua diferenciação. [Ver *Vâch.*]

Pashyantî-vâch — Ver *Vâch.*

Passagem do Rio — Esta frase é encontrada nas obras referentes à magia medieval. É o nome dado a um alfabeto cifrado em uso entre os rabinos cabalistas numa data antiga. O rio a que se alude é o Chebar. O nome em questão pode também ser encontrado nos autores latinos com a expressão de *Literæ transitus*.

Pastophori (*Gr.*) — Certa classe de candidatos à Iniciação, aqueles que levavam nas procissões públicas (e também nos templos) o féretro sagrado ou leito funerário dos deuses-sóis, mortos e ressuscitados, de Osíris, Tammuz (ou Adônis), Atis e outros. Os cristãos adotaram seus sepulcros dos pagãos da Antiguidade.

Pastos — Ver *Rito do Féretro.*

Pâsupatas (*Sânsc.*) — Uma seita de adoradores de Shiva, cujas doutrinas eram consideradas pelos vedantinos como heréticas, porque não admitem que a Divindade criou o Universo a partir de sua própria essência. Para eles, Îzvara, o Ser Supremo, é, como o oleiro, a causa eficiente, mas não a material.

Patâkâ (*Sânsc.*) — Bandeira, signo, sinal, marca, símbolo; bom augúrio; divisão de um drama.

Pâtaka (*Sânsc.*) — Causa de queda; pecado, crime.

Pâtakin (*Sânsc.*) — Criminoso, pecador, perverso, malvado.

Patala (*Sânsc.*) — Massa, multidão, séquito, cortejo.

Patalâ (*Sânsc.*) — Livro, capítulo de um livro.

Pâtâla (*Sânsc.*) — O mundo inferior; os antípodas; daí, segundo a superstição popular, as regiões infernais e, filosoficamente, as duas Américas, que são antípodas da Índia. Também significa o Polo Sul, por ser oposto ao Meru ou Polo Norte. [Segundo os *Purânas*, é preciso estabelecer uma distinção entre o *Naraka* (ver) e o *Pâtâla*. O primeiro é o lugar de castigo para os mortais, enquanto que o segundo é a região infraterrestre habitada por *nâgas, daityas, dânavas, yakchas* e demais seres que formam a "oposição" do Panteão hindu. Há sete regiões desta espécie, situadas uma debaixo da outra e cujos nomes e ordem de enumeração variam segundo os diversos *Purânas* que tratam deste assunto. Segundo o *Padma-Purâna*, tais regiões são: *Atala, Vitala, Sutala, Talâtala* (ou *Karatala), Mahâtala, Rasâtala* e *Pâtâla*, este propriamente a região mais inferior. Segundo o *Vishnu-Purâna*, são: *Atala, Vitala, Nitala, Mahâtala, Sutala* e *Pâtâla*. (Ver *Lokas.*) Conta-se que o sábio Nârada, assim como Orfeu, visitou estas regiões infernais, das quais fez depois uma brilhante descrição, dizendo que, pelos prazeres do corpo e deleites sensuais de toda espécie que ali se gozam, são mais atraentes e deliciosos que o próprio *Svarga* ou céu de Indra com sua fria virtude. (Ver a explicação disto no verbete *Nârada.*) O *Pâtâla* propriamente dito é uma das sete regiões do mundo inferior e nela reina Vâsuki, o grande deus-serpente, sobre os *nâgas*. Este "abismo" tem, na simbologia oriental, o mesmo significado múltiplo encontrado por Ralston Skinner na

P

palavra hebraica *shiac*, em sua aplicação ao caso presente. Em certo sentido, o *Pâtâla* era um abismo, uma tumba, o local da morte e porta do Hades ou *Sheol* [inferno hebreu], visto que, nas Iniciações da Índia parcialmente exotéricas, o candidato tinha de passar pela matriz da vitela, antes de se dirigir ao *Pâtâla*. Em seu sentido não místico, são os antípodas (América). Porém em seu simbolismo significa tudo isso e muito mais. O simples fato de Vâsuki, a divindade que reina no *Pâtâla*, ser representado no Panteão hindu como o grande *Nâga* (Serpente), que foi utilizado pelos deuses e *asuras* como uma corda ao redor do monte Mandara [ver], quando batiam o oceano para extrair o *amrita*, água da imortalidade, relaciona-o diretamente com a Iniciação. (*Doutrina Secreta*, II, 289-290)]

Pâtâlanilaya (*Sânsc.*) — Habitante do inferno; demônio.

Pâtaliputra (*Sânsc.*) — Antiga capital de Magadha, um reino da Índia Oriental, atualmente identificado com Patna.

Pâtana (*Sânsc.*) — Queda, descenso. Como adjetivo: que lança, que retira, destrói ou castiga.

Patanga (*Sânsc.*) — Pássaro, inseto alado, mariposa, borboletinha.

Patangavritti (*Sânsc.*) — Literalmente, "condição ou modo de proceder da mariposa". Irreflexão, temeridade; irreflexivo, desorientado, temerário, arrojado.

Pâtañjala (Pâtanjala) (*Sânsc.*) — [Literalmente, "composto por Patañjali".] A filosofia *Yoga*; um dos seis *darzanas* ou sistemas filosóficos da Índia.

Patañjali (*Sânsc.*) — Fundador da filosofia *Yoga*. A data que lhe é indicada pelos orientalistas é o ano 200 a.C. e a fixada pelos ocultistas está mais próxima do ano 700 do que do 600 antes de nossa era. Seja como for, era contemporâneo de Pânini [sobre cuja *Gramática* escreveu um célebre comentário intitulado *Mahâbhâchya*. Além desta obra e dos tão renomados *Yoga Sûtras* ou "Aforismos sobre o Yoga", Patañjali compôs um tratado de Medicina e Anatomia.]

Pâtava (*Sânsc.*) — Habilidade, eloquência.

Patets (*Zend.*) — Na religião de Zoroastro, são as confissões gerais. (*Zend-Avesta*)

Path (*Sânsc.*) — O mesmo que a palavra inglesa *Path*: via, caminho, sendeiro; curso, maneira.

Patha (*Sânsc.*) — Rota, via, caminho.

Pâtha (*Sânsc.*) — Fogo, Sol.

Pâtha (*Sânsc.*) — Leitura em geral; leitura do *Veda*; recitação; texto; estudo.

Pâthadocha (*Sânsc.*) — Erro de texto; falsa lição ou leitura.

Pâthaka (*Sânsc.*) — Mestre, preceptor, *guru*; estudante, escolar; leitor público dos *Purânas*.

Pâthana (*Sânsc.*) — Ensinamento, instrução.

Pâthas (*Sânsc.*) — Água.

Pathi (*Sânsc.*) — Leitura, recitação.

Pathya (*Sânsc.*) — Conveniente, adequado, apropriado.

Pati (*Sânsc.*) — Senhor, dono, marido; governador.

Pati (*Sânsc.*, feminino) — Movimento rápido; queda.

P

Pâti (*Sânsc.*) — Senhor, dono, marido.

Patimokcha (*Sânsc.*) — Ver *Patimokka*.

Patimokka (*Pál.*) — Equivalente ao *Patimokcha* sânscrito. Literalmente, "desencargo". No Budismo, é a confissão pública dos próprios pecados. Uma vez a cada quinze dias, cada *bhikchu* (ver) faz, diante da assembleia, uma confissão pública de suas faltas e recebe a penitência que lhe é imposta. (Olcott, *Catecismo Búdico*, p. 80.)

Patni (*Sânsc.*) — Esposa, ama da casa.

Patra (*Sânsc.*) — Asa, folha de planta; folha de livro; pétala.

Pâtra (*Sânsc.*) — Vaso, recipiente, receptáculo; o corpo; leito de um rio; pessoa digna, merecedora, idônea.

Patrañjana (*Sânsc.*) — Tinta.

Patrasûchi (*Sânsc.*) — Espinho, aguilhão.

Pâtratâ (*Sânsc.*) — Capacidade, aptidão, dignidade.

Pâtri (*Sânsc.*) — Defensor, protetor; bebedor.

Pâtrîra (*Sânsc.*) — Oblação, oferenda.

Pâtrîya (*Sânsc.*) — Vaso sagrado.

Patti (*Sânsc.*) — Movimento, marcha; soldado que vai a pé.

Pattra (*Sânsc.*) — Veículo.

Pâtuka (*Sânsc.*) — Caduco, exposto à queda; pendente; precipício.

Paucha (*Sânsc.*) — Nome do mês hindu que corresponde ao nosso dezembro-janeiro.

Pauchna (*Sânsc.*) — O vigésimo oitavo asterismo lunar, também chamado de *Revati*.

Pauna(s) punya (*Sânsc.*) — Repetição, reiteração.

Paundra (*Sânsc.*) — Literalmente, "de cana"; arundíneo. Nome do caracol de Bhîma. (Ver *Bhagavad-Gîtâ*, I, 15.)

Paura (*Sânsc.*) — Cidadão, urbano.

Paurâna (adjetivo derivado de *purâna*) (*Sânsc.*) — Antigo, arcaico, primitivo.

Pauranic (adjetivo inglês da palavra sânscrita *Purâna*) — Relativo ou pertencente aos *Purânas*.

Paurânika (*Sânsc.*) — Brâhmane versado nos *Purânas*.

Paurava (*Sânsc.*) — Filho ou descendente de Pûru.

Paurnamâsa (*Sânsc.*) — Cerimônia da Lua cheia.

Paurnamâsî (*Sânsc.*) — O dia do plenilúnio.

Paurucha (*Sânsc.*) — [Derivado de *purucha*, homem etc.] Virilidade, valor, força, energia, potência, forças pessoais. Como adjetivo: viril, pessoal.

Paurucheya (*Sânsc.*) — Pessoal, viril. Reunião ou multidão de homens.

Paurucheyatva (*Sânsc.*) — Personalidade.

Paurvadaihika (*Sânsc.*) (de *pûrva*, anterior, e *deha*, corpo) — Pertencente ou relativo ao corpo ou à vida anterior.

P

Pautra (*Sânsc.*) (derivado de *putra*, filho) — "Filho de filho"; neto.

Pautrî (*Sânsc.*) — Feminino de pautra: neta.

Pâvaka (*Sânsc.*) — Um dos três fogos personificados, os primeiros filhos de Abhimânim ou Agni, que tiveram quarenta e cinco filhos; estes, juntamente com o filho original de Brahmâ, o pai deles, Agni, e os três descendentes deste, constituem os quarenta e nove fogos místicos. (Ver *Doutrina Secreta*, II, 60, nota) Pâvaka é o fogo elétrico. Pâvaka é um dos nomes de Agni, deus do fogo, e também do fogo em geral. (Ver *Os três fogos*.)

Pavamâna (*Sânsc.*) — Outro dos três fogos. (Ver *Pâvaka*.) O fogo produzido pela fricção. Esta palavra significa também: ar, vento. É também o nome de certos *stotras* (ver). (Ver também *Doutrina Secreta*, II, 60, nota; *Nirmathya* e *Os três fogos*.)

Pavana (*Sânsc.*) — Deus do vento ou do ar, suposto pai do deus-mono Hanuman. (Ver *Râmâyana*.) conhecido também pelo nome de Vâyu. *Pâvana* significa ainda: vento, ar, aparelho ou meio de purificação.

Pâvana (*Sânsc.*) — Purificação; purificador; meio de purificação; puro, santo.

Pavão real — Emblema da soberba e da inteligência de cem olhos e também da Iniciação. É a ave da sabedoria e do conhecimento oculto; tem na cabeça uma *svástika*, uma coroa semelhante a uma estrela de seis e, às vezes, de sete raios (duplo triângulo); sua cauda representa o céu estrelado e em seu corpo estão escondidos os doze signos do Zodíaco, pelo que é denominado de *Dvâdaza-kara*, o de doze mãos, e *Dvâdazâkcha*, o de doze olhos. (*Doutrina Secreta*, II, 655) Segundo uma tradição oriental foi lançado do céu juntamente com Satã. Os *yezidis*, qualificados de "adoradores do diabo", tributam-lhe culto com o nome de *Muluk-Taus*, "senhor Pavão Real". (Ver *Doutrina Secreta*, II, 541) Entre os antigos cristãos esta formosa ave era símbolo da Ressurreição, pois, como é sabido, todos os anos, ao se aproximar o inverno, caem-lhe todas as plumas, para novamente as recobrar na primavera, quando a Natureza parece sair da tumba. Assim, é encontrado em alguns monumentos cristãos das catacumbas, junto a outras figuras que também representam a ressurreição e a imortalidade. Em um de tais monumentos, descoberto em Milão, em 1845, vê-se o pavão real rodeado de sete estrelas. A ave em questão figura também entre os animais reunidos ao redor de Orfeu, nas pinturas cristãs que representam este insigne poeta e tocador de lira.

Payküll — Em 1705, o general Payküll, que lutava contra os suecos, caiu prisioneiro e foi condenado à morte pelo rei Carlos XII da Suécia. Para salvar a vida, comprometeu-se a fabricar todos os anos um milhão de escudos em ouro, através do procedimento que lhe foi revelado por um oficial polaco chamado Lubinsky, que por sua vez o aprendeu de um sacerdote grego de Corinto. Aceito o trato, procedeu-se à operação com todas as precauções que o caso exigia. O rei havia encarregado Hamilton, general de artilharia, para vigiar atentamente os trabalhos do alquimista. Este misturou os ingredientes, juntamente com sua tintura, em presença de Hamilton, e acrescentou certa quantidade de chumbo, fundindo assim os materiais preparados; operou a transmutação, da qual resultou uma massa de ouro que serviu para cunhar 147 ducados. Foi cunhada, além disso, uma medalha comemorativa, com o peso de dois ducados, que levava esta inscrição: *Hocaurum arte chimicâ conflavit Holmiæ 1706*, O. A. V. Payküll. Na referida operação, encontravam-se presentes o general Hamilton,

P

o advogado Fehman, o químico Hierne e outras pessoas revestidas de caráter oficial. Segundo o informe do citado químico, bastava uma parte da tintura solidificada para transformar em ouro seis partes de chumbo. L. Figuier, de quem tomamos estes dados, qualifica de "hábil escamoteação" a referida transmutação, apoiando-se sem dúvida no informe dado pelo célebre químico Berzélius, baseado no exame de alguns documentos que, *segundo parece*, Payküll havia entregue ao general Hamilton e nos quais revelava seu segredo. (Figuier, *A Alquimia e os Alquimistas*)

Pâyu (*Sânsc.*) — Órgãos excretores; a modificação do *Prâna* que contribui para formá-los. (*Râma Prasâd*)

Pâyya (*Sânsc.*) — Vil, ruim, desprezível.

Paz — Eis aqui como o *Bhagavad-Gîtâ* expressa a maneira de conseguir o sossego, a tranquilidade, a paz de ânimo, virtude que, por ser de tão alta estima, a Igreja Romana considera como um dos "frutos do Espírito Santo": "Consegue a paz aquele em cujo coração extinguem-se os desejos, como os rios perdem-se no mar, o qual, embora cheio, jamais transborda; porém muito distante está da paz aquele que acaricia desejos. O homem que, tendo extirpado de seu coração toda classe de desejos, vive livre de afãs, interesses e egoísmo, obtém a paz. – Tal é a meta, a condição divina." (*Bhagavad-Gîtâ*, II, 70-72). Quando o Eu desviou sua atenção dos veículos, invólucros ou diversos corpos que ocupa, até o ponto em que estes já não influem sobre ele; quando pode servir-se deles segundo lhe apeteça; quando chegou a ser perfeita a claridade de sua visão; quando os veículos, já não contendo vida elemental, mas unicamente a vida emanada do Eu, deixam de constituir um obstáculo para suas atividades, então a Paz cobre o homem com suas asas, pois este chegou finalmente àquilo que há tanto tempo pretendia alcançar. O homem, unido desde então ao Eu, não se confunde com seus veículos, que para ele constituem apenas as ferramentas que maneja a seu gosto. Realizou esta paz, que reside no coração do Mestre, a paz daquele que domina em absoluto todos os seus veículos e que, por conseguinte, é o senhor da vida e da morte. A união da vontade individual com a Vontade Una, a fim de servir à Humanidade, é para nós um objeto cem vezes mais apetecível do que todos os bens da Terra. Não viver isolado dos demais seres, mas, ao contrário, tornar-se uno com eles, identificando-se com os mesmos; não querer alcançar sozinho a paz e a felicidade e dizer com o Buddha: "Jamais gozarei sozinho a paz final, ao contrário, em todas as partes e sempre sofrerei e lutarei até que toda a Humanidade a alcance comigo". Então nos aproximaremos da Divindade e percorreremos o sendeiro seguido por todos os grandes Seres e nos daremos conta de que a Vontade, que a ele nos conduziu, é bastante poderosa para sofrer ainda, para lutar mais ainda, até que o sofrimento e a luta tenham finalmente cessado para todos e que todos gozemos a Paz infinita. (A. Besant, *Estudo sobre a Consciência*.)

Paz, Touro da — Ver *Touro*.

Pâza — Ver *Pâsa*.

Pâza-pâni ou **Pâza-bhrit** (*Sânsc.*) — "Que tem uma corda na mão". Epíteto de Varuna.

Pazchâttâpa (*Sânsc.*) — Arrependimento, contrição.

Pazchimâ (*Sânsc.*) — A região ocidental.

Pâzupata (*Sânsc.*) — Seguidor de Shiva-pâzupati. A flecha milagrosa de Shiva.

Pazu-pati (*Sânsc.*) — "Senhor dos animais". Epíteto de Shiva.

Pazyant (*Sânsc.*) — Vidente, clarividente.

Pazyanî — Ver *Pashyantî*.

P

Pazyantî-Vâch — Ver *Vâch*.

Pazyat — Ver *Paryant*.

Pedra branca — Signo de Iniciação mencionado no Apocalipse de São João. Esta pedra tinha gravada a palavra *prêmio* e era símbolo daquela palavra dada ao neófito que, em sua Iniciação, havia passado vitoriosamente por todas as provas dos Mistérios. Era a poderosa cornalina branca dos rosa-cruzes medievais, que a tomaram dos gnósticos: "Àquele que vencer será dado de comer do maná *escondido* (o conhecimento oculto que, como sabedoria *divina*, desce dos céus) e lhe darei uma *pedra branca* e na pedra um novo nome escrito (o "nome de mistério" do homem *interno* ou o Ego do novo Iniciado), nome que ninguém conhece a não ser aquele que o recebe". (*Apocalipse*, II, 17).

Pedra Filosofal, Lapis philosophorum (*Lat.*) — "Pedra dos Filósofos". Termo místico pertencente à Alquimia e que não tem significado muito diferente daquele que geralmente se lhe atribui. A Pedra Filosofal é também chamada de "pó de projeção". É o *Magnum Opus* (Grande Obra) dos alquimistas, objeto que devem alcançar a todo custo, uma substância que tem a virtude de transmutar em ouro puro os metais mais vis. Contudo, misticamente, a Pedra Filosofal simboliza a transmutação da natureza animal e inferior do homem na natureza divina e elevada. A Obra Secreta de Chiram ou Hiram da Cabala, "una em essência, porém três na aparência", é o Agente Universal ou Pedra dos Filósofos. A culminação da Obra Secreta é o homem espiritual perfeito, num extremo da linha; a união dos três Elementos é o Solvente Oculto da "Alma do Mundo", a Alma Cósmica ou Luz Astral, na outra extremidade. (*Doutrina Secreta*, II, 119) – Considerada do ponto de vista puramente material, estabeleceu-se uma diferença entre a pedra (ou pó) filosofal denominada de *grande magistério*, *grande elixir* ou *quintessência*, que é aquela que adquiriu seu maior grau de perfeição e tem a virtude de transmutar em ouro os metais vis, e a chamada *pequena pedra filosofal*, *pequeno magistério*, *pequeno elixir* ou *tintura branca*, que é menos perfeita do que a outra e só pode transmutar tais metais em prata. A pedra filosofal apresenta-se em formas e cores diversas (branco, vermelho, verde, azul celeste etc.). Segundo Van Helmont, tinha a cor de açafrão em pó e era pesada e brilhante como pedaços de vidro. Paracelso descreve-a como um corpo sólido de cor rubi escura, transparente, flexível, porém quebradiça. Raimundo Lúlio (ou Lull) designa-a algumas vezes com o nome de *carbúnculos*; outros a apresentam como um pó vermelho etc. As propriedades essenciais que os alquimistas lhe atribuem são as seguintes: transmutar em ouro e prata os metais vis (chumbo, mercúrio, cobre etc.); prevenir e curar todo tipo de enfermidades, tanto as agudas quanto as crônicas, e prolongar a vida humana além de seus limites naturais; por esta razão, considera-se tal substância, tomada internamente, como o mais precioso dos remédios. Alguns autores espagíricos atribuíram a esta famosa pedra outra propriedade importante: a de formar artificialmente pedras preciosas, tais como diamantes, pérolas e rubis. "Haveis visto, Sir – escreveu Lull ao Rei da Inglaterra – a maravilhosa projeção que fiz em Londres com a água de mercúrio que lancei sobre o cristal dissolvido; formei um diamante finíssimo, do qual mandastes fazer algumas coluninhas para um tabernáculo". Outras virtudes ainda mais apreciáveis do ponto de vista intelectual e moral foram atribuídas a este raro tesouro e são as que conferem a quem o possui o dom da sabedoria e, além disso, como a pedra filosofal enobrece os metais vis e transforma cristais em pérolas finas, também purifica a alma do homem e extirpa de seu coração a raiz do mal e de todo pecado. A respeito da quantidade de pedra filosofal que deve ser empregada para produzir seus efeitos, as opiniões dos alquimistas variam consideravelmente. Kunckel admite que não pôde converter em ouro mais do que

P

duas vezes seu peso de outro metal. Germspreiser afirma que pôde chegar de trinta e cinquenta vezes. Arnaldo de Villanueva diz que uma parte dela é suficiente para converter em ouro cem partes de metal impuro; Roger Bacon, cem mil partes; segundo Lull, em seu *Novum Testamentum*, não só pode transmutar o mercúrio em ouro, mas comunica ao ouro assim formado a propriedade de desempenhar por sua vez o papel de uma nova pedra filosofal. A preparação deste produto foi sempre mantida no maior sigilo. É verdade que foram feitas indicações vagas sobre este ponto, mas todas elas estão expressas intencionalmente numa linguagem muito obscura, enigmática e frequentemente contraditória; porém "apenas entre essas contradições e aparentes falsidades encontramos a verdade". E não era por egoísmo que os escritores herméticos mantinham seu segredo; razões poderosas faziam com que eles não profanassem e tornassem público um mistério tão precioso, que, ao ser divulgado, produziria um transtorno tremendo na sociedade humana. "Pobre insensato! – exclama Artefio, apostrofando seu leitor – serias tão tolo em crer que te vamos ensinar aberta e claramente o maior e mais importante dos segredos e tomarás nossas palavras ao pé da letra?" Também são muito expressivas as declarações de Arnaldo de Villanueva: "Oculta este livro em teu seio – diz – e não o ponhas em mãos dos ímpios, porque encerra o segredo dos segredos de todos os Filósofos. Não se deve lançar aos porcos esta margarida, porque é um dom de Deus". [Ver *Alquimia, Tábua de Esmeralda, Bacon, Busardier, Charnock, Flamel, Helvecio, Kelley, Kirkeby, Luis de Neus, Lúlio* (ou *Lull*), *Marttini, Paracelso* etc.]

Pedras animadas — Ver *Betyles*.

Pedras mágicas — Ver *Betyles*.

Pedras oraculares — Ver. *Betyles*.

Pedum (*Lat.*) — Espécie de cajado ou báculo, chamado *hyq* em egípcio. Junto com o *flagellum* (açoite, létego), é uma insígnia de mando colocada nas mãos de Osíris e dos Faraós.

Peetîâré (*Per.*) — Literalmente: "origem dos males". Sobrenome de Ahriman. (*Zend-Avesta*)

Pegernus (*Alq.*) — Mercúrio dos Sábios.

Peitoral — Adorno da múmia em forma de capinha, que tem um escaravelho, emblema da transformação, da evolução *(sobrevir),* adorado pelas deusas Ísis e Neftis. Este amuleto, como indica seu nome, era colocado sobre o peito do defunto. *(Pierret)*

Pelava (*Sânsc.*) — Tênue, sutil, leve; tenro, delicado.

Pelicano — Um dos principais símbolos dos rosa-cruzes (o de grau 18°) é o pelicano, ave aquática, que flutua ou se move sobre as águas, como o Espírito, e logo sai delas para originar outros seres. Mais tarde, foi poetizada no sentimento maternal de se abrir o peito para alimentar com seu próprio sangue a seus sete filhotes.

Película (*Alq.*) — Matéria da obra durante a putrefação, assim chamada porque se forma sobre sua superfície uma película negra e brilhante.

Peling (*Tib.*) — Nome que, no Tibete, se dá a todos os estrangeiros, especialmente aos europeus.

Pelo — Ver *Cabelo*.

Pelvi (Pahlavi ou **pehlevi)** (*Per.*) — Antigo idioma iraniano ocidental usado na Pérsia antiga, durante o período dos Sasânidas (de 226 a 653 d.C.). Possui numerosas palavras semíticas. O nome *pehlvi* significa "força". Escreve-se da direita para a esquerda

P

e seu alfabeto compõe-se de dezenove caracteres, que resultam em vinte e seis valores, vinte e uma consoantes e cinco vogais. A dificuldade de ler esta língua provém da semelhança de muitas de suas letras, da mudança de valor das letras enlaçadas e da falta de pontos que distinguem várias delas. Também se aplica tal termo à literatura daquela época e de um breve período posterior.

Penates ou **Pennates**, *Lares hercii, Etesii Meilichii* — Espíritos dos elementos do fogo, igualmente conhecidos pelos nomes de diabinhos, duendes ou aparições. Podem produzir ruídos, "manifestações físicas", lançar pedras e outros fenômenos desta índole. O que existe de modo visível e palpável para nós no mundo material, existe também, visível e palpável no "firmamento (o mundo da mente) dos espíritos elementais da Natureza" (*Meteorum*, cap. IV, citado por Franz Hartmann). *Penates* (do latim *penus*, provisão da casa e despensa) são os deuses domésticos e tutelares dos antigos romanos. São geralmente confundidos com os deuses *lares* ou domésticos (ver) e também com os *Cabires*, pois, segundo Macróbio, foram transportados por Dardano da Frígia para a Samotrácia e, segundo se conta, Enéias transportou-os de Troya para a Itália. Estes deuses da Samotrácia eram chamados de grandes deuses, bons deuses e deuses poderosos. (Ver *Cabires* e *Kabiri*.)

Penot, *Gabriel* — Alquimista francês que consagrou sua vida à defesa das doutrinas de Paracelso e aos princípios do hermetismo, não titubeando em dissipar uma fortuna considerável com resultados pouco satisfatórios. Escreveu numerosas obras sobre estes assuntos e empreendeu algumas viagens pela Europa e, em 1617, reduzido à extrema miséria, morreu num hospital de Yverdun (Suíça).

Pensador, *O* — Ver *Manas*.

Pentaclo (*Gr.*) — Uma figura geométrica qualquer, especialmente aquela conhecida como duplo triângulo equilátero, a estrela de seis pontas (como o pentaclo teosófico). É também chamado de "Selo de Salomão" e, em tempos mais antigos, de "Signo de Vishnu". É usado por todos os místicos, astrólogos etc. [Pentaclo é uma figura formada por dois triângulos equiláteros, que se entrecruzam regularmente, formando uma estrela de *seis* pontas. Propriamente, é um objeto de *cinco* pontas, também chamado de *pentagrama*. (Ver *Pantaclo, Pentácula, Pentagrama, Pentalfa* e *Selo de Salomão*.)]

Pentaclo pitagórico (*Gr.*) — Uma estrela cabalística de seis pontas, com uma águia no vértice e um touro e um leão sob a face de um homem. É um símbolo místico adotado pelos cristãos orientais e romanos, que colocam tais animais junto aos quatro evangelistas. (Ver *Os quatro animais*.)

Pentácula (*Lat.*) — Placas de metal que têm símbolos mágicos gravados ou escritos. São utilizadas como amuletos, talismãs etc., contra as enfermidades causadas por más influências astrais. (*F. Hartmann*)

Pentágono (*Gr.*) — De *pente*, cinco, e *gonia*, ângulo. É uma figura geométrica plana com cinco ângulos. [O significado desta figura é que o *Manas* é o quinto princípio e que o pentágono é símbolo do Homem ou Microcosmo, não só por ter cinco membros, mas, antes, por ser *consciente* ou *pensante*. (*Doutrina Secreta*, II, 609) Assim o Microcosmo (Homem) é representado como um pentágono dentro do hexágono ou estrela de seis pontas, símbolo do Macrocosmo ou Universo. (*Ibidem*, I, 244) (Ver *Makaram* e *Panchakaram*.)]

Pentagrama (do grego *pente*, cinco, e *gramme*, linha) — Também chamado de "pé de bruxa" (*Drudenfuss*, em alemão) e é frequentemente usado nas operações mágicas. Quando a figura está disposta com apenas uma ponta voltada para cima, significa *teurgia*

P

ou magia branca; com duas pontas em tal direção, significa *goecia* ou magia negra a palavra pentagrama é sinônima de *pentalfa ou pentaclo*. (Ver *Pentaclo*.)

Pentalfa (do grego *pente*, cinco, e *alpha*) — Palavra sinônima de *pentaclo* e *pentagrama*.

Pentecostes (*Hebr.*) — "Quinquagésima". Festa celebrada pela Igreja cristã cinquenta dias após a Páscoa da Ressurreição, porque em tal dia – segundo lemos nos Atos (cap. II) – o Espírito Santo desceu, sob a forma de línguas de fogo, *sobre* os apóstolos, que então começaram a falar em diversas línguas. Esta mesma festa é celebrada também pelos judeus, com grande solenidade, cinquenta dias depois da Páscoa do Cordeiro, em memória da lei dada a Moisés no Sinai, cinquenta dias depois da saída do Egito, razão pela qual era também denominada de "Festa das Semanas", porque era celebrada sete semanas depois da Páscoa. Era chamada ainda de "Festa das Primícias", porque em tal dia os israelitas levavam ao templo as primícias dos frutos de seus campos. (Ver *Páscoa*.)

Pequenas Rodas — Cada uma das sete rondas ou revoluções pelas quais passa a Mônada ou individualidade humana através da série de mundos que formam a cadeia planetária. (Ver *Grande Roda, Rodas, Rondas* etc.)

Peregrino — Este nome foi dado à nossa Mônada, enquanto percorre seu ciclo de reencarnações. É o único Princípio imortal e eterno que existe em nós.

Período brâhmana [ou **Período dos Brâhmanas**] — Um dos quatro períodos em que os orientalistas dividiram a literatura védica.

Período geônico — A era dos *Geonim* encontra-se mencionada nas obras que tratam da Cabala. Compreende o séc. IX d.C. (W. W. W.)

Período mahabhárico [ou do **Mahâbhârata**] — Segundo os melhores comentaristas hindus e Swâmi Dayanand Saraswati, este período remonta a cinco mil anos antes de nossa era.

Período mântrico [ou **Período dos Mantras**] — Um dos quatro períodos em que se dividiu a literatura védica.

Peris *(Ár., Per.)* — A ideia que fazemos das fadas corresponde em muito àquela que os persas e árabes faziam das Peris. Estas criaturas angelicais são representadas com contornos vagos, vaporosos, uma leveza aérea que dificilmente pode ser expressa com palavras; seu aspecto é belo, gracioso e cheio de uma dignidade celeste da qual só podemos ter vaga ideia. Habitam os raios da Lua, alimentam-se do néctar das flores e se movem sobre nuvens embalsamadas. Suas vestimentas são semelhantes ao véu da aurora, seus cabelos brilham como o ouro e, quando agitados pelo vento, exalam deliciosos perfumes. Tudo nelas enfeitiça (Christian, *História da Magia*, p. 420-421) (Ver *Izeds*.)

Per-M-Rhu (*Eg.*) — Este nome é a pronúncia admitida do antigo título da coleção de leituras místicas, chamado *Livro dos Mortos*. Foram encontrados vários papiros quase completos e há inumeráveis cópias de partes da referida obra. (W. W. W.)

Personalidade (Em Ocultismo) — que divide o homem em sete princípios, considerando-o sob três aspectos: homem *divino, pensador* ou racional e *animal* ou irracional – a *Personalidade* é o quaternário inferior ou ser puramente astrofísico. Já por *Individualidade* entende-se a Tríada superior considerada como uma Unidade. Assim, a Personalidade compreende todas as qualidades características e todas as recordações de uma só vida física, enquanto que a Individualidade é o *Ego* imortal, que se reencarna e se reveste de uma personalidade após outra. [A Personalidade é constituída pelos princípios humanos

P

inferiores e mortais, a cujo conjunto damos o nome de *Quaternário inferior*. É a simples projeção ilusória da Individualidade. Um mesmo indivíduo, ou seja, a Mônada imortal ou Tríada Superior, reveste-se sucessivamente de diversas personalidades transitórias, mortais, ou em outros termos, apresenta-se como *pessoa* distinta em cada uma de suas encarnações. Em uma é o senhor A; em outra, é a senhora B; em tal encarnação apresenta-se como um sábio, em outra como um magnata e em outra como um humilhante artesão ou pária. Porém, embora cada uma das personalidades difira da anterior e da seguinte, a Individualidade, como um fio que passa por todas elas como pelas contas de um rosário, permanece sempre a mesma, sem qualquer interrupção. (Ver *Individualidade, Nirvâna* etc.)]

Peru (*Sânsc.*) — O fogo; o Sol; o mar; montanha de ouro.

Pesh-Hum (*Tib.*) — Termo derivado do sânscrito *pizuna*, "espião". Epíteto aplicado a Nârada, o *Richi* intrometido e importuno. [Nome que, no Ocultismo da parte de cá dos Himalaias, é dado a Nârada, o "Mensageiro" ou *Angelos* grego. Pesh-Hun não pertence exclusivamente à Índia. É o inteligente e misterioso poder diretor, que impulsiona e regula os ímpetos dos ciclos, *Kalpas* e acontecimentos universais. É o ajustador visível do *Karma* numa escala geral: o inspirador e guia dos maiores heróis deste *manvantara*. A ele se atribui o cálculo e o registro de todos os ciclos astronômicos e cósmicos futuros e o ter ensinado a ciência astronômica aos primeiros observadores da abóbada celeste. Nas obras exotéricas, recebe alguns nomes muito pouco lisonjeiros, tais como *Kali-kâraka* (Promovedor de discórdias), *Kapi-vaktra* (Cara de macaco) e *Pizuna* (Espião), embora em outra parte seja chamado de *Deva-Brahmâ*. William Jones compara-o a Hermes e a Mercúrio e o denomina de "Mensageiro dos deuses". E como os hindus o creem um grande *Richi*, que "anda sempre de um lado a outro da Terra, dando bons conselhos", Kenealy nele vê um de seus doze Messias, o que não é tão fora de propósito como alguns imaginam. (*Doutrina Secreta*, II, 52) Ver *Nârada* e *Sesha*.]

Petaka (*Sânsc.*) — Cesta, canastra; quantidade, multidão, coleção.

Pettva ou **Pettwa** (*Sânsc.*) — Manteiga clarificada; ambrosia.

Peya (*Sânsc.*) — Água, bebida, leite.

Peyûcha (*Sânsc.*) — Leite; manteiga clarificada recente; *amrita* ou ambrosia.

Pezala (*Sânsc.*) — Delicado, gracioso, belo, agradável, sedutor; destro, hábil.

Pezi (*Sânsc.*) — Raio.

Pezî (*Sânsc.*) — Ovo, gema entreaberta.

Pfuel, *Madante de* — Em 1751, esta senhora, com seus dois filhos, foi instalar-se em Potsdam, onde, sob a proteção e às expensas do rei Frederico o Grande, dedicou-se a profundas investigações referentes à preparação artificial do ouro por procedimentos alquímicos.

Phakkikâ (*Sânsc.*) — Argumento, tese, asserção; exposição lógica.

Phala [ou **Phalâ**] (*Sânsc.*) — Retribuição; o fruto ou resultado das causas. [Fruto, prêmio, recompensa; resultado ou consequência; benefício, proveito; ganância; dom, presente.]

Phalabhrit (*Sânsc.*) — Que tem fruto; frutífero; frugívero.

Phalabhûmi (*Sânsc.*) — "A terra da recompensa", isto é, o paraíso ou o inferno.

Phalada (*Sânsc.*) — Que dá fruto; que tem consequências; árvore frutífera.

P

Phalâgama (*Sânsc.*) — "Chegada dos frutos": o outono.

Phalagraha ou **Phalagrahi** (*Sânsc.*) — Que dá fruto; fértil, frutífero, proveitoso.

Phalagrâhin (*Sânsc.*) — Árvore frutífera.

Phalahetu (*Sânsc.*) — Que tem por motivo ou estímulo a recompensa.

Phalaka (*Sânsc.*) — Folha para escrever; resultado, vantagem, ganância.

Phalâkânkchin (*Sânsc.*) — Desejoso do fruto ou recompensa.

Phalanivritti (*Sânsc.*) — Realização das consequências; retribuição final.

Phalapâka (*Sânsc.*) — Maturação do fruto ou plenitude das consequências.

Phalaprada (*Sânsc.*) — Que dá fruto ou proveito.

Phalaprâpti (*Sânsc.*) — Obtenção do fruto; obtenção de êxito.

Phalârthin (*Sânsc.*) — Desejoso de fruto ou recompensa.

Phalasâdhana (*Sânsc.*) — Obtenção de um resultado.

Phalâsanga *(Sânsc.)* — Apego ao fruto ou à recompensa.

Phalasanstha (*Sânsc.*) — Que obtém sua recompensa; que alcança seu objetivo.

Phalasindhi (*Sânsc.*) — Prosperidade, bom êxito.

Phalayoga (*Sânsc.*) — Remuneração, prêmio, recompensa.

Phalâzin (*Sânsc.*) — Frugívoro, que se alimenta de frutos.

Phalgu (*Sânsc.*) — Sem medula ou miolo, sem seiva; inútil, vão; débil, diminuto; avermelhado.

Phalgû (*Sânsc.*) — Nome de uma mansão lunar.

Phalguna (*Sânsc.*) — Vermelho, avermelhado. Nome de um mês hindu (fevereiro/março). Epíteto de Indra e de Arjuna

Phâlguna (*Sânsc.*) — Epíteto de Arjuna. É também o nome de um mês.

Phâlgunânuja (*Sânsc.*) — Um dos vários nomes com que se designa a primavera.

Phalguni (*Sânsc.*) — Nome de uma constelação.

Phalgunî (*Sânsc.*) — O décimo primeiro e o décimo segundo asterismos lunares. O plenilúnio do mês de *Phalguna* (a grande festa da primavera).

Phalodaya (*Sânsc.*) — Produção do fruto, benefício ou recompensa; alegria, felicidade, o paraíso.

Phalottamâ (*Sânsc.*) — Fruto do estudo do *Veda*.

Phalya (*Sânsc.*) — Botão, flor.

Phanâbhara, Phanâdhara ou **Phanâkara** (*Sânsc.*) — *Nâga* ou serpente de óculos.

Phanes (*Gr.*) — Um da tríada órfica: *Phanes, Chaos* e *Chronos*. Era também a trindade do povo ocidental, no período pré-cristão.

Phanipriya (*Sânsc.*) — "Agradável aos *nâgas*": o vento.

Phanitalpaga (*Sânsc.*) — Epíteto de Vishnu (que tem por leito a serpente Ananta).

Phanîzvara (*Sânsc.*) — Ananta, rei dos *nâgas*.

Phantasmata — Ver *Fantasmas*.

Pharpharîka (*Sânsc.*) — Doçura, sabor doce.

P

Phelâ, Phelaka ou **Pheli** (*Sânsc.*) — Restos, sobras, migalhas.

Phena (*Sânsc.*) — Espuma.

Phenavâhin (*Sânsc.*) — O raio de Indra.

Phenâzani (*Sânsc.*) — Indra, que, com a espuma do mar, derrubou como ferido pelo raio o *asura* Vritra.

Pherava (*Sânsc.*) — Astuto, arteiro, malicioso, pérfido, malfeitor.

Phi (*Sânsc.*) — Paixão, cólera.

Phikshukas (*Sânsc.*) — Servidores pobres. *(Bérgua)*

Phla (*Gr.*) — Uma pequena ilha do lago Tritonia, nos dias de Heródoto.

Phlegiæ — Ver, *Flegiæ*.

Pho (*Chin.*) — A alma animal.

Phoebe (*Gr.*) — Ver *Febe*.

Phoebus-Apollo — Ver *Febo-Apolo*.

Phoreg (*Gr.*) — Ver *Foreg*.

Phorminx (*Gr.*) — A lira de sete cordas de Orfeu.

Phoroneda (*Gr.*) — Poema cujo protagonista é Foroneu. Esta obra desapareceu.

Phoroneus (*Gr.*) — Ver *Foroneu*.

Phosphoros (*Gr.*) — Ver *Fósforo*.

Phré (*Eg.*) — Nome do deus Ra precedido do artigo *p*.

Phren (Fren) (*Gr.*)— Termo pitagórico que designa aquilo que denominamos de *Kâma-Manas*, também protegido pelo *Buddhi-Manas*.

Phtah (*Eg.*) — O deus da morte; semelhante a Shiva, o deus destruidor. Na mitologia egípcia posterior, é um deus-sol. É o assento ou localidade do Sol e de seu gênio ou regente oculto, na filosofia esotérica. (Ver *Ftah*.)

Phta-Ra (*Eg.*) — Ver *Ftah-Ra*.

Pico (Picus) *Juan, Conde de la Mirandola* — Célebre cabalista e alquimista, autor de um tratado *Sobre o Ouro* e de outras obras cabalísticas. Desafiou Roma e a Europa inteira em sua tentativa de provar a divina verdade cristã no *Zohar*. Nasceu em 1463 e morreu em 1494. [Por seu extraordinário engenho, por seus vastíssimos conhecimentos e por suas altas virtudes, Pico de la Mirandola foi o assombro do mundo. O cardeal Belarmino qualificou-o de "máximo em engenho e doutrina"; Ângelo Policiano, de "superior a qualquer elogio"; Sixto Senense, de "homem de engenho prodigioso e *usque ad miraculun*: consumadamente perfeito em todas as ciências, artes e línguas". Foi também chamado de "Fênix de seu século e dos seguintes" e Erasmo disse que ele era de "índole verdadeiramente divina". Aos dez anos era considerado como um dos poetas e oradores mais eminentes da Itália; aos catorze, dirigiu-se a Bolonha, onde estudou direito canônico, enquanto o ia comentando; aos dezoito, sabia vinte e duas línguas; passou em seguida visitando as principais universidades italianas e francesas. De volta a Roma, publicou e espalhou por todo o mundo literário novecentas proposições sobre tudo o que se pode saber *(de omni re scibili)*, oferecendo-se para as defender publicamente contra todos os que pretendessem impugná-las e sobre todos triunfou. Alguns teólogos censuraram muitas de suas proposições, em vista do que o Papa Inocêncio VIII ordenou que as examinassem. As treze que foram consideradas dignas de reparo, Pico de la Mirandola defendeu numa Apologia, que figura no início de suas obras, acompanhada de um Breve de Alexandre VI. É preciso notar que algumas das novecentas proposições versavam sobre a Cabala. Um dos teólogos, advertindo que nenhuma das referentes a esta ciência encontrava-se entre aquelas que foram objeto de reparo, declarou com magistral autoridade que todas as proposições da Cabala deviam ser consideradas como heréticas e, em resposta à pergunta que lhe foi feita por um dos presentes sobre o significado de tal palavra, disse sem se deter: "Cabala foi um pernicioso e maldito herege, que havia escrito mil blasfêmias contra Jesus Cristo e seus seguidores chamavam-se cabalistas". Deve-se fazer constar que estes dados foram tomados de um autor isento de suspeita que é P. Feijoó, Mestre geral da Religião de São Bento (*Cartas Eruditas e Curiosas*, t. II, Carta XXIII)].

Pîdâ (*Sânsc.*) — Dor, tormento; mal, dano, prejuízo.

Pigmalião (*Gr.*) — Célebre escultor da ilha de Chipre, que se enamorou da estátua que havia lavrado a tal ponto que a deusa da Beleza, dele se apiedando, transformou a estátua numa mulher de carne e osso. (Ovídio, *Metamorfose*, 10) Isso é uma alegoria da alma.

Pigmeus — Espíritos dos Elementos da terra. São produtos de um processo de atividade orgânica que se opera neste elemento, pelo qual tais formas podem ser engendradas. São anões e seres completamente microscópicos, que estão em guerra contínua com os gnomos. (*F. Hartmann*) (Ver *Gnomos*.)

Pilares de Hermes — O mesmo que "Pilares de Seth" (com os quais são identificados); servem para comemorar acontecimentos ocultos e vários segredos esotéricos simbolicamente gravados nos mesmos. Isso era prática universal. Diz-se que Enoch também construiu pilares.

Pilares de Seth — Ver *Pilares de Hermes*.

Pilares, *Os dois* — Jakin (ou *Jachin*) e *Boaz* estavam na entrada do Templo de Salomão, o primeiro à direita e o segundo à esquerda. Seu simbolismo está declarado nos rituais maçônicos. [Ver *Jachin* e *Yakin e Boaz*.]

Pilares, *Os três* — Quando os dez *Sephiroth* estão ordenados na Árvore da Vida, duas linhas verticais separam-nos em três pilares, que são: o Pilar da Severidade, o Pilar da Misericórdia e o Pilar da Benignidade. *Binah*, *Geburah* e *Hod* formam o primeiro, o da Severidade; *Kether*, *Tiphereth*, *Jesod* e *Malkuth*, o Pilar central; *Chokmah*, *Chesed* e *Neizach*, o Pilar da Misericórdia. (W. W. W.)

Pillaloo Codi (*Tam.*) — Sobrenome que, na astronomia popular, é dado às Plêiades e que significa "a galinha e os pintinhos". Curioso é que os franceses também dão a esta constelação o nome de *Poussinière* [a granjeira].

Pimander — Ver *Pymander*.

Pinda (*Sânsc.*) — Torta alimentícia ou pastel confeccionado com arroz e manteiga purificada, que se oferece aos manes ou antepassados. (Ver *Bhagavad-Gîtâ*, I, 42) Significa também uma atitude piedosa de uma pessoa que medita.

Pindabhâj (*Sânsc.*) — "Que participa da torta funerária"; no plural, os manes.

Pindadâna (*Sânsc.*) — Oferenda de uma torta funerária.

Pindaja (*Sânsc.*) — Geração vivípara.

P

Pindapâta (*Sânsc.*) — Comida que se recebe como esmola. Por extensão: esmola em geral.

Pindapâtika (*Sânsc.*) — Que vive de esmolas.

Pindâra e Pindasa (*Sânsc.*) — Mendigo que vive de esmolas. *Pindâra* é também o nome de um demônio-serpente.

Pindâraka (*Sânsc.*) — Local para se banhar, na costa de Gujerat, nas imediações de Dvârakâ, aonde Krishna ia algumas vezes e que, por esta razão, é venerado.

Pindodakakriyâ (Pinda-udaka-kriyâ) (*Sânsc.*) — Oferenda de tortas de arroz e água.

Pindoli (*Sânsc.*) — Restos de comida, migalhas.

Pindopanichad (*Sânsc.*) — Título de um *Upanichad*.

Pineal — Ver *Glândula Pineal*.

Pingala (*Sânsc.*) — A grande autoridade védica sobre a prosódia e os *chhandas* [métricas poéticas] dos *Vedas*. Viveu alguns séculos antes de Jesus Cristo. [É também o nome de um dos reis-serpente.]

Pingalâ (*Sânsc.*) — É o *nâdi* (nervo ou órgão condutor) e o sistema de *nâdis* que atua na parte direita do corpo; o nervo simpático direito ou as correntes nervosas do lado direito da medula espinhal. "Pelo lado direito estende-se o *nâdi Pingalâ*, brilhante e refulgente como um grande círculo de fogo (o Sol); este produto de virtude (o *Pingalâ*) é denominado de 'veículo dos deuses'". (*Uttara-Gîtâ*, II, 11) Laheri, em seu comentário, diz: "este *nâdi* estende-se desde a planta do pé direito diretamente para cima, até a parte superior da cabeça, onde se situa o *sahasrâra* (ou lótus de mil pétalas)". O *Idâ* e o *Pingalâ* correm ao longo da parede curva onde está situado o *Suchunmâ*. São semilaterais, positivo e negativo, e colocam em ação a livre e espiritual corrente do *Suchuninâ*. O *Pingalâ*, assim como o *Idâ*, parte de um centro sagrado situado sobre a medula oblonga, conhecido pelo nome de *Triveni* (*Doutrina Secreta*, III, 547). A parte direita do coração, com todas as suas ramificações, é também chamada de *Pingalâ*. Para maiores detalhes, ver Râma Prasâd, *As Forças Sutis da Natureza*, cap. IV. (Ver também *Nâdi*, *Idâ* e *Suchumnâ*.)

Pinheiro — Árvore favorita de Cibele. É encontrada comumente próximo às imagens desta deusa. Em seus Mistérios, os sacerdotes corriam armados com bastões que terminavam em pinhas adornadas com vistosas fitas. No equinócio de primavera, cortava-se com grande pompa um pinheiro, que era levado ao templo de Cibele. A pinha era empregada também nos sacrifícios de Baco.

Pipâsâ (*Sânsc.*) — Sede.

Pippala (*Sânsc.*) — Árvore do conhecimento; o fruto místico daquela árvore "sobre o qual acudiam Espíritos amantes da Ciência". Isso é alegórico e oculto. [Este fruto foi qualificado de *proibido*. (*Doutrina Secreta*, II, 103) *Pippala* ou *Azvattha* são os nomes da figueira sagrada *(Ficus religiosa)*. (Ver Haoma.)]

Pippalâda (*Sânsc.*) — Escola de magia fundada por um Adepto que possuía este nome e na qual se explica o *Atharva-Veda*.

Pirâmides — Segundo o ilustrado egiptólogo Mariette, as pirâmides são apenas monumentos funerários. As três grandes pirâmides de Gizeh são as tumbas de Cheops, Chefren e Micherinus; as pequenas são os sepulcros dos membros da família destes reis. No conceito de E de Rougé, as pirâmides funerárias eram monumentos votivos relacionados com o culto solar. "O personagem principal – diz – encontra-se geralmente representado em atitude de adoração, com o rosto voltado para o meio-dia e, à sua esquerda, há as fórmulas de invocação ao Sol nascente e, à sua direita, aquelas dirigidas ao Sol poente." Estudos novos e mais detalhados vieram a demonstrar que as quatro faces de tais monumentos estão orientadas de modo a que correspondam aos quatro pontos cardeais, obedecendo assim a um fim astronômico. De fato, as pirâmides encontram-se intimamente relacionadas com a ideia da constelação do Grande Dragão, os "Dragões de Sabedoria" ou os grandes Iniciados da terceira e quarta Raças e com aquela das inundações do Nilo, consideradas como uma lembrança do grande – dilúvio atlântico. (*Doutrina Secreta*, II, 369). Na construção da Grande Pirâmide, baseada no sistema decimal (o número 10, ou seja, a combinação dos princípios masculino e feminino), observa-se um sistema de *ciência exata, geométrica*, numérica e astronômica, baseada na razão integral do diâmetro da circunferência do círculo. A construção das pirâmides constitui uma recordação durável e o símbolo indestrutível do curso dos astros, bem como dos Mistérios e iniciações. De fato: as medidas da Grande Pirâmide coincidem com as do alegórico Templo de Salomão, emblema do ciclo da Iniciação, como coincidem também com as da Arca de Noé e da Arca da Aliança. (*Doutrina Secreta*, I, 333-334 e II, 487) e realmente tal monumento era um santuário majestoso, em cujos recintos sombrios eram celebrados os Mistérios e cujas paredes foram testemunhas mudas das cenas de iniciação de membros da família real. O sarcófago de pórfiro, que Piazzi Smyth tomou por simples depósito de grãos, era a *pia batismal*; ao sair dela, o neófito "renascia" e se tornava Adepto. (*Isis sem Véu*, I, 519) A Pirâmide era também símbolo do Princípio criador da Natureza, assim como da excelsa hierarquia dos Espíritos (*Devas, Pitris* etc.). Além disso, simbolizava o universo fenomenal consumindo-se no universo numeral do pensamento no vértice dos quatro triângulos e, finalmente, simbolizava o mundo ideal e o visível, visto que em suas figuras estão combinados o triângulo dos lados, o quadrado da base e o vértice, ou seja, a Tríada e o Quaternário, o 3 e o 4. (*Doutrina Secreta*, I, 677)

Pirra (Pyrrha) (*Gr.*) — Filha de Epimeteu e Pandora, que se casou com Deucalião. Depois de um dilúvio em que quase toda a humanidade foi aniquilada, Pirra e Deucalião fizeram homens e mulheres das pedras que lançavam atrás deles. [Ver *Deucalião* e *Dilúvio*.]

Pirron — Filósofo grego que viveu na segunda metade do séc. IV antes de nossa era. Seu sistema consistia em duvidar de tudo. Ao examinar uma proposição qualquer, seu ânimo vacilava entre o pró e o contra. De modo que seu julgamento nunca era decisivo. Sustentava que a justiça ou a injustiça, a bondade ou a maldade das ações humanas dependiam unicamente das leis do país, bem como de seus usos e costumes. Este modo de discutir, sem afirmar ou negar, foi chamado de ceticismo ou pirronismo.

Pirronismo — A doutrina do ceticismo tal como foi ensinada por Pirron. Seu sistema era muito mais filosófico do que a escola da negação de nossos pirronistas modernos. [Ver *Pirron*.]

Pisâchas (*Sânsc.*) — Segundo os *Purânas*, são demônios ou maus gênios criados por Brahmâ. Segundo a crença popular do Sul da Índia, são espíritos, fantasmas, demônios, larvas e vampiros, geralmente fêmeas (*Pisâchî*), que aparecem aos homens. Restos inconsistentes de seres humanos, que residem no *Kama-loka* como cascas ou elementares. Ordem inferior de demônios ou gênios maléficos, sedentos de sangue que participam da natureza dos *râkchasas*, embora inferiores a estes. (Ver *Kâmarûpa* e *Incubos*.)

P

Pisâcha-loka (*Sânsc.*) — A região habitada pelos *pisâchas*, demônios ou vampiros. O último dos oito mundos, segundo as escolas *Sânkhya* e *Vedânta*.

Pistis Sophia (*Gr.*) — "Conhecimento-Sabedoria". Um livro sagrado dos antigos gnósticos ou cristãos primitivos. [A maior autoridade moderna no que se refere às crenças gnósticas exotéricas, C. W. King, diz, falando do *Pistis Sophia*: "aquele precioso monumento do gnosticismo".]

Pitá (*Sânsc.*) — Nominativo singular de *Pitri*: Pai. (Ver *Pitri*.)

Pitágoras (Pythagoras) (*Gr.*) — O mais célebre dos filósofos místicos. Nasceu na ilha de Samos, por volta do ano 586 a.C. Ao que parece, viajou por todo o mundo e retirou sua filosofia dos diversos sistemas de que teve conhecimento. Assim, estudou a ciência esotérica com os *bracmanes* da Índia e a astronomia e a astrologia na Caldeia e o Egito. Até hoje é conhecido no primeiro dos países citados pelo nome de Yavanâchârya ("o mestre jônio"). Após seu regresso, instalou-se em Crotona, na Magna Grécia, onde estabeleceu uma escola [escola itálica], à qual prontamente afluíram todas as melhores inteligências dos centros civilizados. Seu pai, um certo Mnesarco de Samos, era homem instruído e de berço nobre. Pitágoras foi o primeiro a ensinar o sistema heliocêntrico e era o sábio mais versado em geometria do seu século. Criou também a palavra "filósofo", composta de dois termos que significam "amante da sabedoria" (*philo-sophos*). Como o maior matemático, geômetra e astrônomo da Antiguidade histórica, bem como o mais eminente dos metafísicos e sábios, Pitágoras adquiriu fama imortal. Ensinou também a doutrina da reencarnação, tal como era professada na Índia, e muitas outras coisas da Sabedoria Secreta. [Ver (*As*) *Dez Virtudes Pitagóricas* e *Versos Aureos*, *Regime Pitagórico* etc.]

Pitagorismo — O sistema filosófico de Pitágoras.

Pitakas (*Pál.*) — Coleções ou grupos de livros. (Ver *Tripitakas*.)

Pitâmaha (*Sânsc.*) — Literalmente, "grande pai". Avô paterno.

Pitara — Ver *Pitaras*.

Pitara-devatâ (Pitar Devatâ) (*Sânsc.*) — Os "deuses-pais"; os antecessores lunares da humanidade. [Os *Pitara-devatâ* ou deuses-*pitris* são também chamados de "Chamas", *Asuras* ou *Asura-Devatâs* (deuses), porque foram primeiro deuses – e dos mais elevados – antes de se tornarem "não deuses", Espíritos celestes que iriam cair convertidos em Espíritos da Terra (*exotericamente*, entenda-se bem, segundo o dogma ortodoxo). (*Doutrina Secreta*, II, 258)]

Pitaras (ou **Pitara**) (*Sânsc.*) — Nominativo plural de *Pitris*. Os pais, antecessores [ou *pitris*]. Os pais das raças humanas. (Ver *Pitris*.)

Pitha (*Sânsc.*) — O Sol, o fogo, o tempo (que a tudo absorve); água potável.

Pitia (**Pythia**) — Ver *Pitonisa*.

Pitonisa ou **Pythia** (*Gr.*) — Segundo os dicionários modernos, esta palavra designa a pessoa que dava os oráculos no templo de Delfos e toda mulher que se supunha dotada do espírito de adivinhação, "uma *feiticeira*" (*Webster*). Tal definição não é verdadeira nem exata. Apoiando-nos na autoridade de Jâmblico, Plutarco e outros autores, a Pitonisa era uma sacerdotisa [de Apolo] escolhida entre as *sensitivas*, jovens puras e das classes mais pobres e colocada num templo, onde eram exercitados os poderes oraculares. Ali ela tinha uma residência isolada de todos, exceto do Hierofante ou vidente principal e, uma vez admitida, ficava, como uma monja, perdida para o mundo. Sentada em uma *trípode* de bronze sobre uma greta do solo, pela qual subiam vapores embriagantes, que impregnavam todo o seu organismo, produzindo a *mania* profética, neste estado anormal ela pronunciava os oráculos. Aristófanes, em *Vœstas*, I, reg. 28, denomina a pitonisa de "*ventriloqua vates*" ou "profetisa ventríloqua", devido à sua voz de *estômago*. Os autores antigos situavam a alma do homem (o *Manas* inferior) ou sua consciência pessoal na boca do estômago. Assim encontramos no quarto verso do segundo hino *nâbhânedichta* dos *Brahmanas*: "Escutai, oh filhos dos deuses, aquele que fala pelo umbigo (*nâba*), porque vos chama em vossas moradas". Este é um fenômeno de sonambulismo moderno. O umbigo era considerado, na Antiguidade, como o "círculo do Sol", o local da divina luz interior. Por isso, o oráculo de Apolo estava em *Delphi*, a cidade de *Delphus*, matriz ou ventre, assim como o local do templo era chamado de *omphalos*, umbigo. Como é bem sabido, um grande número de indivíduos mesmerizados podem ler cartas, ouvir, cheirar e ver por tal parte do corpo. Assim hoje existe na Índia (e também entre os parses) a crença de que os Adeptos têm no umbigo chamas, que para eles iluminam todas as trevas e retiram o véu do mundo espiritual. Entre os zoroastrianos, dá-se a estes Adeptos o nome de *lâmpada do Deshtur* ou "Sumo Sacerdote" e, entre os hindus, "luz ou esplendor do *Dikchita* (Iniciado)". [Ver *Ísis sem Véu*, I, XXXVIII e XXXIX.]

Pitri — Ver *Pitris* e *Pitaras*.

Pitridâna (*Sânsc.*) — Oferenda aos manes.

Pitri-devas ou **Pitri-devatâs** (*Sânsc.*) — Pitris divinos ou *Barhichad-Pitris*. São dotados do fogo criador físico e são os progenitores ou pais espirituais do corpo físico do homem. Podiam apenas criar ou, melhor dizendo, revestir as Mônadas humanas com seus próprios *eus* astrais, porém não podiam fazer o homem à sua imagem e semelhança. "O homem não deve ser como um de nós" – dizem os deuses criadores encarregados da fabricação do homem animal inferior –, mas superior. (*Doutrina Secreta*, II, 99)

Pitri-griha (*Sânsc.*) — Local de sepultura; tumba, sepulcro.

Pitri-jâna (*Sânsc.*) — Veículo dos Pitris. (Ver *Uttara-Gîtâ*, II, 12 e o Comentário de K. Laheri.)

Pitrika (*Sânsc.*) — Relativo aos *pitris* ou antepassados; paterno.

Pitrikânana (*Sânsc.*) — "Morada dos pais"; cemitério.

Pitrikriyâ (*Sânsc.*) — Oferenda aos manes ou *pitris*.

Pitriloka (*Sânsc.*) — O mundo ou região dos *pitris*, *richis* e *prajâpatis*, um dos oito mundos.

Pitripati (*Sânsc.*) — Rei ou senhor dos *pitris*: Yama, deus da morte e juiz dos mortais. (*Doutrina Secreta*, II, 48)

Pitriprasû ou **Pitrisû** (*Sânsc.*) — O crepúsculo, por ser a hora em que os manes aparecem.

Pitripûjana (*Sânsc.*) — Veneração ou culto aos *pitris*.

Pitrirâja — Ver *Pitripati*.

Pitrirna (*Sânsc.*) — Dívida com os pais: aquela contraída pelo fato de os pais terem nutrido o corpo físico de seus filhos. (Bhagavân Dâs, *Ciência das Emoções*)

Pitris [Propriamente *Pitaras*] (*Sânsc.*) — Os antecessores ou criadores da humanidade. São de sete classes, três das quais são incorpóreas (*arûpa*) e quatro corpóreas. Na teologia popular diz-se que foram criados do costado de Brahmâ. No que se refere à sua

P

genealogia, as opiniões variam. Porém, segundo a filosofia esotérica, os Pitris são tal como se expõe na *Doutrina Secreta*. Em *Ísis sem Véu*, diz-se: "Acredita-se geralmente que este termo hindu significa os espíritos de nossos ancestrais, de pessoas desencarnadas, e daí o argumento de alguns espíritas de que os faquires (e *yogis*) e outros produtores de prodígios do Oriente sejam *médiuns*. Há aqui mais de um conceito errado. Os *Pitris* não são os antecessores dos homens atuais, mas aqueles da espécie humana ou das raças adâmicas; os espíritos das raças humanas que, na grande escala de evolução descendente, *precederam as nossas raças* de homens e foram *fisicamente, assim como espiritualmente, muito superiores* a nós, modernos pigmeus. No *Mânava-Dhanna Shâstra* dá-se-lhes o nome de Antecessores lunares" (*Ísis sem Véu*, I, XXXVIII) A *Doutrina Secreta* explicou agora aquilo que cautelosamente fora adiantado nos primeiros livros teosóficos.

Durante o *manvantara* lunar, a evolução produziu sete classes de seres, denominados de *Pitris* ou "Pais", pelo fato de terem engendrado os seres do *manvantara* terrestre. Estes seres são os antecessores da atual humanidade. Assim, pois, os *Pitris* (Pais, Antecessores, Divindades, espíritos ou regentes lunares) são Mônadas que, tendo terminado seu ciclo de vida na Cadeia lunar inferior à terrestre, encarnam-se em nosso planeta e passam a ser realmente homens. São as Mônadas que entram no ciclo de evolução no globo A e, dando a volta pela Cadeia de globos, desenvolvem a forma humana. No início do período humano da quarta Ronda neste globo, "exsudam", por assim dizer, seus *chhâyâs*, sombras ou duplos astrais das formas, semelhantes àquelas do macaco, que haviam desenvolvido na terceira Ronda, e esta forma sutil, mais fina, é a que serve como modelo, ao redor do qual a Natureza constrói o homem físico. (*Doutrina Secreta*, I, 202-203) Os livros exotéricos hindus mencionam sete classes ou hierarquias de *Pitris*, três delas incorpóreas, *Arûpa-Pitris*, isto é, sem forma ou corpo, e quatro corpóreas, *Rûpa-Pitris*, também chamados de *Barhichads*. Os primeiros também denominados de *Vairâjas* ou "Filhos de Virâja (Brahmâ)", são inteligentes e espirituais, enquanto que os segundos são materiais e desprovidos de intelecto. Esotericamente, os *Asuras* constituem as três primeiras classes de *Pitris*, "nascidos no corpo da Noite", enquanto que as outras quatro foram produzidas do "Corpo da Aurora" (ver estes termos). Os *Pitris* ou Antecessores são, além disso, divididos em dois gêneros distintos: os *Berhichads-Pitris* e os *Agnichvâtta-Pitris*. Os primeiros possuem o "fogo sagrado" e os segundos estão privados do mesmo. O ritualismo hindu parece relacioná-los com os fogos artificiais e com os brahmanes "chefes de família" (*Grihasta*). Aqueles da classe mais elevada (esotericamente), a dos *Agnichvâttas*, são representados, na alegoria exotérica, como brâhmanes chefes de família que, por se descuidarem da manutenção de seus fogos sagrados domésticos e de oferecer holocaustos em suas existências *anteriores manvantaras*, perderam o direito de receber oblações com fogo. Já os *Barhichads*, por serem brâhmanes que mantiveram seus fogos domésticos, são assim honrados atualmente. Porém a filosofia esotérica declara que as qualificações originais são devidas às diferenças existentes entre as naturezas de ambas as classes: os *Agnichvâttas* são desprovidos de "fogo", isto é, de paixão criadora, porque são demasiadamente puros e divinos; já os *Barhichad-Pitris*, por serem Espíritos lunares mais estreitamente ligados à Terra, tornaram-se os *Prajajâpatis* inferiores, os *Elohim* "criadores" da forma ou do Adão de pó (*Doutrina Secreta*, II, 81), isto é, do homem físico (nosso corpo) e seus princípios inferiores; enquanto que os *Pitris* mais elevados (os *Pitris* dos *Devas*, *Mânasa-Dhyânis* ou *Agnichvâtta-Pitris*), verdadeiras divindades solares representantes da evolução intelectual, são os formadores do homem interno, dando-lhe a inteligência e a consciência (*Doutrina Secreta*, I, 114 e 204), sem tomar parte na sua criação física. Há uma dupla e até tripla série de *Barhichads* e *Agnichvâttas*: os primeiros, tendo originado seus "duplos astrais" (*chhâyâs*, sombras ou imagens astrais ou etéreas), renascem como filhos de Atri e são os *Pitris* dos *daityas*, *dânavas* e outros seres demoníacos; os *Agnichvâttas* renascem como filhos de Marîchi (filho

P

de Brahmâ) e são os *Pitris* dos deuses. (*Leis de Manu*, III, 195-196) Por *Pitris* entendem-se também os manes dos antepassados (pais, avós), isto é, dos ascendentes diretos de uma família. A esta classe de *Pitris* refere-se o *Bhagavad-Gîtâ* (I, 42-44), ao falar das oferendas funerárias prescritas nos livros sagradas, oferendas que devem ser praticadas pelos chefes de família até a terceira geração, no dia de Lua nova de cada mês, para assegurar no outro mundo a felicidade de seus ancestrais. Será que São Paulo se referia aos *Pitris* ao falar da "congregação dos *primogênitos* que estão alistados nos céus" (*Hebreus*, XII, 23)? (Ver *Agnichvâttas*, *Barhichads*, *Dhyânis*, *Deuses lunares*, *Pitris lunares*, *Pitris solares*, *Somapas*, *Vairâjas* etc.)

Pitris lunares — Os verdadeiros *Pitris*, geralmente chamados de *Barhichads-Pitris*. São as entidades mais adiantadas da Cadeia lunar, que, ao término desta, entraram na sétima Hierarquia criadora. São os deuses lunares ou Senhores da Lua, que têm como encargo guiar a evolução física na Cadeia terrestre. Preparam as formas para as Mônadas exlunares e dão ao homem os quatro princípios inferiores (duplo etéreo, *prâna*, *kâma* animal e germe animal da mente, ou seja, o *manas* inferior). Com eles atuam, de modo secundário, duas classes de Mônadas menos desenvolvidas, indistintamente chamadas *Dhyânis* inferiores ou *Pitris* solares (que, na Cadeia lunar, sucedem imediatamente aos *Pitris Barhichads*). A primeira dessas duas classes já havia desenvolvido seu corpo causal e a segunda estava a ponto de o formar, o que, por sua evolução demasiadamente avançada, não lhes permitiu entrar nas primeiras Rondas da quarta Cadeia Planetária (a terrestre), chegando durante o período intermediário da quarta Ronda, na terceira e quarta Raças-mães. Estes *Pitris* atuam sob a direção de Yama, deus ou senhor da morte, que, por esta razão, é chamado pelo epíteto de "Senhor dos *Pitris*" (*Pitripati*). Por isso os corpos e os princípios inferiores que conferem ao homem são mortais, pois Yama não pode conferir a imortalidade. (A. Besant, *Genealogia do Homem*)

Pitris solares — Constituem uma das quatro classes de *Mânasa-putras* ou Filhos da Mente. São os *Dhyânis* inferiores, procedentes da Lua e se subdividem em duas espécies. Durante o intervalo entre a Cadeia lunar e a terrestre e o dilatado período das três e meia primeiras Rondas da Cadeia terrestre, estes *Pitris* permaneceram no *Nirvâna* lunar. A segunda subdivisão ingressou na humanidade terrestre depois da separação dos sexos na terceira Raça; enquanto que a primeira subdivisão ingressou durante a quarta Raça, a Atlântica. São Mônadas da Cadeia lunar demasiadamente avançadas para entrar na quarta Cadeia planetária (a terrestre) durante as primeiras Rondas, porém não o suficiente ainda para ingressar nas hostes dos *Pitris-Barhichads*. (A. Besant, *Genealogia do Homem*)

Pitritarpana (*Sânsc.*) — Ver *Pitridâna*.

Pitritithi (*Sânsc.*) — Dia de Lua nova, consagrado aos manes.

Pitrivana (*Sânsc.*) — Cemitério; pequeno bosque funerário.

Pitrivanechara (*Sânsc.*) — Shiva (que frequenta os cemitérios).

Pitrîya (*Sânsc.*) — Pertencente ou relativo aos *Pitris* ou Pais. Dia *pitrîya* significa mês lunar. (*Râma Prasâd*)

Pitriyajña (*Sânsc.*) — Culto ou sacrifício aos *Pitris* ou manes dos antepassados.

Pritiyâna (*Sânsc.*) — Carro mortuário. A via que a alma percorre ao abandonar o corpo físico. (*P. Hoult*)

Pitta (*Sânsc.*) — Calor, temperatura. Sinônimo de Agni. (*Râma Prasâd*) Significa também bílis.

P

Pitu (*Sânsc.*) — Bebida, alimento.

Pîtu (*Sânsc.*) — "O bebedor"; o Sol, o fogo.

Pituitário — Ver *Corpo Pituitário*.

Piyadazi ou **Piyadazî** (**Pîyadasi**) (*Pál.*) — "O Formoso", qualificativo do rei Chandragupta (o "Sandracottus" dos gregos) e de Azoka, o rei budista, seu neto. Ambos reinaram na Índia central entre os séculos IV e III antes de Cristo. Chandragupta era também designado pelo epíteto de *Devânâm-piya* (amado dos deuses). [Ver *Azoka* e *Chandragupta*.]

Pîyu (*Sânsc.*) — Significado idêntico ao de *Pîtu*.

Pîyûcha (*Sânsc.*) — Ambrosia, néctar, *soma*.

Pîyûchamahas e **Pîyûcharuchi** (*Sânsc.*) — A Lua.

Pizâchas — Ver *Pisâchas*.

Pizâcha-loka — Ver *Pisâcha-loka*.

Pizuna (*Sânsc.*) — Espião; cruel, malvado, vil, desprezível. (Ver *Pesh-Hun*.)

Plaggon (*Gr.*) — Pequenas bonecas de cera, que representavam as pessoas ao natural e que eram utilizadas para encantamentos.

Plakcha (*Sânsc.*) — Um dos sete grandes *dwîpas* (continentes ou ilhas) no panteão hindu e nos *Purânas*. [É também o nome da figueira sagrada (*Ficus religiosa*), bem como de outra espécie chamada *Ficus infectoria*.]

Planetária, *Cadeia* — Ver *Cadeia Planetária*.

Planetários, *Espíritos* — Ver *Espíritos Planetários*.

Planetas — Há um grande número de planetas, grandes ou pequenos, não descobertos ainda, porém cuja existência era conhecida dos antigos astrônomos, todos eles Adeptos Iniciados. Apenas sete de nossos planetas encontram-se tão intimamente relacionados com nosso globo como se encontra o Sol com todos os corpos a ele submetidos em seu sistema. (*Doutrina Secreta*, I, 629) Os autores antigos enumeravam os planetas na seguinte ordem: Lua, Mercúrio, Vênus, Sol, Marte, Júpiter e Saturno, contando o Sol como planeta para fins exotéricos. É preciso lembrar que a Lua e o Sol são cada um substitutos para seu planeta secreto correspondente. (*Ibidem*, III, 452) De sua parte, os egípcios e os hindus dividiam seu dia em quatro porções, cada uma das quais se encontrava sob a proteção e o governo de um planeta. Com o tempo, cada um dos dias passou a ser chamado pelo nome do planeta que regia sua primeira parte, a manhã. Há sete planetas principais ou primários (dos quais há três que hão de ficar inonimados), que são as esferas dos sete Espíritos, que neles residem. Todos os demais são mais *planetóides* do que verdadeiros planetas. (*Ibidem*, I, 626-628) Cada um dos planetas – dos quais só sete eram chamados de "sagrados", por serem regidos pelos Regentes mais elevados ou Deuses – é um setenário como o é também a Cadeia a que nossa Terra pertence. (*Doutrina Secreta*, I, 176) Os Princípios que animam os planetas e outros astros são os *Anuphanim* da Cabala, os Anjos das esferas ou Espíritos planetários, que regem os destinos dos homens que nascem sob uma ou outra de suas constelações. (*Ibidem*, I, 153) Todas as faculdades mentais, emocionais, psíquicas e espirituais são influenciadas pelas propriedades ocultas da escala das causas, que emanam das Hierarquias dos Regentes espirituais dos planetas e não dos próprios planetas. Os planetas têm correspondência com os princípios humanos, com os metais, com os dias da semana, os sons e as cores. Assim, Marte

P

corresponde ao *Kâma-rûpa*, ao ferro, à terça-feira, à nota *dó* da escala musical e à cor vermelha. O Sol corresponde ao *Prâna*, ao ouro, ao domingo, à nota *ré* e à cor alaranjada. Mercúrio corresponde ao *Buddhi*, ao mercúrio, à quarta-feira, à nota *mi* e ao amarelo. Saturno ao *Kâma-Manas*, ao chumbo, ao sábado, à nota *fá* e ao verde. Júpiter corresponde ao Invólucro áureo, ao estanho, à quinta-feira, à nota *sol* e à cor azul. Vênus corresponde ao *Manas* ou mente superior, ao cobre, à quinta-feira, à nota *lá*, e ao índigo; a Lua corresponde ao *Linga-shârira*, à prata, à segunda-feira, à nota *si* e ao violeta. É preciso notar que o Âtmâ, procedendo do Sol espiritual, não corresponde a nenhum planeta visível e não tem qualquer relação com cor ou som, porque inclui a todos. (*Ibidem*, III, 452, 463) Nos primeiros séculos do cristianismo eram admitidas como coisa normal as boas ou más influências planetárias, como provam de modo incontestável certas *tábuas astrológicas*, onde estavam assinalados os bons e maus presságios correspondentes a cada hora do dia e da noite; tábuas que figuravam nos livros compostos para o uso dos fiéis. Na igreja dos *Ermatani* de Pádua estão representados os sete planetas ao lado da Paixão e da Ressurreição. Na catedral de Rimini, alguns baixo-relevos curiosos, do séc. XV, mostram, sem mistura de alegoria, os planetas Saturno, Júpiter, Vênus e outros. Em plena Renascença, a Capela Chigi, na igreja de Santa Maria do Povo de Roma, mostra as divindades dos planetas com seus atributos mitológicos, cada uma delas representada com um anjo a seu lado. (Abade Martigny, *Dict. des Antiq. Chrét.*, p. 804) (Ver *Cadeia planetária*, *Zodíaco* etc.)

Plano — Do latim *panos*. Extensão do espaço ou de algo nele contido, seja no sentido físico, seja no metafísico, por exemplo um "plano de consciência". No Ocultismo, tal termo designa o campo ou extensão de algum estado de consciência ou do poder perceptivo de uma série particular de sentidos ou esferas de ação de uma determinada força ou o estado da matéria correspondente a algum dos extremos antes indicados. [Assim temos os planos físico, astral, mental, átmico, mayávico, objetivo, subjetivo, fenomenal numênico etc. Há no Kosmos sete planos, três dos quais, os superiores, só se revelam aos Iniciados e os quatro restantes são: o arquetípico, o intelectual ou criativo, o substancial ou formativo e o físico ou material. (*Doutrina Secreta*, I, 221) Estes sete planos correspondem aos sete estados de consciência no homem. Cada plano subdivide-se em sete e cada um destes, por sua vez, subdivide-se em outros sete. A evolução normal da humanidade executa-se em três destes planos; o plano *físico*, o *astral* e o *mental*, também chamados de "os três mundos". Nos dois planos superiores a estes três, os planos *búddhico* e *âtmico*, continua a evolução própria do Iniciado. Estes cinco planos constituem o campo de evolução da consciência até o dia em que a humanidade irá fundir-se com a Divindade. Os dois planos seguintes, os mais elevados, representam a esfera de atividade divina que a tudo envolve e de onde emanam todas as energias divinas que mantêm e vivificam o Universo. Estes dois últimos planos, denominados *Anûpâdaka* e *Âdi*, o primeiro, são os planos da consciência divina, aqueles em que apenas o *Logos* ou a trindade dos *Logoi* manifesta-se e, portanto, escapam à nossa compreensão. (A. Besant, *Estudo Sobre a Consciência*.)]

Plano Âdi — Plano primeiro, primordial ou supremo. A base, fundamento ou sustentação do Universo, fonte da qual este recebe a vida. É o plano da Divindade desconhecida, plano superior à compreensão humana.

Plano anupâdaka — Plano que, em ordem descendente vem depois do plano *Âdi*. Como este último, é o campo de manifestação exclusiva do *Logos* e, como seu nome indica ("sem receptor", "que existe por si mesmo" etc.), é aquele em que "não se formou ainda nenhum veículo". (A. Besant, *Estudo Sobre a Consciência*)

Plano astral — Ver *Mundo astral*.

P

Plano âtmico — Plano do *Âtman*, também chamado de *nirvânico*. É o quinto plano, aquele do aspecto humano mais elevado do Deus que está em nosso interior; o plano de existência pura, de poderes divinos em sua mais plena manifestação em seu quíntuplo universo. A consciência âtmica ou nirvânica, aquela correspondente à vida no quinto plano, é a consciência alcançada por numerosos Seres elevados, entre os quais figuram aqueles primeiros frutos da humanidade que já completaram o ciclo de evolução humana e aos quais dá-se o nome de Mestres, *Mahâtmas* ou *Jîvan-muktas*, almas libertadas que continuam unidas a seus corpos físicos, a fim de ajudar o progresso da humanidade. Estes Seres elevados resolveram em si mesmos o problema de unir a essência da individualidade com a ausência de separatividade e vivem como Inteligências imortais, perfeitas em sabedoria, em poderes e em bem-aventurança. (A. Besant, *Sabedoria Antiga*, p. 219-220) A evolução dos planos búddhico e âtmico corresponde a um período futuro de nossa raça; porém aqueles que escolhem a espinhosa e árdua senda do progresso mais rápido, podem percorrer antecipadamente tais períodos finais da evolução seguindo o sendeiro da Iniciação. (*Op. cit.*, p. 219-221)

Plano búddhico — É o quarto plano do Universo. Nele ainda há dualidade, porém não separação. É um estado em que cada um é ele mesmo, como uma claridade e uma intensidade viva, inacessível nos planos inferiores, porém no qual, apesar disto, cada um sente-se incluir a todos os demais e ser uno com eles, não separado e inseparável. (A. Besant, *Sabedoria Antiga*, p. 217) É o plano do poder e da suprema sabedoria, onde continua a evolução humana supranormal, aquela que é própria do Iniciado depois da primeira das grandes Iniciações. (*Estudo Sobre a Consciência*)

Plano causal ou **kârana** — Ver *Plano mental*.

Plano devachânico — É uma região do plano mental especialmente protegida, da qual todo mal e todo sofrimento estão inteiramente excluídos pela ação das grandes Inteligências espirituais que dirigem a evolução humana, e na qual residem, depois de sua permanência no *Kâmaloka*, os seres humanos despojados de seus corpos físico e astral. (A. Besant, *Sabedoria Antiga*, p. 179) (Ver *Devachan* e *Plano mental*.)

Plano etéreo — O éter dos físicos, éter inferior, constitui um dos subplanos ou subdivisões de nosso plano ou mundo físico; subplanos correspondentes aos quatro diversos estados do éter, análogos e bem definidos como os quatro diferentes estados da matéria: sólido, líquido, gasoso etc., e denominados respectivamente: *primeiro subplano etéreo ou atômico*, *segundo subplano etéreo* ou *subatômico*, *terceiro etéreo* ou *superetéreo* e *quarto etéreo* ou *etéreo* propriamente dito e coletivamente pelo nome de *plano etéreo*. (P. Hoult).

Plano físico — É o plano inferior, aquele da matéria mais ou menos densa, também chamado de plano material ou terrestre, que é o plano em que existe o mundo que habitamos e ao qual pertence o nosso corpo carnal.

Plano manásico — Ver *Plano mental*.

Plano mayávico — Plano ou mundo de ilusão. (Ver *Mâyâ*).

Plano mental — É aquele que corresponde à consciência, quando atua como pensamento. Não é o plano da mente tal como esta funciona através do cérebro, mas tal como atua em seu próprio mundo, livre de todas as travas da matéria física. O plano mental segue em ordem ascendente o plano astral; reflete a Mente universal da Natureza e é o plano que, em nosso pequeno sistema, corresponde àquele da grande Mente do Cosmos. Em suas regiões mais elevadas, existem todas as ideias-arquétipos que se encontram atualmente em vias de evolução concretas enquanto que, em suas regiões inferiores, tais ideias se convertem em formas sucessivas, que devem se reproduzir nos mundos astral e físico. Este plano é o mundo do homem verdadeiro, porque a inteligência é seu atributo mais característico. As formas do pensamento desempenham um papel importante entre as criaturas vivas, que atuam no plano mental. (*Sabedoria Antiga*, p. 139-147) Uma das regiões deste plano é o *Devacham*.

Plano nirvânico — Ver *Plano âtmico* e *Nirvâna*.

Plano sûkchma — É o plano da matéria sutilíssima dos vedantinos, equivalente aos planos astral e mental.

Plantal — Ver *Plaster*.

Plaster ou **Plantal** — Termo platônico que expressa o poder que molda as substâncias do Universo, dando-lhes formas apropriadas. (*Cinco Anos de Teosofia*)

Plástica, *Alma* — Ver *Alma plástica*.

Plástico — Qualificativo empregado em Ocultismo com relação à natureza e essência do corpo astral ou "alma proteica". Ver *Alma plástica*. (Glossário de *A Chave da Teosofia*)

Platão — Um Iniciado nos Mistérios e o mais eminente filósofo grego, cujos escritos são conhecidos no mundo inteiro. Foi discípulo de Sócrates e mestre de Aristóteles. Viveu no séc. IV antes de nossa era. [Desde pequeno dedicou-se às belas artes, à geometria e nele os cálculos matemáticos uniram-se ao entusiasmo pelo belo. As lições de Sócrates despertaram sua vocação filosófica. Com a morte de seu mestre, foi para a escola de Euclides, em Megara; visitou os filósofos da Magna Grécia e os sacerdotes do Egito e, mais tarde, fundou em Atenas uma escola, centro luminoso cujo resplendor atingiu grande distância. Considera Deus como causa e substância, como o *Logos* ou Verbo, que contém as ideias eternas, tipos de todas as coisas. Admite que as ideias são inatas na alma humana. Demonstra que a alma é de origem divina e participa da substância divina; que é imortal, que recebe o prêmio ou castigo que merece por seu proceder e sustenta, além disso, que sai repetidas vezes desta vida, para a ela voltar outras tantas vezes. A moral de Platão distingue-se por sua grande pureza. Escreveu numerosas obras, entre as quais *Timeu*, *Fédon* ou a imortalidade da alma, *Fedro*, *O Banquete*, *Geórgias*, *Eutífron*, *Pitágoras*, as *Leis*, a *República*, importante tratado sobre política, cujas regras tenta-se algumas vezes colocar em prática. Morreu no ano de 348 a.C.]

Platônica, *Escola* — Ver *Escola Platônica*.

Plava (*Sânsc.*) — Balsa, embarcação. Prolongamento do som das vogais na leitura do Veda; desenvolvimento de uma ideia através de várias estâncias.

Plavaga (*Sânsc.*) — O cocheiro do Sol.

Plavin ou **Plavîn** (*Sânsc.*) — Ave, pássaro.

Plenum (*Lat.*) — Ver *Espaço* e *Pleroma*.

Pleroma (*Gr.*) — "Plenitude". Termo gnóstico adotado para significar o mundo divino ou Alma universal. O Espaço, desenvolvido e dividido em séries de éons. A mansão dos deuses invisíveis. Tem três graus. [É o *Veículo da Luz* e receptáculo de todas as formas, uma Força difundida em todo o Universo, com seus efeitos diretos ou indiretos, que os escolásticos latinos conseguiram transformar em Satã e suas obras. (*Doutrina Secreta*, II, 537)] Segundo os primitivos Padres da Igreja, o *Pleroma* era a mansão das hostes de Anjos caídos. (*Doutrina Secreta*, I, 218) O *Pleroma* é um só, não muitos, e seus estados de existência são graus do autodesenvolvimento da Mente universal, a partir da única e distinta Causa que está por detrás da mesma. (*Theosoph. Revier*, cit. por P. Hoult)

P

Plexos — Ver *Padmas*.

Plêyades — Ver *Krittikâs*.

Plinterias (do grego *plynteria*) — Festas celebradas antigamente em Atenas, em honra de Minerva.

Plotino — O maior, mais ilustre e mais eminente de todos os neoplatônicos depois de Ammonio Saccas, fundador de tal escola. Era o mais entusiasta dos filaleteus ou "amantes da verdade", cujo objetivo era fundar uma religião baseada num sistema de abstração intelectual, o que é verdadeira Teosofia, ou toda a essência do neoplatonismo. Se acreditarmos em Porfírio, Plotino jamais revelou o local de seu nascimento nem sua filiação, seu país natal nem sua linhagem. Até os vinte e oito anos não encontrou um mestre ou uma doutrina que o satisfizesse ou preenchesse suas aspirações. Então acertou ao ouvir Ammonio Saccas e, desde aquele dia, continuou a frequentar sua escola. Aos trinta e nove anos acompanhou o imperador Giordano à Pérsia e à Índia, com o objetivo de aprender a filosofia destes países. Morreu aos sessenta e seis anos, depois de escrever cinquenta e quatro livros sobre filosofia. Diz-se que era tão púdico que "se ruborizava ao pensar que tinha corpo". Alcançou o *samâdhi* (o supremo êxtase ou "união com Deus", o *Ego* divino) várias vezes durante sua vida. Como diz um de seus biógrafos, "levava a tal ponto seu desprezo por seus órgãos corporais, que se negou a usar um remédio, achando que era indigno de um homem empregar meios deste tipo". Lemos também que "quando morreu, um dragão (ou serpente), que estava sob seu leito, escapou por um buraco da parede e desapareceu", o que é um fato significativo para o estudante de simbolismo. Plotino ensinou uma doutrina idêntica à dos vedantinos, isto é, que o Espírito-Alma, que emana do Princípio-Uno deífico, a Ele se reunia depois de sua peregrinação. [Expressou claramente esta ideia, ao morrer, pronunciando as seguintes palavras: "Vou levar o que há de divino em nós ao que há de divino no Universo". Acreditava também na reencarnação e, embora no início rechaçasse a teurgia, acabou por admiti-la plenamente. Foi um homem universalmente respeitado e estimado, cuja instrução e integridade eram enormes. Clemente de Alexandria o elogia muito e vários Padres da Igreja eram secretamente seus discípulos. Suas obras foram recompiladas por seu discípulo Porfírio, que as distribuiu em seis partes chamadas *Eneadas*, porque cada uma constava de nove livros.]

Plumas — As plumas na cabeça são atributo das Musas. Ísis levava, como símbolo de dignidade, uma coroa de plumas de avestruz. (*Nöel*)

Pluvio ou **Pluvialis** (do latim *pluvis*, chuva) — Epíteto dado a Júpiter quando era invocado a fim de fertilizar a terra através da chuva. Numa antiga medalha vê-se este deus empunhando um raio com a mão direita, enquanto que da esquerda cai a chuva. Nas épocas de grandes secas, os etruscos imploravam sua proteção, levando pedras consagradas em procissão. (Ver *Chuva*.)

Pneuma (*Gr.*) — Alento; vento; ar, alma, espírito; voz; a síntese dos sete sentidos.

Po — Entre os diversos povos da Polinésia, é a Noite, mãe de todos os deuses.

Pó de Projeção — Um dos vários nomes com que se designa a pedra filosofal. (Ver *Busardier*, *Pedra Filosofal*.) [Resultado da obra Hermética ou pó que, lançado sobre os metais imperfeitos, em fusão, os transmuta em ouro ou prata, segundo a obra tenha atingido o branco ou o vermelho.]

Poço de Mimir — Este poço, segundo a mitologia escandinava, continha as águas da Sabedoria primitiva, através das quais, ao bebê-las, Odin obteve o conhecimento de todos os acontecimentos passados, presentes e futuros. (Ver *Mimir*.)

P

Poderes do ar — Ver *Elementos, Silfos* etc.

Poderes sobrenaturais — Este é o nome que muito impropriamente costuma ser aplicado a certos poderes, que são simplesmente produto do desenvolvimento de forças ou faculdades psíquicas, que existem em estado latente em todos os homens e cuja existência começa a ser reconhecida pela própria ciência oficial. Por mais estranhos e surpreendentes que pareçam os fenômenos produzidos por tais poderes, é um erro imperdoável qualificá-los de sobrenaturais, milagrosos e também diabólicos, como fazem aqueles que desconhecem sua causa natural. O sobrenatural e o milagroso não existem nem podem existir, porque não há, na realidade, nada superior ou fora da Natureza e de suas leis. É lógico, portanto, deixar completamente de lado o qualificativo de sobrenatural aplicado aos poderes em questão, substituindo-o pelo de anormal, maravilhoso, extraordinário ou outros que, embora menos presunçosos, se ajustam melhor à razão e ao critério são. (Ver *Milagre, Magia, Yoga,* etc.)

Poligenismo (do grego *polys*, muitos, e *gênesis*, geração) — Doutrina que admite que os organismos provêm de germes de vários tipos; aplicada ao homem, admite variedade de origem na espécie humana, em contraposição ao monogenismo. (Ver esta palavra.)

Politeísmo (do grego *polys*, muitos, e *theos*, deus) — Doutrina sustentada por aqueles que admitem a pluralidade de deuses, ao contrário do monoteísmo, que admite a existência de um Deus único. Por uma falsa interpretação de nomes, a Índia e alguns povos foram injustamente qualificados de politeístas, uma vez que, na realidade, adoram a um Deus único, eterno e infinito (Brahma) e as divindades inferiores (*devas*) são meras personificações transitórias de astros, elementos, forças ou fenômenos da Natureza. No que se refere ao Egito, Grébaut, em seu notável estudo sobre um hino a Ammon do museu de Bulak, esforça-se em demonstrar claramente que os deuses do panteão egípcio não são nada além de representações divinas do Ser único. "O conjunto dos deuses – diz – forma a coleção de pessoas divinas, nas quais reside o Deus único." (Ver *Deuses ou divindades inferiores.*)

Pombo — Ave sagrada entre os cristãos, para os quais é símbolo do Espírito Santo. Por esta razão os russos se abstêm de comê-lo. (Ver *Zoolatria.*)

Ponto central — O ponto central do disco, do qual se fala na Cosmogenia, representa a aurora da diferenciação, o Germe contido no Ovo do Mundo e que virá a ser o Universo, o Todo, o Cosmo infinito e periódico; assim como o círculo simboliza a divina Unidade, da qual tudo procede e para a qual tudo retorna. (*Doutrina Secreta*, I, 31.) Com este nome também se designa o umbigo de Vishnu, ponto central das águas do Espaço infinito, do qual brota o lótus que contém Brahmâ, o Universo. (*Ibid.*, II, 495) Ver *Ponto dentro de um círculo.*

Ponto dentro de um círculo — Em seu significado esotérico, é o primeiro *Logos* não-manifestado, que aparece na infinita e ilimitada extensão do Espaço, representada pelo círculo. É o plano da infinitude e do Absoluto. Este é só um dos inumeráveis significados ocultos de tal símbolo, que é a mais importante de todas as figuras geométricas usadas em metafísica. No que se refere aos maçons, estes fizeram do ponto "um irmão individual", cujo dever para com Deus e com o homem é limitado pelo Círculo e acrescentaram João Batista e João Evangelista para acompanhar o "irmão", representando-os sob a forma de duas linhas perpendiculares.

Ponto Laya — Também designado pelo nome de *Centro Laya* ou centro neutro. *Laya* é aquilo que, em linguagem científica, é chamado de "linha ou ponto zero", o reino da negação absoluta ou a única Força absoluta real, o numeno do sétimo estado, o qual, em

P

nossa ignorância, reconhecemos e denominamos de "Força" ou, então, o numeno da Substância cósmica indiferenciada, que é, por si mesma, um objeto que escapa completamente da percepção finita; a raiz e base de todos os estados de objetividade e subjetividade; o eixo neutro, não um dos numerosos aspectos, mas seu centro. (*Doutrina Secreta*, I, 171.) *Ponto Laya*, portanto, é o ponto da matéria onde cessou toda a diferenciação. De tal ponto abstrato procede a manifestação concreta, isto é, começa a diferenciação dos elementos que entram na constituição de nosso sistema solar. É preciso notar que não se trata de um ponto matemático, mas de um estado ou condição. (*Doutrina Secreta*, I, 162-169.) Segundo as *Estâncias de Dzyan*, "o veloz e radiante 'Fohat' produz os sete centros *Laya*" (parte I, est. VI, 2). Isso significa que, para fins formadores ou criadores, a Grande Lei contém ou, melhor dizendo, modifica o movimento universal perpétuo em sete pontos invisíveis dentro da área do Universo manifestado. No *Laya*, apesar de tudo, há vida, do mesmo modo que esta existe no homem que se encontra em estado de morte aparente. (*Ibid.*, I, 279.). Ver *Laya*.

Pontos Massoréticos ou **Vogais** (*Hebr.*) — Atualmente este sistema é chamado de *Masora*, de *Massoreh* ou *Massoreth*, "tradição", e *Mâsar*, "transmitir". Os rabinos que se ocuparam da *Masohra*, por isso chamados de masoritas, foram também os inventores dos pontos massoréticos, que como é de se supor, dão às palavras desprovidas de vogais das Escrituras sua pronúncia verdadeira, acrescentando às consoantes alguns pontos que representam as vogais. Esse sistema foi inventado pelos hábeis e ilustrados rabinos da Escola de Tibérias (no século IX de nossa era), os quais, assim fazendo, apresentaram uma construção inteiramente nova dos nomes e palavras principais dos livros de Moisés, aumentando ainda mais a confusão. A verdade é que este sistema apenas acrescentou novas dificuldades àquelas já existentes anteriormente no *Pentateuco* e outras obras.

Ponto primeiro — Ver *Primeiro ponto*.

Popol-Vuh — Os livros sagrados dos guatemaltecos. Manuscritos quíchuas descobertos por Brasseur de Bourbourg.

Porfírio (Porphyrius) — Filósofo neoplatônico e escritor sumamente distinguido, só inferior a Plotino como mestre e filósofo. Nasceu antes da metade do século III d.C., em Tiro, razão pela qual era chamado de Tírio e, segundo se supõe, pertencia a uma família judia. Embora completamente helenizado e pagão, seu verdadeiro nome, Melek [ou Malek] (rei) parece indicar que em suas veias corria sangue semita. Os críticos modernos muito justamente o consideram como o mais praticamente filosófico e o mais moderado de todos os neoplatônicos. Escritor eminente adquiriu renome especial por sua controvérsia com Jâmblico no que se refere aos males inerentes à prática da Teurgia. Contudo, acabou por converter-se às ideias de seu adversário. Místico por nascimento seguiu, como seu mestre Plotino, a disciplina *Râja-Yoga* pura, que conduz à união da alma com a Superalma ou Eu superior (*Buddhi-Manas*). Porém lamentou-se de que, apesar de todos os seus esforços, só conseguiu alcançar o estado de êxtase apenas aos sessenta anos, enquanto que Plotino levava vantagem neste ponto. Provavelmente isso se deve ao fato de que, enquanto seu mestre tinha o maior desprezo pela vida e pelo corpo físico, limitando as investigações filosóficas àquelas regiões em que a vida e o pensamento se tornam eternos e divinos, Porfírio dedicava todo o tempo a considerações sobre a aplicação da filosofia à vida prática. "O objetivo da filosofia é para ele a moralidade", diz um de seus biógrafos; podemos quase dizer a santidade, a cura das fraquezas humanas, comunicar ao homem uma vida mais pura e vigorosa. O mero saber, por mais verdadeiro que seja, não é suficiente por si mesmo, o saber tem por objetivo a *vida* em harmonia com o *Nous*, "razão" - traduz seu biógrafo. Porém, se interpretássemos a palavra *Nous*, não no sentido de "razão", mas no de "mente" (*Manas*) ou o divino Ego eterno do homem, traduziríamos

P

a ideia esotericamente, dizendo: "O saber ou *conhecimento* oculto ou secreto tem por objetivo a *vida* terrestre em harmonia com o *Nous* ou nosso *Ego* eterno que se reencarna", o que se ajustaria melhor à ideia de Porfírio, bem como se ajusta mais à filosofia esotérica. (Ver Porfírio, *De Abstinentia*, I, 29.) De todos os neoplatônicos, Porfírio foi o que mais se aproximou da verdadeira Teosofia, tal como agora é ensinada na Escola secreta oriental. Isso é demonstrado por todos os nossos críticos e escritores modernos, que se ocuparam da Escola de Alexandria, porque Porfírio "sustentava que a Alma deveria estar, dentro do possível, livre dos laços da matéria... estar disposta... a se separar do corpo". (*Ad Marcellam*, 34.) Recomenda a prática da abstinência, dizendo que "nos assemelharíamos aos deuses, se pudéssemos abster-nos de alimentos vegetais bem como dos animais". Aceita de mau grado a teurgia e o encantamento místico, uma vez que são impotentes para purificar o princípio *noético* (*manásico*) da alma; a teurgia pode "somente purificar a parte inferior ou psíquica e torná-la capaz de perceber seres inferiores, tais como espíritos, anjos e deuses" (Agostinho, *De Civitate Dei*, X, 9), exatamente como ensina a Teosofia. "Não profaneis a Divindade – acrescenta – com as várias imaginações dos homens; não injurieis o que é para sempre bendito *(Buddhi-Manas)*, pois do contrário os cegareis para a percepção das verdades mais importantes e vitais." (*Ad Marcellam*, 18) "Se queremos livrar-nos dos ataques dos maus espíritos, temos de nos manter livres daquelas coisas sobre as quais os maus espíritos têm poder, porque estes não atacam a alma pura, que não tem afinidade com eles." (*De Abstin.*, II, 43) Este é também nosso ensinamento. Os padres da Igreja consideravam Porfírio como o inimigo mais acérrimo e mais irreconciliável com o cristianismo. Por último, e uma vez mais como na moderna Teosofia, Porfírio – e com ele todos os neoplatônicos, segundo Santo Agostinho –"exaltavam a Cristo ao mesmo tempo em que menosprezavam o cristianismo"; Jesus, afirmavam eles, como afirmamos nós, "nada disse contra as divindades pagãs, mas fazia milagres com a ajuda das mesmas". "Não podiam chamá-lo, como os seus discípulos, de Deus, porém o honravam como um dos homens mais sábios e bondoso". (*De Civit. Dei*, XIX, 23.) Não obstante, "nem mesmo no calor da controvérsia parece ter sido pronunciada uma só palavra contra a vida privada de Porfírio. Seu sistema prescrevia a pureza e ele a praticava". (Ver *Dicionário de Biografia Cristã*, tomo IV, "Porfírio".)

Porta, *João Batista* — Alquimista italiano, que, entre outras valiosas descobertas que lhe são devidas, figura a maneira de reduzir os óxidos metálicos e de preparar as flores (óxido) de estanho, bem como a de colorir a prata, a formação da árvore de Diana, etc.

Portas e **Porta de Binah** — Ver *Cinquenta Portas de Sabedoria*.

Poseidônias — Festas celebradas pelos gregos antigos em honra de Possêidon (Netuno).

Poseidônis — Último resto do grande continente atlante. Costuma-se fazer referência à ilha Atlântida de Platão como um termo equivalente em filosofia esotérica. [Possêidonis é a "terceira passagem" de Idaspati ou Vishnu, segundo a linguagem mística dos livros sagrados. (*Doutrina Secreta*, II, 809.)]

Possessão — É a posse do ânimo de uma pessoa por um "espírito" geralmente mau, que, atuando sobre ela como *agente interno*, a influência de modo persistente e, às vezes, irresistível.

Postel, *Guilherme* — Adepto francês, que nasceu na Normandia no ano de 1510. Seu grande saber chegou aos ouvidos de Francisco I, que o enviou ao Oriente em busca de manuscritos secretos. Ali, Postel foi admitido e iniciado numa Fraternidade oriental. Em seu regresso à França, adquiriu grande celebridade. Foi perseguido pelo clero e

P

finalmente encarcerado pela Inquisição; porém, seus irmãos de Levante o libertaram do calabouço. Sua *Clavis Absconditorum*, chave das coisas ocultas e esquecidas, é muito famosa.

Pot-Amun — Segundo se diz, é um termo copto. É o nome de um sacerdote e hierofante egípcio que viveu no tempo dos primeiros Ptolomeus. Diógenes Laércio diz que tal nome significa "aquele que está consagrado a Amun", deus da sabedoria secreta, como o foram Hermes, Thoth e Nebo na Caldeia. Assim deve ser, uma vez que na Caldeia os sacerdotes consagrados a Nebo tinham também o nome deste deus e eram denominados de Neboim ou "Abba Nebu", como são designados em algumas obras cabalísticas hebraicas. Os sacerdotes geralmente tomavam o nome de seus deuses. Acredita-se que Pot-Amun foi o primeiro a ensinar a Teosofia ou as noções elementares da Religião da Sabedoria Secreta às pessoas que nela não eram iniciadas.

Potier (Poterius), *Miguel* — Segundo seus biógrafos, era um homem cuja integridade é suspeita. Pretendia possuir os mais maravilhosos segredos da Natureza e se lamentava de se ver obrigado a ocultar-se para evitar as obsessões dos príncipes, todos eles desejosos de agregá-lo à sua corte. Jactava-se de possuir a pedra filosofal, mas oferecia-se para dar a receita de sua preparação mediante pagamento. O fato de dedicar aos rosa-cruzes, com grandes elogios à sua ciência, o livro *Filosofia pura*, faz o público pensar que adquiriu os segredos que queria explorar desta ilustre fraternidade. Realmente, se os dados apontados estão certos, há motivo mais do que suficiente para pensar que Potier era um farsante ou impostor. Porém, como muitos sábios alquimistas foram qualificados de charlatães e visionários, resta sempre a dúvida sobre o caráter deste personagem, dúvida que talvez o tempo se encarregue de esclarecer.

Pra-bala (*Sânsc.*) — Muito forte, poderoso, grande, intenso, violento. Como substantivo: gema, botão, broto.

Prabandha (*Sânsc.*) — Continuidade, coisa contínua.

Pra-bara (*Sânsc.*) — O *guna* [modo ou qualidade] predominante ou princípio fundamental do homem. *(P. Hoult)* (Ver *Pravara*.)

Pra-bhâ (*Sânsc.*) — Brilho, esplendor, luz; beleza.

Prabhâ-kara (*Sânsc.*) — Literalmente: "Causa ou produtor de luz"; o fogo, o Sol, a Lua.

Prabbhâsa (*Sânsc.*) — Esplendor. Um dos oito *Vasus* (ver esta palavra). Nome de um local de peregrinação situado a Oeste da Índia.

Prabhâta (*Sânsc.*) — A manhã, a aurora.

Prabhava (*Sânsc.*) — Origem, nascimento, fonte, princípio; produção; poder, grandeza, majestade, dignidade, excelência; criador, produtor, engendrador, gerador; linhagem, família. Como adjetivo: exímio, eminente, predominante. No fanal de palavra composta: nascido, emanado, *procedente;* predominante.

Prabhâva (*Sânsc.*) — Poder, autoridade, grandeza, excelência, dignidade, nobreza, supremacia, predomínio; brilho, esplendor.

Prâbhava (*Sânsc.*) — Preeminência, senhorio.

Prabhavana — Ver *Prabhava*.

Prabhavâpyaya (*Sânsc.*) — Aquilo do qual tudo se origina e no qual todas as coisas se resolvem, no final do ciclo de existência.

P

Prabhavishnu (*Sânsc.*) — Poderoso, augusto, eminente, considerável; gerador, produtor, senhor, governador.

Prabhavishnutâ (*Sânsc.*) — Excelência, autoridade, supremacia, superioridade.

Prabheda(*Sânsc.*) — Diferença, distinção, separação, diversidade.

Prâbhrita (*Sânsc.*) — Presente feito a um deus, a um príncipe, a um amigo etc.

Pra-bhû (*Sânsc.*) — Vir a ser, tornar-se, nascer; manifestar-se, surgir, aparecer, desenvolver-se.

Prabhu (*Sânsc.*) — Senhor, príncipe, governador, poderoso, augusto, preeminente. Vishnu.

Prabhutâ (*Sânsc.*) — Poder, senhorio.

Prabhûta (*Sânsc.*) — Produzido, nascido, surgido, aparecido, manifestado.

Prabodha (*Sânsc.*) — Vigília, vigilância; inteligência; saber.

Prabodhana (*Sânsc.*) — Ação de despertar alguém; ação de reavivar ou reanimar algo.

Prâchandya (*Sânsc.*) — Violência, paixão.

Prâchâra (*Sânsc.*) — Contrário aos bons costumes.

Prâchârya (*Sânsc.*) — Escolar, aluno, discípulo.

Prachetas (*Sânsc.*) — Sobrenome de Varuna, deus da água, ou, esotericamente, seu princípio. Feliz, contente; atento; conhecedor, sábio. É também o nome dos *Prajâpatis* e de um poeta védico.

Prâchetasas (*Sânsc.*) — Dakcha é filho dos Prâchetasas, os dez filhos de Prâchinabarhis. Segundo os *Purânas*, são homens dotados de poderes mágicos e que, enquanto estavam praticando austeridades religiosas, permaneceram consumidos em profunda meditação, no fundo do mar, pelo espaço de dez mil anos. É também o nome de Dakcha, chamado de Prâchetasa. (Ver *Doutrina Secreta*, II, 186 e ss.) [Os Prâchetasas obtiveram de Vishnu o dom de se converterem em progenitores da humanidade. Desposaram Mârichâ, da qual tiveram um filho, Dakcha (ver esta palavra).]

Prâchina (*Sânsc.*) — Voo para diante ou para o Leste; oriental; anterior, primeiro; antigo.

Prâchînabarhis (*Sânsc.*) — Indra, regente do Leste.

Prâchînatilaka (*Sânsc.*) — A Lua.

Prâchîpati (*Sânsc.*) — Senhor ou regente do Leste: Indra.

Prachoda ou **Prachona** (*Sânsc.*) — Que impele ou incita.

Prâchurya (*Sânsc.*) — Multidão, abundância.

Prácrito (Prâkrita ou **Prákrito)** [de *prâkrita*, vulgar] — Um dos dialetos provinciais do sânscrito: "a linguagem dos deuses" e, portanto, sua materialização. [É o idioma vulgar da Índia, que convivia com o sânscrito (elaborado, perfeito), do qual deriva, e que por sua vez deu origem a outros dialetos, como o *páli*, que se tornou a linguagem sagrada do budismo em algumas partes remotas da Índia. O prácrito é frequentemente usado nos dramas hindus, nos quais os brahmanes e príncipes falam o sânscrito e os personagens de categoria inferior empregam o prácrito e outros dialetos vulgares. (Macdonell, *História da Literatura Sânscrita*.)]

P

Prada (*Sânsc.*) — Doador, causador, produtor.

Pradâna (*Sânsc.*) — Que dá, oferece, concede; dom, doação; oblação, oferenda; que comunica ou ensina; produtor.

Pradarzana (*Sânsc.*) — Aspecto, aparência; que mostra ou indica; instrução, ensinamento, lição.

Pradarzin (*Sânsc.*) — Que olha ou vê; que mostra ou indica.

Pradatri (*Sânsc.*) — Doador, que dá, concede ou outorga.

Pradâya (*Sânsc.*) — Dom, presente, oferta, oferenda.

Pradeza (*Sânsc.*) — Direção, destino; lugar, sítio, região; exemplo.

Pradezana (*Sânsc.*) — Significado idêntico ao de *Pradâya*.

Pradhân (*Sânsc.*) — Predomínio.

Pradhana (*Sânsc.*) — Ação de ferir ou matar; destruição; batalha.

Pradhâna (*Sânsc.*) — Matéria indiferenciada, chamada em outras partes e em outras escolas de *Âkaza* e designada pelos vedantinos com o nome de *Mûlaprakriti* ou Raiz da matéria. Em resumo: a Matéria primordial ou original. [*Pradhâna*, ou seja, *Mûlaprakriti* dos vedantinos, é a massa imensa de matéria em estado caótico, informe ou indiferenciada, a matéria original, a causa material do universo, a substância de que são formadas todas as coisas da Natureza; o princípio não-criado e eterno, oposto ao *Purucha* (Espírito). Nas Escolas *Sânkhya* e *Yoga*, a palavra *Pradhâna* é sinônimo de *Prakriti*. Contudo o autor do sistema *Vedanta* estabelece algumas diferenças entre as duas, aplicando o nome de *Pradhâna* à matéria ou causa material do Universo e o de *Prakriti* à Natureza. (*Darzana*, p. 64) O termo *Pradhâna* é igualmente empregado para designar a natureza material. Significa também: a pessoa ou coisa principal, chefe, cabeça etc. Algumas vezes este nome é utilizado para designar o Espírito Supremo e, de fato, o *Pradhâna* é um aspecto do *Parabrahman*, segundo lemos na *Doutrina Secreta*, I, 277. (Ver *Prakriti*.)]

Pradhânaka (*Sânsc.*) — No sistema *sânkhya*, é a substância primordial: pradhâna. (*P. Hoult*)

Pradhâna-purucha (*Sânsc.*) — A pessoa principal; homem eminente ou autoridade; o Princípio masculino supremo; o Espírito supremo. Epíteto de Vishnu e de Shiva.

Pradhânâtman (*Sânsc.*) — O Espírito Supremo: Vishnu.

Pradhâtâ (*Sânsc.*) — Preeminência, superioridade.

Pradhâvana (*Sânsc.*) — O vento.

Pradichta (*Sânsc.*) — Destinado, prometido, atribuído, concedido.

Pradîdivas (*Sânsc.*) — Brilhante, refulgente.

Pradigdha (*Sânsc.*) — Manchado, maculado, untado.

Pradipa (*Sânsc.*) — Lâmpada, luz; esclarecimento, explicação, comentário.

Pradîpaka ou **Pradîpakâ** (*Sânsc.*) — Pequena lâmpada, luz ou comentário.

Pradîpana (*Sânsc.*) — Que inflama, que acende; um veneno mineral.

Pradipta (*Sânsc.*) — Aceso, ardente, chamejante, flamígero, brilhante.

Pradîptî (*Sânsc.*) — Brilho, esplendor.

P

Pradîptimat (*Sânsc.*) — Brilhante, refulgente, esplendoroso.

Pradiv (*Sânsc.*) — O terceiro ou quinto dos céus; antigo, velho, arcaico. (Ver *Pradyaus.*)

Pradiz (*Sânsc.*) — Indicador; direção, ordem, mandato; ponto ou região do céu; ponto cardeal; ponto intermediário entre os quatro pontos cardeais.

Pradocha (*Sânsc.*) — Desordem, revolta, mal, falha, pecado. A primeira parte da noite.

Pradrâva (*Sânsc.*) — Fuga.

Praduchta (*Sânsc.*) — Danificado, pervertido, corrompido; dissoluto, libidinoso; vilão, rufião.

Pradvichant (*Sânsc.*) — Que odeia, aborrece, detesta.

Pradyaus (*Sânsc.*) — Nominativo singular de *pradiv*. (Ver esta palavra.)

Pradyota (*Sânsc.*) — Raio de luz; brilho, luz, esplendor. Nome de um *yakcha*.

Pradyotana (*Sânsc.*) — O Sol. Iluminação, esplendor, brilho.

Pradyumna (*Sânsc.*) — Literalmente: "o poderoso". Epíteto de Kâma, deus do amor. Nome de vários personagens, de uma montanha, de um rio etc. O Eu divino, manifestando-se através do *Buddhi*. (*P. Hoult*)

Prâgabhâva (*Sânsc.*) — Falta de existência anterior.

Prâgalbhya (*Sânsc.*) — Categoria, dignidade; arrogância, confiança em si mesmo.

Prâgbhâva (*Sânsc.*) — Existência anterior; cume de montanha; excelência.

Prâghuna (*Sânsc.*) — Hóspede; homem que pede hospitalidade.

Prâgiyoticha (*Sânsc.*) — O *Kâma-rûpa*.

Pragna (*Sânsc.*) — Ver *Prajñâ*.

Prâgrahara (*Sânsc.*) — Que ocupa o lugar superior; principal, chefe.

Pragvamsa (*Sânsc.*) — Vestíbulo da câmara de sacrifício.

Praharana (*Sânsc.*) — Arma, projétil, arma lançadora.

Prahârana (*Sânsc.*) — Coisa preferível.

Prahâsa (*Sânsc.*) — Epíteto de Shiva; nome de um lugar de peregrinação situado a oeste da Índia.

Prahi (*Sânsc.*) — Poço, fonte.

Prahîna (*Sânsc.*) — Abandonado; necessitado, privado, desvanecido.

Prahita (*Sânsc.*) — Conveniente; apto, idôneo, competente.

Prahlâda (*Sânsc.*) — Filho de Hiranyakazipu, rei dos *asuras daityas*. Como era devoto fervoroso de Vishnu, de quem seu pai era inimigo acérrimo, esteve, por esta razão, sujeito a cruéis tormentos e castigos. Para livrá-lo disso, Vishnu adotou a forma de *Nri-Sinha* (homem-leão, seu quarto *avatar*) e assim matou o pai desapiedado. [Prahlâda significa literalmente: alegria, bem-estar, felicidade. Depois da morte de seu pai, Prahlâda tornou-se rei dos *daityas*. (*Bhagavad-Gîtâ*, X, 30) Ver *Nri-Sinha*.]

Prahrâda (*Sânsc.*) — Ver *Prahrâda*.

Prahrita (*Sânsc.*) — Oferenda aos maus gênios.

P

Prahuta (*Sânsc.*) — Uma espécie de sacrifício.

Prajâ (*Sânsc.*) — Procriação, geração, criação; ser, criatura; homem; raça, linhagem, prole, família. No plural (*prajâs*): homens, pessoas, gerações, povo, gênero humano, humanidade.

Pra-jâgrat (*Sânsc.*) — O estado de vigília da consciência nas alturas búddhicas: a autoconsciência da mente superior. (*P. Hoult*)

Prajâ-kâra (*Sânsc.*) — Literalmente: "Autor da criação": o Criador.

Prajana (*Sânsc.*) — Progenitor, procriador, gerador; geração.

Prajanana (*Sânsc.*) — Geração, procriação, o poder gerador.

Prâja-nâtha (*Sânsc.*) — Literalmente: "Senhor da criação". Epíteto de Brahmâ.

Prajâ-patis (*Sânsc.*) — Progenitores, procriadores; doadores de vida a tudo o que existe na Terra. Há sete e dez, correspondentes aos sete e dez *Sephiroth* da Cabala, aos *Amesh-Spentas* do masdeísmo, etc. Brahmâ, o Criador, é chamado de *Prajâpati*, por ser a síntese dos Senhores da existência. [*Prajâ-pati* significa literalmente: "Senhor da criação ou das criaturas", e é um qualificativo de Brahmâ, dos sete grandes *Richis*, Manus e outros seres elevados. Os *Prajâpatis* são filhos ou emanações de Brahmâ, que manifestam seus poderes criadores. Segundo o *Rig-Veda*, o verdadeiro criador não é Brahmâ, mas os *Prajâpatis* ou Senhores do Ser, que são também *Richis*. (*Doutrina Secreta*, I, 370) Lemos nas *Leis de Manu* que Brahmâ criou primeiro os "dez Senhores do Ser", os dez *Prajâpatis* ou Forças criadoras, que produzem depois os outros sete Manus ou, segundo alguns manuscritos, não *Manun* [Manual], mas *Munîn* [Munis], "devotos" ou santos seres, que são os sete Anjos da Presença. (*Ib.*, II, 606) Em alguns casos, Brahmâ significa esotericamente os *Pitris*: é coletivamente o *Pitâ*, "Pai"; simboliza pessoalmente os Criadores coletivos do mundo e dos homens, isto é, do Universo com todas as suas inumeráveis produções de seres animados e inanimados (móveis e imóveis). É, coletivamente, os *Prajâpatis* ou Senhores da Existência. (*Ib.*, II, 63) Em relação a seu número, diz-se que são sete, dez e finalmente vinte e um. Porém, isso é puramente alegórico. São dez, com Brahmâ, assim como os dez *Sephiroth* do *Zohar*; porém, este número se reduz a sete, quando a Trimûrti ou Tríada cabalística se separa dos restantes. (*Ib.*, I, 380) Vemos o mesmo em todas as nações, cada uma das quais tem seus sete e dez *Prajâpatis*. O Ocultismo fixa em sete o número de Progenitores, que correspondem respectivamente às sete Raças primordiais. Os *Prajâpatis* não são nem deuses nem seres sobrenaturais, mas Espíritos avançados de outro planeta inferior, que renasceram no nosso e que, por sua vez, deram origem, na Ronda atual, à humanidade presente. (*Ib.*, II, 646) Dakcha é o chefe dos *Prajâ-patis*. Na filosofia esotérica fala-se dos *Prajâpatis* superiores (os *Kumâras*), que são os progenitores do verdadeiro Eu espiritual do homem, e dos *Prajâpatis* inferiores (*Barichad-Pitris*), que são os pais do modelo ou tipo da forma física humana, feita à sua imagem. (Ver *Brahmâ-Prajâpati, Kumâras, Manus, Manu-Svâyambhuva, Pitris*, etc.)] [*Prajâpati*, chefe dos Seres, sobrenome de Brahmâ e, às vezes, de outras grandes divindades. Nos *Brahmanas*, *Prajâpati* é considerado como o deus supremo, senão o único, durante todo o período pós-védico. Pai dos deuses, demônios e homens, criou o Mundo através de um sacrifício, após ter se entregado a grandes austeridades. É preciso notar, pois, que as austeridades são, no *Râmayâna*, isto é, na religião brahmânica, a base de toda a perfeição e até de todo poder. E, assim, o melhor meio de se alcançar o Céu de Brahmâ (*Brahmaloka*). Do suor do corpo de *Prajâpati* nasceu um *ovo*, que, depois de

P

permanecer um ano nas águas primordiais, deu origem ao Mundo. A metade superior da casca deu origem ao firmamento; a inferior ao oceano. *Prajâpati* é, ainda hoje, o deus daqueles que, na Índia, tendem para o monoteísmo ou, pelo menos, para a sistematização dos ritos. A tendência ao monoteísmo é também perceptível no culto a Brahma, o Criador, o Pai dos deuses e homens; figura majestosa grandiosa, porém, claro, vaga como todas as entidades. (Bérgua, O *Râmayâna*, 745 - Notas.)]

Prajâpati-loka (*Sânsc.*) — Região ou mundo dos *Prajâpatis*, *Richi*, *Pitris*. É o segundo dos *lokas*, segundo a classificação dos *sânkhyas* e alguns vedantinos. (Ver *Pitriloka*.)

Prajâpati-vâch (*Sânsc.*) — É o aspecto dual ou caráter andrógino dos principais deuses criadores. É o mesmo que Brahmâ. (*Doutrina Secreta*, I, 461-466) Ver *Vâch*.

Prajña ou **Prâjna** (*Sânsc.*) — Instruído, inteligente, douto, sábio.

Prajñâ (**Pragna**, **Pragnya** ou **Prajna**) (*Sânsc.*) — Sinônimo de *Mahat*, a Mente universal. Consciência. A capacidade para a percepção [que existe em sete aspectos diversos, correspondentes às sete condições da matéria. (*Doutrina Secreta*, I, 163) Significa, além disso: inteligência, conhecimento, entendimento, discernimento; razão, juízo; sabedoria, conhecimento supremo ou espiritual. "Prajñâ, o sétimo escalão da sabedoria, cuja chave de ouro faz do homem um deus, convertendo-o em *Bodhisattva*, filho dos *Dhyânis*." (*Voz do Silêncio*, III) *Prajñâ* é também um sobrenome de Sarasvatî.]

Prajñâ-mârga (*Sânsc.*) — Ver *Jñâna-mârga*.

Prajñâ-pâramitâ (*Sânsc.*) — A perfeição da sabedoria, uma das seis virtudes cardeais do budismo.

Prajñâvâda (*Sânsc.*) — Discurso sábio.

Prajñâvat (*Sânsc.*) — Inteligente, instruído.

Prajñin (*Sânsc.*) — Sábio, douto, inteligente.

Prâkâmya (*Sânsc.*) — O poder de ver realizados todos os desejos, de qualquer tipo; condescendência aos próprios desejos. Um dos oito atributos de Shiva.

Prakarana (*Sânsc.*) — Capítulo ou seção de um livro; prólogo ou introdução de um poema; poema de fantasia; drama.

Prakarcha (*Sânsc.*) — Preeminência, superioridade, supremacia.

Prakâza (**Prakasha**) (*Sânsc.*) — Luz, esplendor, claridade; evidência, manifestação, aparição; claro, luminoso, brilhante; visível, perceptível, manifesto, notório, evidente, público. Na filosofia sânkhya-yoga, o termo *prakâza* ou *prakhyâ* corresponde a *jñâna*. (Ver esta palavra.)

Prâkâza (*Sânsc.*) — Uma espécie de halo denominado aura humana. (Olcott, *Catec. Búd.*, 99)

Prakâzaka (*Sânsc.*) — Brilhante, luminoso; sereno, claro, lúcido.

Prakchâlana (*Sânsc.*) — Lavagem, banho.

Prakchaya (*Sânsc.*) — Destruição, ruína; fim, morte.

Prakhya (*Sânsc.*) — Visível, claro, distinto; parecido, semelhante.

Prakhyâ (*Sânsc.*) — Aspecto, aparência. (Ver *Prakâza*.)

Prakhyâta (*Sânsc.*) — Conhecido, célebre, famoso.

P

Prakhyâti (*Sânsc.*) — Celebridade, notoriedade; louvor.

Prakirnaka (*Sânsc.*) — Decreto, decisão promulgada.

Prakîrti (*Sânsc.*) — Glória, fama; louvor, enaltecimento.

Prâkphâlguna (*Sânsc.*) — Epíteto de Brihaspati ou Vriaspati.

Prâkphalgunî (*Sânsc.*) — O décimo primeiro asterismo lunar.

Prâkphalgunîbhava (*Sânsc.*) — Ver *Prâkphâlguna*.

Prakrama (*Sânsc.*) — Progressão, progresso; princípio; oportunidade.

Prâkrita (*Sânsc.*) — Natural, usual, comum, vulgar, baixo. (Ver *Prâkrito* ou *Prócrito*.)

Prâkritas, *Criações* — Ver *Criações*.

Prakriti (*Sânsc.*) — A Natureza em geral; a Natureza em contraposição ao *Purucha* – a natureza espiritual e o Espírito, que juntos são os "dois aspectos primitivos da Divindade única desconhecida". (*Doutrina Secreta*, I, 82) [*Prakriti* significa a Natureza: ou o mundo material, a Matéria primordial e elemental, a causa ou essência material de todas as coisas, a Matéria no mais alto sentido da palavra, desde o mais denso e grosseiro (o mineral) até o mais sutil e etéreo (o éter, a mente, o intelecto) e significa também a natureza espiritual, que são apenas os dois aspectos primitivos da Divindade Una e desconhecida. (*Doutrina Secreta*, I, 82.) O *Purucha* e a *Prakriti* (Espírito e Matéria) são, em sua origem, a mesma coisa; porém, ao chegarem no plano da diferenciação, cada um deles começa seu progresso evolutivo em direções opostas. Assim, pois, Brahma é essencialmente Espírito e Matéria. (*Ib.*, I, 267, 453). A *Prakriti* é dual na metafísica religiosa, porém, segundo as doutrinas esotéricas, é setenária, como todo o universo. (*Ib.*, I, 39) A *Prakriti* ou Natureza (a Raiz de tudo) não é criada, não é uma produção, mas é produtora. Segundo o *Sânkhya-kârikâ*, as produções (*ativas*, formas ou princípios) da *Prakriti*, também chamadas de sete *Prakritis* ou Naturezas da *Prakriti* são: *Mahat* (ou *Mahâ-Buddhi*), *Ahamkâra* e os cinco *Tânmâtras* (I, 227, 400). Cada partícula ou átomo da *Prakriti* contém *Jîva* (vida divina) e é o corpo do *Jîva* que contém; assim como cada *Jîva* é por sua vez, o corpo do Espírito supremo, uma vez que "Parabrahman impregna cada *Jîva*, bem como cada partícula da Matéria". (I, 569) A rigor, *Prakriti* e *Pradhâna* (ver esta palavra) não são palavras sinônimas; há diferenças entre ambas. A *Prakriti* é um aspecto do *Pradhâna*; este último (*Prakriti* sutil) é a base original, a causa material, sem princípio nem fim, causa não-desenvolvida, não-evolucionada, a Matéria não-manifestada, a Natureza material visível e invisível. (I, 595, 636) Segundo a filosofia *sânkhya-yoga*, existem dois princípios igualmente não-criados e eternos: *Purucha* e *Prakriti* (Espírito e Matéria), que, por sua mútua união, dão origem a todos os seres animados e inanimados. (*Bhagavad-Gîtâ*, XIII, 26) Porém, diferem completamente entre si, pois, opostamente ao *Purucha*, a *Prakriti* é inconsciente, produtora, sempre ativa e incessantemente sujeita a movimentos, mudanças e transformações. A *Prakriti*, além disso, não é uma substância simples, como o *Purucha*, mas é constituída pelos três *gunas* (modos, qualidades ou atributos), denominados respectivamente *sattva*, *rajas* e *tamas*, que não são simples acidentes da matéria, mas que são de sua própria natureza e entram em sua composição, como os ingredientes que integram o produto. Os três *gunas* estão universalmente difundidos na natureza *material*; existem em todas as criaturas, determinando o caráter ou condição individual pela proporção em que se encontram em cada um dos seres. (Ver *Gunas*.) Graças à sua atividade e potência produtora, a *Prakriti* (Matéria) pode apresentar-se em dois estados distintos: 1°) Matéria caótica, sem diferenciação ou manifestação (*avyakta*), isto é, a massa informe destinada a converter-se em todo tipo de formas ou produtos materiais, e 2°) Matéria diferenciada ou manifestada (*vyakta*), que constitui as inumeráveis formas ou diferenciações acidentais e transitórias dos seres da Natureza; formas ou entidades que, após uma existência longa ou breve, morrem, dissolvendo-se no oceano de matéria informe da qual surgiram. Produtos da *Prakriti* são, como já se disse, o *Buddhi*, *Ahamkâra* e outros princípios que, por desempenharem funções tão nobres e elevadas, causam surpresa ao figurarem entre os produtos materiais. Porém, isso é bastante lógico: quando se considera o *Buddhi*, o primeiro e o mais espiritual, por assim dizer, de todos eles, é limitado, ativo, sujeito a mudanças e modificações e distinto em cada indivíduo, diferenciando-se nesse aspecto do *Purucha* (Espírito), que é imortal, imutável, passivo ou mero espectador das operações da Natureza A *Prakriti*, como foi dito anteriormente, é inconsciente, porém adquire uma consciência aparente, um toque de consciência, digamos, graças à sua união com o *Purucha*, do mesmo modo que um cristal incolor nos parece vermelho, quando nele se reflete um objeto de tal cor. A associação de ambos os princípios foi comparada com a aliança entre um paralítico (o consciente, porém inativo *Purucha*) e um cego (a inconsciente, porém ativa *Prakriti*). Se o cego levar sobre os ombros o guia paralítico, ambos podem chegar ao término de sua peregrinação, formando assim o Homem perfeito. (Ver *Purucha*, *Pradhâna* etc.)]

Prakriti-guna (*Sânsc.*) — Qualquer uma das três qualidades ou modos (*gunas*) da natureza material (*Prakriti*).

Prakriti-ja (*Sânsc.*) — "Nascido da Natureza", natural, inato.

Prâkritika-pralaya (*Sânsc.*) — O *Pralaya* que segue a Idade de Brahmâ, quando tudo o que existe se dissolve em sua essência primordial (*Prakriti*). [É o *Pralaya* ou dissolução elemental. (Ver *Pralaya*.)]

Prakriti-laya (*Sânsc.*) — A alma que não conseguiu alcançar a libertação e que fica unida à Natureza. Em seus comentários aos *Aforismos do Yoga* (I, XVII), M. Dvivedi designa com este nome aquele "que está dissolvido na *Prakriti* e que não a superou", ou seja, aquele que está ligado ou aderido à matéria.

Prâkrito (**Prâkrita** ou **Prácrito**) — Ver *Prácrito*.

Pralaya (*Sânsc.*) — É um período de obscuridade ou repouso (planetário cósmico ou universal); o oposto ao *manvantara*. (*Doutrina Secreta*, I, 397) [*Pralaya* é o período de dissolução, sono ou repouso relativo ou total do Universo, que sobrevêm ao fim de um Dia, de uma Idade ou de uma Vida de Brahmâ. Porém, este termo não se aplica unicamente a cada "Noite de Brahmâ", ou seja, à dissolução do mundo que segue a cada *Manvantara*; aplica-se também a cada "Obscuridade" e a cada cataclismo que põe fim, através do fogo ou da água, alternadamente, a cada Raça-mãe. Há muitos tipos de *Pralaya*, porém os principais são: 1°) o *Naimittika*, "ocasional" ou "acidental", causado pelos intervalos dos "Dias de Brahmâ", durante os quais Brahmâ (que é o próprio Universo) dorme em sua Noite. Este *Pralaya* é a destruição de todas as criaturas, de tudo o que tem vida e forma, porém não da substância, que permanece numa condição estacionária até que surja a nova aurora, ao terminar a Noite; 2°) o *Prâkritika* ou "elementar" que ocorre no fim da Idade ou Vida de Brahmâ, quando tudo o que existe se dissolve no Elemento primordial, para ser novamente modelado no fim daquela Noite mais longa. Neste tipo de *Pralaya*, o retorno deste universo à sua natureza original é parcial e físico; 3°) o *Âtyantika*, definitivo ou absoluto, que não se refere aos mundos ou ao Universo, mas unicamente a algumas individualidades, sendo, portanto, o *Pralaya* individual ou *Nirvâna*, que depois de ter sido alcançado, não possibilita nenhuma outra existência futura ou renascimento até depois do *Mahâ-Pralaya*. O *Pralaya* individual é a identificação do Encarnado com o Incorpóreo, temporalmente ou até que chegue o *Mahâkalpa* seguinte. No *Bhâgavata-Purâna* fala-se de um quarto tipo de *Pralaya*, o *Nitya* ou perpétuo, ou seja, a dissolução contínua, que é a mudança que se opera de modo imperceptível e incessante em tudo o que há no Universo, desde o globo até o átomo. É progresso e decadência, vida e morte. (*Doutrina Secreta*, I, 397-399; II, 72, 323) O Ocultismo admite também vários tipos de *Pralaya*: há o *Pralaya individual* de cada globo, passando a humanidade e a vida para o próximo, havendo sete *Pralayas* menores em cada Ronda; o *Pralaya planetário*, quando foram completadas as sete Rondas; o *Pralaya solar*, quando chega ao fim todo o sistema; e, finalmente, o *Pralaya universal* (*Mahâ* ou *Brahmâ Pralaya*), ao término da Idade de Brahmâ. Estes são os *Pralayas* principais, porém há outros *Pralayas* menores. (I, 195) O *Mahâ-Pralaya*, *Pralaya universal* ou final é a morte do Cosmos, a reabsorção do Universo. Nele, todas as coisas se dissolvem em seu Elemento único original; os próprios deuses (Brahmâ, etc.) morrem e desaparecem durante essa longuíssima Noite. A *Prakriti* e o *Purucha* (Natureza e Espírito) se dissolvem sem qualidades ou atributos no Espírito Supremo, que é o TODO. O Espírito permanece no *Nirvâna*, ou seja, *Aquele* para o qual não há Dia nem Noite. Este *Grande Pralaya* ocorre no fim de cada Idade de Brahmâ. Todos os demais *Pralayas* são menores, parciais, periódicos e seguem os *Manvantaras* ou Dias de Brahmâ, em sucessão regular, como a noite segue o dia de cada ser terrestre. (I, 603) Assim é que, depois de cada Dia de Brahmâ, vem um *Pralaya* parcial, cuja duração é a mesma daquela do *Manvantara* ou, em outros termos, a duração da Noite é igual àquela do Dia de Brahmâ. Nestes *Pralayas* menores, os mundos permanecem numa condição estacionária (I, 46), encontram-se num estado latente de inação ou passividade, como que adormecidos, durante todo este período, para novamente despertarem na aurora do novo Dia. Durante a longa Noite de descanso ou sono do Universo, chamado de *Pralaya universal*, quando todas as Existências estão dissolvidas, a Mente universal permanece como uma possibilidade de ação mental ou como aquele Pensamento absoluto abstrato, do qual a mente é a manifestação relativa concreta (I, 70). Então, toda a ideação cósmica cessa, porque não existe nada nem ninguém para perceber seus efeitos (I, 350). Brahmâ, a própria Divindade, encontra-se em estado latente, como que dormindo. Os variados estados em que se encontra diferenciada a substância cósmica dissolvem-se no estado primordial de objetividade potencial abstrata. Nosso Cosmos e toda a Natureza extinguem-se, para reaparecerem somente num plano mais perfeito, depois de um longuíssimo período de repouso. Os inumeráveis globos desintegrados são novamente construídos a partir do antigo material e reaparecem transformados e aperfeiçoados para uma nova fase de vida. Segundo o Ocultismo, os *Pralayas* cíclicos são apenas "Obscurações", durante as quais a Natureza, isto é, todas as coisas visíveis e invisíveis de um planeta em repouso, permanecem estacionárias. (Ver *Obscuridade*.) – Ver também *Mahâ-Pralaya*, *Manvantara*, *Noite de Brahmâ*, *Nitya-Pralaya*, *Nirvâna*, *Paranirvâna*, etc.]

Pralaya planetário — Ver *Pralaya*.

Pralaya solar — Ver *Pralaya*.

Pramâ (*Sânsc.*) — Percepção sensível, conhecimento, consciência.

Pramâda (*Sânsc.*) — Embriaguez, estupor, torpor; insensatez, aturdimento; negligência, descuido, erro, negligência no cumprimento de seus deveres.

Pramâna (*Sânsc.*) — Medida, limite; pauta, regra; regra de ação; modelo, exemplo; autoridade; prova, testemunho, evidência, certeza; instrumento ou meio de conhecimento. Os meios de conhecimento ou de se chegar à verdade, segundo a filosofia *sânkhya-yoga*, são três: 1º) a percepção direta através dos sentidos; 2º) a inferência ou dedução e 3º) a autoridade, revelação ou experiência alheia.

P

Pramantha (*Sânsc.*) — Um acessório para produzir o fogo sagrado, através da fricção. Os paus utilizados pelos *brahmanes* para acender o fogo através da fricção. [Um dos dois *aranî*. (Ver esta palavra.)]

Pramâpana (*Sânsc.*) — Homicídio, assassinato, mortandade, carnificina.

Pramâthi ou **Pramâthin** (*Sânsc.*) — Agitado, turbulento, fogoso, excitado, impetuoso, fustigador.

Prameya (*Sânsc.*) — Coisa que é preciso provar; objeto de *pramâna* (prova ou certeza).

Pram-Gimas (*Lit.*) — Literalmente: "Senhor de tudo"; um epíteto da Divindade.

Pramîlâ (*Sânsc.*) — Fadiga, prostração; abatimento, indolência.

Pramiti (*Sânsc.*) — Conhecimento adquirido.

Pramlochâ (*Sânsc.*) — Uma *apsara* ou ninfa celeste, que seduziu Kandu. (Ver *Kandu*.) [Indra enviou à Terra uma belíssima ninfa celeste, chamada Pramlochâ, para seduzir o sábio Kandu e distraí-lo de suas devoções e penosas austeridades. Ela conseguiu seu propósito e viveu com ele "novecentos e sete anos, seis meses e três dias" (cifra esotérica desfigurada, que representa a duração do ciclo compreendido entre a primeira e a segunda Raças humanas), tempo que transcorreu como apenas um dia para o sábio. Passado este período, Kandu maldisse a sedutora ninfa e a repudiou, dizendo-lhe: "Afasta-te, fardel de enganos e ilusões!" E Pramlochâ fugiu espavorida pelos ares, enxugando o suor de seu corpo com as folhas das árvores. Os ventos recolheram aquele orvalho vivo, fazendo com ele uma massa, que Soma (a Lua) amadureceu com seus raios. Graças a isso, a massa produzida pela transpiração da ninfa foi crescendo até transformar-se em Mârichâ, a feiticeira menina. Este relato do *Visnhu Purâna*, como logo se compreende, é completamente alegórico. Kandu representa a primeira Raça; é filho dos *Pitris* e é desprovido de mente; *Pramlochâ* é a Lilith hindu do Adão ário, Mârichâ, sua filha, é a "nascida do suor" e figura como símbolo da segunda Raça da humanidade. (*Doutrina Secreta*, II, 184-185)

Pramoha (*Sânsc.*) — Libertação, emancipação, salvação.

Pramrita (*Sânsc.*) — Desaparecido, morto.

Pramûdha (*Sânsc.*) — Extraviado, perturbado, inconsciente, entorpecido; insensato, estúpido.

Pramudita (*Sânsc.*) — Alegre, contente, feliz.

Pramukha (*Sânsc.*) — Chefe, homem eminente; o principal, o primeiro, o melhor; o tempo presente.

Prana (*Sânsc.*) — Velho, vetusto, antigo.

Prâna (*Sânsc.*) — Princípio vital; alento de vida. [É o terceiro princípio (ou o segundo, em outras classificações) na constituição setenária do homem; é a vitalidade, a força vital, a vida que impregna todo o corpo vivo do homem, a energia ou potência ativa, que produz todos os fenômenos vitais. O aliento, a vida do corpo, é uma parte da vida ou do aliento universal. A Vida é universal, onipresente, eterna, indestrutível e a porção desta Vida universal individualizada ou assimilada a nosso corpo é aquela que se designa pelo nome de *Prâna*. Ao morrer o corpo, o *Prâna* retorna ao oceano de Vida cósmica. Todos os mundos, todos os homens, animais, plantas e minerais, todos os átomos e moléculas, numa palavra, tudo o que existe está submerso num imenso oceano de vida, vida eterna infinita, incapaz de incremento ou de diminuição. Então vejamos: cada ser, embora seja diminuto como uma molécula no Universo, pode ser considerado

P

como apropriando-se ou assimilando como vida própria algo desta vida universal. Imaginemos uma esponja viva desdobrando-se na massa de água, que a banha, envolve e impregna, preenchendo todos os seus poros e circulando por seu interior. Neste caso, podemos considerar, por um lado, o oceano que a circunda mantendo-se fora dela e, por outro, a pequena parte do oceano que a esponja absorveu, dela se apropriando. Este imenso oceano de vida, ou seja, a Vida universal, denomina-se *Jîva* (ver esta palavra), assim como a porção de Vida universal que cada organismo vivo se apropria é chamada de *Prâna*. (A. Besant, *Os sete princípios do homem*) Se retiramos a água da esponja, esta seca e isso simboliza a morte (de um ser privado de vida). Segundo a *Doutrina Secreta* (III, 545), o *Jîva* converte-se em *Prâna* apenas quando a criança nasce e começa a respirar. Não há *Prâna* no plano astral. Não se pode tratar do *Prâna* sem falar de outro fator importante, cujo objetivo principal é servir-lhe de veículo. Este fator é o *Linga-shârira*, outro dos princípios da constituição humana. Como um acumulador elétrico, acumula vida, que distribui com regularidade e oportunamente por todas as partes do organismo, dirigindo a corrente vital segundo as necessidades do corpo. *Prâna* significa também respiração, alento expiatório (*Doutrina Secreta*, I, 122), embora vários autores (*Râmanuja, Burnouf, Schlegel* etc.) achem que é o alento inspiratório, o alento superior, a corrente oposta ao *Apâna* (ver esta palavra). Todas as manifestações vitais do corpo são denominadas *Prânas* menores, assim como a manifestação pulmonar é chamada de *Prâna* por excelência. Do mesmo modo designa-se com o nome de *Prâna* a fase positiva da matéria, em contraposição ao *Rayi* ou fase negativa. (*Râma Prasâd*) Ver *Prâna* ou *Prânâh, Ares Vitais, Apâna, Jîva, Linga-shârira,* etc.]

Prânâ ou **Prânâh** (*Sânsc.*) — Nominativo plural de *Prâna*. Vida; os cinco ares, alentos ou espíritos vitais; os *Prânas* menores. (Ver *Prâna* e *Ares Vitais*.)

Prânabhrit (*Sânsc.*) — Que tem vida, dotado de vida; vivo, vivente.

Pranachta (*Sânsc.*) — Destruído, perdido, desaparecido, desvanecido, morto, abandonado.

Prânada (*Sânsc.*) — Doador de vida; a água, o sangue.

Prânadhârana (*Sânsc.*) — Sustentação ou prolongação da vida.

Prânahîna (*Sânsc.*) — Privado de vida.

Prânaka (*Sânsc.*) — Animal; tecido, vestido.

Pranakarman (*Sânsc.*) — Função vital.

Prânakâya (*Sânsc.*) — A forma vital; o corpo etéreo. (*P. Hoult*)

Pranâla ou **Pranâlî** (*Sânsc.*) — Canal, regato.

Prânalabha (*Sânsc.*) — Conservação da vida.

Pranama ou **Pranamana** (*Sânsc.*) — Demonstração de respeito; reverência, inclinação respeitosa de cabeça, saudação, etc.

Prânamaya (*Sânsc.*) — Composto de alento; que alenta ou vive.

Prânamaya-kosha (*Sânsc.*) — O veículo de *Prâna* (vida), ou seja, o *Linga-shârira*: termo vedantino. [Segundo a classificação vedantina, é o *Prâna* junto com seu veículo (*Corpo astral* ou *Linga-shârira*). (*Doutrina Secreta*, I, 181).]

Prânanâza (*Sânsc.*) — Perda da vida: a morte.

Prânâpâna (*Sânsc.*) — *Prâna-apâna* – Inspiração e expiração.

P

Prânapati (*Sânsc.*) — Literalmente: "senhor da vida"; o coração.

Prânârthin (*Sânsc.*) — Sedento de vida.

Prânas — Ver *Prâna*.

Prânasadman (*Sânsc.*) — Literalmente: "residência da vida"; o corpo.

Prânasamrodha (*Sânsc.*) — Ver *Prâna-samyama*.

Prâna-samyama (*Sânsc.*) — "Domínio ou retenção do alento". (Ver *Prânâyâma*.)

Pranati — Ver *Pranama*.

Pranâtmam (Prâna-âtman) (*Sânsc.*) — O mesmo que *Sûtrâtman* [ou *Sûtrâtmâ*], o eterno germe-fio, no qual encontram-se enfileiradas, como contas de um rosário, as vidas pessoais do Ego. [Ver *Sûtrâtman*.]

Pranava (*Sânsc.*) — Uma palavra sagrada equivalente a AUM. [Louvor; expressão glorificadora ou laudatória; a palavra ou sílaba sagrada OM ou AUM. (Ver *OM, AUM* e *Vâch*.]

Prânavâyus (*Sânsc.*) — Os cinco ares ou alentos vitais; os cinco Pândavas; ar ou alento vital.

Prâna-vidyâ (*Sânsc.*) — A ciência do *Prâna* (alento).

Prânavritti (*Sânsc.*) — Atividade ou função vital.

Pranaya (*Sânsc.*) — Chefe, guia; conduta; manifestação; confidência, confiança; familiaridade; favor; afeto, amor; zelo; desejo; petição, solicitação.

Pranâya (*Sânsc.*) — Livre de paixão, de amor ou de desejo; reto, justo, honrado; zeloso.

Prânâyâma (*Sânsc.*) — Domínio, restrição e regulação do alento na prática do *Yoga*. [É um dos exercícios preparatórios do *Yoga* superior. Consta de três partes: 1°) *Pûraka*, inspiração prolongada, retendo, em seguida, tanto quanto possível, o ar no corpo; 2°) *Rechaka*, expiração prolongada até deixar, tanto quanto possível, os pulmões vazios e 3°) *Kumbhaka*, suspensão de ambos os movimentos respiratórios. A ordem destas três partes é variável; alguns as expõem da maneira descrita, outros começam pela expiração, seguida da inspiração e retenção do alento, e outros, finalmente, enumeram estes três passos da seguinte maneira: inspiração, retenção do alento e expiração. A prática mais comum é começar pela expiração seguida da inspiração pela mesma narina e suspensão do alento seguida de expiração pela outra narina; repetindo a inspiração por essa narina e assim sucessivamente. Às vezes o nome *Prânâyâma* é aplicado a cada uma das partes isoladamente. O exercício do *Prânâyâma*, devidamente praticado sob a direção de uma pessoa habilitada, é altamente benéfico, uma vez que, como já se disse, é uma das partes preliminares do verdadeiro *Râja-yoga*, através do qual todas as energias vitais são dominadas e todas elas se submetem ao Eu superior. Porém, nesta mesma prática repousa também o *Hatha-Yoga* e em tal conceito os Mestres se opõem unanimemente a seu exercício, pelas consequências funestas que costuma trazer tanto para a parte física quanto para a moral do homem. (*Doutrina Secreta*, III, 502, 509) Ver *Bhagavad-Gîtâ*, IV, 29; *Aforismos de Patañjali*, II, 29, 49, 50, 51 e o comentário correspondente de M. Dvivedi. Ver também a passagem do *Anugîtâ* reproduzido na *Doutrina Secreta*, I, 122.]

Pranâza (*Sânsc.*) — Perdição, perda, ruína, quebra, destruição.

Prâneza (Prâna-îza) (*Sânsc.*) — Senhor da Vida.

P

Pranidhâna (*Sânsc.*) — A quinta prática dos yogis: a devoção perseverante [ao Senhor]. (Ver *Aforismos do Yoga*, II, 1 e 32.) [O termo *Pranidhâna* foi interpretado também no sentido de "obediência", "submissão mental", "completa dependência" ou "próprio abandono" (ao Senhor ou Îzvara). Ver o comentário de M. Dvivedi aos *Aforismos* I, 23 e II, 1 e 32. Este termo tem outras acepções: empenho, intento; efeito; emprego; atenção, consideração, meditação etc.]

Pranidhi (*Sânsc.*) — Emissário, explorador; seguidor, prosélito. No Budismo: oração, súplica etc.

Prânin (*Sânsc.*) — Que tem alento de vida; que é dotado de vida; homem, animal, ser ou criatura viva.

Pranipâta (*Sânsc.*) — Cumprimento; humilhação, prostração; reverência, submissão; submissão ou obediência ao mestre ou superior; humildade.

Prañjali ou **Prâñjali** (*Sânsc.*) — "Que faz o *añjali*", isto é, que junta no alto as mãos em sinal de adoração ou reverência.

Prapanna (*Sânsc.*) — Aquele que chegou, recorreu ou acudiu especialmente em súplica ou em busca de refúgio. Aparecido; ocorrido.

Prapâtha (*Sânsc.*) — Via, senda, caminho.

Prapâthaka (*Sânsc.*) — Lição, capítulo.

Prapitâmaha (*Sânsc.*) — Bisavô. É também um epíteto de Brahmâ e de Krishna. No plural (*Prapitâmahâs*): ancestrais, antepassados, avós.

Prâpta (*Sânsc.*) — Chegado, vindo; alcançado, obtido, adquirido.

Prâpti (*Sânsc.*) — (De *prâp*, alcançar) — Um dos oito *siddhis* (poderes) do *Râja-Yoga*. É o poder de trasladar-se de um lugar para outro, instantaneamente, através apenas da força de vontade; a faculdade de adivinhar, profetizar e curar, que é também um poder do *Yoga*. [A faculdade de alcançar um ponto qualquer, por distante que seja. *Prâpti* significa também: obtenção, aquisição; proveito, utilidade; lucro, ganância, bom êxito.]

Prârabdha (*Sânsc.*) — Começado, empreendido.

Prârabdha-Karma (*Sânsc.*) — Karma começado, também chamado "maduro" ou "ativo"; aquele cujos efeitos inevitáveis se manifestam durante a vida atual em nossa própria natureza, isto é, aquele que constitui nosso caráter e as múltiplas circunstâncias que nos rodeiam. (Ver *Karma* e A. Besant, *Sabedoria Antiga*, p. 326-342.)

Prârambha (*Sânsc.*) — Princípio, o ato de começar ou empreender uma obra.

Prasabha (*Sânsc.*) — Violência, força, veemência; ousadia, temeridade; insolência.

Prasâda (*Sânsc.*) — Paz, tranquilidade, serenidade, placidez; prazer, contentamento; suavidade, doçura; favor, graça; domínio de si mesmo; iluminação, claridade, pureza mental.

Prasakta (*Sânsc.*) — Apegado, afeito, devoto; afeiçoado, inclinado; dedicado, consagrado.

Prasanga (*Sânsc.*) — Apego, afeição, inclinação; devoção; união, enlace, conexão; oportunidade, ocasião caso, acontecimento.

Prasanga Mâdhyamika (*Sânsc.*) — Uma escola búdica de filosofia do Tibete. Segue (assim como o sistema *Yogachârya*) o *Mahâyâna* ou "Grande Veículo" de preceitos;

P

porém, tendo sido fundada muito tempo depois da escola *Yogachârya*, não é tão rígida nem tão severa. É um sistema semi-exotérico e muito popular entre os *literatos* e seculares.

Prasangavant (*Sânsc.*) — Ocasional, incidental.

Prasankhyâna (*Sânsc.*) — Iluminação, luz do conhecimento.

Prasanna (*Sânsc.*) — Graça, favor. Como adjetivo: claro, lúcido, brilhante, sereno; puro, justo; amável, benigno; favorável, propício; tranquilo, aprazível; alegre, contente.

Prasannachetas (*Sânsc.*) — Que tem o ânimo tranquilo, suave, sereno.

Prasannâtman (*Sânsc.*) — Que tem o ânimo sossegado, sereno ou benévolo; que tem a mente suave, lúcida, serena.

Prasannerâ (*Sânsc.*) — Licor espirituoso.

Prasastar (*Sânsc.*) — Sacerdote auxiliar. (*Bérgua*)

Prasatta (*Sânsc.*) — Satisfeito, feliz.

Prasatti (*Sânsc.*) — Graça, mercê, favor.

Prashraya (*Sânsc.*) — Também chamada de *Vinaya*. "A progenitora de amor." Título dado à Aditi védica. "Mãe dos Deuses." [*Prashraya* significa também: conduta respectiva; modéstia, humildade. (Ver *Aditi*.)]

Prasiddha (*Sânsc.*) — Cumprido, colocado em ordem; estabelecido; célebre, famoso.

Prasiddhi (*Sânsc.*) — Êxito feliz, perfeição, cumprimento, celebridade, fama.

Prasita (*Sânsc.*) — Devoto, atento, assíduo, zeloso, ansioso.

Prasiti (*Sânsc.*) — Senda, caminho, curso; alcance; domínio; continuação, duração.

Prasrita (*Sânsc.*) — Desenvolvido, aparecido, saído, surgido, emanado.

Prasupta (*Sânsc.*) — Adormecido.

Pratâpavân ou **Pratâpavant** (*Sânsc.*) — Majestoso, glorioso; poderoso; ardente, fogoso.

Prathâ (*Sânsc.*) — Fama, celebridade.

Prathama (*Sânsc.*) — Primeiro.

Prathiman (*Sânsc.*) — Amplitude, extensão, grandeza.

Prathita (*Sânsc.*) — Difundido, estendido; divulgado; declarado, proclamado.

Pratibhâ (*Sânsc.*) — Brilho, esplendor; inteligência; intuição; confiança em si mesmo. É aquele grau do intelecto que se desenvolve sem causa especial e que pode conduzir, ao verdadeiro conhecimento; corresponde ao que geralmente se chama de intuição. [(M. Dvivedi, Comentários aos *Aforismos de Patañjali*, III, 33.) Ver *Târaka-jñâna*.]

Pratibhâhâni (*Sânsc.*) — Perda da inteligência falta de senso comum.

Pratibhâsika (*Sânsc.*) — A vida aparente ou ilusória. [Assim se chama a consciência que se relaciona com os fenômenos ilusórios. É o terceiro grau do *Mâyâ* dos vedantinos. (*P. Hoult*)]

Pratibhâvat (*Sânsc.*) — Radiante, brilhante, inteligente; confiante em si mesmo. O Sol, a Lua, o fogo.

P

Pratichiddha (*Sânsc.*) — Vedado, proibido, recusado; suprimido, omitido.

Pratichiddha-Karma (*Sânsc.*) — Ato proibido pela lei.

Pratichtâ (*Sânsc.*) — Estado, situação, posição; lugar, residência; assento; base, sustentação; arca, receptáculo; a terra; celebridade; preeminência.

Pratichthita (*Sânsc.*) — Situado, fixo; presente; estabelecido.

Pratidhvâna (*Sânsc.*) — Eco.

Pratigraha (*Sânsc.*) — Aceitação; assentimento; dom, presente.

Pratihara (*Sânsc.*) — Porteiro.

Prâtihârya (*Sânsc.*) — Portento, prodígio; aparição milagrosa.

Pratijñâ (*Sânsc.*) — Reconhecimento, distinção; determinação, resolução; promessa.

Pratîka (*Sânsc.*) — Exterior, superfície; cara; boca; aspecto, aparência; imagem, representação, símbolo.

Pratîkâza (*Sânsc.*) — Imagem refletida; aspecto, aparência.

Pratîkchana (*Sânsc.*) — Consideração, atenção, respeito; observância, cumprimento.

Pratima (*Sânsc.*) — Igual, semelhante; semelhança, similitude.

Pratimâlâ (*Sânsc.*) — Recitação de memória e verso a verso.

Pratimâna (*Sânsc.*) — Honra, respeito, consideração.

Pratimokcha (*Sânsc.*) — Libertação, emancipação.

Pratinava (*Sânsc.*) — Novíssimo, recente; jovem.

Pratîpa (*Sânsc.*) — Contrário, hostil, antagonista; refratário, invertido; desagradável, nocivo.

Pratipad (*Sânsc.*) — Dignidade; categoria; inteligência; acesso, entrada; princípio; verso ou estância preliminar.

Pratipâdana (*Sânsc.*) — Ato de entregar ou remeter; ação de dar a conhecer, de esclarecer ou informar; ação do mundo.

Pratipakcha (*Sânsc.*) — Adversário, inimigo; rivalidade; parte contrária.

Pratîpata (*Sânsc.*) — O primeiro dia lunar.

Pratipatti (*Sânsc.*) — Aquisição, obtenção; percepção; inteligência, compreensão; sabedoria; asserção.

Pratisamvid (*Sânsc.*) — As quatro "formas ilimitadas de conhecimento ou sabedoria" alcançadas por um *Arhat*, a última das quais é o conhecimento *absoluto* dos doze *nidânas* e o poder sobre eles. (Ver *Nidâna*.)

Pratisanchara (*Sânsc.*) — Com este nome se designa a dissolução (*pralaya*) incidental.

Pratisândhânika (*Sânsc.*) — Bardo, panegirista.

Pratisara (*Sânsc.*) — Bracelete ou cinto que se usa como amuleto.

Pratisarga (*Sânsc.*) — Segundo os *Purânas*, é a criação secundária. Produção, criação, emanação.

Pratisparddhâ (*Sânsc.*) — Emulação, rivalidade, ambição.

Prâtisvika (*Sânsc.*) — Próprio, pessoal.

Pratîta (*Sânsc.*) — Convencido; resolvido; confiante; satisfeito, contente; conhecido, famoso.

Prativachana ou **Prativachas** (*Sânsc.*) — Resposta, réplica.

Prativâda (*Sânsc.*) — Ação de abandonar, recusar, rechaçar ou renunciar; renuncia, abandono etc.

Prativâdin (*Sânsc.*) — Que responde ou replica; que contradiz; desobediente; adversário; oponente; defensor, advogado.

Pratividhi (*Sânsc.*) — Remédio ou medida contra algum mal.

Prativimba (*Sânsc.*) — Imagem, efígie, retrato.

Pratiyatna (*Sânsc.*) — Que se esforça; ativo, diligente; esforço; desejo, afã; tendência.

Pratiyoga (*Sânsc.*) — Oposição, antagonismo; inimizade.

Pratizabda (*Sânsc.*) — Repercussão do som; eco; ressonância.

Prâtizâkhyas (*Sânsc.*) — Obras antiquíssimas que tratam das leis fonéticas da linguagem dos Vedas.

Pratizraya (*Sânsc.*) — Retiro, asilo, refúgio, morada; recinto sagrado; assembleia; ajuda, assistência.

Pratizrut (*Sânsc.*) — Eco; assentimento; promessa.

Pratyâbhâva (*Sânsc.*) — O estado em que se encontra o *Ego* sob a necessidade de nascimentos repetidos.

Pratyagâtmâ (*Sânsc.*) — O mesmo que *Jîvâtmâ* ou *Alaya*, a Alma universal una e viva. [O Eu interno, o Espírito universal (Govindâchârya).]

Pratyâhâra (*Sânsc.*) — O mesmo que *Mahâpralaya*. [Significa também: abstração ou retraimento (um dos requisitos ou partes do *Yoga*, segundo se declara nos *Aforismos de Patañjali*, II, 29). Significa ainda: compêndio; sumário.]

Pratyâharana (*Sânsc.*) — A educação ou o treinamento preliminar na prática do *Râja-Yoga*. [O domínio dos próprios sentidos; abstração, retraimento. (Ver *Pratyâhâra*.)]

Pratyak ou **Pratyanch** (*Sânsc.*) — Interno; subjetivo; situado ou voltado para trás.

Pratyakcha (Pratyaksha) (*Sânsc.*) — Percepção espiritual através dos sentidos. [Além disso, esta palavra tem as seguintes acepções: evidência ocular, percepção direta, conhecimento direto ou imediato, intuição etc.; claro, patente, manifesto, visível; direto, imediato, intuitivo.]

Pratyakcha-jñâna (*Sânsc.*) — Conhecimento adquirido através da percepção direta.

Pratyakchâvagama (*Sânsc.*) — Conhecimento direto, imediato, intuitivo.

Pratyaksha (*Sânsc.*) — Ver *Pratyakcha*.

Pratyanîka (*Sânsc.*) — Adversário, inimigo, rival.

Pratyartha (*Sânsc.*) — Resposta, réplica.

Pratyarthin (*Sânsc.*) — Que replica; oponente, impugnador; hostil, inimigo, antagonista.

P

Pratyasarga (*Sânsc.*) — Na filosofia *sânkhya*, é a evolução intelectual do universo. Nos *Purânas*, é a oitava criação.

Pratyavâya (*Sânsc.*) — Separação, partida; perda, dano, detrimento, míngua; transgressão; culpa, pecado; mal-estar, inquietude.

Pratyavayava (*Sânsc.*) — Inteiro, completo; cheio; intato, íntegro.

Pratyaya (*Sânsc.*) — Conhecimento; inteligência; noção, ideia; instrumento, meio de ação; causa ou agente cooperador; causa, motivo; costume, prática; proceder; meditação piedosa; crença; convicção; evidência, certeza.

Pratyaya-sarga (*Sânsc.*) — Criação intelectual, segundo a filosofia *sânkhya*: a oitava, chamada também de *Anugraha*. É "a criação da qual temos uma noção (em seu aspecto esotérico) ou àquela que concordamos intelectualmente, em contraposição à *criação orgânica*". (*Doutrina Secreta*, I, 492)

Pratyeka (*Sânsc.*) — Cada um; só, isolado, individual, pessoal.

Pratyeka-Buddha (*Sânsc.*) — o mesmo que *Pasi-Buddha*. O *Pratyeka-Buddha* é um grau que pertence exclusivamente à escola *yogâchârya*; contudo, é apenas um grau de alto desenvolvimento intelectual, porém sem verdadeira espiritualidade. É a *letra morta* das leis do *Yoga*, em que o intelecto e a compreensão desempenham o papel mais importante, somada ao rigoroso cumprimento das regras do desenvolvimento interno. É um dos três sendeiros do *Nirvâna* e o mais inferior, no qual o Yogi – "sem mestre e sem salvar os demais" – pela simples força de vontade e das técnicas práticas chega a uma espécie de condição de *Buddha* nominal, individualmente, sem fazer qualquer bem a ninguém, mas atuando de maneira egoísta, visando apenas a sua própria salvação. Os *pratyekas* são respeitados exteriormente, porém interiormente são objeto de desprezo por parte daqueles que são dotados de apreciação sutil ou espiritual. O *pratyeka* é geralmente comparado ao *Khadga* ou rinoceronte solitário e é designado pelo nome de *Ekazringa-Richi*, Santo (*richi*) egoísta e solitário. "Cruzando o *sansâra* (o oceano de nascimentos e mortes ou a série de encarnações), suprimindo erros, sem que por isso alcance a perfeição absoluta, o *Pratyeka-Buddha* é comparado a um cavalo que cruza um rio a nado, sem tocar o fundo." (*Dicionário sânscrito-chinês*) Está muito abaixo de um "Buddha de Compaixão". Só se esforça para alcançar o *Nirvâna*. [Os *Pratyeka-Buddhas* são aqueles *Bodhisattvas* que lutam para conseguir (e às vezes conseguem) a vestimenta *Dharmakâya*, depois de uma série de existências. Inquietando-se muito pouco com os sofrimentos da humanidade e pouco fazendo para ajudá-la, e atendendo unicamente à sua própria bem-aventurança, entram no *Nirvâna* e desaparecem da vista e do coração dos homens. No budismo do Norte, *Pratyeka-Buddha*, ou *Buddha* egoísta, é sinônimo de egoísmo espiritual. (*Voz do Silêncio*, II) - Ver *Ekachârin*, *Nirmânakâya*, etc.

Pratyucha (*Sânsc.*) — A manhã. O Sol. Nome de um dos *Vasus* (ver esta palavra).

Pratyûcha (*Sânsc.*) — Obstáculo, impedimento.

Pratyupakâra (*Sânsc.*) — Devolução ou retorno de um serviço ou favor; correspondência de um favor; ajuda ou socorro mútuo.

Praudhi (*Sânsc.*) — Confiança em si mesmo; ação audaz.

Prauna (*Sânsc.*) — Hábil, esperto, instruído.

Pravâch (*Sânsc.*) — Eloquente; orador; oratória.

P

Pravada (*Sânsc.*) — Orador; arauto; proclamador.

Pravaha (*Sânsc.*) — Movimento para a frente; vento; um dos *Maruts* (ver esta palavra). "Vento *pravaha*" é a força mística e oculta, que dá impulso aos astros e regula seu curso. (*Doutrina Secreta*, II, 647)

Pravâha (*Sânsc.*) — Corrente; rio; lago; ocupação, vida ativa; sucessão; fluxo contínuo.

Pravâhaka (*Sânsc.*) — Demônio, mau gênio.

Pravâla ou **Prabala** (*Sânsc.*) — Broto, renovo, botão, gema.

Pravara (*Sânsc.*) — Excelente, o melhor; nobreza; descendência, prole, família. (Ver *Prabara*.)

Pravarana (*Sânsc.*) — Digno de preferência.

Pravarga (*Sânsc.*) — O fogo sagrado.

Pravarha (*Sânsc.*) — Principal, primeiro, chefe.

Pravartaka (*Sânsc.*) — Autor, inventor; instigador.

Pravartana (*Sânsc.*) — Ordem, permissão; ocupação, negócio.

Pravartita (*Sânsc.*) — Dirigido para diante; aparecido, manifestado; posto em movimento; continuado, seguido; executado; preparado, disposto; emanado; realizado; produzido, nascido; ocupado, interessado.

Praveza (*Sânsc.*) — Atenção; adesão.

Pravezana (*Sânsc.*) — Introdução, entrada.

Pravibhakta (*Sânsc.*) — Distribuído, dividido.

Pravîna (*Sânsc.*) — Hábil, versado, especialista, familiarizado.

Pravîra (*Sânsc.*) — Grande herói, chefe, senhor, príncipe.

Pravarjita (*Sânsc.*) — Religioso (budista).

Pravriddha (*Sânsc.*) — Crescido, desenvolvido; nutrido; maduro; velho; forte, poderoso; grande, vasto.

Právrita (*Sânsc.*) — Coberta; véu; manto.

Prâvriti (*Sânsc.*) — Cercado, defendido. Tenebrosidade espiritual (*P. Hoult*)

Pravritta (*Sânsc.*) — Manifesto, aparecido, saído; nascido; emanado; ocupado; interessado; devoto; começado; existente; sucedido; que tenta ou se propõe.

Pravritti (*Sânsc.*) — Emanação; criação, aparição; manifestação; saída; origem, ação; atividade; energia; esforço; empenho; intento; progresso; aplicação; devoção; conhecimento; proceder, modo de atuar; destino, fado; notícia, mensagem; egoísmo; ambição; apego ao mundo; trabalho egoísta. (Ver *Pravritti-mârga*.)

Pravrittijña (*Sânsc.*) — Mensageiro.

Pravritti-mârga (*Sânsc.*) — Sendeiro de ação, opostamente ao *Nivritti-mârga* (sendeiro de não-ação ou renúncia).

Pravyakta (*Sânsc.*) — Manifesto, patente, evidente, visível.

Pravyathita (*Sânsc.*) — Inquieto, agitado, perturbado, temeroso, aflito.

Prâya (*Sânsc.*) — Proceder, hábito; maneira de viver; condição, estado; morte; abundância; pecado, culpa.

P

Prayâga (*Sânsc.*) — Sacrifício, oblação; o cavalo do sacrifício. Um dos lugares santos de peregrinação: a confluência do Ganges e do Yamunâ, em Allahâbad (Índia) – Na terminologia da *Ciência do Alento*, esta palavra aplica-se à conjunção das correntes direita e esquerda do alento. (*Râma Prasâd*)

Prayaj (*Sânsc.*) — Oferenda, oblação.

Prayamana (*Sânsc.*) — Purificação.

Prayâna (*Sânsc.*) — Partida, marcha, viagem; passagem ou trânsito para a outra vida; morte; princípio.

Prayas (*Sânsc.*) — Prazer, gozo; objeto de gozo ou fruição.

Prayâsa (*Sânsc.*) — Esforço, empenho; fadiga causada pelo esforço.

Prâyaschitta (*Sânsc.*) — Expiação de uma culpa; penitência, arrependimento.

Prâyaschitta-Karma (*Sânsc.*) — Karma expiatório. (*P. Hoult*)

Prayata (*Sânsc.*) — Refreado, reprimido, disciplinado; puro, purificado; piedoso.

Prayâta (*Sânsc.*) — Ido, saído, ausentado, morto.

Prayatâtman (*Sânsc.*) — Puro de coração; de alma pura.

Prayatna (*Sânsc.*) — Esforço, empenho, luta, afinco; vontade; eficácia; atividade.

Prâyazchitta — Ver *Prâyaschitta*.

Prâyazchitta-Karma (*Sânsc.*) — Ver *Prâyaschitta-Karma*.

Prayoga (*Sânsc.*) — Uso, emprego; prática; ato; esforço; consequência, resultado; efeito de uma operação mágica; exemplo; termo de comparação; texto que constitui autoridade; princípio; execução; plano; representação; recitação.

Prayojana (*Sânsc.*) — Causa, motivo; objeto de uma ação; objetivo; intento; propósito.

Prayoktri (*Sânsc.*) — Ator, comediante.

Prayuddha (*Sânsc.*) — Luta, peleja, combate.

Prayuj (*Sânsc.*) — Impulso, atividade; aquisição.

Prayukta (*Sânsc.*) — Ligado, unido; aderido; induzido, impelido; animado.

Prayukti (*Sânsc.*) — Impulso; enlace; união, consequência, resultado.

Prazama (*Sânsc.*) — Calma, sossego (especialmente mental); cessação; extinção.

Prazansâ (*Sânsc.*) — Elogio, recomendação.

Prazânt ou **Prazânta** (*Sânsc.*) — Sossegado, aprazível, tranquilo, indiferente.

Prazântamanas (*Sânsc.*) — Que tem a mente sossegada ou tranquila.

Prazântâtman (*Sânsc.*) — Que tem o ânimo sossegado ou tranquilo.

Prazâsitri (*Sânsc.*) — Sacerdote, arauto do santo sacrifício.

Prazasta (*Sânsc.*) — Elogiável, meritório; bom, excelente, virtuoso.

Prazasti (*Sânsc.*) — Louvor; hino.

Prazlatha (*Sânsc.*) — Enervado; relaxado; brando.

Prazna (*Sânsc.*) — Pergunta, interrogação.

Praznadûtî (*Sânsc.*) — Enigma, charada.

P

Praznopanichad ou **Prashnopanishad (Prazna-upanichad)** *(Sânsc.)* — Um dos *Upanichads* relacionados com os antigos *Vedas*. Foi traduzido e editado várias vezes, uma delas com o comentário de *Sankarâchârya*.

Prazrabdhi *(Sânsc.)* — Confiança, tranquilidade de ânimo.

Prazraya — Ver *Prashraya*.

Prazrita *(Sânsc.)* — Modesto, humilde; secreto, misterioso.

Precha *(Sânsc.)* — Impulso, zelo; envio; pena, aflição.

Prechta (Pra-ichta) *(Sânsc.)* — Desejado, amado, querido.

Prechya *(Sânsc.)* — Servidor; oficial; ministro; serviço; ordem, mandato.

Prechyatâ *(Sânsc.)* — Servidão; domesticidade; serviço.

Preexistência — Termo utilizado para indicar que vivemos antes da vida presente. Equivale à reencarnação no passado. Esta ideia é objeto de brincadeiras por parte de alguns, é rechaçada por outros e qualificada de absurda e irracional por outros mais. Contudo, é a crença mais antiga e mais universalmente admitida desde a Antiguidade imemorial. E se, esta crença era universalmente aceita pelas inteligências filosóficas mais sutis do mundo pré-cristão, certamente não é sem propósito que alguns de nossos intelectuais modernos também nela creem ou, pelo menos, concedam a tal doutrina o benefício da dúvida. A própria *Bíblia* a ela alude mais de uma vez, como quando São João Batista é considerado como a reencarnação de Elias e como no caso dos discípulos de Jesus ao lhe perguntarem se o homem cego *havia nascido cego por causa de seus pecados*, o que equivale a dizer que *havia vivido e pecado antes de nascer cego*. Como diz muito acertadamente Bonwick, era "a obra de progresso espiritual e de disciplina da alma. O sibarita sensual voltava mendigo; o soberbo opressor, escravo; a egoísta mulher da casa, uma costureira. Uma volta da roda ocasionava o desenvolvimento de uma inteligência e sentimentos descuidados e corrompidos e daí a popularidade da reencarnação em todos os países e em todos os tempos... Deste modo, a expurgação do mal se efetuava de modo gradual, porém seguro". Verdadeiramente, "uma obra má segue o homem passando por cem mil transmigrações" *(Pañchatantra)*. "Todas as almas têm um veículo sutil, imagem do corpo que conduz a alma passiva de uma mansão material para outra", diz Kapila; assim como Basnage diz, falando dos judeus: "Por esta segunda morte não se entende o inferno, mas aquilo que ocorre quando a alma anima pela segunda vez um corpo". Heródoto diz que os egípcios "foram os primeiros a falar desta doutrina, segundo a qual a alma do homem é imortal e, depois da destruição do corpo, *entra em um ser novamente nascido*. Segundo dizem, quando passou por todos os animais da terra e do mar e por todas as aves, voltará a entrar no corpo de um homem nascido de novo". Isso é a *preexistência*. *Deveria* demonstrou que os livros funerários dos egípcios dizem claramente: "a *ressurreição* era, na realidade, apenas uma renovação, que conduzia a uma nova infância e a uma nova juventude". (Ver *Reencarnação*.)

Prekchâ *(Sânsc.)* — Espetáculo; vista, ação de olhar; consideração, reflexão.

Prekchaka *(Sânsc.)* — Espectador; testemunha ocular.

Prekchana *(Sânsc.)* — Ação de olhar; olhar; olho.

Prekchavant *(Sânsc.)* — Considerado, prudente.

P

Prema ou **Preman** (*Sânsc.*) — Amor, afeto, carinho; devoção; alegria.

Premabandha (*Sânsc.*) — Laços ou vínculos de amor.

Prenda de Odin (*Esc.*) — O olho que deixou para Mimir, segundo a mitologia escandinava.

Prepsâ (*Sânsc.*) — Desejo de alcançar, obter ou adquirir.

Prepsu (*Sânsc.*) — Desejoso de alcançar ou adquirir.

Preraka (*Sânsc.*) — Que incita ou impulsiona; impulsor, instigador.

Prerana (*Sânsc.*) — Impulso, atividade.

Presságio — Agouro, sinal ou sinais de acontecimentos futuros. Aquilo que se verifica no mundo dos efeitos existe no mundo das causas e pode, sob certas condições, revelar-se antes mesmo de entrar no plano dos efeitos. (*F. Hartmann*) Embora sejam geralmente consideradas como sinônimas as palavras *presságio* e *augúrio*, há uma diferença entre elas. Entende-se por augúrio os sinais procurados e interpretados segundo as regras da arte; presságio é o sinal oferecido fortuitamente e que cada pessoa interpreta de modo vago e arbitrário. (*Nöel*)

Preta (*Sânsc.*) — Segundo a crença vulgar, os *Pretas* são "demônios famintos". "Cascas" ou invólucros de homens avaros e egoístas depois da morte; "elementares" que renascem como pretas no *Kâma-loka*, segundo os ensinamentos esotéricos. [Espectros, fantasmas, sombras ou almas de defuntos. São seres humanos que perderam seu corpo físico, mas que não se despojaram ainda da vestimenta de sua natureza animal, na qual se encontram aprisionados até que ela se desintegre. (A. Besant, *Sabedoria Antiga*.) Habitam as regiões das sombras, estão geralmente associados com os *bhûtas* e, como estes, costumam frequentar os cemitérios e animar corpos mortos. O culto a tais seres constitui um fetichismo grosseiro. "... Aqueles (homens) cuja natureza é *tamásica* cultuam as sombras (*pretas*) e as legiões de espíritos elementais (*bhûtas*)." (Bhagavad-Gîtâ, 4, XVII)]

Pretagriha (*Sânsc.*) — Cemitério.

Pretakârya (*Sânsc.*) — Cerimônia fúnebre ou para conjurar os aparecidos ou as sombras dos mortos.

Pretaloka (*Sânsc.*) — Uma das regiões do mundo astral: o *Kâmaloka*. Neste mundo, os *Pretas* experimentam certas mudanças purificadoras antes de entrar na vida própria da alma humana. (A. Besant, *Sabedoria Antiga*, p. 107)

Pretanadî (*Sânsc.*) — Rio do inferno.

Pretapati (*Sânsc.*) — "Senhor ou rei dos mortos." Yama.

Pretavâhita (*Sânsc.*) — Possuído, atormentado pelas sombras dos mortos.

Pretavana (*Sânsc.*) — Ver *Pretagriha*.

Pretya (*Sânsc.*) — Depois da morte; em outro mundo; na vida futura.

Pretya-bhâva (*Sânsc.*) — A condição da alma depois da morte do corpo.

Príapo (do grego *Príapos*) — Deus do apetite genésico. Este nome também é aplicado ao falo ou membro viril.

Prichthamânsâda (*Sânsc.*) — Caluniador. (Literalmente: "que lhes come a carne das espáduas".)

Prichti (*Sânsc.*) — Raio de luz.

P

Primeiro ponto — Metafisicamente, é o primeiro ponto da manifestação, o germe da primeira diferenciação, ou seja, o ponto no círculo infinito, "cujo centro está em todas as partes e a circunferência em nenhuma". O ponto é o LOGOS.

Primordial, *Luz* — Ver *Luz*.

Princípios — São os elementos ou essências originais, as diferenciações elementais, sobre e das quais formaram-se todas as coisas. Este termo é empregado para designar os sete aspectos individuais e fundamentais da Realidade única universal no Cosmos e no homem. Daí os sete aspectos em sua manifestação no ser humano: divino, espiritual, psíquico, astral, fisiológico e simplesmente físico. [No homem, assim como no Cosmos ou Universo, há sete Princípios. Cada princípio humano tem correlação com um plano, um planeta, uma raça e os princípios humanos estão, em cada plano, em correlação com as forças ocultas sétuplas, algumas das quais (as dos planos superiores) têm um tremendo poder. (*Doutrina Secreta*, I, 19.) Há diversas classificações dos princípios humanos. Em primeiro lugar, temos a vulgaríssima e elementar divisão binária em corpo e alma, sustentada ainda hoje por grande número de psicólogos ortodoxos, apesar da divisão ternária em corpo, alma e espírito, claramente expressa por São Paulo (*I Tesalon.*, V, 23; *debr.*, IV, 22) e por vários Santos Padres (Orígenes, São Clemente de Alexandria, etc.). Temos, depois, a divisão quaternária, segundo o sistema *Târaka-Râja-Yoga*, baseada nos quatro estados principais de consciência do homem, isto é: estado de vigília, estado de sono com sonhos, de sono profundo sem sonhos e de êxtase transcendente, que correspondem respectivamente aos quatro princípios humanos: corpo físico, alma animal e intelectual, alma espiritual e Espírito. Há também a divisão quinária ou vedantina, que considera no homem cinco *koshas* ou invólucros chamados de: *Annamaya Kosha* (ou corpo físico), *Prânamaya Kosha* (que compreende o princípio vital ou *Prâna* e o duplo etéreo ou corpo astral), *Manomaya Kosha* (alma animal e as porções inferiores do *Manas* ou princípio intelectual), *Vijñânamaya Kosha* (alma intelectual ou essência mental) e *Ânandamaya Kosha* (alma espiritual ou *Buddhi*). Nesta classificação não está incluído o *Âtman*, que, por ser universal, não é considerado pelos vedantinos como princípio humano. Há, finalmente, a classificação esotérica ou, melhor dizendo, semi-esotérica, chamada *setenária*, cujos sete princípios, começando pelo superior, são geralmente enumerados da seguinte maneira: 1°) *Âtman* (Espírito); 2°) *Buddhi* (alma espiritual); 3°) *Manas* (mente ou alma humana); 4°) *Kâmarûpa* (alma animal, local dos instintos, desejos e paixões); 5°) *Prâna* (vida, ou seja, a porção de *Jîva* de que o corpo físico se apropriou); 6°) *Linga-sharîra* (corpo astral ou duplo etéreo, veículo da vida) e 7°) *Sthûla-sharîra* (o corpo físico modelado sobre o *Linga-shârira*). (*Doutrina Secreta*, I, 177 e 11, 627) A rigor, só devem ser considerados seis princípios, porque o *Âtman* ou *Âtmâ* não deve ser tido como tal, uma vez que é um raio do TODO Absoluto e é a síntese dos outros "seis". (*Ibid.*, I 252, 357) Os materialistas acolhem sem dúvida com um sorriso gozador a afirmação de que existem no homem tantas almas, uma vez que se negam a admitir até mesmo a existência de apenas uma, considerando que o corpo físico constitui a totalidade do ser humano. Esta é apenas uma questão de nome; já que os céticos negam a existência da alma da maneira como a expressamos, nenhum deles deixará de admitir que há *algo*, qualquer que seja seu nome, que é o centro ou assento dos instintos, desejos e paixões (alma animal), ocorrendo o mesmo para o pensamento, a razão ou o gênio (alma humana), etc. Porém, falando em linguagem estritamente *esotérica*, o homem, como unidade completa, é composto de quatro Princípios fundamentais e dos três Aspectos deles nesta Terra. Nos ensinamentos

P

semi-esotéricos, estes quatro e três foram denominados de sete Princípios fundamentais e são: 1°) *Âtman* ou *Jîva*, "Vida única" que impregna o *Trio Monádico* (Um em Três e Três em Um); 2°) *Invólucro áureo*, assim chamado porque o *substratum* da aura que envolve o homem é o universalmente difundido *Âkâza* primordial e puro, a primeira película na ilimitada extensão do *Jîva*, a imutável Raiz de tudo; 3°) *Buddhi*, porque este é um raio da alma espiritual universal (*Alaya*) e 4°) *Manas* (o *Ego* superior), porque procede do *Mahat*, "Grande princípio" ou Inteligência cósmica, primeiro produto ou emanação do *Pradhâna* (ver esta palavra), que contém potencialmente todos os *gunas* (atributos). Os três Aspectos transitórios produzidos por estes quatro Princípios fundamentais são: 1°) *Prâna*, alento de vida. Com a morte do ser vivo, o *Prâna* volta a ser *Jîva*. Este aspecto corresponde ao *Âtman*. 2°) *Linga-sharira* ou Forma Astral, emanação transitória do Ovo ou Invólucro áureo. Esta forma precede a formação do corpo vivo e, depois da morte, adere-se a este, dissipando-se apenas com o desaparecimento do último átomo (exceção feita ao esqueleto). Corresponde ao Invólucro áureo. 3°) *Manas inferior* ou Alma animal, reflexo ou sombra do *Buddhi-Manas*, tendo a potencialidade de ambos, porém geralmente dominado por sua associação com os elementos do *Kâma*. Este aspecto corresponde aos Princípios fundamentais *Buddhi* e *Manas*. Qualquer que seja o homem inferior, o produto combinado dos dois aspectos – fisicamente, de sua Forma astral, e psicofisiologicamente do *Kâma-Manas* – não é sequer considerado como um aspecto, mas como uma ilusão. (*Doutrina Secreta*, III, 493, 494) Os sete Princípios humanos da constituição setenária correspondem aos sete Princípios cósmicos, a saber: *Âtmâ* corresponde ao Logos não manifestado; *Buddhi*, à ideação universal latente; *Kâma-rûpa*, à Energia cósmica (caótica); *Linga-sharîra*, à Ideação astral, que reflete as coisas terrestres; *Prâna*, à essência ou energia vital e *Sthûla-sharîra*, à Terra. (*Ibid.*, II, 631) Na constituição setenária do homem, não se deve considerar os diversos Princípios como entidades separadas entre si, como invólucros concêntricos e sobrepostos como as diferentes cascas de uma cebola, mas, ao contrário, como pontos unidos, de certo modo entremeados, porém independentes um do outro, cada um deles conservando um estado essencial e vibratório distinto, sendo sempre cada Princípio inferior o veículo de seu superior imediato, exceção feita ao corpo físico, que é o veículo (*upâdhi*) dos outros seis. Finalmente, nesta mesma classificação, os sete Princípios se agrupam em duas séries, que, por um lado, constituem a Tríada Superior, ou seja, a Individualidade espiritual, perene, indestrutível, formada por *Âtman*, *Buddhi* e *Manas* e, por outro lado, o Quaternário inferior, ou seja, a Personalidade transitória e mortal, integrada pelos quatro Princípios inferiores: o *Kâma-rûpa*, com a porção inferior ou animal do *Manas*; o *Prâna*, o *Linga-sharîra* e o corpo físico. O homem real e verdadeiro é o *Manas* superior; é a entidade que se reencarna, levando como rastro kármico as potencialidades boas e más de suas encarnações ou vidas anteriores. Quando o *Manas* se difundiu no *Âtma-Buddhi*, o homem se converteu num deus.]

Prîta (*Sânsc.*) — Feliz, contente, satisfeito, alegre; querido, amado.

Prîtamanâ(s) (*Sânsc.*) — Que tem o ânimo ou o coração contente.

Prithâ (*Sânsc.*) — Outro nome de *Kuntî*. (Ver *Kuntî*.)

Prithagâtmatâ (*Sânsc.*) — Distinção ou discernimento entre duas ou mais coisas.

Prithagâtmikâ (*Sânsc.*) — Individualidade.

Prithagbhâva (*Sânsc.*) — Separação, separatividade; individualidade; diferença; diversidade; a essência ou substância individual; qualidade individual; a natureza, existência ou condição diversa.

P

Prithagjana (*Sânsc.*) — Homem separado; homem de casta inferior; pessoa ruim de quem todos fogem. Em linguagem búdica, é o homem que se separa daqueles que aspiram à perfeição.

Prithagvidha (*Sânsc.*) — Variado; de diversas classes ou espécies; isolado; separado, distribuído.

Prithaktva (*Sânsc.*) — Diversidade, variedade, multiplicidade; divisibilidade, separatividade, separação, distinção; individualidade, simplicidade, unidade, especialidade.

Prithivî (*Sânsc.*) — A Terra; país, reino. (Ver *Prithivî-tattva*.)

Prithivînatha ou **Prithivîpati** (*Sânsc.*) — Rei ou senhor da Terra

Prithivî-tattva (*Sânsc.*) — Um dos cinco *tattvas*: o *tattva* da terra, o éter odorífero. (*Râma Prasâd*) - Ver *Tattvas*.

Prîti (*Sânsc.*) — Alegria, gozo, contentamento; prazer, gosto; afeto, amor, amizade.

Prîtida (*Sânsc.*) — Que inspira alegria ou amor. Bufão.

Prîtipûrvakam (*Sânsc.*) — Acompanhado de amor.

Priya (*Sânsc.*) — Amado, querido; gostoso, doce, prazenteiro; devoto. Como substantivo: gosto, prazer, deleite, contentamento; amor; bondade; favor; pessoa amada; coisa agradável.

Priyachikîrchu (*Sânsc.*) — Desejoso de agradar.

Priyakâma (*Sânsc.*) — Afetuoso, benévolo.

Priyakrit (*Sânsc.*) — Serviçal, obsequioso; que faz um favor, serviço, graça ou benefício.

Priyakrittama (*Sânsc.*) — Superlativo de *priyakrit*: aquele que oferece o mais grato, o maior serviço ou favor.

Prîyamâna (*Sânsc.*) — Que é amado; que se compraz ou deleita.

Priyamvada (*Sânsc.*) — Que fala de modo agradável; que tem uma linguagem doce ou afetuosa.

Priyatâ (*Sânsc.*) — Amor, carinho, ternura.

Priyavâdin (*Sânsc.*) — Ver *Priyamvada*.

Priyavrata (*Sânsc.*) — Nome do filho de *Svâyambhûva* Manu, no hinduísmo exotérico. Denominação oculta de uma das raças primitivas, em Ocultismo. [Segundo outras versões, era um dos dois filhos de Brahmâ e Zatarûpâ. "Priyavrata, descontente com o fato de que só a metade da Terra estivesse num tempo iluminada pelos raios solares, seguiu o Sol sete vezes ao redor da Terra em seu próprio carro flamígero de igual rapidez, qual outro globo celeste, resolvido a converter a noite em dia." (Dowson, *Dicionário clássico hindu*)]

Priznî (*Sânsc.*) — Raio de luz; a Terra; a vaca Prizni dos *Vedas*. Nome próprio da rainha que chegou a ser Devakî.

Priznibhadra (*Sânsc.*) — Epíteto de Krishna.

Priznigarbha (*Sânsc.*) — Filho de Prizni: nome patronímico de Krishna.

Processão — Termo teológico que expressa a ação eterna com que o Pai produz o Verbo e a ação com que estas duas Pessoas produzem o Espírito Santo. É a esta última que mais comumente se dá o nome de *processão*.

P

Procha (*Sânsc.*) — Combustão.

Prochita (*Sânsc.*) — Ausente, desterrado.

Prochthapâda (*Sânsc.*) — O 26° ou 27° asterismo lunar.

Proclo (*Gr.*) — Escritor e filósofo místico grego, conhecido como comentador de Platão. Era designado pelo sobrenome de Diadoco. Viveu no século V e morreu aos 75 anos de idade, em Atenas, no ano de 485 d.C. Seu último fervoroso discípulo e prosélito, tradutor de suas obras, foi Thomas Taylor de Norwich, que, segundo Kenneth Mackenzie, "era um místico moderno, que adotou a fé pagã por ser a única verdadeira e sacrificava pombas a Vênus, um bode a Baco e... se propunha a imolar um touro a Júpiter", porém sua patroa o impediu. [Proclo, filósofo neoplatônico, estudou com Plutarco e Siriano, a quem sucedeu na direção da escola de Atenas. Foi tão douto nas ciências naturais quanto na teurgia. Desejoso de elevar o paganismo através de um sistema de interpretação mística, considerava como revelação divina os hinos órficos e os oráculos caldeus. A maior parte de suas obras está perdida, mas são conservados inúmeros tratados filosóficos e comentários a Platão.]

Profecia — Predição ou anúncio das coisas futuras. (Ver *Manticismo, Oráculos, Sibilas* etc.)

Profeta (do grego *prophemi*, predizer) — Aquele que é dotado do dom da profecia. No Egito – segundo Clemente de Alexandria – os profetas presidiam os detalhes do culto e tinham de conhecer os dez livros sacerdotais, que tratam dos deuses e dos deveres sacerdotais. Cada divindade tinha um profeta ligado a seu culto. (Não se deve tomar esta palavra no sentido hebraico.) Desde as primeiras dinastias havia também profetisas. (Pierret, *Dict. d'Arch. Égypt.*)

Proha (*Sânsc.*) — Douto, instruído, sábio, especialista; lógico, argumentador.

Projjâsana (*Sânsc.*) — Homicídio, assassinato.

Projjhita (*Sânsc.*) — Abandonado, deixado, evitado.

Prokchana (*Sânsc.*) — Aspersão; imolação de uma vítima.

Prokchanî (*Sânsc.*) — Água para fazer aspersões; água-benta.

Prokta (*Sânsc.*) — Dito, chamado, expressado, pronunciado, declarado, mencionado, anunciado, ensinado.

Prometeu (*Gr.*) — o *Logos* grego; aquele que, trazendo para a Terra o fogo divino (a inteligência e a consciência), dotou os homens de razão e entendimento. Prometeu é o tipo helênico dos *Kumâras* ou *Egos*, aqueles que, encarnando-se em homens, fizeram deles deuses latentes no lugar de animais. Os deuses (ou *Elohim*) opunham-se a que os homens chegassem a ser "como um de nós" (*Gênese*, III, 22) e conhecessem "o bem e o mal". Por esta razão, vemos em todas as lendas religiosas que estes deuses castigam o homem por seu afã de saber. Como expressa o mito grego, por ter roubado do céu o fogo que trouxe aos homens, Prometeu foi acorrentado, por ordem de Zeus, numa rocha dos montes Caucasianos. [O mito do titã Prometeu tem sua origem na Índia, e na Antiguidade era o maior e mais misterioso devido a seu significado. A alegoria do fogo de Prometeu é outra versão da rebelião de Lúcifer, que foi precipitado no "abismo sem fundo" (nossa Terra), para viver como homem. Nem é preciso dizer que a Igreja fez dele o Anjo decaído. Prometeu é um símbolo e uma personificação de toda a humanidade no que se refere ao ocorrido em sua infância, ou seja, o "Batismo pelo Fogo", o que é um mistério dentro do grande Mistério de Prometeu. (*Doutrina Secreta*, III, 331). O titã

P

em questão, doador do Fogo e da Luz, representa aquela classe de *Devas* ou deuses criadores, *Agnichvâttas, Jumâras* e outros "Filhos da Chama da Sabedoria", salvadores da humanidade, que tanto trabalharam no que se refere ao homem espiritual. (*Ibid.*, II, 99) Prometeu rouba o fogo divino para permitir que os homens procedam de modo consciente na senda da evolução espiritual, transformando assim o mais perfeito dos *animais* da Terra num deus em potencial e livrando-o de "tomar pela violência o reino dos céus". Daí a maldição que Zeus (Júpiter) lançou contra o rebelde titã. Acorrentado a uma rocha, Zeus o castigou enviando-lhe um abutre que, sem cessar, ia devorando-lhe as entranhas (alegoria dos apetites e concupiscências), até que Hércules, finalmente, o livrou de um suplício tão cruel. É um deus filantropo e grande benfeitor da humanidade, que a elevou à civilização e que a iniciou no conhecimento de todas as artes; é o aspecto divino do *Manas*, que tende para o *Buddhi* e com ele se funde. (*Ibid.*, II, 438) É também o *Pramantha* personificado e tem seu protótipo no divino personagem Mâtarizvan, estreitamente associado com Agni, o deus do fogo dos *Vedas*. (*Ibid.*, II, 431) o nome Prometeu significa: "que vê o futuro", "previdente". (Ver *Mâtarizvan, Pramantha* etc.)]

Pronnata (*Sânsc.*) — Elevado, proeminente, muito alto, superior.

Propatôr (*Gr.*) — É um termo gnóstico. O "Abismo" de Bythos ou *En-Aiôr*, a Luz insondável, que é o único Existente por si mesmo e eterno, enquanto que Propatôr é apenas periódico. [No *Livro dos Números*, explica-se que *Ain* (*En* ou *Aiôr*) é o único existente por si mesmo, enquanto que seu "Abismo", o *Bythos* dos gnósticos, chamado de *Propatôr*, é só periódico. Este último é Brahmâ, considerado como diferente de Brahma ou Parabrahman. É o Abismo, Origem de Luz, o *Propatôr*, que é o *Logos* não manifestado ou a Ideia abstrata e não *Ain-Suph*, cujo Raio utiliza Adão Kadmon ("macho e fêmea"), isto é, o *Logos* manifestado, o Universo objetivo, à guisa de veículo, para manifestar-se através do mesmo. (*Doutrina Secreta*, I, 235) - Ver *Bythos*.]

Propiciatório — Mesa de ouro puríssimo que recobre a Arca da Aliança.

Prostituída (*Herm.*) — A mulher prostituída dos filósofos é sua Lua, seu Saturno vegetal, seu Dragão Babilônico; a arte a purifica de todas as suas manchas e a retorna à sua virgindade. Quando atinge este estado, os filósofos a denominam de *virgem*.

Prota (*Sânsc.*) — Atravessado, entrelaçado, entretecido, engastado, incrustado. Vestido, tecido.

Protea, Alma — Ver *Alma protea* e *Alma plástica*.

Proteiforme — Que muda continuamente de forma.

Protha (*Sânsc.*) — Embrião, feto; andrajos, roupas velhas. Como adjetivo: situado, fixo; notório, famoso.

Protilo (do grego *prôtos*, primeiro, e *yle*, matéria) — [Neologismo empregado em química para designar a primeira substância primordial, homogênea.] É a matéria primitiva hipotética [da qual se formaram os elementos dos corpos. A palavra *protilo* deve-se a Crookes, que deu tal nome à *pré-matéria*, se é que se pode chamar assim a substância primordial e puramente homogênea, suspeitada, ainda que não realmente descoberta pela ciência na composição última do átomo. Análoga a *protoplasma*, a palavra *protilo* - diz aquele eminente químico - "expressa a ideia da matéria original primitiva, que existia antes da evolução dos elementos químicos". É a substância indiferenciada. Vibrando no seio da Substância inerte, Fohat a impulsiona para a atividade e dirige suas primeiras diferenciações em todos os sete planos da Consciência

P

cósmica e assim há sete protilos, que servem respectivamente de bases relativamente homogêneas, que, no curso da crescente heterogeneidade, na evolução do universo, diferenciam-se formando a maravilhosa complexidade que os fenômenos oferecem nos planos de percepção. (*Doutrina Secreta*, I, 350)]

Protogonos (*Gr.*) — o "primeiro nascido". Termo aplicado a todos os deuses manifestados e ao Sol, em nosso sistema. [Aplica-se também ao tempo, à luz, ao *Logos* manifestado, ao Homem celeste ou *Tetragrammaton*, que é o primeiro nascido da Divindade passiva e a primeira manifestação daquela Sombra da Divindade. (*Doutrina Secreta*, I, 380 e II, 626)]

Proto-îlos — Ver *Protilo*.

Protologoi (*Gr.*) — As Sete Forças Criadoras Primordiais, quando se antropomorfizaram em Arcanjos ou *Logos*.

Protologos (*Gr.*) — o Homem arquétipo, Adão Kadmon. Nas escrituras exotéricas é Vishnu. Em sânscrito, tal palavra equivale a *Pûrvaja*.

Protoplasma (do grego *prôtos*, primeira, e *plasma*, formação) — Substância homogênea, sem estrutura, que constitui a base física da vida, ou seja, a parte essencialmente ativa e viva da célula.

Protoplasma — Aquele que foi formado primeiramente; um original; o primeiro pai.

Protsâha (*Sânsc.*) — Esforço, excitação, zelo, ardor.

Protsâhaka (*Sânsc.*) — Instigador.

Protsâhana (*Sânsc.*) — Instigação, estímulo.

Protylo — Ver *Protilo*.

Providência — Ver *Karma-Nemesis*.

Pschent [ou **Skhent**] (*Eg.*) — Símbolo em forma de dupla coroa [uma branca e outra vermelha], que significa a presença da Divindade, tanto na morte quanto na vida, na Terra como no céu. Este *Pschent* é portado unicamente por alguns deuses.

Psicagogo (*Gr.*) — Mago que evocava as sombras dos mortos. Este nome era aplicado especialmente aos sacerdotes de Heraclea.

Psicofobia — Literalmente: "medo da alma". Termo aplicado aos materialistas e a certos ateus, que ficam frenéticos só de ouvirem falar da alma ou do Espírito.

Psicografia — Palavra usada primeiramente pelos teósofos. Significa escrita sob o ditado ou a influência do "poder anímico" de alguém; os espíritas contudo adotaram agora este termo para designar a escrita produzida pelos médiuns sob a orientação de "espíritos" que voltam à Terra.

Psicologia — A ciência da alma; antigamente, uma ciência que era base imprescindível para a fisiologia; atualmente ocorre o inverso: a psicologia baseia-se (devido a nossos *grandes* homens da ciência) na fisiologia.

Psicomancia — Ver *Necromancia*.

Psicomaquia — Alteração da alma em consequência de uma agitação violenta, excitada por uma paixão qualquer.

Psicometria — Literalmente: "medição da alma". O fato de ler ou de ver, não com os olhos do corpo, mas com a alma ou com a visão interior. [O professor Buchanan, de

P

Louisville, deu o nome de *psicometria* à faculdade por ele descoberta, que permite a certo tipo de pessoas sensitivas receber, de um objeto que têm na mão ou aplicado à fronte, impressões do caráter ou aspecto do indivíduo ou coisa qualquer com que tal objeto esteve em contato. Assim, um manuscrito, uma pintura, uma peça de vestuário, uma joia etc., por mais antigos que sejam, transmitem ao sensitivo uma imagem vívida do pintor, escritor ou portador do objeto em questão, ainda que tenha – vivido em tempos remotos. E mais: um fragmento de um edifício antigo recordará sua história e até cenas que aconteceram em seu interior ou em suas imediações. Esta descoberta prova que tudo o que ocorre na natureza, por mais insignificante que seja, deixa uma impressão indelével na natureza física. (*Ísis sem Véu*, I, 182) – Ver *Nectromancia*.]

Psicômetro (do grego *psyché*, alma, e *metron*, medida) — Nome dado a um instrumento com o qual se pretendeu apreciar as faculdades morais e intelectuais do homem.

Psicopaniquia — Termo que os nestorianos davam ao sono das almas após a morte.

Psicopatia — Desordem ou perturbação das funções mentais.

Psicoplasma — A base física da consciência.

Psicopompo (*Gr.*) — Literalmente: "condutor de alma". Sobrenome de Hermes (Mercúrio). Segundo lemos na *Odisseia*, Hermes conduzia ao Hades (inferno) as almas dos mortos. "Marchava à frente dessas almas, como pastor à frente do rebanho e elas o seguiam estremecidas pelas tenebrosas sendas que conduzem à noite eterna." – Ver *Anúbis*, *Beel-Zebub* etc.

Psilos (*Psylli*, em latim) — Encantadores de serpentes do Egito e outras partes da África. [Os psilos constituíam um antigo povo da Líbia, segundo Plínio. Possuíam a virtude de curar as mordeduras de serpentes e de matar esses répteis graças a um veneno natural, que tinham no corpo. Num vaso de bronze egípcio, conservado no Museu do Louvre, vê-se a figura de um psilo encantando uma serpente.]

Psíquico — Pertencente ou relativo à alma. Este termo é aplicado igualmente à pessoa dotada da faculdade de perceber formas astrais ou etéreas, ao clarividente ou clariouvinte. (*P. Hoult*)

Psiquis (*Psyché*, em grego) — A alma animal ou terrestre. O *Manas* inferior. [Ver *Nous*.]

Psiquismo (do grego *psyché*) — Termo atualmente usado para designar, de modo vago, todo tipo de fenômenos mentais, isto é, a mediunidade, a sensibilidade superior, a receptividade hipnótica, a profecia inspirada, a simples clarividência na luz astral e a verdadeira vidência divina; numa palavra, tal termo compreende toda fase e manifestação dos poderes e das faculdades da alma humana e da alma divina.

Psyché — Ver *Psiquis*.

Psylli — Ver *Psilos*.

Ptah — Ver *Ftah*.

Puchâ (*Sânsc.*) — Espécie de árvore.

Pûcha ou **Pûchâ** — Ver *Pûsha*.

Pûchan — Ver *Pushan*.

P

Puchkala — Ver *Pushkala*.

Puchkara — Ver *Pushkara*.

Puchkarasraj (*Sânsc.*) — Os gêmeos Azvins.

Puchpa (*Sânsc.*) — Flor.

Puchpachâpa (*Sânsc.*) — "Que tem um arco de flores." Epíteto de Kâma, deus do amor.

Puchpadanta (*Sânsc.*) — Nome do chefe dos Gandharvas ou dos Vidyâdharas; nome de um *nâga* e de um santo jaina.

Puchpadrava (*Sânsc.*) — o néctar das flores.

Puchpagiri (*Sânsc.*) — "Montanha das flores." Residência de Varuna.

Puchpaka (*Sânsc.*) — Florido. O carro de Kuvera. Uma espécie de serpente; nome de uma montanha.

Puchpaketana (*Sânsc.*) — Ananga ou Kâma, deus do amor, que tem um estandarte de flores.

Puchpamâsa (*Sânsc.*) — "Estação das flores", a primavera.

Puchpapura (*Sânsc.*) — "A cidade das flores": Pâtaliputra.

Puchparasa (*Sânsc.*) — o néctar das flores.

Puchpasamaya (*Sânsc.*) — Ver *Puchpamâsa*.

Puchpasâra (*Sânsc.*) — Ver *Puchparasa*.

Puchpâstra (**Puchpa-astra**) (*Sânsc.*) — o deus do amor, armado de flores.

Puchpavat (*Sânsc.*) — Florido, adornado de flores. O Sol e a Lua.

Puchpavâtî (*Sânsc.*) — "Jardim de flores de ouro." "Residência de Kuvera, deus das riquezas." (Ver *Puchpagiri*.)

Puchpechu (*Sânsc.*) — Epíteto de Ananga ou Kâma.

Puchya (*Sânsc.*) — O oitavo asterismo lunar. O mês de *Puchya*, que compreende parte dos nossos dezembro e janeiro.

Puchyalaka (*Sânsc.*) — Mendigo que anda nu.

Pudgala (*Sânsc.*) — Homem, indivíduo; o corpo; a matéria, a alma; o *ego* ou eu que se reencarna. Como adjetivo: belo, formoso; que tem forma definida; dotado de propriedades. Epíteto de Shiva.

Pûga (*Sânsc.*) — Propriedade, faculdade natural; massa, multidão; associação, corporação.

Pûjâ (*Sânsc.*) — Oferenda; culto e honras divinos tributados a um ídolo, divindade ou a alguma coisa sagrada. Culto, adoração, devoção, veneração, respeito, homenagem.

Pûjaka (*Sânsc.*) — Adorador.

Pûjana (*Sânsc.*) — Culto, adoração, veneração, respeito.

Pûjârha (*Sânsc.*) — Digno de veneração ou adoração.

Pûjita (*Sânsc.*) — Respeitado, honrado; recomendado, iniciado.

Pûjya (*Sânsc.*) — Honorável, respeitável, venerável, venerando.

Pula (*Sânsc.*) — Grande, vasto; horripilação, estremecimento de prazer.

P

Pulaha (*Sânsc.*) — Um dos sete *Richis* nascidos da mente de Brahmâ.

Pulaka (*Sânsc.*) — Horripilação. Nome de um Gandharva.

Pulâka (*Sânsc.*) — Rapidez, velocidade. Compêndio, resumo.

Pulastya (*Sânsc.*) — Um dos sete "Filhos nascidos da mente" de Brahmâ; suposto pai dos *Nâgas* (serpentes e também Iniciados) e outros seres simbólicos.

Pumân (*Sânsc.*) — Nominativo singular de *puns*. (Ver *Puns*.)

Pums — Ver *Puns*.

Punar (*Sânsc.*) — Outra vez; de novo; além disso, também, ainda, mas.

Punarâvartin (*Sânsc.*) — Que retorna ou conduz novamente à existência ou vida terrestre.

Punarâvritti (*Sânsc.*) — Repetição; retorno à existência terrestre.

Punarbhava (*Sânsc.*) — Renascimento, reencarnação.

Punarbhavin (*Sânsc.*) — O Eu que se reencarna.

Punarbhû (*Sânsc.*) — Nova existência; renascimento, reencarnação.

Punarjanma ou **Punarjanman** (*Sânsc.*) — O poder de reproduzir ou desenvolver manifestações objetivas; mudança de formas; renascimento. (Ver *Punarbhava*.)

Punarjanma-jaya (*Sânsc.*) — Literalmente: "vitória sobre o renascimento", isto é, o ato de livrar-se de futuras reencarnações. (Ver *Mokcha*.)

Punarjanma-smriti (*Sânsc.*) — Memória dos renascimentos ou existências passadas.

Punar-lâbha (*Sânsc.*) — o ato de readquirir ou de recobrar algum bem.

Punar-nava (*Sânsc.*) — Renovado.

Punar-ukta (*Sânsc.*) — Dito outra vez, repetido; supérfluo; inútil.

Punar-uktatâ (*Sânsc.*) — Repetição; tautologia.

Punarukta-vâdin (*Sânsc.*) — Que repete a mesma coisa; que fala em vão.

Punar-ukti — Ver *Punaruktatâ*.

Punar-vachana (*Sânsc.*) — Repetição, reiteração, tautologia.

Punarvasû (*Sânsc.*) — O sétimo asterismo ou mansão lunar. Epíteto de Shiva ou de Vishnu.

Puna(s) ou **Punah** — Modificações da palavra *punar*, por eufonia.

Puna(s) Karman e **Puna(s) Kriyâ** (*Sânsc.*) — Repetição, reiteração.

Pundarîka (*Sânsc.*) — Cor branca; lótus branco.

Pundarîkâkcha [**Pundarika-akcha**] (*Sânsc.*) — Literalmente: "que tem olhos de lótus". Epíteto de Vishnu. "Glória suprema e imortal", como traduzem alguns orientalistas.

Pungava (*Sânsc.*) — Touro. No final de uma palavra composta significa: excelente, o melhor; herói, príncipe etc.

Puñja (*Sânsc.*) — Massa, coleção.

Puns ou **Pums** (*Sânsc.*) — Espírito, o *Purucha* [Espírito] supremo; homem, varão. [Ver *Pumân*.]

P

Punstva (*Sânsc.*) — Virilidade.

Punya (*Sânsc.*) — Bom, puro, virtuoso, justo, santo, sagrado; meritório; formoso; bem, bondade, justiça, virtude, mérito, boa ação.

Punyabhû ou **Punyabhûmi** (*Sânsc.*) — A terra santa, aquela compreendida entre o Himalaia e a cordilheira Vindhya.

Punyâha (*Sânsc.*) — Dia sagrado ou festivo.

Punyaka (*Sânsc.*) — Ato purificatório; ação meritória ou virtuosa.

Punyakarman (*Sânsc.*) — Que faz obras boas ou meritórias; que pratica a virtude.

Punyakrit ou **Punyakartri** (*Sânsc.*) — Que age com retidão; justo, bom, virtuoso, honrado.

Punyaloka (*Sânsc.*) — O mundo dos justos ou virtuosos, o paraíso.

Punyaphala (*Sânsc.*) — O fruto do mérito, da virtude ou das boas ações.

Pura (*Sânsc.*) — Cidade, castelo; o corpo físico.

Purâjâ (*Sânsc.*) — Que existe desde o tempo antigo.

Purajyotis (*Sânsc.*) — A região do fogo ou de Agni.

Pûraka (*Sânsc.*) — o ato da inspiração ou inalação de ar; um modo de respirar regulado segundo as prescrições do *Hatha-Yoga*. [Uma operação do *Prânâyâma*, que consiste em preencher os pulmões com o máximo de ar possível, fazendo uma inspiração profunda. (*Râma Prasâd*) - Ver *Prânâyâma*.]

Purâna (*Sânsc.*) — Antigo, arcaico; original, primitivo; primeiro; eterno no que se refere ao passado; sem princípio. (Ver *Zâzvata*.)

Purânaga (*Sânsc.*) — Epíteto de Brahmâ.

Purâna-purucha (*Sânsc.*) — o princípio masculino primordial, Vishnu.

Purânas (*Sânsc.*) — Literalmente: "antigos". Coleção de escritos simbólicos e alegóricos, em número de dezoito, que se supõe foram escritos por Vyâsa, autor do *Mahâ-bhata*. [Os *Purânas* são lendas ou narrações de tempos antigos. Descrevem os poderes e feitos dos deuses e parece que foram compostos para uso da parte menos instruída do país, que não sabia ler os *Vedas*. Um *Purâna* - diz Amara Sinha - tem cinco pontos capitais ou caracteres distintivos (*pañchalakchanas*): 1°) a criação do universo; 2°) sua destruição e renovação; 3°) a genealogia dos deuses e patriarcas; 4°) os reinados dos Manus, que formam os períodos chamados *Manvantaras* e 5°) a história das raças solares e lunares de reis. O *Vishnu-Purâna* é o que melhor concorda com tal disposição; porém os restantes não correspondem exatamente a ela. Há dezoito *Purânas*, mas a estes devem ser acrescentados mais dezoito *Upa-Purânas* (*Purânas* menores ou secundários). Os primeiros estão classificados em três categorias, segundo o predomínio de cada um dos três *gunas*. Aqueles em que predomina a qualidade *sattva* são: o *Vishnu*, o *Nâradîya*, o *Bhâgavata*, o *Garuda*, o *Padma* e o *Varâha*. Este primeiro grupo compõe os *Purânas* intitulados de *Vaishnavas* (de Vishnu), porque neles este deus tem preeminência. Os *Purânas* em que prevalece a qualidade *tamas* são: o *Matsya*, o *Kûrma*, o *Linga*, o *Shiva*, o *Skanda* e o *Agni*, todos eles dedicados ao deus Shiva. Finalmente, aqueles em que predomina a qualidade *rajas* são: o *Brhama*, o *Brahmânda*, o *Brhama-vaivarta*, o *Mârkandeya*, o *Bhavichya* e o *Vâmana*, que se referem principalmente ao deus Brahmâ. No que se refere aos

P

Purânas menores, eis aqui seus títulos: 1°) *Sanat-Kumâra*; 2°) *Narasinha* ou *Nri-Sinha*; 3°) *Nâradîya* ou *Vrihan Nârâdîya*; 4°) *Shiva*; 5°) *Durvâsasa*; 6°) *Kâpila*; 7°) *Mânava*; 8°) *Auzanasa*; 9°) *Vâruna*; 10°) *Kâlikâ*; 11°) *Zâmba*; 12°) *Nandi*; 13°) *Saura*; 14°) *Pârâzara*; 15°) *Âditya*; 16°) *Mâhezvara*; 17°) *Bhâgavata* e 18°) *Vâsichta*.]

Purâna-samhitâ (*Sânsc.*) — Coleção dos *Purânas*.

Purâna-vid (*Sânsc.*) — Que conhece as coisas passadas.

Purâtala (*Sânsc.*) — A região que está debaixo dos sete mundos.

Purâtana (*Sânsc.*) — Antigo, arcaico, primitivo, original.

Purgatório — A região ou morada temporária onde o homem, depois de abandonar o corpo físico, submete-se a tormentos purificadores, antes de alcançar a região celeste. O purgatório dos católicos-romanos equivale ao *Kâmaloka* hindu. (Ver *Kâmaloka*.)

Purificação (*Alq.*) — Separação das partes impuras daquelas que são puras ou das partes heterogêneas daquelas que são homogêneas ou das partes corrompidas daquelas que não o são.

Pûrna (*Sânsc.*) — Cheio, pleno, completo.

Pûrnamâ (*Sânsc.*) — A Lua cheia.

Pûrnamâsa (*Sânsc.*) — Sacrifício que se pratica no dia de cada plenilúnio.

Pûrnâvatâra (*Sânsc.*) — Uma completa ou perfeita manifestação da Segunda Pessoa da *Trimûrti*; um *avatâra* que procede diretamente de Vishnu. (*P. Hoult*)

Pûrnimâ (*Sânsc.*) — O dia da Lua cheia.

Purodhas (*Sânsc.*) — Sacerdote; sacerdote familiar; sacerdote de um rei ou da casa real.

Puroga (*Sânsc.*) — "Que vai à frente"; caudilho, chefe, guia.

Purohita (*Sânsc.*) — Sacerdote de família, brahmane [esmoleiro].

Puru (*Sânsc.*) — O céu; o pólen das flores; nome de um rei da dinastia lunar.

Pûru (*Sânsc.*) — Nome de um rei, filho de Yayati, um dos antecessores dos ários.

Purucha (Purusha) (*Sânsc.*) — "Homem", *homem celeste*. Espírito; o mesmo que *Nârâyana* sob outro aspecto. O "Eu espiritual". [Na filosofia *sânkhya* designa-se com este nome o Espírito, em contraposição à Matéria (*Prakriti* ou *Pradhâna*). É um Princípio elementar, primordial, simples, puro, espiritual, consciente, eterno, não-criado, não-produtor, imutável, inativo, mera testemunha ou espectador das operações da *Prakriti* e que, "como espelho cósmico, nele se reflete e se revela todo o Universo, ou seja, todas as mudanças que se operam na *Prakriti*, no curso da evolução". (*Schultz*) Segundo a filosofia secreta, o *Purucha* e a *Prakriti* são os dois aspectos primitivos da Divindade Una e desconhecida. (*Doutrina Secreta*, I, 82) Em sua origem, são a mesma coisa; porém, ao chegarem ao plano da diferenciação, cada um deles evolui numa direção oposta, caindo o Espírito gradualmente na Matéria e esta ascendendo à sua condição original, aquela de pura substância espiritual. Ambos são inseparáveis e, contudo, estão sempre separados. Assim como no plano físico dois polos iguais se repelem, enquanto que dois polos opostos se atraem, com o Espírito e a Matéria ocorre o mesmo: são os dois polos da mesma Substância homogênea, o Princípio radical do Universo. (*Doutrina Secreta*, I, 267-268.) Em sua condição livre, o *Purucha* é tão distinto de tudo o que conhecemos e

P

tão acima do alcance de nossa limitada compreensão, que só pode ser definido através de negações, v. gr., "não é nem isto nem aquilo", "nem de tal ou de qual modo". Contudo, pode-se afirmar que é Pensamento abstrato, sem objeto, e a Luz que ilumina a vida espiritual. É também o Espírito de Vida que anima a Matéria *(Prakriti)*, e por seu contato lhe dá atividade, da qual se originam as mudanças sucessivas que experimenta e que vão repercutir sobre o próprio *Purucha*. Ao contrário da *Prakriti*, é simples, não composto, e, portanto, é absolutamente isento de modos ou qualidades *(gunas)*, que caracterizam a Matéria. O *Purucha* é o sétimo Princípio, o *Âtman*, o Sujeito ou verdadeiro Eu, e daí que, segundo a filosofia *Sânkhya*, o número de *Puruchas* é incontável, pois cada corpo, cada ser da criação tem seu *Purucha* particular ou individual. Da união do *Purucha* com a *Prakriti* (ou seja, do Espírito com a Matéria) originam-se todos os seres animados e inanimados. O *Purucha*, como já se disse, é inativo, porém toda a atividade da *Prakriti* é empregada exclusivamente a seu favor e proveito, visto que, apresentando objetos de sensação e conhecimento ao Espírito, este entesoura experiência, chegando assim, ao conhecimento de Si mesmo e, por conseguinte, à libertação. Opostamente ao *Purucha* múltiplo da filosofia *Sânkhya*, apresentada acima, onde é o Eu ou Espírito individual de cada ser, há o *Purucha* único da filosofia *Yoga*, que é o *Îzvara*, Deus ou Senhor supremo de nosso Universo. Além dos significados de Espírito, Espírito divino, Espírito individual, Espírito do universo ou Alma do mundo, Espírito radical ou primordial, a palavra *Purucha* tem muitas outras acepções: Homem; Homem celeste; varão; Ser ou Princípio masculino; causa ou potência criadora ou geratriz, Criador, Princípio vivificador ou animador; Ser; Princípio, Causa; pessoa, indivíduo, ser humano, herói, servidor, amigo etc. (Ver *Pradhâna, Prakriti, Matéria, Tat* etc.)]

Purucha-Nârâyana (*Sânsc.*) — Princípio masculino primordial; Brahmâ.

Purucharchabha (*Sânsc.*) — O melhor dos homens, varão, excelso, príncipe.

Puruchârtha (*Sânsc.*) — O objeto dos esforços humanos; um de seus quatro desejos ou felicidades. Ver *Chatur-bhadra*. (P. Hoult)

Purucha-vyâgra (*Sânsc.*) — Literalmente: "tigre entre os homens", título honorífico que significa: varão esclarecido, herói, príncipe etc.

Purushottama [Purucha-uttama] ou **Purushottama** (*Sânsc.*) — Literalmente: "o melhor dos homens". Metafisicamente, contudo, é o Espírito, a Alma suprema do universo: um título de Vishnu. [Espírito supremo, Princípio supremo; o mais excelso dos seres; homem ou varão altíssimo.]

Purujit (*Sânsc.*) — Literalmente: "vencedor de muitos". Nome do irmão de Kuntîbhoja. Caudilho aliado dos pândavas. (Ver *Bhagavad-Gîtâ*, I, 5)

Pururavas (*Sânsc.*) — Filho de Budha, filho de Soma (a Lua) e de Ila, famoso por ser o primeiro a produzir fogo através da fricção de dois pedaços de madeira; fez o fogo *triplo*. É um personagem oculto.

Purusha — Ver *Purucha*.

Purushottama — Ver *Puruchottama*.

Pûrva (*Sânsc.*) — Antiguidade, prioridade, velhice; o passado, coisa antiga; antigas tradições. Como adjetivo: antecessor, anterior, precedente, primeiro, antepassado, antigo, ancião, velho. Como advérbio: antigamente, anteriormente, no início, em tempos passados.

Pûrvâ (*Sânsc.*) — O Leste.

P

Pûrvâbhâdrapadâ (*Sânsc.*) — O 26° asterismo ou mansão lunar.

Pûrvâchâdâ (Purvashada) (*Sânsc.*) — O vigésimo asterismo lunar.

Pûrvadeva (*Sânsc.*) — Divindade primitiva.

Pûrvadeza (*Sânsc.*) — A região oriental.

Pûrvâdri (*Sânsc.*) — O Monte do Leste.

Pûvadrichta (*Sânsc.*) — Visto anteriormente; considerado pelos antigos.

Pûrvaja (*Sânsc.*) — "Pré-genético"; o mesmo que *Protologos* órfico; epíteto de Vishnu. O Espírito vivo da Natureza. (*Doutrina Secreta*, II, 114). No plural, as quatro *Prajâpatis*; os antepassados.

Pûrva-jñâna (*Sânsc.*) — Literalmente: "conhecimento anterior". O conhecimento de uma vida precedente.

Pûrvaka (*Sânsc.*) — Antecessor, antepassado; anterior; seguinte.

Pûrva-Mîmânsâ (*Sânsc.*) — "*Mimânsâ* anterior"; uma das seis escolas ou sistemas filosóficos da Índia. (Ver *Filosofia Pûrva-Mîmânsâ*.)

Pûrvanivâsajñâna (*Sânsc.*) — "Conhecimento das habitações anteriores", isto é, das vidas passadas.

Pûrvapada (*Sânsc.*) — O primeiro membro de uma palavra composta.

Pûrvapakcha (*Sânsc.*) — A primeira quinzena do mês lunar; a primeira parte de um argumento.

Pûrvaparvata (*Sânsc.*) — O monte do Oriente, atrás do qual nasce o Sol.

Pûrvaphalgunî (*Sânsc.*) — O décimo primeiro asterismo ou mansão lunar.

Pûrvaphalgunîbhava (*Sânsc.*) — O planeta Júpiter.

Pûrvapitâmaha (*Sânsc.*) — Avô, antepassado, antecessor.

Pûrvapurucha (*Sânsc.*) — Antepassado, antecessor; o Espírito primordial: Brahmâ.

Pûrvaranga (*Sânsc.*) — Prólogo de um drama.

Pûrvarâtra (*Sânsc.*) — A primeira metade da noite.

Pûrvarûpa (*Sânsc.*) — Precursor; indicação, prognóstico. Como adjetivo: que tem a forma primitiva; que é como antes.

Pûrvasara ou **Pûrvasâra** (*Sânsc.*) — Que vai adiante ou para o Leste.

Pûrvavant (*Sânsc.*) — Que tem alguma coisa precedente ou que a ela está relacionado.

Pûrvavid (*Sânsc.*) — Que conhece o passado.

Pûrvottarâ (*Sânsc.*) — O Nordeste.

Pûrvya (*Sânsc.*) — Anterior, prévio, precedente.

Pûshâ ou **Pûshan** (*Sânsc.*) — Uma divindade védica cujo verdadeiro significado permanece desconhecido para os orientalistas. É qualificada como "o sustentador" ou alimentador de todos os seres (desvalidos). A filosofia védica explica seu significado. Falando de tal divindade, o *Taittirîya Brâhmana* diz que "quando Prajâpati formou os seres vivos, Pûshan os alimentou". Este é, portanto, a mesma força misteriosa que nutre o feto e a criatura, antes de seu nascimento, por *osmose*, e que é denominada de "nutriz

P

atmosférica" (ou *âkâzica*) e "pai sustentador". Quando os *Pitris* lunares produziram os homens, estes permaneceram insensíveis e abandonados e foi "Pûshan quem alimentou os homens primitivos". É também um nome do Sol [e como tal é enumerado entre os doze Âdityas.]

Pushkala ou **Puskala** (*Sânsc.*) — Uma folha de palmeira empregada no Ceilão para a escrita. Todos os livros de tal país costumavam ser escritos em tais folhas de palmeira e duram séculos. [Esta palavra significa também: abundante, numeroso, rico, excelente, sublime; um lugar sagrado de peregrinação (*tîrtha*). Ver *Pushkara*.]

Pushkara (*Sânsc.*) — Uma espécie de lótus azul; o sétimo *Dwîpa* [continente] ou zona do Bhâratavarcha (Índia). Um famoso lago situado próximo a Ajmere [ou Ajmir]. É também o nome de várias pessoas. [A água, o ar, o céu; epíteto de Krishna, Shiva e outros; em sentido figurado, a flor do referido lótus azul é o coração. (Ver *Pushkala*.)]

Pustaka, Pustaki ou **Pustî** (*Sânsc.*) — Livro; manuscrito.

Put ou **Pud** (*Sânsc.*) — Inferno ou um tipo de inferno.

Pûta (*Sânsc.*) — Puro, purificado, limpo. Pureza, veracidade.

Putah (*Eg.*) — O primeiro pai intelectual, correspondente ao *Buddhi* ou Alma espiritual. (*Doutrina Secreta*, II, 669)

Pûtakratu (*Sânsc.*) — Sobrenome de Indra.

Pûtamûrti (*Sânsc.*) — Que tem o corpo purificado.

Pûtana (*Sânsc.*) — Uma espécie de demônio.

Pûtanâ (*Sânsc.*) — Um demônio-fêmea morto por Krishna.

Pûtanâri (*Sânsc.*) — "Inimigo ou matador de Pûtanâ"; epíteto de Krishna.

Pûtâpâpa (*Sânsc.*) — Puro ou limpo de pecado.

Pûtâtman (*Sânsc.*) — Que tem a alma pura; asceta.

Pûti (*Sânsc.*) — Pútrido, corrupto, hediondo; fetidez. Pureza, purificação. (*Burnouf*)

Puto ou **Pûto** [ou **P'u-to**] (*Chin.*) — Uma ilha [sagrada] da China, onde Kwan-Shai-Yin e Kwan-Yin têm numerosos templos e mosteiros.

Putra (*Sânsc.*) — Filho. [A etimologia deste nome é: *put*, inferno, e *tra*, que: retira ou faz sair. A este respeito o *Mahâbhârata* refere-se à história de Mandapâla, que, depois de ter vivido completamente entregue à devoção e ascetismo, morreu sem deixar sucessores e foi parar na morada de Yama. Não tendo seus desejos satisfeitos, perguntou a razão e foi lhe respondido que todas as suas devoções haviam fracassado, porque não tinha tido nenhum filho (*putra*) que o livrasse do inferno. Então o santo asceta tomou a forma de uma ave e, com a fêmea de sua própria espécie, teve quatro filhos.]

Putraichanâ (*Sânsc.*) — Desejo de prole ou de ter filhos.

Putrechti (*Sânsc.*) — Sacrifício oferecido para ter filhos.

Putrefação (*Alq.*) — Matéria da Obra ao negro.

Putrî ou **Putrikâ** (*Sânsc.*) — Filha.

Putrotpâdana (*Sânsc.*) — Educação dos filhos.

Pu-tsi-K'iun-ling (*Chin.*) — Literalmente: "Salvador universal de todos os seres". Título de Avalokitezvara e também de Buddha.

P

Pygmalion — Ver *Pigmalião*.

Pygmoei — Ver *Pigmeus*.

Pymander (*Eg.*) — o "Pensamento divino". O Prometeu egípcio e a personificação do *Nous* ou luz divina, que aparece e instrui Hermes Trismegistus, numa obra hermética intitulada *Pymander*.

Pyrrha — Ver *Pirra*.

Pyrrhonismo — Ver *Pirronismo*.

Pythagoras — Ver *Pitágoras*.

Pythia — Ver *Pítia* ou *Pitonisa*.

Pytho (*Gr.*) — o mesmo que *Ob*: uma influência demoníaca ou diabólica; o Ob através do qual, segundo se diz, os feiticeiros atuam.

Q

Q — É a letra já sem uso *Qoppa* eólica e o *Koph* hebreu. Como número, é o 100 e seu símbolo é a parte posterior da cabeça, desde as orelhas até a nuca. Entre os ocultistas da Eólia, representava o símbolo da diferenciação. A letra Q não figura no alfabeto sânscrito.

Qabbalah (*Hebr.*) — A antiga Doutrina secreta caldeia, compendiada na Cabala. É um sistema oculto transmitido até nós por si mesmo, composto de ensinamentos puramente orais. Muito embora sendo transmitida oralmente, aceitando a tradição, e tendo sido, em outros tempos, uma ciência fundamental, atualmente encontra-se muito desfigurada pelas adições feitas durante séculos e pelas interpretações das Escrituras hebraicas e ensina diversos métodos de interpretação das alegorias bíblicas. No princípio, tais doutrinas eram transmitidas apenas "da boca ao ouvido", diz o dr. W. Wynn Wescott, "oralmente do mestre ao discípulo, que as recebia; daí o nome de *Kabbalah*, *Qabbalah* ou *Cabbala*, da raiz hebraica QBL, receber. Além dessa *Kabbalah* teórica, criou-se um ramo prático relacionado com as letras hebraicas, estas, por sua vez, como representações, números e ideias". (Ver *Gematria*, *Notaricon*, *Temura*.) No que se refere ao livro original da *Qabbalah* – o *Zohar* – ver mais adiante. Porém o *Zohar*, que possuímos atualmente, não é o *Zohar* que Simeão Ben Jochai legou, como herança, a seu filho e secretário. O autor da presente *aproximação* foi um tal Moisés de Leon, judeu do século XIII. (Ver *Cabala* e *Zohar*.) [Ver também *Simeão Ben Jochai*.]

Qadmon, Adão ou **Adão Kadmon** (*Hebr.*) — O Homem celeste; o Microcosmo (ver esta palavra). É o Logos manifestado; o terceiro *Logos*, segundo o Ocultismo ou o Paradigma da Humanidade. [Ver *Adão Kadmon*.]

Qai-yin (*Hebr.*) — o mesmo que Caim.

Qaniratha [ou **Hvaniratha**] (*Masd.*) — Segundo as Escrituras zoroastrianas, é a nossa Terra, que, como ensina a *Doutrina Secreta*, situa-se no meio de seis outros *karshwars* ou globos da cadeia terrestre. (Ver, *Doutrina Secreta*, II, p. 802, nova edição.)

Qedoshim (*Hebr.*) — Santos, anjos. *(P. Hoult)*

Qeh (*Eg.*) — O machado. (Ver *Machado*.)

Q'lippoth ou **Klippoth** (*Hebr.*) — O mundo dos demônios ou cascas; o mesmo que o Mundo aseeyático [ou assiáhtico], chamado também *Olam Klippoth*. É a residência de Samael, príncipe das trevas nas alegorias cabalísticas. Porém é preciso levar em conta o que lemos no *Zohar* (II, 43 a): "Para o serviço do Mundo angélico, o Santo... criou Samael e suas legiões, isto é, o mundo de ação, que são, por assim dizer, as nuvens que serão utilizadas (pelos Espíritos superiores ou mais elevados, nossos *Egos*) para, montados nelas, descerem à Terra e servir, digamos assim, como cavalos". Isso, unido ao fato de que Q'lippoth contém a matéria de que são feitos os astros, planetas e até os homens, demonstra que Samael, com suas legiões, é simplesmente matéria caótica, turbulenta, que, em seu estado mais sutil, é utilizada pelos espíritos como revestimento. Porque, falando da "vestimenta" ou forma (*rûpa*) dos *Egos* que se encarnam, diz-se, no Catecismo Oculto, que eles, os *Mânasaoutras* ou Filhos da Sabedoria, para consolidação de suas formas, a fim de descer a esferas inferiores, utilizam as *escórias de Swabhâvat* ou a matéria plástica que há em todo o Espaço ou, em outras palavras, o *ilus* [barro] primordial. E estas escórias constituem o que os egípcios denominaram de Tifon e os europeus modernos de Satã, Samael etc. *Deus est Dæmon inversus*: o Demônio é a *capa* de Deus. (Ver *Mundos, Os Quatro*.)

Q

Qôran (*Ár.*) — Ver *Korão*.

Quadratus — Sobrenome de Mercúrio.

Quadrivium (*Lat.*) — Termo empregado pelos escolásticos, durante a Idade Média, para designar os quatro últimos sendeiros da sabedoria, dos quais antigamente existiam sete. Assim, a gramática, a retórica e a lógica eram denominadas de *trivium*; a aritmética, a geometria, a mágica e a astronomia (as ciências obrigatórias dos pitagóricos) eram designadas pelo nome de *quadrivium*.

Quakers — "Tremedores" - Nome dado aos indivíduos de uma seita religiosa fundada, na Inglaterra, por George Fox, em 1647, também denominada "Sociedade de Amigos". O quaker distingue-se pela simplicidade e severidade de seus costumes. De sua religião exclui-se completamente todo tipo de cerimônias e todo culto exterior, bem como toda hierarquia eclesiástica. Vários de seus seguidores, abstraídos em profunda meditação, entravam numa espécie de êxtase acompanhado de convulsões e de um violento tremor de todos os membros do corpo. Os quakers olhavam-se de maneira respeitosa, como templos vivos do Espírito Santo. Seu zelo excessivo acarretou-lhes castigos e perseguições violentos, que suportavam com resignação. O fundador da seita foi qualificado de impostor, lunático, o que costuma acontecer com todos aqueles que se posicionam contra a corrente vigente. Vejamos, pois, quais eram as doutrinas pregadas por Fox. "Qual é - dizia - o culto que os cristãos devem tributar a Deus? É um culto espiritual e interno, baseado na prática das virtudes e não em cerimônias vãs. Qual é o verdadeiro espírito do cristianismo? Reprimir as paixões, amar a seus irmãos e preferir a morte ao pecado. Em que sociedade, pois, encontramos esta religião pura e interna? Será na Igreja Romana? Será nas Igrejas reformadas? Todas elas renovaram o judaísmo: suas liturgias, seus sacramentos, seus ritos são restos das cerimônias judaicas, expressamente abolidas por Jesus Cristo. De tais formalidades exteriores elas fazem depender a justiça e a salvação. Rechaçam de seu seio aqueles que não observam esses ritos, sem examinar se, por outro lado, são virtuosos e, pelo contrário, recebem com honra os maiores malfeitores, contanto que se mantenham fiéis a essas práticas externas. Numa dessas sociedades é, pois, a verdadeira Igreja de Jesus Cristo, e aqueles que desejam sinceramente sua salvação devem separar-se delas, para constituir urna nova sociedade de homens sóbrios, pacientes, caritativos, austeros, castos e desinteressados. Uma tal associação será a verdadeira e única Igreja de Jesus Cristo." Barclay escreveu uma apologia dos quakers, que é, sem dúvida alguma, a melhor obra composta em favor dessa seita. (Ver, para maiores detalhes, o *Dicionário Histórico dos Cultos Religiosos*.)

Quanli (*Alq.*) — Chumbo.

Quadris (*Alq.*) — Fel de pedra.

Quarta dimensão — Até hoje só se conhecem três dimensões da matéria, que são: o comprimento, a largura e a espessura. Em relação à quarta, os Ocultistas afirmam que não apenas é um fato, mas uma das categorias de observação no plano astral. "É totalmente correto que os avanços da evolução podem nos fazer conhecer novas qualidades características da matéria. Aquelas a que estamos familiarizados são, na realidade, mais numerosas do que as que correspondem às três dimensões. As qualidades características da matéria devem, evidentemente, ter uma relação direta com os sentidos do homem... Assim, quando alguns pensadores atrevidos suspiravam por uma quarta dimensão, para explicar a passagem da matéria através da matéria, a formação de nós numa corda sem fim, o que notavam era a falta de uma *sexta* qualidade característica da matéria." (*Doutrina Secreta*, I, 271, 272)

Q

Quarta Raça-Mãe — Ver *Raça Atlântica*.

Quaternário — O Quaternário, também chamado de Quaternário Inferior, é constituído pelos quatro "princípios" inferiores do homem, que formam sua personalidade, a saber: o corpo denso ou físico *(sthûla sharîra)*, o duplo etéreo ou corpo astral *(linga-sharîra)*, a vida ou princípio vital *(prâna)* e o centro dos desejos ou paixões animais *(kâma-rûpa)*. Em outras classificações inclui-se, entre os princípios do Quaternário, o *Manas* inferior, ou seja, a inteligência cerebral, a mente que tende para baixo, para o centro dos desejos e paixões animais. Todos esses princípios devem ser distinguidos do *Ternário* ou Tríade superior imperecível, que constitui a *individualidade* e que são: o *Manas* superior, o *Buddhi* e o *Âtman* (ou Eu supremo).

Quatro Animais (*Os*) — Os animais simbólicos da visão de Ezequiel (o *Mercabah*). "Entre os primeiros cristãos, a celebração dos Mistérios da Fé era acompanhada do acendimento de sete luzes, com incenso, o *Trishagion*, e da leitura do livro dos Evangelhos, em cuja capa e páginas estavam gravados o Homem alado, o Leão, o Touro e a Águia." (*Qabbalah*, por Isaac Myer.) Até hoje, tais animais são representados junto aos quatro evangelistas e encabeçando seus respectivos Evangelhos, nas edições da Igreja grega. Cada um representa uma das quatro classes inferiores de mundos ou planos, do mesmo modo como cada *personalidade* é moldada. Assim, a Águia (associada a São João) representa o Éter ou Espírito Cósmico, o olho onipresente do Vidente; o Touro, de São Lucas, simboliza as águas da Vida, o elemento que tudo engendra e a força cósmica; o Leão, de São Marcos, a energia impetuosa, o intrépido valor e o fogo cósmico; enquanto que a Cabeça humana ou o Anjo, que se encontra junto a São Marcos, é a síntese dos três, combinados no intelecto superior do homem e na Espiritualidade cósmica. Todos esses símbolos são egípcios, caldeus e hindus. Os deuses com cabeça de águia, touro e leão são numerosos e todos representam a mesma ideia, tanto nas religiões egípcia, caldeia e hindu como na hebraica, porém, começando pelo corpo astral, não passaram além do Espírito cósmico ou *Manas* superior, visto que *Atma-Buddhi*, ou seja, o Espírito Absoluto e a Alma espiritual, que é seu veículo, não podem ser simbolizados por imagens concretas.

Quatro Mahârâjas (*Os*) (*Sânsc.*) — Entre os budistas do Norte, são as quatro grandes divindades Kármicas, situadas nos quatro pontos cardeais, para vigiar a humanidade.

Quatro nobres verdades (*As*) — Com este nome designam-se, no Budismo: 1º) as dores da existência evolucionária, cujos resultados são nascimentos e mortes, vida após vida; 2º) a causa da dor, que é o desejo de satisfazer-se a si próprio, desejo sempre renovado e nunca satisfeito; 3º) a destruição ou extirpação de tal desejo; 4º) os meios de conseguir a destruição do desejo. (Olcott, *Catecismo búdhico*)

Querquetulanas (palavra derivada do latim *quercus*, carvalho) — Ninfas que presidiam a conservação dos carvalhos. Eram o mesmo que as dríades. (Ver esta palavra.)

Querubins (*Cherubim*, em hebreu) — Segundo os cabalistas, são um grupo de anjos que eles associam especialmente com o *Sephira Jesod*. Segundo os ensinamentos cristãos, constituem uma ordem de anjos "vigilantes". O *Gênesis* coloca querubins para guardar o Éden perdido e o *Antigo Testamento* refere-se a eles muitas vezes como guardiães da glória divina. Sobre a Arca da Aliança, havia duas figuras de ouro aladas; no *Sanctum Santorum* do Templo de Salomão, viam-se imagens colossais do mesmo tipo de anjos. Ezequiel os descreve de maneira poética. Cada querubim parece ter sido uma figura composta de quatro faces (de homem, de águia, de leão e de touro) e, sem dúvida alguma, era alada. Parkhust, *in Voce Cherub*, indica que tal palavra deriva de K,

Q

partícula de semelhança, e RB ou RUB, grandeza, majestade, senhor e, do mesmo modo, é uma imagem da Divindade. Muitas outras nações exibiram figuras parecidas como símbolos da Divindade; por exemplo, os egípcios, em suas imagens de Serápis, como descreve Macrobio, em seus *Saturnalia*; os gregos possuíam sua Hécate de três cabeças e os latinos tinham também imagens de Diana com três faces, segundo nos informa Ovídio: *ecce procul ternis Hecate variata figuris*. Virgílio a descreve da mesma maneira no Livro IV da *Eneida*. Porfírio e Eusébio escrevem outro tanto a respeito de Proserpina. Os vândalos possuíam uma divindade provida de muitas cabeças, à qual davam o nome de Triglaf. As antigas raças germânicas tinham o ídolo Rodigast, com corpo humano, cabeça de touro, águia e homem. Os persas tinham algumas figuras de Mithras com corpo de homem, cabeça de leão e quatro asas. Acrescentando-se a isso as Quimeras, as Esfinges do Egito, Moloch, a Astarté dos sírios e algumas imagens de Ísis, com chifres de touro e plumas de ave na cabeça. (W. W. W.) – [Ver *Quatro Animais, Os*]

Quetzo-Cohuatl (*Mex.*) — O deus-serpente das Escrituras e lendas mexicanas. Sua varinha e outras "marcas" provam que era um grande iniciado da Antiguidade, que recebeu o nome de "Serpente" devido a seus poderes, sabedoria e vida longa. Até os dias de hoje, as tribos aborígines do México chamam-se pelos vários nomes de répteis, quadrúpedes e aves.

Quey (*Chin.*) — Nome dado pelos chineses aos gênios maus.

Quiche, *Cosmogonia* — Ver *Cosmogonia quiche* e *Popol Vuh*.

Quicunque ou **Symbolum Quicunque** (*Lat.*) — Assim se designa o Credo atribuído a Santo Anastácio, patriarca da Alexandria devido às suas primeiras palavras: *Quicunque vult*.

Quies (*Lat.*) — A deusa do repouso, adorada em Roma. Aparentemente era uma deusa dos mortos. Seus sacerdotes eram chamados de *silenciosos*.

Quiescência — o primeiro aspecto do Eterno. (*Doutrina Secreta*, II, 512) Estado natural de perfeição. (*Ibid.*, 514)

Quietalis (*Lat.*) — Sobrenome de Plutão. Esta palavra deriva de *quies*, repouso, descanso, porque a morte nos faz gozar de um repouso profundo.

Quietismo — Também chamado de *Molinosismo*, do nome do fundador desta doutrina, o sacerdote espanhol Miguel de Molinos. É um estado de repouso perfeito e passividade mental, alcançado pela unificação com Deus através da contemplação profunda. Tem vários pontos de semelhança com o *Yoga* hindu. "O molinosismo – diz D. Rafael Urbano, em sua introdução ao *Guia Espiritual* – é um ascetismo transcendente e, como tal, um remédio único para o grande mal do espírito. A religião da época era demasiado fria, inanimada e mecânica. O ideal ético do cristianismo havia degenerado até o catolicismo romano, interessando-se demasiadamente na esfera material de atividade, entravando a livre indagação do espírito. Ao invés de apoiar-se no amor ao próximo, a Igreja aspirava à dominação do mundo. A Igreja estendia sua mão, não para abençoar os povos e levantar os pobres caídos nas trevas terríveis, mas para empunhar armas, arrebatar cetros e acender fogueiras. Molinos, sem propósito deliberado, sem ousadia de qualquer gênero, atreve-se a manifestar a salvação verdadeira do espírito humano dentro da degradação religiosa de sua época. É um homem que diz a verdade num desses momentos terríveis em que, nas palavras de Coleridge, é terrível dizê-la. "O insigne autor do *Guia*, após gozar a reputação de diretor espiritual douto e exemplar e após ter sido um protegido do Papa e seu hóspede, foi perseguido e vilmente caluniado, ocorrendo o mesmo com seus discípulos, que foram qualificados de "hereges, os mais obscenos, impuros e desonestos". Mofinos, vítima de odiosa intolerância e cego fanatismo, pôde escapar quase

Q

milagrosamente das chamas inquisitórias, porém foi condenado à prisão perpétua e diz-se que, quando chegou ao convento dos dominicanos de São Pedro Montorio, onde devia acabar seus dias, disse a seu acompanhante, com a inteireza do justo, estas palavras simples: "No dia do juízo, veremos, padre, de que lado se encontra a verdade". A famosa obra em que Molinos expõe suas doutrinas, o *Guia Espiritual* – obra que o autor compôs movido apenas pelo "puro amor do aumento da glória divina e pelo limpo e ardente desejo de promover a perfeição cristã" – surgiu em 1675, autorizado, com as devidas licenças de um jesuíta, um carmelita e o geral da ordem dos franciscanos e, no transcurso de doze anos, foi traduzido até vinte vezes. Não se deve confundir Molinos com o Multa espanhol Molina, autor da obra *De Condordia Gratiæ et liberi Arbitrii* (Da concórdia da graça e o livre-arbítrio) e fundador do sistema denominado "Molinismo". Ver *Quitistas* e *Místico*.

Quietistas — Seita religiosa fundada por um sacerdote espanhol chamado Molinos. Sua doutrina principal era que a contemplação (um estado interno de completo repouso e passividade) era a única prática religiosa possível e constituía a totalidade das práticas religiosas. Os quietistas eram os *hatha-yogis* ocidentais e empregavam o tempo tratando de afastar a mente dos objetos dos sentidos. Esta prática generalizou-se na França e também na Rússia, durante a primeira parte do século XIX. (Ver *Quietismo*.)

Quietorium (*Lat.*) — Nome dado à urna onde repousavam as cinzas do defunto.

Quilla (*Peru*) — No Peru, nome com que se designa a Lua. Os habitantes do Peru, têm sobre este astro as mesmas ideias supersticiosas dos gregos e romanos. Quando começa a eclipsar-se, a Lua está doente; se o eclipse é total, encontra-se moribunda ou morta e, então, temem que, ao cair, mate toda a humanidade.

Quimera — Monstro fabuloso, nascido na Lícia, de Tífon e Equidna. Tinha a cabeça de leão, o corpo de cabra e a cauda de dragão. Sua boca, sempre aberta, vomitava chamas. Acredita-se que se tratava da representação de um vulcão. (Ver *Querubins*.)

Química oculta — Título de uma obra notável e curiosíssima, baseada em observações feitas, mercê de sua faculdade de clarividência, por A. Besant e C. W. Leadbeater. Os autores publicam o resultado de suas observações e o oferecem à consideração dos experimentadores de laboratório, com a segurança de que, graças aos novos descobrimentos da química, os sábios oficiais corroborarão, cedo ou tarde, a divisibilidade da partícula da matéria, à qual, por acreditarem indivisível, deram o nome de átomo e se convenceram, por experiência direta e observação pessoal, de que o tal átomo é um sistema complexo dos verdadeiros átomos físicos, em maior ou menor número, e em diversa porém harmônica disposição, segundo a natureza do corpo constituído. Assim, o átomo químico deveria chamar-se, com mais propriedade, de *elemento químico ou molécula elementar*. A sua estrutura atômica, à peculiar ordenação dos átomos, os diversos corpos químicos devem suas respectivas propriedades. A ciência acadêmica vislumbra a verdade das observações clarividentes expostas na citada obra, sendo, por exemplo, que os químicos Ramsey e Travers descobriram analiticamente o metargon, em 1898, três anos após ter sido observado por Besant e Leadbeater, e recentemente o químico norte-americano Irving Langmuir apresentou, à Academia de Ciências de Washington, uma Memória onde afirma ter descoberto um *átomo menor* do que aquele que até então havia sido considerado como tal. A este átomo deu o nome de *quantum*.

Quinanes — Antiguíssima raça de gigantes, sobre os quais há inúmeras tradições não só entre o povo, mas também na história da América Central. A ciência oculta ensina que a raça que precedeu nossa própria raça humana era de gigantes, cuja estatura foi gradualmente decrescendo até chegar à atual, após terem quase sido arrebatados da face da Terra pelas águas do dilúvio atlântico.

Q

Quinária, *Divisão* — Ver *Princípios*.

Quindecênviro (*Quindecemvir*, em latim) — O sacerdote romano encarregado da custódia dos livros sibilinos. [Estes sacerdotes eram em número de quinze; daí seu nome.]

Quinquêviros (*Quinquevir*, em latim) — Colégio de sacerdotes destinados a praticar sacrifícios pelas almas dos defuntos. (*Noël*)

Quinta dimensão — No plano mental desenvolve-se uma nova faculdade, que permite ao homem perceber as cinco dimensões dos corpos. (Ver *Quarta dimensão*.)

Quinta Raça — Esta raça se desenvolveu sob a proteção de Budha (Mercúrio), pois seu objetivo principal era o desenvolvimento da mente e, para este fim, o planeta da Sabedoria banhou com seus eflúvios benéficos o berço da Raça. Há um milhão de anos, o Manu Vaivasvata selecionou entre a sub-raça semítica da raça atlântica as sementes da quinta Raça-mãe e as conduziu à imorredoura Terra sagrada. Idade após idade, foi modelando o núcleo da humanidade futura. Então acrescentou-se o quinto sentido aos outros quatro, tornando-se o homem tal como é hoje. Aí preside o renascimento dos grandes *Asuras*, ensinando-os a empregar seus poderes no objetivo mais nobre. Congrega as mais brilhantes inteligências e os caráteres mais puros para que renasçam nas formas que Ele desenvolve. Após estabelecer o tipo de sua Raça, conduziu-a para o Sul, para a Ásia Central, onde morou por longo tempo, fixando ali a residência da Raça, cujos brotos deviam ramificar-se em diversas direções. Entretanto, a superfície do globo muda enormemente a configuração de suas terras e mares. Vão surgindo, uma após outra, as terras do continente Kraumcha, até que o grande cataclismo ocorrido há 200.000 anos deixa a Poseidônia isolada em meio ao Atlântico e os demais continentes, Europa, Ásia, África, América e Austrália, quase como estão configurados hoje. Então, há uns 850.000 anos, começou a primeira grande emigração. Desta quinta Raça surgiram cinco sub-raças: 1°) Ária; 2°) Ário-semítica; 3°) Irânia; 4°) Clética; 5°) Teutônica. A sexta e a sétima sub-raças floresceram no Norte e Sul da América. (A. Besant, *Genealogia do Homem*) Ver *Raças*.

Quintessência — A quintessência, o magnetismo específico, o vínculo, a semente dos elementos, a composição dos elementos puros são, diz o Bretão (Filosofia Espagírica), expressões sinônimas de uma mesma coisa, de uma mesma matéria ou objeto, no qual reside a forma. É uma essência material na qual reside e opera o espírito celeste. Pode-se definir a quintessência como o quinto princípio dos mistos, composto daquilo que há de mais puro nos quatro elementos. Primitivamente este nome era aplicado ao éter, por ser este o mais nobre e superior dos cinco elementos dos antigos filósofos.

Quinzena Luminosa ou **clara** (em sânscrito, *Zukla*) — Assim se designa na Índia a primeira parte do mês lunar, a quinzena em que a Lua vai crescendo, ou seja, desde o novilúnio até o plenilúnio. (Ver *Bhagavad-Gîtâ*, VIII, 24.)

Quinzena obscura (em sânscrito, *Krishna*) — A segunda metade do mês lunar, a quinzena em que a Lua vai minguando, ou seja, desde o plenilúnio até o novilúnio seguinte. (Ver *Bhagavad-Gîtâ*, VIII, 25.)

Quirognomonia — Ato de conhecer o caráter ou as qualidades de uma pessoa através da configuração da mão.

Quiromancia (do grego *cheir*, mão, e *manteia*, adivinhação) — Adivinhação do futuro de uma pessoa pela observação das linhas naturais da palma de sua mão. (*M. Treviño*) Há a quiromancia *física*, que trata de descobrir as relações existentes entre

Q

as linhas da mão e o temperamento do corpo, aumentando, através desse meio, o conhecimento das inclinações da alma, e a quiromancia *astrológica*, que examina as influências dos planetas sobre as linhas da mão, para determinar o caráter de uma pessoa e predizer o que acontecerá, calculando os efeitos de tais influências.

Quíron (em grego, *Chiron*) — Célebre centauro, filho de Saturno (metamorfoseado em cavalo) e Filira. Este ser mitológico vivia retirado nos montes e, ali, alternando com o exercício da caça, adquiriu vastíssimos conhecimentos na ginástica, adivinhação, astronomia, medicina, na qual fez progressos tais, que era considerado como o melhor médico de seu tempo. Sua gruta, situada ao pé do monte Pelion, chegou a ser a mais famosa escola de toda a Grécia Quíron ensinou medicina a Esculápio, astronomia a Hércules e foi também instrutor de uma plêiade de renomados heróis, tais como Aquiles, Peleu, Jasão, Meleagro, Ulisses, Nestor, Eneias etc. Ferido numa perna por uma flecha envenenada com o sangue da Hidra de Lerna, suas dores eram tão cruéis, que desejava ansiosamente morrer, coisa que não podia alcançar por ser imortal. Condoído de seus sofrimentos, Júpiter atendeu seus desejos e o colocou entre os signos do Zodíaco, onde figura com o nome de Sagitário.

Quiroscopia — Ver *Quiromancia*.

Quirotonia — Cerimônia da Igreja grega, em que o bispo impõe as mãos sobre aqueles a quem confere ordens sagradas ou quando administra outros sacramentos.

Qû-tâmy (*Cald.*) — Nome do místico que recebe as revelações da deusa Lua, na antiga obra caldeia, traduzida para o árabe e vertida para o alemão por Chwolsohn, com o título de *Agricultura Nabathea*. [Ver *Nabateos*.]

Qvaser (*Esc.*) — Nome de um personagem sábio, inventor da poesia.

R

R — Décima oitava letra do alfabeto inglês, a letra "canina", assim chamada porque o seu som nos lembra o rosnar de um cão. No alfabeto hebraico é a vigésima letra e seu número é 200. Como *Resh* (nome hebraico de R) equivale ao nome divino *Rahim* (clemência) e seus símbolos são uma esfera, uma cabeça ou um círculo. [Na língua sânscrita há o R consoante, que é a quadragésima primeira letra de seu alfabeto e se pronuncia como *rá*, porém com som suave. Há além disso, em tal língua as vogais *ri* (breve) e *rî* (longa), que se pronuncia quase como nas palavras francesas *rien* e *criera*, respectivamente. Nas transliterações, o R vogal (breve ou longo) costuma ser escrito com um pontinho embaixo, como nas palavras *brihat, Krishna, ritu* etc.; outras vezes é escrita com um pequeno *i* sob a letra, como na palavra *prakrti*; e outras, finalmente, são expressas com um *r* e um pontinho sob o mesmo, porém sem o *i*, isto é, *brhat, prakrti, rni*, que se pronunciam: *brihat, prakriti, rini*.]

Ra (*Sânsc.*) — Fogo, calor, combustão, queimadura; desejo; rapidez.

Râ (*Eg.*) — A divina Alma universal em seu aspecto manifestado – a luz sempre ardente; é também o Sol personificado. [O deus Rá é representado com cabeça de gavião, porque a ave em questão é dedicada a Hórus. *Ra* significa *fazer, dispor* e, de fato, o deus Rá dispôs e organizou o mundo, cuja matéria Ptah lhe havia concedido. (*Dict. d' Arch. Égypt.*) Ver *Ammón*.]

Râ (*Sânsc.*) — Dom, dádiva, presente, ouro.

Rã — No panteão egípcio há uma deusa com a cabeça deste anfíbio. Supõe-se que simbolize a eternidade, o que explicaria o sentido dos amuletos em forma de rã. Em todo o caso, está relacionada com a ideia de *tempo, de longos períodos de anos*, porque em certa época servia para escrever a palavra *ano*, e *girino* é o hieróglifo do número *cem mil*. Segundo Choeremón, a rã expressa o retorno à vida, a ressurreição. (Pierret, *Dict. d'Arch. Égypt.*)

Rabbi — Ver *Rabino*.

Rabboth (*Hebr.*) — Comentários alegóricos sobre os cinco livros de Moisés. São muito antigos e têm grande autoridade entre os judeus.

Rabhas (*Sânsc.*) — Movimento violento da alma ou do corpo; impetuosidade, violência, fúria, rapidez. Como adjetivo: impetuoso, feroz, violento, enérgico.

Rabhasa (*Sânsc.*) — Energia, zelo, afã, desejo veemente. (Ver também *Rabhas*.)

Rabiel (*Alq.*) — Sangue de dragão.

Rabinos [do hebraico *Rabbi*] — Originariamente, instrutores ou mestres dos sagrados Mistérios ou *Qabbalah*; mais tarde, todo levita da casta sacerdotal passava a ser mestre e rabino. (Ver a seguinte série de rabinos cabalistas exposta por W. Wynn Westcott.)

1. **Rabino Abulafia** de Saragoça. Nascido em 1240, instituiu uma escola de Cabala, que recebeu seu nome. Suas obras principais são: *Os Sete Sendeiras da Lei* e a *Epístola ao Rabino Salomão*.

2. **Rabino Akiba** — Autor de famosa obra cabalística, o *Alfabeto de R. A.*, que estuda cada letra como símbolo de uma ideia e como emblema de um sentimento. *O Livro de Enoch* foi, originalmente, uma parte desta obra, que surgiu no fim do século VIII. Não era simplesmente um tratado cabalístico.

3. **Rabino Azariel ben Menachem** (1160 d.C.) — Autor do *Comentário sobre os Dez Sephiroth*, que é a mais antiga obra puramente cabalística existente, afora o *Sepher*

R

Yetzirah, que, embora seja o mais antigo, não tem qualquer relação com os *Sephiroth* cabalísticos. Foi discípulo de Isaac o Cego, que é considerado como pai da Cabala europeia e foi, por sua vez, mestre do igualmente célebre R. Moisés Nachmanides.

4. **Rabino Moisés Botarel** (1480) — Autor de um famoso comentário sobre o *Sepher Yetzirah*. Ensinou que, através de uma vida de asceta e do uso de invocações, os sonhos de um homem podem se tornar proféticos.

5. **Rabino Chajim Vital** (1600) — O grande expositor da Cabala tal como lhe foi ensinada por R. Isaac Loria; autor de uma das obras mais famosas, *Otz Chiim* ou *Árvore da Vida*, da qual Knorr von Rosenroth retirou o *Livro sobre o Rashith ha Gilgalim*, revoluções das almas ou esquemas de reencarnações.

6. **Rabino Ibn Gebirol** — Célebre rabino hebreu, autor do hino *Kether Malchuth* ou *Diadema Real*, que apareceu no ano de 1050 aproximadamente. Esta obra é um lindo poema, que contém as doutrinas cosmológicas de Aristóteles e também, atualmente, faz parte do serviço judeu especial da véspera do Dia de Propiciação. (Ver Ginsburg e Sachs sobre a *Poesia religiosa dos judeus espanhóis*.) Este autor é conhecido também pelo nome de Avicebron.

7. **Rabino Gikatilla** — Eminente cabalista que viveu por volta do século XII. Compôs os famosos livros: o *Jardim de Nozes*, *A Porta dos Pontos Vogais*, *O Mistério do Metal Brilhante* e *As Portas da Justiça*. Insistiu especialmente no uso da Gematria, Notaricon e Temura.

8. **Rabino Isaac o Cego** de Posquiero — O primeiro a ensinar publicamente, na Europa, por volta do ano 1200 de nossa era, as doutrinas teosóficas da Cabala.

9. **Rabino Loria** (ou *Luria*, como também se escreve; é ainda conhecido pelo nome de *Ari*, tirado de suas iniciais). Fundou uma escola de *Kabbalah*, em 1560, aproximadamente. Não escreveu qualquer obra, mas seus discípulos recolheram seus ensinamentos e o rabino Chapim Vital publicou-os.

10. **Rabino Moisés Cordovero** (1550 d.C.) — Autor de várias obras cabalísticas de grande reputação, a saber: *Uma Luz Suave*, *O Livro do Retiro* e *O Jardim de Romãs*. Esta última obra pode ser lida em latim, na *Kabbalah Denudata*, de Knorr von Rosenroth, intitulada *Tractatus de Animo, ex libro Pardes Rimmonim*. Cordovero é notável por sua adesão à parte estritamente metafísica, omitindo a seção relativa à produção de fenômenos prodigiosos, à qual se dedicava praticamente o rabino Sabbatai Zevi, ocupação na qual faltou muito pouco para que morresse.

11. **Rabino Moisés de Léon** (aproximadamente 1290 d.C.) — Compilador e primeiro publicador de *Zohar* ou "Esplendor", a mais famosa das obras cabalísticas e quase única, grande parte da qual foi traduzida para o inglês. Segundo se afirma, este *Zohar* é, em sua maior parte, devido à pena do não menos famoso rabino Simeão ben Jochai, que floresceu no reinado do imperador Tito.

12. **Rabino Moisés Maimônides** (morto em 1304) — Rabino hebreu de grande renome. Este autor condenou o uso de encantos e amuletos e se opôs ao emprego cabalístico dos nomes divinos.

13. **Rabino Sabbatai Zevi** (nascido em 1641) — Cabalista famoso, que, passando além do dogma, adquiriu grande reputação como taumaturgo, operando maravilhas através dos nomes divinos. Em um período de sua vida, pretendeu ser o Messias e caiu nas mãos do sultão Mohamed IV da Turquia e havia sido condenado à morte, porém salvou-se adotando a religião maometana. (Ver Jost no *Judaísmo e suas seitas*.)

R

14. Rabino Simeão ben Jochai (cerca de 70-80 d.C.) — Em torno deste nome agrupam-se o mistério e a poesia da origem da *Kabbalah* como um dom da divindade ao homem. A tradição considera que a *Kabbalah* era uma teosofia divina ensinada primeiro por Deus e uma companhia de anjos e que Adão conseguiu ter alguns vislumbres de sua perfeição; que a sabedoria foi transmitida dele para Noé, deste para Abraão, de quem os egípcios de seu tempo aprenderam uma parte da doutrina. Moisés derivou de seu país de origem uma iniciação parcial, que foi se aperfeiçoando através de comunicações diretas com a Divindade. De Moisés passou aos setenta anciãos da nação judaica e deles o esquema teosófico foi sendo transmitido de geração a geração. Davi e Salomão, especialmente, chegaram a ser mestres desta doutrina secreta. Nenhuma tentativa foi feita – nos diz a lenda – para confiar à escrita a sagrada ciência, até que Tito destruiu o segundo Templo, época na qual o rabino Simeão ben Jochai, escapando da Jerusalém sitiada, escondeu-se numa caverna, onde permaneceu pelo espaço de doze anos, e nela, sendo já um cabalista, recebeu novos ensinamentos do profeta Elias. Ali Simeão ensinou seus discípulos, e os dois principais entre estes, o rabino Eliezer e o rabino Abba, escreveram aqueles ensinamentos que, em épocas posteriores, passaram a ser conhecidos por *Zohar* e certamente foram novamente publicados na Espanha, pelo rabino Moisés de Léon, por volta do ano de 1280. Durante séculos ocorreu um acirrado debate entre os doutos rabinos da Europa sobre a origem de tal lenda e, segundo parece, devemos renunciar a toda esperança de precisar que parte do *Zohar*, se é que há alguma, é tão antiga quanto Simeão ben Jochai. (Ver *Zohar*.) (W. W. W.)

Rab-mag (*Cald.*) — Chefe dos magos.

Rabric (*Alq.*) — Enxofre dos filósofos.

Raça — Ver *Raça Adâmica, Raça Andrógina, Raça Humana, Raça-Mãe* ou *Raça Raiz* etc.

Raça Adâmica — É a raça humana que, segundo a Bíblia, descende dos simbólicos Adão e Eva. Segundo a *Doutrina Secreta*, houve, antes desta, quatro grandes raças, cujos nomes variam segundo os povos e suas respectivas escrituras. (*Doutrina Secreta*, II, 5)

Raça Andrógina — A raça cujos indivíduos reúnem os dois sexos. É a terceira raça. A esta raça alude o *Gênesis* (I, 27), quando diz: "E Deus criou o homem à sua imagem... homem e mulher os criou". Como se lê no *Livro de Dzyan*, "os grandes *Chohans* chamaram os Senhores da Lua, os de corpos aéreos, e lhes disseram: Produzi Homens, Homens de vossa natureza... Machos-fêmeas serão..." (Estância III, 12)

Raça Ária — É a quinta Raça-Mãe. (Ver *Quinta Raça*.)

Raça Atlântica — É a Quarta Raça-Mãe. Desde o início da Raça Atlântica se passaram muitos milhões de anos e, apesar disso, encontramos os últimos atlantes misturados com o elemento ário há 11000 anos atrás. (*Doutrina Secreta*, II, 463) Os atlantes foram a primeira raça verdadeiramente humana e terrestre. (Ver *Quarta Raça*.)

Raça Chhâyâ — A esta raça refere-se o *Livro de Dzyan* (Estância IV, 15), quando diz: "Sete vezes sete sombras *(Chhâyâs)* de Homens futuros (*amânasas*, sem mente) nasceram. Cada uma de sua própria cor e espécie. Cada uma inferior a seu Pai (criador). Os Pais, os Sem-ossos, não podiam dar vida a seres com ossos. Sua prole eram *bhûtas* (fantasmas ou larvas), sem forma nem mente. Por isso são chamados Raça *Chhâyâ* (sombra ou imagem astral, isto é, uma sombra sem sentido)". Com o passar do tempo e com a ajuda de grandes Seres (*Dhyân, Chohans, Pitris* etc.), esta raça deu origem ao homem físico e dotado de inteligência.

R

Raça Espiritual — Os dez Patriarcas pré-diluvianos, os *Prajâpatis* e *Sephiroth* guiados pela mesma Divindade criadora. (*Doutrina Secreta*, II, 137.)

Raças Etéreas — Assim se denominam as numerosas classes de *Dhyân Chohâns* ou *Devas* (entidades avançadas de um período planetário precedente). (*Doutrina Secreta*, II, 243) As três primeiras raças, ou seja, as da humanidade em seu período de involução ou descenso, eram atéreas, formando assim um tipo intermediário entre o animal e os deuses. (*Ibid.*, II, 707)

Raças Humanas — São em número de sete e estão intimamente relacionadas com a doutrina da Cadeia Planetária. Admitida a natureza sétupla do homem, cada um de seus princípios guarda relação com um plano, um planeta e uma raça. As Raças Humanas nascem uma da outra, crescem, se desenvolvem, envelhecem e morrem. As sub-raças seguem a mesma regra. Cada Raça-Mãe, com suas correspondentes sub-raças e inumeráveis subdivisões em famílias e tribos, é inteiramente: distinta da Raça que a precede e da que a seguirá. Cada uma das sete Raças, bem como a mais ínfima de suas divisões, divide-se em quatro idades: de ouro, de prata, de bronze e de ferro. Das sete Raças, *cinco* já apareceram e quase completaram seu curso terrestre; as outras *duas* devem aparecer ainda nesta Ronda. Nossa quinta Raça-Mãe já existe como Raça *sui generis* e completamente independente de seu tronco-pai, desde há milhões de anos, do que se pode inferir que cada uma de suas quatro sub-raças precedentes viveu cerca de 210 000 anos; assim, cada raça-família tem um tempo médio de existência de cerca de 30 000 anos; e também a raça-família europeia tem ainda alguns milhares de anos de vida, bem como as nações, ou seja, as inumeráveis espinhas que há nela, variam com cada "estação" sucessiva de 3 000 a 4 000 anos. (*Doutrina Secreta*, II, 453, 454) A quinta Raça (ária) é a que atualmente segue seu curso em nosso globo, coexistindo com uma grande parte da quarta Raça (constituída pelos tártaros, chineses e mongóis) e com alguns restos da terceira (os aborígines da Austrália e hotentotes). O curso das Raças Humanas corresponde aos grandes períodos de involução ou descenso, de equilíbrio e de evolução ou ascensão. (Ver *Cadeia Planetária*.) No período de involução ou descenso, desenvolveram-se as três primeiras Raças; no equilíbrio, desenvolveu-se a quarta Raça e o período de evolução ou ascensão corresponde à quinta, sexta e sétima Raças. (*Doutrina Secreta, passim.*)

Primeira Raça — Surgiu sob a proteção do Sol (ou melhor, de Urano, que misticamente o representa). Pelo fato da consciência residir no plano único, estas formas denominadas Raça dos Deuses, filhos do *Yoga* (pois os *Pitris* emanaram suas sombras (*chhâyâs*) enquanto se encontravam entregues à meditação) e nascidos de si mesmos, por não terem sido procriados por pais humanos. Eram formas enormes, filamentosas, proteicas e etéreas, *bhûtas* sem sexo, exudadas dos corpos etéreos de seus progenitores. Estes seres podiam parar, andar, voar, correr; contudo, eram apenas *chhâyâs*, uma sombra insensível, dotada só de um ouvido rudimentar e de uma vaga consciência do fogo. Esta Raça se reproduzia por *excisão* ou brotamento: o indivíduo crescia, aumentava em tamanho e, então, se dividia em duas metades iguais, no início e nas últimas etapas, em porções desiguais, das quais derivavam indivíduos menores, que, por sua vez, cresciam e davam origem a nova prole. Nesta primeira Raça não houve qualquer sub-raça definida, embora possamos indicar sete etapas de desenvolvimento ou mudanças evolutivas. Nenhum desses seres podia morrer, "nem o fogo nem a água podiam destruí-los". O fogo era seu elemento. Esta Raça residia na primeira terra firme que surgiu no globo, o pico do monte Meru, o extremo do Polo Norte, o começo da Terra Sagrada, a terra dos *devas*, também chamada *Zvetadvîpa*, a Ilha Branca ou Terra Central, cujo clima era o de uma deliciosa primavera. Esta terra há de ser sucessivamente o berço de cada Raça humana sob o império de Dhruva, o Senhor da Estrela Polar, qualquer que seja o ponto para onde deva dirigir-se após seu nascimento.

Segunda Raça — Nasceu sob a influência do planeta Júpiter (*Brilhaspati*). Os espíritos da Natureza ou *devas* inferiores conglomeraram ao redor dos *chhâyâs* (sombras) películas de matéria mais densa, formando uma espécie de envoltório externo, e o exterior (o *chhâyâ*) da Primeira Raça passou a ser o interior (o duplo etéreo) da segunda. Estas formas filamentosas e de cores brilhantes (amarelo-ouro, alaranjado etc.), heterogêneas na aparência, de figuras diversas, assemelhavam-se a vegetais ou animais e frequentemente apresentavam contornos semi-humanos. Flutuavam no espaço, subiam, deslizavam de lá para cá e se chamavam entre si com sons aflautados. A consciência da Mônada nesta Raça responde debilmente à consciência *búddhica*. Adquire um novo sentido, o *tato*, respondendo assim às impressões do ar e do fogo. Esta Raça apresentava dois tipos principais de reprodução: por expansão e brotamento (geração assexuada) e através do suor com indícios de sexualidade, fato este que deu a seus indivíduos o nome de andróginos latentes. Esta Raça passou a residir no segundo Continente, chamado Hiperbóreo ou *Plakcha*, que ocupava o atual norte da Ásia, junto com a Groenlândia e a península de Kamschatka. Também faziam parte deste continente a ilha de Apitzberg, Suécia e Noruega, estendendo-se pelo Sudoeste até além das Ilhas Britânicas. A baía de Baffin era então terra firme. O clima era tropical e o solo coberto de vegetação exuberante.

Terceira Raça (*Lemuriana*) — Oferece três tipos perfeitamente definidos, que chamaremos pelos nomes de *terceira prima*, *terceira média* e *terceira última*. A terceira prima nasceu sob o império de *Zukra* (*Vênus*), graças a sua influência desenvolveram-se os hermafroditas, ficando as raças separadas sob *Lohitânga* (Marte), que é a encarnação de *Kâma* ou natureza passional. Como todas as formas existentes na Terra de então, o homem era de estatura gigantesca. Era de cor vermelha com muitas variedades de matizes; tinha a fronte deprimida, o nariz chato e as mandíbulas volumosas e salientes. Os andróginos divinos eram de uma linda e esplêndida cor vermelho-dourado. Nesta Raça desenvolveu-se o órgão da visão; no início, havia um só olho situado no meio da fronte (chamado, mais tarde, de terceiro olho), que brilhava como uma joia em sua órbita. Posteriormente, surgiram dois olhos, mas estes não tiveram uso completo até a terceira sub-raça da terceira Raça; somente na quarta Raça, quando o terceiro olho retrocedeu para o interior, convertendo-se na glândula pineal, estes dois olhos passaram a ser os órgãos normais da visão. Assim, pois, o homem acrescentou a visão aos dois sentidos que já possuía (o tato e a audição). No que se refere à consciência, a terceira Raça, por seu contato com *Âtma-Buddlhi-Manas*, demonstrou trindade. À consciência dos contatos do fogo e do ar, acrescentou a da água. A linguagem passou a ser monossilábica. A reprodução era de três tipos: na primeira sub-raça, processava-se por gotas de suor e apenas se distinguia o sinal sexual no corpo; gradualmente surgiu a geração ovípara (terceira e quarta sub-raças), produzindo inicialmente seres hermafroditas e mais tarde com predomínio de um só sexo, até que, finalmente, nasceram do ovo machos e fêmeas. Na quinta sub-raça, o ovo começou a ficar retido no seio materno e nasceu a criatura débil e desvalida; finalmente, já na sexta e sétima sub-raças, houve a geração pela união dos sexos. O homem da terceira Raça era contemporâneo do pterodáctilo, do megalossauro e outros animais gigantescos. O berço desta Raça foi a Lemúria de Zâlmali nas histórias antigas.

Quarta Raça (*Atlântica*) — Foi engendrada pela terceira Raça há cerca de oito milhões de anos, em cujo final o Manu da quarta Raça escolheu entre os tipos da anterior os tipos mais adequados, aos quais conduziu à Sagrada Terra imortal, para livrá-los do cataclismo lemuriano. A quarta Raça nasceu sob a influência de *Soma* (a Lua) e de *Zani* (Saturno); à influência deste último astro deveu-se em parte o grande desenvolvimento da inteligência concreta, que caracteriza a sub-raça tolteca. A linguagem era aglutinante; porém, com o tempo, adquiriu flexão e nessa modalidade foi transmitida para a quinta

R

Raça. O berço da quarta Raça foi o vastíssimo continente da Atlântida (ver esta palavra). A imensa maioria dos habitantes do globo permanece ainda na quarta Raça. Suas sete sub-raças são: 1°) a Ramoahal; 2°) a Tlavatli; 3°) a Tolteca; 4°) a Turânia; 5°) a Semítica; 6°) a Akkadiana e 7°) a Mongólica. Entre elas merece menção, por seu alto grau de civilização, a tolteca, que conhecia profundamente a química, a astronomia, a agricultura e a Alquimia; era também muito versada na magia negra, grande parte da qual tinha por instrumento o hábil emprego dos "raios obscuros" da Lua, ou seja, as emanações da porção obscura deste astro.

Quinta Raça (*Ária*) — É a atual raça branca do globo. Desenvolveu-se sob a proteção de *Budha* (Mercúrio), pois seu principal objetivo era o desenvolvimento da mente e, para este fim, o planeta da sabedoria banhou com seus benéficos eflúvios o berço da Raça. Há já um milhão de anos o Manu Vaivasvata selecionou dentre a sub-raça semítica da Raça Atlântica as sementes da quinta Raça-Mãe e as conduziu à Terra Sagrada imortal. Idade após idade, foi modelando o núcleo da humanidade futura. Ali acrescentou-se o quinto sentido (o olfato) aos outros quatro, ficando o homem tal como é no estado atual. Ali o Manu congregou as mais brilhantes inteligências e os caracteres mais puros, para que renasçam nas formas que ele desenvolve. Uma vez estabelecido o tipo de sua Raça, conduziu-a para a Ásia Central, onde morou por longo tempo, fixando ali a residência da Raça cujos brotos haviam de ramificar-se em várias direções. Esta Raça tem as seguintes sub-raças: 1°) a Ária; 2°) a Ário-semítica; 3°) a Irânia; 4°) a Céltica; 5°) a Teutônica. A sexta e a sétima florescerão no Norte e Sul da América.

Sexta Raça — Será caracterizada por seu desenvolvimento espiritual, pela aquisição do sexto sentido, a clarividência astral, e por suas tendências unitárias. Povoará o continente *Zâha*, cuja emersão inicial ocorrerá no ponto onde atualmente se encontra a América do Norte, que de antemão será cortada por terremotos e fogos vulcânicos.

Sétima Raça — Será caracterizada por seu completo desenvolvimento espiritual pela aquisição do sétimo sentido, ou seja, a clarividência mental, e pelo pleno reconhecimento da unidade. Florescerá no sétimo continente, chamado *Puchkara*, cujo centro estará no ponto onde atualmente se encontra a América do Sul. Ao terminar a vida geológica deste continente, sobrevirá o fim de nosso globo, caindo em sono suave, depois de longuíssimo dia de trabalho e vigília. (A. Besant-Schwarz: *Genealogia do Homem*.) Para conhecer as relações existentes entre as Raças humanas e os diversos Manus, ver *Doutrina Secreta*, II, 321-322. Ver *Rondas*.

Raça Lunar — Ver *Raças Solar* e *Lunar*.

Raça-Mãe ou **Raça-Raiz** — É assim chamada cada uma das Raças humanas em geral, para diferenciá-las das respectivas sub-raças, como se diferencia o tronco de uma árvore dos ramos que dele partem.

Raça Pré-Adâmica — Os principais deuses e heróis da quarta e quinta Raças, de antiguidade mais recente, são as imagens deificadas destes Homens da terceira. Os dias de sua pureza fisiológica e os de sua chamada Queda sobreviveram tanto no coração quanto na memória de seus descendentes. Daí a natureza dual que estes deuses apresentam, cujas virtudes, bem como seus pecados, foram exaltados ao extremo nas biografias compostas pela posteridade. Estas eram as raças pré-adâmicas e divinas, das quais a teologia, para a qual todas são "malditas raças de Caim", começa agora a ocupar-se. As raças pré-adâmicas do *Zohar* são a quinta Raça-mãe. (*Doutrina Secreta*, II, 181-745)

Raça-Raiz — Ver *Raça-Mãe*.

R

Raças Solar e **Lunar** — As lendas primitivas da história da Índia mencionam duas dinastias agora perdidas na noite dos tempos. A primeira delas era a dinastia dos reis da "raça do Sol", que reinou em Ayodhyâ (atualmente Oude); a segunda era a da "raça da Lua", que reinou em Pruyag (Allahabad). (*Ísis sem Véu*, II, 437-438)

Rachana (*Sânsc.*) — Ordem, disposição, preparação; escritura; composição; invenção, ficção; estilo, composição literária.

Rachayitri (*Sânsc.*) — Autor, compositor.

Rachita (*Sânsc.*) — Produzido, preparado, feito de; composto ou escrito; ocupado em.

Rachitârtha (*Sânsc.*) — Que alcançou seu objetivo.

Râchtra (*Sânsc.*) — Reino, realeza, soberania; trono; poder; região, país; gente; açoite, calamidade pública.

Rada (*Sânsc.*) — Ação de dividir, fender, partir; dente.

Radana (*Sânsc.*) — Ver *Rada*.

Râddha (*Sânsc.*) — Acabado, consumado, perfeito; Iniciado, Adepto.

Râddhânta (*Sânsc.*) — Feito, estabelecido, consumado; verdade demonstrada.

Râdha (*Sânsc.*) — O mês *vaizâkha* (abril-maio).

Râdhâ (*Sânsc.*) — [Literalmente: beleza, brilho.] A pastora entre os *gopîs* (zagais, pastoras) de Krishna, que era a companheira favorita do deus (enquanto este tinha vida de pastor em Vrindâvana). [Alguns autores consideram Râdhâ como a representação da alma humana atraída para a Divindade. (Ver Dowson, *Dic. Clássico Hindu*.) Râdhâ significa também o 16° asterismo lunar.]

Râdhana (*Sânsc.*) — Cumprimento; obtenção; satisfação; propiciação; meio de cumprir alguma coisa.

Râdhanâ (*Sânsc.*) — Discurso.

Râdhas (*Sânsc.*) — Tesouro.

Râdhikâ (*Sânsc.*) — Diminutivo do nome Râdhâ.

Radiante, Corpo ou **Corpo de Luz** — É equivalente ao "corpo luciforme" dos neoplatônicos. (A. Besant, *Sabedoria Antiga*, 45)

Radira (*Alq.*) — Estanho, Júpiter.

Râga (*Sânsc.*) — Um dos cinco *klezas* (aflições ou obstáculos) na filosofia *yoga* de Patañjali. No *Sânkhya-Kârikâ*, é o "obstáculo" chamado amor e desejo, no sentido físico ou terreno. Os cinco *klezas* são: *avidyâ* (ignorância), *asmitâ* (egoísmo ou egotismo), *râga* (amor, desejo), *dvecha* (aversão) e *abhiniveza* (medo de sofrer, [apego ou inclinação]). [*Râga* significa também: paixão, afeto, amor, apego, inclinação, atração, desejo, gosto e, em geral, é aquela manifestação da mente que tende a reter os objetos que ocasionam uma sensação de prazer. (*Râma Prasâd*)]

Râga-dvecha (*Sânsc.*) — O par de opostos constituído pelo amor e o ódio, apego e aversão, gosto e repugnância, atração e repulsão.

Râgas (*Sânsc.*) — São modos musicais, em número de oito, e cada um deles tem vários modos menores, chamados *râginîs*, que, por sua vez, têm várias harmonias. (*Râma Prasad*)

Râgâtmaka (*Sânsc.*) — De natureza ou índole passional.

R

Râghava (*Sânsc.*) — "Descendente de Raghu." Nome patronímico de Râma.

Raghu (*Sânsc.*) — Um rei da raça solar, bisavô de Râma.

Râgî ou **Râgin** (*Sânsc.*) — Ambicioso, desejoso; amante, apaixonado, aficcionado.

Râginî (*Sânsc.*) — Feminino de *râgin*. (Ver *Râgas*.)

Ragnarök [ou **Ragnarœcker**] (*Esc.*) — Uma espécie de entidade metafísica chamada o "Destruidor" e o "Ocaso dos Deuses", cujas duas terças partes são destruídas na "Batalha final", segundo o *Edda*. Ragnarök encontra-se preso na borda de uma rocha enquanto existam alguns homens bons no mundo; porém, quando todas estas leis forem quebrantadas e toda virtude e todo bem tiverem desaparecido, então Ragnarök ficará livre e causará todos os males e desastres imagináveis ao mundo condenado à destruição.

Ragny — Sábio alquimista que, segundo M. Kopp em sua *História da Química*, obteve, em 1440, do rei Henrique VI da Inglaterra, autorização para fabricar, em seus Estados, ouro e o elixir da longa vida. Esta autorização era extensiva a outros alquimistas, tais como: Kirkeby, Cobler, Trafford, Bolton, Metsle etc.

Ragon, J. M. — Franco-maçon, distinto escritor e grande simbologista, que procurou fazer a Maçonaria retornar a seu estado anterior de pureza pristina. Nasceu em Bruges, em 1789; era ainda quase um rapaz quando foi recebido na Loja e Capítulo dos "Verdadeiros Amigos" e, ao trasladar-se para Paris, fundou a Sociedade dos Trinósofos. Segundo se diz, possuía numerosos documentos que lhe havia entregue o famoso Conde de St. Germain, de quem recebeu os notáveis conhecimentos sobre a Maçonaria primitiva. Morreu em Paris, em 1866, deixando inúmeros livros escritos por ele e grande quantidade de manuscritos, que legou ao "Grande Oriente". De todas as suas obras publicadas, muito poucas foram conservadas, enquanto outras desapareceram completamente. Isso se deve a pessoas misteriosas (jesuítas, segundo se crê); que se apressaram em comprar toda a edição que puderam encontrar, depois da morte do autor. Numa palavra, suas obras são atualmente extremamente raras.

Raha (*Sânsc.*) — Abandono, solidão.

Rahas (*Sânsc.*) — Solidão, retiro; lugar solitário ou oculto; confidência; segredo, mistério, arcano.

Rahasa (*Sânsc.*) — O mar; o céu.

Rahasya (*Sânsc.*) — Um nome dos *Upanichads*. Literalmente: essência secreta do conhecimento. [Segredo, mistério, arcano; como adjetivo: oculto, secreto, misterioso.]

Rahasyavrata (*Sânsc.*) — O poder de manejar as armas misteriosas ou mágicas.

Rahat — O mesmo que *arhat*; o Adepto que chega a ficar completamente livre de todo desejo neste plano, através da aquisição do conhecimento e de poderes divinos. [Ver *Arhat*.]

Rahâta (*Sânsc.*) — Conselheiro, ministro, secretário; espírito, fantasma.

Rahita (*Sânsc.*) — Livre, isento; privado, desprovido; só, isolado, abandonado.

Ra'hmin Seth (*Hebr.*) — Segundo a Cabala (ou *Qabbalah*), as "faíscas-almas" contidas em Adão (Kadmon) formaram três linhagens, cujas cabeças foram seus três filhos. De modo que, assim como a "faísca-alma" (ou *Ego*) chamada Chesed converteu-se em

R

Abel e Geboor-ah em Qai-yin (Caim), Ra'hmin converteu-se em Seth e estes três filhos dividiram-se em setenta espécies humanas, denominadas "raízes principais da raça humana".

Râhu (*Sânsc.*) — Um *daitya* (demônio), que tinha a parte inferior do corpo como a cauda de um dragão. Tornou-se imortal, roubando dos deuses certa quantidade de *Amrita* (elixir da vida divina), para cuja obtenção eles batiam o oceano de leite. Impotente para privá-lo de sua imortalidade, Vishnu desterrou-o e tornou-o a constelação do Dragão, recebendo sua cabeça o nome de *Râhu* e sua cauda o de *Ketu*, astronomicamente os nós ascendente e descendente. Desde então sustentou com seu apêndice caudal uma guerra destruidora contra os delatores de seu furto, o Sol e a Lua, e (durante os eclipses) diz-se que os devora. Como se compreende, esta fábula tem um significado místico e oculto. [Râhu é o grande Dragão que procura sempre devorar o Sol e a Lua (a causa dos eclipses). (*Doutrina Secreta*, III, 388)]

Râhugrâha (*Sânsc.*) — Eclipse.

Râhula (*Sânsc.*) — Nome do filho de Gautama Buddha.

Râhulasû (*Sânsc.*) — O Buddha.

Râhusansparza — Ver *Râhugrâha*.

Rai (*Sânsc.*) — Coisa, bens, propriedade; grito, guincho.

Raibhyas (*Sânsc.*) — Uma classe de deuses do quinto manvantara.

Raimundo Lullio ou **Lull** — Ver *Lulio*.

Rain, G. F. de — Jurisconsulto austríaco que, em 1680, declarou que todos os que duvidaram da existência da pedra filosofal se tornaram culpados de crime de lesa majestade, visto que muitos imperadores da Alemanha haviam sido alquimistas entusiastas.

Rainha (*Alq.*) — Água mercurial dos filósofos, que é assim denominada pelo fato de seu enxofre ser chamado de Rei. Este enxofre deve se casar com esta água, sua esposa natural e sua mãe.

Raio andrógino (*Esot.*) — O primeiro Raio diferenciado, o segundo *Logos*; Adão Kadmon, na Cabala; o "macho e fêmea os criou" do capítulo primeiro do *Gênesis*.

Raio branco — A luz. (*Doutrina Secreta*, II, 516)

Raio divino — O *Âtman*, que procede diretamente do Raio único. (*Ibid.*, I, 242)

Raios de Sabedoria — Os sete *Dhyânis*. (*Ibid.*, II, 201)

Raios solares — Ver *(Os) Sete Raios Solares*.

Raivata (*Sânsc.*) — Nome de um Manu. Assim se chama também a cordilheira que vai do lado ocidental do Vindhya para o Norte.

Raivata-Manvantara (*Sânsc.*) — O ciclo de vida presidido pelo Manu Raivata. Como é o quinto dos catorze Manus (esotericamente, *Dhyân Chohans*), havendo sete Manus-raízes e sete Manus-sementes para as sete Rondas de nossa cadeia terrestre de globos (ver *Buddhismo esotérico*, de A. P. Sinnet, e a *Doutrina Secreta*, t. II, *Cronologia Brahmânica*), Raivata presidia a terceira Ronda e era seu Manu-raiz.

Raiz — Ver *Raça-Mãe* ou *Raça-Raiz*.

Raiz da Matéria — Ver *Mûlaprakriti*.

R

Raiz do Ser — Este nome é utilizado para designar o primeiro *Logos*. (*A.* Besant, *Sabedoria Antiga*, 52)

Raiz sem raiz — A Única Realidade absoluta, que antecede a todo ser manifestado, a Causa infinita e eterna de tudo o que foi, é e será; antes a Seidade do que Ser; *Sat*, *Parabrahman*, o Absoluto, o Todo Abstrato; o *Oeaohoo* do *Livro de Dzyan*.

Râja ou **râjan** (*Sânsc.*) — Um príncipe ou rei da Índia.

Râjagriha (*Sânsc.*) — A capital de Magadha, famosa por sua conversão ao Budismo nos tempos dos reis budistas. Foi a residência de vários soberanos, desde Bindusâra até Azoka e foi a sede do primeiro Sínodo ou Concílio Búdico, celebrado no ano de 510 a.C.

Râja-guhya (*Sânsc.*) — Mistério soberano.

Râja-guru (*Sânsc.*) — Preceptor real.

Rajah — Ver *Rajas*.

Râja-hamsa (*Sânsc.*) — Cisne.

Râjaka (*Sânsc.*) — Real, soberano; brilhante esplêndido.

Râjakîya (*Sânsc.*) — Régio, soberano.

Râjakumâra (*Sânsc.*) — Príncipe real.

Rajamsis (*Sânsc.*) — Mundos ou globos. (Ver *Doutrina Secreta*, II, 642-658.)

Râjan (*Sânsc.*) — Príncipe, rei; um indivíduo da casta militar *(kshatriya)*; senhor; a Lua; Indra. (Ver *Râja*)

Rajani ou **Rajanî** (*Sânsc.*) — A noite.

Rajanîkara (*Sânsc.*) — A Lua.

Râjanîti (*Sânsc.*) — A conduta que os reis devem observar.

Râjanya (*Sânsc.*) — Um indivíduo da casta militar *(kshatriya)*; a própria casta guerreira ou militar, em linguagem védica.

Râja-putra (*Sânsc.*) — Literalmente: "filho de rei"; príncipe real; *Kshatriya*; o planeta Mercúrio.

Râja-putrî e **Râja-putrika** (*Sânsc.*) — Filha de rei; princesa.

Râjarchis ou **Râjarshis** [**Râja-richis**] (*Sânsc.*) — Os *Richis* reais ou Adeptos reais, uma das três classes de *richis* da Índia, o mesmo que os Hierofantes reais do Antigo Egito. [Santo ou *richi* de casta real; um *Kchatriya* que, graças a uma vida pura e santa na Terra, elevaram-no como um santo ou semideus ao céu de Indra, como Vizvâ-mitra e outros. (Ver *Richis*)]

Rajas (*Sânsc.*) — "A qualidade de impureza" (isto é, diferenciação) e atividade nos *Purânas*. Uma das três divisões ou *gunas* nas correlações da matéria e da natureza, a que representa a forma e a mudança. [É o segundo dos três modos, atributos ou qualidades *(gunas)* da *Prakriti* (matéria); a qualidade passional, aquela da ação ou atividade. Seus efeitos no mundo objetivo são movimento e energia; no subjetivo, manifesta-se como sofrimento, dor, perturbação, ansiedade, inquietude, agitação, tédio, desgosto, zelo, inveja, instabilidade, confusão, ambição, desejo, paixão, amor, ódio, malícia, afeição às discórdias e à maledicência, desequilíbrio, intranquilidade, desordem, violência, luta, energia, esforço e atividade. "Saiba que *rajas*, cuja natureza é de paixão, sendo origem de desejos e afeições, encadeia o Senhor do corpo pelo apego à ação... A ambição, a cobiça, a atividade, o ardor nas empresas, a inquietude e o desejo surgem do predomínio de *rajas*". (*Bhagavad-Gîtâ*, XIV, 7, 12) É a qualidade predominante na espécie humana. É também a qualidade que dá impulso e movimento às outras duas (*sattvas* e *tamas*), que por si sós não podem entrar em atividade e assim se disse que "o Sendeiro estende-se desde *tamas* até *sattvas*, através da luta e aspiração" *(rajas)*. Ver *Gunas*.]

Râjasa (*Sânsc.*) — Adjetivo derivado de *Rajas*: passional, ativo, enérgico, violento, agitado, apaixonado, instintivo.

Rajasânu (*Sânsc.*) — Coração, sensibilidade.

Râjasas (*Sânsc.*) — É o outro nome de *Âbhûtarajasas*. São divindades incorpóreas, que nem têm a sombra astral. Estão sempre associadas aos *Manasas*. (*Doutrina Secreta*, II, 93-94)

Râjasâs (*Sânsc.*) — Os mais antigos *Agnichvâttas*, os *Pitris* do Fogo. O "Fogo" é símbolo da iluminação e do intelecto.

Râjasî (*Sânsc.*) — A condição moral de uma pessoa dominada pela paixão ou pelo instinto.

Râja-sûya (*Sânsc.*) — Sacrifício real. Aquele que se celebra no ato da coroação de um rei.

Rajata (*Sânsc.*) — Embranquecido, prateado; prata; marfim; constelação. Nome de um lago e de uma montanha.

Râjatva (*Sânsc.*) — Realeza, soberania.

Râja-vidyâ (*Sânsc.*) — Conhecimento ou sabedoria soberana, ciência suprema.

Râja-yoga (*Sânsc.*) — O verdadeiro sistema ou ciência referente ao desenvolvimento dos poderes psíquicos e espirituais e a união com o próprio Eu superior ou Espírito Supremo, como dizem os profanos. É o exercício, a regulação e a concentração do pensamento. O *Râja-yoga* é oposto ao *Hatha-yoga*, o treinamento físico ou psicofisiológico no ascetismo. [O *Râja-yoga* é o sistema de educação oculta, que, através da concentração mental, desenvolve as faculdades superiores do homem e os poderes psíquicos nele latentes. Este sistema parte do mundo interno para estudar a natureza interior e, através dela, domina tudo, tanto o interior como o exterior. Pela manipulação da mente podemos colocá-la sob nosso domínio, fazê-la atuar segundo nossa vontade e obrigá-la a concentrar seus poderes conforme nossos desejos. Não há limite para o poder da mente humana; quanto mais concentrada, maior poder tem para fixar-se num ponto, até o extremo de que o *yogi* chega a um termo em que as chamadas "leis da natureza" já não exercem qualquer influência sobre ele, devido ao domínio que tem sobre a natureza, tanto interna quanto externa. (Swâmi Vivekânanda, *Filosofia Yoga*) o exercício do *Râja-Yoga* exige um longo tempo e uma prática constante. Parte desta prática é física, no que se refere à alimentação, respiração, sono, atividades corporais, trabalho, continência etc. Porém, a parte mais importante é mental, visto que são requisitos indispensáveis a atenção sustentada, a concentração do pensamento, a abstração, a meditação, a contemplação e a devota submissão ao Senhor *(Îzvara)*. (Os *Aforismos do Yoga* de Patañjali constituem a mais alta autoridade e o melhor livro de texto para o estudo de tão importante matéria. Mas é preciso advertir que o *Yoga* só pode ser aprendido de modo seguro quando sob a orientação de um mestre sábio; do contrário, a pessoa se expõe a lamentáveis fracassos e a perder todo o fruto de seus estudos. Há uma enorme diferença entre o *Hatha-Yoga* e o *Râja-Yoga*. O primeiro é puramente psicofisiológico e o segundo é

R

psicoespiritual. (*Doutrina Secreta*, III, 503) o partidário do primeiro acredita que a mente obedece ao *prâna* (alento), enquanto o partidário do segundo crê que o *prâna* obedece à mente, o que é muito mais exato. (Ver *Hatha-Yoga*, *Filosofia Yoga* e *Yoga*.)]

Râjñî (*Sânsc.*) — Rainha, princesa; a esposa do Sol.

Rajobala (*Sânsc.*) — Obscuridade; trevas.

Rajoguna (*Sânsc.*) — A qualidade *rajas*.

Rajorasa (*Sânsc.*) — Obscuridade.

Rajput — Ver *Kshatriya*.

Râjya (*Sânsc.*) — Realeza, soberania, reino.

Râkâ (*Véd.*) — O dia de Lua cheia; dia apropriado para certas práticas ocultas. [A deusa do plenilúnio.]

Râkâpati (*Sânsc.*) — Literalmente: "esposo de Râkâ"; a Lua cheia.

Rakcha (*Sânsc.*) — Cuidado, guarda, proteção, conservação; protetor, guardião; um preservativo, especialmente uma espécie de bracelete ou amuleto.

Râkchâ (Râkshâ) (*Sânsc.*) — Um amuleto preparado durante a Lua cheia ou nova.

Rakchâgandaka (*Sânsc.*) — Uma espécie de talismã.

Rakchaka (*Sânsc.*) — Guardião, protetor.

Râkcha-loka (*Sânsc.*) — Ver *Râtkchasa-loka*.

Rakchâmangala (*Sânsc.*) — Cerimônia praticada para proteção.

Rakchâmani (*Sânsc.*) — Joia empregada como talismã.

Rakchana (*Sânsc.*) — Guarda, proteção; conservação; administração; governo; guardião, protetor.

Rakchapala — Ver *Rakchaka*.

Rakchâpratisara (*Sânsc.*) — Um amuleto (para prevenir algum dano).

Rakchas (*Sânsc.*) — Mal, dano, ofensa, detrimento, prejuízo. Nome de certa classe de gênios ou gigantes conhecidos também pelo nome de *râkchasas*. (Ver esta palavra.)

Râkchasas (*Sânsc.*) — Literalmente: "comedores de carne (crua)" e, segundo a superstição popular, maus espíritos, demônios. Esotericamente, contudo, são os *gibborim* (gigantes) da Bíblia, a quarta raça dos Atlantes. [Os *râkchasas*, exotericamente, são gigantes, titãs, espíritos inimigos dos deuses; são demônios, gênios ou espíritos malignos dotados de grande poder; atormentam a humanidade com todo tipo de mal; frequentam os cemitérios, comem carne crua, estorvam ou perturbam os sacrifícios e mudam de forma à vontade. São os ogros ou antropófagos da Índia. Estão geralmente associados com os *yakchas* (ver esta palavra), porém são inferiores a estes. Uma classe de *râchasas* são gênios servidores de Kuvera, deus das riquezas, e guardiães de seus tesouros. Porém os *râkchasas*, considerados como demônios na teologia popular hindu, são designados pelo nome de "preservadores" além do Himalaia. Este duplo significado tem origem numa alegoria filosófica, exposta de várias maneiras nos *Purânas*. Diz-se que, quando Brahmâ criou os demônios, *yakchas* e *râkchasas*, as duas classes de demônios, aqueles que entre eles gritaram: "Não, oh, deixemo-lo a salvo", foram chamados *râkchasas* (*Vishnu-Purâna*, I, V). - O *Bhagavata-Purâna* (III, 20) expressa de modo diferente esta alegoria: "Brahmâ – diz – transformou-se em noite (ignorância) revestido de um corpo".

R

Os *yakchas* e *râkchasas* colheram-no exclamando: "Não o perdoem, devorem-no". Brahmâ gritou: "Não me devorem, perdoem-me". Isto tem, naturalmente, um significado oculto. O "Corpo da Noite" são as trevas da ignorância e a obscuridade do silêncio e do segredo. Assim é que os râkchasas são apresentados em quase todos os casos como *Yogis, Sâdhus* piedosos e Iniciados, ocupação algo imprópria de demônios. O significado disso, portanto, é que, tendo nosso poder para dissipar as trevas da ignorância, "devorá-la", temos de preservar a verdade sagrada da profanação. "Brahmâ é só para os brâhmanes", diz esta casta orgulhosa. A moral da fábula salta aos olhos. (*Doutrina Secreta*, II, 174, nota) No período épico, os *râkchasas* são a personificação dos aborígines da Índia, homens rudes e bárbaros, que foram subjugados pelos ários. A palavra *râkchasa*, como adjetivo, significa: rakchásico, pertencente ou relativo aos *râkchasas*, infernal, demoníaco. (Ver *Rakchas*)]

Râkchasa-loka ou **Râkcha-loka** (*Sânsc.*) — Região ou mundo dos gigantes, gênios ou demônios, um dos oito mundos ou *lokas*. É também conhecido pelo nome de Nairritaloka. (Ver *Lokas*.)

Rakchasattva (*Sânsc.*) — Natureza demoníaca.

Râkchasendra (Râkchasa-indra) (*Sânsc.*) — Senhor dos *râkchasas*: Kuvera, Râvana.

Râkchasi-bhâchâ (-bhâshâ) (*Sânsc.*) — Literalmente: linguagem dos *râkchasas*. Na realidade, a linguagem dos atlantes ou gigantes antepassados da quarta Raça-Mãe.

Rakchin (*Sânsc.*) — Protetor, guardião.

Rakchitri (*Sânsc.*) — Defensor, tutor, protetor, guardião.

Rakta (*Sânsc.*) — Tingido, colorado, vermelho; adito, devoto; apegado às coisas do mundo; apaixonado; formoso, sedutor; excitado; agitado; amante, enamorado; sangue.

Raktadantî (*Sânsc.*) — Literalmente: "que tem os dentes vermelhos". Epíteto de Pârvati.

Raktaka (*Sânsc.*) — Vestimenta ou tecido vermelho; homem que tem um apego qualquer; homem entregue aos prazeres.

Raktakamala, Raktakumuda e **Raktamandala** (*Sânsc.*) — Lótus vermelho.

Raktâkcha (*Sânsc.*) — "Que tem os olhos vermelhos ou acesos." Tirano, homem cruel ou bárbaro.

Raktâmbara (*Sânsc.*) — Religioso mendigo vestido de vermelho.

Raktanga (*Sânsc.*) — o planeta Marte.

Raktavasana — Ver *Raktâmbara*.

Rakti (*Sânsc.*) — Afeto, apego, afeição.

Raktotpala (*Sânsc.*) — Lótus vermelho.

Ram (*Sânsc.*) — Nominativo neutro de *Rá*. Considerado como símbolo do *tattva* Agni.

Ramâ (*Sânsc.*) — Sobrenome de Lakchmî.

Râma (*Sânsc.*) — Sétimo *avatar* ou encarnação de Vishnu; filho mais velho do rei Dazaratha, da raça solar [e Kauzalyâ, uma de suas quatro esposas]. Seu nome completo é Râma-Chandra. É o protagonista do grande poema épico *Râmâyana*. Casou-se com Sîtâ,

R

que era o *avatar* feminino de Lachmî, esposa de Vishnu e arrebatada por Râvana, rei-demônio de Lankâ [Ceilão], o que suscitou a famosa guerra. [Além deste Râma, rei de Ayodhyâ e herói hindu divinizado que acabamos de mencionar, há Parazu-Râma, filho de Jamadagni, o primeiro dos três Râmas, e Bala-Râma, filho de Vasudeva e Rohinî e irmão mais velho de Krishna. A palavra *râma* significa: agradável, sedutor. Râma-Chandra surgiu no mundo no fim do *Tretâ-yuga* ou segunda idade e sua história encontra-se sucintamente relatada no *Vana-Parva* do *Mahâbhârata* e com maior extensão no citado poema *Râmâyana*. (Ver *Râmâyana*)]

Râma-Chandra (*Sânsc.*) — O segundo e mais célebre dos três Râmas. (Ver *Râma*)

Râma-dûta (*Sânsc.*) — Literalmente: "confidente ou mensageiro de Râma". Epíteto de Hanumân.

Ramalias (*Ramales*, em latim) — Festas que, em honra de Baco e Ariadne, eram celebradas em Roma e nas quais eram levadas em procissão cestas carregadas de frutas.

Râmânujâchârya (**Râmânuja-âchârya**: "mestre Râmânuja".) — Célebre filósofo reformador do século XI, nascido no ano de 1017 de nossa era. Fundador da escola *Vizichthâdvaita* do *Vedânta*. Escreveu um valiosíssimo comentário do *Bhagavad-Gîtâ*. Segundo a tradição, o bendito Râmânujâchârya não é outro senão Âdi Zecha, encarnado na Terra, no *Kali-yuga*, como um dos Salvadores espirituais da humanidade, segundo as exigências do tempo e do país. Falando dele, diz A. Besant: "... um grande Sábio, um daqueles grandes escritores da Antiga Índia, que se consagraram ao ensino das mais sublimes Verdades espirituais, o Sábio Râmânuja". (A. Besant, *Os Três Sendeiros: Bhakti-Mârga*.) Ver *Zecha*.

Râma-setu (*Sânsc.*) — "A Ponte de Râma", construída para a invasão do Ceilão, segundo relata o *Râmâyana*. Atualmente dá-se o nome de "Ponte de Adão" a uma fileira de arrecifes, situada no estreito que separa o Ceilão do continente asiático.

Râmatâpanîyopanichad (*Sânsc.*) — Um *Upanichad* do *Atharva-Veda*, no qual o herói hindu Râma é adorado como deus supremo.

Râmâyana (*Sânsc.*) — Famoso poema épico hindu, tão conhecido quanto o *Mâhâbhârata*. Parece que este poema foi o original da *Ilíada*, ou vice-versa, exceto que no *Râmâyana* os aliados de Râma são macacos, chefiados por Hanumân, e por aves e outros animais monstruosos, todos lutando contra os *râkchasas* ou demônios e gigantes de Lankâ. [O *Râmâyana* descreve, segundo seu próprio nome, "as aventuras de Râma". É o mais antigo dos poemas épicos sânscritos e foi escrito por Vâlmîki, cerca de cinco séculos antes de Cristo, segundo se supõe, e recebeu sua forma atual um século ou dois mais tarde. Os manuscritos desta epopeia variam consideravelmente. Há dois textos revisados, o do Norte e o de Bengala, sendo o primeiro o mais antigo e puro e, infelizmente, o texto mais alterado é o mais conhecido na Europa. O *Râmâyana*, diz Michelet, não é apenas um poema, mas uma espécie de Bíblia, que contém, além das tradições sagradas, a natureza, a sociedade, as artes, o país hindu, os vegetais, os animais, as transformações do ano no singular encanto de suas diversas estações... Longe de ser um caos, as variedades concordantes se enfeitam com um encanto mútuo. Ali tudo é amor, tudo é amizade e afeto recíproco; tudo ora aos deuses, respeito aos brahmanes, aos santos e aos anacoretas, sendo neste último ponto, sobretudo, inesgotável. Como é de se supor, todo o *Râmâyana* é alegórico. Alude à grande guerra entre os "Filhos de Deus" e os Filhos da Negra Sabedoria – nossos antepassados –, ou entre os Adeptos atlantes e os ários; Râma é o primeiro rei da dinastia divina dos primitivos ários; Râvana é a personificação simbólica da raça atlântica (Lankâ). Os primeiros eram a encarnação dos deuses solares; os segundos, dos *devas* lunares. Esta é a grande batalha entre o Bem e o Mal, entre a Magia branca

R

e a negra. (*Doutrina Secreta*, II, 520) Eis aqui exposto de maneira sucinta o argumento do poema: o ancião e justo Dazaratha, rei de Ayodhyâ, desejando livrar-se do peso da coroa, dispunha-se a compartilhar o governo do reino com seu filho Râma, que deveria sucedê-lo no trono. Porém, Kaikeyî, uma de suas quatro esposas, lembrando ao soberano o cumprimento de uma promessa, obrigou-o, com pesar, a desterrar Râma, colocando seu filho Bharata em seu lugar no trono. Râma, obediente a seu pai, encaminhou-se para a selva de Dandaka, situada entre os rios Yamunâ e Godâvarî, onde deveria permanecer por catorze anos, acompanhado de sua esposa Sîtâ (filha de Janaka, rei de Mithilâ) e de seu fiel irmão Lakchmana. Pouco depois do desterro de seu amado filho, o velho rei morreu atormentado por remorsos cruéis, porém Râma continuou vivendo na selva por todo o tempo prescrito, apesar das instâncias de seu bom irmão Bharata para que, como filho primogênito, fosse ocupar o trono real vago pela morte de Dazaratha. Um dia, tendo Râma saído em perseguição de uma gazela, o feroz Râvana, rei dos râkchasas, disfarçado de religioso mendigo, aproveitou-se de sua ausência para roubar a bela Sîtâ e levá-la para seu reino num carro mágico. Râma, cheio de dor e desespero ao saber do rapto de sua amantíssima esposa, aliou-se a Sugrîva, rei dos monos, e a Hanumân, filho do Vento e generalíssimo do exército do mencionado rei, para libertá-la das mãos de seu infame raptor. Depois de construir uma ponte no mar (*Râmasetu*), Râma passou por ela com sua hoste numerosa para a ilha de Lankâ (Ceilão) e se dispôs a atacar os terríveis râkchasas e seu rei Râvana. Abriu-se um combate monstruoso, tremendo, onde se disparavam flechas às centenas de milhares, árvores corpulentas eram arrancadas para serem usadas à guisa de maças e a luta subia até os cumes das montanhas. Após enorme quantidade de notáveis acidentes e numerosas peripécias, depois de vários encontros em que a sorte decidia-se alternadamente em favor de uma e outra parte, começou um tremendo combate singular entre Râma e Râvana, declarando-se finalmente a vitória em favor de Râma, que, com um dardo divino, atravessou o coração de seu formidável adversário, com o que terminou a espantosa luta que ora no céu, ora na terra, durou sete dias sem cessar "nem uma hora nem um minuto". Sem perda de tempo, Râma enviou Hanumân, filho do Vento, em busca de Sîtâ que, vestida com suas melhores roupas, apresentou-se diante do herói, exclamando: "Esposo meu!" Porém este, cujo coração encontrava-se perturbado por sentimentos diversos, cobriu o rosto com seu manto e disse estas palavras: "Afasta-te de minha vista! Nada há de comum entre nós. É digno de um homem de coração, descendente de família ilustre, voltar a tomar a esposa, depois desta ter vivido sob o teto de outro homem e quando amargou a dúvida de sua alma?" Com o semblante banhado em lágrimas, a fiel e virtuosa Sîtâ respondeu: "Por que falas como a uma esposa vulgar, nessa linguagem ofensiva?" Ditas estas palavras, mandou acender uma fogueira e, em seguida, dirigiu esta súplica ao deus Agni: "Assim como jamais violei em público ou privadamente, em ações ou palavras, em espírito ou corpo, a fé que dei a meu esposo, assim como meu coração nunca se separou dele, proteja-me, Fogo testemunha do mundo, proteja-me!" E depois de prostrar-se diante de seu esposo, lançou-se resolutamente às chamas. Imediatamente o fogo, tomando forma corpórea, colheu Sîtâ em seus braços, ilesa e ricamente ataviada, e apresentando-a a Râma exclamou: "Eis aqui tua esposa: receba-a pura e sem manchas". Os amantes esposos, no auge da felicidade, trasladaram-se para Ayodhyâ, num carro celeste. Bharata, depois de abraçar carinhosamente seu irmão, lhe disse: "Todo este império te pertence; eu apenas o tinha em depósito e agora te devolvo". Após isso, Râma, com o regozijo geral, foi ungido rei e durante longo e glorioso reinado de justiça, lavrou a felicidade de seu povo. Assim termina o sexto *Kânda* (seção) do *Râmâyana*, à qual segue o *Uttara-Kânda* (seção posterior), que é provavelmente adicional. Nele se relata o desterro de Sîtâ, que se encontrava grávida; desterro motivado pelos zelos de Râma; o nascimento de seus dois filhos gêmeos, Kuza e Lava, que levaram impressos no corpo os sinais de sua alta origem;

R

o reconhecimento deles por seu pai; a comprovação da inocência de sua mãe; a reunião dos dois esposos e, finalmente, a morte de Sîtâ e seu traslado para o céu.] Existem várias traduções desta epopeia admirável em inglês, francês, italiano, latim etc. Em Barcelona foi publicada uma notabilíssima versão algo livre, na importante revista científico-literária *A Abelha*, versão que infelizmente ficou truncada por ter sido suspensa, em 1870, a publicação de tal revista.

Rambhâ (*Sânsc.*) — Uma ninfa *(apsara)* engendrada no ato do batimento do oceano de leite. É o modelo da beleza feminina. O deus Indra enviou-a à Terra para seduzir o asceta *Vizvâmitra*, cujas severas austeridades o mantinham inquieto e temeroso. (Ver *Vizvâmitra*)

Râmezvara (*Sânsc.*) — Literalmente: "Senhor de Râma". Nome de um dos doze grandes *lingas* (ver esta palavra) que, segundo se diz, Râma erigiu em Râmisseram, famoso local de peregrinação.

Ram Mohun Roy (*Sânsc.*) — Célebre reformador hindu, que foi para a Inglaterra, onde morreu em 1833.

Râmopâkhyâna (*Sânsc.*) — "A história de Râma", segundo se encontra relatada no *Vana-parva* do *Mahâbhârata*. Expõe muito dos feitos cantados no *Râmâyana*, porém a lista é muito incompleta.

Ramya (*Sânsc.*) — Prazenteiro, agradável, atraente.

Ramyâ (*Sânsc.*) — A noite.

Rana (*Sânsc.*) — Batalha, peleja; gozo, deleite, prazer, gosto.

Randeric (*Alq.*) — Matéria da obra ou Rebis, antes que tenha atingido a brancura.

Ranen ou **Rannu** (*Eg.*) — Deusa das messes e da abundância. Simboliza também a alimentação. É representada com uma cabeça de *uræus* (ver esta palavra) ou com uma cabeça humana que tem um *uræus* na parte superior. Desta deusa e do deus Shaï o defunto recebe a renovação da vida. (Pierret, *ob. cit.*)

Rasa (*Sânsc.*) — Gosto, sabor, desejo, inclinação, afeição; órgão do paladar. Prazer. Gosto compartilhado ou comunicativo (*Bhagavân Dâs*). Beleza, sentimento; gosto literário; estilo; seiva, sumo das plantas; sumo ou líquido em geral; extrato.

Rasâ (*Sânsc.*) — A língua (órgão do paladar); a Terra. Sensação, sentido ou sentimento.

Râsa (*Sânsc.*) — Dança misteriosa de Krishna e suas *gopîs* zagais ou pastoras, representada em uma festa anual até hoje, especialmente em Râjastan. Astronomicamente é Krishna – o Sol –, ao redor do qual giram os planetas e os signos do Zodíaco simbolizados pelas *gopîs*. É o mesmo que a "dança circular" das amazonas ao redor da figura priapesca e a dança das filhas de Silos (*Juízes*, XXI), bem como a do rei David ao redor da arca. (Ver *Ísis sem Véu*, II, 45, 331 e 332)

Rasâdâna (*Sânsc.*) — Succão, absorção. Um dos três ritos védicos.

Rasâdâra (*Sânsc.*) — o Sol.

Rasa-guna (*Sânsc.*) — Que tem a qualidade do paladar.

Rasana (*Sânsc.*) — Gosto, sabor; órgão ou sentido do paladar; a ação de degustar; ruído, som.

Rasântara (*Sânsc.*) — Literalmente: "outro gosto, sentimento ou caráter". Diferença de gostos.

R

Rasas (*Alq.*) — Chumbo branco.

Rasâsvâda (*Sânsc.*) — Doçura, prazer; a percepção do gozo.

Rasâtala (*Sânsc.*) — O inferno ou mundo inferior, um dos sete *lokas* (mundos ou regiões); o quinto, contando do superior para o inferior, segundo a classificação vedantina; aquele do gosto; um lugar que pode ser percebido através de um dos órgãos dos sentidos. (*Doutrina Secreta*, III, 565-566) Em outra ordem de ideias, designa-se pelo nome de *Rasâtala* a porção superior da coxa. (*Uttara-Gîtâ*, II, 27) Ver *Loka*.

Rasâtmaka (*Sânsc.*) — Saboroso, gostoso, sumarento.

Rasavarja (*Sânsc.*) — Supressão dos afetos do ânimo.

Râsâyana (*Sânsc.*) — Alquimia; química; veneno; elixir da longa vida; alquimista. Os *râsâyanas* constituem uma seita química da Índia Antiga. (Swâmi Vivekânanda)

Rasendra (*Sânsc.*) — Mercúrio; pedra filosofal.

Râserasa (*Sânsc.*) — Jogo, festa; dia festivo; desejo, sentimento, Alquimia.

Rashi (*Sânsc.*) — Uma divisão astrológica, a sexta, referente a *Kanya* (Virgem), sexto signo do Zodíaco. [A palavra *rashi* significa também signo do Zodíaco em geral e tem, além disso, outros significados: massa, monte, conjunto, agregado, multidão etc.]

Rashi-Chakra (*Sânsc.*) — o Zodíaco.

Rasit (*Hebr.*) — Sabedoria.

Rasna (*Sânsc.*) — Substância; objeto; coisa em geral.

Rasollâsâ (*Sânsc.*) — A primeira das oito perfeições físicas ou *siddhis* (fenômenos) dos hatha-yogis. É a rápida evolução, à vontade, dos humores do corpo independentemente de todo alimento que provenha do exterior [ou, segundo P. Hoult, é a produção das secreções do corpo, sem a ingestão de alimento comum].

Rasshoo [**Ras-hoo** ou **Ra-shu**] (*Eg.*) — Os fogos solares formados dentro e fora das "águas" primordiais, ou substância, do Espaço.

Rasya (*Sânsc.*) — Saboroso, gostoso.

Rata (*Sânsc.*) — Contente, satisfeito, prazeroso.

Râta (*Sânsc.*) — A oferenda do sacrifício.

Rath — Ver *Ratha*.

Ratha (*Sânsc.*) — Carro, veículo; o corpo, como veículo da alma e do Espírito; membro; pé; aquele que guia o carro; guerreiro, herói.

Rathânga (*Sânsc.*) — Roda de carro; roda de oleiro; o disco de Vishnu-Krishna.

Rathânga-pâni (*Sânsc.*) — Vishnu, que tem um disco na mão.

Rati (*Sânsc.*) — Gozo, prazer, deleite; amor, desejo; bem-estar; repouso. Personificada como a esposa de Kâma, deus do amor, a deusa dos prazeres sexuais, a Vênus hindu.

Ratna (*Sânsc.*) — Dom, presente; tesouro, bens, riquezas; joia, pedra preciosa; coisa excelente.

Ratna-garbha (*Sânsc.*) — O mar. Epíteto de Kuvera, deus das riquezas.

Ratnaketu (*Sânsc.*) — Nome de um dos quatro *Tathâgatas* (Ver esta palavra.)

R

Ratna-prabhâ (*Sânsc.*) — O primeiro dos sete infernos do Budismo.

Ratnasânu (*Sânsc.*) — O monte Meru.

Ratnasû (*Sânsc.*) — A Terra.

Ratna-traya — Ver *Tri-ratna*.

Ratnâvabhâsa-Kalpa (*Sânsc.*) — A idade em que terá deixado de existir toda diferença sexual e o nascimento se efetuará na forma *anupâdaka* [sem pais], como na segunda e terceira Raças-Mães. A filosofia esotérica ensina que isto ocorrerá no fim da sexta e sétima e última Raça-Mãe na Ronda atual.

Ratnavatî (*Sânsc.*) — A Terra.

Râtra (*Sânsc.*) — A noite.

Râtri ou **Râtrî** (*Sânsc.*) — A Noite [um dos quatro corpos de Brahmâ; aquele tomado por Brahmâ com o objetivo de criar os *râkchasas* ou pretensos gigantes-demônios. (Ver *(Os) Quatro corpos de Brahmâ*)]

Rau (*Esc.*) — A deusa do mar, na mitologia escandinava.

Rauchya (*Sânsc.*) — Nome do décimo terceiro Manu, que, com o Bhautya Manu, corresponde à sétima Ronda. (Ver *Manu Svâyambhuva*)

Raudra (*Sânsc.*) — Adjetivo derivado de *Rudra*; sobrenome de Kârttikeya, deus da guerra hindu. Significa também: violento, terrível, formidável; desfavorável, não-propício; que faz chorar; a estação do calor forte; cólera, raiva. No plural, uma classe de maus gênios ou demônios.

Raudrî (*Sânsc.*) — Esposa de Rudra.

Raubineya (*Sânsc.*) — O planeta Mercúrio.

Raumas (Raumasa) (*Sânsc.*) — Uma classe de *devas* (deuses), de quem se diz que se originaram os poros da pele de Vîrabhadra. Alusão à raça pré-adâmica denominada de "os nascidos do suor". [No *Mahâbhârata* (XII, 10, 308) fala-se de um povo chamado *raumas*, que, segundo se diz, foi criado dos poros de Vîrabhadra, terrível gigante, que pôs a perder o sacrifício de Dakcha. As outras tribos e raças são representadas também como nascidas do mesmo modo. Tudo isso é alusão à última parte da segunda Raça-Mãe e início da terceira. (*Doutrina Secreta*, II, 71, 192, 193) (Ver *Sacrifício de Dakcha* e *Vîrabhadra*.)]

Raumya (*Sânsc.*) — Uma classe de gênio: maus ou demônios.

Raurava (*Sânsc.*) — Adjetivo derivado de *ruru* (antílope); instável, inconstante. Nome de um inferno ardente, onde se encontram em doloroso excesso as qualidades do *tattva tejas*. (*Râma Prasâd*)

Rava (*Sânsc.*) — Som, ruído, grito, alarido, rugido, trovão.

Rava (*Fin.*) — Deus supremo dos finlandeses, pai dos deuses do ar e do fogo.

Ravail [**Ravail, Rivaille** ou **Reivail**, *Hipólito Dinizart* (1804-1869)] — Verdadeiro nome do fundador do espiritismo moderno na França. Ravail e muito mais conhecido pelo pseudônimo de *Allan Kardec*. [Ver *Allan Kardec*.]

Râvana (*Sânsc.*) — O rei demônio (*râkchasa*), soberano de Lankâ (Ceilão), que raptou Sîtâ, esposa de Râma, fato que conduziu à grande guerra descrita no *Râmayana*, [Râvana é a personificação da raça atlântica. É descrito como um gigante colossal, "como o pico de um monte", que tinha dez cabeças e vinte braços e sua força era tão

R

grande, que podia agitar os mares e arrancar os cumes das montanhas. Podia também mudar de forma à vontade. Era rei dos demônios chamados *rakchasas* e, por sua grande perversidade, pode ser considerado como encarnação do mal. (Ver *Râmâyana*)]

Ravi (*Sânsc.*) — Um dos nomes do Sol. [Ver *Surya*.]

Raya (*Sânsc.*) — Movimento rápido; presteza, rapidez. Corrente, torrente, curso.

Rayi (*Sânsc.*) — Riqueza, tesouro; poder. A fase negativa da matéria, que se distingue da positiva por sua impressionabilidade. Na realidade, é a matéria vital mais fria, assim como a mais quente é chamada de *Prâna*. (*Râma Prasâd*, As Forças Sutis da Natureza)

Rayimat (*Sânsc.*) — Que aumenta a riqueza ou o poder.

Razão — Esta notabilíssima faculdade humana foi representada pela figura de uma mulher armada e com a cabeça adornada por um diadema, que subjuga e mantém preso um leão, símbolo das paixões que deve dominar. Por trás da figura cresce uma oliveira, que indica que a paz da alma é o fruto de tal vitória. A razão pura, sinônimo de *Buddhi*, é a faculdade mais elevada do homem, aquela que mais o distingue do bruto e de todos os seres irracionais. Segundo a definição geralmente admitida pelos filósofos e naturalistas, o homem é um "animal racional". Suprima nele a razão e necessariamente só restará o animal. É próprio, pois, de homens deixar perder em nós o império da razão e afogá-la pelo trasbordamento das paixões e dos instintos animais? Tem o homem o direito de destruir ou atrofiar tão notável faculdade e privar-se de seu uso através do emprego de substâncias embriagantes e soporíferas, como o álcool, a morfina, o ópio e outras, que o embatessem mais e mais? É justo, por outro lado, combater e refrear a "funesta mania de pensar"? Pode alguém, seja quem for, travar o exercício da razão e obrigar o homem a crer cegamente em dogmas e doutrinas que estão em desacordo com tão elevada faculdade? Por seu lado, deve o homem olhar com menosprezo esse dom divino, esse dom do céu, e renunciar, por um momento que seja, a seu uso para submeter-se covardemente à fé cega, a essa "fé do carvoeiro", a essa "enfermidade mental", como a qualifica H. P. Blavatsky, em *A Chave da Teosofia*? Com a mão sobre o coração, responda sinceramente a estas perguntas qualquer pessoa de critério são e livre de preocupações e fanatismos, qualquer pessoa que se preze como ser "racional" e possa com justiça julgar-se superior ao bruto. A Teosofia, que aspira enobrecer o homem, desenvolvendo e enaltecendo suas faculdades superiores, jamais explora a credulidade humana; a ninguém impõe violentamente suas doutrinas nem obriga a aceitar de olhos fechados os seus ensinamentos, sobretudo se estes não concordam com os ditames da razão e da consciência de cada um. A mesma coisa faz o budismo, quando estabelece que ninguém precisa acreditar no que foi dito por qualquer sábio, nem no que está escrito em qualquer livro, nem no que é afirmado por tradição, a não ser que esteja de acordo com a própria razão. (Ver Olcott, *Catecismo Búdico*, 42ª edição, questão 196.)

Râzi — Ver *Rashi*.

Râzi-chakra — Ver *Rashi-Chakra*.

Reabsorção — Ver *Pralaya*.

Realidade Única — Ver *Âtman*, *Parabrahman*.

Rebis (*Herm.*) — Matéria dos Sábios durante a primeira operação da Obra. O espírito mineral cru segundo Trevisan, mistura-se com seu corpo na primeira decocção, dissolvendo-o. É por isso que se chama *Rebis*, uma vez que é feita de duas coisas, isto é,

R

do macho e da fêmea, ou do solvente e do corpo solúvel, o que no fundo é apenas uma coisa e uma mesma matéria. Os filósofos dão também o nome de Rebis à matéria da obra ao branco, uma vez que é então um mercúrio animado por seu enxofre e que estas duas coisas, saídas de uma mesma raiz, compõem apenas um todo homogêneo.

Rebis — Ver *Abesi*.

Rechaka (*Sânsc.*) — Uma das práticas do *Hatha-Yoga* durante o exercício do *Prânâyâma* ou regulação do alento. Consiste em manter aberta uma das narinas e por ela exalar o alento, enquanto a outra é mantida fechada; uma das três operações denominadas respectivamente *Pûraka*, *Kumbhaka* e *Rechaka*, muito perniciosas à saúde. [Uma das práticas do *Prânâyâma*, que consiste em expelir o ar dos pulmões, fazendo uma expiração prolongada. *(Râma Prasâd)* Ver *Prânâyâma*.]

Reconciliação (*Herm.*) — Os filósofos herméticos recomendam a reconciliação dos inimigos e que seja feita a paz entre eles, de modo que se unam inseparavelmente, isto é, a reunião do volátil com o fixo, de modo que o volátil se torne fixo.

Recordação — Ver *Memória*.

Redução (*Alq.*) — Retrogradação de algo que atingiu um certo grau de perfeição a um grau mais baixo, como se do pão se fizesse o grão de trigo. Assim a *redução dos metais em sua primeira matéria*, tão recomendada pelos filósofos, é a retrogradação dos metais filosóficos, e não vulgares, em sua própria semente, isto é, um mercúrio hermético. Esta redução é feita através da dissolução do fixo pelo volátil de sua própria natureza e do qual é feito.

Reencarnação — É a doutrina do renascimento, na qual acreditavam Jesus e seus apóstolos, como toda gente daqueles tempos, porém negada hoje pelos cristãos que parecem não compreender a doutrina de seus próprios Evangelhos, visto que a Reencarnação é ensinada claramente na *Bíblia*, como o é em todas as demais escrituras antigas. Todos os egípcios convertidos ao cristianismo, os padres da Igreja e outros acreditavam em tal doutrina, como provam os escritos de vários deles. Nos símbolos ainda existentes, a ave com cabeça humana, que voa para uma múmia, um corpo ou "a alma que se une com seu *sahou* (o corpo glorificado do *Ego* e também o invólucro *Kâmalokico*)" é uma prova, desta crença. "O Canto de Ressurreição" entoado por Ísis para fazer a vida voltar a seu esposo defunto poderia ser traduzido como "Canto de Renascimento", visto que Osíris é a Humanidade coletiva. "Oh, Osíris (aqui segue o nome da múmia osirificada, ou seja, o defunto), levanta-te de novo na santa terra (matéria), augusta múmia que jaz no féretro sob tuas substâncias corpóreas" – eis a oração funerária que era pronunciada pelo sacerdote diante do defunto. A palavra "ressurreição", entre os egípcios, nunca significou a ressurreição da mutilada múmia, mas da *Alma* que a animava, o *Ego* num novo corpo. O fato de revestir-se periodicamente de carne a Alma ou o *Ego* era uma crença universal; nada pode estar mais concorde com a justiça e a lei kármica. A Reencarnação é também chamada de *palingenesia*, *metempsicose*, transmigração das almas etc., e, como indicam estes nomes, esta doutrina ensina que a Alma, o princípio vivo, o *Ego* ou parte imortal do homem, depois da morte do corpo em que residia, passa sucessivamente para outros corpos, de modo que para um mesmo indivíduo há uma pluralidade de existências ou, melhor dizendo, uma existência única de duração ilimitada, com períodos alternados de vida objetiva e vida subjetiva, de atividade e repouso, comumente chamados de "vida" e "morte", comparáveis de certo modo aos períodos de vigília e de sono da vida terrestre; cada uma dessas existências na Terra é, por assim dizer, um dia da Grande Vida individual. Através do processo da Reencarnação, a entidade *individual* e imortal, a Tríada superior, transmigra de um corpo para outro, reveste-se de sucessivas e novas formas ou

R

personalidades transitórias, percorrendo assim, no curso de sua evolução, uma após outra, todas as fases da existência condicionada nos diversos reinos da Natureza com o objetivo de ir entesourando as experiências relacionadas com as condições de vida inerentes a elas; como o estudante entesoura diversos conhecimentos e experiências em cada um dos cursos que faz durante sua vida universitária, até que, uma vez terminado o ciclo de renascimentos, esgotadas todas as experiências e adquirida a plena perfeição do Ser, o Espírito individual, completamente livre de todas as travas da matéria, alcança a Libertação e retorna a seu ponto de origem, abismando-se novamente no seio do Espírito Universal, como a gota d'água no oceano. A filosofia esotérica afirma, pois, a existência de um princípio imortal e individualizado, que habita e anima o corpo do homem e que, com a morte do corpo passa a encarnar outro corpo, depois de um intervalo mais ou menos longo de vida subjetiva em outros planos. Desse modo, as vidas corporais sucessivas se enlaçam com outras tantas pérolas no fio, sendo este fio o princípio sempre vivo e as pérolas as numerosas e diversas existências ou vidas humanas na Terra. Nos livros exotéricos do Oriente diz-se que a Alma transmigra das formas humanas para as formas animais e pode passar para formas ainda mais inferiores (vegetais ou minerais). Esta crença é geralmente aceita não só nos países orientais mas também no Ocidente, entre os prosélitos de Pitágoras e de Platão; porém a filosofia esotérica rechaça totalmente tal afirmação por ser irracional e porque se opõe abertamente às leis fundamentais da Natureza. O *Ego* humano pode encarnar apenas em formas humanas, pois só estas oferecem as condições através das quais são possíveis as suas funções; jamais poderá viver em corpos animais nem retroceder ao bruto, porque isso seria ir contra a lei da evolução. (Ver *Doutrina Secreta*, I, 208.) Este falso ponto de vista é um disfarce do ensinamento esotérico e só pode ser admitido no sentido alegórico, do mesmo modo que chamamos de "tigre" o homem de instintos cruéis, "raposa" àquele dotado de muita sagacidade e astúcia etc. É certo que um homem pode degradar-se e chegar a ser até pior, moralmente, que qualquer bruto, mas não pode fazer a roda do tempo dar voltas nem girar na direção contrária. A Natureza nos abre portas, porém aquelas que deixamos para trás se fecham inevitavelmente como uma fechadura de mola para a qual não temos a chave. (A. Besant, *Reencarnação*.) Para se ter uma verdadeira ideia da Reencarnação, é preciso compreender bem qual é a parte do homem que se reencarna; do contrário, expõe-se a incorrer em graves erros. De início, não se trata aqui do quaternário inferior, porque este é constituído de princípios mortais ou transitórios, que servem apenas para um renascimento ou uma só personalidade terrestre; não se trata, pois, da natureza animal, da parte que o homem tem em comum com o bruto, isto é, o corpo físico, o duplo etéreo, o princípio vital e o centro ou princípio dos apetites, desejos ou paixões. Aquilo que verdadeiramente se reencarna é a entidade *individual* e imortal do homem, da Tríada superior, constituída pelo *Âtma-Buddhi* e o *Manas* superior; porém, como a Mônada (*Âtma-Buddhi*) é universal e não difere entre pessoas ou indivíduos distintos, na realidade aquilo que estritamente se pode dizer que reencarna é o *Manas*, o Pensador, o *Ego* ou verdadeiro Homem, que, enobrecendo e purificando seu eu inferior, luta por unir-se à Mônada divina. A Reencarnação, doutrina que parece ser nova entre nós, apesar de ser antiquíssima, é a crença de dois terços da população mundial e foi aceita sem reservas em todos os séculos passados. Em uma palavra, é uma verdade esquecida. Nas Escrituras Sagradas da maior parte do Oriente, fala-se da Reencarnação como de uma doutrina que não tem necessidade de provas ou demonstrações, como uma dessas verdades correntes e incontestes, que todo mundo aceita sem discussões nem exames. No *Novo Testamento* encontram-se várias alusões a esta doutrina (*Mateus*, XVII, 12, 13; *Marcos*, VI, 14-16; *João*, IX, 1, 2 etc.) e assim a vemos plenamente admitida por vários padres da antiga Igreja. (Ver A. Besant. *Compêndio Universal de Religião e Moral*,

R

tomo I, p. 97 e ss.) No próprio Ocidente a crença na Reencarnação estava muito arraigada na Antiguidade, como o demonstram certos ensinamentos da Mitologia e numerosas obras de sábios eminentes. Muitos pensadores e filósofos antigos e modernos a admitiram sem reservas e, para prová-lo, pode-se citar os nomes de Pitágoras, Platão, Empédocles, Sócrates, Kant, Schopenhauer, Shakespeare, Fichte, Herder, Lessing, Shelley, Emerson, Goethe, Hegel, R. Wagner etc., fato que não deve causar estranheza, porque a doutrina da Reencarnação é a *única* que nos oferece uma explicação lógica, clara e satisfatória do grande número de problemas e enigmas que torturam a inteligência humana, tais como as diferenças de caráter, os instintos diversos, as tendências inatas de diversas pessoas, o talento e as disposições naturais que algumas delas apresentam para as ciências e as artes, as enormes e irritantes desigualdades de nascimento e fortuna, as aparentes injustiças que vemos a cada passo dado na Terra etc. De outro modo, a boa ou má sorte dos homens não respondem a qualquer ideia de justiça, mas dependem simplesmente do mero capricho de uma divindade irresponsável ou das forças cegas de uma Natureza sem alma. De tudo o que foi exposto, deduz-se que deve existir necessariamente uma causa, uma lei que regule de maneira justa e precisa as condições de cada encarnação ou existência, e esta lei é o *Karma*, doutrina gêmea da Reencarnação, lei inflexível que ajusta sábia e equitativamente a cada causa o seu devido efeito; é o destino de cada indivíduo, porém não um destino cego ou caprichoso, mas o destino ineludível, absolutamente justo e estritamente acomodado ao mérito e demérito de cada um. Em virtude da lei kármica, as boas ou más consequências de todos os atos, palavras e pensamentos do homem reagem sobre ele com a mesma força com que atuaram e assim é que, cedo ou tarde, na atual ou futuras existências, cada um colhe exatamente aquilo que semeou. Nossos desejos, nossas aspirações, nossos pensamentos, nossos atos são aqueles que, por virtude de tal lei, nos atraem repetidas vezes para a vida terrestre, determinando a natureza de nossos renascimentos. Todas as desigualdades, todas as diferenças que vemos na condição de diversas pessoas são filhas dos merecimentos ou das culpas de cada um e, portanto, o que geralmente se considera como favores ou crueldades da sorte, nada mais é do que o correspondente e justo prêmio ou castigo de nossa conduta passada. Somos nós mesmos que forjamos nosso futuro e lavramos nossa felicidade ou desventura vindouras, sem que por isso possamos bendizer ou culpar ninguém mais do que a nós mesmos. Não somos, de maneira nenhuma, escravos de nosso destino, mas seus donos e criadores; o destino é inevitavelmente nossa própria e exclusiva obra. (Ver *Karma, Metamorfose, Metempsicose, Preexistência* etc.)

Regenerador — Ver *Shiva*.

Regentes — Todos os mundos estão sujeitos ao Poder e à superintendência de alguns grandes Seres chamados Regentes (Richis, Pitris, Devas ou Deuses, Dhyân Chohans, Anjos, Gênios etc.). Quatro destes seres elevados, que são os quatro grandes Reis ou *Mahârâjahs*, presidem ou dirigem cada um dos quatro pontos cardeais ou as Forças cósmicas do Norte, do Sul, do Leste e do Oeste, cada uma das quais com uma virtude oculta própria. Os cristãos designam estes Seres pelos nomes de "Espíritos" ou "Virtudes angélicas". (*Doutrina Secreta*, I, 148) Estes Devas encontram-se também relacionados com o Karma, porque este tem necessidade de agentes físicos e materiais para cumprir seus decretos, tais como os quatro tipos de ventos, que exercem influências boas ou más sobre a saúde dos seres vivos. (*Ibid.*, I 147) Os Regentes são também os Poderes que governam os quatro elementos primitivos, – terra, água, ar e fogo – e os espíritos da Natureza a eles relacionados. Há também os sete Regentes ou gênios protetores, que correspondem a cada um dos sete planetas principais ou sagrados (*Ibid.*, I, 176, 454) e a outros astros (*Ibid.*, I, 484, 628); assim, temos os sete Richis ou Regentes das sete estrelas da Ursa Maior (II, 332), os Regentes da Lua (II, 339), os Regentes ou deuses protetores de cada um dos doze signos do Zodíaco (II, 374) etc. Há, finalmente, os Regentes ou Patronos (*Dhyânis*) de cada divisão dos *Kalpas* (II, 169). Estes Seres sublimes são protetores da humanidade e podem, com discrição, adquirir forma humana. Segundo Leadbeater, possuem cores simbólicas, que são: branco (Leste), azul (Sul), vermelho (Oeste) e ouro (Norte). (Ver Leadbeater, *Plano Astral*, 105-107.)

Região (ou **Terra**) **Sagrada** — Assim se denomina o Tibete. (*Voz do Silêncio*, II.)

Regime pitagórico — Abstenção de alimentos de natureza animal.

Reginn (*Esc.*) — Nos *Eddas*, dá-se este nome ao irmão de Fafner.

Registradores kármicos — Ver *Lipikas*.

Registros kármicos — Ver *Senhores do Karma*.

Rehouh (*Eg.*) — (Os dois deuses) - Segundo o capítulo XVII do *Livro dos Mortos*, os dois Rehouh são Hórus e Set, isto é, a personificação da eterna luta entre o bem e o mal. São representados por um personagem de cabeça dupla (de gavião e de animal tifoniano). Também são denominados de os "dois leões". (Pierret, *Dict. d'Arch. Égypt.*)

Reidgotaland (*Esc.*) — Nos *Eddas*, assim se denomina a moderna Jutlândia, uma das províncias da Dinamarca.

Reino de Satã — Com este nome se designou a Matéria. (*Doutrina Secreta*, II, 246.)

Reinos elementais — Dos sete reinos que constituem os elos da cadeia evolucionária, há três chamados de *elementais*, anteriores aos reinos mineral, vegetal, animal e humano e dos quais não se pode falar por várias razões, uma das quais é que ninguém, a não ser um grande vidente ou uma pessoa naturalmente dotada de intuição, poderá fazer ideia daquilo que não é possível expressar com palavras. (*Doutrina Secreta*, II, 326, nota.)

Reis edomitas — Esotericamente, são as raças primitivas de homens, malformadas e feitas como que por tentativas. Alguns cabalistas os interpretam no sentido de "faíscas", mundos em formação, que desaparecem tão logo estejam formados. (Ver *Edom*.)

Reis magos — A bonita lenda dos três reis magos, que chegaram do Oriente para adorar o menino Jesus recém-nascido e oferecer-lhe ouro, incenso e mirra, é de origem oriental. Estes mesmos dons eram aqueles que os magos costumavam oferecer a Ahura Mazda, o primeiro de seus espíritos puros e cujo símbolo é o Sol. (Ver E. Burnouf, *A Ciência das Religiões*, p. 277.)

Rej (*Sânsc.*) — Agni, o fogo.

Rekh-get-Amen (*Eg.*) — Nome com que se designavam os sacerdotes, hierofantes mestres de magia, os quais, segundo Lenormant, Maspero, os dois Champollion e outros, "podiam praticar a levitação, andar pelo ar, viver sob a água, sustentar uma enorme carga, sem sofrer qualquer dano ou mutilação, ler o passado, predizer o futuro, tornar-se invisíveis e curar diversas doenças". (Bonwick, *Religião da Magia*) E acrescenta o mesmo autor: "A admissão nos Mistérios não conferia poderes mágicos; estes dependiam de duas coisas: da posse de aptidão inata e do conhecimento de certas fórmulas empregadas nas circunstâncias adequadas. Exatamente como hoje".

Religião — Apesar da imensa diversidade que oferecem do ponto de vista exterior, todas as religiões têm um fundo comum nas ideias dogmáticas, filosóficas e morais. De fato, o estudo comparado das religiões demonstra que os ensinamentos fundamentais sobre a Divindade, o homem, o universo, a vida futura, são substancialmente idênticos em todas elas, apesar de sua diversidade aparente. São as mesmas verdades encobertas pelo

R

véu próprio das religiões exotéricas que as desfiguram parcialmente. É como uma luz branca encerrada num farol, que tem, em cada um de seus lados, um vidro de cor diferente e, conforme o lado em que é olhada, parece vermelha, azul, verde ou amarela; retire os cristais e verá a mesma luz em sua pura cor natural. Esta base comum de todas as religiões dignas deste nome explica-se porque todas elas emanam da Grande Fraternidade de Instrutores Espirituais, que transmitiram aos povos e raças as verdades fundamentais da religião, sob a forma mais apropriada às necessidades daqueles que deviam recebê-las, bem como às circunstâncias de tempo e lugar. Por isso se disse, não sem fundamento, que a questão religiosa é principalmente uma questão geográfica; assim, uma pessoa é muçulmana simplesmente porque nasceu na Arábia; católica, porque nasceu na Europa etc. Em sua missão sublime, os excelsos fundadores de religiões foram auxiliados por certo número de indivíduos iniciados e discípulos de diversos graus, homens eminentes por seu saber e por seus relevantes dotes morais. Outra causa poderosa do antagonismo entre aqueles que professam credos religiosos diferentes são as corrupções introduzidas por seus representantes, que os modificam e transformam a seu bel-prazer, impulsionados geralmente por interesses e egoísmo. (Ver *Esotérico* e *Exotérico*.)

Religião da Sabedoria — A única religião que serve de base a todos os credos existentes na atualidade. Aquela "fé" que, sendo primordial e revelada diretamente à espécie humana por seus *Progenitores* e pelos *Egos* que a instruem (por mais que a Igreja os considere como "anjos caídos") não exige "graça" alguma ou fé *cega* para crer, porque era *conhecimento*. (Ver *Gupta Vidyâ* ou conhecimento oculto.) Nesta Religião da Sabedoria *baseia-se a Teosofia*.

Reminiscência — Ver *Memória*.

Renascimento — Ver *Reencarnação*.

Renu *(Sânsc.)* — Pó; pólen ou pó fecundante das flores.

Renúncia — Pode se referir a diversos pontos, tais como aos presentes e comodidades da vida, ao uso de determinadas substâncias (carne, álcool etc.) e a várias outras coisas de que se abstém o asceta com o objetivo de purificar seu corpo e dominar seu eu inferior. Outra renúncia importante para quem segue o sendeiro da ação ou *Karma-yoga* é a do fruto das obras. Com esse fim, todas as obras devem ser executadas sem egoísmo e sem desejo de recompensa nem nesta nem na outra vida. Desse modo, as ações deixam engendrar *Karma* e não se ligam a quem as executa. A renúncia ao glorioso estado do *Devachan*, com todos os seus sublimes gozos da sabedoria e do amor mais puro, é também da maior transcendência e assinala um rápido progresso na evolução humana, visto que o ser, que pratica tal ato de abnegação, atua impulsionado pelo desejo de aplicar em benefício da humanidade as energias espirituais que se gastaram naquelas regiões de bem-aventurança inefável. Porém, a renúncia máxima é a praticada por aquele que, repleto de compaixão infinita para com o mundo que geme na Terra, leva sua abnegação ao extremo de que, tendo já na mão o merecido prêmio de uma série incalculável de lutas e penalidades sofridas no enorme curso de suas numerosas existências, renuncia generosamente ao *Nirvâna*, para "desposar generosamente a angústia" e seguir o sendeiro da dor até o fim dos *Kalpas* sem fim, com o objetivo de converter-se em *Bodhisattva* ou Salvador do mundo, padecendo, por sua vez, "sofrimentos mentais indizíveis, sofrimento pelos mortos-vivos e compaixão impotente pelos homens que gemem em kármica angústia". (*Voz do Silêncio*, II e III.)

Repa *(Sânsc.)* — Cruel, selvagem; ruim, desprezível.

Repha *(Sânsc.)* — Cruel, vil; como substantivo: paixão, sentimento.

R

Rephaim (*Hebr.*) — Espectros, fantasmas. Gigantes ou poderosos homens primitivos, dos quais talvez a Evolução inferirá, algum dia, a origem de nossa raça atual. (*Doutrina Secreta*, I, 368 e II, 292-521.)

Resha-havurah (*Hebr., Cab.*) — Literalmente: "Cabeça Branca", da qual emana o ardente fluido da vida e inteligência nas trezentos e setenta correntes, em todas as direções do universo. A "Cabeça Branca" é o primeiro *Sephira*, a Coroa ou primeira luz ativa.

Residência (*Alq.*) — Magistério ao rubro. É chamado de *residência*, porque nele reside tudo o que é preciso para animar o mercúrio, de quem é o resíduo e resultado e que, quando reunidos e trabalhados, compõem um todo capaz de permanecer eternamente no fogo e de resistir às suas mais fortes tentativas.

Respiração — Na prática do *Yoga*, esta função fisiológica consta de três partes: uma inspiração (*pûraka*), um intervalo (*kumbhaka*) e uma expiração (*rechaka*). Quando a respiração ocorre pela narina direita, chama-se pingalâ; quando se verifica pela narina esquerda, chama-se *idâ* e, quando se realiza por ambas, *suchumnâ*. A respiração pelo lado direito chama-se solar, devido à sua natureza saudável, enquanto aquela realizada pelo lado esquerdo é a lunar, por causa de seu caráter refrigerador. (N. C. Paul, *Cinco Anos de Teosofia*.) - Ver *Prânâyâma*.

Ressurreição do Senhor — Ver *Páscoa*.

Retana (*Sânsc.*) — Semente viril.

Retentiva — Ver *Memória*.

Retificação (*Alq.*) — Nova depuração de um corpo ou de um espírito químico pela destilação reiterada ou por qualquer outra operação em uso para tal efeito. Em termos de Química Hermética, é o mesmo que sublimação ou exaltação da matéria da obra a um grau mais perfeito.

Retra (*Sânsc.*) — Semente viril, néctar, ambrosia.

Retribuição, *Lei de* — Ver *Karma*.

Reuchlin, *J.* — Distinto filósofo alemão; eminente cabalista e ocultista. Nasceu em Pfortzheim, em 1455, e em sua primeira juventude foi diplomata. Em certo período de sua vida, desempenhou o alto cargo de Juiz do Tribunal de Tubinga, onde permaneceu por 11 anos. Foi amigo de Pico de la Mirandola, mestre e instrutor de Erasmo, Lutero e Melanchton e por este motivo é chamado de "Pai da Reforma". Sofreu cruéis perseguições por parte do clero, pela glorificação que fez da Cabala hebraica. Morreu em 1552, na miséria, destino comum de todos os que, naqueles dias, atacavam a letra morta da Igreja.

Revanta (*Sânsc.*) — Nome do quinto Manu do presente *Kalpa*.

Revatî (*Sânsc.*) — A última mansão lunar. Este nome também é empregado para designar uma das *mâtris* ou energias divinas.

Revatîbhâva (*Sânsc.*) — O planeta Saturno.

Revelação — Tanto a filosofia *Sânkhya* como o *Yoga* admitem a revelação (autoridade ou testemunho) como uma das três espécies de prova, certeza ou demonstração da verdade; com a diferença de que a primeira baseia principalmente a certeza do conhecimento nas duas provas restantes, isto é, na *percepção direta* através dos sentidos e na *inferência* ou *dedução*, apelando raramente, e também por mera forma, para a autoridade

R

da *revelação*. "O conhecimento reto – diz Patañjali – resulta da percepção direta, da inferência ou do testemunho (autoridade ou revelação)." (*Aforismos*, I, 7)

Rhazes — Célebre alquimista árabe do século IX. Percorreu o Oriente e a Espanha; dirigiu os estudos científicos em Bagdá e em Ray; publicou duas notáveis enciclopédias médicas que, durante muito tempo, serviram de base para o estudo; fez importantes descobertas químicas e deu a conhecer grande número de novos compostos, tais como o orpimento, o bórax, alguns sais de mercúrio, vários compostos arseniacais etc. "O grande segredo da química – dizia – é mais possível do que impossível; seus mistérios se revelam apenas à custa de trabalho e perseverança, mas que triunfo, quando o homem pode levantar uma ponta do véu que cobre a Natureza!" Em seus escritos, levava a reserva e a prudência a um grau extremo. Ao descobrir o processo de fabricação da aguardente, por ele inventado, disse: "Toma de alguma coisa desconhecida a quantidade que queiras (*Recipe aliquid ignotum, quantum volueris*)".

Rhizômata — Com este nome foram designados os quatro elementos (terra, água, ar e fogo), raízes ou princípios de todos os corpos compostos. (*Doutrina Secreta*, II, 634)

Ri (*Sânsc.*) — Dança; queda; dano; perda; desejo; brilho; luz.

Rî (*Sânsc.*) — Movimento.

Ribhavas — Ver *Ribhus*.

Ribhu (*Sânsc.*) — Literalmente: hábil, destro. Espírito planetário. Um dos quatro Kumâras. Epíteto de Indra e também de Agni e dos Âdityas. Nos *Purânas*, Ribhu é um filho de Brahmâ, que era naturalmente dotado da verdadeira sabedoria. (Ver *Ribhus*.)

Ribhukcha, Ribhukchan ou **Ribhukchin** (*Sânsc.*) — Nome do primeiro Ribhu. Epíteto de Indra; o raio ou o paraíso de Indra.

Ribhus ou **Ribhavas** (*Sânsc.*) — Três antigos reformadores do sacrifício primitivo, filhos de Sudhanvan e chamados respectivamente de: Ribhu, Vibhu (ou Vibhvat) e Vâja. Por sua assiduidade na prática de boas ações, obtiveram poderes sobre-humanos e foram adorados como seres de condição divina. Supõe-se que residam na esfera do Sol e chegou-se a identificá-los com os raios do astro-rei. (Ver *Azvins*.)

Rich (*Sânsc.*) — Estância; dístico dos hinos do *Veda*; o *Rig-Veda*; esplendor.

Richabha — Ver *Rishabha*.

Richchbârâ (*Sânsc.*) — Mulher de má vida.

Richi (Rishi) (*Sânsc.*) — Adepto; inspirado ou iluminado. Na literatura védica, este termo é empregado para designar aqueles personagens através dos quais foram revelados os diversos *mantras*. [Os *Richis*, literalmente "reveladores", são sábios santos ou iluminados, cantores ou poetas inspirados, a quem foram revelados os hinos védicos. Estes sublimes personagens distinguem-se por seu vasto saber e santidade e, apesar de terem completado sua evolução como homens, permanecem nas regiões suprafísicas, em contato com a humanidade, a fim de ajudá-la em seu progresso. Há sete ordens deles, a saber: os *Brahmarchis* (*Richis* brahmânicos ou que pertenceram a esta classe sacerdotal), os *Devarchis* (*Richis* divinos ou santos celestes, filhos do *Dharma* e *Yoga*, entre os quais figuram Nârada, Bharadvâja, Vasichtha etc.), os *Râjarchis* (*Richis* pertencentes à classe real, entre os quais figura Vizvâmitra), os *Maharchis* (grandes *Richis* ou santos, em número de sete e cujo chefe é Bhrigu), os *Paramarchis* (ou *Richis* supremos), os *Kandarchis* (*Richis* que explicam uma só parte, ou *Kanda*, dos *Vedas*) e os *Zrutarchis* (*Richis* que receberam a revelação, não diretamente, mas através dos *Richis* védicos). Segundo a *Doutrina Secreta*, os primitivos *Richis* eram sete (os sete sábios primitivos); viveram antes do período védico e foram venerados como semideuses, porém hoje se pode demonstrar que eram apenas simples mortais, filósofos. (Obra cit., III, 19.) Há outros grupos de dez, doze e até vinte e um *Richis*. Nas *Leis de Manu* (VIII, 110), faz-se também menção a sete grandes *Richis (Saptarchi)*, que correspondem às sete estrelas da Ursa Maior. Na mesma obra (I, 34, 35), mencionam-se dez grandes *Richis*, senhores de criaturas *(Prajâpatis)*, cujos nomes são: Marîchi, Atri, Angiras, Pulastia, Pulaha, Kratu, Prachets (ou Dakcha), Vazichta, Bhrigu e Nârada. Estes três últimos são os mais eminentes, de modo que, sem estes, o número de Grandes *Richis* fica reduzido a sete. Segundo o *Rig-Veda*, os sete Grandes *Richis* são também os *Prajâpatis* ou senhores da existência, os sete "Filhos nascidos da mente de Brahmâ". (Ver *Richi-Prajâpati*.) Em outras obras, o número dos *Richis* varia: sete, oito e até mais. Em meio a esta confusão, evidentemente *intencional*, torna mais clara uma coisa: "Houve e haverá sete *Richis* em cada Raça-Mãe, também chamada *Manvantara* nos livros sagrados, do mesmo modo que há catorze Manus em cada Ronda, sendo idênticos aos deuses presidentes, os *Richis* e os filhos de Manu." (*Doutrina Secreta*, II, 650, nota.) E se os Manus e os *Richis* são designados por um mesmo nome genérico, isto se deve ao fato de que todos e cada um deles são as Energias manifestadas de um mesmo *Logos*, os Mensageiros celestiais e terrestres daquele Princípio, que se encontra sempre em estado de atividade consciente, durante o período de evolução cósmica, e inconsciente (de nosso limitado ponto de vista), no repouso cósmico. (*Ibid.*, II, 324)

Richîka (*Sânsc.*) — Um *Richi* descendente de Bhrigu e esposo de Satyavatî.

Richi-Prajâpati (*Sânsc.*) — Literalmente: "reveladores". Santos sábios na história religiosa do Âryavarta [Índia]. Esotericamente, os mais elevados entre eles são as Hierarquias de "Construtores" e Arquitetos do Universo e dos seres vivos da Terra. São geralmente chamados Dhyân Choans, Devas e deuses. [Ver *Richis*]

Rishirna — Ver *Rishirna*.

Richta (*Sânsc.*) — Ferido, perdido, desgraçado. Como substantivo: golpe, ferida; destruição; desdita. Nome de um demônio morto por Vishnu.

Richthausen — Amigo íntimo de um Adepto chamado Labujardière. Em 1648, herdou deste certa quantidade de pedra filosofal, com a qual se apresentou ao imperador Fernando III da Bohemia, que era muito versado em filosofia hermética, e em sua presença, depois de ter tomado todas as precauções de praxe, realizou a operação transmutatória dirigida pelo conde de Rutz, diretor das minas. Com um grão do pó, Richthausen transformou duas libras e meia de mercúrio em ouro, com o qual o imperador mandou cunhar uma medalha, que, em 1797, era ainda conservada na Tesouraria de Viena. Com outra parte do mesmo pó, Fernando III fez uma nova projeção em Praga, em 1650, e com o ouro obtido fabricou-se outra medalha, que, no século XVIII figurava ainda na coleção do castelo imperial de Ambras, no Tirol. Devido a estes feitos, o imperador concedeu a Richthausen o título de *Barão do Caos* e com tal nome este percorreu toda a Alemanha, fazendo projeções. Sua operação mais famosa foi aquela que, em 1658, executou o Eleitor de Mangúcia, que converteu em ouro quatro onças de mercúrio. Maiores detalhes em L. Figuier: *A Alquimia e os Alquimistas*, 3ª edição, p. 248.

Richyakcha (*Sânsc.*) — Oferenda aos *Richis*, isto é, a oração e o estudo do Veda.

Riddha (*Sânsc.*) — Próspero, rico, florescente; vasto, grande, poderoso, forte.

R

Riddhi (*Sânsc.*) — Perfeição; prosperidade, abundância, riqueza; poder mágico, extraordinário, sobrenatural. Sobrenome de Pârvatî. (Ver *Chhanda-riddhi-pâda* e *Chitta-riddhi-pâda*.)

Riddhipâda (*Sânsc.*) — No plural, os quatro exercícios sobre os quais repousa o poder impropriamente chamado "sobrenatural". (Budismo)

Riddhiprâtihârya (*Sânsc.*) — Aparição extraordinária, "sobrenatural".

Riddhisâkchâtkriya (*Sânsc.*) — Manifestação de um poder extraordinário ou sobrenatural.

Ridhâ (*Sânsc.*) — Falta de respeito.

Rifeos — Segundo a mitologia, constituem uma cadeia de montanhas sobre a qual dormia o deus do coração gelado das neves e dos furacões. Segundo a filosofia esotérica, é um verdadeiro continente pré-histórico, que de um país tropical sempre iluminado pelo Sol como era, passou agora a uma desolada região situada além do círculo ártico.

Riger (*Esc.*) — Ver *Bifrost*.

Rig-Veda (*Véd.*) — O mais antigo e mais importante dos *Vedas*. Segundo se diz, foi "criado" pela boca oriental de Brahmâ. Como indica o Ocultismo, foi comunicado pelos grandes sábios no lago Man (a) saravara, além do Himalaia, dezenas de milhares de anos atrás. [O *Rig-Veda* (de *rich*, celebrar, cantar, e *veda*, ciência) é assim chamado porque cada uma de suas estâncias é denominada um *rich*. Nesta "Bíblia da Humanidade", intitulada *Rig-Veda*, foram colocadas, no amanhecer da humanidade intelectual, as pedras fundamentais de todos os credos e a distinta fé de cada igreja e de cada templo erigido, do primeiro ao último. Os "mitos" universais, as personificações dos Poderes divinos e cósmicos, primários e secundários, bem como os personagens históricos de todas as religiões, tanto as ainda existentes como as extintas, podem ser encontradas nas sete principais Divindades e suas trezentas e trinta milhões de correlações do *Rig-Veda* e estas sete, com seu acréscimo de milhões, constituem os Raios da Unidade única e infinita. (*Doutrina Secreta*, III, 229) Ver *Vedas*.]

Rigveda-sanhitâ (*Véd.*) — A coleção dos hinos do *Rig-Veda*.

Rig-vidhâna (*Véd.*) — Alguns escritos que versam sobre a virtude mística e mágica da recitação dos hinos do *Rig-Veda* e também de alguns de seus versos isolados.

Riju (*Sânsc.*) — Reto, direto; honrado, justo.

Rijyâ (*Sânsc.*) — Reprovação, censura, vergonha, recato, modéstia.

Rik ou **Rich** (*Véd.*) — Um verso [ou estância] do *Rig-Veda*.

Rika (*Sânsc.*) — Coração, alma; litígio.

Rikcha (Riksha) (*Sânsc.*) — Cada uma das vinte e sete constelações que formam o Zodíaco. Qualquer estrela fixa ou constelação. [Como adjetivo significa: cortado, dividido.]

Rikcheza (Rikcha-îza) (*Sânsc.*) — Literalmente: "Senhor das estrelas": a Lua.

Rikta (*Sânsc.*) — Vazio; esvaziado, evacuado; indigente, pobre. Como substantivo: o vazio, o deserto.

Riktha (*Sânsc.*) — Bens, riqueza, poder.

Rik-Veda (*Véd.*) — O mesmo que *Rig-Veda*, em que, por eufonia, o *g* foi substituído pelo *k*.

R

Rimmon (*Hebr.*) — A romã, símbolo da fertilidade e da abundância. Encontra-se no *Antigo Testamento*; figura nos templos sírios e neles foi deificada como emblema da celestial mãe prolífica de tudo. É também uma representação da matriz em estado de gestação. (W. W. W.)

Rina ou **Rna** (*Sânsc.*) — Dívida.

Rina-trayam (*Sânsc.*) — Dívida tripla aos *pitris* ou antepassados, que dão a prole, aos *devas*, que dão riquezas, e aos *richis* ou mestres, que dão o conhecimento. (Bhagavân Dâs: *A Ciência das Emoções*, p. 222.)

Rinda (*Esc.*) — Uma asiana (deusa), mãe de Vale.

Ringhorne (*Esc.*) — A nave de Baldur, segundo os *Eddas*.

Rinkha (*Sânsc.*) — Marcha; dança; deslize, erro.

Rio do Esquecimento — Ver *Leteu*.

Ripley, *George* — Eminente alquimista inglês do séc. XV. Fez interessantes estudos sobre a ciência hermética. Compôs o famoso tratado *As Doze Portas*, no qual explica o procedimento para a preparação da Quintessência ou Pedra Filosofal, servindo-se para isso de alguns termos alegóricos que lembram aqueles que Goethe colocou na boca de Fausto, na pitoresca cena do Domingo de Páscoa. Ofereceu cem mil libras de ouro aos cavaleiros de Rodes, quando esta ilha foi atacada pelos turcos, em 1460. Sua dignidade eclesiástica, como cônego de Bridlington, não o livrou de ser publicamente acusado de feitiçaria por seus contemporâneos.

Ripu (*Sânsc.*) — Inimigo, adversário.

Ripuvaza (*Sânsc.*) — Submetido a um inimigo.

Rishaba (*Sânsc.*) — Um sábio que, segundo se supõe, foi o primeiro a ensinar as doutrinas jainas na Índia. [Teve muitos filhos, o mais velho dos quais foi Bharata. Depois de abdicar do trono em favor de seu filho primogênito, retirou-se para viver numa ermida, onde levou uma vida de austeridades muito severa. *Rishaba* ou *Richabha* ou *Richabhan* significa também touro e é o nome do segundo signo zodiacal, Touro. No final de uma palavra composta, *Rishaba* equivale a: o melhor, chefe, senhor, príncipe, principal, primeiro, excelente etc. Assim, *nararchabha* (*nararichabha*) significa: o melhor dos homens, o príncipe.]

Rishi — Ver *Richi*.

Rishirna (*Sânsc.*) — Dívida contraída com os *Richis*, porque os *Richis* da raça alimentam e nutrem o corpo do *Jîva*. (Bhagavân Dâs, *A Ciência das Emoções*, p. 137.)

Rita (*Sânsc.*) — Reto, justo, devido, conveniente; verdadeiro; próprio; puro; honrado, venerado; brilhante, luminoso. Como substantivo: verdade, retidão, justiça, fé; ordem; lei divina; hino, oração. O Brilhante, sobrenome de Agni.

Ritambhara (*Sânsc.*) — Percepção psíquica, ou seja, aquela faculdade através da qual as realidades do mundo são conhecidas com tanta verdade e exatidão como o são as coisas exteriores percebidas comumente. (*Râma Prasâd*)

Ritambhara-prajñâ (*Sânsc.*) — Conhecimento intuitivo.

Ri-thlen — Literalmente: "guardador de serpentes". É uma espécie terrível de feitiçaria praticada em Cherrapunji, nas colinas de Khasi. O primeiro local é antiga capital destas últimas. Segundo a lenda, há já alguns séculos, um *thlen* (serpente, dragão), que habitava uma caverna e devorava homens e gado, foi morto e despedaçado por um São

R

Jorge daquele país. Cada um dos pedaços foi enviado a um ponto diferente, para ser queimado. Porém o pedaço recebido pelos Khasis foi conservado por estes e chegou a ser uma espécie de deus doméstico. Os descendentes desses Khasis converteram-se em *Ri-thlens* ou "guardadores de serpentes", porque o pedaço que conservavam transformou-se num dragão *(thlen)* e, desde então, assedia certas famílias de brahmanes daquela comarca. Para conseguir o favor de seu *thlen* e protegerem sua própria vida, estes "guardadores" devem muitas vezes cometer assassinatos de mulheres e crianças, de cujos corpos cortam as unhas dos pés e das mãos, que levam para seu *thlen* e, assim, entregam-se a muitas práticas de magia negra relacionadas com a feitiçaria e a nigromancia.

Rîti *(Sânsc.)* — Movimento, marcha; fluxo; tendência; instinto; limite; fronteira.

Rito do Féretro ou **Pastos** — Este era o rito final da Iniciação nos Mistérios do Egito, Grécia e outras nações. Os últimos e supremos arcanos do ocultismo não podiam ser revelados ao discípulo até que este tivesse passado por tal cerimônia alegórica da *Morte e Ressurreição* para uma nova luz. O verbo grego *teleutao* – diz Vronski – significa, na voz ativa, "eu morro" e, na voz passiva, "eu sou Iniciado". Stobœus cita um autor antigo, que diz: "A mente é afetada na *morte*, exatamente como o é na *Iniciação* nos Mistérios; e a palavra corresponde à palavra; assim a coisa deve corresponder à coisa; porque *teleutan* é 'morrer' e *teleisthai*, 'ser Iniciado.'" E assim, como corrobora Mackenzie, quando o aspirante era colocado no *Pastos*, leito ou ataúde (na Índia), ou no *torno* (como foi explicado na *Doutrina Secreta*, II, 572 e 590), "dizia-se simbolicamente que morria". [Ver *Coribantes*.]

Ritu *(Sânsc.)* — Período, época, estação do ano. Os hindus dividem o ano em seis estações, de dois meses cada uma, designadas pelos nomes de *Vasanta* ou *Kusumâkara* (primavera ou estação temperada, que compreende março-abril), *Grichma* (verão ou estação quente, que compreende maio-junho), *Varcha* (estação chuvosa, que compreende julho-agosto), *Zarad* (outono, que compreende setembro-outubro, a estação em que cessam as chuvas), *Hemanta* (inverno, estação das neves e que compreende novembro-dezembro) e *Zizira* (estação do orvalho e das geadas, que compreende janeiro-fevereiro).

Ritual funerário — Ver *Livro dos Mortos*.

Rituais — No Museu do Louvre conservam-se diferentes papiros manuscritos, chamados *Rituais* egípcios, que contêm instruções para as cerimônias religiosas que devem ser praticadas em certas épocas, na embalsamação dos cadáveres etc.

Ritvij *(Sânsc.)* — Sacerdote sacrificador. (Ver *Leis de Manu*, II, 143.)

Ro e **Ru** *(Eg.)* — A porta ou abertura, o lugar do céu de onde nasceu ou procedeu a Luz primordial. Sinônimo de "matriz cósmica".

Rodana *(Sânsc.)* — Corrente de água; pranto, lágrimas.

Roda — Expressão simbólica utilizada para representar um mundo ou globo. A "Grande Roda" é a duração total de nosso ciclo de existência ou *mahâkalpa*, isto é, a revolução completa de nossa cadeia especial de sete globos ou esferas, do princípio ao fim. As "Pequenas Rodas" significam as Rondas, que também são sete. (*Doutrina Secreta*, I, 72, nota) A palavra "roda" aplica-se igualmente aos ciclos repetidos de acontecimentos ou de manifestação, tais como os estados alternativos de nascimento e morte (ver *Samsâra*), assim como os de atividade e repouso do universo, designados respectivamente como *manvantara* e *pralaya*, que constituem a "Roda de Brahma". (*P. Hoult*)

Roda de Brahma — Ver *Roda*.

R

Rodas (*Sânsc.*) — O céu; a Terra; em género dual (rodasî): o céu e a terra.

Rodha (*Sânsc.*) — Obstáculo, impedimento; ribeira, orla.

Rodhana (*Sânsc.*) — Que impede; que constitui obstáculo. Como substantivo: obstáculo, impedimento; o planeta Mercúrio.

Rodhin (*Sânsc.*) — Que dificulta; que constitui um obstáculo.

Rodhra (*Sânsc.*) — Obstáculo, impedimento; transgressão, ofensa.

Rodigast — Ver *Querubins*.

Rodolfo II — Um dos soberanos que maior proteção dispensaram à Alquimia e aos sábios a ela consagrados. Subiu ao trono da Alemanha em 1576. Educado na Espanha, na corte de Felipe II, adquiriu neste país grande afeição pela astrologia e pela Alquimia. Cansando-se rapidamente das árduas tarefas do governo do império, confiou-o aos cuidados de seus ministros e encerrou-se no castelo de Praga para entregar-se livre e exclusivamente, até o fim de sua vida, a seus estudos favoritos. Recebeu as primeiras lições de Alquimia de seus médicos, Thaddæus de Hayec e, mais tarde, de Miguel Mayer e Martin Rulland. Todos os alquimistas, quaisquer que fossem suas nacionalidades e condições, tinham a segurança de ser bem recebidos na corte do imperador, que os recompensava com generosidade quando, em sua presença, executavam um experimento digno de interesse. De sua parte, os alquimistas não se mostravam ingratos; deram a seu régio protetor o título de *Hermes da Alemanha* e em todas as partes decantaram seus méritos. Rodolfo, segundo seus biógrafos, figurava entre os afortunados possuidores da pedra filosofal, o que foi comprovado, depois de sua morte, quando se encontraram em seu laboratório oitenta e quatro quintais (1 quintal = 4 arrobas) de ouro e sessenta de prata, fundidos em pequenas massas com o formato de ladrilhos.

Roga (*Sânsc.*) — Enfermidade, pena, dor.

Rogaha (*Sânsc.*) — Remédio, medicina.

Rogalakchana (*Sânsc.*) — Sinal ou sintoma de enfermidade.

Roger Bacon — Celebérrimo frade franciscano, que viveu na Inglaterra, no séc. XIII. Era um alquimista que acreditava firmemente na existência da pedra filosofal e também um grande mecânico, químico, físico e astrólogo. Em seu tratado *Admirável Força da Arte e da Natureza*, faz algumas indicações sobre a pólvora e prediz o emprego do vapor como força propulsora; descreve, além disso, a prensa hidráulica, o sino para mergulhadores e o caleidoscópio. Construiu também uma famosa cabeça de bronze, provida de um aparelho acústico, que pronunciava oráculos. [Por sua vastíssima inteligência, a maior que já houve na Inglaterra, recebeu o qualificativo de *Doctor Admirabile*. Fez notáveis descobertas nas ciências físico-químicas, tais como o papel desempenhado pelo ar na combustão, as propriedades de vários sais, a ação das lentes e dos cristais convexos, as lentes acromáticas etc. Escreveu também algumas obras sobre Alquimia (*Espelho dos Segredos* etc.) Ver *Bacon*.]

Rohanee ou **Rohani** — Os sufis designam com este nome o *Âtma-Vidyâ* ou Conhecimento do Espírito.

Rohel (*Alq.*) — Sangue de dragão.

Rohina (*Sânsc.*) — Parte da manhã, antes do meio-dia, em que se pratica a cerimônia do *zrâddha*.

Rohini (*Sânsc.*) — O quarto asterismo lunar, chamado o Carro.

R

Rohinî (*Sânsc.*) — Ver *Rohini*. — Uma das filhas de Dakcha, que chegou a ser a esposa favorita de Soma (Chandra), deus da Lua. Uma das esposas de Vasudeva (pai de Krishna) e mãe de Balarama (irmão de Krishna). Também é o nome de uma das esposas de Krishna. (Ver *Chandra*.)

Rohinilâ (*Sânsc.*) — Antigo nome de um mosteiro visitado por Buddha Zâkyamuni e atualmente chamado de Roynallah. Situa-se próximo a Balgada, no Behar oriental.

Rohinîpati ou **Rohinîza** (*Sânsc.*) — Literalmente: "Senhor de Rohinî". Epíteto de Soma, regente da Lua e esposo de Rohinî.

Rohit (*Sânsc.*) — Corça. Forma assumida por *Vâch* (o *Logos* feminino e aspecto feminino de Brahmâ, que a criou de uma metade de seu corpo), para fugir das exigências amorosas de seu "pai", que para tal objetivo se transformou num cervo *vermelho*, visto que a cor de Brahmâ é vermelha. [*Rohit* significa também vermelho e, como substantivo, a fêmea de alguns animais (gamo, antílope etc.) de tal cor.]

Rohita (*Sânsc.*) — Vermelho ou avermelhado. Um cavalo avermelhado, uma espécie de veado ou antílope vermelho; sangue; guerra; o arco de Indra.

Rohitaka Stupa (*Sânsc.*) — A *dagoba* ou "*stupa* vermelha" edificada pelo rei Azoka e na qual Maitribala-râjâ alimentou com seu sangue alguns *yakchas* extenuados pela fome. Os *yakchas* são demônios inofensivos (elementais) chamados *punyajanas* ou "boa gente". (Ver *Yakchas*.)

Rohitazva (*Sânsc.*) — Agni. O filho de Harizchandra.

Roma (*Sânsc.*) — Água; corrente de água; agulheiro; pelo ou cabelo.

Romaharcha (*Sânsc.*) — Ereção do cabelo; calafrio, estremecimento.

Romaharchana (*Sânsc.*) — Horripilante; comovedor; que faz estremecer; que causa viva emoção.

Romaka-pura (*Sânsc.*) — Era um ponto do continente da Atlântida, onde nasceu Asuramaya. (*Doutrina Secreta*, II, 54.)

Romakûpas (*Sânsc.*) — Poros da pele. (Ver *Nascida do Suor* (*Raça*).)

Roman (*Sânsc.*) — Cabelo, pelo, plumas, escamas.

Rondas (Círculos, Anéis, Revoluções) — Como se disse no verbete *Cadeia Planetária*, esta encontra-se constituída por sete globos ou mundos dispostos em forma de dois arcos unidos em sua extremidade inferior, um descendente (que compreende os globos designados pelas letras A, B e C) e outro ascendente (que compreende os globos E, F e G), figurando o globo D (o quarto) no ponto de união entre ambos os arcos. Os sete globos da Cadeia constituem, em conjunto, um agregado ou corpo planetário, que se desintegra e novamente se forma sete vezes no curso da vida planetária. Esta Cadeia tem, pois, por assim dizer, sete encarnações e os resultados de cada uma são transmitidos para a seguinte. Estas sete encarnações (*manvantaras*) constituem a evolução planetária, o reinado de um *Logos planetário*, e cada uma delas se subdivide em sete períodos. Uma onda de vida, procedente do referido *Logos*, dá uma volta completa pela cadeia e sete destas grandes ondas de vida, denominadas "Rondas", completam um *manvantara*. Em cada uma destas Rondas ou voltas em torno da série de mundos, que formam a Cadeia planetária, vão se desenvolvendo as Mônadas ou Individualidades humanas e este desenvolvimento se verifica através de ondas sucessivas, que correspondem aos diversos globos da Cadeia, sendo preciso notar que, assim como o esquema completo da Natureza a que pertencemos se desenvolve através de tal série de Rondas sucessivas ao redor de

R

todos os mundos, assim também o desenvolvimento da humanidade de cada um dos mundos verifica-se através de uma série de Raças desenvolvidas, por sua vez, dentro dos limites de cada mundo. Além disso, cada Ronda está especialmente destinada à preponderância de um dos sete "princípios" humanos, na ordem regular de sua gradação ascendente. (A. P. Sinnet, *Buddhismo Esotérico*, p. 82, 83) o Alento do *Logos* planetário desperta a vida sucessivamente em cada um dos sete globos ou mundos, começando pelo globo A, no qual traz à vida, uma após outra, as inúmeras formas que em sua totalidade constituem um mundo. Uma vez atingida a evolução um certo limite, a onda de vida passa para o globo B e, então, o globo A submerge lentamente em sono aprazível e, assim, a onda de vida vai passando de um globo para outro, até ter percorrido todo o círculo no globo G e terminado sua evolução. Sobrevém então um período de repouso (*pralaya*), durante o qual cessa toda a atividade evolutiva exterior. A segunda Ronda começa pelo globo A, como anteriormente, porém num grau mais elevado de desenvolvimento evolutivo. Este processo se repete seis vezes, porém na sétima Ronda, ou seja, a última do *manvantara*, ocorre uma mudança, pois o globo A, tendo completado já seu sétimo período de vida, desintegra-se de modo gradual, sobrevém o estado de centro *laya* imortal e, no despontar da aurora do *manvantara* seguinte, desenvolve-se desse globo um novo globo A, como um corpo recente, no qual passam a residir os "princípios" do planeta A anterior. Assim, durante um *manvantara*, cada globo tem sete períodos de atividade, sendo cada um deles, por sua vez, o campo onde a vida evolui. Se considerarmos agora um globo isolado, veremos que, durante cada período de atividade, evoluem nele sete Raças-Mães de uma humanidade, ao mesmo tempo em que seis outros reinos não-humanos (os três elementais, o mineral, o vegetal e o animal), em dependência mútua, também evoluem. Estes reinos contém formas em todos os graus de evolução e ante os mesmos estende-se a perspectiva de um desenvolvimento superior. Assim é que, quando o período da atividade do primeiro globo chega a seu fim, as formas evolutivas passam para o globo seguinte, a fim de continuar seu desenvolvimento e continuam seguindo seu curso progressivo de um globo para outro até o término daquela Ronda, seguindo novamente seu curso, Ronda após Ronda, até o fim das sete Rondas, ou seja, do *manvantara*, e uma vez mais continuam ascendendo de *manvantara* em *manvantara* até o término das encarnações de sua Cadeia planetária, no qual o *Logos* planetário colhe o resultado da evolução na série de globos. (A. Besant, *Sabedoria Antiga*, cap. XII) Em cada Ronda há catorze Manus e cada um deles, como patrono antropomorfizado de sua Ronda ou ciclo especial, é a ideia personificada do Pensamento divino e, por conseguinte, é o deus especial, o criador e formador de tudo o que aparece durante seu respectivo ciclo de existência ou *manvantara*. (*Doutrina Secreta*, I, 93) Atualmente nos encontramos no quarto planeta (D) e na quinta Raça da quarta Ronda do presente *manvantara*, exatamente no ponto médio do esquema maior de nossa evolução. Para maiores detalhes, ver a *Doutrina Secreta*, a *Genealogia do Homem* etc. (Ver os verbetes *Anéis e Rondas, Cadeia Planetária, Roda* etc.)

Ropa ou **Ropana** (*Sânsc.*) — Agitação, perturbação ou confusão de ideias.

Roquetaillad — Conhecido mais comumente pelo nome de Rupescissa. Famoso alquimista que expôs um procedimento para preparar a pedra filosofal com o sal marinho. Atribuiu ao *Magister Magistus* a propriedade de transmutar em ouro cem partes de metal impuro. (Ver *Rosário filosófico.*)

Rosa (*Alq.*) — Significa a mudança da cor branca da matéria filosófica para a cor vermelha.

Rosa-cruzes (*Mist.*) — Este nome foi dado inicialmente aos discípulos de um sábio Adepto chamado Cristian Rosenkreuz, que viveu na Alemanha por volta de 1460 e

R

fundou uma ordem de estudantes místicos, cuja história primitiva encontra-se na obra alemã intitulada *Fama Fraternitatis* (1614), que foi publicada em vários idiomas. Os membros dessa Ordem guardaram seu segredo, porém encontram-se vestígios deles em diferentes locais a cada meio século das datas apontadas. A *Societas Rosicruciana in Anglia* é uma ordem maçônica, que adotou a qualidade de membro na "externa"; a *Chabradt Zereh Aur Bokher* ou Ordem do G. D., que era um esquema completíssimo de iniciação na Cabala e Magia superior do tipo ocidental ou hermético e admite ambos os sexos, é descendente direta das fraternidades de Rosa-cruzes da Idade Média, que, por sua vez, descendiam dos mistérios egípcios. (W. W. W.) [A Sociedade dos Rosa-cruzes, que tanto ruído fez na Alemanha e na França no início do séc. XVII, era uma fraternidade alquímica, cabalística e teosófica. Dela se tem muito poucos dados precisos, porque era uma sociedade tão secreta, que seus membros eram qualificados de "invisíveis", conforme um artigo de seus estatutos, que dizia: "Esta sociedade deve manter-se secreta pelo tempo de cento e vinte anos". O fundador desta fraternidade, entre cujos membros mais esclarecidos encontrava-se o grande Paracelso, foi um alemão chamado Cristian Rosenkreus, nascido em 1378, de pais nobres ainda que pobres. Segundo um opúsculo intitulado *Fama fraternitatis Rosæ Crucis* (Manifesto da fraternidade Rosa-cruz), publicado em 1614, aproximadamente, aos dezesseis anos conheceu alguns magos, com os quais trabalhou durante cinco anos. Quando estava com vinte anos, empreendeu uma longa viagem para a Turquia, Palestina e Arábia. Neste último país encontrou alguns filósofos, que lhe comunicaram parte de seus conhecimentos ocultos. Em Fez teve ocasião de conversar com alguns cabalistas, aprendendo o que desejava saber. De volta à sua terra natal, encerrou-se numa gruta, onde viveu solitário até idade avançadíssima, são de corpo e de espírito. Inútil acrescentar que os membros desta Sociedade foram objeto de cruéis perseguições por parte da Igreja cristã.]

Rosário — A origem deste fio de contas é muito antigo. Os hindus representavam Padma-pâni com um rosário no pescoço. (Ver *Padmapâni*) Os antigos romanos usavam o rosário; este era conhecido também no Japão, Sião, Tonkin, Ceilão e outros países. Era igualmente usado entre os maometanos, tomado deles por Pedro o Ermitão, para que fosse utilizado pelos cruzados. Os turcos possuem um rosário composto de seis dezenas e outro, de cem grãos, dividido em três partes, enquanto passam pelos dedos as contas da primeira parte, pronunciam trinta vezes a fórmula *Soubhan lallah*, que significa Deus é digno de louvor; na segunda, dizem as palavras *Elham lallah*, ou Glória a Deus, e na terceira, *Allah ecber*, ou Deus é grande.

Rosário filosófico — Título de uma obra de Arnaldo de Vilanova, na qual se descreve um procedimento para preparar a pedra filosofal. Nesta obra diz o autor: "Aquele que conhece o sal e sua preparação, possui o segredo oculto dos antigos sábios".

Rosetta, *Pedra de* — Em 1799, durante a expedição de Napoleão ao Egito, Boussard, oficial francês, descobriu em Roseta uma pedra coberta com uma tripla inscrição: hieroglífica (ou língua sagrada), demótica (língua egípcia vulgar) e grega. Esta pedra serviu de base para os primeiros ensaios feitos para decifrar a escrita egípcia.

Ro-sta (*Eg.*) — Literalmente: "Porta da passagem". Com esta expressão designa-se a entrada da tumba e é também o nome de uma localidade mística frequentemente mencionada no *Livro dos Mortos*. Havia sacerdotes afeitos ao culto dos deuses de Ro-sta. (Pierret, *Dict. D'Arch. Égypt.*)

Rostan — Livro dos Mistérios de Rostan; uma obra oculta em sânscrito.

Rowhanee, Rowhani ou Er-Ruhani (*Eg.*) — É a magia do Egito moderno, que, segundo se supõe, procedeu dos Anjos e Espíritos, isto é, Gênios, e na qual utilizam-se os

R

misteriosos nomes de Alá. Há duas formas: *Ilwe*, que é a magia branca ou superior, e *Suflee* e *Sheytanee*, magia negra, inferior ou demoníaca. Há também a *Es-Seemuja*, que é a conjuração. Várias são as opiniões sobre a importância de um ramo de magia chamado *Darb el Mendel* ou, como e denomina Baker em inglês, o *Mendal*. Por esta expressão entende-se uma forma de clarividência artificial exibida por um rapaz, que não chegou à puberdade, ou por uma virgem, que, por efeito de autofascinação produzida por estar com a visão fixada num recipiente cheio de tinta que tem nas mãos, com o uso simultâneo de encantamentos e vapores de incenso, vê certas cenas da vida real, que passam sobre a superfície de tal recipiente. Vários viajantes orientais relataram casos desta índole, como E. W. Lane, em *Egípcios Modernos* e suas *Mil e uma Noites*, e E. B. Barker. Tais incidentes foram introduzidos também em muitas obras de ficção, tais como o *Navio Fantasma* de Marryat e uma ideia análoga foi entretecida com a história de *Rosa Maria* e *A Pedra de Berílio*, poema composto por Rossetti. Para obter uma tentativa superficial de explicação do fenômeno, ver *Quarterly Review*, n° 117. (W. W. W.)

Ru (*Sânsc.*) — Som, ruído, grito, gemido; batalha; medo, alarma; corte, divisão. (Ver *Ro.*)

Ruach (*Hebr.*) — Ar e também Espírito, um dos "princípios humanos" (*Buddhi-Manas*). [Entre os cabalistas e ocultistas, *Ruach* é a Alma espiritual (*Buddhi*). (Ver *Doutrina Secreta*, I, 262.) Por vários séculos reinou uma lamentável confusão entre os cabalistas ocidentais, que denominam de *Ruach* (Espírito) ao que chamamos de *Kâmarûpa*, enquanto que para nós, *Ruach* seria a Alma espiritual ou *Buddhi*, e *Nephesh* o quarto princípio, a alma vital ou animal. Eliphas Levi incorre no mesmo erro. (*Doutrina Secreta*, II, 670, nota) (Ver *Nephesh* e *Neshamah*.)]

Ruach Elohim (*Hebr.*) — O Espírito dos deuses; corresponde ao Espírito Santo dos cristãos. Significa também: vento, alento e água corrente. (W. W. W.)

Rua'h (*Hebr.*) — Espírito.

Rübezahl (*Alem.*) — Ver *Number Nip*.

Rubi (*Alq.*) — Magistério ao rubro perfeito.

Rubificação (*Alq.*) — Continuação do regime hermético, no qual se faz a matéria passar da cor branca para a vermelha.

Ruch (*Sânsc.*) — Luz, esplendor, brilho, beleza; desejo; explosão de alegria ou regozijo.

Ruch (*Sânsc.*) — Cólera, ira, furor.

Rucha (*Sânsc.*) — Ver *Ruch*.

Ruchaka (*Sânsc.*) — Adorno, atavio; grinalda; um perfume; objeto de bom agouro. Como adjetivo: belo, formoso, brilhante, virtuoso, agradável.

Ruchi (*Sânsc.*) — Luz, brilho, raio de luz; lustro, beleza; desejo; paixão, sede; fome; atenção fixa num objeto.

Ruchira (*Sânsc.*) — Belo, brilhante; vistoso; agradável; doce. Aquilo que brilha, agrada ou seduz.

Ruchya (*Sânsc.*) — Aquilo que dá prazer, que é agradável, grato; marido amante.

Rud (*Sânsc.*) — Pranto; pesar, aflição, dor.

Rudatha (*Sânsc.*) — Cão; discípulo; estudante.

R

Ruddha (*Sânsc.*) — Impedido; obstruído.

Rûdha (*Sânsc.*) — Elevado, sublime.

Rûdhi (*Sânsc.*) — Crescimento; broto; produção; notoriedade.

Rudhira (*Sânsc.*) — Sangue; o planeta Marte. Como adjetivo: vermelho.

Rudimento — Em ocultismo, equivale a Elemento.

Rudra (*Sânsc.*) — Um dos epítetos do deus Shiva, o Destruidor. [Rudra é uma forma de Shiva. No *Rig-Veda* não se encontra o nome de Shiva e o Deus a ele correspondente é Rudra. (*Doutrina Secreta*, II, 648) No *Yajur-Veda Branco*, Rudra aparece pela primeira vez como o grande Deus (*Mahâdeva*), cujo símbolo é o *longam* (ver esta palavra). No *Rig-Veda*, Rudra é chamado de "uivador" ou "gemedor", divindade ao mesmo tempo benéfica e maléfica, o Curador e o Destruidor. No *Vishnu-Purâna*, é o deus que nasce da fronte de Brahmâ, que se divide em macho e fêmea e é o pai dos Rudras ou Maruts. Nos *Vedas*, é o *Ego* divino, que aspira voltar a seu estado puro e deífico e, ao mesmo tempo, o *Ego* divino aprisionado na forma terrestre, cujas violentas paixões fazem dele o "uivador", o "terrível". (*Doutrina Secreta*, II, 578.) - Ver *Rudras*.]

Rudras (*Sânsc.*) — Os "poderosos"; os senhores dos três mundos superiores. Uma das classes de espíritos "caídos" ou que se encarnam. Todos eles nasceram de Brahmâ [segundo o *Vishnu-Purâna*, enquanto que em outras obras lemos que os onze Rudras são filhos de Kazyapa e Surabhi. Na *Doutrina Secreta* diz-se que os Rudras são filhos de Rudra e constituem as sete manifestações de Rudra-Shiva, o deus destruidor e também o grande Yogi e asceta (II, 173). São alguns semideuses imensamente poderosos e têm de nascer em cada idade, isto é, reencarnam-se em cada *manvantara* (II, 242), com um nome diferente em cada "período" (II, 651). Metade deles é brilhante e benévola; os demais são negros e ferozes. São em número de onze e seus nomes são: Ajaikapâd, Ahivradhana, Aparâjita, Virûpâkcha, Surezvara, Jayanta, Bahurûpa, Tryambaka, Savitra, Hara e Rudra. Foram designados também como "dez alentos vitais (*prana*), com o coração (*manas*) como décimo primeiro" (II, 578). Outros autores dizem que os Rudras personificam as onze distinções de Shiva (sabedoria, bondade, valor, poder, justiça, verdade etc.). O chefe de todos eles é Hara ou Zañkara, que é o mesmo que Shiva. (Ver *Bhagavad-Gîtâ*, X, 23.) No *Rig-Veda*, os Rudras são identificados com os Maruts, embora sob outro aspecto, tornando-se as personificações dos ventos e relacionando-se com ventos e tempestades. Daí seu nome, que significa "chorões" ou "gemedores", da raiz *rud* (chorar, gemer) e alude ao rumor produzido pelo vento.]

Rudrabali (*Sânsc.*) — Oferenda em honra aos Rudras.

Rudra-loka (*Sânsc.*) — O mundo celeste de Rudra (Shiva).

Rudrâni (*Sânsc.*) — Esposa de Rudra.

Rudrâri (*Sânsc.*) — Sobrenome de Kâma.

Rudra-sâvarna (*Sânsc.*) — Nome do décimo Manu. (Ver *Manu Svâyambhuva*.)

Rudra-Shiva (*Sânsc.*) — O deus destruidor e também o Grande Yogi e asceta, antecessor de todos os Adeptos. Chamado de o "primeiro" e o "último", é o patrono das terceira, quarta e quinta Raças-Mães. (*Doutrina Secreta*, II, 528, nota) Vishnu, o deus conservador, transforma-se em Rudra-Shiva, o destruidor. (*Ibid.*, I, 573)

Ruha (*Sânsc.*) — Que cresce ou aumenta.

Ruj (*Sânsc.*) — Enfermidade.

R

Rujâ (*Sânsc.*) — Ruptura; destruição; enfermidade.

Rujakâra (*Sânsc.*) — Um dos sentimentos ou *bhâvas* expressos pela poesia (o mal de amor).

Ruk (*Sânsc.*) — Homem rico, dadivoso, liberal, esplêndido.

Rûkcha (*Sânsc.*) — Seco, árido, áspero, severo, desagradável; rude.

Rukma (*Sânsc.*) — Ouro.

Rukpratikriyâ (*Sânsc.*) — Cura das enfermidades; medicina prática.

Runas (*Es.*) — O idioma e os caracteres rúnicos constituem a língua e o alfabeto do mistério e dos sacerdotes dos antigos escandinavos. As *runas* derivam da palavra *rûna*, segredo. Por conseguinte, nem a língua nem os caracteres podem ser bem compreendidos ou interpretados sem a chave dos mesmos. Assim é que, enquanto as rumas escritas, que constam de dezesseis letras, são conhecidas, as antigas, compostas de traços e signos, são indecifráveis. Foi-lhes dado o nome de caracteres mágicos. "É evidente – diz E. W. Anson, verdadeira autoridade em matéria de tradições e crenças dos antigos escandinavos – que as runas, devido a várias causas, foram, também na Alemanha, consideradas propriamente como misteriosas e dotadas de virtude sobrenatural." Segundo se diz, foram inventadas por Odin. [Estes caracteres eram gravados sobre tábuas ou bastões de madeira, chamados bastões rúnicos. Também são denominados de runas os conhecimentos transmitidos desta maneira. (*Os Eddas*)]

Rundikâ (*Sânsc.*) — Poder extraordinário ou sobrenatural; mensageira; mediadora; umbral, campo de batalha.

Rûpa (*Sânsc.*) — Corpo; uma forma qualquer, sendo este termo também aplicado às formas dos deuses, que são subjetivas para nós. [Forma, figura, corpo, imagem, aspecto exterior, aparência, calor; natureza, natural, caráter, condição; representação; sinal; particularidade; circunstância; beleza; ideia. – *Kâmarûpa*: forma causada pelo desejo; *Mâyâ-vi-rûpa*: forma ilusória causada pela vontade e imaginação de uma pessoa, que, conscientemente, *projeta* seu próprio reflexo astral, como o de qualquer outra forma. (*F. Hartmann*).]

Rûpa-devachan (*Sânsc.*) — As quatro subdivisões inferiores do *Devachan* pertencem ao mundo da forma e nelas cada pensamento apresenta-se como uma forma.

Rupaka (*Sânsc.*) — Forma, figura; figura retórica; representação dramática.

Rûpa-pitris (*Sânsc.*) — As quatro hierarquias corpóreas de *Pitris*: os *Barichads*. (Ver *Pitris*.)

Rûpâstra (Rapa-astra) (*Sânsc.*) — Literalmente: "que tem por arma a beleza". Epíteto de Kâma.

Rûpa-tattva (*Sânsc.*) — Índole, natural, caráter, propriedade essencial. "A essência da forma". (*P. Hoult*)

Rûpavat (*Sânsc.*) — Dotado de forma; uma figura; belo; bem-feito.

Rupescissa — Ver *Roquetaillad*.

Rûpin ou **Rûpya** (*Sânsc.*) — Ver *Rûpavat*.

Ruta (*Sânsc.*) — Nome de uma das últimas ilhas da Atlântida, que foi destruída séculos antes de Poseidônia, a "Atlântida" de Platão. [*Ruta*, em sânscrito, significa também "grito".]

R

Rutas (*Sânsc.*) — Antigo povo que habitava a anteriormente mencionada ilha ou continente do Oceano Pacífico.

Ruzadvapus (*Véd.*) — Que tem um corpo brilhante.

Ruzat (*Véd.*) — Brilhante, refulgente.

S

S — Décima letra do alfabeto inglês e décima oitava do alfabeto português; numericamente, *sessenta*. Em hebraico, é a décima quinta letra, *Samej*, considerada como letra sagrada, porque "o sagrado nome de Deus é *Samej*". Seu símbolo é um pilar ou coluna e um ovo fálico. Em geometria oculta, é representada por um círculo com dois diâmetros em forma de cruz. Na Cabala, as "divisões do *Grande Éden* ou paraíso" encontram-se distribuídas de modo semelhante. Em sânscrito, é a quadragésima sexta e a terceira sibilante do alfabeto. Soa como o *s* em português, enquanto que as outras duas sibilantes, a primeira, que nas transliterações é geralmente expressa com um *s*, *sh*, *sh*, *s*, *z* ou *ç*, soa quase como o *z* sibilante ou como o *ç* francês de *maçon*; a segunda, que é expressa por *sh*, *sh* ou *s* (o que leva a contínuas confusões), soa como o *ch*.

Sa (*Sânsc.*) — Símbolo do processo de inspiração. O *sakti*, modificação receptiva da matéria vital, é também chamado de *Sa*. (*Râma Prasâd*) No início de uma palavra, equivale a *com, juntamente com, dotado de*, etc. [*sabîja* (*sa-bîja*) significa "com semente". Ver *saha* e *sam*.]

Sa ou **Hea** (*Cald.*) — É a síntese dos sete deuses na mitologia babilônica.

Sâ (*Eg.*) — Ver *Sacerdotisas*.

Sabacias — Festas que os frígios celebravam em honra de Baco, chamado pelo nome de Sabácio. Tais festas consistiam em danças, corridas e transportes frenéticos.

Sabädha (*Sânsc.*) — Penoso, opressivo; desvantajoso.

Sabaísmo — Ver *Sabeísmo*.

Sabalâswas ou **Shabalâshvas** (*Sânsc.*) — Filhas de Dakcha, em número de mil. (*Doutrina Secreta*, II, 288.)

Sabali (*Sânsc.*) — Crepúsculo.

Sabândhava (*Sânsc.*) — Significado idêntico ao de *Svabândhava*. (Ver esta palavra.)

Sabandhu (*Sânsc.*) — Parente, achegado; da família.

Sabao (*Gr.*) — Nome gnóstico do gênio de Marte.

Sabaôth (*Hebr.*) — Um exército ou uma hoste; de *sâbâ*: ir para a guerra. Daí o nome do deus da guerra: o "Senhor de Sabaôth [ou dos exércitos]".

Sabbannu (*Pál.*) — Equivalente ao sânscrito *sarvajña* (ver esta palavra).

Sabda ou **Shabda** (*Sânsc.*) — Som, ruído; voz, clamor; palavra, linguagem, nome, título; a palavra revelada ou revelação.

Sabda Brahman (*Sânsc.*) — "A palavra Brahma"; palavra divina; as Sagradas Escrituras; a teologia; os *Vedas*.

Sabedoria — A "própria essência da sabedoria está contida no Não-Ser", dizem os cabalistas; porém, estes aplicam tal termo também ao VERBO ou *Logos*, o Demiurgo, pelo qual o Universo foi chamado à existência. "A única Sabedoria está no Som", dizem os ocultistas; e, por outro lado, por *Logos* dá-se a entender o Som, que é a parte fundamental do *Âkâza*. Como diz *o Zohar* ou "Livro do Esplendor": "É o Princípio de todos os Princípios, a Sabedoria misteriosa, a Coroa de tudo o que há de mais elevado" (*Zohar*, III, fol. 288, *Qabbalah* de Myer). E já se explicou que "sobre o *Kether* [a Coroa] está o *Ayn* ou *Ens*, isto é, *Ain*, o Nada". Porque é assim chamada não sabemos, nem é possível saber "o que *existe naquele Princípio, porque... está acima da própria Sabedoria*". (*Ibid.*,

S

III, fol. 288) Isto prova que os verdadeiros cabalistas concordam com os ocultistas em que a essência ou aquilo que *existe* no princípio de Sabedoria está ainda mais acima da Sabedoria mais elevada.

Sabeísmo — A religião dos antigos caldeus. Estes, embora acreditassem num Princípio deífico, impessoal; universal, não o mencionavam jamais, porém cultuavam aos deuses e regentes do Sol, da Lua e dos planetas, considerando como seus símbolos respectivos os astros e outros corpos celestes.

Sabelianismo — Doutrina herética de Sabélio, africano do séc. III, baseada na crença de um só Deus que se revela sob três nomes diferentes, negando, portanto, a distinção das três Pessoas e o mistério da Santíssima Trindade, segundo o admite a Igreja Cristã.

Sabeus — Chamados de astrólatras; os que adoram os astros ou, melhor dizendo, seus "regentes". (Ver *Sabeísmo*.)

Sabhâ (*Sânsc.*) — Assembleia; lugar para reuniões sociais ou políticas. Também *Mahâsabhâ*, "acúmulo de coisas maravilhosas (mâyâvicas ou ilusórias)", a dádiva de Mayâsur aos pândavas. *(Mahâbhârata) Sabhâ* significa também: casa, morada.

Sabhâjana (*Sânsc.*) — Honra que se tributa a alguém.

Sabhâsad (*Sânsc.*) — Pessoa que concorre a uma reunião ou assembleia.

Sabhâsthânu (*Sânsc.*) — Jogador assíduo.

Sabhochita (*Sânsc.*) — Pandita, sábio brâhmane.

Sabhya (*Sânsc.*) — Fidedigno, respeitável; concorrente a uma assembleia. Um dos cinco fogos mencionados nas *Leis de Manu*, III, 100.

Sabîja (sa-bîja) ou **Savîja** (*Sânsc.*) — Literalmente: "com semente". (Ver *Sabîja-Samâdhi*.)

Sabîja-Samâdhi (*Sânsc.*) — Literalmente: "*Samâdhi* com semente" ou objetivo. Meditação consciente, ou seja, aquele estado de concentração mental em que, embora a mente encontre-se livre de transformações (*vrittis*), é consciente daquilo com que se identifica e por esta razão se chama consciente *(samprajñâta)* ou *sabîja*, porque há a semente que, seguindo seu curso, pode converter-se em várias distrações, que afastam a pessoa da condição de *Samâdhi*. Esta forma de *Samâdhi* é inferior ao *nirbîja-Samâdhi*, ou seja, *Samâdhi* "sem semente" ou inconsciente, verdadeiro estado de Yoga supremo. Este tipo de concentração, a *sabîja*, é também chamada pelos nomes de *Samprajñâta-Samâdhi* e *Savikalpa-Samâdhi*. (Comentário de M. Dvivedi aos *Yoga Sûtra* de Patañjali.) Ver *Nirbîja-Samâdhi*, *Nirvikalpa-Samâdhi* e *Asamprajñâta-Samâdhi*.

Sábios Cristãos ou **Cientistas Cristãos** — Termo inventado para designar aqueles indivíduos que praticam a arte de curar através da *vontade*. Tal nome é impróprio, uma vez que tanto o budista como o judeu, o hindu e o materialista, podem praticar esta nova forma de *Yoga* ocidental com o mesmo êxito, com a única condição de dirigir e dominar sua vontade com firmeza suficiente. Os "cientistas mentais" constituem outra escola rival. Estes operam através da negação universal de toda enfermidade e de todo mal imaginável e pretendem, silogisticamente, que, já que o Espírito universal não pode estar sujeito aos achaques e padecimentos da carne e uma vez que cada átomo é Espírito e está no Espírito e dado que, finalmente, tanto os curadores como a curados estão todos eles absorvidos neste Espírito ou Divindade, não há nem pode haver qualquer

S

enfermidade. Isso não impede, de modo algum, que tanto os sábios cristãos quanto os cientistas mentais sucumbam à doença e padeçam de enfermidades crônicas do corpo, exatamente como todos os mortais.

Sábios ou **Cientistas mentais** — Ver *Sábios cristãos*.

Sabre (*Alq.*) — Fogo dos filósofos.

Sacerdotisas — Todas as religiões tinham suas sacerdotisas nos templos. No Egito, eram designadas pelo nome de *Sâ* e serviam o altar de Ísis, assim como nos templos de outras deusas. *Canephoræ* era o nome dado pelos gregos às sacerdotisas consagradas, que levavam as cestas de oferendas aos deuses durante as festas públicas dos Mistérios de Elêusis. Havia profetisas em Israel assim como no Egito, adivinhas de sonhos e intérpretes de oráculos. Heródoto, além disso, menciona as *hieródulas*, virgens ou monjas consagradas ao Júpiter tebano, que eram geralmente as filhas do Faraó e outras princesas da Casa Real. Os orientalistas falam da esposa de Cefrenes, construtor da chamada segunda Pirâmide, que era sacerdotisa de Toth. (Ver *Monjas*.)

Sach (*Sânsc.*) — Ver *Sat*, cujo *t* foi convertido em *ch* por eufonia.

Sacha Kiriya (*Sânsc.*) — Entre os budistas, é um poder análogo a um *mantra* mágico entre os brâhmanes. É uma energia prodigiosa, que pode ser exercido por qualquer Adepto, sacerdote ou leigo, e "é eficaz ao extremo, quando é acompanhado do *bhâvanâ* (meditação)". Consiste em relatar "os atos meritórios de alguém executados nesta existência ou em alguma outra anterior", segundo Hardy, porém que, na realidade, depende da intensidade da vontade da pessoa, juntamente com uma fé absoluta em seus próprios poderes, embora seja de yoga – voluntário – ou então de alguma oração, como acontece entre os muçulmanos e cristãos. *Sacha* significa "verdadeiro" e *Kiriyang* "ação". É o *poder do mérito* ou de uma vida santa.

Sachakchus (Sa-chakchus) (*Sânsc.*) — Literalmente: "com olhos". Que tem olhos, dotado de visão. Que vê claramente.

Sacharâchara (sa-chara-achara) (*Sânsc.*) — Literalmente: "o móvel juntamente com o imóvel". O móvel e o imóvel; o animado e o inanimado.

Sach-chid-ânanda (*Sânsc.*) — Ver *Sat-chit-ânanda*.

Sach-chid-anza (*Sânsc.*) — Uma partícula da Inteligência Suprema; a inteligência.

Sachetas (*Sânsc.*) — Dono de seu pensamento.

Sachî (*Sânsc.*) — Esposa de Indra, também chamada de Indrânî e Aindrî.

Sacrário — Nome dado ao aposento das casas dos antigos romanos, onde se guardava a divindade particular à qual a família cultuava. Também se chamava *sacrário* o ádito de um templo.

Sacrifício — Nos livros sagrados da Índia e outros países prescreve-se a prática dos sacrifícios de diversos tipos. Por sacrifício entendem-se as cerimônias religiosas geralmente acompanhadas de oblações ou oferendas (arroz, manteiga, reses etc.) em honra das divindades e em benefício dos manes dos antepassados, dos brâhmanes, dos pobres etc. Há sacrifícios de ordem material e outros de índole não-material, tais como o estudo ou a leitura do *Veda*, a prática de austeridades, o cumprimento reto e desinteressado das obras, o sacrifício de sabedoria etc. "Não se deve abandonar os atos de sacrifício, esmola e austeridade, uma vez que são meios de purificação para o sábio." (*Bhagavad-Gîtâ*, XVIII, 5) Ver *Yajñâ*, *Mahâyajña* etc.

S

Sacrifício, *Auto-* — Um dos deveres mais elevados do teósofo é o *próprio sacrifício*, ou seja, dar aos outros mais do que a si mesmo. Este altruísmo é o que distinguiu tão proeminentemente Buddha, Jesus e outros dos maiores Mestres da humanidade e que por si só bastou para granjear-lhes o respeito e o agradecimento perpétuos de sucessivas gerações. Porém o auto-sacrifício deve ser praticado com discernimento, uma vez que, se executado de modo injusto e às cegas, sem se considerar as consequências, pode frequentemente ser não apenas um ato vão, mas até prejudicial. Não se pode esquecer que uma das regras fundamentais da Teosofia é a justiça consigo mesmo, considerando-se como uma unidade coletiva, nem mais nem menos do que qualquer outra, exceto quando, graças ao auto-sacrifício, pode-se trazer benefício aos demais. Ninguém tem o direito de se deixar morrer de fome, para que outro possa alimentar-se, a não ser que a vida deste último seja mais útil aos outros do que a sua própria. Porém é seu dever sacrificar seu próprio bem-estar e trabalhar pelos demais, se estes são incapazes de fazê-lo por si mesmos. A Teosofia prega a abnegação, o sacrifício dos próprios afetos e interesses, porque o altruísmo é parte integrante do próprio desenvolvimento; porém não o sacrifício temerário e inútil, nem justifica o fanatismo. (*A Chave da Teosofia*, p. 237 e ss., 2ª edição inglesa)

Sacrifício, *Lei de* — É uma lei tão universal no reino do Espírito, como o é a lei kármica no reino da Matéria. O Espírito se desenvolve através desta lei de Sacrifício, do mesmo modo que o corpo evolui através da lei de ação e reação chamada Karma. O espírito vive e triunfa pelo sacrifício, do mesmo modo que o corpo prospera e evolui graças a uma atividade sabiamente dirigida. Daí as seguintes declarações, cujo sentido é completamente espiritual: "Quem ama sua vida, a perderá, e quem despreza sua vida neste mundo, a guardará para a vida eterna" (*João*, XII, 25), e mais esta: "Maior bem-aventurança é dar do que receber" (*Atos*, XX, 35). O sacrifício consiste em dar a própria vida em prol dos demais. Esta lei, que produz o desenvolvimento do Espírito, é também aquela pela qual os mundos são criados e sustentados. Todas as religiões, sob símbolos diversos, colocam o sacrifício no início da manifestação divina. Por um ato de sacrifício espontâneo, o *Logos* impõe um limite à sua vida infinita e se manifesta para a emanação do Universo. Pelo sacrifício este Universo é mantido e, finalmente, pelo sacrifício o homem alcança a perfeição. Esta efusão do Espírito divino, que dá origem a um universo, faz do sacrifício a lei da Vida e nos faz compreender que, para o *Logos*, o sacrifício não é algo essencialmente penoso, mas uma efusão de vida espontânea e gozosa, para que os outros dela participem. Para o homem, o sacrifício também não representa dor alguma, a menos que haja desacordo entre a natureza superior, cujo gozo consiste em dar, e a inferior, cuja satisfação é receber e guardar. No homem verdadeiramente espiritual, perfeito, não existe desacordo e, portanto, para ele não há sacrifício doloroso por mais árduo e duro que seja. "Ser um portador da luz do *Logos*, um mensageiro de sua compaixão, um operário de seu reino: eis a única vida digna de ser vivida. Acelerar a evolução humana, servir à boa Lei, apressar uma parte da pesada carga do mundo: isto é o que parece ser a alegria do próprio Senhor." (*Sabedoria Antiga*, 378) Sendo o Espírito a emanação direta da Vida divina, é uma fonte alimentada por um manancial inesgotável; quanto mais se derrama para o exterior, tanto mais recebe. Nos mundos materiais, tudo está ligado pela cadeia sem fim de causa e efeito, tornando-se o efeito uma nova causa e assim sucessivamente até o infinito; "o mundo está ligado pela ação" (*Bhagavad-Gîtâ*, III, 9) e cada ação realizada é um novo laço. Porém, a ação executada como fazendo parte da atividade divina, quando aquele que a executa não é nada além do que o agente que nada busca e nada deseja para si como um eu separado, uma ação tal, oferecida como sacrifício, não se liga a seu autor, porque então é o Todo que opera através da parte e não a parte que atua por si mesma. A ação se liga ao homem, "exceto aquela que é feita como sacrifício". (*Ibid.*, III, 9) Esta é a via que conduz à liberdade. A matéria se liga à

S

atividade egoísta; o Espírito livra pela atividade à guisa de sacrifício. O Espírito triunfa, assim, sobre a matéria; o Homem imortal triunfa sobre os corpos e a vontade humana unifica-se à Vontade Divina. "A Ele nos abandonamos" (*Corão*, II, 83) e o homem oferece seu corpo como "um sacrifício vivo, santo e aceito por Deus" (*Romanos*, XII, 1). (A. Besant, *The Universal Textbook of Religion and Morals*, parte I, p. 121 e ss.) Para levar à prática a lei do Sacrifício, recomenda-se que todos os dias, antes de se começar o labor cotidiano, a pessoa faça de si a oferenda Àquele a quem dedicou sua vida. Seu primeiro pensamento será a consagração de todo o seu ser e de todas as suas faculdades e energias a seu Senhor. Em seguida, oferecerá em sacrifício todos os pensamentos, palavras e obras da vida diária à Divindade e aos venerandos Mestres, que atuam e dirigem a evolução humana e, como expressão da Vontade Divina, aceitará, com ânimo inalterável, tudo o que lhe aconteça: sorte boa ou má, pesares ou alegrias, oferecerá tudo em sacrifício. Acrescentaremos, finalmente, que na lei do sacrifício, que um Mestre denominou de "lei da evolução do homem", são encontradas algumas das mais profundas verdades do Ocultismo. (Ver A. Besant, *Sabedoria Antiga*, capítulo X.)

Sad — Ver *Sat*, cujo *t* foi convertido, por eufonia, em *d*.

Sadâ (*Sânsc.*) — Sempre, continuamente, sem cessar.

Sâda (*Sânsc.*) — Decaimento, prostração; perda, menosprezo, morte. Clarificação de um líquido que forma sedimento.

Sadâbhavya (*Sânsc.*) — Atento, sempre presente.

Sadâchâra (*Sânsc.*) — Boa conduta ou observância; virtuoso, que tem boa conduta.

Sadâ-gati (*Sânsc.*) — Literalmente: "que sempre se move". O vento; o Sol; o Espírito Universal; a via eterna, o caminho do paraíso; constância.

Sadaikarûpa (*Sânsc.*) — A essência da natureza imutável.

Sadana (*Sânsc.*) — Residência; mansão, casa; lugar, assento.

Sâdana (*Sânsc.*) — Que causa prostração, fadiga ou esgotamento. Como substantivo: mansão, casa; assento, lugar.

Sâdânanda (*Sânsc.*) — Literalmente: "sempre gozoso". Epíteto de Vishnu.

Sadarpa (*Sânsc.*) — Altaneiro, soberbo, orgulhoso.

Sadas (*Sânsc.*) — Sessão, assembleia, reunião.

Sad-asad-bhâva (*Sânsc.*) — Realidade e irrealidade; existência e inexistência; verdade e ilusão.

Sad-asat (Sat-asat) (*Sânsc.*) — Ser e não-ser; existente e inexistente; verdadeiro e ilusório; bom e mau.

Sadasat-phala (*Sânsc.*) — Bons e maus frutos ou resultados.

Sadâsukha (*Sânsc.*) — Felicidade ou bem-aventurança eterna.

Sadâtana (*Sânsc.*) — Eterno, perpétuo. Epíteto de Vishnu.

Sadaya (*Sânsc.*) — Compassivo, brando, terno, benévolo, afável.

Sadâyogin (*Sânsc.*) — O eterno Yogi. Epíteto de Vishnu ou de Krishna.

Sadbhâva (*Sânsc.*) — Essência, existência real; realidade, verdade; bondade; honradez; afeto.

Sâdbhûta (*Sânsc.*) — Verdadeiro.

S

Sâdbhuta (*Sânsc.*) — Surpreso, admirado, maravilhado.

Saddharma (*Sânsc.*) — A boa Lei.

Sadeva (*Sânsc.*) — Acompanhado ou protegido pelos deuses.

Sadguna (*Sânsc.*) — Dotado de boas qualidades; bom, virtuoso.

Sâdha (*Sânsc.*) — Execução, realização, cumprimento.

Sâdhana (*Sânsc.*) — Útil.

Sâdhakapitta (*Sânsc.*) — A temperatura do coração, a qual, se diz, é a causa da inteligência e do entretenimento. *(Râma Prasâd)*

Sâdhana (*Sânsc.*) — Execução, acabamento, cumprimento; substância, matéria ou material para se fazer alguma coisa; meios de execução ou obtenção; causa; poder, obra piedosa. Entende-se também por *sâdhana* ou *samâdhi-prâpti* o conjunto de meios para alcançar o estado de *samâdhi*.

Sâdhanta (*Sânsc.*) — Mendigo.

Sâdhârana (*Sânsc.*) — Caráter comum a muitos; lei comum, regra ou prescrição geral. Como adjetivo: comum, geral.

Sadharma(n) ou **Sadharmin** (*Sânsc.*) — Submetido à mesma lei ou às mesmas condições; que tem os mesmos deveres ou as mesmas qualidades; similaridade, de mesma natureza; similar, virtuoso.

Sâdharmya (*Sânsc.*) — Semelhança, igualdade, paridade de condições.

Sadhi (*Sânsc.*) — O fogo; Agni.

Sadhî (*Sânsc.*) — Dotado de inteligência.

Sâdhibhûta (*Sânsc.*) — Juntamente com o Supremo Ser; em que reside o Ser Supremo ou Alma Universal.

Sâdhika (*Sânsc.*) — Sono profundo.

Sadhis (*Sânsc.*) — Meta, objetivo, fim; ponto ou lugar de repouso.

Sâdhiyajña (*Sânsc.*) — Juntamente com o Supremo Sacrifício; em quem reside o primeiro sacrifício.

Sâdhu (*Sânsc.*) — Bom, puro, justo, reto, virtuoso; agradável, belo, excelente. Como substantivo: um *muni*, um santo. [Santos, ascetas e também faquires que praticam o *Yoga* tântrico, isto é, a magia. (Bergua, *Ramayana*, p. 789, notas.)]

Sâdhubhâva (*Sânsc.*) — Bondade, retidão, justiça; virtude, honradez; excelência.

Sâdhuka (*Sânsc.*) — Casta vil ou degradada.

Sâdhuvritti (*Sânsc.*) — Os bons costumes, a boa conduta; regras morais e religiosas.

Sâdhvasa (*Sânsc.*) — Terror.

Sâdhya (*Sânsc.*) — Um dos nomes dos "doze grandes deuses" criados por Brahma. Deuses Kósmicos; literalmente: "sacrificadores divinos". Os *sâdhyas* desempenham papel importantíssimo no ocultismo. [Santo, puro, perfeito. Os deuses cósmicos constituem uma classe de divindades inferiores que habitam o *Bhuvar-loka*, região intermediária entre o céu e a Terra. Nas *Leis de Manu* (II, 195), diz-se que são descendentes dos *Somasads*, filhos de Virâj (o divino Princípio masculino), enquanto que, segundo os *Purânas*, são filhos de Dharma e Sâdhyâ, filha de Dakcha. Originariamente, parecem ter sido personificações dos ritos e preces dos *Vedas*.]

S

Sâdhyasiddi (*Sânsc.*) — Cumprimento, acabamento, o fato de terminar uma coisa; prova; estabelecimento de uma conclusão.

Sâdi (*Sânsc.*) — Cocheiro; guerreiro.

Sadik ou **Sadic** — Idêntico ao Melquisedeque bíblico, que os místicos adoradores da Bíblia identificam com Jeová e Jesus Cristo. Porém, uma vez provada a identidade do Pai Sadik, fica igualmente provada a identidade com Cronos-Saturno.

Sâdita (*Sânsc.*) — Prostrado, decaído, exausto, fatigado; devastado, destruído.

Sadocha (*Sânsc.*) — Culpável, vicioso; defeituoso, imperfeito.

Sadrikcha (*Sânsc.*) — Parecido, semelhante.

Sadriza (*Sânsc.*) — Tal, semelhante, parecido; igual, idêntico, mesmo; conforme, comparável.

Sâdrizya (*Sânsc.*) — Semelhança, paridade.

Saduceus — Uma seita [judaica] constituída pelos seguidores de Zadok, discípulo de Antígono Saccho. Eram acusados de terem negado a imortalidade da alma (pessoal) e a ressurreição do corpo (físico e pessoal). O mesmo fazem os teósofos, embora não neguem nem a imortalidade do *Ego* nem a ressurreição de todas as suas numerosas e sucessivas vidas, que sobrevivem *na memória do Ego*. Porém, juntamente com os saduceus – uma seita de ilustrados filósofos, que eram, em relação aos demais judeus, o que os cultos e ilustrados gnósticos eram em relação aos demais gregos, durante os primeiros séculos de nossa era –, negamos a imortalidade da alma *animal* e a ressurreição do corpo físico. Os saduceus eram os homens sábios e instruídos de Jerusalém e desempenhavam os mais elevados cargos, tais como sumos-sacerdotes e juízes, enquanto que os fariseus eram quase todos, do primeiro ao último, os pouco escrupulosos hipócritas da Judeia.

Sadus (*Cald.*) — Na mitologia caldeia, constituem uma classe de espíritos ou gênios.

Sadvritta (*Sânsc.*) — Bem natural; de bem natural; de bons costumes.

Saehrimmer (*Esc.*) — O porco que há no Walhall, do qual comem todos os dias os guerreiros, que morrem no campo de batalha, e que, contudo, está sempre inteiro.

Safekh (*Eg.*) — Escreve-se também *Sebek* e *Sebakh*. Deus das trevas e da noite, que tem por emblema o crocodilo. Na lenda e transformação tifoniana, é idêntico a Tífon. Está relacionado com Osíris e Hórus e é o grande inimigo de ambos na Terra. Frequentemente é chamado de "triplo crocodilo". Em astronomia, é idêntico a Makara ou Capricómio, o mais místico de todos os signos do Zodíaco.

Safira — Pedra preciosa de cor azul. Os filósofos dão o nome de *Safira* à sua água mercurial.

Saga (*Esc.*) — A deusa "que canta as façanhas dos deuses e heróis" e a quem os corvos negros de Odin revelam a história do passado e do futuro, segundo o *Edda* dos antigos escandinavos. [Ver *Edda* e *Skaldas*.]

Sagadgada (*Sânsc.*) — Balbuciante.

Sagandha (*Sânsc.*) — Odorífero.

Sagani — Elementais ou espíritos da Natureza. Falando dos corpos desta classe de espíritos, diz Paracelso: "Há dois tipos de carne: uma que vem de Adão e outra que não vem de Adão. A primeira é material e grosseira, visível e tangível para nós; a outra é intangível e não é feita de terra... Um ser que não descende de Adão pode passar através da matéria sólida sem sofrer qualquer dano. Tanto os seres que não descendem de Adão como aqueles que dele descendem são organizados e têm seu corpo substancial. Mas há tanta diferença entre a substância que compõe seus respectivos corpos como aquela que existe entre a Matéria e o Espírito. Contudo, os elementais não são propriamente espíritos, porque têm carne, sangue e ossos; vivem e propagam sua espécie, comem e falam, trabalham e dormem etc. São seres que ocupam um lugar entre os homens e os espíritos, parecendo com os primeiros em sua forma e organização e com os últimos em sua rapidez de locomoção. Carecem de princípios superiores e, portanto, não são imortais e, quando morrem, perecem como os animais. Nem a água nem o fogo podem causar-lhes danos e não podem ser encerrados em nossas prisões materiais. Porém estão sujeitos a doenças. Seus costumes, ações, formas, maneiras de falar etc., não são muito diferentes daquelas dos seres humanos, porém há muita variedade. Têm apenas intelecto animal e são incapazes de desenvolvimento espiritual. Estes espíritos da Natureza não são animais; têm razão e linguagem como o homem; têm mente, porém não têm alma espiritual. – Têm filhos e estes são como eles. E assim como o homem é feito à imagem de Deus e está mais próximo de Deus, os espíritos elementais são feitos à imagem do homem e dele estão mais próximos." (*Lib. Phil.*, II, citado por Franz Hartmann em *Os Elementais*.)

Sagara (*Sânsc.*) — Rei [de Ayodhyâ, da raça solar], pai de sessenta mil filhos, que, por terem faltado ao respeito com o sábio Kapila, foram reduzidos a cinzas por um só olhar dos olhos deste. (Ver *Kapila*.)

Sâgara (*Sânsc.*) — O oceano. [O rio Ganges recebeu o nome de Sâgara em homenagem ao rei Sagara.]

Sâgarâlaya (*Sânsc.*) — O deus Varuna, que tem o mar por residência.

Sagarbha (*Sânsc.*) — Irmão.

Sagardagan (*Sânsc.*) — Um dos quatro sendeiros que conduzem ao *Nirvâna*.

Sagotra (*Sânsc.*) — Linhagem, parentesco.

Sagrada Ciência — Ver *Ciência Sagrada*.

Sagradas Escrituras Assírias — Os orientalistas mostram sete de tais livros: os Livros de Mamit do Culto, de Interpretações, de Ida ao Hades, dois livros de Orações (*Kanmagarri* e *Kanmikri*: Talbot) e o *Kantolita*, o perdido Saltério assírio.

Sagrado Coração — No Egito, é o de Hórus; na Babilônia, é o deus Bel; na Grécia, é o coração dilacerado de Baco. Seu símbolo era a *persea* (árvore da Pérsia e do Egito). Seu fruto, que tem forma de pêra, e especialmente sua semente, se parecem com um coração. É visto algumas vezes sobre a cabeça de Ísis, mãe de Hórus, com o fruto aberto ao meio, deixando ver claramente a semente cordiforme. Os católicos-romanos adotaram desde então o culto do "Sagrado Coração" de Jesus e da Virgem Maria.

Saguna (*Sânsc.*) — Literalmente: "com gunas". Dotado de atributos, modos ou qualidades (*gunas*).

Saha (*Sânsc.*) — Paciente, que sofre. Como prefixo, em palavras compostas, significa: com, juntamente. (Ver *Sahaloka*.)

Sahabhâva (*Sânsc.*) — Coexistência.

S

Sahabhâvin *(Sânsc.)* — Coexistente; companheiro, associado.

Sahadeva *(Sânsc.)* — Literalmente: "que tem Deus consigo". Nome do mais jovem dos cinco príncipes pândavas. Filho de Mâdrî, segunda esposa de Pându, porém engendrado misticamente por Dasra, segundo dos irmãos gêmeos Azvins. Era muito versado em astronomia.

Sahaja *(Sânsc.)* — Literalmente: "Nascido com". Congênito, natural, nativo, original; estado ou disposição original ou natural.

Sahakâri-kârana *(Sânsc.)* — Causa concomitante ou instrumental.

Sahaloka *(Sânsc.)* — "O mundo de sofrimentos" ou dos que padecem; qualquer mundo habitado do quílio-cosmos (mil mundos). [A Terra, o mundo dos homens.]

Sahampati *(Sânsc.)* — Mahâ ou Parabrahm.

Sâhankâra *(Sânsc.)* — Cheio de egoísmo; egoísta.

Saharakcha *(Sânsc.)* — O fogo dos asuras; nome de um filho de Pavamâna, um dos três principais fogos ocultos.

Saharcha *(Sânsc.)* — Gozo, alegria; inveja, rivalidade, emulação.

Sahârda *(Sânsc.)* — Amigo íntimo; afeto, de coração.

Sahas *(Sânsc.)* — Força, vigor; luz, brilho; o mês de *agrahâyana*; o inverno.

Sâhasa *(Sânsc.)* — Força, vigor, violência; prontidão; castigo.

Sahasâna *(Sânsc.)* — Paciente; que sofre; sacrifício, oferenda.

Sahasika *(Sânsc.)* — Violento ou executado com violência; infligido como castigo; ladrão, bandido.

Sahasra *(Sânsc.)* — Mil.

Sahasrabâhu *(Sânsc.)* — Que tem mil braços.

Sahasradriz *(Sânsc.)* — Que tem mil olhos. Epíteto de Indra.

Sahasrakcha *(Sânsc.)* — Ver *Sahasradriz*.

Sahasrakirana *(Sânsc.)* — "Que lança mil raios de luz." O Sol.

Sahasrapad *(Sânsc.)* — "De mil pés." Epíteto de Brahmâ.

Sahasrapâda *(Sânsc.)* — O Sol, Vishnu.

Sahasrâra *(Sânsc.)* — Que tem mil pétalas (ou folhas).

Sahasrâra-padma *(Sânsc.)* — Lótus de mil folhas ou pétalas, um dos sete principais *padmas* ou plexos do corpo. É o lótus (*chakra* ou plexo) superior, situado na parte mais alta da cabeça (no cérebro ou, como supõem alguns, na própria glândula pineal) e do qual parte o *suchumnâ* (ver esta palavra). É o sétimo e mais elevado centro, que precisa ser vivificado antes de se alcançar a plena iluminação.

Sahasrâra-patra *(Sânsc.)* — Lótus.

Sahâstitâ (sahâ-stitâ) *(Sânsc.)* — Coexistência.

Sahâyatâ *(Sânsc.)* — Qualidade ou condição de companheiro ou associado; companhia, reunião, associação.

Sahita *(Sânsc.)* — Acompanhado, associado, unido.

Sahitya *(Sânsc.)* — A ciência de retórica e poética.

Sahobala *(Sânsc.)* — Violência; agressão violenta.

S

Sahora (*Sânsc.*) — Asceta; homem paciente e virtuoso.

Sahou (*Eg.*) — O corpo glorificado do *Ego*. (Ver *Reencarnação.*) É também o nome egípcio da múmia. (Pierret, *Dict. d'Arch. Égypt.*)

Sahridaya (*Sânsc.*) — Que tem coração ou valor.

Sahya (*Sânsc.*) — Igual, adequado, proporcionado; doce, agradável.

Saiddhântika (*Sânsc.*) — Relativo a uma verdade demonstrada ou que dela depende.

Saikatika (*Sânsc.*) — Que vive na dúvida ou no erro.

Saint Germain, *Conde de* — Os escritores modernos falam dele como de um personagem enigmático. Frederico II da Prússia costumava dizer que era um homem que ninguém chegou a compreender. Muitas são as suas "biografias" e cada qual mais descabelada e extravagante. Alguns o consideravam como um deus encarnado; para outros, era um hábil judeu alsaciano. A única coisa que se sabe com certeza é que o Conde de Saint Germain (qualquer que fosse seu verdadeiro nome patronímico) tinha direito a seu nome e título, porque havia comprado uma propriedade chamada *San Germano*, no Tirol italiano, e havia pago ao Papa o título. Era de uma galhardia e finura incomuns; sua imensa erudição e suas faculdades linguísticas eram inegáveis, pois falava inglês, italiano, francês, espanhol, português, alemão, russo, sueco, danês e muitas línguas eslavas e orientais com a mesma facilidade que sua língua nativa. Era imensamente rico; nunca recebeu uma moeda de quem quer que seja – na verdade, nunca aceitou um copo de água nem compartilhou do pão com qualquer pessoa; antes, pelo contrário, dava os mais extraordinários presentes a todos os seus amigos e também às famílias reais da Europa. Seu talento como músico era maravilhoso; tocava todos os instrumentos, porém o violino era o seu favorito. "Saint Germain rivalizava com o próprio Paganini", dizia um belga octagenário, em 1835, depois de ouvir o "*mestre genovês*". "É Saint Germain ressuscitado que toca o violino no corpo de um esqueleto italiano", exclamava um barão lituano, que havia ouvido a ambos tocar. – Nunca pretendeu possuir poderes espirituais, mas deu provas de ter direito a tais pretensões. Costumava passar de 37 a 49 horas em êxtase profundo, sem despertar, e então sabia tudo o que tinha de saber e demonstrava o fato vaticinando o futuro sem nunca equivocar-se. Foi quem profetizou ante os reis Luís XV e Luís XVI e a infeliz Maria Antonieta. Numerosas testemunhas ainda vivas no início deste século (XIX) atestavam sua memória maravilhosa. Saint Germain podia ler uma folha de papel pela manhã e, embora tenha passado ligeiramente a vista por ela, repetia seu conteúdo, sem errar uma só palavra, dias depois. Sabia escrever com as duas mãos ao mesmo tempo, redigindo com a direita uma composição poética e com a esquerda um documento diplomático de suma importância. Lia cartas fechadas, sem necessidade de tocá-las, enquanto ainda se encontravam na mão do portador. Foi o maior Adepto no que se refere à transmutação dos metais, produzindo ouro e os diamantes mais prodigiosos, artes que, segundo afirmava, havia aprendido com certos brâhmanes da Índia, que lhe ensinaram a cristalização ("vivificação") artificial do carbono puro. Como diz K. Mackenzie, "em 1780, ao visitar um embaixador francês em Haya, transformou um soberbo diamante em pedaços com um martelo, diamante de sua própria manufatura e cuja duplicata, também fabricada por ele, acabava de vender a um joalheiro por 5.500 luíses de ouro". Em 1772, em Viena, era amigo e confidente do Conde Orloff, a quem havia socorrido e salvado em São Petersburgo, em 1762, quando se encontrava comprometido nas famosas conspirações políticas daquela época; chegou

S

a ser também amigo íntimo de Frederico o Grande, da Prússia. Como é de se supor, teve numerosos inimigos; portanto não é de se admirar que todas as mentiras inventadas sobre ele sejam agora atribuídas às suas próprias confissões. Por exemplo: que tinha mais de quinhentos anos de idade; que pretendia ter intimidade pessoal "com o Salvador e seus doze apóstolos e que repreendeu a São Pedro por seu mau gênio", o que era algo paradoxal, uma vez que, no que se refere ao tempo, ele só tinha quinhentos anos. Se Saint Germain disse que "havia nascido na Caldeia e declarou possuir os segredos dos sábios e magos egípcios", teria dito a verdade, sem fazer nenhuma reivindicação milagrosa. Iniciados há, e não precisamente os mais elevados, que se encontram em condições de recordar mais de uma de suas vidas anteriores. Porém temos boas razões para saber que Saint Germain não poderia jamais ter pretendido "intimidade pessoal" com o Salvador. Seja como for, o Conde de Saint Germain foi indubitavelmente o maior Adepto oriental que a Europa já conheceu durante os últimos séculos. Porém, a Europa não o reconheceu. Talvez alguns o reconheçam no próximo *Terreur* que afetará toda a Europa, quando voltar, e não uma só nação. [Este personagem misterioso surgiu na Europa no século XVIII e início do XIX, na França, Inglaterra e outros países. – H. P. Blavatsky, Glossário de *A Chave da Teosofia*.]

Saint Martin, *Luís Cláudio de* — Nasceu na França (Ambroise), em 1743. Um grande místico e escritor, que fez seus estudos filosóficos e teosóficos em Paris, durante a Revolução. Foi discípulo fervoroso de Jacob Boehme e estudou sob a direção de Martinez Paschalis e finalmente fundou uma Loja mística semimaçônica, "o Rito Retificado de St. Martin", que tinha sete graus. Foi um verdadeiro teósofo. Atualmente alguns charlatães de Paris o estão parodiando e se fazem passar por Iniciados martinistas, desonrando assim o nome do último Adepto. (Ver *Martinistas*.)

Sainya (*Sânsc.*) — Exército, hoste.

Sairandhrî ou **Sairindhrî** (*Sânsc.*) — Servente ou camareira; mulher de casta degradada. Epíteto de Draupadî durante sua servidão. (Ver *Mahâbhârata*.)

Sairibha (*Sânsc.*) — O *Svarga* ou paraíso de Indra.

Sais (*Eg.*) — Lugar onde foi encontrado o famoso templo de Ísis-Neith, no qual a estátua de Neith estava sempre coberta (Neith e Ísis são sinônimos), com a célebre inscrição: "Sou tudo o que foi, é e será e nenhum mortal retirará meu véu". (Ver *Sirio*.)

Saka (*Sânsc.*) — Literalmente: "o Um" ou *Eka*. Este termo é empregado para designar o "Dragão de Sabedoria" ou as divindades que se manifestam, consideradas de modo coletivo.

Saka (*Sânsc.*) — Segundo os orientalistas, é o mesmo que os clássicos *Sacæ*. Durante o reinado de seu rei Yudhichthira, começou o *Kaliyuga*.

Sâka (*Sânsc.*) — Erva, toda substância herbácea comestível. Poder, força. (Ver *Sâka-dwîpa*.)

Sâka-dwîpa (*Sânsc.*) — Um dos sete continentes ou ilhas mencionados nos *Purânas* (obras antigas).

Sakala (*Sânsc.*) — Completo, inteiro; divisível; que tem partes.

Sakalavidyâmaya (*Sânsc.*) — Que tem todo conhecimento.

Sakâma (sa-kâma) (*Sânsc.*) — Com desejo; acompanhado de desejo.

Sakâma-tapas (*Sânsc.*) — Devoção, austeridade, mortificação ou sacrifício acompanhado de desejo egoísta.

S

Sakarmaka (*Sânsc.*) — Que tem resultados ou consequências; que tem um objetivo.

Sakatânna (*Sânsc.*) — Alimento impuro.

Sakchatkarana (*Sânsc.*) — Representação mental. (Sinônimo de *samyama*. - Ver *Aforismos de Patañjali*, III, 18.)

Sâkchî ou **Sâkchîn** (*Sânsc.*) — Testemunha ocular, observador, espectador.

Sakha (*Sânsc.*) — Amigo, companheiro, camarada.

Sakhâyaditthi (*Sânsc.*) — A ilusão da personalidade; a ideia errônea de que "eu sou eu", um homem ou uma mulher de tal ou qual nome, uma entidade independente, ao invés de ser uma parte inseparável do Todo. (*Voz do Silêncio*, I.)

Sâkhi (*Sânsc.*) — Amigo, companheiro.

Sakhitva, **Sakhya** ou **Sâkhya** (*Sânsc.*) — Amizade.

Sakra (*Sânsc.*) — Nome búdico de Indra.

Sakridâgâmin (Sakradagamin) (*Sânsc.*) — Literalmente: "Aquele que nascerá (apenas) mais uma vez" antes de alcançar o *Nirvâna*; aquele que entrou no segundo e quarto sendeiro que conduzem ao *Nirvâna* e quase obtiveram a perfeição. [Ver *Kutîchaka*.]

Sakshi (*Sânsc.*) — Lebre, a Lua. Idêntico a *Zazî* ou *zazin*.

Sakta (*Sânsc.*) — Apegado, afeiçoado, aplicado, dedicado, ocupado, atento, devoto.

Sakti ou **Shakti** (*Sânsc.*) — A energia feminina ativa dos deuses; no hinduísmo popular, as *saktis* são suas esposas ou deusas; no Ocultismo, *sakti* é a coroa da Luz astral. A Força e as seis forças da natureza sintetizadas. A Energia Universal. [Um poder; a fase negativa de uma força qualquer; a esposa de um deus, sendo o deus a fase positiva da força (*Râma Prasâd*) - Ver *Zaktis*.]

Sakti dhara (*Sânsc.*) — Literalmente: aquele "que empunha a lança", título dado a Kârttikeya por ter morto Târaka, um *daitya* ou gigante-demônio. Este último, embora demônio, parece que foi um yogi tão elevado, por causa de sua santidade e suas austeridades religiosas, que fazia tremer à sua frente todos os deuses. Isso faz de Kârttikeya, o deus da guerra, uma espécie de São Miguel.

Sakwala — *Bana* ou "palavra" pronunciada por Gautama Buddha em suas instruções orais. *Sakwala* é um sistema mundano ou, melhor, solar, dos quais há um número infinito no universo, e que denota o espaço até onde se estende a luz de cada Sol. Cada *Sakwala* contém Terras, infernos e céus (que significam as esferas boas e más, sendo a nossa Terra considerada como um inferno, no Ocultismo); chega à plenitude de sua vida, entra em decadência e, finalmente, é destruído em períodos que se repetem com regularidade, em virtude de uma lei imutável. Na Terra, o Mestre ensinou que nela já haviam existido quatro grandes "continentes" (a Terra dos Deuses, Lemúria, Atlântida e o "continente" atual dividido nas cinco partes da *Doutrina Secreta*) e que ainda surgiriam mais três. Os primeiros "não se comunicavam entre si", sentença que demonstra que Buddha não falava dos atuais continentes conhecidos em seu tempo (uma vez que *Pâtâla* ou América era perfeitamente conhecida dos antigos hindus), mas das quatro formações geológicas da Terra, com suas quatro raças-raízes, que já desapareceram.

Sâkya (*Sânsc.*) — Nome patronímico de Gautama Buddha.

Sâkyamuni Buddha (*Sânsc.*) — Nome do fundador do budismo, o grande Sábio, o Senhor Gautama (Ver *Buddha Siddhârtha*.)

S

Salamandras — Nome que os rosa-cruzes davam aos elementais do fogo. O animal em questão, assim como seu nome, tem significado sumamente oculto e é muito usado em poesia. Tal nome é quase idêntico em todos os idiomas. Assim, *Salamander*, em inglês; *samandel*, em persa; *Salamandala*, em sânscrito e *Salamandra*, em grego, latim, francês, espanhol, italiano, português etc. – [Espíritos que vivem no elemento do fogo *(F. Hartmanm).*]

Saliva da Lua *(Alq.)* — Mercúrio dos filósofos ou a matéria da qual se extrai este mercúrio.

Salmalî *(Sânsc.)* — Uma das sete zonas [ou *dwîpas*]; é também uma espécie de árvore. [*Sâlmali* ou *Shâlmali* é o nome dado nas histórias antigas ao desaparecido continente da Lemúria.]

Salmon — Eminente médico e alquimista francês, que viveu na primeira metade do século XVII. Compilou uma obra intitulada *Bibliotèque des Philosophes Chimiques*, reunião de tratados sobre a ciência hermética, entre eles a *Tábua de Esmeralda* de Hermes, seguida do comentário de Hortulano; *A Soma da Perfeição,* de Geber; *A Turba dos Filósofos*, de Artéfio; *Flamel*, o *Trevisano, As Doze Chaves da Filosofia*, de Basile Valentin; *O Triunfo Hermético, A Luz saindo das Trevas, O Azoht, Os Sete Capítulos* atribuídos a Hermes etc. No prefácio desta rara e curiosa coleção, o autor expõe importantes observações sobre a Alquimia. Falando dos enigmas e das intricadas explicações com que foi descrita a preparação da pedra filosofal, diz textualmente: "Se os Filósofos tivessem querido ensinar de modo claro seu Magistério e tentado tornar inteligível tudo o que escreveram, não haveria necessidade de fazer uma vasta coleção das obras para expor sua ciência. O mais breve de seus tratados nos teria instruído plenamente e facilmente nos tornariam tão sábios quanto eles próprios com muito poucas palavras. (Prefácio da 3ª edição, Paris, 1741, p. CVH e CVHI) Todos estes filósofos escreveram numa linguagem muito obscura para não profanar e tornar pública uma coisa tão preciosa, que, se fosse conhecida, causaria desordem e transtornos prodigiosos na sociedade humana. Escreveram apenas para os filhos da Ciência, isto é, para os que são iniciados em seus mistérios e, por esta razão, é muito difícil para os aprendizes entender e decifrar livros, que propositadamente foram escritos por enigmas e estão cheios de contradições. E embora devamos esperar a revelação de tão grande Mistério, principalmente através do Pai das Luzes, certo é que só mediante tais contradições e mentiras aparentes encontramos a verdade; só no meio destes espinhos colheremos esta rosa misteriosa. Só poderíamos entrar nos ricos jardins das Hespérides, para neles ver esta bela árvore de ouro e colher os frutos preciosos, depois de vencer o dragão que vela sem cessar e impede a entrada. Só podemos ir à conquista deste velocíno de ouro através das agitações e balanços deste mar desconhecido, passando por entre estas rochas e depois de ter dominado os monstros terríveis que o guardam (p. IV e V)... Aqueles que são bastante felizes para adquirir o conhecimento desta arte e a posse deste raro tesouro, por mais malvados e viciados que fossem antes, terão mudado os seus costumes e se tornaram homens de bem; de modo que, não tendo nada mais a desejar neste mundo, suspiram apenas por Deus e pela bem-aventurança eterna, que sem cessar têm diante dos olhos e exclamam como o profeta: 'Senhor, só me falta a posse de vossa glória para estar plenamente satisfeito.'" (*Id*. XX).

Sam *(Sânsc.)* — Prefixo equivalente a com, juntamente, dotado, provido ou acompanhado de. (Ver *Sa*.)

Sam *(Eg.)* — Sacerdote que desempenhava um importante papel nas cerimônias funerárias. Era chefe dos sacerdotes de Fta, em Mênfis, durante a sexta dinastia. Suas insígnias habituais eram a pele de pantera e a trança que descia por suas costas. (Pierret, *Dict. d'Arch. Égypt.*)

S

Sama (*Sânsc.*) — Uma das "flores de santidade" *(bhâva puchpas)*. *Sama* é a quinta, ou seja, a "resignação". Há oito de tais flores, a saber: clemência ou caridade, domínio de si mesmo, afeto (ou amor ao próximo), paciência, resignação, devoção, meditação e veracidade. *Sama* é também a repressão de toda perturbação mental. [Esta palavra significa também: igualdade, identidade, semelhança, indiferença, equanimidade, equilíbrio, compensação; como adjetivo: igual, idêntico, inalterável, equânime, equilibrado, imparcial, indiferente, desapaixonado, reto, plano etc.]

Samâ (*Sânsc.*) — Ano.

Sâma (*Sânsc.*) — Igualdade, identidade, semelhança.

Samabhihâra (*Sânsc.*) — Repetição, reiteração; excesso, demasia.

Samabuddhi (*Sânsc.*) — "De mesmo ânimo". Equânime equilibrado, imparcial, indiferente.

Samâchâra (*Sânsc.*) — Uso aprovado; conduta honrosa; relato, relação.

Samâcharan (*Sânsc.*) — Que faz, que executa; executor, autor.

Samachittatva (*Sânsc.*) — Igualdade de ânimo, equanimidade.

Samada (*Sânsc.*) — Ébrio, furioso.

Samâdâna (*Sânsc.*) — Observâncias ou práticas diárias dos budistas.

Samadarzana (*Sânsc.*) — Que a tudo vê ou olha com imparcialidade ou de modo igual.

Samadarzin (*Sânsc.*) — Que olha ou vê a tudo com imparcialidade, que vê a identidade do Espírito Universal.

Samâdhâna (*Sânsc.*) — Aquele estado em que o *yogi* já não pode desviar-se do sendeiro do progresso espiritual, no qual tudo o que é terrestre, exceto o corpo físico, deixou de existir para ele. [É a qualidade que torna o estudante incapaz, por natureza, de afastar-se do caminho reto. Todos os interesses egoístas, que tentam desviar o homem do caminho escolhido, perdem seu domínio sobre ele e este vai se aperfeiçoando até atingir um grau em que pode, sem vacilar, empreender qualquer ocupação do mundo com a certeza de voltar à sua vida habitual, uma vez cumprida a tarefa que se impôs. (*O Homem, Fragmentos de Uma Verdade Esquecida*, p. 239.)]

Samâdhi (*Sânsc.*) — É um estado de arrebatamento extático completo. Tal palavra deriva das palavras *sam-âdha*, "posse de si mesmo". Quem possui tal poder é capaz de exercer um domínio absoluto sobre todas as suas faculdades, tanto físicas quanto mentais. É o supremo grau do *Yoga*. [O *Samâdhi* (contemplação extática ou supraconsciência) é aquele estado em que a concentração mental chega a um ponto tão extremo, que a mente assim fixa unifica-se com o objeto em que se encontra concentrada (ou seja, o Espírito), cessando todas as suas transformações, e o asceta perde a consciência de toda individualidade, inclusive a sua própria, e se converte no TODO. O *Samâdhi* é um estado em que a consciência se encontra tão dissociada do corpo, que este permanece insensível. É um estado de alienação ou de êxtase, no qual a mente está completamente consciente de si mesma, e do qual volta ao corpo com o conhecimento ou experiências adquiridas durante o mesmo, recordando-os logo que retorna ao cérebro físico. (A. Besant, *Introdução ao Yoga*, p. 18.) – O *Samâdhi* é de dois tipos: *Savikalpa* (*sabîja* ou *samprajñâta-Samâdhi*) e *nirvikalpa* (*nirbîja* ou *asamprajñâta-Samâdhi*). O primeiro é aquele em que a mente se encontra em repouso temporal, sem estar completamente absorvida no Espírito; o segundo, o mais elevado, é aquele em que, graças a um desprendimento total supremo,

S

a mente se encontra absorvida no Espírito e o vê em todas as partes. Estando então a mente aniquilada, só o Espírito brilha em toda a sua glória natural e o *yogi* adquire a onisciência intuitiva. O *Samâdhi* é o fim e o objetivo do Yoga e já se disse: "*Yoga é Samâdhi*." (Ver *Savikalpa, Nirvikalpa, Sabîja, Nirbîja, Samprajñâta* e *Asamprajñâta, Yoga* etc.)]

Samâdhîndriya (*Sânsc.*) — Literalmente: "a raiz da concentração"; a quarta das cinco raízes, chamada *Pañcha-indriyâni* [cinco *indriyas* ou sentidos], que, segundo se declara na filosofia esotérica, são os agentes na produção de uma vida altamente moral, que conduz à santidade e à libertação. Quando são alcançadas, as duas *raízes espirituais*, que estão latentes no corpo (*Âtma* e *Buddhi*), lançam brotos e flores. *Samâdhîndriya* é o órgão da contemplação extática nas práticas do *Râja-Yoga*.

Samâdhi-prâpti (*Sânsc.*) — Meios para alcançar o estado de *Samâdhi*. (Ver *Sâdhana*.)

Samael (*Hebr.*) — Nome cabalístico do Príncipe daqueles maus espíritos que representam encarnações dos vícios humanos; o Anjo da Morte. Deste desenvolve-se a ideia de Satã. (W. W. W.) [Diz-se de Samael que, sob o disfarce de serpente, seduziu Eva no paraíso; dele conta-se também que engendrou Caim.]

Samâgama (*Sânsc.*) — Aproximação, chegada; reunião, assembleia, concurso.

Samâgata (*Sânsc.*) — Reunido, congregado, ajuntado, encontrado.

Samâgati (*Sânsc.*) — Ver *Samâgama*.

Samagra (*Sânsc.*) — Todo, inteiro, completo, pleno.

Samâhâra (*Sânsc.*) — Reunião, coleção, conjunto; abreviação; composição de palavras, sobretudo por justaposição.

Samâharana (*Sânsc.*) — Ver *Samâhâra*.

Samâhita (*Sânsc.*) — Firme, fixo; imutável, inalterável; equilibrado; recolhido, atento.

Samâhriti (*Sânsc.*) — Combinação, abreviação; resumo, compêndio.

Samâhvaya (*Sânsc.*) — Convocação, chamamento; provocação, desafio; luta, peleja.

Samaja (*Sânsc.*) — Reunião de animais ou de ignorantes.

Samâja (*Sânsc.*) — Reunião, multidão; assembleia; elefante.

Samajna (*Sânsc.*) — Literalmente: "Sábio iluminado (ou luminoso)". Traduzido verbalmente, *Samgharama Samajna*, o famoso *vihâra* [mosteiro] situado próximo a Kustana (China), significa "mosteiro do Sábio luminoso".

Samajñâ ou **Samâjñâ** (*Sânsc.*) — Reputação, renome.

Samajyâ (*Sânsc.*) — Reunião, assembleia; reputação.

Samakâla (*Sânsc.*) — O tempo favorável para algo.

Samâkula (*Sânsc.*) — Turvo, confuso.

Samala (*Sânsc.*) — Sujeira, impureza, imundície; sujo, imundo, impuro.

Samalambha (*Sânsc.*) — O Todo-pleno. (*Uttara-Gîtâ*, I, 37.)

Samâlî (*Sânsc.*) — Ramalhete, grinalda.

Samamatra (*Sânsc.*) — De mesma medida, de igual tamanho.

Samamaya (*Sânsc.*) — De mesma natureza, de mesma origem.

S

Sâman (*Sânsc.*) — Hino, canto; canto sagrado; hino védico.

Samana (*Pál.*) — Termo equivalente ao sânscrito *Srâmana*.

Samâna (*Sânsc.*) — Um dos ares ou alentos vitais (*Prânas*), que mantêm a ação química no corpo animal. [Segundo M. Dvivedi, em seu *Comentário aos Aforismos de Patañjali*, o local do *Samâna* encontra-se ao redor do umbigo, onde executa a função digestiva, conservando o fogo interno. Quando se pratica o *Samyama* sobre o *Samâna*, este fogo pode ser visto em todo o corpo, que por esta razão se torna resplandecente (*Aforismos*, III, 40). Observou-se que este resplendor é mais perceptível ao redor da cabeça, entre as sobrancelhas, e no umbigo. Segundo se diz, isto é a base da aura magnética dos seres vivos. No glossário das *Forças Sutis da Natureza*, Râma Prasâd diz que o *Samâna* é aquela manifestação vital ou corrente nervosa que, segundo se supõe, causa no ventre a absorção e distribuição do alimento em todo o corpo. Lemos também no *Anigîtâ* "A linguagem se produz no corpo através de *Prâna* e em seguida se transforma em *Apâna* e assimilando-se depois ao *Udâna* (ou órgãos físicos da linguagem), fixa-se no *Samâna* (no umbigo sob forma de som, como causa material de todas as palavras, acrescenta o comentarista Arjuna Mishra). (Ver *Doutrina Secreta*, I, 122.) *Samâna* significa também igual, semelhante, igual a si mesmo, idêntico, sempre o mesmo, virtuoso.]

Samanera (*Pál.*) — Noviço ou postulante ao sacerdócio búdico.

Samaneus ou **Shamanos** — Espécie de sacerdotes magos ou, como dizem alguns, sacerdotes feiticeiros da Tartária ou Mongólia. Não são budistas, mas seguidores da antiga religião *Bhon* do Tibete. Vivem principalmente na Sibéria e países limítrofes. Tanto homens como mulheres podem ser samaneus. Todos eles são *magos* ou, melhor dizendo, sensitivos ou médiuns artificialmente desenvolvidos. Atualmente aqueles que atuam como sacerdotes entre os tártaros são, em geral, muito ignorantes e estão muito abaixo dos faquires no saber e educação. [É possível que os samaneus sejam os descendentes dos filósofos conhecidos antigamente pelo nome de *brachmanes*, muitas vezes confundidos com os brahmanes. Outros acreditam que os samaneus são os *gimnosofistas* de que falam os antigos.]

Samanismo — Culto do espírito, a mais antiga religião da Mongólia.

Samañjasa (*Sânsc.*) — Próprio, bom, correto, bem-feito; virtuoso; experimentado; apropriação; destino.

Samanta (*Sânsc.*) — Limite, término; de todas as partes; universal.

Sâmanta (*Sânsc.*) — Restritivo; limítrofe.

Samanta-bhadra (*Sânsc.*) — Literalmente: "Sábio Universal". Nome de um dos quatro *Bodhisattvas* da Escola *Yoga-chârya* do *Mahâyâna* (ou Grande Veículo) de Sabedoria de tal sistema. Há quatro *Bodhisattvas* terrestres e três celestiais. Os quatro primeiros só atuam nas raças atuais, porém mais ou menos na metade da quinta Raça-Mãe surgiu o quinto *Bodhisattva*, que, segundo a lenda esotérica, foi Gautama Buddha, mas que, por ter aparecido muito cedo, teve de desaparecer corporalmente do mundo por algum tempo.

Samantabhuj (*Sânsc.*) — Agni, o fogo.

Samanta-prabhâsa (*Sânsc.*) — Literalmente: "esplendor universal" ou "luz deslumbrante". Nome sob o qual cada um dos quinhentos *Arhats* perfeitos reaparece como Buddha na Terra.

S

Samantât (*Sânsc.*) — Em todas as partes, onde quer que seja; na totalidade, completamente, inteiramente.

Samanuvrata (*Sânsc.*) — Dedicado, devoto, consagrado a.

Samanvita (*Sânsc.*) — Unido, acompanhado, relacionado; dotado, pleno, rico.

Sâmanya (*Sânsc.*) — Brahmane versado no conhecimento do *Sâma-Veda*.

Sâmânya (*Sânsc.*) — Comunidade ou mistura de qualidades, uma noção abstrata de gênero, tal como a humanidade [igualdade de medida; caráter genérico, propriedade comum; gênero, espécie, generalidade. Como adjetivo: comum, geral, universal].

Samanyu (*Sânsc.*) — Irado, colérico, inquieto.

Samâpa (*Sânsc.*) — Sacrifício em honra dos deuses.

Samâpana (*Sânsc.*) — Ação de chegar, alcançar ou ocupar; aquisição, ganância; meditação profunda; acabamento; destruição.

Samâpatti (*Sânsc.*) — No *Râja-Yoga*, concentração absoluta; o processo de desenvolvimento através do qual é alcançada *(âpatti)* a completa indiferença *(sama)*. Este estado é o último grau de desenvolvimento, antes de se obter a possibilidade de entrar no *Samâdhi*. [Râma Prasâd, em sua obra *As Forças Sutis da Natureza*, traduz tal termo no sentido de *intuição* e a define como aquele estado mental em que se torna possível receber o reflexo dos mundos subjetivo e objetivo. (*Op. cit.*, p. 168 da 2ª ed. inglesa) *Samâpatti* significa também: encontro, incidente, alcance, obtenção, o fato de passar a ser ou de converter-se; aquisição da indiferença ou equanimidade. (Ver *Intuição*.)]

Samâpta (*Sânsc.*) — Acabado, completo, íntegro, cabal, perfeito.

Samâpti (*Sânsc.*) — Aquisição; cumprimento; reconciliação; a plena posse do desprendimento.

Samara (*Sânsc.*) — Encontro, conflito, luta.

Samârambha (*Sânsc.*) — Princípio; empresa.

Samârohana (*Sânsc.*) — O Oriente.

Samartha (*Sânsc.*) — Apto, capaz, hábil, idôneo, adequado, correspondente.

Samarthana (*Sânsc.*) — Decisão, juízo; reconciliação; objeção; perseverança numa empresa difícil.

Samarthatâ (*Sânsc.*) — Aptidão, capacidade.

Sâmarthya (*Sânsc.*) — Capacidade, aptidão, perícia; poder, força, eficácia; valor.

Samarûpya (*Sânsc.*) — De mesma forma.

Samaryada (*Sânsc.*) — Limítrofe, vizinho; limitado; que tem boa conduta.

Samâsa (*Sânsc.*) — Composição; combinação; contração; abreviação; um termo composto.

Samâsâdya (*Sânsc.*) — Realizável; fácil de abordar ou de acometer.

Samâsañjana (*Sânsc.*) — União; aderência; adesão, apego.

Samâsanna (*Sânsc.*) — Próximo, vizinho, contíguo.

Samâsatas (*Sânsc.*) — Brevemente, sumariamente, em resumo.

Samâsika (*Sânsc.*) — Palavra composta.

S

Samasta (*Sânsc.*) — Contrido; composto; tomado em conjunto.

Samastha (*Sânsc.*) — Uniforme, igual; em equilíbrio.

Samasupti (*Sânsc.*) — O sono universal, isto é, o fim de um *kalpa*, a destruição de um universo.

Samatâ (*Sânsc.*) — Equanimidade, igualdade de ânimo.

Samatha (*Sânsc.*) — Um dos processos em virtude dos quais extingue-se a paixão e se atinge o conhecimento. Consiste em atenuar a paixão, levando uma vida sã e esforçando-se continuamente em subjugar os sentidos. (Olcott, *Catecismo Búdico*, 51, 52.) Ver *Vidarsama*.

Samatirikta (*Sânsc.*) — Excessivo, desmesurado.

Samatîta (*Sânsc.*) — Passado, transposto, transcorrido.

Samatva (*Sânsc.*) — Igualdade, identidade, equanimidade.

Samavasthita (*Sânsc.*) — Que está ou que reside por igual; que está; presente; disposto; imóvel.

Samavatâra (*Sânsc.*) — Um *prayâga* ou lugar de *peregrinação*.

Samavâya (*Sânsc.*) — Justaposição; relação íntima ou inseparável; conexão; inerência, agregado, conjunto, combinação. Uma das categorias lógicas.

Samâvâya (*Sânsc.*) — Multidão; grande número ou quantidade.

Samavâyi-kârana (*Sânsc.*) — Causa substancial ou material, combinado com a qual, ou incluindo-o, se produz o efeito.

Sâma-Veda (*Véd.*) — Literalmente: "A Escritura, ou Shâstra, da paz". Um dos quatro *Vedas*. ["Dos *Vedas* sou o *Sâma-Veda*" – diz o glorioso Krishna, no *Bhagavad-Gîtâ* (X, 22). De fato, o *Sâma-Veda* é o principal dos quatro livros dos *Vedas*, muito estimado pelos brahmanes, os seus hinos foram compostos para serem cantados durante as cerimônias religiosas. É propriamente o *Veda* do canto, no mais alto sentido da potência da música. (Ver *Vedas*.)]

Samaveta (*Sânsc.*) — Reunido, encontrado, congregado.

Samâvichta (*Sânsc.*) — Possuidor, dotado; penetrado, pleno.

Samâvrita (*Sânsc.*) — Velado, coberto, rodeado, envolto; preso; caído; chegado a; visitado, percorrido; eleito; aflito, dedicado, relativo ou pertencente a.

Samâvritta (*Sânsc.*) — Discípulo que terminou seus estudos e se despediu de seu mestre.

Samaya (*Sânsc.*) — Um preceito religioso. [*Samaya* tem muitas outras acepções: reunião ou lugar de reunião; relação, trato, convênio, contrato, obrigação, condição; afirmação por juramento; declaração; conclusão demonstrada; prova; juízo; lei; doutrina; regra; ordem, uso, costume; caso, ocorrência; circunstância; limite; tempo propício, oportunidade, ocasião favorável etc.]

Samayâ (*Sânsc.*) — Em tempo devido ou fixado; segundo o combinado.

Sâmayachârika-sûtras (*Sânsc.*) — Regras para os usos e práticas da vida diária.

Samâyatta (*Sânsc.*) — Baseado em ou dependente de.

Samâyoga (*Sânsc.*) — União, conexão; contato; reunião, conjunto; multidão. Tudo o que é conexo: causa, origem, motivo, objetivo, fim.

S

Samâyukta (*Sânsc.*) — Unido, associado, acompanhado, rodeado; junto, relacionado; ordenado, disposto; posto em contato; dotado, provido.

Samâyuta (*Sânsc.*) — Juntado, unido, aderido; dotado, adornado, relacionado.

Samazraya (*Sânsc.*) — Refúgio, proteção, abrigo.

Sambandhin (*Sânsc.*) — Parente, achegado; aliado, amigo, companheiro.

Sambhâcha (*Sânsc.*) — Conversação, prática, colóquio.

S'ambhala ou **Sambala** (*Sânsc.*) — Uma localidade muito misteriosa em razão de suas associações *futuras*. Uma cidade ou povo mencionado nos *Purânas*, de onde, segundo está profetizado, surgirá o *Kalki Avatâra*. (Ver esta palavra.) O "Kalki" é Vishnu, o *Messias montado no Cavalo Branco* dos brahmanes; Maitreya Buddha dos budistas, Sosiosh dos parses e Jesus dos cristãos. (Ver *Apocalipse*.) Todos estes "mensageiros" hão de aparecer "antes da destruição do mundo", dizem alguns; antes do fim do *Kali Yuga*, dizem outros. Em *S'ambhala* nascerá o futuro Messias. Alguns orientalistas dizem que a moderna Murâdâbâd em Rohilkhand (N.W.P.) é *Sambala*, enquanto que o Ocultismo a situa no Himalaia.

Sambhâra (*Sânsc.*) — União; aproximação; preparação; composição; provisão; coleção; posse; propriedade; plenitude; abundância; alto grau.

Sambhava (*Sânsc.*) — Origem, nascimento; causa, produção; aparição; ser; existência, coexistência; união, possibilidade.

Sambhâvita (*Sânsc.*) — Conjectura, suposição. Como adjetivo: bem-nascido; honrado; orgulhoso; satisfeito; glorificado; dotado de bom sentido.

Sambheda (*Sânsc.*) — Divisão; separação; ruptura; classe, espécie.

Sambhîta (*Sânsc.*) — Assustado, atemorizado.

Sambhoga (*Sânsc.*) — Possessão; gozo, prazer; união carnal; emprego, uso.

Sambhogakâya (*Sânsc.*) — Uma das três "Vestimentas" gloriosas ou corpos obtidos pelos ascetas no "Sendeiro". Algumas seitas consideram este corpo como o segundo, enquanto outros o consideram como o terceiro dos *Buddhakchetras* ou formas de Buddha. Significa literalmente: "Corpo de Compensação". (Ver Glossário de *Voz do Silêncio*, III.) Há sete de tais *Buddhakchetras*, dos quais os de *Nirmânakâya*, *Sambhogakâya* e *Dharmakâya* pertencem ao *Trikâya* ou tripla qualidade. [O *Sambhogakâya* possui todo o grande e completo conhecimento de um Adepto e todas as qualidades de um *Nirmânakâya*, porém com o brilho adicional das "três perfeições", uma das quais é a completa obliteração de tudo o que se refere à Terra. (Glossário de *Voz do Silêncio*.) Ver *Dharmakâya* e *Nimânakâya*.]

Sambhrâma (*Sânsc.*) — Confusão, perturbação, agitação; pressa, zelo; assiduidade; erro; divagação; extravio.

Sambhrânta (*Sânsc.*) — Confuso, agitado, inquieto; perplexo; extraviado.

Sambhu (*Sânsc.*) — Parente. (Ver *Zambhu*.)

Sambhû (*Sânsc.*) — O princípio masculino; a fase positiva da matéria. Um dos títulos do deus Shiva. *(Râma Prasâd)*

Sambhûta (*Sânsc.*) — Nascido, produzido, originado de; feito ou composto de; existente; convertido; provido de; igual; adequado.

Sambodha (*Sânsc.*) — Aviso, instruções; explicação; compreensão, inteligência.

S

Sambodhana (*Sânsc.*) — Percepção, entendimento; recordação; chamamento; aviso.

Sambodhi (*Sânsc.*) — Ver *Bodhi*.

Samgha — Ver *Sangha*.

Samhâra — Ver *Sanhâra*.

Samîchîna (*Sânsc.*) — Exato; correto, próprio, devido, conveniente.

Samiddha (*Sânsc.*) — Ardente, aceso, flamejante.

Samîkcha (*Sânsc.*) — Exame, inspeção; circunspecção; inteligência; a natureza de uma coisa; a matéria pura, no sistema *sankhya*. Um suplemento do *Veda* que trata dos modos do sacrifício.

Samîkchana (*Sânsc.*) — Exame, investigação.

Samîpa (*Sânsc.*) — Vizinho, próximo; contíguo; proximidade, presença.

Samîpatâ (*Sânsc.*) — Proximidade, vizinhança.

Samîra (*Sânsc.*) — Vento; viajante.

Samita (*Sânsc.*) — Vindo; reunido; contíguo; conexo.

Samiti (*Sânsc.*) — União, junta, assembleia; luta.

Samitiñjaya (*Sânsc.*) — Vencedor, vitorioso.

Samitri ou **Samittri** (*Véd.*) — O sacerdote encarregado dos *arant* (ver esta palavra).

Samîya (*Sânsc.*) — De mesma natureza ou origem.

Samkalpa — Ver *Sankalpa*.

Samkhâra (*Pál.*) — Ver *Sanskâra*.

Samlaya (*Sânsc.*) — Desaparecimento, dissolução.

Sammajjana (*Sânsc.*) — Fusão ou mútua absorção.

Samma-sambuddha (*Pál.*) — Recordação de todas as encarnações pelas quais alguém já passou. É um fenômeno da memória obtido através do *Yoga*. Um título do Senhor Budda, o "Senhor de Mansidão e Resignação"; significa: "iluminação perfeita".

Sammâsambuddha — Ver *Samyaksambuddha*.

Sammoha (*Sânsc.*) — Confusão; perturbação; desordem ou extravio mental; erro; ilusão, cegueira, ofuscamento, obcecação; aturdimento; perplexidade; perda do conhecimento.

Sammrichta (*Sânsc.*) — Limpo, purificado.

Sammûddha (*Sânsc.*) — Perturbado, confuso; enganado; alucinado; ofuscado; perplexo.

Sâmnî (*Sânsc.*) — Espécie de métrica usada no *Veda*.

Samotrácia (*Gr.*) — Ilha do Arquipélago Grego, famosa pelos Mistérios que nela eram celebrados, talvez os mais antigos estabelecidos em nossa Raça atual. Os Mistérios da Samotrácia eram famosos no mundo inteiro.

Samotrácios (*Gr.*) — Nome com que se designavam os cinco deuses adorados na ilha da Samotrácia, durante os Mistérios. São considerados como idênticos aos Cabires, Dióscuros e Coribantes. Seus nomes eram místicos, denotando a Pluto, Ceres ou Proserpina, Baco e Esculápio, ou Hermes.

S

Sampad (*Sânsc.*) — Dote, qualidade, condição, estado; aumento; prosperidade; felicidade, bem-estar; aquisição; riqueza; perfeição.

Sampâda (*Sânsc.*) — Chegada, alcance; obtenção, logro.

Sampâdana (*Sânsc.*) — Aquisição, obtenção.

Sampadvara (*Sânsc.*) — Príncipe, rei.

Sampajñâna (*Sânsc.*) — Um poder de iluminação interior.

Sampâka (*Sânsc.*) — Raciocinador, lógico; imprudente, dissoluto; pequeno, vil; mal-educado.

Sampanna (*Sânsc.*) — Dotado, provido; próspero, completo.

Samparâya (*Sânsc.*) — Futuro, o que está por vir, vindouro; adversidade; guerra; filho.

Samparâyaka (*Sânsc.*) — Guerra, batalha.

Samparka (*Sânsc.*) — União, mistura, contato; união sexual.

Sampâta (*Sânsc.*) — Queda; voo; movimento rápido; junta, reunião; encontro; colisão.

Sampatti (*Sânsc.*) — Reunião, junta, assembleia; boa sorte.

Sampazyan (*Sânsc.*) — Que olha, percebe, atende, observa ou examina.

Sampluta (*Sânsc.*) — Banhado, inundado; coberto, cheio.

Samprajñâta (*Sânsc.*) — Consciente; com consciência. O mesmo que *savikalpa* e que *sabîja* (ver estas palavras).

Samprajñâta-Samâdhi (*Sânsc.*) — Contemplação consciente. É aquele tipo de *Samâdhi* em que, embora a mente encontre-se livre de transformações, está consciente daquilo com que se identifica e, por esta razão, este *Samâdhi* se chama consciente ou "com semente" (*sabîja*). Em tal estado a mente está em repouso apenas temporalmente, de modo que não se encontra completamente absorvida no Espírito. É um estado inferior ao do *samprajñâta-Samâdhi*. (M. Dvivedi) (Ver *Samâdhi* e *Asamprajñâta-Samâdhi*.)

Samprakirtita (*Sânsc.*) — Declarado, chamado, qualificado.

Sampratichthâ (*Sânsc.*) — Lugar; fundamento, base, assento, sustentação; duração; conservação.

Sampravritta (*Sânsc.*) — Saído; apresentado; aparecido; passado; acabado.

Sampûrna (*Sânsc.*) — Cheio, completo.

Samraj (*Sânsc.*) — Senhor do universo; governador, soberano. Epíteto de Indra. Varuna etc.

Samrakchana (*Sânsc.*) — Preservação; defesa.

Samriddha (*Sânsc.*) — Engrandecido; perfeito; completo; rico; próspero, florescente; vasto, abundante; possuído; dotado; acabado; aumentado, crescido.

Samriddhi (*Sânsc.*) — Acréscimo; êxito; prosperidade, supremacia.

Samrodha (*Sânsc.*) — Obstáculo, retenção.

Samsâra ou **Sansâra** (*Sânsc.*) — Literalmente: "rotação"; o oceano de nascimentos e mortes. Os renascimentos humanos representados como um círculo contínuo,

S

uma roda sempre em movimento. Vida ou existência no mundo; ciclo de existências; transmigração; vida transmigratória; ciclo ou roda de nascimentos e mortes; a corrente rotatória da existência *individual*; passagem de uma existência para outra; as vicissitudes do mundo, da vida e da morte; o processo do mundo.

Samskâra — Ver *Sanskâra*.

Samtan *(Tib.)* — O mesmo que *Dhyâna* ou meditação.

Samuchchhraya *(Sânsc.)* — Elevação, altura; oposição, inimizade. No budismo, é o corpo.

Samudâchâra *(Sânsc.)* — Intenção, desígnio.

Samudâgama *(Sânsc.)* — Conhecimento.

Samudaya *(Sânsc.)* — Ascensão, subida; reunião, multidão, esforço; batalha.

Samudbhava *(Sânsc.)* — Nascimento; origem.

Samuddharana *(Sânsc.)* — Elevação; destruição.

Samuddhartri *(Sânsc.)* — Salvador, libertador, redentor.

Samuddhata *(Sânsc.)* – Enaltecido; altaneiro, orgulhoso.

Samudgama *(Sânsc.)* — Ascensão; produção, nascimento.

Samudra *(Sânsc.)* — Mar, oceano.

Samudyama *(Sânsc.)* — Esforço; zelo; ardor.

Samûha *(Sânsc.)* — Coleção; multidão.

Samûhya *(Sânsc.)* — O fogo sagrado; o lugar onde é colocado.

Samukha *(Sânsc.)* — Eloquente.

Samupâzrita *(Sânsc.)* — Atento, aplicado; refugiado; que observa.

Samutkrama *(Sânsc.)* — Ascensão, subida, elevação.

Samuttha *(Sânsc.)* — Saldo, nascido; originado; resultante.

Samutthâna *(Sânsc.)* — Elevação, auge, crescimento, desenvolvimento; execução de uma obra.

Samvâda *(Sânsc.)* — Conversação, colóquio, prática, palestra.

Samvadana *(Sânsc.)* — Conversação; encanto, feitiço; fórmula mágica.

Samvara *(Sânsc.)* — Uma divindade adorada pelos tântrikas.

Samvarta *(Sânsc.)* — Um *Kalpa* menor. Um período na criação depois do qual sobrevém uma aniquilação parcial do mundo. [A revolução de um *Kalpa*.]

Samvarta-Kalpa *(Sânsc.)* — O *Kalpa* ou período de destruição; o mesmo que *Pralaya*. Cada Raça-Mãe e cada sub-raça estão sujeitas a tais *Kalpas* de destruição; a quinta Raça-Mãe tem sessenta e quatro destes cataclismos periodicamente, a saber: cinquenta e seis pelo fogo, sete pela água e um pequeno *Kalpa* por ventos ou ciclones.

Samvat *(Sânsc.)* — Nome de uma era cronológica hindu, que se supõe tenha começado 57 anos antes de Jesus Cristo.

Samvatsara *(Sânsc.)* — Ano; sua revolução.

Samveda *(Sânsc.)* — Consciência; conhecimento.

Samvega *(Sânsc.)* — Agitação; pressa; zelo; empenho; desejo veemente.

S

Samvid (*Sânsc.*) — Inteligência, consciência, conhecimento; sentimento de prazer; acordo, convênio; consentimento; assentimento; signo, sinal; nome, denominação; uso estabelecido.

Samvigna (*Sânsc.*) — Agitado; perturbado; movido; comovido; sobressaltado; amedrontado.

Samvignamânasa (*Sânsc.*) — Que tem o ânimo conturbado.

Samvit (*Sânsc.*) — Consciência, talento; visão.

Samvrita ou **Sanvrita** (*Sânsc.*) — Coberto, velado, protegido, rodeado, acompanhado; cheio; oculto, restringido; reprimido, cauto, cuidadoso.

Samvriti ou **Sanvriti** (*Sânsc.*) — Falso conceito; a origem da ilusão. [Ação de encobrir ou ocultar; segredo.]

Samvritisatya (*Sânsc.*) — A verdade misturada com falsos conceitos (*samvriti*); o reverso da verdade absoluta ou *Paramârthasatya*, autoconsciência na absoluta verdade ou realidade. [Ver *Paramârthasatya*.]

Samvritta (*Sânsc.*) — Epíteto de Varuna. Chegado, vindo, próximo; que se tornou; ocorrido, sucedido.

Samvritti (*Sânsc.*) — Possessão; estado daquele que se encontra dotado de algo.

Samvyâna (*Sânsc.*) — Invólucro, coberta, vestimenta.

Sâmya (*Sânsc.*) — Igualdade, semelhança, identidade; equilíbrio, equanimidade, imparcialidade.

Samyagâjîva (*Sânsc.*) — Mendicância para fins religiosos; a verdadeira profissão. O quarto sendeiro (*mârga*), o voto de pobreza, obrigatório para todo monge ou *arhat*. [Meio de existência honrada.]

Samyagdrichti (*Sânsc.*) — Habilidade para discutir a verdade. O primeiro dos oito sendeiros (*mârgas*) do asceta.

Samyakkarmânta (*Sânsc.*) — O último dos oito *mârgas* (sendeiros). Estrita pureza e observância de honestidade, desinteresse e abnegação, qualidade característica de todo *arhat*.

Samyaksamâdhi (*Sânsc.*) — Letargia mental absoluta. O sexto dos oito *margas* (sendeiros); a plena obtenção do *Samâdhi*.

Samyak-sambuddha (*Sânsc.*) ou **Sammâsambuddha**, como se pronuncia no Ceilão — Literalmente: o Buddha de verdadeiro e harmônico conhecimento e o terceiro dos dez títulos de *Sâkyamuni*. [O Buddha inteiramente perfeito; o "Mestre de Perfeição" (*Voz do Silêncio*, II).]

Samyama ou **Sanyama** (*Sânsc.*) — Continência, disciplina, domínio, sujeição, restrição, refreamento. No sistema *Yoga* de *Patañjali*, *Samyama* é o nome que se dá aos três processos de *dhârâna* (atenção fixa e sustentada), *dhyâna* (meditação) e *samâdhi* (contemplação extática) considerados coletivamente. (*Aforismos*, III, 4) Quando estes processos, os mais elevados do *Yoga*, são praticados sucessivamente, aplicando-os a um só e mesmo objeto, num tempo qualquer, isto resulta no *samyama*, ou seja, o perfeito domínio dos sentidos e da mente inferior e graças a ele se alcança a luz do conhecimento, assim como diversos poderes extraordinários. (Ver *Aforismos de Patañjali*, III, 16 e ss.)

S

Samyamana (*Sânsc.*) — Ação de domar, dominar ou refrear.

Samyamanî (*Sânsc.*) — A região do corpo chamada *Yama-loka* ou Região da Morte, situada próximo ao ouvido direito (a fonte ou região temporal), assim denominada porque uma leve lesão recebida na mesma pode causar a morte. (*Uttara-Gîtâ*, II, 21.)

Samyamat (*Sânsc.*) — Juiz.

Samyamin (*Sânsc.*) — Continente, disciplinado; austero; que domina a si mesmo.

Samyata (*Sânsc.*) — Dominado, vencido, reprimido, disciplinado, subjugado.

Samyatâtman (*Sânsc.*) — Que domina a si mesmo, que tem o eu subjugado.

Samyatendriya (-indriya) (*Sânsc.*) — Que tem os sentidos refreados.

Sâmyâvasthâ (*Sânsc.*) — Estado de equilíbrio dos três *gunas* (modos ou qualidades).

Samyoga (*Sânsc.*) — Conjunção, união; aliança; relação; combinação; conexão; afinidade; coerência.

Samyuga (*Sânsc.*) — Combate, guerra.

Samyuj (*Sânsc.*) — Associado, unido; dotado.

Samyukta (*Sânsc.*) — Juntado, unido; pertencente; relativo; dotado, provido.

Samyuttaka Nikaya (*Pál.*) — Obra búdica, composta principalmente de diálogos entre Buda e seus discípulos.

Sana (*Sânsc.*) — Um dos três *Kumâras* esotéricos, cujos nomes são: Sana, Kapila e Sanatsujâta, misteriosa tríada que contém o mistério da geração e reencarnação.

Sana ou **Sanaischara** (*Sânsc.*) — O mesmo que Sani ou o planeta Saturno. No Panteão hindu, é filho de Sûrya, o Sol, o de Sañjñâ, a consciência espiritual, filha de Vizvakarman ou, melhor, de Chhâyâ, a sombra que Sañjñâ deixa atrás de si. Literalmente, Sanaischara significa: "aquele que se move lentamente".

Sanaka (*Sânsc.*) — Uma planta sagrada, cujas fibras são tecidas para o fabrico de vestimentas amarelas para os sacerdotes budistas.

Sananda (*Sânsc.*) — Nome de um dos quatro filhos de Brahmâ. (Ver *Kumâras*.)

Sânanda (Sa-ânanda) (*Sânsc.*) — "Com felicidade"; gozoso, acompanhado de gozo ou felicidade.

Sânandi-Samâdhi (*Sânsc.*) — Samâdhi ou contemplação acompanhado de gozo ou felicidade. (Ver *Aforismos de Patañjali*, I, 17.)

Sanas (*Sânsc.*) — Imundíce, sujeira, excremento.

Sanat (*Sânsc.*) — Um dos nomes ou títulos de Brahmâ, o Criador. (*Doutrina Secreta*, I, 125.)

Sanât (*Sânsc.*) — Sempre.

Sanâtana (*Sânsc.*) — Eterno, perpétuo, permanente. Epíteto de Brahmâ, Vishnu e Shiva. Nome de um dos principais *Kûmâras*.

Sanat-Kumâra (*Sânsc.*) — O mais excelso dos sete *Kumâras*, o *Vaidhâtra*, os primeiros dos quais são denominados de Sanaka, Sananda, Sanâtana e Sanat-Kumâra.

S

Todos estes nomes designam qualificações dos graus do intelecto humano. [Ver *Doutrina Secreta*, I, 494.]

Sanat-Sujâtiya (*Sânsc.*) — Uma obra que trata dos ensinamentos de Krishna, tal como estão no *Bhagavad-Gîtâ* e no *Anugîtâ*.

Sañcha-dwîpa (*Sânsc.*) — Uma das sete grandes ilhas [ou continentes]. (*Sapta-Dwîpa*)

Sañchaya (*Sânsc.*) — Acumulação; coleção; monte; amontoado; multidão.

Sañchhinna (*Sânsc.*) — Destruído, destroçado; arrancado, extirpado; trespassado.

Sañchita (*Sânsc.*) — Acumulado, amontoado.

Sañchita-Karma (*Sânsc.*) — Karma acumulado. (Ver *Karma*.)

Sanchoniaton (*Gr.*) — Um autor pré-cristão que escreveu sobre a *Cosmogonia fenícia* e cujas obras desapareceram. *Philo Byblus* reproduz apenas os chamados fragmentos de Sanchoniaton.

Sandalphon (*Hebr.*) — O Príncipe cabalístico dos anjos, emblematicamente representados por um dos *Querubins* da Arca.

Sandeha (*Sânsc.*) — Dúvida, incerteza; confusão; perigo.

Sandeza (*Sânsc.*) — Ordem; informação; instruções; mensagem.

Sandezahara (*Sânsc.*) — Mensageiro; portador de ordens ou de notícias.

Sandhâ (*Sânsc.*) — Combinação, composição; união, reunião; conjunto, agregado. Estado ou condição estável e permanente.

Sandhabhâchya (*Sânsc.*) — Linguagem enigmática ou por parábolas.

Sandhâna (*Sânsc.*) — União, associação; combinação; ajuste; ordem.

Sandhânita (*Sânsc.*) — Aderido, ligado; ajustado, adaptado.

Sandhi (*Sânsc.*) — União, conjunção; aliança, coalisão; combinação; intervalo ou tempo de repouso; período de união de dois *yugas* ou *manvantaras*. A conjunção das fases positiva e negativa de uma força; é sinônimo de *Suchumnâ*; a conjunção de dois *tattvas*. Quando um *tattva* passa para outro, o *Âkâza* intervém. Na realidade, não pode haver mudança de um estado da matéria para outro sem que haja intervenção deste *tattva* onipenetrante. Este estado que intervém não é contudo o *Sandhi*. Através da conjunção táttvica, produz-se sempre um novo conjunto *Tattva*, que é indicado pela duração do alento. Assim, quando se unem *Agni* e *Vâyu*, a duração está em alguma parte entre estes dois. Coisa semelhante ocorre com os outros *tattvas*. Se as fases positiva e negativa num objeto aparecem em sucessão regular imediata durante algum tempo, pode-se dizer que estão em conjunção (*Sandhi*). Porém, se vierem de direções opostas e se neutralizam uma à outra, o resultado disso é o *Âkâza* ou *Suchumnâ*. Como se vê, há muito pouca diferença, e às vezes nenhuma, entre os estados de *Âkâza*, *Sandhi* e *Suchumnâ*. Se o *Âkâza* permanece estacionário, é *Suchumnâ*; se o *Suchumnâ* tende à produção, passa a ser *Âkâza*. Na realidade, *Âkâza* é aquele estado que precede imediatamente qualquer outro estado táttvico de existência. (Râma Prasâd, *As Forças Sutis da Natureza*.) (Ver *Suchumnâ*.)

Sandhikâ (*Sânsc.*) — Destilação.

Sandhyâ (*Sânsc.*) — Um período entre dois *yugas*, manhã e tarde; uma coisa que aparece entre outras duas, unindo-as. Literalmente: "crepúsculo" o período entre um

S

Manvantara completo, ou "Dia", e um *Pralaya* completo, ou uma "Noite de Brahmâ". [O intervalo que precede cada *Yuga* chama-se *Sandhyâ*, composto de centenas de milhares de anos, como no *Yuga*, e aquele que segue este último é denominado *Sandhyânza* e é de igual duração, como nos ensina o *Vishnu-Purâna*. "O intervalo entre o *Sandhyâ* e o *Sandhyânza* é o *Yuga*, denominado *Krita*, *Tretâ* etc. Os [quatro] *Krita*, *Tretâ*, *Dvâpara* e *Kali* constituem uma grande Idade, ou seja, um agregado de quatro Idades; um milhar destes agregados formam um Dia de Brahmâ; e *catorze Manus reinam dentro de tal termo.*" (*Doutrina Secreta*, II, 322, nota) Por *Sandhyâ* entende-se também: meditação, contemplação, reflexão e com este mesmo nome se designam igualmente as orações ou deveres piedosos da manhã, do meio-dia e da noite. (Ver *Leis de Manu*, II, 69.)]

Sandhyânza (Samdhyâmsa ou Samdhyâmsha) (*Sânsc.*) — Um período que segue um *Yuga*. [O crepúsculo de um Yuga.] (Ver *Sandhyâ*.)

Sandhigdha (*Sânsc.*) — Obscuro, duvidoso, incerto, ambíguo.

Sandigdhamati (*Sânsc.*) — Cético.

Sandigdhârtha (*Sânsc.*) — Significado duvidoso.

Sandihana — Ver *Sandigdha*.

Sandita (*Sânsc.*) — Ligado, afeito, dedicado.

Sandoha (*Sânsc.*) — Reunião, multidão.

Sanga (*Sânsc.*) — Apego, afeição, inclinação; interesse; desejo; devoção; reunião; assembleia, mistura; confluente.

Sangama (*Sânsc.*) — Reunião, concurso; encontro; união conjugal; associação; conjunção.

Sangara (*Sânsc.*) — Contrato, convênio; compromisso; empenho, obrigação.

Sangha ou Samgha (*Sânsc.*) — Assembleia ou corporação de sacerdotes, também chamada *Bhikshu Sangha*; a palavra "igreja", usada para traduzir o termo em questão, não expressa seu verdadeiro significado. [Por *Sangha* entende-se principalmente a congregação ou fraternidade dos discípulos de Buddha, ou seja, a Igreja búdica. O *Sangha* constitui o terceiro ponto do *Triratna* (ver esta palavra). *Sangha* significa também: multidão, reunião, grupo, coro, assembleia, legião.]

Sanghai-Dag-po (*Tib.*) — O "Senhor oculto"; qualificativo daqueles que se absorveram e se identificaram com o Absoluto. Este termo se aplica aos "nirvânis" e aos "jivanmuktas".

Sanghâta (*Sânsc.*) — Massa, agregado, monte; união, combinação; organismo, corpo. A imaginação. O terceiro inferno ardente.

Sangin (*Sânsc.*) — Apegado, afeito, inclinado; interessado; desejoso.

Sangraha (*Sânsc.*) — Ordem, encadeamento; marcha; direção, governo; bem; bem-estar; reunião, coleção, massa, conjunto, totalidade; conjunto de elementos componentes de algo; soma; aquisição; compreensão.

Sangrâma (*Sânsc.*) — Batalha, peleja; hoste, exército; assembleia popular.

Sangue — O sangue é a vida do homem e, segundo afirma Levi, "é a primeira encarnação do fluido universal, a *luz vital* materializada. Seu nascimento é a mais maravilhosa de todas as maravilhas da Natureza; vive se transformando perpetuamente,

S

porque é o Proteu universal. Procede de todos os princípios aos quais não existia a menor quantidade dele e se converte em carne, ossos, cabelos, unhas... lágrimas e suor. Não está sujeito à corrupção nem à morte. Quando a vida desaparece, o sangue começa a se decompor e se sabeis reanimá-lo e infundir-lhe vida através de uma nova magnetização de seus glóbulos, a vida retornará a ele. A substância universal, com seu duplo movimento, é o grande arcano do ser; o sangue é o grande arcano da vida e, como diz Ramatsariar, 'contém todos os mistérios secretos da existência'; nenhum ser vivo pode existir sem ele. – Comer sangue é profanar a obra do Criador". Seguindo a lei universal e tradicional, Moisés proibia a ingestão do sangue das reses. Segundo vários autores que tratam deste assunto, o sangue tem poderosas virtudes ocultas, que os magos e feiticeiros utilizam para suas práticas reprováveis. "O sangue é um fluido muito singular, que produz no interior força da força. Se a ferida o retira violentamente do corpo, fará no exterior estragos mais feios", diz Goethe nos Paralipomenos do *Fausto*, e segundo diz um velho ditado citado por Rudolf Steiner, "O que tem poder sobre teu sangue, tem poder sobre ti". (*O Significado Oculto do Sangue*, de R. Steiner.) – Segundo Paracelso, com os vapores do sangue, pode-se evocar qualquer espírito que se deseja ver; porque suas emanações administram a certos espíritos (dos mortos ou dos elementos) os materiais necessários para que apareçam temporalmente de um modo *visível*. Esta afirmação é corroborada por diversos fatos: os hierofantes de Baal se faziam profundas incisões no corpo e com seu próprio sangue produziam aparições objetivas e tangíveis. Coisa análoga era feita pelos sacerdotes da Antiguidade, os membros de certa seita na Pérsia, as feiticeiras de Tessália, os *yakuts* da Sibéria, com seus sacrifícios cruentos, e muitos outros, especialmente em alguns pontos da Bulgária e Moldávia. (Ver *Ísis sem Véu*, II, 567 e ss.)

Sangue (*Herm.*) — Muitos Químicos trabalharam com sangue de animais, tomando-o pela matéria da qual os filósofos fazem o seu magistério. Alguns destes últimos, de fato, deram a este o nome de *Sangue* ou *Sangue humano*. Mas, segundo Filaleto, este termo expressa apenas sua matéria ao negro.

Sangyas (*Tib.*) — Nome tibetano de Buddha.

Sangye Khado (*Sânsc.*) — A rainha dos *Khados* ou gênios femininos; as *dâkinîs* dos hindus e as *lilith* dos hebreus.

Sanhâra ou **Samhâra** (*Sânsc.*) — Concentração, contração; coleção; compêndio; reabsorção; dissolução; conclusão; destruição; fim; confusão. Uma das divisões do inferno.

Sanhita (*Sânsc.*) — Coleção.

Sanhitâ (*Sânsc.*) — Gramaticalmente, é a união de duas letras ou *Sandhi*. – Universalidade; discurso, conjunto de palavras; coleção de textos; coleção de hinos, orações ou invocações; assim, *Rigveda-Sanhitâ* é a coleção de hinos do *Rig-Veda*.

Sanhûti (*Sânsc.*) — Clamor, tumulto.

Sani (*Sânsc.*) — Dom, oferenda; honra tributada; petição, solicitação. Ponto do horizonte.

Sañjaya (*Sânsc.*) — Cocheiro (*sûta*) do rei Dhritarâchtra. Desempenha o papel de relator no poema sagrado *Bhagavad-Gîtâ*. Dotado, por favor especial do sábio Vyasa, do dom da percepção celeste, pôde inteirar-se do interessante colóquio entre Krishna e

S

Arjuna, assim como dos mais minuciosos detalhes da luta, informando tudo em seguida ao rei cego.

Sañjiva (*Sânsc.*) — O primeiro inferno ardente.

Sañjñâ (*Sânsc.*) — Consciência espiritual A esposa de Sûrya, o Sol. [Significa também: consciência, inteligência, percepção; ideia; bom senso; nome, designação etc.]

Sañjñita (*Sânsc.*) — Chamado, denominado, intitulado.

Sankalpa (*Sânsc.*) — Intenção, desígnio, ideia, propósito, resolução, vontade; desejo; imaginação; persuasão. A faculdade imaginativa que faz planos para o futuro. É unicamente através do *Sankalpa* que o universo conserva sua aparência.

Sankara (*Sânsc.*) — Confusão, mistura. *Varna-sankara*: mistura ou confusão de castas.

Sankara ou **Shankara** (*Sânsc.*) — Epíteto de Shiva. É também o nome de um célebre filósofo vedantino. Literalmente: "que causa bem-estar ou felicidade", nome de Shiva como chefe dos *Rudras*.

Sankhya (*Sânsc.*) — Batalha, combate, guerra.

Sankhyâ (*Sânsc.*) — Exame racional, raciocínio; cálculo; número; conta; enumeração; nome, denominação.

Sânkhya (*Sânsc.*) — Ver *Filosofia sânkhya*. [Esta palavra significa também: partidário do sistema *sânkhya*; pertencente ou relativo ao número, à enumeração, ao raciocínio etc.]

Sânkhya-kârikâ (*Sânsc.*) — Uma obra que contém os aforismos da escola de filosofia *sânkhya* de Kapila. [Esta coleção de 72 aforismos, compostos por Îzvara Krishna, é o livro-texto de tal escola. Há vários comentários desta obra, os mais importantes dos quais são: o *Sânkhya-Bhâchya* de Gaudapada, o *Sânkhya Chandrika* de Narayana Tirtha, o *Tattva Kaumudi* de Bhachaspati Mizra e o *Sânkhya Kaumudi* de Râma Krishna Bhattâchârya.]

Sankhyâna (*Sânsc.*) — Cálculo, cômputo, conta; ciência, numeração; teoria; sistema; enumeração.

Sânkhya-yoga (*Sânsc.*) — O sistema *Yoga* exposto pela escola filosófica Sânkhya. [O sistema *Sânkhya* e o *Yoga*. A expressão *Sânkhya-Yoga*, encontrada em algumas passagens do *Bhagavad-Gîtâ* e do livro II do *Mahâbhârata*, parece indicar uma espécie de mistura ou fusão de ambos os sistemas. (Ver *Bhagavad-Gîtâ*, V, 4, 5.) Em alguns casos (XIII, 24 etc.), o *Sânkhya-Yoga* é usado no sentido de *Jñâna-yoga*, devoção ou sendeiro de conhecimento, em contraposição a *Karma-yoga*, devoção ou sendeiro de ação.]

Saññâ ou **Sanna** (*Pál.*) — Um dos cinco *Skandhas*: o atributo das ideias abstratas.

Sannibha (*Sânsc.*) — Semelhante, parecido, similar.

Sannivichta (*Sânsc.*) — Situado, assentado, posto, colocado; fixo; sentado presente.

Sannyâsa (*Sânsc.*) — Sinônimo de *Tyâga*. As duas significam: renúncia, abandono. Porém mais propriamente *sannyâsa* aplica-se à renúncia ou abandono da ação, à abstinência de atuar em se tratando de atos relacionados com o desejo. (*Bhagavad-Gîtâ*, XVIII, 2.) Ver *Tyâga*.

S

Sannyâsî ou **Sannyâsin** (*Sânsc.*) — [Literalmente: "renunciador".] Asceta hindu que obteve o mais elevado conhecimento místico, cuja mente está fixa apenas na verdade suprema e que renunciou por completo a tudo o que é do mundo e terrestre. [*Sannyâsî* é o asceta que pratica a renúncia, isto é: vive no retiro e renuncia a todos os atos e a todos os gozos do mundo, para consagrar-se exclusivamente à contemplação e ao conhecimento espiritual. (Ver *Âzrama*.)]

Sansâra — Ver *Samsâra*.

Sansâragamana (*Sânsc.*) — O curso da transmigração.

Sansâramârga (*Sânsc.*) — O caminho da vida.

Sansarana (*Sânsc.*) — Transmigração; trânsito de uma existência para outra.

Sansarga (*Sânsc.*) — Mistura, união, conexão; contato; participação, associação, comunidade de bens; trato, relação; sensualidade; apego às coisas exteriores.

Sansâri (*Sânsc.*) — Aquele que está sujeito à vida transmigratória, à roda de nascimentos e mortes *(sâmsara)*.

Sânscrito ou **Sânskrito** — Linguagem clássica dos brahmanes, *jamais conhecida ou falada em sua verdadeira forma sistematizada* (dada mais tarde *aproximadamente* por Pânini), exceto pelos brahmanes Iniciados, por ser eminentemente uma "linguagem de mistério". Atualmente se degenerou no chamado *prácrito (prâkrita)*. [O sânscrito, como seu nome indica, é a linguagem levada à perfeição. No sânscrito, assim como no hebraico e outros alfabetos, cada letra tem seu significado oculto e sua razão de ser; é uma causa e um efeito de uma causa precedente e a combinação destas produz muitas vezes um efeito sumamente mágico. As vogais, especialmente, contêm as potências mais ocultas e formidáveis (*Doutrina Secreta*, I, 121) A raiz do sânscrito, muito erroneamente chamada de "irmão mais velho" do grego, ao invés de mãe, foi a primeira linguagem, atualmente a língua dos Mistérios dos Iniciados da quinta Raça-Mãe. As línguas semíticas são descendentes bastardas das primeiras corruptelas fonéticas dos filhos mais velhos do sânscrito primitivo. (*Ibid.*, II, 210) De um autógrafo de Leupol, membro da *Academie de Stanislas* e coautor do *Dicionário clássico sânscrito-francês*, copio textualmente os seguintes parágrafos: "*Gardons le latin, c'est l' idiome de notre sang; le grec, c'est le dialecte de notre esprit; mais allons jusqu'à cette admirable parler des premiers temps de nôtre race, la langue sanscrite. C'est la soeur ainée de toutes nos langues; et nous serions de parvenus bien ingrats si nous laissions misérablement perir celle qui s'est depouillée pour nous rendre riches... J'éprouve une vraie tristesse en voyant l'Eglise se tenir sur la reserve à propos de cette langue e de cette litterature, qui lui fourniraient des arguments solides et de nombreux moyens d'action. N'est-ce pas un prêtre, un religieux, un missionnaire, un français, le pére Paulin de Saint Barthelemy, qui le premier fit imprimer una grammaire Sanscrite, en 1790, à Rome, avec approbation du Sacre Collége et sur les instances de la Congrégation établie de propaganda fide, laquelle supporte tous les frais de l'entreprise?*" Doloroso é reconhecer que, apesar de ser o sânscrito, o grego e o latim, as três línguas clássicas por excelência, a primeira destas seja na Espanha, principalmente, objeto não de indiferença, mas de viva e feroz hostilidade, uma vez que, salvo honrosíssimas exceções, a maior parte dos filósofos deste país juntou suas forças para desprestigiar e diminuir a altíssima importância de tal língua, ao ponto de que um de tais filólogos, segundo afirma o Dr. Gelabert em seu *Manual de Língua Sânscrita*, sustentar que seu estudo *só pode ser utilizado no campo limitado das comparações com o grego e o latim* e até afirmar que *em vão se esforçam certos gramáticos para demonstrar o contrário, em prólogos pomposas e com vistas interesseiras*. E acrescenta o citado Gelabert em urna nota: "A língua sânscrita – segundo se declarou com escândalo numa cátedra de Madrid, por quem se

S

atribui a missão de Mecenas dos estudos filológicos – é como um desses estabelecimentos comerciais em falência *(sic!)* que para valorizar o gênero e atrair os incautos, colocam diante de suas respectivas portas ridículos anões, gigantes ou fantoches". A que extremos pode levar o fanatismo de certos sábios!]

Sansiddha (*Sânsc.*) — Perfeito, consumado, cumprido; feliz; emancipado.

Sansiddhi (*Sânsc.*) — Perfeição; êxito; resultado, bem-aventurança, felicidade, beatitude, santidade.

Sanskâra ou **Samskâra** (*Sânsc.*) — De *sam* e *krî*, literalmente: melhorar, refinar, aperfeiçoar, impressionar. Na filosofia hindu, este termo é usado para designar as impressões deixadas na mente pelas ações individuais ou circunstâncias exteriores e suscetíveis de serem desenvolvidas em alguma ocasião futura favorável e ainda num renascimento vindouro. O *sanskâra* designa, portanto, os germes de propensões e impulsos procedentes de nascimentos anteriores, para serem desenvolvidos nesta ou em futuras encarnações *(janmas)*. No Tibete, o *Sanskâra* é denominado de *doodyed*; na China, é designado como ação ou *karma* ou, pelo menos, como relacionado a este. Estritamente falando, é um termo metafísico, que nas filosofias exotéricas é definido de vários modos; por exemplo, no Nepaul, como ilusão; no Tibete como noção, e no Ceilão, como discernimento. O verdadeiro significado é tal como foi expressado antes e como se encontra relacionado com o *karma* e suas operações. *Sanskâra* é um dos cinco *Skandhas* ou atributos, no budismo: as "tendências da mente". (Ver *Skandhas*.) [Na filosofia *Yoga*, *Sanskâra* significa impressão; a marca ou impressão deixada sobre uma coisa por outra, marca que às vezes pode ser chamada à vida; as impressões na matéria mental deixadas pelos hábitos; os mesmos hábitos adquiridos. Tal palavra tem também os seguintes significados: preparação; ordenação; cultivo; educação; purificação; sacramento; consagração; qualquer rito ou cerimônia; faculdade anímica; conceito intelectual; os conceitos (em linguagem búdica) etc. A palavra *sanskâra* é sinônimo de *Vâsana (Râma Prasâd).*]

Sansparza (*Sânsc.*) — Toque, contato; choque; impressão; comunhão.

Sanstha (*Sânsc.*) — Que está, que vive, que habita ou reside; que está contido ou concentrado; que pertence; que descansa em; que depende de; que está possuído de; que participa de; que está unido a.

Sansthâ (*Sânsc.*) — Estação; estabilidade; fixidez; estado, condição; forma; manifestação; aparição; regra; natureza, caráter; ordem estabelecida; conclusão, fim, término; morte. Como adjetivo: situado, residente; assentado; estabelecido, fixo.

Sansthâpana (*Sânsc.*) — Estabelecimento, restabelecimento, restauração.

Sanstuti (*Sânsc.*) — Elogio, louvor, loa.

Sant (*Sânsc.*) — Bom, justo; honrado; puro; real; nobre; excelente etc. (Ver *Sat.*)

Santa — Ver *Zânta* e *Zânti*.

Santa Chama - Ver *Chama santa*.

Santamas (*Sânsc.*) — Obscuridade profunda e geral.

Santan (*Sânsc.*) — Continuidade, série não interrompida; ramificação; conexão; transição; propagação; produção; sucessão, prole.

Santâpa (*Sânsc.*) — Calor, ardor; pena ou paixão que consome.

Santâpana (*Sânsc.*) — Ardente; que causa viva pena ou uma grande paixão. Nome de uma das flechas de Kâma.

S

Sântapana (*Sânsc.*) — Espécie de penitência exposta nas *Leis de Manu* (XI, 212.)

Santapta (*Sânsc.*) — Aflito, atribulado; dor, pesar.

Santata (*Sânsc.*) — Que se prolonga; perpétuo; eterno.

Santati (*Sânsc.*) — Progenitura, linhagem, prole. Significa também: extensão, perpetuidade, sucessão não interrompida, série contínua.

Santi (*Sânsc.*) — Dom, doação.

Santo dos Santos — Os assiriólogos, os egiptólogos e os orientalistas em geral provam que o lugar em questão existia em todos os templos da Antiguidade. No grande templo de Bel-Merodach, cujos lados estavam voltados para os quatro pontos cardeais, tinha em seu último extremo um "Santo dos Santos" oculto por um véu da vista dos profanos; ali, "no início do ano, senta-se o divino rei do céu e da Terra, o senhor dos céus". Segundo Heródoto, havia ali a imagem de ouro do deus com uma mesa também de ouro à frente, como a mesa hebraica dos pães de proposição, e sobre a qual parece ter sido colocado alimento. Em alguns templos havia também "um pequeno cofre ou arca com tábuas gravadas de pedra". (Myer, *Qabbalah*). Em resumo, agora está muito bem provado que o "povo eleito" não tinha qualquer coisa própria original, mas todos os detalhes de seu rito e religião foram copiados de outras nações mais antigas. As *Hibbert Lectures* do professor Sayce e outros provam sobejamente tal fato. A história do nascimento de Moisés é a de Sargon, o babilônico, que precedeu Moisés em cerca de dois mil anos, e não é de se estranhar que, segundo o Dr. Sayce, o nome de Moisés, *Moshed*, tenha relação com o nome do deus-Sol babilônico como o "herói" ou "chefe". (*Hib. Lect.*, p. 46 e ss.) "As classes sacerdotais – diz J. Myer – estavam divididas em sumos-sacerdotes, os devotos ou ligados a certas divindades, como os levitas hebreus; ungidores ou purificadores; os *kali*, 'ilustres' ou 'anciãos'; os adivinhos e o *Makhkhu* ou 'Grande', no qual o professor Delitzch vê o *Rab-mag* [chefe dos magos] do *Antigo Testamento*... Os acádios e os caldeus guardavam um sábado ou dia de descanso a cada sete dias de trabalho; tinham também dias de ação de graças e dias para a mortificação e a oração; havia sacrifícios de vegetais e animais, de carnes e vinho... O número sete era especialmente sagrado... O grande templo da Babilônia existia muito antes do ano 2250 antes de nossa era. Seu 'Santo dos Santos' encontrava-se dentro do santuário de Nebo, o profético deus da Sabedoria." Dos acádios, o deus Mardak passou para os assírios, tendo sido antes Merodach, "o misericordioso", dos babilônios, único filho e intérprete da vontade de Ea ou Hea, a grande Divindade de Sabedoria. Em uma palavra, os assiriólogos retiraram o véu de todo o sistema do "povo *escolhido*".

Santocha (*Sânsc.*) — Contentamento, felicidade, bem-estar.

Santos, *Os Quatro* — Os quatro *Mahârâjas* ou *devas* que presidem os quatro pontos cardeais; anjos ou regentes que governam as forças cósmicas do Norte, Sul, Leste e Oeste e que, segundo a tradição cristã, são respectivamente os arcanjos Gabriel, Miguel, Rafael e Uriel.

Santuchta (*Sânsc.*) — Satisfeito, contente, alegre, feliz, tranquilo.

Sântva ou **Zântva** (*Sânsc.*) — Sentimento ou esforço ardente de conciliação (*Bhagavân Dâs*). – Aplacamento, mitigação; consolo; conforto.

Sanyojanas (*Pál.*) — Cadeias ou obstáculos para o progresso. São dez: Ilusão do eu *(Sakkâya ditthi)*; dúvida *(Vizikicchâ)*; subordinação a ritos supersticiosos *(Sîlabbataparâmâsa)*; sensualidade, paixões corporais *(Kâma)*; ódio, maus sentimentos *(Patigha)*; amor à vida na terra *(Rûparâga)*; desejo de vida num céu *(Arûparâga)*; soberba

S

(Mâna); justiça segundo a própria estima *(Uddhacca)*; ignorância *(Avijjâ)*. – (Ver Olcott, *Catecismo Búdico*, questão 245.)

Sanzaya (*Sânsc.*) — Dúvida, incerteza; vacilação.

Sanzayâtman (*Sânsc.*) — Que duvida; consumido pela dúvida; de mente, ânimo ou alma duvidosos; irresoluto ou vacilante; cético.

Sanzita (*Sânsc.*) — Acabado, cumprido; atento; diligente, zeloso; disposto; resoluto, determinado.

Sanzitavrata (*Sânsc.*) — Diligente ou zeloso no cumprimento de seus votos ou deveres; que guarda estritamente um voto; de firme resolução; de votos rígidos.

Sanzrita (*Sânsc.*) — Reunido, unido; relacionado; misturado; inclinado; refugiado; pertencente ou relativo a; que está, vive ou reside; contido; dado, entregue.

Sanzuddha (*Sânsc.*) — Purificado, limpo, puro.

Sanzuddha-kilbicha (*Sânsc.*) — Limpo de pecado.

Sanzuddhi (*Sânsc.*) — Pureza, purificação.

São Jorge — Ver *Apap*, *Dragão* etc.

São Josafá — Este príncipe, protagonista da história de Barlaam e Josafá, é de origem hindu e, na realidade, é o próprio Buddha. Tal nome, como está perfeitamente demonstrado, é uma corruptela de *Bodhisattva*, qualificativo bastante conhecido do célebre reformador hindu. Josafá foi elevado à categoria de santo, tanto na Igreja grega como na romana, sendo celebrada a sua festividade, na primeira delas, no dia 26 de agosto, e na última, no dia 27 de novembro. Que o fundador de uma religião oriental *ateísta* tenha sido elevado a santo cristão é um dos fatos mais estupendos da história religiosa. (A. A. Macdonell, *História da Literatura Sânscrita*, cap. XVI) Para corroborar o que foi dito e para maiores detalhes, ver *Ísis sem Véu*, II, p. 579-581, e Emílio Burnouf, *A Ciência das Religiões*, terceira edição francesa, p. 254-255. Este último autor afirma que o original sânscrito das diferentes versões da história de *Barlaam* e *Josafá* é o *Lalita-vistâra*, que já existia no século III antes de nossa era, sendo preciso notar que todos os nomes sânscritos foram substituídos, nas versões, por nomes siríacos e que o protagonista do relato não é outro senão o próprio Buddha Sâkyamuni.

São José, *O Carpinteiro* — Ver *Tvachtri*.

São Pedro — Considerando Cristo como um mito solar, diz Depuis: "Sob o nome de Pedro, reconheceremos o antigo Jano com suas chaves e sua embarcação, à frente das doze divindades dos doze meses, cujos altares estão a seus pés". (*Origem de todos os Cultos*, cap. IX.) Esta citação tem estreita relação com a seguinte passagem de *A Via Perfeita*, de Anna Kingsford: "Com os olhos do entendimento, a alma olha para o interior e o exterior, e esta qualidade característica da alma foi representada sob a forma de Jano, a divindade de duas faces". Jano é também o guardião da porta, como o é Pedro na tradição católica; motivo pelo qual a porta foi chamada de *janua* e o primeiro mês do ano, *januarius* (janeiro). Ver *A Via Perfeita*, Introdução.

Sapakcha (*Sânsc.*) — Partidário; seguidor.

Saparyâ (*Sânsc.*) — Honra, adoração.

Sapatna (*Sânsc.*) — Rival, inimigo, adversário.

Sapatrâkarana (*Sânsc.*) — Aflição, pesar; angústia.

S

Sapatrâkrita (*Sânsc.*) — Aflito, pesaroso; ferido.

Sapatrâkriti (*Sânsc.*) — Pena ou aflição extrema.

Sapenah Madunad (*Zend.*) — Literalmente: "absorvido na excelência". Epíteto de Ormuzd. (*Zend-Avesta*)

Sapetman (*Zend.*) — Sobrenome de Zoroastro. (*Zend-Avesta*)

Saphala (sa-phala) (*Sânsc.*) — Literalmente: "com fruto". Que tem frutos; fecundo, frutífero, produtivo.

Saphar (*Hebr.*) — Sepharim; um daqueles chamados na Cabala de: *Sepher, Saphar* e *Sipur* ou "Número, Números e Numerado", por cuja mediação o mundo foi formado.

Sapinda (*Sânsc.*) — Parente admitido no ato de oferecer aos manes ou antepassados a torta sagrada no *srâddha*. (Ver *Pinda*.)

Sapta ou **Saptan** (*Sânsc.*) — Sete.

Sapta Buddhaka (*Sânsc.*) — Uma resenha que figura no *Mahânidâna Sûtra* de *Sapta Buddha*, os sete Buddhas de nossa Ronda, dos quais Gautama Sâkyamuni é esotericamente o quinto e, exotericamente, como um véu, o sétimo.

Saptadaza (*Sânsc.*) — Décimo sétimo; que tem dezessete.

Saptadazan (*Sânsc.*) — Dezessete.

Saptadhatu (*Sânsc.*) — Os sete elementos do corpo (quilo, sangue, carne, gordura, medula, osso e sêmen masculino).

Saptadîdhiti (*Sânsc.*) — "De sete raios." Epíteto de Agni.

Sapta-dwîpa (*Sânsc.*) — As sete ilhas sagradas ou "continentes", segundo os Purânas. Assim se chama também a Terra, por ser constituída por sete grandes ilhas ou continentes. (Ver *Jambu-dwîpa*.)

Saptajihva (*Sânsc.*) — "De sete línguas." Epíteto de Agni.

Saptaka (*Sânsc.*) — Sete; sétimo.

Sapta-loka (*Sânsc.*) — As sete regiões superiores, contando-se da Terra para cima.

Saptama (*Sânsc.*) — Sétimo.

Saptamî (*Sânsc.*) — O sétimo dia da quinzena.

Saptaparna (*Sânsc.*) — [Literalmente: "sete folhas"] ou a "sétupla". Uma planta sagrada de sete folhas [*Echites scholaris*], que dá seu nome a uma famosa caverna, um *vihâra*, em Râjâgriha, atualmente próxima de Buddhagaya, onde o Senhor Buddha costumava meditar e ensinar seus *arhats* e onde, depois de sua morte, foi celebrado o primeiro Sínodo. Tal caverna tem sete câmaras e daí seu nome. Em esoterismo, *Saptaparna* é o símbolo do "sétuplo Homem-Planta" [isto é, o homem constituído por sete Princípios].

Saptarchi (Sapta-richi) (*Sânsc.*) — Os sete *Richis*. Como estrelas, formam a constelação da Ursa Maior e como tais receberam o nome de *Rikcha* e *Chitra-zikhandinas*, de penacho brilhante. [No plural, *saptarchis* ou, mais propriamente, *saptarchayas* são os sete *Richis* principais chamados Atri, Angiras, Kratu, Pulastya, Pulaha, Marichi e Vazichtha. Os sete *Richis* marcam o tempo e a duração dos acontecimentos em nosso ciclo de vida planetário. São tão misteriosos como suas supostas esposas, as Plêyades ou Krittikâs. (*Doutrina Secreta*, II, 579) As sete estrelas da Ursa Maior também são designadas pelo nome de *Saptarchi* ou *Saptarikcha*. (Ver *Ambâ*.)]

S

Saptarikcha (*Sânsc.*) — Ver *Saptarchi*.

Sapta Samudra (*Sânsc.*) — Os "sete oceanos". Estes têm um significado oculto num plano superior.

Saptasapti (*Sânsc.*) — Literalmente: "que tem sete cavalos". Epíteto do Sol.

Sapta-sindhava (*Véd.*) — Os "sete Rios Sagrados". É termo védico. Nas obras escritas em zende são denominados de *Hapta Heando*. Estes rios encontram-se estreitamente relacionados com os ensinamentos esotéricos das Escolas do Oriente e têm um significado muito oculto. (Ver *Sapta-sindhu*.)

Sapta-sindhu (*Véd.*) — Esta palavra, cujo plural é *Sapta-sindhava*, significa a Heptapotamia (os sete rios), isto é, o Indo médio e seus afluentes.

Saptatantu (*Sânsc.*) — Oferenda, sacrifício.

Sapta Tathâgata (*Sânsc.*) — Os sete *Nirmânakâyas* principais entre os inumeráveis guardiães antigos do mundo. Seus nomes encontram-se escritos num pilar heptagonal, que há numa câmara secreta em quase todos os templos búdicos da China e do Tibete. Os orientalistas erram ao pensar que estes são "os sete substitutos budistas para os *Richis* dos brahmanes". (Ver *Tathâgata-gupta*.)

Saptâzva — Ver *Saptasapti*.

Sar ou **Saros** (*Cald.*) — Um deus caldeu de cujo nome, representado por um horizonte circular, os gregos tomaram seu termo *Saros*, ciclo.

Sara (*Sânsc.*) — Marcha, movimento; água, lago, tanque.

Sâra (*Sânsc.*) — Essência, parte essencial; força, vigor; o vento; água; riqueza; propriedade; aptidão. Como adjetivo: bom, distinto.

Saraghâ (*Sânsc.*) — Abelha.

Sâragha (*Sânsc.*) — Mel.

Saraja ou **Sâraja** (*Sânsc.*) — Manteiga.

Saraka (*Sânsc.*) — Que vai ou marcha; caminho; diretriz do movimento, bebida espirituosa; o céu; o ar.

Saramâ (*Sânsc.*) — Segundo os *Vedas*, é a cadela de Indra e mãe dos cães chamados Sârameyas. Saramâ é a "vigilante divina" do deus e é a mesma que guardava o "dourado rebanho de estrelas e raios solares"; o mesmo que Mercúrio, o planeta, e o Hermes grego, chamado Sârameyas. [Saramâ recobrou as vacas roubadas pelos *panis*, mito que, segundo se supõe, significa que Saramâ é a aurora e que as vacas representam os raios solares arrebatados pela noite. (Dowson, *Dicionário clássico hindu*) (Ver *Panis*.)]

Sâranam (*Pál.*) — Refúgio; guia. Na primeira destas acepções, é sinônimo de *Nirvâna*. (Ver *Tisarana*.)

Saraph (*Hebr.*) — Uma serpente voadora.

Saras (*Sânsc.*) — Água, lago, tanque.

Sarasa e Sarasî (*Sânsc.*) — Extensão de água. *Sarasa* (*sarasî*) significa também: dotado de sabor, saboroso.

Sarasija (*Sânsc.*) — "Nascido na água": lótus.

Sarasvat (*Sânsc.*) — "Semelhante a um lago"; mar, rio; como adjetivo: saboroso, sumarento.

S

Sarasvatî (*Sânsc.*) — O mesmo que Vâch, esposa e filha de Brahmâ, produzida de uma das duas metades de seu corpo. É a deusa da linguagem, assim como da Sabedoria e do Conhecimento Sagrado ou esotérico. Também é designada pelo nome de Zrî. Sarasvatî, esposa de Brahmâ, é a deusa da linguagem e, além disso, uma das divindades do sacrifício. Tal palavra significa também rio em geral e, em particular, o rio Saraswatî, atualmente chamado de Sarsûti, cujas águas se perdem nas areias do deserto a leste de Delhi.

Sarcófago (do grego *sarkós*, carne, e *phagein*, comer) — Um sepulcro de pedra para nele ser depositado um cadáver. Em Lícia foi encontrado o *lapis assius*, pedra com a qual se fabricam os sarcófagos e que tem a propriedade de consumir os corpos em pouquíssimas semanas. No Egito, construíam-se sarcófagos com vários outros tipos de pedra, tais como: basalto negro, granito vermelho, alabastro e outros materiais, que só serviam como receptáculos exteriores dos féretros de madeira, que continham as múmias. Os apitáfios de alguns deles são notáveis, por serem altamente morais e nenhum cristão poderia desejar coisa melhor. Um destes epitáfios, que data de milhares de anos antes de nossa era, diz: "Dei água a quem tinha sede e vesti o nu. Não prejudiquei ninguém". Outro diz: "Pratiquei os atos desejados pelos homens e os prescritos pelos deuses". A beleza de algumas destas tumbas pode ser julgada pelo sarcófago de alabastro de Oimeneftah I, que se encontra no Museu de *sir* John Soane, em Lincoln's Inn. "Foi lavrado num só bloco de alabastro fino e tem 2,70 m de comprimento por 56 a 60 cm de largura e 68 a 81 cm de altura... Do lado externo podem-se ver pontinhos e nozinhos gravados, que em outro tempo foram recobertos de cobre azul para representar o céu. Descrever as maravilhosas figuras que adornam este sarcófago por dentro e por fora ultrapassa os limites desta obra. Grande parte de nossos conhecimentos de mitologia popular emana de tão precioso monumento, com suas centenas de figuras que representam o juízo final e a vida além-túmulo. Deuses, homens, serpentes, plantas e animais simbólicos podem ser vistos ali, esculpidos com extrema arte." *(Ritos Funerários dos Egípcios)* [Há outros sarcófagos adornados com grande riqueza. Os do rei Ai e de Set I apresentam um resumo de todas as cenas funerárias das tumbas. Suas quatro faces estão cobertas de esculturas. O sarcófago de Taho é uma obra-prima que os gravadores não se cansam de admirar. As cenas que adornam estes monumentos referem-se ao curso noturno do Sol nas regiões subterrâneas. Nos sarcófagos mais recentes figuram lendas mitológicas relativas aos gênios funerários, a Ísis e Néftis etc., tanto que sobre o peito surge o gavião com cabeça humana, símbolo da alma. (Pierrey *Dict. d'Arch. Égypt.*)]

Sarga (*Sânsc.*) — Criação, emanação, emissão, produção, geração; criatura, coisa criada; prole, linhagem; origem, nascimento; mundo; natureza; caráter; ordem; espécie; multidão; legião; resolução; propósito, capítulo ou canto de um poema épico.

Sargon (*Cald.*) — Um rei babilônico. Descobriu-se recentemente que foi o protótipo de Moisés e da arquinha de juncos que se encontrou no Nilo.

Sariputra (*Sânsc.*) — Literalmente: "Filho de Sari". Sobrenome de um dos principais discípulos de Buddha; o São Pedro do budismo. Seu verdadeiro nome era Upatisya.

Sarira — Ver *Shârira*.

Sarîsripa (*Sânsc.*) — Serpente, réptil, inseto que se arrasta, "o infinitamente pequeno".

S

Sarjana (*Sânsc.*) — Emanação, emissão, criação, produção; cessão, abandono, afastamento.

Sarku (*Cald.*) — Literalmente: "a raça da luz"; a raça dos deuses, em contraposição à raça das trevas, chamada de *zahmat gagnadi* ou raça caída, isto é, a dos homens mortais.

Saros — Ver *Sar*.

Sârpa (*Sânsc.*) — Serpentino; próprio da serpente.

Sarparaja (*Sânsc.*) — Literalmente: "Rei dos *nâgas* ou serpentes". Título de Vâsuki.

Sarpa-rajñî (*Sânsc.*) — A Rainha das serpentes, segundo os *Brâhmanas*. [O *Aitareya Brâhmana* dá à Terra o nome de *Sarparajñî*, "Rainha-Serpente" e "Mãe de tudo o que se move". (*Doutrina Secreta*, I, 103)]

Sarpas (*Sânsc.*) — Serpentes cujo rei era Secha, a Serpente, ou melhor, um aspecto de Vishnu, que reinava no *Pâtâla*. [Há uma notável diferença, *esotericamente*, entre as palavras *Sarpa* e *Nâga*, embora ambas sejam usadas indistintamente. *Sarpa*, serpente, vem da raiz *srip*, arrastar-se, e é designada pelo nome de *ahi*, de *há*, abandonar. Os *sarpas* foram produzidos pelos cabelos de Brahmâ, os quais, por causa de seu espanto ao ver os *yakchas*, que eram horríveis à visão, caíram-lhe da cabeça, convertendo-se cada um deles numa serpente. São chamados "*Sarpa* porque se arrastam e *ahi* porque abandonaram a cabeça". (Wilson, I, 53.) Porém os *nâgas*, segundo as alegorias, apesar de sua cauda serpentina, não se arrastam, mas andam, correm e lutam. (*Doutrina Secreta*, II, 192.) Os *sarpas* são de ordem inferior àquela dos *nâgas*. (Ver *Nâgas*.)]

Sârpî (*Sânsc.*) — O nono asterismo lunar.

Sarva (*Sânsc.*) — Todo, inteiro; universal; todos, todo, todas as coisas, o mundo inteiro, o universo, o grande Todo.

Sârva (*Sânsc.*) — De todos, comum a todos.

Sarvabhâvena (*Sânsc.*) — Com toda a alma; de todo o coração.

Sarvabhrit (*Sânsc.*) — Sustentação do universo.

Sarvadarzin (*Sânsc.*) — Que a tudo vê.

Sarvaga (*Sânsc.*) — Literalmente: "que a tudo sacrifica". Epíteto de Buddha, que num *jataka* (vida ou encarnação) anterior sacrificou seu reino, sua liberdade e também sua vida, para salvar os demais.

Sarvaga (*Sânsc.*) — A suprema substância do mundo. [Literalmente: "que vai a todas as partes", onipenetrante: Brahmâ Shiva; a alma; a água.]

Sarvagata (*Sânsc.*) — Que vai a todas as partes; estendido a todos os lugares; onipresente, onipenetrante: universal; que a tudo preenche.

Sarvahara (*Sânsc.*) — Que a tudo arrebata.

Sarvajanîna (*Sânsc.*) — Que se refere a todos os homens.

Sarvajit (*Sânsc.*) — Que a tudo vence; invencível, irresistível.

Sarvajña (*Sânsc.*) — Que a tudo sabe; onisciente; dotado de conhecimento infinito; um Buddha. Sinônimo da palavra páli *sabbannu*.

Sarvaka (*Sânsc.*) — Tudo.

Sarvakâmin (*Sânsc.*) — Que tem tudo o que deseja.

S

Sarvakâmya (*Sânsc.*) — Que tem tudo o que lhe é apetecível.

Sarvakartri (*Sânsc.*) — Autor de tudo; Supremo Criador; Brahmâ.

Sarva-mandala (*Sânsc.*) — Nome aplicado ao "Ovo de Brahmâ".

Sarvamaya (*Sânsc.*) — Total, universal; que se refere ao todo.

Sarvamûchaka (*Sânsc.*) — "Que a tudo arrebata". O tempo.

Sarvânga (*Sânsc.*) — A coleção de membros: o corpo inteiro.

Sarvapriya (*Sânsc.*) — Universalmente amado; que ama a tudo e a todos.

Sarvârthâtâ (*Sânsc.*) — A totalidade das coisas.

Sarvasaha (*Sânsc.*) — "Que a tudo sustenta": a Terra.

Sarvasannâha (*Sânsc.*) — "Que une todos os seres entre si": a Alma ou Espírito Universal.

Sarva-sâra (*Sânsc.*) — Título de um dos *Upanichads*.

Sarvathâ (*Sânsc.*) — De todos os modos, por todos os meios; em qualquer lugar ou condição; completamente.

Sarvâtman ou **Sarvâtmâ** (*Sânsc.*) — A Alma Suprema; o Espírito onipenetrante. [O Espírito Universal; a Superalma. (*Doutrina Secreta*, I, 117.)]

Sarvatomukha (*Sânsc.*) — Que tem o rosto voltado para todas as direções; Brahmâ, de quatro faces.

Sarvatra — Ver *Sarvathâ*.

Sarvaveda (*Sânsc.*) — Brahmane que leu todo o *Veda*.

Sârvavedya (*Sânsc.*) — Brahmane que conhece todos os *vedas*.

Sarvavid (*Sânsc.*) — Que tudo sabe ou conhece; onisciente.

Sarva-vyâpi (*Sânsc.*) — Onipresente; onipenetrante.

Sarvesha — Ver *Sarveza*.

Sarveza [**Sarva-îza**] (*Sânsc.*) — "Senhor do Universo", o Ser Supremo; aquele que rege ou governa todas as ações e forças do universo. (Ver *Sarvezvara*.)

Sarvezvara [**Sarva-îzvara**] (*Sânsc.*) — Rei universal, Senhor Supremo ou do universo. Sinônimo de *Sarveza*.

Sârvîka (*Sânsc.*) — Universal, concernente a tudo.

Sarvîya (*Sânsc.*) — Relativo a todos.

Sasin (*Sânsc.*) — Outro nome do Astro-das-Noites, a Lua (palavra masculina em sânscrito). Suas esposas eram as vinte-e-sete constelações, porém apenas Rohini, a Varmelha (a constelação do Touro, cuja estrela principal é vermelha), reinava em seu coração. (Bergua, *O Râmayâna*, p. 747, nota.)

Sâsmita (sa-asmita) (*Sânsc.*) — Literalmente: "com egotismo". Tratando-se de meditação, é aquela em que se conserva o sentimento ou a consciência do ser pessoal (egotismo). Ver *Aforismos de Patañjali*, I, 17.

Sat (*Sânsc.*) — A única Realidade sempre presente no mundo infinito; a Essência Divina que *é*, porém da qual não se pode dizer que existe, uma vez que é o Absoluto, a própria *Seidade*. [Em geral, *sat* significa ser, existência, essência, realidade, o real; o mundo real; bem, bondade, pureza, verdade, qualquer coisa boa ou útil; *Âtman*, o

S

Absoluto. Como adjetivo: existente, real, presente, vivo; verdadeiro, bom, puro, justo, harmônico, útil, proveitoso, excelente, respeitável etc.]

Sât (*Sânsc.*) — Este sufixo expressa a matéria que forma ou constitui uma coisa ou o estado a que se encontra reduzida; assim *bhasmasât* (de *bhasman*, cinza, e *sât*), significa: reduzido a cinzas.

Satã (*Hebr.*) — Certamente não se encontrará, de modo algum, um ponto em que se veja tão manifestadamente a que absurdos extremos podem levar as interpretações errôneas de ideias e doutrinas primitivas. O Satã da teologia ocidental, com todo o horror dogmático de tal ficção, é filho de uma interpretação viciosa, que desfigurou completamente um dos conceitos mais ideais e profundamente filosóficos do pensamento antigo. As lendas dos "Anjos caídos" e das "Guerras no céu" são de origem puramente pagã e procedem da Índia e da Caldeia. Tais guerras referem-se às lutas de ajustamento espiritual, cósmico e astronômico, porém principalmente ao mistério da evolução do homem, tal como é na atualidade. O clero de todas as religiões dogmáticas considera Satã como "Inimigo de Deus". "Anjo rebelde", "Anjo do mal" ou "Espírito das Trevas". Porém, ao deixar de ser considerado segundo o espírito supersticioso e antifilosófico das Igrejas, Satã converte-se na grandiosa figura de um personagem que faz do homem terrestre um Homem divino, que lhe dá, durante todo o dilatado ciclo do *Mahâkalpa*, a lei do Espírito de Vida, que o livra do pecado da ignorância e, portanto, da morte. (*Doutrina Secreta*, I, 220.) Satã era um dos "Filhos de Deus" e o mais belo de seus Arcanjos. Nos *Purânas*, o primeiro "Adversário" em forma humana é Nârada, filho de Brahmâ e um dos maiores *Richis* e *Yogis*, designado pelo sobrenome de "Promovedor de lutas" (*Ibid.*, II, 244). Satã é uno com o *Logos* (II, 245). O *Logos* é Sabedoria, porém, ao mesmo tempo, como adversário da ignorância, é Satã e Lúcifer. Satã é o verdadeiro criador e benfeitor, o Pai espiritual da humanidade, o Heraldo da Luz, o brilhante Lúcifer, que abriu os olhos do autômato "criado" por Jeová e conferiu à linhagem humana a imortalidade espiritual. (*Ibid.*, II, 254) Impulsionado pela lei do Karma e da evolução eterna, o Anjo se encarnou como homem na Terra, conservando todo seu saber e conhecimento divinos (II, 296). A sabedoria Divina, caindo como um raio (*cadebat ut fulgur*), avivou a inteligência daqueles que lutavam contra os demônios da ignorância e da superstição. Satã pode ser considerado alegoricamente como o Bem e o Sacrifício e como Deus da Sabedoria (II, 247). Não é sem razão que foi qualificado de "Adversário", por que é, como acabamos de dizer, o Deus da Sabedoria e, especialmente, da Sabedoria Secreta, naturalmente oposta a toda ilusão efêmera do mundo, incluindo-se nela as religiões dogmáticas e eclesiásticas. (*Ibid.*, II, 394) Por outro lado, Satã existiu sempre como força antagônica, tal como o exigem o equilíbrio e a harmonia de todas as coisas da Natureza, do mesmo modo que a sombra é necessária para tornar a luz mais brilhante e a noite para que se ressalte o esplendor do dia. Deus e Satã: os dois "Supremos", são uma só e mesma entidade vista de dois aspectos diferentes. (*Ibid.*, I, 218 e 219) A Igreja, pois, ao maldizer Satã, maldiz o reflexo cósmico de Deus; anatematiza o Deus que se manifesta na Matéria e no mundo objetivo; execra a Deus ou à Sabedoria sempre incompreensível, que se revela como Luz e Sombra, Bem e Mal na Natureza. Se "Deus" é absoluto, infinito e a Raiz Universal de tudo o que há no universo, de onde vem o Mal senão da própria matriz do Absoluto? Assim, temos de aceitar a emanação do Bem e do Mal, do *Agathodaemon* e do *Kakodaemon* como ramos do mesmo tronco da Árvore do Ser ou, do contrário, teremos de nos resignar ao absurdo de crer em dois Absolutos. (*Ibid.*, I, 443.) Porém, ao se considerar

S

melhor, não há realmente Mal em si; o Mal é apenas uma força cega antagônica na Natureza; é a reação, oposição e contraste; mal para alguns, bem para outros: não há regeneração nem reconstrução sem destruição. Se o Mal desaparecesse da Terra, com ele desapareceria o Bem.

Uma vez explicado o significado da alegoria de Satã e sua hoste, resta dizer que se recusaram a criar o homem físico só para serem os salvadores diretos e os criadores do Homem divino. Em lugar de ser um mero instrumento cego, impelido e guiado pela Lei insondável, o Anjo "rebelde" reclamou e exigiu seu direito de vontade e juízo independente, seu direito de livre ação e responsabilidade, uma vez que o homem e o anjo são iguais perante a lei kármica. (*Ibid.*, I, 215, 216) Até que a Sabedoria descesse do alto para animar a terceira Raça e chamá-la à verdadeira vida consciente, a humanidade estava condenada à morte moral. (II, 240) Satã foi denominado de "Anjo das Trevas" e isto não deixa de ser justo no sentido de que a Obscuridade é Luz absoluta, coisa que a teologia parece ter esquecido. Satã é, finalmente, nossa natureza humana e o próprio homem, razão pela qual se disse que está próximo do homem e inextricavelmente entretecido com ele; a única questão é se este Poder encontra-se latente ou ativo em nós. (II, 501.) Qual seria a sorte do mundo se as pessoas tivessem horror maior à ignorância tenebrosa e ao frio egoísmo do que do ridículo Satã da teologia! (Ver *Diabo*, *Lúcifer*, *Nârada*, *Pesh-Hun* e *Secha*.)

Sata-rûpa (*Sânsc.*) — Aquela "de cem formas"; título aplicado a Vâch, que, por ser Brahmâ feminino, assume cem formas, isto é, a Natureza.

Sat-asat — Ver *Sad-asat*.

Satata (*Sânsc.*) — Eterno, perpétuo, contínuo. Como advérbio: sempre, constantemente.

Satata-yukta (*Sânsc.*) — Sempre devoto; em contínuo estado de união mística.

Satattva (*Sânsc.*) — Propriedade natural; essência; natureza.

Sat-Chid-Ânanda (*Sânsc.*) — "Existência, inteligência e felicidade".

Satchitânanda [ou **Sachchidananda**, como se costuma escrever por eufonia] — É usado frequentemente nas Escrituras hindus como nome abstrato de Brahmâ, sendo a *Trimûrti* as manifestações concretas daqueles três atributos. (A. Besant, *Sabedoria Antiga*, 215, nota.)

Sati (*Eg.*) — Esta deusa, juntamente com outra chamada Anouke, forma uma tríada com o deus egípcio Khnoum.

Satî ou **Satti** (*Sânsc.*) — [*Suttec*, em inglês.] - Cremação de uma viúva viva junto com seu marido defunto; costume felizmente abolido na Índia moderna. - Literalmente: "esposa casta e virtuosa".

Satkâra (*Sânsc.*) — Hospitalidade; agasalho, bom trato, boa acolhida; atenção, respeito, homenagem.

Satkarana (*Sânsc.*) — Literalmente: "a boa ação": cremação de um cadáver.

Satkriyâ (*Sânsc.*) — Deveres de hospitalidade; homenagem ou respeito devido; ato virtuoso ou piedoso; ato purificatório, cerimônia funerária.

Sâtmatâ (*Sânsc.*) — Ver *Sâtmya*.

Sâtmya (*Sânsc.*) — Unidade de essência com; identidade com. - O sistema terapêutico oriental baseia-se no *sâtmya*, ou seja, a identidade do medicamento com o eu. (Bhagavân Dâs, *A Ciência das Emoções*.)

S

Satpurucha (*Sânsc.*) — Homem bom ou excelente.

Sattâ (*Sânsc.*) — A "Existência única". Brahma (neutro). [Ser, existência; bondade, excelência.]

Sattama (*Sânsc.*) — Superlativo de *sat*: o melhor de todos, o mais excelente etc. (Ver *Sat*.)

Sattâ-sâmânya (*Sânsc.*) — Ser universal ou comum.

Satti — Ver *Satî*.

Sattra (*Sânsc.*) — Presente; oferenda, oblação, sacrifício; casa, hospital, casa de beneficência; albergue; abrigo, vestimenta.

Sattva (*Sânsc.*) — Inteligência, entendimento; repouso no conhecimento divino. Geralmente segue a palavra *Bodhi*, quando empregada em palavra composta, isto é, *Bodhisattva*. [*Sattva* tem numerosas acepções: Ser, existência, realidade; substância, coisa, objeto; estabilidade, equilíbrio; placidez; bondade; pureza; verdade; energia, força, poder, potência vital; luz, poder iluminador; natureza, caráter; firmeza; resolução; harmonia; ritmo; ânimo; coração; mente, alma, pensamento, espírito; vida, conduta. Entre os estudantes de Ocultismo da Escola *Aryâsanga*, dá-se o nome de *Sattva* à Mônada dual ou *Âtma-Buddhi*. (*Doutrina Secreta*, I, 98, nota.) Às vezes equivale a *Antahkarana*. Em outros casos, é interpretada no sentido de conhecimento puro. *Sattva* ou *Satwa*, como escrevem alguns incorretamente, é a primeira das três qualidades (*gunas*) da *Prakritti*, a qualidade da bondade, da pureza, da harmonia, da luz etc. e que é a causa de todo conhecimento e iluminação. (Ver *Gunas* e *Bhagavâd-Gîtâ*, XIV, 5 e ss.)]

Sattva-guna (*Sânsc.*) — A qualidade de *Sattva*; conhecimento intuitivo consciente. (M. Dvivedi, Comentário ao *Aforismo* I, 16.)

Sattvakartri (*Sânsc.*) — Criador de seres.

Sattva-loka (*Sânsc.*) — Ver *Satyaloka*.

Sattvamaya (*Sânsc.*) — Que consiste ou se compõe de bondade.

Sattvâpatti (*Sânsc.*) — Esta palavra é equivalente a *Mokcha* ou *Kaivalya*. (M. Dvivedi, Introdução aos *Aforismos de Patañjali*.)

Sattva-pradhâna (*Sânsc.*) — Predomínio da qualidade *sattva*.

Sattvapradhânmâyâ (*Sânsc.*) — Natureza com predomínio da qualidade *sattva*.

Sattastha (*Sânsc.*) — Firme na qualidade *sattva*. Devoto da verdade; fixo na Realidade; dotado de caráter.

Sattvavat ou **Sattvavant** (*Sânsc.*) — Dotado de caráter enérgico; resoluto, animado, valoroso, vivo.

Sâttvika (*Sânsc.*) — Adjetivo derivado de *sattva*. Bom, verdadeiro, justo, puro, virtuoso, perfeito; enérgico; harmônico etc. (Ver *Sattva*.) Que tem a qualidade *sattva* desenvolvida.

Satya (*Sânsc.*) — A Verdade Suprema. [Verdade; veracidade, sinceridade; fidelidade; realidade. Como adjetivo: verdadeiro, verídico, sincero; fiel; real, existentes. (Ver *Satyas*.)]

Satyaka (*Sânsc.*) — Verdadeiro, verídico: Nome de homem.

Sâtyaki (*Sânsc.*) — "Filho ou descendente de Satyaka". Nome patronímico de Yuyudhâna, heroico guerreiro aliado dos Pândavas. (*Bhagavâd-Gîtâ*, I, 17)

S

Satya-loka (*Sânsc.*) — O mundo da sabedoria e pureza infinitas; a mansão celestial de Brahmâ e dos deuses. [A mansão da Verdade, uma das esferas subjetivas de nosso sistema solar. (*Cinco Anos de Teosofia*) O sétimo céu. (Ver *Lokas.*)]

Satyankâra (*Sânsc.*) — Ratificação, verificação.

Satyas (*Sânsc.*) — Um dos nomes dos doze grandes deuses.

Satyasangara (*Sânsc.*) — Verídico. Epíteto de Kuvera.

Satyasankâza (*Sânsc.*) — Verossímil.

Satyatâ (*Sânsc.*) — Verdade, veracidade.

Satyât nâsti paro Dharma (ou **Satyân nâsti...** – como se escreve por eufonia) — "Não há religião mais elevada do que a Verdade." Lema do Mahârâjah de Benares, adotado pela Sociedade Teosófica.

Satyavâdin (*Sânsc.*) — Verídico, sincero.

Satyavat (*Sânsc.*) — Conforme a verdade. Nome próprio.

Satyavâz ou **Satyavazas** — Ver *Satyavâdin*.

Satyavrata (*Sânsc.*) — Devoto da verdade.

Satyavritta (*Sânsc.*) — Que atua conforme a verdade.

Satya-Yuga (*Sânsc.*) — A Idade de Ouro ou a Idade da verdade e da pureza; o primeiro dos quatro *Yugas*, também chamado de *Krita-Yuga*. (Ver *Yugas.*)

Saubhadra (*Sânsc.*) — "Filho de Subhadrâ," Nome patronímico de Abhimanyu, filho de Arjuna e Subhadrâ. (*Bhagavad-Gîtâ*, I, 6)

Saubhâgya (*Sânsc.*) — Boa fortuna; o quarto *yoga* astronômico.

Saucha (*Sânsc.*) — Pureza, castidade; honestidade; purificação; limpeza.

Sauchthava (*Sânsc.*) — Excesso, demasia; grande quantidade; excelência, superioridade; ligeireza, rapidez. Uma parte do drama.

Sauhitya (*Sânsc.*) — Satisfação, saciedade, plenitude.

Sauhrida e **Sauhridya** (*Sânsc.*) — Amizade.

Saukara (*Sânsc.*) — Adjetivo derivado de *sûkara* (porco); cínico.

Saukchmya (*Sânsc.*) — Minúcia, sutileza, tenuidade.

Saukhya (*Sânsc.*) — Prazer, gozo, voluptuosidade.

Saumadatti (*Sânsc.*) — Literalmente: "filhos de Somadatta". Nome patronímico de um guerreiro aliado dos Kurûs. (Ver *Somadatta*.)

Saumedika (*Sânsc.*) — Um sábio; um homem dotado de um poder extraordinário ou sobrenatural.

Saumika (*Sânsc.*) — (De *soma*, a Lua) – Sacrifício do dia da Lua cheia.

Saumya (*Sânsc.*) — Favorável, propício; aprazível, sereno; doce; grato; benévolo, benigno, amável.

Saumyatva (*Sânsc.*) — Doçura, bondade; amabilidade, suavidade, benevolência; calma, serenidade; placidez.

Saumyavapus (*Sânsc.*) — Que tem aspecto amável ou plácido.

Sauptica (*Sânsc.*) — Sonífero; relativo ao sono.

S

Saura (*Sânsc.*) — Mês de trinta dias solares; fogo solar; relativo ao Sol; solar; um adorador do Sol.

Saura-Purâna (*Sânsc.*) — Um dos *Purânas* menores. (Ver *Purânas*.)

Sauri (*Sânsc.*) — Regente do planeta Saturno.

Saurî (*Sânsc.*) — Esposa de Sûrya (o Sol).

Saurika (*Sânsc.*) — O paraíso dos deuses.

Sauti (*Sânsc.*) — Nome do sábio que recitou o *Mahâbhârata* para os *richis* no bosque de Naimicha.

Sautra (*Sânsc.*) — Brahmane versado nos *Sûtras*.

Sautrântika (*Sânsc.*) — Seguidor dos *Sûtras*; uma das escolas de filosofia búdica.

Sauvastika (*Sânsc.*) — Referente à cerimônia do *svasti*; sacerdote familiar; esmoleiro.

Sava (*Sânsc.*) — Extração ou expressão do sumo do *soma*; Soma ou a Lua; geração; certos ritos sacrificiais; sacrifício.

Savaka (*Pâl.*) — Equivalente ao sânscrito *Srâvaka*. (Ver esta palavra.)

Savana (*Sânsc.*) — Extração do *soma*; este mesmo sumo e sua libação; sacrifício; geração. Os três *savanas (trichavana)* são os três tempos do dia: manhã, tarde e noite. (Ver *Trichavana*.)

Savarna (*Sânsc.*) — Da mesma casta, espécie ou cor.

Savarnâ (*Sânsc.*) — Esposa de Vivasvat (o Sol).

Sâvarna (*Sânsc.*) — O oitavo Manu.

Sâvarni (*Sânsc.*) — Filho de Savarnâ.

Savichâra (*Sânsc.*) — "Com deliberação", deliberativo, reflexivo. Intuição meditativa. *(Râma Prasâd)*

Savichâra-Samâdhi (*Sânsc.*) — Meditação ou concentração deliberativa ou reflexiva. (*Aforismos de Patañjali*, I, 17, 44.)

Savîja (*Sânsc.*) — Ver *Sabîja*.

Savijñâna (Sa-vijñâna) (*Sânsc.*) — Junto com o supraconhecimento.

Savikalpa (Sa-vikalpa) (*Sânsc.*) — Com consciência; consciente.

Savikalpa-Samâdhi (*Sânsc.*) — *Samâddhi* consciente. Equivalente ao *samprajñâta-Samâdhi* ou com semente *(sa-bîja)*.

Savîkâra (Sa-vikâra) (*Sânsc.*) — Com modificação, mudança ou alteração.

Savitarka (Sa-vitarka) (*Sânsc.*) — Com deliberação, raciocínio ou argumentação; deliberativo, raciocinador. Uma espécie de intuição; a intuição verbal. *(Râma Prasâd)*

Savitarka-Samâdhi (*Sânsc.*) — Meditação ou concentração argumentativa, raciocinadora ou deliberativa. Quando a mente apreende uma palavra e medita sobre seu significado e forma, assim como sobre o conhecimento da relação de ambas e, deste modo, absorve no objeto de seu pensamento, efetua-se o *savitarka-samâdhi*. (Comentário de M. Dvivedi ao *Aforismo* I, 42.)

Savitri (*Sânsc.*) — Produtor, progenitor, gerador, pai. O Sol. Um dos *Âdityas*.

S

Sâvitrî (*Sânsc.*) — Raio solar ou feixe destes raios; célebre hino de Vizvâmitra em honra do Sol. Sobrenome de Umâ ou Pârvatî, esposa de Shiva; nome próprio da mulher de Satyavat; o cordão sagrado.

Sâvitrisûtra (*Sânsc.*) — O cordão sagrado.

Savya (*Sânsc.*) — Esquerdo; contrário, adverso.

Savyasâchin (*Sânsc.*) — "Hábil com a mão esquerda", ambidestro. Epíteto de Arjuna. (*Bhagavad-Gîtâ*, XI, 33)

Sâyana ou **Sâyanâcharya** (*Sânsc.*) — Célebre comentador do *Rig-Veda*.

Scaiolæ (*Lat.*) — Poderes espirituais, qualidades, virtudes que dependem da qualidade e quantidade dos elementos que os produzem. Tais poderes são o pensamento, o amor, o ódio, a imaginação, a esperança, o temor etc. (*F. Hartmann*).

Scheo (*Eg.*) — O deus que, juntamente com Tefnant e Seb, habita o *Aanru*, a região chamada "do renascimento dos deuses".

Schesu-Hor (Schesoo-Hor) (*Eg.*) — Literalmente: "os servidores de Hórus"; o povo primitivo que se estabeleceu no Egito e era ário.

Schetan (*Zend.*) — Sobrenome de Ahriman. (*Zend-Avesta*)

Schevá ou **Sheva** (*Hebr.*) — São os dois pontos verticais (:), que são colocados sob uma consoante para denotar a ausência de vogal (*schevá* simples). Algumas vezes não é pronunciado, como no fim de uma sílaba (*schevá* quiescente) e outras vezes tem o som de um brevíssimo, como no início de uma sílaba. Em certos casos é acompanhado de uma vogal breve (*schevá* composto).

Schmieder — Distinto professor de Filosofia de Halle, que numa obra intitulada *História da Alquimia*, publicada em 1832, recolheu com o maior cuidado todos os feitos de transmutação de metais e não vacila em declarar que, a menos que se recuse em todos os casos a autoridade do testemunho humano, é preciso reconhecer que foi encontrado o segredo da fabricação do ouro. (Luis Figuier: *L'Alchimie et les Alchimistes*, 3ª ed., p. 91.)

Seb (*Eg.*) — O Saturno egípcio, pai de Osíris e Ísis. Esotericamente, o único antes da criação e que, por seu significado, está mais próximo de Parabrahm do que de Brahmâ. Desde a segunda dinastia já existiam inscrições a seu respeito e nos museus há estátuas de Seb representado com o *cisne* ou *ganso negro*, que colocou em sua cabeça o ovo do mundo. Nout ou Neith, a "Grande Mãe" e contudo a "Virgem Imaculada", é a esposa de Seb; ela é a deusa mais antiga registrada na história e é encontrada em monumentos da *primeira* dinastia, à qual Mariette Bey datou em aproximadamente 7000 a.C. (Nos textos, Seb é chamado de "pai dos deuses"; estes nasceram de Nout (o céu) e Seb (a Terra). Muitas vezes Seb é representado lançado ao solo, com os membros cobertos de folhagens, enquanto o corpo de Nout se encurva, formando uma abóbada acima dele. (Pierret, *Dict. d'Arch. Égypt.*)

Sebek (*Eg.*) — Deus solar egípcio, representado com cabeça de crocodilo, que tem por arremate o disco do Sol e os chifres de carneiro.

Secha ou **Sesha** (*Sânsc.*) — *Ananta*, a grande Serpente da Eternidade, o leito de Vishnu, símbolo do Templo Infinito no Espaço. Segundo as crenças exotéricas, Secha é representado como uma serpente de *mil* cabeças e de *sete* cabeças, sendo a primeira o rei do mundo inferior, chamado *Pâtâla*, e a última, o veículo ou suporte de Vishnu no Oceano do Espaço. [A Secha, que é também Ananta, o infinito e o "Ciclo da Eternidade"

S

no esoterismo, atribui-se ter comunicado seus conhecimentos astronômicos a Garga, o astrônomo mais antigo da Índia, que obteve seu favor e aprendeu em seguida tudo o que se refere aos planetas e a maneira de ler os presságios. (*Doutrina Secreta*, II, 52.) Ver *Ananta, Ananta-Secha, Charaka, Nârada, Vâsuki, Pesh-Hun.*]

Sedecla (*Hebr.*) — O *obeah* feminino [feiticeira ou pitonisa] de Endor.

Sedj (*Zend.*) — *Dew* ou gênio autor dos males. (*Zend-Avesta*)

Sefekh — Ver *Sevekh*.

Segunda Morte — Para compreender de modo devido esta importantíssima e pavorosa questão, sobre a qual foram emitidas tantas opiniões, é preciso primeiro alguns pontos capitais. É sabido que o *Manas* é dual: sua porção superior eleva-se ao *Buddhi*, enquanto que a inferior gravita para baixo, em direção aos princípios inferiores e mais materiais. Estas duas porções encontram-se unidas pelo *Antahkarana*, linha imaginária ou ponto de comunicação entre o *Manas* inferior e o superior, ou seja, entre o *Ego* humano e o *Ego* divino, que são dois durante a vida humana, mas convertem-se num só *Ego* no *Devachan* ou *Nirvâna*. Através desta ponte, transmitem-se ao *Ego* superior as emanações mais nobres e espirituais da alma humana pessoal, as únicas que sobrevivem, e apenas enxertando-se ali solidamente o *Ego* pessoal na Mônada (verdadeira "Árvore da Vida Eterna") e fundindo-se a natureza moral com o *Ego* divino, é que o *Ego* pessoal adquire a imortalidade. Do contrário, a Alma kâmica humana, a Alma pessoal de um ser humano envelhecido e perverso, que nunca teve outros pensamentos senão os relacionados com o eu animal, não tendo, com a morte do corpo, nada a transmitir para o *Ego* superior nem coisa alguma a acrescentar à soma das experiências colhidas em encarnações passadas, esta Alma pessoal, encontrando estragada a ponte que une o *Manas* inferior com o superior, fica separada do *Ego* e condenada a sobreviver como entidade isolada, como *kâma-rûpa*, "casca-vazia" ou criatura "sem alma", e esta separação é para sempre, a menos que, mediante um supremo e definitivo esforço, o homem consiga estabelecer novamente a ponte de comunicação entre o *Ego* inferior e o superior. (*Doutrina Secreta*, III, 523.) – A expressão "segunda morte" aplica-se a várias mortes pelas quais devem passar os "Princípios" durante sua encarnação. Assim temos: 1º) a morte do corpo físico; 2º) a morte da alma animal (ou *Manas* inferior) no *Kâma-loka*; 3º) a morte do *Linga-shârira* astral, que segue aquela do corpo e consiste na desintegração e desaparecimento completo de suas partículas astrais e 4º) a morte metafísica do *Ego* superior, o imortal, cada vez que "cai na matéria" ou se encarna em nova personalidade. Porém, esotericamente, a "segunda morte" é a *morte* da Alma, isto é, sua separação do *Ego* superior na Terra, durante a vida de uma pessoa. Isso é uma verdadeira morte (embora com possibilidades de ressurreição), que não deixa marcas numa pessoa, deixando-a porém, moralmente, como um cadáver vivo. (*Ibid.*, 516.) Toda pessoa irrevogavelmente materialista é um Homem morto, um autômato vivo, por maior que seja sua potência cerebral. (*Ibid.*, 513.) – Nos casos de "segunda morte" o *Manas* inferior, entronizado no *Kâma-rûpa*, vai se aniquilando gradualmente, porém esta aniquilação não significa simplesmente descontinuidade da vida humana na Terra, porque a Terra é o *Avîtchi* e o pior *Avîtchi* possível. Expelido para sempre da consciência da Individualidade, o *Ego* que se reencarna, os átomos físicos e as vibrações psíquicas da então separada personalidade, reencarnam-se imediatamente na própria Terra em uma criatura inferior e ainda mais abjeta, em um ser que de humano só tem a forma, condenado a tormentos kármicos durante toda a sua nova vida, sofrendo uma série de reencarnações imediatas cada vez piores no plano animal, se persistir em sua carreira de crime e perversidade. (*Ibid.*, 523.) Alguns destes seres degradados, aqueles que já nasceram "sem alma", chegam a converter-se em poderosos vampiros, ainda que invisíveis. (*Ibid.*, 527.) (Ver *Reencarnação.*)

S

Seidade (*Be-ness*, em inglês) — Termo criado pelos teósofos para expressar mais exatamente o significado essencial da intraduzível palavra *Sat*. Esta palavra [sânscrita] não significa "Ser", porque pressupõe um sentimento ou alguma consciência de existência. Porém, como o termo *Sat* aplica-se unicamente ao Princípio absoluto, à Presença Universal, desconhecida e sempre incognoscível, que o panteísmo filosófico postula no Kosmos, denominando-o de base radical do Kosmos e o próprio Kosmos, a palavra "Ser" não era adequada para expressá-lo. De fato, a palavra *Sat* não é sequer a "Entidade incompreensível", como a traduzem alguns orientalistas, uma vez que não é uma Entidade nem também uma não-Entidade, mas ambas de uma só vez. É, segundo se disse, *Seidade* absoluta, não-Ser; o Todo único, sem segundo, indiviso e indivisível; a Raiz da Natureza visível e invisível, objetiva e subjetiva, que deve ser percebida através da mais elevada intuição espiritual, porém que jamais deve ser plenamente compreendida.

Seidur (*Esc.*) — Nome que os antigos islandeses davam à mais antiga e terrível forma de magia, que se operava sobre o fogo, através da poesia ou de certos cantos. As vítimas destas práticas execráveis ficavam atormentadas pela ideia de que o resto de suas vidas devia ser uma cadeia de desgraças.

Seir Anpin ou **Zauir Anpin** (*Hebr.*) — Na *Kabbalah*, é "o Filho do Pai oculto", aquele que reúne em si todos os *Sephiroth*. Adão Kadmon ou o primeiro "Homem celeste" manifestado, o *Logos*.

Sejem e **Sejet** — Ver *Sekhem* e *Sekhet*.

Sekhem ou **Sejem** (*Eg.*) — O mesmo que *Sekten*.

Sekhet ou **Sejet** (*Eg.*) — Ver *Pacht*.

Sekhet-hetepet ou **Sejet-hetepet** (*Eg.*) — Os Campos Elíseos.

Sekten (*Eg.*) — O *Devachan*; o lugar de recompensa depois da morte; é um estado, não uma localidade. (Ver *Devachan*.)

Selk (*Eg.*) — Deusa sobre cuja cabeça figura um escorpião. É uma forma de Ísis.

Selo de Salomão — É o duplo triângulo entrelaçado simbólico adotado pela Sociedade Teosófica e por muitos teósofos. O porquê chamar-se "Selo de Salomão" é um mistério, a não ser pelo fato de ter chegado à Europa procedente do Irã, onde há tantas histórias a respeito deste personagem mítico e do selo mágico utilizado pelas pessoas daquele país para pegar os djins e aprisioná-los em garrafas velhas. Porém este selo ou duplo triângulo é designado também na Índia pelo nome de "Signo de Vishnu" e pode ser visto em todas as casas de todas as aldeias como um talismã contra o mal. O triângulo era sagrado e usado como símbolo religioso no Extremo Oriente alguns séculos antes de Pitágoras tê-lo proclamado a primeira das figuras geométricas, bem como a mais misteriosa de todas. É encontrada na pirâmide, no obelisco e está cheio de significado oculto, assim como estão realmente todos os triângulos. Assim, o pentagrama é o triplo triângulo e o de seis pontas é o *Healpha*. (Ver *Pentaclo* e *Pentagrama*.) A direção que um triângulo indica determina seu significado. Se está voltado para cima significa o elemento masculino e o *fogo divino*; se voltado para baixo, o elemento feminino e as *águas* da matéria; se para cima, mas com um risco ou uma barra que cruza a ponta, significa o *ar* e a luz astral; se para baixo, com um risco ou uma barra, a *terra* ou matéria grosseira etc. Quando um sacerdote cristão grego, ao abençoar, junta o polegar, o indicador e o médio, faz simplesmente o símbolo mágico, através do poder do triângulo ou da "trindade". [O "duplo triângulo" significa as seis direções do Espaço, a união e a fusão do Espírito Puro com a Matéria, do *Arûpa* com o *Rûpa*, dos quais os triângulos e o *Zrî-Antara* dos brahmanes são um símbolo. (*Doutrina Secreta*, I, 143.)]

S

Selo do Coração — Ver *Doutrina do Coração* e *Svastika*.

Selo de Verdade ou **Selo Verdadeiro** — Nome dado à "Doutrina do Coração". É um símbolo que encabeça quase todas as obras esotéricas. (*Voz do Silêncio*, II.)

Semana Santa — É a grande época do ano cristão. "Todo o ofício do Sábado Santo é de uma beleza verdadeiramente ideal e de uma filosofia profunda – diz E. Burnouf. – Não posso reproduzi-lo aqui como gostaria, porém, convido a todos aqueles que se ocupam com o estudo das religiões a segui-lo com o livro na mão e o espírito aberto. Se guardam na memória a recordação das grandes cerimônias védicas, as encontrarão aqui inteiras, em meio às orações, que lhes recordarão os mais belos cantos de nossos antepassados ários. Ali verão as 'portas eternas' do recinto sagrado, por onde há de passar 'o rei glorioso'; o fogo divino e a vida que jazem ainda no cálice *(samudra)* sob a figura de Jonas; a luz indefectível do Pai; o Espírito penetrando na pia batismal como uma virtude misteriosa; o fogo nascendo pela fricção do pedernal, que no Ocidente substituiu os *Aranî* e em seguida o círio, grande símbolo pascal. Nos tempos antigos da Igreja, a cerimônia do fogo e do círio eram efetuadas no domingo, ao amanhecer, uma vez que, no dia do equinócio, o Sol desponta às seis horas. O fogo, excitado pela fricção, serve para acender o círio pascal; o diácono, vestido de branco, toma uma haste (o *vetasa* dos hinos), em cuja extremidade superior há três castiçais, que representam os três fogos do recinto védico; os acende um após outro com o fogo novo, dizendo a cada vez: 'a luz do Cristo'. Em seguida acende o círio pascal, no qual a cera substitui a manteiga do sacrifício, a 'mãe-abelha', a vaca dos hindus. Por último surge o Cristo, sob seu verdadeiro nome de *Agnus*, que pode muito bem ser *Agni* sob forma latina. Recita-se então a seguinte oração, em que se encontra exposta a mística de todo rito pascal: 'Oh noite verdadeiramente feliz, que despojou os egípcios (*Sasyus*, no Veda) e enriqueceu os hebreus (ários)! Noite em que as coisas celestes se associam às coisas terrestres e as divinas às humanas! Rogamos-te, Senhor, que este círio, consagrado em honra de teu nome, permaneça indefectível para destruir as trevas desta noite e que, recebido em aroma de suavidade, se misture com os luminares do alto'. Que o astro que pela manhã traz a luz *(lucifer matutinus)* encontre suas chamas: este astro, digo, que não se põe nunca, que retornou das regiões inferiores, luziu sereno sobre a linhagem humana." (E. Burnouf, *A Ciência das Religiões*, 3ª ed., p. 232 e ss.) Ver *Páscoa*.

Senâ (*Sânsc.*) — O shakti ou aspecto feminino de Kârttikeya; é chamado também de Kaumâra. [*Senâ* significa também: exército, hoste, linha de batalha, arma, flecha.]

Senânî (*Sânsc.*) — Caudilho ou chefe do exército.

Sendeiro — Lemos na *Voz do Silêncio*: "Não podes percorrer o Sendeiro antes que tu tenhas te convertido no próprio Sendeiro". Este Sendeiro – diz o comentário - é mencionado em todos os tratados místicos. Como declara Krishna no *Dhyaneswari*: "Quando se percebe este Sendeiro... parta já alguém para as magnificiências do Oriente ou em direção às câmaras do Ocidente, *sem se mover..., o viajante está a caminho*. Neste Sendeiro, a qualquer lugar que a pessoa se dirija, *aquele lugar* converte-se no *próprio eu de alguém*. 'Tu és o Sendeiro', diz ao Adepto *guru* e este último diz ao discípulo depois da Iniciação. 'Eu sou o caminho e a via', disse outro Mestre [Jesus]". Este enigma explica-se tendo-se em conta que a palavra "Sendeiro" alude aos graus de progresso interior individual no curso do discipulado, ao desenvolvimento progressivo do indivíduo na via ascendente da espiritualidade. Os graus ou etapas desta evolução estão divididos em dois grupos, constituindo os do primeiro o *Sendeiro probatório* e os do segundo, o Sendeiro propriamente dito, ou *Sendeiro do Discipulado*, que serão descritos mais adiante.

S

Sendeiro da Mão Direita — É o sendeiro escolhido por aqueles que praticam a Magia para fins benéficos, nobres e altruístas (Magia branca). É também chamado de "Sendeiro branco".

Sendeiro da Mão Esquerda — É o oposto àquele da mão direita, isto é, o sendeiro seguido por aqueles que praticam a Magia só para fins maus e egoístas e para a satisfação de seus desejos pessoais (Magia negra). É também chamado de "Sendeiro negro".

Sendeiro de Ação — Ver *Karma-yoga* ou *Karma-mârga*.

Sendeiro de Conhecimento — Ver *Jñâna-yoga* ou *Jñâna-mârga*.

Sendeiro de Devoção — Ver *Bhakti-yoga* ou *Bhakti-mârga*.

Sendeiro de Dor — Também chamado de "Sendeiro de Renúncia" ou "Sendeiro Secreto".

Sendeiro de Progresso Rápido — O homem que entrou "na corrente" experimenta um aceleramento considerável em sua evolução, que obedece ao rápido desenvolvimento de suas faculdades superiores; suas existências sucessivas são agitadas e atormentadas, uma vez que, nas escassas vidas que lhe restam, deve pagar todas as dívidas kármicas acumuladas em seu passado, aumentando a quantia dos pagamentos na proporção do vencimento que se aproxima.

Sendeiro de Renúncia — Ver *Sendeiro de Dor* e *Sendeiro Secreto*.

Sendeiro do Discipulado — É precedido pelo *Sendeiro Probatório* e nele se entra pela porta da Iniciação, quando se está preparado para recebê-la. É constituído por quatro etapas ou graus distintos e a entrada em cada um deles é guardada por uma iniciação. O primeiro grau se chama *Parivrâjaka* (o de religioso mendigo e que leva vida errante, sem lar, porque não considera a Terra como sua morada); os budistas dão a este grau o nome de *zrotâpatti*; "aquele que entrou na corrente"; o segundo grau é denominado de *Kutîchaka*, ou seja, o homem que constrói uma cabana e alcança um lugar de paz; entre os budistas dá-se-lhe o nome de *Sakridâgâmin* ("aquele que renascerá só mais uma vez"); o terceiro grau é o *Hamsa* ("Cisne"), aquele que compreende bem o "Eu sou Aquele"; em termos búdicos é *Anâgâmin*, ou seja, o estado daqueles que atingiram um domínio de si mesmos até um ponto tal em que não renascerão mais neste mundo; e finalmente o quarto grau, *Paramahamsa* ("aquele que está além da Individualidade ou do Eu"); os budistas dão a este grau o nome de *Arhat*, o Digno, o Santo, o Venerável, que se condicionou para gozar a perfeita sabedoria, mostrar compaixão infinita pelos ignorantes e aflitos, bem como um amor imenso por todos os seres. (A. Besant, *Sabedoria Antiga*, capítulo XI; Olcoty *Catecismo Búdico*, questão 189.) Ver *Sendeiro Probatório*.

Sendeiro Patente ou de Liberação — O Sendeiro *patente*, um dos dois em que se divide o Sendeiro Uno, conduz à bem-aventurança egoísta, desprezada pelos Buddhas de Compaixão. O Buddha que escorre este sendeiro abandona toda a relação possível com a Terra e também todo pensamento a ela relacionado e, esquecendo assim para sempre o mundo, já não pode auxiliar na salvação da humanidade; esta é sacrificada ao bem-estar do Buddha egoísta, em quem a compaixão está morta. (Ver *Sendeiro Secreto*.)

Sendeiro Probatório — Constitui uma das etapas do desenvolvimento da alma no curso de sua evolução, aquela que precede o Sendeiro do Discipulado. Como seu nome indica, a entrada neste Sendeiro converte o homem em discípulo ou *chela* em período de prova. Então o neófito se afasta do caminho comum da evolução, para procurar o Mestre que guiará seus passos ao longo da áspera e estreita senda que conduz à Libertação. Em estado de prova, são quatro as qualidades que o *chela* deve se propor a adquirir:

S

1ª) *Viveka* ou discernimento entre o real e o irreal; 2ª) *Vairâgya* ou indiferença por todas as coisas exteriores, ilusórias e passageiras; 3ª) *Chatsampatti*, isto é, os seis atributos mentais exigidos para que o neófito possa entrar no Sendeiro Probatório propriamente dito. Estes seis atributos são: a) *Zama*, domínio do pensamento; b) *Dama*, governo das palavras e ações; c) *Uparati*, tolerância; d) *Titikcha*, paciência; e) *Sraddhâ*, fé, e f) *Samâdhâna*, equilíbrio mental, equanimidade. A 4ª e última qualidade a ser adquirida é o *Mumukcha* ou desejo de libertação, o desejo da alma pela união com a Divindade. Ao chegar a este grau, o homem já se encontra disposto para a Iniciação e "para entrar na corrente". (Ver *Sendeiro do Discipulado*.) Para maiores detalhes, consultar: *Sabedoria Antiga*, cap. XI.

Sendeiro Secreto — Opostamente ao Sendeiro Patente, há o Sendeiro Secreto. Este último, também chamado de "Sendeiro de Renúncia", conduz ao auto-sacrifício e é "o escolhido pelos Buddhas de Perfeição, que sacrificaram o EU aos *eus* mais débeis". (*Voz do Silêncio*, II.) Por esta razão é denominado de "Sendeiro de Dor". Como se lê na *Voz do Silêncio*, II, condiz o *Arhat* a sofrimentos mentais indizíveis, sofrimentos pelos mortos-vivos e compaixão impotente pelos homens que gemem kármica aflição. O *Bodhisattva* que ganhou a batalha, que em sua mão tem o prêmio da vitória e, contudo, diz em sua compaixão divina: "Em proveito de outros, abandono este grande prêmio", efetua a maior Renúncia... O Sendeiro Secreto conduz igualmente à felicidade *paranirvânica*, porém no fim de *Kalpas* sem conta; de *Nirvânas* ganhos e perdidos por piedade e compaixão imensa para com o mundo dos mortais enganados... Porém se disse: "o último será o maior".

Sendeiros de Perfeição — São os três sendeiros que conduzem à união divina (*Yoga*); 1º) *Karma-mârga* ou *Katma-yoga* (sendeiro de ação), 2º) *Jñâna-mârga* ou *Jñâna-yoga* (sendeiro de conhecimento) e 3º) *Bhakti-mârga* ou *Bhakti-yoga* (sendeiro de devoção). Estes três sendeiros encontram-se perfeitamente descritos no *Bhagavad-Gîtâ* e na excelente obra de A. Besant *Os Três Sendeiros de Perfeição*.

Sendivogius, *Miguel* — Famoso alquimista da Moravia. Fez numerosas transmutações, porém as que lhe deram maior celebridade foram as que realizou perante o duque Frederico de Wurtemberg, em 1605, em Praga. Publicou um *Tratado de Enxofre* e a ele são atribuídas várias obras herméticas, entre elas o *Tratado do Sal, terceiro princípio das coisas minerais* e a *Lâmpada do Sal dos Filósofos*.

Senhor — Título honorífico que se dá à Divindade, aos seres divinos e a outros seres dignos de grande veneração, como Vishnu, Krishna, Shiva, Buddha e outros.

Senhora do Sicômoro — Título da deusa egípcia Neith, a qual é frequentemente representada como aparecendo numa árvore e nela colhendo o fruto da Árvore da Vida, como também a Água da Vida, para seus adoradores. (Ver *Caos*.)

Senhor da Face Resplandescente — Epíteto do Sol.

Senhor de Mâyâ — É o *Logos* ou *Brahma*, que para se manifestar reveste-se com o véu da ilusão *(Mâyâ)*. (*Sabedoria Antiga*, p. 53.)

Senhor de Misericórdia — Epíteto de Buddha.

Senhor de Sabedoria — Budha ou Mercúrio; Amun. (Ver *Filhos da Vontade e do Yoga*.)

Senhor do Lótus — Título aplicado aos diversos deuses criadores e também aos Senhores do Universo, cujo símbolo é tal planta. (Ver *Lótus*.) [Também se aplica o qualificativo de "Senhor do Lótus" *(Kumuda-pati)* à Lua, Mãe da Terra. Segundo os ensinamentos

S

ocultos, a Lua ocupou num *manvantara* precedente a mesma posição que a Terra ocupa no ciclo atual e pode-se dizer que os "princípios vitais" da Lua reencarnaram na Terra. (*Estâncias de Dzyan*, p. 63.)]

Senhor do Rebanho — Mencionado no Livro de Enoch. Os cristãos veem nele o Cristo, porém os ocultistas orientais nele reconhecem o Hierofante vítima, cujo nome – diz H. P. Blavatsky – não nos atrevemos a dar em sânscrito. (*Doutrina Secreta*, III, 88.)

Senhor do Yoga — Epfteto de Krishna. (*Bhagavad-Gîtâ*, XVIII, 78.)

Senhor dos Exércitos — Um dos títulos do Jeová judeu.

Senhor dos Senhores — O *Logos* planetário.

Senhores da Chama — Os *Agnichvâttas*.

Senhores da Lua — Ver *Barhichads* ou *Pitris lunares*.

Senhores da Tenebrosa Sabedoria — Asuras, Filhos da Noite, o fruto da primeira Cadeia planetária. (*Estâncias de Dzyan*, p. 83.)

Senhores de Compaixão — *Nirmânakâyas* ou Adeptos que renunciam à felicidade nirvânica e fazem parte daquela Hoste invisível, que vela sobre a humanidade e a protege dentro dos limites kármicos. (Ver *Nirmânakâyas*.)

Senhores do Crepúsculo — Os *Pitris Barhichads*.

Senhores do Karma, Os — São as grandes Inteligências espirituais, que guardam os registros e ajustam as complicadas operações da lei kármica. São também designados pelos nomes de *Lipikas* e *Mahârâjas*. (Ver estes nomes.)

Senhores dos Filhos da Negra Face — Os *asuras* que se encarnaram na quarta Raça e se rebelaram contra o branco Imperador da "Cidade das Portas de Ouro" (P. Hoult)

Senhor Primeiro — Îzvara ou *Logos* solar.

Senhores Sublimes, Os Sete — Os sete *Logos* planetários. As divindades presidentes das Cadeias planetárias. Os arcanjos criadores dos cristãos; os ameshaspentas dos zoroastrianos. (*Estâncias de Dzyan*, p. 19.)

Sentidos — Os dez órgãos do homem. No Panteão exotérico e nas alegorias do Oriente, são as emanações dos dez deuses menores, os *Prajâpatis* ou "progenitores" terrestres. Dá-se-lhes o nome de "sentidos elementares" em contraposição aos cinco sentidos físicos e aos sete suprafísicos. Em Ocultismo estão estreitamente relacionados com várias forças da Natureza e com nossos organismos *internos*, chamados em fisiologia de *células*. [Os sentidos são as faculdades através das quais o homem se coloca em relação com o mundo exterior, recebendo as impressões das qualidades dos corpos.

Como se viu no estudo das *Raças humanas*, cada Raça desenvolveu seu sentido correspondente; assim é que a Raça atual, a quinta, possui cinco sentidos (visão, audição, olfato, paladar e tato). A sexta Raça desenvolverá o sexto, ou seja, a clarividência astral ou visão psíquica, cujo órgão material será o corpo pituitário, e a sétima desenvolverá o sétimo, a clarividência espiritual ou visão espiritual inferior, cujo órgão será a glândula pineal. (Ver *Indriyas* e *Raças Humanas*.)]

Senzar — Nome místico da linguagem secreta sacerdotal, ou seja, da "linguagem do Mistério" dos Adeptos Iniciados em todo o mundo. [A língua sacerdotal *(senzar)*, além de ter seu alfabeto próprio, pode ser expressa através de vários sistemas de escrita cifrada, cujos caracteres participam mais da natureza do ideograma do que das sílabas. Outro método (*lug*, em tibetano) consiste no emprego de números e cores, cada um dos quais

S

corresponde a uma letra do alfabeto tibetano (que consta de 30 letras simples e 74 compostas), formando assim um alfabeto criptográfico completo. Quando são empregados os símbolos ideográficos, há uma maneira definida de ler o texto, pois em tal caso os símbolos e signos utilizados em astrologia – isto é, os doze animais do Zodíaco e as sete cores primárias, cada uma delas tripla em gradação ou matiz, a saber: claro, primário e escuro – representam as 33 letras do alfabeto simples, em lugar de palavras e frases. Porque neste método os doze "animais", repetidos cinco vezes e associados com os cinco elementos e as sete cores, proporcionam um alfabeto completo, composto de 60 letras sagradas e 12 signos. Um signo colocado no início do texto determina se o leitor tem de decifrá-lo segundo o sistema hindu, no qual cada palavra é simplesmente uma adaptação sânscrita, ou se deve fazê-lo segundo o princípio chinês de ler os signos ideográficos. O método mais fácil, contudo, é aquele que permite ao leitor não empregar nenhuma língua especial ou empregar a que mais lhe agrade, uma vez que os signos e símbolos eram, como os algarismos e números arábicos, propriedade comum ou internacional entre os místicos Iniciados e seus discípulos. A mesma peculiaridade é característica de uma das formas da escrita chinesa, que pode ser lida com igual facilidade por qualquer um que conheça os caracteres; por exemplo, um japonês pode lê-la em sua própria língua tão facilmente quanto um chinês na sua. (H. P. Blavatsky, Prefácio de *Voz do Silêncio*.)]

Separação (*Alq.*) — Efeito da dissolução dos corpos através de seu solvente, separação que ocorre quando a matéria torna-se negra.

Separar a alma do corpo (*Alq.*) — É volatilizar a matéria, fazê-la sublimar.

Separatividade — A ideia errônea de que a Alma ou Eu é distinta e independente do Eu único, universal e infinito. Esta ilusão foi qualificada de "Grande Heresia". (Ver *Voz do Silêncio*, I; ver também *Sakhâyaditthi*.)

Sepher habahir (*Hebr.*) — Livro cabalístico atribuído a Nechonia ben Hakana, contemporâneo de Herodes o Grande. Ainda hoje se fazem passar por extratos deste livro diversos fragmentos evidentemente não autênticos. Tais são os fragmentos reunidos sob o título de *O Fiel Pastor*, comumente impressos com o *Zohar*, em forma de comentário. (Franck: *A Cabala*, tradução francesa, p. 55.)

Sepher Sephiroth (*Hebr.*) — Tratado cabalístico relativo à evolução gradual da Divindade, desde o repouso negativo até a emanação ativa e criação. (W. W. W.)

Sepher Yetzirah (*Hebr.*) — "O Livro da Formação." Obra cabalística antiquíssima atribuída ao patriarca Abraão. Esclarece a criação do Universo por analogia com as vinte e duas letras do alfabeto hebraico, distribuídas em uma tríada, uma héptada e uma década, correspondendo com as três letras mães (A. M. S) aos sete planetas e aos doze signos do Zodíaco. Está escrita em neo-hebraico do *Mishnah*. (W. W. W.) [Ver *Yetzirah Sepher*.]

Sephira (*Hebr.*) — Uma emanação da Divindade, a geradora e a síntese dos dez *Sephiroth*, quando se encontra na cabeça da Árvore Sephirothal; na *Kabbalah*, *Sephira*, ou a "Sagrada Anciã", é a Inteligência Divina (o mesmo que *Sophia* ou *Metis*), a primeira emanação do "Infinito" ou *Ain-Soph*. [*Sephira* é o singular de *Sephiroth*. *Aditi* é o original de *Sephira*. (*Doutrina Secreta*, III, 91.)]

Sephiroth (*Hebr.*) — [Plural de *Sephira*.] - São as dez emanações da Divindade; a mais elevada é a formada pela concentração do *Ain-Soph Aur* ou Luz infinita e cada *Sephira* produz, por emanação, outro Sephira. Os nomes dos dez *Sephiroth* são: 1°) *Kether*, a Coroa; 2°) *Chokmah*, Sabedoria; 3°) *Binah*, Inteligência; 4°) *Chesed*, Misericórdia; 5°) *Geburah*, Poder; 6°) *Tiphereth*, Beleza; 7°) *Netzach*, Vitória; 8°) *Hod*, Esplendor; 9°) *Jesod*, Fundamento; 10°) *Malkuth*, Reino. O conceito da Divindade contido nos dez

S

Sephiroth é muito sublime e cada *Sephira* é para o cabalista uma representação de um grupo de ideias sublimes, títulos e atributos, que o nome expressa apenas debilmente. Cada *Sephira* é ativo e passivo, embora este atributo possa induzir a erro; passivo não significa retorno à existência negativa e as duas palavras expressam apenas a relação entre os *Sephiroth* individuais e não uma qualidade absoluta. (W. W. W.) Para maiores detalhes, consultar *Doutrina Secreta*, III, 183-185.

Septerium (*Lat.*) — Uma grande festa religiosa celebrada antigamente a cada nove anos, em Delfos, em honra de Hélios, o Sol ou Apolo, para comemorar seu triunfo sobre as trevas, ou Píton, sendo Apolo-Píton o mesmo que Osíris-Tífon no Egito.

Sepulcro (*Alq.*) — Alguns Adeptos deram este nome ao vaso de vidro que contém a matéria da obra. Algumas vezes este termo é usado para indicar o solvente dos Sábios.

Serafins (do hebraico, *Seraphim*) — Seres celestiais descritos por Isaías (VI, 2) como de forma humana, com a adição de dois pares de asas. A palavra hebraica é ShRPIM e fora do caso citado anteriormente, é traduzida como "serpentes" e está relacionada com a raiz verbal S h R P, consumir. Diz-se que Moisés erigiu no deserto um S h RP ou Serafim de bronze, como um símbolo. Esta brilhante serpente é também usada como emblema da Luz. Compare-se o mito de Esculápio, a divindade curadores que, segundo dizem, foi trazida a Roma, desde Epidauro, como uma serpente e cujas estátuas o representam empunhando uma vara na qual há uma serpente enroscada. (Ver Ovídio, *Metamorfose*, livro XV.) Os Serafins do *Antigo Testamento* parecem estar relacionados com os *Querubins*. (Ver esta palavra.) Na *Cabala*, os Serafins constituem um grupo de poderes angélicos atribuídos ao *Sephira Geburah*, severidade. (W. W. W.)

Serapeum — Como todo defunto se convertia num Osíris, o Ápis morto chamava-se Osor-Ápi, expressão que os gregos transformaram, por aferese, em Serápis. *Serapeum* era o nome que se dava à tumba de Ápis. (Pierret, *Dict. d'Arch. Égypt.* Ver *Serapis*.)

Serapis (*Eg.*) — Um grande deus solar que substituiu Osíris no culto popular e em honra do qual se cantavam as sete vogais. Em muitas de suas representações surgia como uma serpente, um "Dragão de Sabedoria". Era o deus maior do Egito durante os primeiros séculos do cristianismo. [Ver *Serapeum* e *Osor-Ápis*.]

Serpente — O primeiro símbolo da Serpente representava a Perfeição e a Sabedoria Divinas e representou sempre a Regeneração psíquica e a Imortalidade. Daí o fato de Hermes ter chamado a serpente de o mais espiritual de todos os seres; Moisés, Iniciado na sabedoria de Hermes, seguiu seu exemplo no *Gênese*; sendo a Serpente dos gnósticos, com as sete vogais sobre sua cabeça, o emblema das sete Hierarquias dos Criadores setenários ou planetários. Daí também a serpente hindu Secha ou Ananta, o Infinito, um nome de Vislmu e primeiro veículo deste deus nas Águas Primordiais. Contudo, assim como os *Logoi* e as Hierarquias de Poderes, estas serpentes devem ser dintinguidas umas das outras. Sesha ou Ananta, o "Leito de Vishnu", é uma abstração alegórica, que simboliza o Tempo Infinito no Espaço, que contém o Germe e lança periodicamente a florescência deste Germe, o Universo manifestado; o *Ophis* gnóstico contém o mesmo triplo simbolismo em suas sete vogais, como o Oeahoo de 1, 3 e 7 sílabas da doutrina arcaica, a saber: o primeiro *Logos* não-manifestado, o segundo manifestado e o Triângulo condensando-se no Quaternário ou *Tetragrammaton* e os raios deste no plano material. Contudo, todos eles estabelecem uma diferença entre a Serpente boa e a má (a Luz Astral dos cabalistas); a primeira é encarnação da Sabedoria divina na região do Espiritual; a segunda, o Mal, no plano da Matéria. Pois a Luz Astral ou Éter dos antigos pagãos é Espírito-Matéria. Começando no puro plano espiritual, torna-se mais grosseira à medida em que desce, até que se converte em *Mâyâ* ou tentadora e enganosa serpente em nosso

S

plano. Jesus aceitou a serpente como sinônimo de Sabedoria e isto fazia parte de seus ensinamentos: "Sede prudentes como a serpente", diz. (*Doutrina Secreta*, I, 102-103.) Dá-se o nome de Serpentes aos Sábios e aos Iniciados perfeitos e, nos tempos antigos, a serpente era considerada como o primeiro raio de luz emanado do abismo do divino Mistério. (*Ibid.*, I, 437.) – Ver *Nâgas, Sesha, Sod, Ananta, Urcœus, Uraga* etc.

Serpente da Eternidade — O *Logos* nascido do céu. – Ananta.

Serpente de Fogo ou **ígnea** — A luz supra-astral (isto é, noumenal), a primeira radiação da Raiz *Mûlaprakriti*, Substância cósmica indiferenciada, que se converte em Matéria astral. É também denominada de "Mar de Fogo". (*Doutrina Secreta*, I, 104.)

Serpente do Mundo — Com este nome designou-se a Matéria.

Serpentes de Sabedoria — Ver *Nâgas, Mahâtmâs, Adeptos, Iniciados*.

Servidor *(Alq.)* — Os filósofos deram este nome às suas matérias, uma vez que trabalham segundo os seus desejos e obedecem à sua vontade.

Sesha ou **Shesha** *(Sânsc.)* — Ver *Secha*.

Sessão Espírita — Expressão que, entre os espíritas e teósofos, passou a significar uma reunião ou sessão com a assistência de um *médium* para a produção de fenômenos, tais como a materialização de "espíritos" e outras manifestações.

Set ou **Seth** *(Eg.)* — O mesmo que o filho de Noé e Tífon – que é o lado escuro de Osíris. O mesmo que Toth e Satã, o Adversário, não o diabo apresentado pelos cristãos. (Ver *Seth*.)

Sete — Ver *Setenário*.

Sete Centros Laya, *Os* — Ver *Laya* e *Ponto* ou *Centro Laya*.

Sete Chaves, *As* — As chaves para a interpretação das alegorias contidas na *Bíblia*, bem como nas religiões pagãs, nos mistérios da Cosmogonia, na Guerra dos Céus, nos Anjos caídos etc. (Ver *Doutrina Secreta*, III, 193.)

Sete Deuses Criadores, *Os* — Os sete Elohim correspondentes aos sete *Prajâpatis* dos hindus, aos sete *Khnûmû* dos egípcios e os sete *Amshaspends* dos zoroastrianos. (*Doutrina Secreta*, III, 191, nota.)

Sete Filhos-Irmãos, *Os* — Representam e personificam as sete formas de magnetismo cósmico, chamadas no Ocultismo prático de os "Sete Radicais", cujas produções cooperativa e ativa são, entre outras energias, a Eletricidade, o Magnetismo, o Som, a Luz, o Calor, a Coesão etc. (*Doutrina Secreta*, I, 169.)

Sete Grandes Ilhas, *As* — As sete ilhas (*dwîpas*) pertencentes ao continente da Atlântida, destruídas por uma série de cataclismos ocorridos em longos intervalos de tempo. (*Estâncias de Dzyan*, p. 96.)

Sete Mundos de Mâyâ, *Os* — São os sete globos da Cadeia planetária e também as sete Rondas.

Setenário — É a base da ordem da Natureza para nosso universo. Assim, há sete globos que constituem a Cadeia Planetária; sete princípios que integram o homem; sete Raças e sete sentidos, dos quais ainda não apareceram os dois últimos; sete *Logoi*, sete centros *Laya* etc. O caráter sétuplo de nosso Cosmos é reproduzido em todas as suas subdivisões em sua ordem descendente. O número sete é o número da Natureza considerada do ponto de vista da evolução e basta nos fixarmos um pouco para vermos que é sempre repetido, não só nos livros que se ocupam da ciência oculta em suas múltiplas fases, assim como nas próprias obras da moderna ciência ocidental: esta reconhece sete cores, sete sons. Keely, o grande redescobridor americano da força, que ele chama de

S

interetérea, sem nunca ter se ocupado com o ocultismo, divide o seu éter em sete gradações também. William Crookes descobre na Europa o quarto estado da matéria, que chama de "radiante", além do qual existem outros três, pois a *Prakriti* (Matéria) é considerada como setenária no Oriente. (F. Montoliu: *Classificação dos Princípios*, p. 10, em *Estudos Teosóficos,* 1ª série, nº 16.)

Sete Oceanos, *Os* — Ver *Sapta Samudra*.

Sete Princípios, *Os* — Ver *Princípios*.

Sete Radicais, *Os* — Ver (*Os*) *Sete Filhos-Irmãos*.

Sete Raios ou **Poderes Primitivos**, *Os* — São os sete deuses ou anjos primitivos, ou *Dhyân Chohans*, mais tarde adotados pelos cristãos com o nome de "Sete Anjos da Presença". (*Doutrina Secreta*, III, 369.)

Sete Raios Solares (místicos), *Os* — Os nomes destes sete Raios - que são: Suchumnâ, Harikeza, Vizvakarman, Vizvatryarchâs, Sannaddha, Sarvâvasu e Svarâj - são todos místicos, e cada um deles tem sua aplicação distinta num estado de consciência diferente, para fins ocultos. A totalidade dos sete Raios disseminados pelo sistema solar constitui, por assim dizer, a base física do Éter da ciência, base na qual a luz, o calor, a eletricidade etc., as Forças da ciência ortodoxa, estão correlacionadas para produzir seus efeitos terrestres. Quanto aos efeitos psíquicos e espirituais, estes emanam e têm sua origem no *upâdhi* (base) suprassolar, isto é, no *Âkâza* ou Éter dos ocultistas. (*Doutrina Secreta*, I, 561, nota.)

Sete Ramos do Saber, *Os* — Ver *Vidyâ*.

Sete Resplandescentes, *Os* — São os sete *Logos* planetários ou *Logos* criadores.

Sete Richis, *Os* — Ver *Saptarchi*.

Sete Rios Sagrados, *Os* — Ver *Saptasindhava*.

Sete Rodas, *As* — Os sete globos de nossa Cadeia Planetária.

Seth (*Hebr.*) — Propriamente, Seth não é um homem, mas uma *raça*. Antes dele, a humanidade era hermafrodita. Sendo Seth o primeiro resultado (fisiologicamente) depois da "Queda", é também o primeiro *homem* e daí o fato de seu filho Enos ser chamado de "Filho do *Homem*". Seth representa a última parte da terceira Raça. (*Doutrina Secreta*, II, 133.)

Sethon, *Alexandre*, chamado o Cosmopolita — Famoso alquimista escocês do séc. XVII. Visitou grande número de cidades europeias para demonstrar a verdade de sua arte, de maneira completamente desinteressada, como um verdadeiro apostolado sempre difícil e frequentemente perigoso e no qual Sethon haveria de encontrar o martírio. Em 1602, encontrando-se em Eukhuysen (Holanda), transmutou um pedaço de chumbo em um pedaço de ouro de mesmo peso. De lá foi para Amesterdã e, em seguida, para Rotterdã, onde embarcou para a Itália e percorreu depois a Suíça e a Alemanha. Nesta, diante de um professor de Friburgo, Wolfgang Dienheim e vários personagens ilustres da Basileia, praticou com pleno êxito uma projeção que, posteriormente, o referido professor descreveu detalhadamente em sua obra *De Minerali Medicina*, 1610. Antes de abandonar a Basileia, Sethon fez um segundo ensaio na casa do ourives André Bletz, onde transformou em ouro várias onças de chumbo, na presença de várias pessoas doutas e fidedignas. Da Basileia foi para Estrasburgo - onde fez outra projeção de grande ressonância -, para Frankfurt do Mein e para Colônia. Nestas cidades converteu à Alquimia inúmeros incrédulos e adversários, entre eles o cirurgião Meister George, que contestando

S

as brincadeiras de alguns de seus amigos, escreveu: – O que vi, vi muito bem; o que foi realizado na presença de tantas testemunhas não é sonho. O ouro fabricado, do qual se conserva uma boa parte, não é uma quimera. Sempre acreditarei em meus olhos antes do que em vossas frívolas conversas". Tendo o duque da Saxônia ouvido falar da habilidade de Sethon, quis ter uma prova da mesma; a projeção feita na presença de toda a corte teve o maior êxito; o ouro assim fabricado resistiu a todas as provas. Porém Cristiano II, eleitor da Saxônia, homem avaro e cruel, quis possuir o segredo do operador. Promessas, ameaças, tudo foi em vão para que este revelasse seu segredo. Foi submetido a suplícios terríveis e, finalmente, encerrado num calabouço, do qual pôde escapar graças à astúcia de Miguel de Sendivogius, que o retirou de sua prisão e o levou à Cracóvia, onde Sethon morreu pouco tempo depois, em consequência das cruéis e prolongadas torturas que havia sofrido. Este sábio ilustre deixou escrita uma obra hermética intitulada *Livro dos Doze Capítulos*, que Sendivogius mandou imprimir na Cracóvia, com esta epígrafe: *Divileschi genus amo*.

Sevâ (*Sânsc.*) — Serviço, favor, ajuda, honra, culto, adoração; veneração; devoção; assistência; uso, emprego; prática; exercício.

Sevana (*Sânsc.*) — Serviço, favor, ajuda.

Sevekh ou **Sevej** (*Eg.*) — Deus do tempo; Cronos; o mesmo que Sefekh. Alguns orientalistas traduzem tal nome dando-lhe o sentido de o "sétimo".

Séverin, *Pedro* — Sábio insigne que se dedicou com ardor a continuar e desenvolver o sistema de Paracelso.

Sevi ou **Sevin** (*Sânsc.*) — Que vive em; que frequenta; que serve, honra ou venera que busca; que habita, visita, emprega, usa, goza etc.

Sevitva (*Sânsc.*) — Frequência; residência; retiro, culto, serviço.

Sezvara (Sa-îzvara) (*Sânsc.*) — Literalmente: "com Senhor", "com Deus"; deísta. É o contrário de *anîzvara*. (Ver esta palavra.)

Sezvara sânkhya (*Sânsc.*) — O sistema de filosofia *Sânkhya* teísta, isto é, a filosofia yoga de Patañjali.

Shabalâshvas (*Sânsc.*) — Filhos de Dakcha, mil em número. (*Doutrina Secreta*, II, 288.)

Shabda (*Sânsc.*) — Som, ruído; voz, clamor; palavra, linguagem, nome, título; a palavra revelada ou revelação.

Shabdabrahman (*Sânsc.*) — "A palavra Brahma"; palavra divina; as Sagradas Escrituras; a teologia; os *Vedas*.

Shaberon (*Tib.*) — Os *Shaberon* ou *Khubilgan* (ou *Khubilkhans*) mongóis são as reencarnações de Buddha, segundo os lamaístas; grandes santos e *Avatars*, por assim dizer.

Shaddai, O (*Hebr.*) — Um nome da Divindade hebraica, comumente traduzido como Deus Todo-Poderoso, que se encontra no *Gênese*, *Êxodo*, *Números*, *Ruth* e *Jó*. Seu equivalente em grego é *Kurios Pantokrator*; porém, pela derivação grega, significa melhor "o derramador", pois *shad* expressa "mama" ou "peito" e, de fato, *shdi* é empregado também para designar "uma mãe que cria". (W. W. W.)

Shakti (*Sânsc.*) — Ver *Sakti*.

Shakya (*Sânsc.*) — Ver *Sâkya*.

Shâlmali (*Sânsc.*) — Ver *Salmalî*.

S

Shama (*Sânsc.*) — Paz, sossego, calma, tranquilidade, serenidade, placidez, tranquilidade de ânimo.

Shamael — O aspecto obscuro do *Logos*. (*Doutrina Secreta*, II, 26.) Ver *Samael*.

Shamanismo — Ver *Samanismo*.

Shamans — Ver *Samaneus*.

Shammars (*Tib.*) — O mesmo que os Turbantes vermelhos ou *Dugpas*. (Ver esta palavra.)

Shânâh (*Hebr.*) — O ano lunar.

Shangna (*Sânsc.*) — Nome misterioso aplicado a uma roupagem ou "vestimenta" num sentido metafísico. Colocar a "vestimenta Shagna" significa a aquisição da Sabedoria Secreta e a Iniciação. (Ver *Glossário de Voz do Silêncio*, II.) Literalmente: "Vestimenta da Iniciação" dos neófitos. Edkins diz que "este tecido de erva" foi importado do Tibete para a China sob a dinastia Tong. "Quando nasce um *Arhan*, esta planta brota numa paragem pura", diz a lenda chinesa, bem como a Tibetana. *(Op. cit.)*

Shankara (*Sânsc.*) — Ver *Sankara*.

Shankârâchârya (Shankara-âchâryâ) (*Sânsc.*) — Grande reformador religioso e mestre da filosofia *Vedanta*. Viveu no século VIII ou IX. Seu saber e santidade eram tidos em tão alto apreço, que este personagem chegou a ser considerado como uma encarnação de Shiva e se acreditava que tinha o poder de fazer milagres. Atribuem-se-lhe numerosas obras, sendo as principais seus comentários *(Bhâchyas)* sobre os *Aforismos*, sobre o *Bhâgavad-Gîtâ*, *Upanichads* e outras importantes. No que se refere à debatida questão de se *Shankarâchârya* foi o próprio Buddha sob uma nova forma pessoal, consulte a seção do tomo III da *Doutrina Secreta* referente ao *Mistério de Buddha*, p. 376 da ed. inglesa. (Ver *Srî Shankarâchârya*.)

Shankhâvali (*Sânsc.*) — Nome de uma droga. *(Râma Prasâd)*

Shankhinî (*Sânsc.*) — Um *nâdi*, com todas as suas ramificações, que vai ao ânus. *(Râma-Prasâd)*

Shânta — Ver *Zânta*.

Shânti — Ver *Zânti*.

Sharîra (Sarîra) (*Sânsc.*) — Invólucro ou corpo. A forma visível.

Shâstra ou S'âstra (*Sânsc.*) — Um tratado ou livro; qualquer obra de autoridade aceita ou divina, incluindo os livros de leis. Um *shâstrî* significa, ainda hoje, na Índia, um homem versado na lei divina e humana. [*Shâstra* significa também: obra científica ou canônica; escritura; texto sagrado; ensinamento; lei; preceito; instrução; doutrina; regra; as seis escolas de filosofia.]

Shatachakra — Ver *Zatachakra*.

Shedim (*Hebr.*) — Ver *Siddim*.

Shekinah (*Hebr.*) — Título aplicado pelos cabalistas ao décimo *Sephira*; porém, para os judeus, é a nuvem de glória que permanecia sobre o lugar de Misericórdia no Santo dos Santos. Não obstante, segundo ensinam todos os rabinos da Ásia Menor, sua natureza é muito mais elevada, uma vez que *Shekinah* é o véu de *Ain Soph*, o Infinito e o Absoluto; portanto é uma espécie de *Mûlaprakriti* cabalístico. (W. W. W.) *Shekinah* é também a Graça divina (*Doutrina Secreta*, II, 226), a Luz Primordial, Luz Eterna no mundo do espírito (II, 554); Substância primordial emanada pela Luz infinita (I, 379) etc.

S

Shemal (*Cald.*) — Samâel o espírito da Terra, o gênio e regente que a ela preside.

Shembamphorash (*Hebr.*) — O nome separado. O mirífico nome derivado da substância da Divindade e que mostra sua essência existente por si mesma. Jesus foi acusado pelos judeus de ter roubado este nome do Templo, valendo-se de artes mágicas e de empregá-lo para a produção de seus milagres.

Sheol (*Hebr.*) — O inferno do panteão hebraico; uma região de sossego e inatividade, distinta do *Gehenna*. (Ver esta palavra.)

Shesha — Ver *Secha*.

Sheva — Ver *Schevá*.

Shiac (*Hebr.*) — Abismo. O mesmo significado de *Pâtâla*.

Shibboleth (*Hebr.*) — Palavra hebraica que significa espiga, arroio etc. Segundo *Juízes*, XII, 4-6, juntando Jefté a todos os varões de Galaad, lutou contra Efraim e os de Galaad feriram Efraim, porque haviam dito: Vós sois fugitivos de Efraim, vós sois galaaditas entre Efraim e Manassés. E os galaaditas ocuparam os vaus do Jordão, por onde Efraim havia de voltar. E quando algum fugitivo de Efraim chegava a eles e dizia: Peço-vos que me deixais passar; os galaaditas diziam-lhe: Acaso és tu Efrateu? E ele respondendo: Não sou, replicavam-lhe: Dize, pois, Schibboleth. E ele dizia Siboleth, porque não podia pronunciar a palavra daquela maneira. Então o prendiam e o degolavam. E assim morreram quarenta e dois mil homens de Efraim.

Shien-Sien ou **Shin-Sien** (*Chin.*) — Um estado de bem-aventurança e liberdade da alma, durante o qual o homem pode viajar em espírito para onde mais lhe aprouver.

Shiitas (*Pers.*) — Seita Muçulmana que, rechaçando a tradição ou *Sunnah*, coloca o profeta Ali numa posição mais elevada do que a de Maomé.

Shîla (*Pâl.*) — A segunda virtude das dez *Pâramitâs* de perfeição. A perfeita harmonia nas palavras e ações. (Ver *Pâramitâs*.) [A chave de harmonia na palavra e ação, a chave que contrabalanceia a causa e o efeito e já não deixa lugar para a ação *Kármica*. (*Voz do Silêncio*, III) *Shîla* significa também: costume; conduta; natureza, caráter; tendência, disposição; virtude; moralidade.]

Shinto (*Jap.*) — A antiga religião japonesa antes do budismo, baseada no culto dos espíritos e dos antepassados.

Shishta (*Sânsc.*) — Os grandes eleitos ou Sábios, deixados depois de cada *Pralaya* menor (chamado de "obscuração" no *Budismo Esotérico* de Sinnett), quando o globo se consome em sua noite ou repouso, para converterem-se, em seu novo despertar, em semente da próxima humanidade. Literalmente, *sishta* significa: remanescente ou resíduo.

Shiva ou **Siva** (*Sânsc.*) — Terceira pessoa da *Trimûrti* ou Trindade hindu. É um deus de primeira ordem e, em seu caráter de Destruidor, é mais elevado do que Vishnu, o Conservador, uma vez que destrói apenas para regenerar num plano superior. Nasce como Rudra, o Kumâra, e é o patrono de todos os Yogis, sendo como tal chamado de *Mahâ Yogî, o grande asceta*. Seus títulos são expressivos: *Trilochana*, "o de três olhos", *Mahâdeva*, "grande deus", *Sankara* e muitos outros mais. [Ver *Sankara, Shiva-Rudra, Mahezvara, Trimûrti, Linga* etc.]

Shivagâma (*Sânsc.*) — "Ensinamentos de Shiva." Título de uma obra antiga, que hoje não é encontrada em lugar algum. O *Shivagâma*, em seus detalhes, é uma obra puramente *tântrika* e a prática de seus preceitos só pode resultar em dano, já que a leitura irrefletida desta classe de obras só pode conduzir o noviço em Ocultismo às mais

S

desenfreadas práticas da Magia Negra (*Doutrina Secreta*, III, 491.) A obra de Râma Prasâd, intitulada *As Forças Sutis da Natureza*, é quase inteiramente baseada no *Shivagâma* e outras obras deste gênero.

Shiva-gharmaja (*Sânsc.*) — Epíteto de Kârttikeya, por ter "nascido do suor Shiva", sem a intervenção de mulher. (*Doutrina Secreta*, II, 47, nota)

Shivaita (*Sânsc.*) — Seguidor ou adorador de Shiva.

Shiva-Kumâra (*Sânsc.*) — Representa alegoricamente as Raças humanas, durante a gênese humana (*Doutrina Secreta*, I, 344.)

Shiva-loka (*Sânsc.*) — "Região de Shiva". No olho esquerdo e relacionado com a direção *Ishânya* está o *Shiva-loka*, conhecido pelo nome de *Manomani*... (*Uttara-Gîtâ*, II, 24.)

Shiva-Rudra (*Sânsc.*) — Rudra é o nome védico de Shiva, não figurando no Veda este último nome.

Shobhanam (*Sânsc.*) — Brilhante; planeta; o quinto yoga astronômico.

Shoel-ob (*Hebr.*) — Aquele que consulta "espíritos" familiares; um nigromante ou bruxo, um evocador dos mortos ou de seus fantasmas.

Shoo — Ver *Shu*.

Shraddbâ — Ver *Sraddhâ*.

Shravana — Ver *Zravana*.

Shu (*Shoo*, na transliteração inglesa) (*Eg.*) — Uma personificação do deus Rá; representado como o "Grande Gato da bacia de Persea em Anu".

Shûdâla Mâdan (*Tam.*) — O vampiro ou fantasma de cemitério.

Shudra ou **Sûdra** ou **S'udra** (*Sânsc.*) — A última das quatro castas que saíram do corpo de Brahmâ. A "casta servil", que surgiu do pé da Divindade. [Servo, criado, indivíduo da quarta classe, a inferior; indivíduo dedicado à servidão e aos ofícios mais vis.]

Shukra ou **Sukra** (*Sânsc.*) — Um nome do planeta Vênus, também chamado Uzanas. Nesta personificação, Uzanas é o *Guru* e preceptor dos *Daityas* (os gigantes da Terra) nos *Purânas*.

Shukra-Uzanas (*Sânsc.*) — Ver *Chandra-vanza*.

Shûle Mâdan (*Tam.*) — Elemental que, segundo dizem, ajuda os "charlatães" a fazer crescer a mangueira e executar outras maravilhas.

Shunya — Ver *Sûnya*.

Shutukt (*Tib.*) — Mosteiro colegiado, de grande fama no Tibete, e que tem mais de trinta mil monges e estudantes.

Shvetaketu (*Sânsc.*) — Nome de um antigo filósofo representado, no *Chândogya Upanichad*, lendo o Brahmavidyâ com seu pai Gautama. (*Râma Prasâd*)

Sî (*Véd.*) — A Terra.

Sibac. (*Quíc.*) — A cana de cuja medula foi criada a terceira Raça de homens, segundo a Escritura dos guatemaltecos intitulada *Popol Vuh*.

Sibikâ (*Sânsc.*) — A arma de Kuvera, o deus da riqueza (uma divindade védica residente no *Hades* e, portanto, uma espécie de Pluto), arma fabricada das partes do divino esplendor de Vishnu e limada por Vizvakarman, o deus Iniciado.

S

Sibilas — Antigamente este nome era dado a certas mulheres às quais se atribuía o conhecimento do futuro e o dom de predição. São mencionadas a de Delfos, a de Eritreia, a de Cumas, a da Líbia e outras. Segundo parece, as sibilas profetizaram o grande tremor de terra que abalou a ilha de Rodes, uma vez que Pausânias disse, em relação a isso, que *era demasiado certa a predição da Sibila*.

Sicômoro — *País do Sicômoro* é um dos nomes do Antigo Egito. Em uma destas árvores, Nout verteu na alma do defunto a bebida da imortalidade.

Siddha (*Sânsc.*) — Santo, bem-aventurado, afortunado; varão perfeito; ser humano que, por seu alto grau de perfeição, saber e santidade, alcançou uma condição semidivina; um ser semidivino, asceta, yogi ou Adepto dotado de poderes extraordinários; vidente, adivinho; poder extraordinário ou sobrenatural; arte mágica. Como adjetivo: cumprido, perfeito, consumado; estabelecido; conhecido; afortunado, feliz; alcançado, obtido, válido; disposto, santificado. No plural, os *Siddhas* são santos e sábios que chegaram a uma condição quase divina; dá-se também este nome a uma hierarquia de *Dhyân Chohans*. São popularmente conhecidos como *Mahâtmas* ou Adeptos elevados. (Ver *Aforismos de Patañjali*, III, 32.)

Siddhagangâ (*Sânsc.*) — O Ganges celeste.

Siddhânta (*Sânsc.*) — Qualquer obra douta sobre astronomia ou matemática, na Índia. Conclusão, demonstração.

Siddhântin (*Sânsc.*) — Seguidor da doutrina *Mîmânsâ*.

Siddharasa (*Sânsc.*) — Alquimista; mercúrio. Metálico, mineral.

Siddhârtha (*Sânsc.*) — Nome de Gautama Buddha.

Siddhâsana (*Sânsc.*) — Uma das atitudes ou posturas prescritas nas práticas do Hatha-yoga.

Siddha-Sena (*Sânsc.*) — Literalmente: "chefe dos *Siddhas*". Epíteto de Kârttikeya, o "jovem misterioso" (*Kumâra-guha*).

Siddhis (*Sânsc.*) — Literalmente: "atributos de perfeição"; poderes fenomenais que, graças à sua santidade, os yogis adquirem. [*Siddhis*: faculdades psíquicas, poderes anormais ou extraordinários do homem. Um grupo deles compreende as energias psíquicas mentais inferiores, grosseiras; o outro exige a mais elevada educação dos poderes espirituais. No *Zrîmad Bhagavad*, Krishna diz: "Aquele que vive consagrado à prática do Yoga, que subjugou seus sentidos e concentrou sua mente em Mim (Krishna), é um Yogi no qual todos os *siddhis* estão prontos para servir". A palavra sânscrita *siddhis* é sinônima da palavra páli *iddhi*. (*Voz do Silêncio*, I, nota 1) Em seu comentário aos *Aforismos de Patañjali*, M. Dvivedi enumera oito *siddhis* os mais elevados poderes ocultos, que são: *animâ* (o poder de assimilar-se a um átomo), *mahimâ* (o de dilatar-se no espaço), *laghimâ* (o de tornar-se tão leve quanto um floco de algodão), *garimâ* (o de tornar-se tão pesado como o corpo mais pesado da Terra), *prâpti* (o de chegar a qualquer parte, até à Lua), *prâkâmya* (o de ver todos os desejos realizados), *ichatva* (a faculdade de criar) e *vazitva* (o poder de dominar a tudo). (*Op. cit.*, III, 45) "Estes poderes extraordinários – acrescenta o mencionado comentarista – não são adquiridos numa só vida e podem ser resultado dos efeitos acumulados durante várias existências." Isto explica o exposto no *Aforismo* 1º do livro IV: "Os poderes anormais são obtidos por nascimento, pela virtude de certas ervas, de encantos, de austeridades ou pelo *Samâdhi*". **Siddhi** significa também:

S

perfeição, êxito, bem-estar, prosperidade, ventura; realização de um objetivo desejado; efeito, consequência, resultado; conclusão, consumação, cumprimento, execução; fim; fruto, produto, recompensa; faculdade psíquica; poder extraordinário, divino ou suprafísico obtido pelo desenvolvimento espiritual ou pela prática do *Yoga*. (Ver *Poderes sobrenaturais*)]

Siddim (*Hebr.*) — Os cananeus, segundo se diz, adoravam como divindades estes maus poderes, cujo nome significa "derramadores" e dele um vale recebeu sua denominação. Parece existir alguma relação entre estes, como tipos da fértil Natureza, e Ísis e Diana de Éfeso, providas de numerosos seios. Nos *Salmos* (CVI, 37), tal palavra é traduzida no sentido de "demônios" e lemos que os cananeus derramaram o sangue de seus filhos e de suas filhas. O título parece vir da própria raiz ShD, da qual deriva o nome divino Shaddai. (W. W. W.) - O árabe *Shedim* significa "Espíritos da Natureza", Elementais; são os *efrits* do Egito moderno e os *djins* da Pérsia, Índia etc.

Sideral — Qualquer coisa referente aos astros, porém também, em Ocultismo, as diversas influências emanadas de tais regiões; por exemplo: "força sideral", tal como a ensinava Paracelso, e corpo sideral (luminoso), etéreo etc.

Sidkaegg (*Esc.*) — Odin.

Si-dzang (*Chin.*) — Nome chinês do Tibete, mencionado na Biblioteca Imperial da capital de Fo Kien como o "grande centro de Sabedoria Secreta", em 2207 a.C. (*Doutrina Secreta*, I, 271.)

Siebenfreund, *Sebastian* — Alemão do séc. XVI. Foi iniciado nos procedimentos herméticos por um frade ancião de um convento de Verona, o qual, ao morrer, comunicou-lhe o segredo de certo pó para a transmutação dos metais e para a cura das enfermidades, como teve ocasião de comprová-lo, em Hamburgo, curando como que por magia um nobre escocês atormentado por um violento ataque de gota. Operou várias transmutações de metais, entre elas a que executou diante de dois estudantes de Wittemberg; para isso, tomou uma colher de zinco, esfregou-a com seu pó de projeção, aquecendo-a num forninho e transformou-a em colher de ouro. Morreu assassinado por alguns invejosos que pretendiam apoderar-se de seu pó maravilhoso.

Sifa (*Esc.*) — No *Edda* de Sturleson dá-se este nome a uma adivinha ou sibila, avó de Odin. Thor é chamado de esposo de Sifa.

Sige (*Gr.*) — "Silêncio". Nome adotado pelos gnósticos para significar a raiz de onde procedem os Eons da segunda série. (Ver *Eon.*)

Sighra ou **Sighraga** (*Sânsc.*) — Pai de *Moru*, "que vive ainda graças ao poder do Yoga e se manifestará no início da idade *Krita*, a fim de restabelecer os *Kshattriyas* no décimo nono *Yuga*", segundo dizem as profecias *purânicas*. "Moru" significa aqui "Morya", a dinastia dos soberanos budistas do Pataliputra, que começou com o grande rei Chadragupta, avô do rei Azoka. É a primeira dinastia búdica. (*Doutrina Secreta*, I, 378.)

Sigina — Ver *Sygina*.

Signo da Cruz — Martillet provou em seu livro *O Signo da Cruz antes do Cristianismo* (Paris, 1866) que este sinal era usado como emblema religioso antes do cristianismo. O sétimo rei do nono ki na China, segundo a obra de Pauthier, chamou-se *Hien Yuen* por ter feito a balança "pondo juntos os dois pedaços de madeira, cruzados em ângulo reto, a fim de honrar o Altíssimo". "O símbolo, diz Cantu em seu *História Universal*, foi sempre a cruz; esta é encontrada muito frequentemente no Egito como signo

S

hierático da vida; como signo de salvação, foi traçada na fronte dos arrependidos de Jerusalém *(Ezequiel,* IX); em Palenque, cidade mexicana tão antiga que nem sequer os conquistadores tiveram conhecimento dela, foi encontrada colocada no santuário como objeto de culto." (*História Universal*, t. VII, p. 707.) Em sua obra erudita *Os Nomes dos Deuses* (p. 317 e ss.), diz E. Sanchez Calvo: "Há notícia, no mundo antigo, da cruz feita no ar pelos sacerdotes etruscos, apontando com seus bastões para os quatro pontos cardeais do espaço, residência do espírito, habitação dos ventos. Esta cruz circunscrita pelo círculo que representava o universo, porém nele incluída, representava o conjunto das coisas, o infinito, o espaço, o sopro, o espírito de vida, tudo. É a cruz o símbolo mais antigo da vida, originada no sopro universal e individualizada na respiração dos seres... A cruz foi, pois, símbolo do espírito ou do sopro e figura de seus quatro pontos cardeais e, como tal, emblema da vida e da morte... Até uma tribo de gaspesianos no Canadá adorava a cruz e designava a direção dos ventos, na chegada dos europeus". Muito antes de a cruz ser adotada como símbolo do cristianismo, tal signo era usado como sinal de reconhecimento entre os Adeptos e neófitos, sendo estes últimos denominados de *Chrests* – de *Chrestos*, o homem da tribulação e da dor. Diz Eliphas Levi: o signo da cruz adotado pelos cristãos não lhes pertence exclusivamente. É também cabalístico e representa as oposições e o equilíbrio quaternário dos elementos. Vemos pelo versículo oculto do *Paternoster*... que havia primitivamente duas maneiras de fazê-lo ou quando menos duas fórmulas muito diferentes para expressar seu significado: uma reservada aos sacerdotes e iniciados e outra para os neófitos e profanos. Assim, por exemplo, o Iniciado, levando a mão à fronte, dizia: *A ti* e em seguida acrescentava: *pertencem*, e continuava levando a mão ao peito: *o reino*; depois ao ombro esquerdo, *a justiça*; ao ombro direito: *e a misericórdia*. Juntava depois as mãos, acrescentando: *pelos ciclos geradores. Tibi sunt Malchut et Geburah et Chesed per œonas.* Signo da cruz absoluta e magnificamente cabalístico, que as profanações do gnosticismo fizeram a Igreja militante e oficial perder por completo. (*Dogma e Ritual de Alta Magia*, II, 88.) A "Igreja militante e oficial" fez mais: tendo se apropriado daquilo que jamais lhe pertenceu, tomou unicamente aquilo que o "Profano" tinha: o significado cabalístico dos Sephiroth *masculino e feminino*. Nunca perdeu o significado *interno* e superior, porque jamais o possuiu, apesar das mediações de Eliphas Levi em favor de Roma. O signo da cruz adotado pela igreja latina era fálico desde o princípio, enquanto que a cruz dos gregos era a dos Neófitos, os *Chrestoi*. (*Doutrina Secreta*, II, 593.) – Ver *Cruz, Cruz do Calvário* etc.

Sigurd *(Esc.)* — O herói que matou Fafnir, o "Dragão"; assou seu coração e o comeu, com o que se tornou o mais sábio dos homens. Isto é uma alegoria referente à iniciação e ao estudo oculto.

Sihla *(Sânsc.)* — Olíbano, incenso.

Sikhs *(Sânsc.)* — Povo hindu do Punjab ou Pendjab (isto é, "País dos cinco rios", vasta região do Noroeste da Índia) e das regiões vizinhas que formam uma federação fundamentada não sobre a raça, mas nas ideias e tradições religiosas. O fundador dessa religião foi Nanak (1469-1538), contemporâneo de Lutero, e que, como este, "protestou" contra a religião de seu tempo. A confissão de fé, que acabou por estabelecer, resume-se nesta fórmula simples: "Unidade de Deus e fraternidade entre os homens". *Sikhs* significa "discípulos".

Silfos — Nome rosa-cruz dos elementais do ar. [Elementais que residem nas regiões montanhosas (não no ar). (*F. Hartmann*) Ver *Elementais*.]

Silvanos — Termo genérico que compreende os faunos, os sátiros, silenos e outras divindades campestres. (*Noel*)

S

Silvestres — Elementais que residem nos bosques: os *Dusü* de Santo Agostinho, faunos. *(F. Hartmann)*

Simbolismo — Expressão pictórica de uma ideia ou pensamento. A *escrita primitiva* não tinha no princípio caracteres, mas símbolos que representavam toda uma frase ou sentença. O símbolo, pois, é uma parábola registrada e a parábola um símbolo falado. A linguagem escrita chinesa nada mais é do que escrita simbólica, sendo cada uma de suas milhares de letras um símbolo. (Ver *Krâm.*)

Simeão-ben-Jochai — Adepto rabino autor do *Zohar*. [Ver *Rabino Simeão-ben-Jochai*.]

Simha (*Sânsc.*) — Ver *Sinha*.

Simon Mago — Um gnóstico e teurgo samaritano muito grande, chamado "o grande Poder de Deus".

Simorgh (*Per.*) — O mesmo que o Siorgh alado, espécie de grifo, meio fênix, meio leão, que, segundo' as lendas iranianas, é dotado de poderes oraculares. Simorgh era o guardião dos antigos Mistérios persas. Espera-se que ressurja no final do ciclo em forma de ave-leão, de proporções gigantescas. Esotericamente, figura como símbolo do ciclo manvantárico. Seu nome árabe é *Rakshi*.

Sin (*Cald.*) — Nome caldeu da Lua ou *Deusa Lunus*, uma vez que, na Babilônia, este astro era uma divindade masculina, que presidia a cidade de Ur. *Sin* é também idêntico ao deus *Anu* da trindade caldeia. (*Doutrina Secreta*, II, 65.) Em inglês, a palavra *sin* significa *pecado*. (Ver *Bel, Astrologia, Meia-Lua* e *Sinai*.)

Sinai (*Hebr.*) — O monte Sinai, o *Nissi* do *Êxodo* (XVII, 15), lugar de nascimento de quase todos os deuses solares da Antiguidade, tais como Dionysos, nascido em Nissa ou Nysa, Zeus de Nysa, Baco e Osíris. (Ver estas palavras.) Alguns povos antigos acreditavam que o Sol era filho da Lua, que por sua vez foi um Sol em outro tempo. *Sin-ai* é o "Monte da Lua" e daí a conexão.

Sing-Bonga — O Espírito do Sol, entre as tribos Kolarianas.

Singha —Ver *Sinha*.

Sinha ou **Simha** (**Singha**) (*Sânsc.*) — Leão; a constelação do Leão. O quinto signo do Zodíaco hindu, correspondente ao nosso *Leão*. Para se ter uma pequena ideia do grande significado oculto desta palavra, consulte o artigo "Os Doze Signos do Zodíaco", publicado por T. Subba Row em *Cinco Anos de Teosofia*.

Sinika (*Sânsc.*) — *Sinita* e *Sanika*, como variações desta palavra O *Vishnu-Purâna* apresenta-o como o nome de um futuro sábio que será instruído por aquele que chegará a ser Maitreya, no fim do *Kâli-Yuga* e acrescenta que este é um grande mistério.

Sinîvâlî (*Sânsc.*) — O primeiro dia da Lua nova, muito relacionado com as práticas ocultas da Índia.

Sin-Yin (*Chin.*) — Selo ou Doutrina do Coração, a doutrina esotérica, a única verdadeira. (*Doutrina Secreta*, III, 425 e *Voz do Silêncio*, II. Ver *Doutrina do Olho*.)

Sioefna (*Esc.*) — Nome de uma das asianas. *(Eddas)*

Siorgh — Ver *Simorgh*.

Siphra Dtzeniouta (*Cald.*) — O Livro do Mistério Oculto: uma das divisões do Zohar. (Ver *Mathers, Kabbalah Unveiled*.)

S

Sipra (*Sânsc.*) — Suor; a Lua.

Siprâ (*Sânsc.*) — Nome de um rio.

Sirâ (*Sânsc.*) — Vaso tubular, cordão nervoso, tendão.

Sirenas ou **Sereias** — Elementais que cantam. *Melusinæ*. São metade mulheres e metade peixes (sereias) e são atraídas pelas águas, vivendo nelas com frequência. (*F. Hartmann*) Estas ninfas do mar, das quais comumente se contam três, tinham de mulher a cabeça ou a parte superior do corpo e de ave o restante. E assim são representadas nos antigos monumentos e assim também são descritas pelos mitólogos. Outras vezes, embora impropriamente, são pintadas como monstros, cuja parte superior é de mulher e a inferior de peixe. Viviam nas rochas escarpadas da orla marítima, entre a Ilha de Capri e a costa italiana. Com seus cantos melodiosos e o encanto de suas palavras, as astutas sirenas atraíam os viajantes e navegantes para os fazer perderem-se. A terra daqueles arredores era toda branca, devido aos ossos dos infelizes que assim pereceram. Vários comentaristas acreditam que a fábula do doce canto das sirenas representa os perigos do sensualismo e, por isso, sem dúvida, foi retirada a etimologia do nome Sirena do grego *seira*, que significa *cadeia*.

Sírio [do latim *Sirius* ou do grego *Seirios*, ardente.] — Em egípcio, *Sothis*. A estrela do Cão; adorada pelos egípcios e venerada pelos ocultistas; pelos primeiros porque sua helíaca saída com o Sol era um sinal da benéfica inundação do Nilo e pelos últimos porque está misteriosamente associada com Toth-Hermes, deus da Sabedoria, e Mercúrio, em outra forma. Assim, Sothis-Sírio tinha, e tem ainda, uma mística e direta influência sobre todo o céu *vivo* e está relacionada com quase todos os deuses e deusas. Era "Ísis no céu" e chamada *Ísis-Sothis*, porque Ísis estava "na constelação do Cão", como se declara em seus monumentos. "Acredita-se que a alma de Osíris residia num personagem que anda a grandes passos diante de *Sothis*, cetro na mão e com um látego no ombro." Sírio é também Anúbis e se encontra diretamente relacionado com o anel "Não passes além de mim", e, além disso, idêntica a Mithra, o deus persa do Mistério, e a Hórus e até a Háthor, denominada algumas vezes de deusa Sothis. Estando em conexão com a Pirâmide, Sírio encontrava-se portanto relacionado com as iniciações que nela eram efetuadas. Dentro do grande templo de Denderah existia antigamente um templo consagrado a Sírio-Sothis. Em resumo, nem todas as religiões derivam de Sírio, a estrela do Cão, como pretendia provar o egiptólogo francês Dufeu, porém Sírio-Sothis encontra-se indubitavelmente relacionado com as religiões da Antiguidade.

Sishta — Ver *Shishta*.

Sisithrus — Ver *Sisthrus*.

Sistema de Bardesano — Ver *Bardesanio* ou *Bardesano (Sistema)*.

Sistema de Basílides — Ver *Basilidiano (Sistema)*.

Sistema Solar — Todos os planetas visíveis colocados pelos astrônomos em nosso sistema solar pertencem a ele, exceto Netuno. Também pertencem a ele alguns outros desconhecidos da ciência, bem como "todas as luas, que não são ainda visíveis por objetos imediatos". Os planetas só atuam em nossa consciência. Os Regentes dos sete planetas secretos não têm influência alguma nesta Terra, como esta Terra tem sobre outros planetas. O Sol e a Lua são os que realmente produzem não só um efeito mental, mas também físico. O efeito do Sol sobre a humanidade está relacionado com o *Kâma-Prâna*, com os elementos mais físicos que existem em nós; é o princípio vital que favorece o desenvolvimento. O efeito da Lua é principalmente *Kâma-Manâsico* ou psicofisiológico; atua sobre o cérebro fisiológico ou a mente cerebral. (*Doutrina Secreta*, III, 563.)

S

Sisthrus (*Cald.*) — Segundo Beroso, é o último dos dez reis da dinastia dos reis divinos e o "Noé" caldeu. Assim como Vishnu prognostica o próximo dilúvio a Vaivasvata Manu e, prevenindo-o, manda-o fabricar uma arca, na qual salvam-se ele e sete *Richis*, assim também o deus Hea o faz com Sisthrus (ou Xisuthrus), ordenando-lhe que preparasse um navio e se salvasse com alguns poucos escolhidos. Continuando a série, quase 800.000 anos mais tarde, o Senhor Deus de Israel repete o aviso a Noé. Qual é então o primeiro? A história de Xisuthrus, decifrada das tábuas assírias, corrobora aquilo que do Dilúvio caldeu disseram Beroso, Apolodoro, Abideno etc. (Ver tábua 11, no *Relato do Gênese Caldeu*, de G. Smith, p. 263 e ss.) Esta 11ª tábua compreende todos os pontos tratados nos capítulos VI e VII do *Gênese*: os deuses, os pecados dos homens, a ordem de construir uma arca, o Dilúvio, a destruição da linhagem humana, a pomba e o corvo lançados da arca e, finalmente, o Monte da Salvação na Armênia (Nizir-Ararat); tudo está ali. As palavras "o deus Hea ouviu e seu fígado se encolerizou, porque seus homens haviam corrompido sua pureza" e a história da destruição de toda a sua semente foram gravadas nas tábuas de pedra muitos milhares de anos antes de que os assírios as reproduzissem em seus ladrilhos cozidos e também estes, com toda segurança, são anteriores ao *Pentateuco* "escrito de memória" por Esdras, apenas quatro séculos antes de Jesus Cristo. (Ver *Dilúvio*.)

Sistro [do grego *seîstron* e do latim *sistrum*] — Em egípcio, *Ssesh* ou *Kemken*. Instrumento musical, feito comumente de bronze, porém, às vezes, de ouro ou prata, de forma circular, provido de um cabo e quatro varinhas metálicas que passam por uns agulheiros, em cuja extremidade estão presas algumas peças também metálicas, que soam como cascavéis. Na parte alta possuía, como adorno, uma figura de Ísis ou de Hathor. Era um instrumento sagrado utilizado nos templos para produzir, através de sua combinação de metais, *sons e correntes magnéticas*. Até hoje sobrevive na Abissínia cristã com o nome de *Sanasel* e os bons sacerdotes o empregam para "expelir demônios das casas e outros lugares", ato muito compreensível para os ocultistas, por mais que provoque o riso dos céticos orientalistas. A sacerdotisa tinha comumente tal instrumento na mão direita durante a cerimônia da *purificação do ar* ou "conjuração dos elementos", como diria E. Levi, enquanto que os sacerdotes empunhavam o sistro com a mão esquerda, utilizando a direita para manipular a "chave da vida": a cruz ansata ou *Tau*.

Sisumara (*Sânsc.*) — Um cinturão rotatório imaginário sobre o qual se movem todos os corpos celestes. Esta multidão de astros e constelações é representada sob a figura de *Sisumara*, uma tartaruga (alguns dizem que é uma *toninha*!), dragão, crocodilo etc. Porém, como é um símbolo da meditação do *Yoga* do santo Vâsudeva ou Krishna, tem de ser um crocodilo ou, melhor, um delfim, uma vez que é idêntico ao *Makâra* do Zodíaco. Dhruva, a antiga estrela polar, está na ponta da cauda deste monstro sideral, cuja cabeça dirige-se para o Sul e cujo corpo se dobra formando um anel. Mais acima, ao longo da cauda, estão Prajâpati, Agni etc., e em sua raiz estão Indra, Dharma e os sete *Richis* (a Ursa Maior) etc. Seu significado é, naturalmente, místico.

Siva — Ver *Shiva*.

Sivâgama — Ver *Shivâgama*.

Siva-Rudra — Ver *Shiva-Rudra*.

Skada (*Esc.*) — Esposa de Nivord. (*Eddas*)

Skaldas (*Esc.*) — Poetas errantes do Norte, semelhantes aos bardos e trovadores do Ocidente. Seus poemas chamam-se *Sagas*. (*Eddas*)

S

Skanda (*Sânsc.*) — Também chamado Kârttikeya; segundo filho de Shiva; é o deus correspondente a nosso planeta Marte e, por isso, o deus da guerra e caudilho das hostes celestiais. É um dos Kumâras. (Ver *Kârttikeya, Kumâra* e *Kumâras.*)

Skandha ou **Skhanda** (*Sânsc.*) — Literalmente: "faces" ou grupos de atributos; toda coisa finita, inaplicável ao eterno e ao absoluto. Em todo ser vivo há cinco – esotericamente sete – atributos conhecidos com o nome de *Pañcha Skandhas* e são: 1) forma *(rûpa)*, 2) percepção *(vidâna)*, 3) consciência *(sañjñâ)*, 4) ação *(sanskara)* e 5) conhecimento *(vidyâna)*. Estes *skandhas* juntam-se ao nascimento do homem e constituem sua personalidade. Depois da maturação de tais atributos, estes começam a separar-se e a debilitar-se, o que é seguido do *jarâmarana*, isto é, a decrepitude e a morte. [*Skhandas* são os atributos cuja agregação constitui a *personalidade*, isto é, os atributos de cada personalidade, que, depois da morte, formam a base, por assim dizer, para uma nova reencarnação kármica. Os *Skhandas* são os germes da vida em todos os sete planos do ser e constituem a totalidade do homem subjetivo e objetivo. Cada vibração que produzimos é um *Skhanda*. Os *Skhandas* estão intimamente ligados às pinturas da Luz Astral, que é o meio ambiente das impressões, e os *Skhandas* ou vibrações relacionadas com o homem subjetivo ou objetivo, são os vínculos que atraem o *Ego* que se reencarna, os germes deixados atrás, quando este *Ego* entra no *Devachan* e que hão de ser recolhidos outra vez e esgotados por uma nova personalidade. Uma mudança mental ou vislumbre da verdade espiritual pode rapidamente converter um homem à verdade, até mesmo na hora de sua morte, criando assim bons *skhandas* para a próxima vida. Os últimos atos ou pensamentos do homem produzem um efeito enorme sobre sua vida futura, porém teria ainda de sofrer por suas culpas e esta é a base da ideia de um arrependimento à última hora. Porém os efeitos kármicos da vida passada devem continuar, porque o homem, em seu novo nascimento, vai colher as impressões vibratórias deixadas na Luz Astral. Os *Skhandas* são kármicos e não-kármicos. Podem produzir Elementais por um *kriyâsakti* inconsciente. Cada Elemental lançado pelo homem há de voltar a ele cedo ou tarde, uma vez que é sua própria vibração. Os Elementais são pensamentos encarnados, bons ou maus; permanecem cristalizados na Luz Astral e são novamente atraídos à vida, quando aquele que os originou volta à vida terrestre. Os Elementais são como uma enfermidade e, portanto, um perigo tanto para quem os produziu como para os demais. (*Doutrina Secreta*, III, 587-588.)

Skenfare (*Esc.*) — Segundo os *Eddas*, é o cavalo do Dia.

Skidblaner (*Esc.*) — O navio dos Ásios. (*Eddas*)

Skoegula (*Esc.*) — Nome de uma das Valquirias. (*Eddas*)

Skoeld (*Esc.*) — Descendente de Odin, que deu nome a uma linhagem (*Eddas*)

Skrymir (*Esc.*) — Um dos famosos gigantes dos Eddas.

Sleipner (*Esc.*) — O cavalo de Odin, engendrado por Loke. (*Eddas*)

Sloka (*Sânsc.*) — A métrica épica sânscrita, formada por trinta e duas sílabas; versos em quatro meias linhas de oito ou em duas linhas de dez e seis sílabas cada. [Um dístico, uma estância heroica.]

Smara, Smarana ou **Smârana** (*Sânsc.*) — Ação de recordar, recordação, memória.

Smârta (*Sânsc.*) — Relacionado com o *smriti*; canônico, legal; que professa ou segue o *smriti*.

Smârtava (*Sânsc.*) — Brahmanes *smârta*. Uma seita fundada por Sankarachârya.

Smaya (*Sânsc.*) — Assombro; orgulho.

S

Smera (*Sânsc.*) — Aparição, manifestação; aparente, visível, manifesto, aberto.

Smrita (*Sânsc.*) — Recordado; citado; declarado; ensinado; mencionado; transmitido.

Smriti (*Sânsc.*) — Da palavra *Smriti*, "Megióría", uma filha de Dakcha. São resenhas tradicionais, comunicadas oralmente. Na atualidade, são os escritos e cerimoniais dos hindus; em oposição e, portanto, menos sagrados que os *Vedas*, que são os *Sruti* ou "revelação". [*Smriti* é a faculdade de memória retentiva. *(Râma Prasâd)* Memória, recordação, reminiscência; inspiração; tradição. Qualquer livro que constitua autoridade exceto os *Vedas*. Na *smriti* costumam ser incluídos os *Puranas* e as grandes epopeias. (Bergua, *O Râmayâna*, 746, nota)]

Smritihetu (*Sânsc.*) — Causa que produz a recordação.

Smritimat (*Sânsc.*) — Dotado de boa memória.

Smritivibhrama (*Sânsc.*) — Divagação ou confusão da memória.

Smritivibhranza (*Sânsc.*) — Perturbação da memória.

Smritishâstra (*Sânsc.*) — Tratado ou código que contém a tradição escrita.

Smritiviruddha (*Sânsc.*) — Proibido pelas regras do *smriti*.

Smrityupasthâna (*Sânsc.*) — Em linguagem búdica, é a aplicação da memória.

Snâna (*Sânsc.*) — Banho.

Snapana (*Sânsc.*) — Banho, ablução, lavagem.

Snâtaka (*Sânsc.*) — Amo da casa que cumpriu a cerimônia do banho, depois de terminar seus estudos ou noviciado.

Snâtakas (*Sânsc.*) — Certa classe de brahmanes mendicantes. (Ver *Leis de Manu*, XI, 1 e 2.)

Snâyin (*Sânsc.*) — Que se banha, que se lava.

Snâyu (*Sânsc.*) — Tendão, músculo.

Sneha (*Sânsc.*) — Amor, afeto, ternura; graxa, azeite.

Snigdha (*Sânsc.*) — Oleoso; suave, brando, doce, amável.

Snotra (*Esc.*) — Nome de uma das asianas. *(Eddas)*

Sobrenatural — Não pode haver na Natureza qualquer coisa *sobrenatural*, isto é, acima ou fora da Natureza, ou seja, da LEI, que é única e absoluta. Aquilo que as religiões chamam de *mistérios* e *milagres* são simplesmente aplicações ou manifestações da Lei que superam nosso saber e compreensão atuais. A Teosofia ensina que não existe nem pode existir o milagre e que negar um fato novo simplesmente porque nos parece extraordinário ou declará-lo impossível *a priori*, é simples prova de ignorância. As *possibilidades* não terminam onde nossa ciência e nossos alcances intelectuais se detêm. Aumentemos a primeira e desenvolvamos aos segundos e veremos aumentar indefinidamente o círculo das possibilidades. (A. Arnould, *Crenças Fundamentais do Budismo*, III.) Não existe nada de sobrenatural e por muito estranho e surpreendente que um fenômeno possa ser, sempre se efetua segundo as leis da Natureza. Sabemos por experiência que, na atualidade, o homem conhece apenas uma parte mínima destas leis e, portanto, acontecem muitas coisas que não se consegue explicar. Contudo, através da analogia e da observação direta, temos completa certeza de que as referidas leis são imutáveis e que sempre que ocorre um fenômeno para nós inexplicável, a falta de explicação se deve à nossa ignorância destas leis e não a alguma contravenção das mesmas. (W. Leadbeater, *Vislumbres do Ocultismo*, p. 213) Ver *Milagre*.

Sociedade Teosófica ou **Fraternidade Universal** — Fundada em 1875, em New York, pelo coronel H. S. Olcott e H. P. Blavatsky, auxiliados por W. Q. Judge e várias outras pessoas. Seu objetivo declarado foi, no início, a investigação científica dos fenômenos chamados "espíritas", depois do que foram expostos seus três principais objetivos: 1º) A Fraternidade humana, sem distinção de raça, cor, religião ou condição social; 2º) O estudo sério das antigas religiões para fins de comparação e de seleção de uma moral universal e 3º) O estudo e desenvolvimento dos poderes *divinos* latentes no homem. No momento atual (1892), a Sociedade Teosófica tem mais de 250 ramos disseminados em todo o mundo, a maioria dos quais na Índia, onde também se encontra seu Centro principal. Compõe-se de várias grandes Seções: a Hindu, a Americana, a Australiana e as Seções Europeias. (Ver *Teosofia e Objetivos da Sociedade Teosófica*.)

Sod (*Hebr.*) — Um "Arcano" ou Mistério religioso. Os Mistérios de Baal, Adônis e Baco, todos deuses solares, que têm serpentes como símbolos ou, como no caso de Mithra, uma "serpente solar". Os antigos judeus tinham também seus *Sod*, Símbolos não excluídos, uma vez que tinham a "serpente de bronze" erigida no Deserto, sendo esta serpente particular o Mithra persa, símbolo de Moisés como Iniciado, porém, com toda a certeza, não se pensou nunca em representar o Cristo *histórico* com ela. (*Salmos*, XXV, 14) Porém, no original hebraico, se lê: "Sod Ihoh (ou os Mistérios) de Jeová são para aqueles que o temem". O *Antigo Testamento* é tão atrozmente mal traduzido que, no versículo 7 do Salmo XXXIX, que diz no original "Al (Ele) é terrível no grande *Sod* dos *Kedeshim*" (os *Galli*, os sacerdotes dos Mistérios internos judeus), diz assim na mutilada tradução: "Deus é grandemente temido na *assembleia dos santos*." Simeão e Levi tinham seu Sod, muitas vezes mencionado na Bíblia "Oh, alma minha – exclama o moribundo Jacó – não entres em seu segredo (*Sod*, no original), em sua companhia", isto é, na *Sodalidade* de Simeão e Levi (*Gênese*, XLIX, 6). Ver Dunlap, *Sod, Os Mistérios de Adônis*.

Sodales (*Lat.*) — Os membros dos Colégios sacerdotais. (Ver Freund, *Latin. Lexicon*, IV, 448.) Cícero nos diz também (*De Senectude*, 13) que "as *Sodalidades* estavam constituídas nos Mistérios ídeos da MÃE PODEROSA". Aqueles que eram iniciados no *Sod* eram designados pelo nome de "Companheiro".

Sodálico, Juramento — Ver *Juramento Sodálico*.

Soecgvaback (*Esc.*) — Um lugar do céu. (*Eddas*)

Scham [**So'ham** ou **So aham**] (*Sânsc.*) — Literalmente: "aquele eu (sou)." Esta expressão mística representa a *involução*. [É uma fórmula que expressa a identidade do Eu individual com o Eu único universal.]

Sokaris (*Eg.*) — Um deus do fogo; uma divindade solar de muitas formas. É Ptah-Sokaris, quando o símbolo é puramente cósmico, e Ptah-Sokaris-Osíris, quando é fálico. Esta divindade é hermafrodita; o sagrado touro Ápis é seu filho, nela concebido por um raio solar. Segundo a *História do Oriente* de Smith, Ptah é um "segundo demiurgo", uma emanação do primeiro "Princípio criador dos ovos do Sol e da Lua". Pierret acha que representa a Força primordial que precedeu aos deuses e "criou os astros e os ovos do Sol e da Lua". Mariette Bey vê nele a "*Sabedoria* divina disseminando os astros na imensidão", o que é corroborado pelo *Targum* de Jerusalém, que declara que "os egípcios chamavam de Ptah à Sabedoria do Primeiro Intelecto".

Sokhit (*Eg.*) — Uma divindade a quem o gato era consagrado.

S

Sol — Este astro é de uma só vez Espírito e Matéria. (*Doutrina Secreta*, I, 521) e é um manancial perene de vida, que, como luz, dele emana sem cessar. Como "doador de vida" que é, conserva e sustenta a todas as criaturas (I, 313) e é o coração de todo o Sistema Solar (I, 590-591). É também fonte de calor e eletricidade. Porém o Sol que vemos, a estrela central de nosso sistema, é apenas um reflexo, sombra ou casca do verdadeiro Sol central espiritual (I, 700). Este reflexo, como coisa concreta exterior, é um *Kâma-rûpa*, pois todos os sóis formam o *Kâma-rûpa* do Kosmos. Para seu próprio sistema, o Sol é *Buddhi*, por ser o reflexo e o veículo do verdadeiro Sol, que é *Âtmâ*, invisível neste plano. Neste reflexo estão todas as forças Fohátias (eletricidade, etc.) (III, 562). Em todas as religiões populares exotéricas, o Sol tem um aspecto dual, que foi antropomorfizado pelos profanos; assim, o Sol era Osíris-*Tífon*, Ormuzd-*Ahrimán*, Bel Júpiter, e *Baal*, o luminoso doador de vida e de *morte* e assim, num mesmo pilar, monolito, pirâmide, torre ou templo, originalmente erigido para glorificar o primeiro princípio ou aspecto, com o passar do tempo, transforma-se em templo de um ídolo ou, o que ainda pior, em emblema fálico, em sua forma mais grosseira e brutal. O *Lingam* dos hindus tem seu significado espiritual e altamente filosófico, mas os missionários enxergam nele apenas um "emblema indecente" (III, 288). O Sol é emblema da divindade benfeitora, que dá a vida; é a manifestação exterior do sétimo Princípio de nosso sistema planetário. Jeová é o Sol e, portanto, é também o Cristo da Igreja romana (III, 323). Por mais que os cristãos qualifiquem de idolatria o culto do Sol, sua religião encontra-se inteiramente baseada no culto solar e lunar (I, 417). O jesuíta Cornélio de Lápide, em seu *Sermão sobre a Santa Virgem*, coloca na boca de São Bernardo as seguintes palavras, dirigidas à Virgem Maria: "O Sol-Cristo vive em ti e tu vives nele." (I, 431) Ver Dupuis, *Origem de todos os cultos*, capítulos IX e XII. Em todo o Egito o Sol era o símbolo divino por excelência e sua luz era considerada como a manifestação visível e material de Deus. Osíris é chamado de Alma do Sol; a luz solar era, pois, o corpo, isto é, a manifestação sensível da Divindade. O Sol era personificado de maneira geral pelo deus Rá; o Sol nascente por Hórus, o Sol poente por Toum (ou Tum). Algumas divindades secundárias simbolizavam outros aspectos do astro. (Pierret, *Dict. d'Arch. Égypt.*). Ver *Sûrya*, *Sistema Solar*, *Solstícios*, *Páscoa* etc.

Sol (*Alq.*) — Entre os químicos, o Sol é o ouro comum. Os filósofos chamam de Sol o seu enxofre, seu ouro.

Sol Espiritual — O Sol oculto ou invisível, do qual o Sol visível de nosso Sistema Solar é apenas um reflexo ou sombra. Assim como este último dá luz e vida aos planetas que constituem tal sistema, o verdadeiro Sol invisível e espiritual dá vida aos reinos espiritual e psíquico de todo o Kosmos ou universo. (*Doutrina Secreta*, I, 521.) Este título foi aplicado ao *Paramâtman* (III, 510). Ver *Sol*, *Viril* etc.

Soliman (*Ár.*) — Nome que os muçulmanos dão a Salomão.

Solsequium (*Alq.*) — Enxofre dos filósofos.

Solstícios — O culto cristão – diz E. *Burnouf* – está distribuído segundo a marcha do Sol e da Lua. O nascimento de Cristo coincide com o solstício de inverno (no Hemisfério Norte); a Páscoa ocorre próxima do equinócio de primavera. No solstício de verão, celebra-se a festa do Precursor e são acesas as fogueiras chamadas de fogos de São João. As outras festas estão distribuídas metodicamente nas outras partes do ano, seguindo uma ordem comparável àquela das cerimônias védicas. É preciso observar – diz o mesmo autor – que o solstício de inverno ocorre quatro dias antes do Natal e o de verão se dá quatro dias antes da festa de São João. O dia da Páscoa é regulado pelo equinócio, uma vez que ocorre no domingo seguinte ao plenilúdio depois do equinócio de primavera. É, pois, provável que as festas do Natal e de São João sejam muito antigas, e coincidiram

S

primitivamente com os solstícios. Sendo de cinquenta segundos por ano a precessão dos equinócios, em 7.000 anos isso corresponde a aproximadamente quatro dias. Porém os quatro dias podem não ser completos. (V. Burnouf, *A Ciência das Religiões*, 3ª ed. francesa, p. 232.) Ver *Semana Santa*.

Solução (*Alq.*) — Desunião natural ou artificial dos corpos. A natural é de três tipos, segundo os três reinos da Natureza. A putrefação é a *solução* do reino animal; a fermentação, do reino vegetal e a liquefação aquela do reino mineral. A *solução* artificial é uma divisão das partes de um corpo, feita pela Arte, como as *soluções* dos metais pelas águas fortes, a calcinação pelo fogo elementar etc.

Som — A ciência esotérica ensina que cada som no mundo visível desperta seu som correspondente nos reinos invisíveis, impelindo à ação de uma ou outra força no lado oculto da Natureza. Além disso, a cada som corresponde uma cor e um número (uma potência espiritual psíquica ou física) e uma sensação do mesmo plano. Todos eles encontram eco em cada um dos elementos até aqui desenvolvidos e também no plano terrestre, nas Vidas que pululam na atmosfera terrestre, incitando-se desse modo à ação. Assim, uma oração, a não ser que seja pronunciada *mentalmente* e dirigida ao "Pai" de alguém, no silêncio e solidão de seu "retiro", deve ter mais frequentemente resultados desastrosos do que benéficos, a partir do momento em que se considera que as massas são completamente ignorantes dos poderosos efeitos que assim produzem. Para que produza bons efeitos, a oração deve ser pronunciada por "alguém que saiba o modo de se fazer ouvir em silêncio", quando, deixando de ser uma oração, se converte em mandamento. Por que nos ensinam que Jesus proibia seus ouvintes de ir às sinagogas públicas? Devemos supor que tinha algum motivo, o mesmo motivo que induz o ocultista especialista a impedir que seus discípulos vão a locais muito concorridos, igrejas, sessões espíritas etc., a menos que simpatizem com isso. (*Doutrina Secreta*, III, 451.) Na mesma obra citada (I, 606), lê-se o seguinte: Dizemos e sustentamos que o som é, entre outros, um poder oculto tremendo, uma força estupenda, cuja potencialidade mais insignificante, dirigida pelo conhecimento oculto, não poderia ser contraposta pela eletricidade engendrada por um milhão de Niágaras. Pode produzir um som de tal natureza que levantaria a pirâmide de Queops ou faria reviver um moribundo ou a um homem que fosse exalar o último suspiro, comunicando-lhe novo vigor e energia porque o som engendra ou, antes, atrai e reúne os elementos que produzem um *ozone*, cuja fabricação está acima do poder da química, porém está dentro dos limites da Alquimia. Pode até *ressuscitar* um homem ou um animal cujo "corpo vital" astral não tenha sido separado irreparavelmente do corpo físico, pela ruptura do cordão ódico ou magnético. Esta que escreve estas linhas *foi salva três vezes da morte* através deste poder. Por outro lado, o que é a força etérea descoberta por John Worrel Keely, da Filadélfia, e que é chamado motor Keely? O que é que atua como formidável gerador de força tremenda, desse poder capaz de arrastar uma máquina de 25 cavalos, e até de levantá-la ao alto? Tudo isso foi realizado apenas fazendo-se passar por um diapasão um arco de violino, segundo foi provado inúmeras vezes. Os fenômenos apresentados pelo referido inventor durante estes últimos anos foram maravilhosos, quase milagrosos, no sentido do *sobre-humano*. (*Doutrina Secreta*, I, 606.)

Soma (*Sânsc.*) — A Lua (*Chandra*) e também a bebida sagrada produzida com o sumo da planta de mesmo nome, usada nos templos para provocar êxtase. *Soma*, a Lua, é o símbolo da Sabedoria Secreta. Nos *Upanichads*, tal palavra é empregada para designar a matéria densa (com uma associação de umidade), capaz de produzir vida sob a ação do calor. [*Soma*, deus resultante da divinização do *soma*, o licor sagrado. (Bergua, *O Râmayâna*, 746, nota)]

S

Soma-bebida — Preparada com uma rara planta montanhesa [*Asclepias acida* ou *Sarcostema viminalis*, segundo outros] pelos brahmanes Iniciados. Esta bebida sagrada da Índia corresponde à ambrosia ou néctar dos gregos, ingerida pelos deuses do Olimpo. Na Iniciação de Elêusis, os *mystes* bebiam também uma taça de *Kykeon*. Quem bebe tal licor alcança facilmente *Bradhna* ou o lugar de esplendor (o céu). O *Soma* conhecido dos europeus não é a bebida genuína, mas seu substituto, pois unicamente os sacerdotes podem degustar o verdadeiro *Soma* e até os próprios reis e râjas, ao praticarem um sacrifício, recebem o substituto de tal bebida. Haug, segundo sua confissão, em seu *Aitareya Brâhmana*, diz que não era o *Soma* aquilo que provou e achou nauseabundo, mas o sumo extraído das raízes do *Nyagradha*, planta ou arbusto que cresce nos desfiladeiros de Poona. Foi-nos informado positivamente que a maioria dos sacerdotes sacrificiais do Dekhan perderam o segredo do verdadeiro *Soma*. Não se pode encontrá-lo nem nos livros rituais nem através da informação oral. Os verdadeiros seguidores da primitiva religião védica são escassos e são estes os supostos descendentes dos *Richis*, os reinos *Agnihotris*, os iniciados dos grandes Mistérios. A bebida sagrada é comemorada também no Panteão hindu, uma vez que é chamada de Soma-rei. Aquele que a bebe participa do reino celeste, fica cheio de sua essência, do mesmo modo que os apóstolos cristãos e seus convertidos ficaram cheios do Espírito Santo e limpos de seus pecados. O *Soma* faz do Iniciado um novo homem; renasce e se transforma e sua natureza espiritual vence a física; concede o divino poder de inspiração e desenvolve ao extremo a faculdade da clarividência. Segundo a explicação exotérica, o *Soma* é uma planta, porém, ao mesmo tempo, um anjo. Une fortemente o "espírito" superior, *interno*, do homem, cujo espírito é um anjo como o místico *Soma*, com sua "alma irracional" ou corpo astral; e assim unidos, graças ao poder da bebida mágica, vão acima da natureza física e participam, durante a vida, da beatitude e das inefáveis glórias do céu. Assim, o *Soma* hindu tem misticamente e sob todos os conceitos, o mesmo significado da cena eucarística para os cristãos. A ideia é idêntica. Em virtude das preces sacrificiais – mantras – supõe-se que tal licor se transforma imediatamente no verdadeiro *Soma* ou anjo e também no próprio Brahmâ. Alguns missionários expressaram-se com grande indignação sobre esta cerimônia e muito mais ao verem que os brahmanes empregam geralmente *uma espécie de licor espirituoso* como substituto. Porém, por acaso os cristãos acreditam menos fervorosamente na transubstanciação do vinho comum no sangue de Cristo por ser este vinho mais ou menos espirituoso? A ideia do símbolo a ele relacionado não é a mesma? Porém os missionários dizem que a hora do *Soma*-bebida é a hora de ouro de Satã, que espreita no fundo da taça sacrificial hindu. (*Ísis sem Véu*) Há uma planta cujo sumo fermentado excita o ânimo do homem e preenche de vigor todo o seu corpo; este licor, chamado *Soma*, é sagrado para todos os povos ários. O deus *Agni* nele reside, nele está presente, embora invisível, segundo afirmam, como um dogma, os poetas védicos. O vaso ou cálice que o contém encerra, pois, o sangue da vítima imolada. Na cerimônia, o alimento sólido é representado por uma composição de farinha e manteiga, na qual o mesmo *Agni* está presente. Os sacerdotes e, depois destes, os convidados ao banquete divino participam do festim sagrado, no qual cada um recebia sua parte da hóstia e a comiam como um manjar escolhido. O efeito moral desta comunhão era extraordinário, uma vez que, sendo *Agni* a vida e o pensamento, aqueles em quem se incorpora se tornam partícipes de uma mesma vida e de um mesmo pensamento, irmanados pela carne e pelo espírito. (Burnouf, *A Ciência das Religiões*, p. 223-225.) Além das acepções da Lua ou deus da Lua e outras já expostas, a palavra *Soma* significa também: seiva, céu, atmosfera etc. (Ver *Eucaristia, Pão e Vinho* etc.) (Ver também a obra erudita de E. Sanchez Calvo, *Os nomes dos Deuses*, p. 392-395.)

Somabhû (*Sânsc.*) — "Filho de Soma." Título de Budha.

S

Somadatta (*Sânsc.*) — Nome de um rei dos bâkîkas, que moram no país situado entre o Sutlej e o Indo. O filho deste rei, chamado *Saumadatti*, era aliado dos Kuravas. (*Bhagavad-Gîtâ*, I, 8.)

Somadhâra (*Sânsc.*) — O céu, o ar.

Somagarbha (*Sânsc.*) — Epíteto de Vishnu.

Soma-loka (*Sânsc.*) — Uma espécie de morada lunar, onde reside o deus Soma, regente da Lua. A mansão dos *pitris* lunares ou *Pitri-loka* [um dos oito mundos. (Ver *Loka*.)]

Somanâtha (*Sânsc.*) — Literalmente: "Senhor da Lua". Nome de um famoso *lingam* ou emblema de Shiva, erigido na cidade de Somnât Pattan, em Gujerat. (Dowson, *Dic. Clássico Hindu*)

Somapa (*Sânsc.*) — Uma classe de *pitris* lunares. (Ver *Trisuparna*.) [Literalmente, *somapa* significa: "bebedor de *Soma*" que oferece o sacrifício; sacerdote, brahmane.]

Somasads (*Sânsc.*) — Filhos de Virâj e antecessores dos Sâdhyas. (*Leis de Manu*, III, 195.)

Somasiddântin (*Sânsc.*) — Seguidor da doutrina *Samasiddhânta*.

Somasiddhânta (*Sânsc.*) — Título de um sistema teológico adotado por certos seguidores de Shiva. Nome próprio de um Budha.

Somasindhu (*Sânsc.*) — Epíteto de Vishnu.

Somasut (*Sânsc.*) — Sacerdote que extrai o *soma*.

Somatîrtha (*Sânsc.*) — Lugar de peregrinação no Oeste da Índia.

Soma-vanza (*Sânsc.*) — A dinastia lunar dos príncipes descendentes de Soma, o primeiro dos quais foi Budha, filho de Soma e regente do planeta Mercúrio. Segundo o *Vishnu-Purâna*, a lista de príncipes da raça lunar começa com Atri, o *Richi*, seguindo depois deste Soma, a Lua, Budha etc. (Ver *Chandra-vanza*.)

Somayajin (*Sânsc.*) — Que oferece o *soma* em sacrifício.

Sombra — Este nome é aplicado aos veículos transitórios da Mônada: o corpo físico ou a personalidade, o *Manas* inferior ou alma animal, sombra do *Ego* divino etc. (*Voz do Silêncio*, II, e *Doutrina Secreta*, III, 514.) Ver *Umbra* e *Sombras*.

Sombras (*Ocult.*) — Aparições astrais que se tornam visíveis e, algumas vezes, tangíveis (forma de modernas manifestações espíritas), o *Scin-lecca* ou espectro ou o *Doppelgänger* alemão de uma pessoa. Podem se tornar visíveis, atraindo elementos materiais etéreos do corpo de um médium ou de qualquer outra pessoa em quem haja pouca coesão de seus elementos inferiores, em consequência de alguma enfermidade ou por causa de certas peculiaridades herdadas de sua organização; também podem ser atraídas pelos médiuns da atmosfera circundante. Sua vida é tomada do médium e, se essa vida for impedida de voltar ao médium, este fica paralisado ou morre. (*F. Hartmann*)

Son (*Esc.*) — Um dos recipientes onde se encontrava o licor da poesia. (*Eddas*)

Sonaka (*Sânsc.*) — Nome de um célebre muni mencionado nas *Leis de Manu*, III, 16.

Sonambulismo — Literalmente: "andar dormindo", ou seja, o fato de mover-se, escrever, ler e executar cada função da consciência em estado de vigília, durante o sono, com esquecimento completo do fato ao despertar. Este é um dos grandes fenômenos psicofisiológicos, o menos compreendido, por ser o mais desconcertante e do qual só o ocultismo tem a chave.

Son-kha-pa (*Tib.*) — Também se escreve *Tsong-kha-pa*. Célebre reformador tibetano do séc. XIV, que introduziu em seu país um Budismo purificado. Era grande

S

que, não podendo presenciar por mais tempo a profanação da filosofia búdica pelos falsos sacerdotes, que dela faziam objeto de tráfico, pôs violentamente um fim a tal estado de coisas, promovendo uma oportuna revolução e o desterro de 40 000 falsos monges e lamas do país. É considerado como um *avatar* de Buddha e é o fundador da seita dos *gelukpa* (ou "turbantes amarelos") e da Fraternidade mística relacionada com seus chefes. A "árvore das dez mil imagens" (*Khoomboom* ou *Koumboum*), segundo se diz, surgiu da longa cabeleira deste asceta, que, depois de tê-la deixado para trás, desapareceu para sempre da vista dos profanos.

Sonhos (*Somnia*, em latim) — As influências astrais invisíveis que uma pessoa pode exercer sobre outra durante seu sono. Uma pessoa pode, deste modo, fazer com que outra sonhe aquilo que ela quer que a outra perceba; ou os corpos astrais dos vivos podem ser impressionados para que façam a promessa de praticar certos atos ao despertar e, quando despertam, cumprem o prometido. (F. Hartmann, *Os Elementais*) Ver *Espírito*.

Sooniam [ou **Soonium**] — Uma cerimônia mágica, que tem por objetivo fazer passar uma enfermidade de uma pessoa para outra. É magia negra ou feitiçaria.

Sopâka (*Sânsc.*) — Homem de classe abjeta e desprezível, cujo ofício é executar os criminosos. (*Leis de Manu*, X, 38.)

Sophia (*Gr.*) — Sabedoria. O *Logos* feminino dos gnósticos; a Mente universal e o Espírito Santo feminino; segundo outros, os primitivos cristãos (*Doutrina Secreta*, I, 219). A Sabedoria Divina personificada. *Sophia* é também Aditi com seus sete filhos; "a Virgem celestial". (*Ibid.*, III, 158, 192.)

Sophia Achamôth (*Gr.*) — Filha de Sophia. Personificação da Luz astral ou plano inferior do Éter.

Sortes Sanctorum (*Lat.*) — "A prática sagrada de lançar sortes para fins de adivinhação", exercida pelo clero cristão primitivo e medieval. Santo Agostinho, que "não desaprova este método de conhecer o futuro, mas não o utilizando para objetos do mundo, também o praticava". (Vida de São Gregário de Tours.) Porém, "se era praticada por leigos, hereges ou pagãos", de qualquer espécie, o *sortes sanctorum* convertia-se – se acreditarmos nos bons e piedosos padres – em *sortes diabolorum* ou *sortilégio* (feitiçaria).

Sosiosh [ou **Sosfosch**] (*Zend.*) — O Salvador masdeísta, que, como Vishnu, Maitreya, Buddha e outros, é esperado montado num cavalo branco, no final do ciclo, para salvar a humanidade. (Ver *S'ambhala*.) No último ano de sua aparição, o homem viverá sem comer e depois os corpos do mundo serão puros. *(Zend-Avesta).*]

Sothis (*Eg.*) — Nome da estrela Sírio, consagrada a Ísis. Seu orto helíaco, que marcava o começo do ano, era o ponto de partida do ano civil. Sothis era considerada a rainha de 36 constelações, que presidiam sucessivamente as 36 décadas. Uma parte do templo de Denderah era consagrada à celebração da saída de Sothis. Havia em Assuan um templo dedicado a Ísis-Sothis. (Pierret, *Dict. d'Arch. Égypt.*)

Sowan (*Pál.*) — O primeiro dos "quatro sendeiros", que conduzem ao *Nirvâna* na prática do *Yoga*.

Sowani (*Sowanee*, na transliteração inglesa) (*Pál.*) — Aquele que entrou no sendeiro do *Sowan*.

Spachta (*Sânsc.*) — Evidente, manifesto, patente.

S

Spanda ou **Sphurana** (*Sânsc.*) — Um movimento vibratório, uma oscilação de pêndulo, uma revolução dentro de um raio, um movimento limitado, que necessariamente se torna rítmico pelo efeito da limitação no espaço e no tempo. (Bhagavân Dâs, *A Ciência da Paz*, p. 201.)

Sphardhâ (*Sânsc.*) — Emulação, rivalidade, luta.

Sparsa (*Sânsc.*) — O sentido do tato. [Toque, contato, choque, impressão, relação, sensação, tudo o que causa dor; dom, presente.]

Sparza — Ver *Sparsa*.

Sparzâ (*Sânsc.*) — Mulher de maus costumes.

Sparza devas (*Sânsc.*) — *Devas* dotados de tato. (*Doutrina Secreta*, III, 566) Ver *Karatala*.

Sparzana (*Sânsc.*) — Tato, contato; dom, presente; o vento.

Spenta Armaita (*Zend.*) — O gênio feminino da terra; a "pura filha de Ahura Masda". Entre os masdeístas, *Spenta Armaita* é a Terra personificada. [A palavra em questão é também escrita assim: *Espendarmad* e *Sapamdomad*. É a mais santa e a mais pura entre as primeiras criaturas puras; humilde, sábia, liberal e torna a terra fértil (*Zend-Avesta*)]

Sphâla (*Sânsc.*) — Vibração, tremor.

Sphâra ou **Sphura** (*Sânsc.*) — Ver *Sphâla*.

Sphota (*Sânsc.*) — O revelado. Uma coisa indescritível que existe eternamente fora das letras que formam uma palavra e, contudo, está inseparavelmente em conexão com a mesma, porque se *revela* na pronúncia de tal palavra. (M. Dvivedi, Comentário dos *Aforismos de Patañjali*, III, 17.)

Sphurana — Ver *Spanda*.

Sphurti (*Sânsc.*) — Agitação, tremor, vibração.

Sphurtimat (*Sânsc.*) — Tremulante, palpitante; que tem o coração terno ou sensível.

Spiritus animalis (*Lat.*) — Ver *Espírito animal*.

Spiritus vitæ (*Lat.*) — Ver *Espírito de vida*.

Sprihâ (*Sânsc.*) — Desejo, afã; deleite, prazer.

Sraddha, **Sraddhâ** ou **Shraddha** (*Sânsc.*) — Devoção à memória e cuidado pelo bem-estar dos *manes* dos parentes mortos. Um rito *post mortem* em favor dos parentes recém-falecidos. Serviço fúnebre; cerimônia em honra de dois deuses ou dos *manes*; oferenda sagrada em honra dos defuntos; a cerimônia na qual se lhes apresenta esta oferenda. (Ver *Pârvana* e *Leis de Manu*, III, 122-123.)

Sraddhâ (*Sânsc.*) — Fé, confiança; respeito; reverência.

Srâddhadeva (*Sânsc.*) — Epíteto de Yama, deus da morte e rei do *Hades* ou mundo inferior.

Sraddhâmaya (*Sânsc.*) — Constituído ou cheio de fé.

Sraddhâvant (*Sânsc.*) — Rico de fé; fiel; crente.

Sraddhâyopeta (Sraddhâ-upeta) (*Sânsc.*) — Dotado de fé.

Srama (*Sânsc.*) — Ação, exercício fatigante; lassidão.

S

Sramana (*Sânsc.*) — Sacerdote budista, asceta mendicante e aspirante ao Nirvâna, "aquele que coloca um freio em seus pensamentos". A palavra *Saman*, atualmente "*Zaman*", é uma corruptela desta primitiva palavra. [Quando os ouvintes *(srâvakas)* passam da teoria para a prática do ascetismo, convertem-se em *sramanas*, "praticantes". (*Voz do Silêncio*, III.)]

Srâmanera (*Sânsc.*) — Noviço budista.

Srastara (*Sânsc.*) — Um leito formado por uma esteirinha ou uma pele de tigre, sobre a qual foram aspergidos *darbha*, *kuza* e outras ervas usadas pelos ascetas (gurus e chelas) e estendida no chão.

Sravah (*Masd.*) — Os *Amshaspends* em seu aspecto mais elevado.

Srâvaka (*Sânsc.*) — Literalmente: "aquele que faz ouvir", porém, no budismo, denota um discípulo ou *chela*. *Srâvaka* (da raiz *sru*): "*ouvinte*", ou seja, o estudante que concorre aos ensinamentos religiosos. (*Voz do Silêncio*, III) Ver *Sramana*.

Srichta (*Sânsc.*) — Emitido, emanado, produzido, criado, engendrado, fundado; abandonado; solto.

Srichti (*Sânsc.*) — Significado idêntico ao de *Sarga*.

Sringa Giri (*Sânsc.*) — Um grande e rico mosteiro sobre a colina dos Ghâts ocidentais, em Mysore (Índia Meridional); o principal *matham* dos brâhmanes *Smârtas* e *adwaitas*, fundado por Sankarâchârya. Ali reside a cabeça religiosa de todos os *adwaitas* vedantinos, aos quais muitos atribuem grandes poderes anormais.

Sriñjayas (*Sânsc.*) — Sobrenome dos pânchâlas (habitantes do país de Pânchâla).

Sri-pâda (*Sânsc.*) — A pegada ou impressão do pé de Buddha. Literalmente: "o pé do Mestre ou Senhor exaltado". (Ver *Chakra*.)

Sri Sankarâchârya (*Sânsc.*) — O grande reformador religioso da Índia e mestre da filosofia *Vedanta* - o maior de todos os mestres, considerado pelos *adwaitas* (não dualistas) como uma encarnação de Shiva e um operador de milagres. Estabeleceu numerosos *mathams* (mosteiros) e fundou a mais douta das seitas entre os brâhmanes, denominada *Smârtava*. As lendas sobre ele são tão numerosas quanto seus escritos filosóficos. Aos trinta e dois anos foi a Caxemira e, ao chegar a Kedâranath no Himalaia, entrou numa caverna sozinho, de onde jamais voltou. Seus seguidores acham que não morreu, mas que unicamente retirou-se do mundo. (Ver *Sankarâchârya* e *Zrî*)

Sriti (*Sânsc.*) — Via, caminho, sendeiro; curso, carreira.

Srivatsa (*Sânsc.*) — Um sinal místico levado por Krishna e igualmente adotado pelos jainas.

Sriyantra (*Sânsc.*) — O triângulo duplo ou selo de Vishnu, também chamado de "Selo de Salomão" e adotado pela Sociedade Teosófica.

Srotas (*Sânsc.*) — Corrente, rio, canal, curso d'água; orifício do corpo, órgão dos sentidos. (Ver *Zrotas*.)

Srotâpatti (*Sânsc.*) — Literalmente: "aquele que entrou na corrente, isto é, a corrente ou a via que conduz ao *Nirvâna* ou, de um modo figurado, ao oceano nirvânico. É o mesmo que *Sowani*. [Uma vez que tenhas colocado teu pé no leito da corrente nirvânica, nesta ou em alguma vida futura, não terás diante de ti mais do que outros sete nascimentos. (*Voz do Silêncio*, III) O nome *Srotâpatti* indica o primeiro de outros três sendeiros, chamados respectivamente *Sakridagâmin* (o segundo), *Anagâmin* (o terceiro) e *Rahat* ou *Arhat* (o quarto). (*Ibid.*)]

S

Srotriya (*Sânsc.*) — Denominação de um brâlhmane que pratica os ritos védicos que ele estuda, ao contrário do *Vedavit*, ou seja, o brâhmane que os estuda apenas teoricamente.

Sruti (*Sânsc.*) — Tradição sagrada recebida por revelação. Os *Vedas* são a tradição, ao contrário do *Smriti* (ver está palavra). [*Sruti* significa também: revelação; os textos sagrados, as Santas Escrituras reveladas, os *Vedas*, relato, notícia; palavra, som; tradição ou doutrina santa.]

Stabdha (*Sânsc.*) — Tenaz, obstinado, recalcitrante, imóvel, firme.

Stan-gyour — Uma obra sobre magia. (*Ísis sem Véu*, I, 580.)

Stannar — Nome dado por Paracelso ao duplo astral dos minerais.

Stha — Ver *Sthita*.

Sthairya (*Sânsc.*) — Firmeza, constância, estabilidade, solidez; tranquilidade.

Sthâla Maya — Ver *Sthûla Mâyâ*.

Sthâman (*Sânsc.*) — Força, poder.

Sthâna (*Sânsc.*) — O mesmo que *Ayâna*. Lugar ou mansão de um deus. [Esta palavra tem várias acepções: lugar, mansão em geral; habitação, residência; estação, continuação; duração; estado, condição, posição; categoria, qualidade; forma, aspecto; esfera, domínio; assento, base, fundamento.]

Sthânu (*Sânsc.*) — Permanente, estável, fixo, imóvel.

Sthâpana (*Sânsc.*) — Casa, estabelecimento; organização; abstração mental.

Sthâvara (*Sânsc.*) — De *sthâ*, estar ou permanecer imóvel. Termo aplicado a todo objeto consciente, senciente, privado de poder de locomoção, fixo ou arraigado, como as árvores e as plantas: enquanto que todos os seres sencientes, que acrescentam o movimento a certo grau de consciência são denominados de *jangama*, de *gam*, ir, mover-se etc. *Sthâvara* significa também: duradouro, permanente, estável, inanimado; vegetal, montanha etc.

Sthâvirâh ou **Sthâviranikaya** (*Sânsc.*) — Uma das primitivas escolas filosóficas contemplativas, fundada em 300 a.C. No ano de 247 a.C., dividiu-se em três seções: a *Mahâvihâra Vâsinâh* (Escola dos grandes Mosteiros), *Jetavaniyâh* e *Abhayagiri Vâsinâh*. É um dos quatro ramos da Escola *Vaibhâchika*, fundada por Kâtyâyana, um dos maiores discípulos de Gautama Buddha, autor do *Abhidharma Jñâna Prasthâna Shâstra* e que, segundo se espera, reaparecerá como um Buddha. (Ver *Abhayagiri* etc.) Todas estas escolas são altamente místicas. Literalmente, *Sthâviranikaya* é traduzido no sentido de "Escola do Presidente ou *Chairman*" (*Chohan*).

Sthira (*Sânsc.*) — Duro, sólido, firme, forte, tenaz; constante, assíduo; resoluto; fiel; seguro; duradouro; estável, imutável, fixo, permanente; substancioso, nutritivo.

Sthira-Buddhi (*Sânsc.*) — De mente ou ânimo firme, resoluto; de entendimento firme.

Sthira-chetas (*Sânsc.*) — Resoluto, decidido, firme, constante, assíduo.

Sthirâtman [**Sthira-âtman**] (*Sânsc.*) — Eterno, supremo, aplicado à Alma ou Espírito Universal.

Sthiratva (*Sânsc.*) — Firmeza, constância, perseverança, fixidez, solidez.

S

Sthita (*Sânsc.*) — Presente, situado; aplicado; entregue, ocupado, atento; sustentado, firme, fixo; estabelecido; residente; afamado; perseverante; determinado; mantido; dirigido; subsistente.

Sthitadhî (*Sânsc.*) — De mente ou pensamento fixo ou firme.

Sthitaprajñâ (*Sânsc.*) — Firme no conhecimento ou na sabedoria.

Sthiti (*Sânsc.*) — O atributo da conservação; estabilidade [duração, continuação, persistência, perseverança, permanência, fixidez, firmeza, constância; situação, estado, posição, condição, classe; fim, término, limite, meta; lugar, sítio, morada; conduta, proceder, regra; uso, costume; virtude; retidão; devoção; aplicação; ocupação máxima; existência, ocorrência].

Sthûla (*Sânsc.*) — Matéria diferenciada e condicionada. [Denso, grosseiro, pesado, maciço, sólido; ignorante, tolo.]

Sthûlabhûta (*Sânsc.*) — Elemento grosseiro ou composto.

Sthûladeha (*Sânsc.*) — Corpo grosseiro.

Sthûlalakcha ou **Sthûlalakchya** (*Sânsc.*) — Liberal, generoso; instruído; bem-educado.

Sthûla Mâyā (*Sânsc.*) — Grosseiro, concreto e, portanto, diferenciado; uma ilusão.

Sthûla sharîra (*Sânsc.*) — Em metafísica, o corpo grosseiro ou físico. [O corpo denso, grosseiro, em contraposição a outros princípios mais sutis e elevados. *(Râma Prasâd)*

Sthûla sarîram ou **sharîram** — Ver *Sthûla shārîra*.

Sthûlopâdhi [**Sthûla-upâdhi**] (*Sânsc.*) — Um "princípio" que corresponde à tríada inferior do homem, isto é, o corpo, a forma astral e a vida, no sistema *Târaka Râja Yoga*, que enumera apenas três princípios fundamentais no homem. O *Sthûlopâdhi* corresponde ao estado de *jâgrat* ou estado consciente de vigília.

Stoma (*Sânsc.*) — Hino, canto de louvor.

Stotra (*Sânsc.*) — Louvor, elogio; hino; certo tipo de recitações.

Stotri (*Sânsc.*) — Panegirista, adorador.

Strî (*Sânsc.*) — Mulher, fêmea.

Stupa (*Sânsc.*) — Um monumento cônico na Índia e Ceilão, erigido sobre relíquias de Buddha, *Arhats* ou outros grandes homens. [Também se chama tope, dagoba, túmulo, montículo etc.]

Stuti (*Sânsc.*) — Elogio, louvor, loa; glória, hino, cântico.

Su (*Sânsc.*) — Prefixo equivalente a bem, bom, belo, muito. Expressa também o grau superlativo. É o contrário de *dur* ou *dus*.

Subhâchita (*Sânsc.*) — Bem dito, eloquente. Como substantivo: eloquência.

Subhadra (*Sânsc.*) — Próspero, feliz, afortunado. Epíteto de Vishnu.

Subhadrâ (*Sânsc.*) — Literalmente: "Muito propícia". Irmã de Krislma, que a deu por esposa a Arjuna, seu primo, a fim de estreitar a amizade entre eles. O filho de Subhadrâ era Abhimanyu, conhecido também pelo nome patronímico de Saubhardra. (Ver *Bhagavad-Gîtâ*, I, 18.)

Subhaga (*Sânsc.*) — Feliz, afortunado; belo; ilustre, distinto.

S

Subhâva (*Sânsc.*) — Ser; a substância que se forma a si mesma, ou aquela "substância que dá substância a si mesma". (Ver o *Ekasloka Zâtra* de Nâgârjuna.) Explicada paradoxalmente como "a natureza que não tem natureza própria" e também como aquilo que é com e sem ação. (Ver *Svabhâvat*.) Este é o *Espírito sem Substância*, a causa ideal das potências que atuam na obra da evolução formativa (não "criação" no sentido que geralmente se dá a esta palavra); potências que, por sua vez, se convertem em causas reais. Segundo as palavras usadas nas filosofias *Vedânta* e *Nyaya*: *nimitta*, a causa eficiente, e *upâdâna*, a material, encontram-se eternamente contidas em *Subhâva*. Segundo a sentença sânscrita: "Digníssimo entre os ascetas aquele que, graças à sua potência (aquela da causa 'eficiente'), cada coisa criada *vem por sua própria natureza*".

Subjetivo — Relativo a nosso modo de sentir ou pensar e não ao objeto em si mesmo; relativo ou pertencente ao sujeito, em oposição ao mundo exterior. (Ver *Objetivo*.)

Sublimação (*Herm.*) — Purificação da matéria, através da dissolução e da redução aos seus princípios. Consiste em purificar, sutilizar e depurar a matéria de todas as partes terrestres e heterogêneas, dar-lhe um grau de perfeição do qual foi privada ou livrá-la dos laços que a mantêm como numa prisão e a impedem de agir.

Sublimar (*Alq.*) — Purificar, cozer, exaltar, aperfeiçoar a matéria da obra, elevá-la a um grau de perfeição que lhe falta para tornar-se mais excelente do que o próprio ouro e ter a propriedade de transformar os metais imperfeitos em puro.

Submersão (*Alq.*) — É a dissolução da matéria pela putrefação, uma vez que está negra e aquosa e que as matérias se confundem e se submergem uma na outra.

Subplano — Cada *plano* contém sete subdivisões chamadas de *subplanos*, o primeiro ou mais íntimo dos quais é denominado de subplano *atômico*. (Ver *Plano*.)

Subplano atômico — A mais elevada ou íntima subdivisão de cada plano ou mundo. Denota a matéria no estado de vibração ou substância mais intensa, na forma mais sutil de que é suscetível naquele plano. (*P. Hoult*)

Substância — Os teósofos usam esta palavra num sentido dual, qualificando a substância como perceptível e imperceptível e fazendo uma distinção entre as substâncias material, psíquica e espiritual (ver *Zudda Sattva*), em substância *ideal* (isto é, existente nos planos superiores) e em substância *real* [Algumas vezes substância é sinônimo de matéria. (*Doutrina Secreta*, I, 309) Ver *Substância e Matéria*.]

Substância e Matéria — Frequentemente estes dois termos são usados como sinônimos. Para evitar confusões, a palavra *matéria* deveria ser aplicada ao agregado de objetos de percepção possível; a palavra *substância* deveria ser aplicada aos *noumenos*. (*Doutrina Secreta*, I, 350.) Assim, chamaremos de Matéria àquela que corresponde aos planos ou modos inferiores a *Anupâdaka* reservando o termo substância para os planos Adi e Anupâdaka. (M. Treviño, *Metaquímica*.)

Substância radical pré-cósmica — Esta substância, designada também pelo nome de *Mûlaprakriti*, é aquele aspecto do Absoluto que serve de base a todos os planos objetivos da Natureza. (*Doutrina Secreta*, I, 43.)

Suchama — Ver *Sushama*.

Suchi (*Sânsc.*) — Um dos nomes de Indra e também do terceiro filho de Abhimânin, filho de Agni; isto é, um dos *quarenta e nove* fogos primordiais. [*Suchi* significa também: limpo, puro, claro, honesto, santo, virtuoso.]

Suchirâyus (*Sânsc.*) — Que vive muito tempo; muito velho; um Deus em geral.

S

Suchumnâ — Ver *Sushumnâ*.

Suchupta — Ver *Sushupta*.

Suchupti — Ver *Sushupti*.

Suchupti Avasthâ — Ver *Sushupti Avasthâ*.

Súcubos (do latim *succuba*, que está deitado sob) — Na literatura oculta da Idade Média figuram muitos casos de *íncubos* e *súcubos*, alguns dos quais apareceram de modo visível e tangível; outros, embora invisíveis, foram tocados e sentidos. Estes casos são atualmente muito mais numerosos do que geralmente se acredita. Porém estes *espíritos* podem "materializar-se" apenas quando ocorrem as condições necessárias. Assim é que são sentidos durante um estado de doença e desaparecem quando o paciente recobra a saúde, porque de uma constituição sã não conseguem extrair os elementos necessários para a sua materialização. Os íncubos e súcubos são, pois, produtos de um estado físico e moralmente enfermo. A imaginação morbosa cria uma imagem, a vontade da pessoa a torna objetiva e a aura nervosa pode torná-la substancial à visão e ao tato. Além disso, uma vez criada a imagem, esta atrai para si as influências correspondentes da alma do mundo. (F. Hartmann, *Os Elementais*) (Ver *Íncubos* e *Pizâchas*.)

Sûdana (*Sânsc.*) — Matador, destruidor.

Sudânta (*Sânsc.*) — Bem dominado; cujas paixões encontram-se dominadas. Um budista.

Sudarzana (*Sânsc.*) — Nome do disco de Krishna; uma arma flamígera que desempenha papel importante nas biografias de Krishna. [Uma das sete montanhas fabulosas ao redor do Meru. Literalmente: "Formoso à vista".]

Sudarzanî (*Sânsc.*) — Feminino de *Sudarzana*: a cidade de Indra, Amarâvati.

Sudasyas (*Sânsc.*) — Brâhmanes auxiliares. (Bergua, *O Râmayâna*.)

Sudda-Sattva (*Sânsc.*) — Uma substância não sujeita às qualidades da matéria; uma substância luminífera e invisível (para nós), da qual são formados os corpos dos deuses e dos mais elevados *Dhyânis*. Filosoficamente. *Sudda Sattva* é um estado consciente de egoidade espiritual mais do que uma essência. (Ver *Paramapada*.)

Suddhodana (*Sânsc.*) — Rei de Kapilavastu; pai de Gautama Buddha.

Sudhâ (*Sânsc.*) — Alimento dos deuses, análogo ao *amrita*, substância que confere a imortalidade. [A água do Ganges; o néctar das flores.]

Sudhâkara (*Sânsc.*) — A Lua.

Sudharman (*Sânsc.*) — Assembleia dos deuses.

Sudi (*Sânsc.*) — A porção clara do mês lunar.

Sûdra ou **S'udra** — Ver *Shudra*.

Suduchkara (**Su-dus-kara**) (*Sânsc.*) — Muito difícil de fazer ou executar.

Sudurâchâra (*Sânsc.*) — De maus costumes, de péssima conduta; depravado; muito perverso.

Sudurdarza (*Sânsc.*) — Muito difícil de ver ou perceber.

Sudurlabha (*Sânsc.*) — Muito difícil de obter ou de encontrar.

Sudyumna (*Sânsc.*) — Epíteto de Ilâ (ou Idâ), descendente de Vivasvata Manu e sua formosa filha, que surgiu do sacrifício que celebrou, quando ficou só depois do

S

Dilúvio. Sudyumna era uma criatura andrógina, varão durante um mês e fêmea durante outro. [Esta lenda refere-se, evidentemente, à origem da dinastia lunar (Dowson, *Dic. Clássico Hindu.*)]

Sufi — Ver *Sufismo*.

Sufismo (é a raiz de *sophia*, sabedoria) — Uma seita mística da Pérsia, algo semelhante àquela dos vedantinos. Embora com numerosos seguidores, aderem a ela apenas homens muito inteligentes. Tais seguidores pretendem, muito justamente, a posse da doutrina e filosofia esotéricas do *verdadeiro* maometismo. A doutrina sufi (ou sofi) é em grande parte relacionada com a teosofia, porque não só prega um único credo universal, mas também o respeito exterior e a tolerância em favor de toda fé popular *exotérica*. Tem igualmente contato com a maçonaria. Os sufis têm quatro graus e quatro períodos de Iniciação: 1º) probatório, com uma estrita observância dos ritos muçulmanos, porém explicando ao candidato o significado oculto de cada dogma e cerimônia; 2º) de entretenimento metafísico; 3º) o grau de "Sabedoria", no qual o candidato é iniciado na mais íntima natureza das coisas; 4º) a Verdade final, em que o Adepto alcança poderes divinos e a completa união com a Divindade única universal no *êxtase* ou *Samâdhi*.

Sugata (*Sânsc.*) — Um dos títulos do Senhor Buddha, título que tem numerosos significados [sendo um deles o de "Bem-vindo" *(Burnouj)*].

Sughocha (*Sânsc.*) — Melodioso, que soa forte ou bem. Nome do caracol de Nakula. (*Bhagavad-Gîtâ*, I, 16.)

Sugrîva (Su-grîva) (*Sânsc.*) — Literalmente: "de belo pescoço". Um rei-demônio que, destronado por seu irmão, foi instalado novamente em seu trono por Râma. Sugrîva, com seu conselheiro Hanuman e um exército de símios, foram os fiéis aliados de Râma na guerra contra Râvana, rei de Lankâ (Ceilão) e raptor da bela Sîtâ, esposa de Râma.

Suhrid (*Sânsc.*) — Amigo, aliado.

Sujana (*Sânsc.*) — Bem nascido, de boa família; respeitável, bom, honrado.

Sujanatva (*Sânsc.*) — Bondade, generosidade.

Sukala (*Sânsc.*) — Liberal.

Sukara (*Sânsc.*) — Fácil, cômodo.

Sukarman (*Sânsc.*) — Que atua bem; virtuoso, justo, honrado. Um dos *yogas* astronômicos.

Sûkchma (*Sânsc.*) — Sutileza, tenuidade, finura, pequenez; sutil, tênue, fino, pequeno.

Sûkchma Sârira (*Sânsc.*) — O corpo ilusório, como em estado de sonho, análogo ao *Manasarûpa* ou corpo mental. É a vestimenta dos deuses ou dos *dhyânis* e *devas*. Escreve-se também *Sukshama Sharira* e é chamado *Sukchmopâdhi* pelos yogis da Escola *Târaka-Râja-Yoga*. *Sûkchma Sarîra* significa literalmente "corpo sutil ou astral".

Sûkchmatva (*Sânsc.*) — Significado idêntico ao de *Sûkchma*.

Sûkchmopâdhi (*Sânsc.*) — O sistema *Târaka-Râja-Yoga* é o "princípio" que contém o *Manas* superior e inferior e o *Kâma*. Corresponde ao *Manomaya-Kosha* da classificação vedantina, e ao estado de *Svapna*. (Ver *Svapna*.)

Sukha (*Sânsc.*) — Gozo, prazer, deleite; alegria; felicidade, bem-aventurança, glória, placidez, sossego, tranquilidade de ânimo.

S

Sukhab *(Cald.)* — Um dos sete deuses babilônicos.

Sukhada *(Sânsc.)* — Que causa prazer.

Sukhadhara *(Sânsc.)* — O paraíso.

Sukhavatî *(Sânsc.)* — [Literalmente: "Terra pura ou feliz".] O paraíso ocidental do povo não educado. A noção popular é que há um paraíso ocidental de Amitâbha, no qual os homens santos e os bons se deleitam em gozos físicos até que o Karma os leve mais uma vez para o ciclo do renascimento. Esta é uma noção exagerada e errônea do *Devachan*. [Lemos no *Evangelho de Buddha* (LX, o *Amitâbha*): 13. "Há no Ocidente uma região paradisíaca, chamada de 'Terra pura', cheia de ouro, prata e pedras preciosas. Ali correm águas puras sobre regatos de areias auríferas, entre veredas cobertas de lótus. Ouve-se uma música que causa deleite, chove flores três vezes por dia; as aves proclamam, cantando harmoniosamente, as excelências da região e no espírito dos que ouvem seus dulcíssimos acentos desperta a recordação do *Buddha*, do *Dharma* e do *Sangha*. Ali não pode germinar mal nenhum e o próprio nome do inferno é desconhecido. Aquele que pronuncia com fervor e devoção as palavras '*Amitâbha Buddha*' transporta-se para esta feliz região e, quando a morte se avizinha, o Buddha lhe aparece com uma corte de santos discípulos e goza de uma tranquilidade perfeita.]

Sukhî ou **Sukhin** *(Sânsc.)* — Feliz, ditoso, afortunado; contente, bem-aventurado.

Suki *(Sânsc.)* — Uma filha do *richi* Kazyapa e esposa de Garuda, rei das aves e veículo de Vishnu. Suki é a mãe dos papagaios, corujas e corvos.

Sukra — Ver *Shukra*.

Sukrit *(Sânsc.)* — "Que atua bem"; virtuoso, justo; feliz, afortunado.

Sukrita *(Sânsc.)* — Boa obra ou ação, virtude, mérito, ato meritório ou virtuoso. Como adjetivo: bem-feito, bom, justo, virtuoso, meritório, formoso.

Sukriti *(Sânsc.)* — Boa conduta, bom proceder.

Sukritin *(Sânsc.)* — Que atua bem; benfeitor, virtuoso, justo, honrado; prudente; afortunado, feliz.

Sulabha *(Sânsc.)* — Fácil de obter, alcançar ou realizar.

Sulakchana *(Sânsc.)* — Que tem sinais de bom augúrio.

Suma *(Sânsc.)* — Flor.

Su-mahat *(Sânsc.)* — Muito grande.

Sumana *(Sânsc.)* — Agradável, que deleita o ânimo.

Sumanas *(Sânsc.)* — Que deleita o pensamento; que tem o coração bom ou feliz; um deus, um sábio ou pandita.

Sumangala *(Sânsc.)* — De muito bom augúrio; muito feliz.

Sumata *(Sânsc.)* — Bem pensado; amistoso.

Sumati *(Véd.)* — Hino, oração. Benevolência, afeto, amizade.

Sumedhas *(Sânsc.)* — Que concebe bem; inteligente.

Sumeru *(Sânsc.)* — O mesmo que *Meru*, a montanha do mundo. O prefixo *su* implica elogio e exaltação do objeto ou nome pessoal que o segue.

Summerland *(Ing.)* — [Literalmente: "Terra de verão".] - Nome dado pelos fenomenalistas e espíritas americanos à terra ou região habitada por seus "espíritos",

S

depois da morte. Do ponto de vista de Andrew Jackson Davis, está situada na Vialáctea ou mais além desta. É descrita como uma região que tem cidades, formosos edifícios, um Congresso, museus, bibliotecas para a instrução das crescentes gerações de jovens "espíritos". Não nos diz, contudo, se estão sujeitos a enfermidades, à degeneração e à morte; porém, se assim não for, a pretenção de que o "espírito" desencarnado de uma criança e até de um recém-nascido cresce e se desenvolve como um adulto, surge com a lógica. Porém, o que nos diz claramente é que na *Summerland* os espíritos contraem matrimônio, engendram filhos espirituais (?) e até se ocupam de política. Tudo isso não é uma sátira ou exagero de nossa parte, pois aí estão numerosas obras de A. J. Davis para prová-lo, como, por exemplo, o *Congresso Internacional de Espíritos*, se estamos bem lembrados do título de um dos livros do referido autor. Este modo grosseiramente materialista de considerar um espírito desencarnado afastou do espiritismo e de sua "filosofia" muitos dos atuais teósofos. Deste modo se profana a majestade da morte e seu pavoroso e solene mistério resulta apenas numa farsa.

Sumna *(Véd.)* — Hino.

Sumukha *(Sânsc.)* — Que tem o rosto belo; que tem a boca bonita ou que fala bem; um sábio, um pandita. Epíteto de Ganeza e de Garuda; nome de um *nâga*.

Sunasepha *(Sânsc.)* — O "Isaac" *purânico*, filho do sábio Richika, que o vendeu por cem vacas ao rei Ambaricha, para um sacrifício e "holocausto" a Varuna, em substituição ao filho do rei Rohita, consagrado por seu pai ao deus. Quando já estava estendido sobre o altar, Sunasepha é salvo pelo *richi* Vizvâmitra, que pede a seus próprios cem filhos que ocupem o lugar da vítima. Ao negarem-se eles a fazer isso, degrada-os, reduzindo-os à condição de *Chândâlas*. Depois disso, o Sábio ensina à vítima um *mantram*, cuja repetição induz seu resgate aos deuses e, em seguida, adota-o como seu filho mais velho. (Ver *Râmâyana*.) Há diferentes versões desta história.

Sunizchita *(Sânsc.)* — Bem determinado; completamente certo ou seguro; determinante, definitivo, decisivo.

Sunna ou **Sunnah** *(Per.)* — A lei ou ensinamento tradicional do profeta Maomé, que os sunnitas (ou muçulmanos ortodoxos) consideram de importância igual à do Corão. (Ver *Shiitas*.)

Sûnrita *(Sânsc.)* — Verdadeiro, agradável; querido; de bom augúrio; próspero; linguagem verdadeira e agradável.

Sunvat *(Sânsc.)* — Que oferece um sacrifício.

Sûnya *(Sânsc.)* — Ilusão, no sentido de que toda existência não é mais do que um fantasma, um sonho, uma sombra. [Vazio, vácuo, os espaços celestes; zero; falta ou ausência de tudo; deserto.]

Sunyatâ *(Sânsc.)* — Vazio, vácuo; o espaço, o nada. O nome de nosso universo objetivo, no sentido de sua irrealidade e ilusão.

Suoyator *(Fin.)* — No poema épico dos finlandeses, é o *Kalevala*, nome do primitivo Espírito do Mal, de cuja saliva nasceu a serpente do pecado.

Suparnas *(Sânsc.)* — Aves divinas cujo chefe é Garuda.

Suparvan *(Sânsc.)* — Dia de Lua em que se praticam certas cerimônias religiosas; um deus em geral.

S

Supatha (*Sânsc.*) — Bom caminho.
Suphala (*Sânsc.*) — Que porta bons ou belos frutos.
Supralâpa (*Sânsc.*) — Eloquência.
Suprasanna (*Sânsc.*) — Propício, misericordioso.
Supratibhâ (*Sânsc.*) — Licor espirituoso.
Suprayoga (*Sânsc.*) — Contato; proximidade; habilidade.
Supriya (Su-priya) (*Sânsc.*) — Muito agradável. Nome do chefe dos Gandharvas ou músicos celestes.
Supta (*Sânsc.*) — Dormido. Como substantivo: sono.
Suptajñâna (*Sânsc.*) — Sonho.
Supti (*Sânsc.*) — Sono, sonolência; insensibilidade; paralisia.
Sura — Ver *Suras*.
Surâbhâga (*Sânsc.*) — Levedura, fermento.
Surabhi (*Sânsc.*) — A "Vaca da abundância"; uma criação fabulosa, uma das catorze coisas preciosas produzidas pelo oceano de leite, quando foi batido pelos deuses [para extrair o *amrita*]. A vaca em questão concede tudo o que apetece a seu possuidor. (Ver *Kâma-dhu* ou *Kâma-dhenu* e *Nandinî*.)
Surâchârya (*Sânsc.*) — O mestre dos deuses; Vrihaspati.
Suradhanus (*Sânsc.*) — Arco-íris.
Suradîrghikâ (*Sânsc.*) — O Ganges celeste.
Suradvich (*Sânsc.*) — Inimigo dos deuses.
Suradvipa (*Sânsc.*) — Elefante divino.
Suraguru (*Sânsc.*) — Ver *Surâchârya*.
Surâja (*Sânsc.*) — Uma divindade.
Surajanî (*Sânsc.*) — A noite.
Surajyechtha (*Sânsc.*) — O primeiro dos deuses: Brahmâ.
Suralâ (*Sânsc.*) — O Ganges; nome de outro rio.
Surâlaya (*Sânsc.*) — O monte Meru, o *Svarga*, céu ou paraíso.
Suraloka (*Sânsc.*) — O mundo dos deuses, o *Svarga* ou paraíso.
Suramâna (*Sânsc.*) — Um método de calcular o tempo.
Suranadî (*Sânsc.*) — O rio dos deuses, o Ganges celeste.
Surâpa (*Sânsc.*) — Que bebe líquidos espirituosos; que fala bem; instruído.
Surâpagâ (*Sânsc.*) — O rio dos deuses: o Ganges.
Surâpâna (*Sânsc.*) — Os habitantes da Índia Oriental.
Surapatha (*Sânsc.*) — A via dos deuses; a atmosfera elevada; o céu.
Surapati (*Sânsc.*) — O senhor dos deuses: Indra.
Surapriya (*Sânsc.*) — Amado dos deuses; *Indra*; Vrihaspati.
Surapurî (*Sânsc.*) — A cidade dos deuses; Amarâvatî.
Surarâni (*Sânsc.*) — Um título de Aditi, mãe dos deuses ou *suras*.

S

Surarchi (Sura-richi) (*Sânsc.*) — Um *richi* divino, um *devarchi*.

Surâri (Sura-Ari) (*Sânsc.*) — Inimigo dos deuses; um *asura*.

Suras (*Sânsc.*) — Termo geral para designar os deuses; o mesmo que devas; o contrário de *a-suras* ou "não-deuses". [Uma classe de *devas* inferiores, ao que parece relacionados com o Sol; elementais benéficos. O príncipe destes deuses é Indra. (Ver *Asuras*.)]

Surasa (*Sânsc.*) — Que tem bom sabor.

Su-rasâ (*Sânsc.*) — Uma filha de Dakcha; esposa de Kazyapa e mãe de mil dragões e serpentes de numerosas cabeças [*nâgas*].

Surasadman (*Sânsc.*) — A morada dos deuses, o *svargra* ou *paraíso*.

Surasindhu (*Sânsc.*) — "O rio dos deuses", o Ganges.

Surata (*Sânsc.*) — Que ama muito; que experimenta muito prazer, voluptuosidade; prazeres do ânimo.

Suratâ (*Sânsc.*) — Uma divindade.

Suravairin (*Sânsc.*) — Ver *Surâri*.

Suravartman (*Sânsc.*) — A mansão dos deuses; o céu; a atmosfera.

Suravîthî (*Sânsc.*) — A via dos deuses; o céu, o ar.

Surazatru (*Sânsc.*) — Ver *Suravairin*.

Surejya (Sura-ijya) (*Sânsc.*) — Preceptor dos deuses; Vrihaspati.

Surendra (Sura-indra) (*Sânsc.*) — Indra, chefe ou senhor dos deuses.

Surendraloka (*Sânsc.*) — Mundo ou paraíso de Indra.

Surezvara (Sura îzvara) (*Sânsc.*) — O senhor dos deuses.

Sûrkchana (*Sânsc.*) — Desdém, menosprezo, falta de respeito.

Surottama (Sura-uttama) (*Sânsc.*) — O *sura* supremo; o Sol ou Indra.

Sûrpa (Surpa) (*Sânsc.*) — Crivo, peneira.

Surtur (*Esc.*) — O chefe dos ardentes filhos do Muspel [A região do fogo], nos *Eddas*.

Surukâya (*Sânsc.*) — Um dos "Sete Buddhas" ou *Sapta Tathâgata*.

Sûrya (*Sânsc.*) — O Sol adorado nos *Vedas*. Filho de Aditi (Espaço), mãe dos deuses. Esposo de Sañjñâ (a consciência espiritual). O grande deus a quem Vizvakarman, seu sogro, o criador dos deuses e dos homens e seu "carpinteiro", sacrifica em um torno, e cortando a oitava parte de seus raios, priva sua cabeça de seu esplendor, criando em torno dela uma auréola escura. Este é um mistério da última Iniciação e uma representação alegórica da mesma. [É designado por numerosos epítetos, tais como: *Dina-kara* (Criador do dia), *Arha-pati* (Senhor do dia), *Loka chakchus* (Olho do mundo), *Karma-Sakchî* (Testemunha dos atos dos homens), *Sahasra-Kirana* (Provido de mil raios), *Graha-râja* (Rei das constelações) etc.]

Sûryabhakta (*Sânsc.*) — Adorador do Sol.

Sûryagraha (*Sânsc.*) — Eclipse do Sol; o nó ascendente ou descendente, Ketu, Râhu.

Sûryaloka (*Sânsc.*) — A esfera solar. *(Râma Prasâd)*

S

Sûryamandala (*Sânsc.*) — A parte do espaço até onde alcança a influência dos raios do Sol.

Sûryasiddhânta (*Sânsc.*) — Um tratado sânscrito sobre astronomia.

Sûryasta (*Sânsc.*) — O pôr do sol.

Sûryavanza (Sûrya-vansa) (*Sânsc.*) — A raça ou dinastia solar. *Sûryavanzi* é aquele que pretende descender da linhagem encabeçada por Ikchvâku. Assim, enquanto Râma pertencia à dinastia Ayodhyâ da linha Sûryavanza, Krishna pertencia à linha de Yadu da raça lunar ou Chadravanza, assim como Gautama Buddha.

Sûryavarta (*Sânsc.*) — Um dos graus ou períodos do *Samâdhi*.

Sûryodaya (Sûrya-udaya) (*Sânsc.*) — O nascer do sol.

Sushuma (*Sânsc.*) — Igual, bem unido; inteiro; belo, agradável; que não obstrui.

Sushumnâ (*Sânsc.*) — O raio solar: o primeiro dos sete raios místicos. É também o nome de um nervo espinhal que relaciona o coração com o *Brahmarandhra* e desempenha um papel importantíssimo na prática do *Yoga*. [O *Sushumnâ*, também chamado pelos yogis de *Nâdhi Brahma* ou *Sandhi*, é um *nâdi* (nervo, vaso, conduto) que passa entre o *Idâ* e o *Pingalâ*, desdobrando-se no meio do corpo; assim se chama também a medula espinhal com todas as suas ramificações e também aquele estado de força que está cheio das fases negativas e positivas; quando não influem nem o aleento lunar nem o solar, diz-se que o *Prâna* encontra-se em *Sushumnâ*. (Râma Prasâd, *As Forças Sutis da Natureza*) Do *Sushumnâ* nascem todos os nervos sensoriais (*jñâna-nâdis*) e por esta razão é denominado de *Jñâna-nâdi*. (Ver *Uttara-Gîtâ*, II, 13-17 e *As Forças Sutis da Natureza*, cap. IV.) Alguns *tântrikas* localizam o *sushumnâ* na linha central da medula oblonga, correspondendo as divisões direita e esquerda ao *Pingalâ* e *Idâ*, respectivamente. Também o localizam no coração, a cujas divisões aplicam os mesmos nomes. A Escola Transhimalayana dos antigos *râja-yogis* hindus localiza o *sushumnâ* no tubo central da medula espinhal, e *Idâ* e *Pingalâ* em seus lados esquerdo e direito. Do uso de tal canal medular, a fisiologia sabe tão pouco como do baço e da glândula pineal. (*Doutrina Secreta*, III, 503)

Sushupta (*Sânsc.*) — Bem ou profundamente adormecido.

Sushupti (*Sânsc.*) — Sono profundo, sono sem sonhos; aquele estado de ânimo em que as manifestações da mente experimentadas no sono estão em repouso. *(Râma Prasâd)*

Sushupti Avasthâ (*Sânsc.*) — Sono profundo; um dos quatro aspectos do Prânava.

Susukha (Se-sukha) (*Sânsc.*) — Muito feliz, muito agradável.

Suta (*Sânsc.*) — Filho.

Sûta (*Sânsc.*) — Nascido, engendrado; cocheiro, guia ou condutor de carro; bardo, poeta épico; o Sol; o filho de um *kshatriya* e uma *brâhmanî*.

Sutala (*Sânsc.*) — Significa: "lugar bom, excelente". (*Doutrina Secreta*, III, 565) Um dos sete *lokas* terrestres ou infernais. (Ver *Loka*.) Segundo o *Uttara-Gîtâ* (II, 26), *sutala* (ou *janghâ*) é o nome da rótula.

Sûtpara (*Sânsc.*) — Destilação.

Sûtra (*Sânsc.*) — A segunda divisão das Escrituras Sagradas, dirigida aos leigos budistas. [*Sûtra* significa: aforismo, sentença; livro de aforismos ou sentenças. Há *sûtras* védicos, brahmanes e búddhicos. Significa também: guia, cordão, fio etc.]

S

Sûtra período — Um dos períodos em que se divide a literatura védica.

Sûtrâtman [ou **Sûtrâtmâ**] (*Sânsc.*) — Literalmente: "Fio do Espírito"; o Ego imortal; a Individualidade que se reencarna no homem, vida após vida, suas inumeráveis *personalidades* enfileiradas como contas de um rosário num cordão. O ar universal que sustenta a vida, *Samashti pran*; a energia universal. [É o "fio" argênteo que "se reencarna" do princípio ao fim do *manvantara*, enfileirando em si mesmo as personalidades da existência humana ou, em outros termos, o aroma espiritual de cada personalidade, que segue de um extremo a outro a peregrinação da vida. (*Doutrina Secreta*, III, 446) Ver *Ovo áureo* e *Pranâtman*.]

Suttung (*Esc.*) — O filho do gigante Giling que, para vingar a morte de seu pai, executada por Fialar e Galar, retirou-lhes o licor da poesia. (*Eddas*)

Suvachana (*Sânsc.*) — Linguagem bela, fácil; eloquência.

Suvachas (*Sânsc.*) — Eloquente.

Suvaha (*Sânsc.*) — Que suporta bem, paciente.

Suvana (*Sânsc.*) — O fogo; o Sol, a Lua.

Suvarchas (*Sânsc.*) — Muito brilhante, muito glorioso.

Suvarna (*Sânsc.*) — De bela cor; de boa casta; ouro, riqueza; uma espécie de sacrifício; peso de ouro de 12 a 15 gramas.

Suvasanta (*Sânsc.*) — O dia do plenilúnio do mês de *Chaitra*.

Suvasantaka (*Sânsc.*) — A festa de primavera

Suvela (*Sânsc.*) — Submisso, humilde.

Suvid (*Sânsc.*) — Sábio, douto, instruído.

Suvidhi (*Sânsc.*) — Boa regra, bom preceito.

Suvinîta (*Sânsc.*) — Bem-educado.

Suvirûdha (*Sânsc.*) — Bem-crescido; fixo; profundo.

Suvirûdhamûla (*Sânsc.*) — Que tem as raízes muito longas ou profundas.

Suvrata (*Sânsc.*) — Que observa bem seus votos; que cumpre bem seus deveres; piedoso, virtuoso; um noviço, um estudante.

Suzarman (*Sânsc.*) — Muito feliz; nome próprio de um rei.

Suzikha (*Sânsc.*) — Agni, o fogo.

Suzîla (*Sânsc.*) — Dotado de um bem natural.

Sazîlatâ (*Sânsc.*) — Boas disposições naturais.

Sva ou **Swa** (*Sânsc.*) — Pronome possessivo da terceira pessoa. Usado frequentemente no início de palavras compostas: seu, seus; próprio, respectivo, correspondente etc.

Svabândhava (*Sânsc.*) — Parente, achegado de alguém.

Svabhâva (*Sânsc.*) — Natureza, caráter, disposição ou natureza própria, pessoal, particular ou inerente; próprio ser, natural; coração, ânimo, alma. (Ver *Svâbhâvika*.)

Svabhâvat (*Sânsc.*) — Termo explicado pelos orientalistas no sentido de "substância plástica", o que é uma definição inexata. *Svabhâvat* é a matéria e substância do mundo ou,

S

melhor, aquela que está por detrás dela: o espírito e a essência da substância. O nome em questão vem de *subhâva* e é composto de três palavras: *su*, bom, perfeito, puro, formoso; *sva*, mesmo, próprio, idêntico; *bhâva*, ser ou estado de ser. Dele procede toda a natureza e a ele tudo retorna no fim dos ciclos de vida. No esoterismo é chamado de "Pai-Mãe" e é a essência plástica da matéria. [*Svabhâvat* é a "Essência plástica", que preenche o universo; a raiz de todas as coisas; é, por assim dizer, o aspecto concreto búdico da abstração denominada de *Mûlaprakriti*, na filosofia hindu; é a Essência mística, a Raiz plástica da Natureza física. (*Doutrina Secreta*, I, 125) É um aspecto do *Akâza* (I, 697). O *Svabhâvat* dos budistas é o *Mûlaprakriti* dos vedantinos, a Substância ou Essência divina (III, 223).]

Svâbhâvika (*Sânsc.*) — A mais antiga escola de budismo existente. Seus partidários atribuíram a manifestação do Universo e os fenômenos da vida ao *Svabhâva* ou natureza respectiva das coisas. Segundo Wilson, os *svabhâvas* das coisas são "as propriedades inerentes das qualidades pelas quais elas atuam, como calmantes, aterrorizantes, assombrosas, e as formas *svarûpas* são a distinção entre os bípedes, quadrúpedes, peixes etc." [*Svâbhâvika* significa também: natural, que pertence à natureza particular de alguém. No plural, os naturalistas (seita filosófica dos budistas do Nepal).]

Svabhû (*Sânsc.*) — Aquele que existe por si mesmo: Vishnu, Brahma.

Svabrâhmanyâs (*Sânsc.*) — Certas preces assim chamadas. (*Leis de Manu*, IX, 126)

Svâchhandya (*Sânsc.*) — Independência, espontaneidade, liberdade.

Svâda (*Sânsc.*) — Gosto, sabor; ação de degustar ou saborear.

Svadhâ (*Sânsc.*) — Oblação; alegoricamente chamada "esposa dos *Pitris*", os *Agnichvattas* e *Barhichads*. [Oferenda de bebida ou de alimento aos manes dos antepassados.]

Svadharma (*Sânsc.*) — Condição, dever ou direito pessoal. O dever próprio.

Svâdhichthana (*Sânsc.*) — O segundo Lótus dos *yogis*, oposto ao umbigo. (*Swamî Vivekânanda*)

Svadhîna (*Sânsc.*) — Dono de si mesmo; independente.

Svâdhya (*Sânsc.*) — Que está pensativo ou em meditação.

Svâdhyâya (*Sânsc.*) — Estudo; a leitura do *Veda* em voz baixa; leitura ou estudo de livros piedosos; a pronunciação repetida, em voz baixa, do monossílabo (OM). (M. Dvivedi, Comentários aos *Aforismos do Yoga*, II, 1.)

Svâdu (*Sânsc.*) — Sabor doce, agradável; saboroso, doce, agradável.

Svâgata (*Sânsc.*) — Bem-vindo; fórmula de saudação.

Svâhâ (*Sânsc.*) — Uma exclamação usual, que significa: "Seja para sempre" ou, melhor. "Assim seja". Quando empregada nos sacrifícios aos antepassados (brahmânicos) significa: "Seja a raça perpetuada!"

Svâhâpati e **Svâhâpriya** (*Sânsc.*) — Agni.

Svâka (*Sânsc.*) — Pronome possessivo: seu, seus; próprio, respectivo, correspondente; parente, achegado, amigo; propriedade, riqueza.

Svalakchana (*Sânsc.*) — Marcado por si mesmo; propriedade peculiar ou inata; uma coisa em si mesma. (*Bhagavân Dâs*)

S

Svalpa (*Sânsc.*) — Uma parte mínima; partícula. Como adjetivo: mínimo, muito pequeno, insignificante.

Svâmî ou **Swâmin** (*Sânsc.*) — Senhor, mestre; pandita.

Svâmya (*Sânsc.*) — Maestria, qualidade de mestre.

Svanusthita ou **Svanuchthita** (*Sânsc.*) — De boa qualidade; meritório.

Svâpada (Svapada) (*Sânsc.*) — Protoplasma, células ou organismos microscópicos.

Svapaka (*Sânsc.*) — Ver *Zvapâka*.

Svapna (*Sânsc.*) — Um estado de êxtase ou sonho. Clarividência. (Ver *Jâgrat* e *Sushupti*.) [Um dos três estados de consciência: estado de sonho.]

Svapna avasthâ (*Sânsc.*) — Um estado de sonho; um dos quatro aspectos do Prânava; uma prática do *Yoga*.

Svar ou **Swar** (*Sânsc.*) — O éter, céu ou paraíso; glória; beleza. *Svar* faz parte da fórmula mística: *bhûr, bhuvas, svar*.

Svara (*Sânsc.*) — A corrente da onda de vida; o Grande Alento; o alento humano. O Grande Alento, em qualquer plano de vida, tem cinco modificações, ou seja, os *Tattvas (Râma Prasâd)*. *Svara* significa também: tom, entonação; acento, nota musical.

Svarâj (*Sânsc.*) — O último ou sétimo raio (sintético) dos sete raios solares; o mesmo que Brahmâ. Estes sete raios constituem toda a gama das sete forças ocultas (ou deuses) da natureza, como bem o provam seus respectivos nomes, que são: *Sushumnâ* (o raio que transmite a luz solar para a Lua), *Harikeza, Vizvakarman, Vizvatryarchas, Sannadas, Sarvâvasu* e *Svarâj*. Qualquer que seja a representação dada às Forças ou deuses criadores, é fácil ver quão importantes eram aos olhos da Antiguidade as funções do Sol e por que este foi deificado pelos profanos.

Svarga (*Sânsc.*) — Uma mansão celeste; o mesmo que *Indra-loka*; um paraíso. Sinônimo de *svar-loka*. [Céu, paraíso ou paraíso de Indra, mundo celeste, mansão dos deuses e bem-aventurados. É o céu das religiões exotéricas da Índia; aquele estado puramente subjetivo de perfeita felicidade, no qual se encontram as almas dos justos durante o período existente entre duas encarnações consecutivas. Não deve ser confundido com o *Nirvâna*.]

Svarga-loka (*Sânsc.*) — O mundo celeste, céu ou paraíso de Indra.

Svargapara (*Sânsc.*) — Que tem ou considera o céu como seu objetivo supremo.

Svargati (*Sânsc.*) — Que conduz ao céu; o caminho do céu.

Svargya (*Sânsc.*) — Celeste, paradisíaco.

Svar-loka (*Sânsc.*) — O paraíso do monte Meru. [O mesmo que *Svarga, Svarga-loka* e *Devachan*.]

Svarnadî (*Sânsc.*) — O Ganges celeste.

Svârochicha (*Sânsc.*) — Nome do segundo Manu. (*Leis de Manu*, I, 61, 62.)

Svârtha (*Sânsc.*) — Riqueza, propriedade pessoal.

Svaru (*Sânsc.*) — Luz solar; raio; flecha.

Svarûpa (*Sânsc.*) — Que tem sua forma própria ou natural; forma pessoal; estado, forma ou condição natural; belo, agradável.

S

Svarya *(Sânsc.)* — Louvável, digno de ser cantado.

Svasamvedanâ *(Sânsc.)* — Literalmente: "a reflexão que analisa a si mesma"; sinônimo de *Paramartha*. [Autoconsciência, exame de consciência.]

Svastha *(Sânsc.)* — Que está em sua condição natural; dono de si mesmo; firme, confiante, resoluto; que está ou vive no Eu; entregue ao Eu; concentrado no Eu ou em si mesmo.

Svasti (su asti) *(Sânsc.)* — Salve! Saúde! Louvor! Glória! Felicidade!

Svastika *(Sânsc.)* — Segundo as ideias populares, é a cruz Jaina ou a cruz "de quatro pés" *(croix cramponnée)*. Nos ensinamentos maçônicos, "a Ordem mais antiga da Fraternidade da Cruz Mística" foi fundada por Fohi, em 1027 a.C., e introduzida na China cinquenta e dois anos depois, sendo constituída pelos três graus. Na filosofia esotérica, é o diagrama mais místico e antigo. É o "originador do fogo pela fricção e dos 'quarenta e nove' Fogos". Seu símbolo foi impresso no coração de Buda e por isso foi denominado de "Selo do Coração". Foi aplicado sobre o peito dos Iniciados, após sua morte, e é objeto da mais respeitosa menção no *Râmâyana*. Esta cruz encontra-se gravada em todos os templos de rocha e edifícios pré-históricos da Índia e onde quer que os budistas tenham deixado suas marcas. É encontrada também na China, Tibete e Sião e entre as antigas nações germânicas, na forma do Martelo de Thor. Segundo Eitel, em seu *Manual de Budismo Chinês*: 1º) É encontrada entre os *bonpas* e budistas; 2º) é "uma das 65 figuras do *Zripâda*"; 3º) é "o símbolo do budismo esotérico"; 4º) "a marca especial de todas as divindades adoradas pela escola do Lótus da China". Finalmente, no Ocultismo, é tão sagrada para nós como o *Tetraktys* pitagórico, do qual é verdadeiramente o símbolo duplo. [A cruz *svastika* figura à frente de todos os símbolos religiosos de todas as nações antigas; é o mais sagrado e místico da Índia. Tem estreita relação e até identidade com a cruz cristã, o que não impede que os missionários digam que é o "signo do diabo". (*Doutrina Secreta*, II, 103-104) Como se explica, pois, que seja encontrada com frequência nas catacumbas de Roma, no célebre púlpito de Santo Ambrósio de Milão e em tantas outras partes? E. Burnouf, seguindo o parecer dos arqueólogos cristãos, acha que é a forma mais antiga do signo da cruz, porque é precisamente aquele traçado na fronte dos jovens budistas e encontrava-se em uso entre os brâhmanes desde a mais remota antiguidade. Como diagrama místico de bom augúrio, tem o nome de *svastika*, isto é, signo de saúde, porque o *svasti* era, na Índia, aquilo que entre os cristãos é a cerimônia de saudação. Em relação à origem deste signo, é fácil reconhecer que: representa os dois pedaços de madeira que compunham o *aranî*, cujos dois extremos estavam dobrados e, por sua rotação rápida, faziam surgir Agni (o fogo). (Ver E. Burnouf, *A Ciência das Religiões*, p. 239 e ss.) (Ver também *Cruz Jaina*.)

Svastikâra *(Sânsc.)* — Bardo; arauto; a exclamação *Svasti*.

Svastikâsana *(Sânsc.)* — A segunda das quatro principais atitudes das 84 prescritas nas práticas do *Hatha-Yoga*.

Svastitâ *(Sânsc.)* — Condição de bem-estar.

Svâtantrya *(Sânsc.)* — Independência, liberdade, livre-arbítrio.

Svâti ou **Swâti** *(Sânsc.)* — Uma das esposas do Sol. Uma mansão lunar. *(Râma Prasâd)*

S

Svayambhû (*Sânsc.*) — Termo metafísico e filosófico que significa "aquele que produz a si mesmo espontaneamente" ou "o ser que existe por si mesmo". Um epíteto de Brahmâ. *Svayambhuva* é também o nome do primeiro Manu. [Svayambhû é o Espírito Universal. (*Doutrina Secreta*, I, 83.)]

Svayambhû-Nârayâna (*Sânsc.*) — Aquele que existe por si mesmo. (*Doutrina Secreta*, II, 136.)

Svayambhû Sûnyatâ (*Sânsc.*) — Evolução espontânea de si mesmo; auto-existência do *real no irreal*, isto é, do eterno *Sat* no período *Asat*.

Svayam-vara (*Sânsc.*) — Escolha pessoal pública do esposo.

Sveda (*Sânsc.*) — Suor, transpiração; vapor cálido.

Svedaja (*Sânsc.*) — Engendrado pelo suor; geração ou reprodução por exudação ou "gotas de suor". *(Bhagavân Dâs)*

Sveta (*Sânsc.*) — Uma serpente-dragão; um filho de Kazyapa. Branco; brilhante, cavalo branco.

Sveta-dwîpa (*Sânsc.*) — Literalmente: Ilha ou continente branco; um dos *Sapta-dwîpas*. O coronel Wilford pretendia identificá-lo com a Grã-Bretanha, porém enganou-se. (Ver *Raças humanas, Primeira Raça*.)

Sveta-lohita (*Sânsc.*) — Nome de Shiva, quando este apareceu no 29º Kalpa, como um "Kumara da cor da Lua".

Sveta-padma (*Sânsc.*) — Lótus branco.

Svidra (*Esc.*) — Um lugar do céu. *(Eddas)*

Swedenborg, *Manuel* — O grande vidente e místico sueco. Nasceu no dia 29 de janeiro de 1688 – filho do Dr. Gaspar Swedenborg, bispo de Skara, na Gocia Ocidental (Suécia) – e morreu em Londres, em Great Bath Street, Clerkenwell, no dia 29 de março de 1772. De todos os místicos, Swedenborg foi o que mais influenciou a "Teosofia", porém deixou impressão mais profunda na ciência oficial, porque, como astrônomo, matemático, fisiólogo, naturalista e filósofo, não tinha rival; no que se refere à psicologia e metafísica, estava certamente além de seu tempo. Aos 46 anos, chegou a ser "teósofo" e "vidente"; porém, embora sua vida tenha sido irreprovável e digna de respeito, nunca foi um verdadeiro filantropo ou um asceta. Suas faculdades de clarividente, contudo, eram notáveis, mas não passaram deste plano da matéria. Tudo o que disse dos mundos subjetivos e dos seres espirituais é evidentemente muito mais um produto de sua exuberante imaginação do que de sua penetração espiritual. Deixou numerosas obras, que, infelizmente, são mal interpretadas por seus partidários.

Syamantaka (*Sânsc.*) — A joia de Krishna.

Syandana (*Sânsc.*) — Carro, carro de guerra, carruagem, veículo.

Sygina (*Esc.*) — A mulher de Loke. *(Eddas)*

Syna (*Esc.*) — Uma das asianas. *(Eddas)*

Syûma (*Sânsc.*) — Raio de luz.

Syumna (*Sânsc.*) — Prazer, felicidade.

Syûti (*Sânsc.*) — Linhagem, descendência, prole.

S

Syzygy *(Gr.)* — Termo gnóstico que significa um par: um ativo e outro passivo. Usado especialmente ao se falar dos Eons.

T

T — Vigésima letra do alfabeto inglês. No alfabeto latino, seu valor era 160, e com um traço em cima (T) significava 160.000. É a última letra do alfabeto hebraico, o *Tau*, cujos equivalentes são T, TH e seu valor numérico é 400. Seus símbolos são, como *tau*, uma cruz +, a armação fundamental da construção, e como *tez* (T), a nona letra, uma serpente e o cesto dos Mistérios eleusinos. É a trigésima letra do alfabeto sânscrito. Na língua sânscrita há também o *t* chamado *cerebral*, pronunciado com a ponta da língua tocando o fundo do palato e que nas transliterações é designado com um ponto colocado sob a letra (*t*). Há ainda no alfabeto sânscrito o *t* e o *th*, que se pronunciam respectivamente como *t* e *th*, porém acompanhadas de leve aspiração. *T* é o nome de um dos *nâdis* que partem do coração. *(Râma Prasâd)*

Ta (*Sânsc.*) — Néctar ou ambrosia; bárbaro (não-ário); homem vil; virtude; santidade.

Ta (*Eg.*) — Amuleto feito geralmente de cornalina, jaspe ou quartzo vermelho, pendurado no pescoço da múmia. O texto especial do capítulo CLVI do *Livro dos Mortos*, gravado neste filactério, colocava o defunto sob a proteção de Ísis. *(Dicionário de Arqueologia Egípcia)*

Taaroa (Taiti) — O poder criador e o principal deus dos taitianos.

Taavids ou **Tahvids** (*Zend.*) — Fórmulas de orações escritas sobre papel ou pergaminhos, que os parsis colavam a alguma parte do corpo, como preservadoras contra todos os males. *(Zend-Avesta)*

Tab-nooth (*Hebr.*) — Forma; um termo cabalístico.

Tábua Bembina — Ver *Tábua Isíaca*.

Tábua de Cutha — Ver *Cutha*.

Tábua de Esmeralda de Hermes — Segundo Eliphas Levi, "esta Tábua de Esmeralda é toda a Magia em uma só página". Porém a Índia tem uma palavra apenas que, uma vez compreendida, contém a "Magia inteira". Esta, contudo, é uma tábua que, segundo se supõe, foi encontrada por Sarai, esposa de Abraão(!) no *corpo morto de Hermes*. Assim o dizem os maçons e os cabalistas cristãos. Porém, na Teosofta, achamos que é uma alegoria. Não poderia significar que *Sarai-Swati*, esposa de Brahmâ, ou deusa da ciência e sabedoria secreta, encontrando ainda muito da sabedoria antiga latente no corpo morto da Humanidade, fez reviver tal sabedoria? Isso conduziu ao renascimento das Ciências ocultas, durante tanto tempo esquecidas e desatendidas em todo o mundo. A Tábua em questão, contudo, embora contenha "toda a Magia" é demasiado longa para ser aqui reproduzida. Apesar do que diz a autora desta obra, não pudemos resistir ao desejo de publicar este documento. Este é o texto traduzido do *Corpus Hermeticum* ("Discurso de Iniciação" e "A Tábua de Esmeralda"), Ed. Hemus:

"É verdadeiro, completo, claro e certo. O que está embaixo é como o que está em cima e o que está em cima é igual ao que está embaixo, para realizar os milagres de uma única coisa.

"Ao mesmo tempo, as coisas foram e vieram do Um, desse modo as coisas nasceram dessa coisa única por adoção.

"O Sol é o pai, a Lua é a mãe, o vento o embalou em seu ventre, a Terra é sua ama; o Telesma do mundo está aqui.

Seu poder não tem limites na Terra.

T

Separarás a Terra do Fogo, o sutil do espesso, docemente com grande indústria.

Sobe da Terra para o céu e desce novamente à Terra e recolhe a força das coisas superiores e inferiores. Desse modo obterás a glória do mundo e as trevas se afastarão.

É a força de toda força, pois vencerá a coisa sutil e penetrará na coisa espessa.

Assim o mundo foi criado.

Esta é a fonte das admiráveis adaptações aqui indicadas. Por esta razão fui chamado de Hermes Trismegistus, pois possuo as três partes da filosofia universal.

O que eu disse da Obra Solar é completo."

Tábua Isíaca — É um verdadeiro monumento da arte egípcia. Representa a deusa Ísis sob muitos de seus aspectos. O jesuíta Kircher a descreve como uma placa de cobre coberta com uma capa de esmalte negro e adornada com incrustações de prata. Estava na posse do cardeal Bembo e por isso era chamada de *Tábua Bembina* ou *Mensa Isíaca*. E. Wynn Westcott, M. B., a descreveu com este título e apresenta sua "História e Significado Oculto", num tomo erudito e muito interessante (com fotografias e ilustrações). Acredita-se que tal Tábua era um ex-voto dedicado a Ísis em um de seus numerosos templos. No saque de Roma, ocorrido em 1525, caiu em poder de um soldado, que a vendeu ao cardeal Bembo, que depois a passou ao duque de Mântua, em 1630, época em que se perdeu. (Ver *Tabuinha de Bembo*.)

Tabuinha de Bembo ou **Mensa Isíaca** — É uma tabuinha de bronze que possui uns desenhos incrustados em mosaico e que está atualmente no Museu de Turin. Anteriormente pertenceu ao cardeal Bembo. Sua origem e data são desconhecidas. É coberta de figuras e hieróglifos egípcios e supõe-se que fosse um adorno de um antigo templo de Ísis. O erudito jesuíta Kircher fez uma descrição da mesma e Montfaucon escreveu um capítulo dedicado a ela. (W. W. W.) - A única obra inglesa sobre a Tabuinha Isíaca é de W. Wynn Westcott, que apresenta uma fotogravação que acompanha sua história, descrição e significado oculto. (Ver *Tábua Isíaca*.)

Tad — Ver *Tat*.

Tâda (*Sânsc.*) — Golpe, castigo; querela, ruído.

Tad-aikya (*Sânsc.*) — "Unidade"; identificação ou unidade com o Absoluto. A Essência universal incognoscível *(Parabrahm)* não tem nome nos *Vedas*, porém alude-se a ela com a designação de *Tad* [*Tat*], "Aquele".

Tadanantara (*Sânsc.*) — Próximo, conexo, particular de.

Tadartha (*Sânsc.*) — Que tem este ou aquele propósito, desígnio ou intenção.

Tadarthîya (*Sânsc.*) — Que tem este ou aquele objetivo; que tem aquilo por objetivo; que se faz em honra daquilo.

Tadavastha (*Sânsc.*) — Que se encontra nesta ou naquela condição.

Tadâtman (*Sânsc.*) — Que tem a natureza disso ou daquilo; que participa da essência dele ou disso; que tem a alma fixa, absorvida ou unificada com isso; aquele cujo Eu é só Aquele.

Tadbuddhi (*Sânsc.*) — Que tem aquele pensamento ou desígnio; que tem o pensamento nisso ou naquilo.

Taddhana (*Sânsc.*) — Miserável, sem recursos.

Tadeo de Hayek, *Agecius* — Médico do imperador Rudolf II da Alemanha, que deu a este as primeiras lições de Alquimia.

T

Tafne [ou **Tewnout**] (*Eg.*) — Uma deusa, filha do Sol; representada com cabeça de leoa.

Tagara (*Sânsc.*) — Erro, perplexidade, perturbação do ânimo; objeto dos sentidos; jogo.

Tahmurath (*Per.*) — O Adão iraniano, cujo corcel era Simorgh Anke, o grifo fênix ou ciclo infinito. Uma repetição ou reminiscência de Vishnu e Garuda.

Tahor (*Hebr.*) — Literalmente: *Mundus*, o Mundo; nome dado à Divindade, cuja identificação indica uma crença no panteísmo.

Taht Esmun (*Eg.*) — O Adão egípcio; o primeiro ancestral humano.

Tahvids — Ver *Taavids*.

Taicha (*Sânsc.*) — O mês *Paucha*, que compreende parte de nosso dezembro e janeiro.

Taijasa [*Taijasî*, no feminino] (*Sânsc.*) — Radiante, luminoso, flamejante (de *tejas*, fogo); empregado algumas vezes para designar o *Mânasa-rûpa* ou "corpo de pensamento" e também os astros. (Ver *Bindu*, *Manas taijasa* e *Buddhi taijasî*. – Na filosofia vedantina, *taijasa* significa o centro de consciência cósmica de onde emanam os *Devas*.)

Taila (*Sânsc.*) — Azeite, estoraque, benjoim, incenso.

Tairyagyonya (*Sânsc.*) — A quinta criação ou, melhor dizendo, o quinto período da criação, aquele dos animais inferiores, répteis etc. (Ver *Tiraks-rotas*.)

Taittirîya (Taittrîya) (*Sânsc.*) — Um *Brâhmana* do *Yajur-Veda*. [Assim também se denomina o *sanhitâ* (coleção de hinos) do *Yajur-Veda negro*.]

Tâkavana (*Sânsc.*) — Miserável.

Takchaka (*Sânsc.*) — Carpinteiro, fabricante, o divino artífice Tvachtri.

Tâkila (*Sânsc.*) — Artificioso, enganoso, ardiloso, astuto.

Takma (*Sânsc.*) — Progenitura, prole, posteridade.

Takya (*Sânsc.*) — Risível, ridículo.

Tala (*Sânsc.*) — Lugar, superfície, terreno, solo, planície; fundo; estado ou condição. Em sentido figurado, a natureza íntima, a parte essencial, a causa, o fundo das coisas. – É preciso fazer uma distinção entre os *talas* e os *lokas*; os primeiros são estados do intelecto cerebral, enquanto que os segundos – ou mais exatamente os três superiores – são espirituais. Quanto mais alguém desce nos *talas*, mais se torna intelectual e menos espiritual. Um homem pode ser moralmente bom, mas não espiritual. O intelecto pode permanecer estreitamente relacionado com o *Kâma*. Um homem pode estar num *loka* e visitar um ou até todos os *talas*, dependendo da condição do *loka*, a que pertence. (*Doutrina Secreta*, III, 572.)

Tâla (*Sânsc.*) — Epíteto de Shiva. O trono de Durgâ; uma espécie de palmeira.

Talaka (*Sânsc.*) — Tanque, recipiente de água.

Tâla-ketu (*Sânsc.*) — Literalmente: "bandeira de palmeira". Sobrenome de Bhîchma e também de um inimigo morto por Krishna.

Tala-loka (*Sânsc.*) — O mundo inferior.

Talapones (*Siam.*) — Monge ou asceta budista no Sião; atribuem-se a alguns destas ascetas grandes poderes mágicos.

T

Talâtala (*Sânsc.*) — O quarto dos sete infernos dos vedantinos. Corresponde ao *Mahâ-loka* ou é uma antítese do mesmo. (*P. Hoult*) *Talâtala* ou *Karatala*, como também é chamado, significa algo que pode ser colhido ou tocado com a mão, (de *Kara*, mão), isto é, o estado em que a matéria se torna tangível. (*Doutrina Secreta*, III, 565.) A região lombar é denominada de *Talâtala*. (*Uttara-Gîtâ*, II, 27.)

Talavakâra (*Sânsc.*) — Este nome é utilizado para designar o *Kena-Upanichad*.

Talbot — Ver *Kelley*.

Talco dos Filósofos (*Alq.*) — Pedra dos Sábios fixada ao branco.

Talismã — Do árabe *tilism* ou *tilsam*, "imagem mágica". É um objeto de pedra, metal ou madeira sagrados; frequentemente é um pedaço de pergaminho cheio de figuras traçadas sob certas influências planetárias em fórmulas mágicas dadas por uma pessoa versada em ciências ocultas a outra que não as conhece, seja para preservá-la de algum mal, seja para o cumprimento de certos desejos. A maior virtude e eficácia do talismã, contudo, reside na fé de seu possuidor, não pela credulidade deste ou de que o talismã não tenha qualquer virtude, mas porque a fé é uma qualidade *dotada de um grande poder criador* e, portanto, de modo inconsciente para o crédulo, intensifica em cem vezes o poder originalmente comunicado ao talismã por aquele que o fabricou. [Antigamente existia a crença geral de que uma joia ou outro objeto podia se saturar mesmericamente de boas ou más influências e, por mais que em nossos tempos tal crença seja considerada como mera superstição, é indubitável que tais forças possam ser armazenadas num objeto físico e conservar-se nele por longo espaço de tempo. É indubitável que o homem possa acumular seu magnetismo num objeto, de tal modo que seu grau especial de vibração irradiará deste objeto, do mesmo modo que a luz irradia do Sol. Naturalmente, a influência comunicada pode ser boa ou má, benéfica ou malévola, segundo o caráter ou o desígnio do magnetizador. Cada pessoa tem sua classe especial de vibração mental e astral e qualquer objeto que tenha estado longo tempo com ela está saturado destas vibrações e pode, por sua vez, irradiá-las ou comunicá-las a outras pessoas que portem tal objeto ou o coloquem em íntimo contato consigo. (C. W. Leadbeater, *Vislumbres do Ocultismo*, p. 233, 234.) - Alguns dos últimos capítulos do *Livro dos Mortos* estão consagrados ao estudo dos talismãs ou amuletos. No Egito, havia talismãs de todos os tipos (escaravelhos, olho simbólico, o signo da vida, diversos animais sagrados etc.), fabricados com materiais diversos, tais como hematita, lapis-lazúli, jaspe, feldspato etc. A maior parte deles foi encontrada na cavidade do peito das múmias. O Museu Egípcio de Paris é muito rico em objetos desta natureza. (Ver Pierret, *Dict. d'Arch. Égypt.*)]

Talmidai Hakhameem (*Hebr.*) — Uma classe de místicos e cabalistas aos quais o Zohar denomina de "Discípulos do Sábio" e que eram *sârisim* ou eunucos voluntários, fazendo-se assim por motivos espirituais. (Ver *Mateus XIX*, 12-12, passagem que implica um elogio a tal ato.)

Talmude (*Hebr.*) — Comentários armênicos sobre a fé judia. O *Talmude* é composto de duas partes, a mais antiga das quais se chama *Mishnah* e a mais moderna, *Gemara*. Os judeus dão ao *Pentateuco* o nome de Lei escrita e chamam o *Talmude* de Lei oral não escrita. (W. W. W.) O *Talmude* contém as leis civis e canônicas dos judeus, que para ele reclamam grande santidade. Porque, exceto a diferença já estabelecida entre o *Pentateuco* e o *Talmude*, o primeiro - dizem - não pode reclamar qualquer prioridade sobre o segundo, pois ambos foram recebidos simultaneamente por Moisés no Monte Sinai, de Jeová, *que escreveu um e comunicou oralmente o outro*.

T

Tama (*Sânsc.*) — É sufixo de superlativo. Assim, de *ut*, alto, elevado forma-se *uttama*, altíssimo, supremo.

Tâma (*Sânsc.*) — Languidez, decaimento; ansiedade, temor; desejo; vício, defeito.

Tamâla (*Sânsc.*) — Marcas negras que alguns seguidores levam na fronte. (Ver *Tilaka*.)

Tamâlapatra (Tamâla-Patra) (*Sânsc.*) — Imaculado, puro. É também o nome da folha do *Laurus cassia*, árvore considerada como possuidora de virtudes mágicas muito ocultas. [O *tilaka* ou signo frontal. (Ver *Tamâla*.)]

Tama-prabha (*Sânsc.*) — Um dos infernos ardentes.

Tamarisk [Tamaris] ou **Erica** (*Eg.*) — Uma árvore sagrada do Egito, dotada de grandes virtudes ocultas. Muitos templos eram rodeados por tais árvores, especialmente um situado em Filé, sagrado entre os sagrados, porque supunha-se que sob ele jazia sepultado o corpo de Osíris.

Tamas (*Sânsc.*) — A qualidade de trevas, "impureza" e inércia; é também a qualidade da ignorância, pois a matéria é cega. É um termo empregado na filosofia metafísica. É a mais inferior das três qualidades (*gunas*) fundamentais. [No mundo objetivo, *Tamas* manifesta-se como peso, inércia, densidade, tenacidade e tenebrosidade. Na natureza interna do homem, mostra-se como abatimento, temor, desconfiança, indecisão, indolência, ignorância, ofuscação, cegueira, ilusão, erro, insensatez, apatia, displicência, torpor, sono, letargia, sensualismo, impudência, dureza de coração etc. É a qualidade predominante nos brutos e nos reinos vegetal e inorgânico. – "Saiba que a qualidade *Tamas*, nascida da ignorância, leva à ofuscação todas as almas, escravizando-as através do erro, indolência e letargia... A cegueira, a inércia, o erro, a confusão, nascem do incremento do *Tamas*." (*Bhagavad-Gîtâ*, XIV, 8, 13.) – Ver *Gunas*.)

Tâmasa (*Sânsc.*) — Tenebroso, obscuro, sombrio, ignorante, ofuscado, iludido; inerte; indolente. — Nome do quarto Manu.

Tâmasî (*Sânsc.*) — A noite; Durgâ.

Tamata (*Sânsc.*) — Que deseja, suspira por alguma coisa ou pessoa.

Tamis dos Sábios (*Alq.*) — Mercúrio Hermético. *Tamis da Natureza*: é o ar através do qual passam as influências dos astros para chegar até nós.

Tamisra (*Sânsc.*) — Obscuridade, obscuração; obscuridade do ânimo, ignorância; erro; pecado; cólera; a porção obscura do mês, ou seja, desde o plenilúnio até o novilúnio.

Tammuz (*Sir.*) — Uma divindade síria adorada por idólatras hebreus e sírios. As mulheres de Israel celebravam anualmente lamentações por Adônis (jovem formoso idêntico a Tammuz). A festa celebrada em sua honra era solsticial e começava com a Lua nova no mês de Tammuz (julho) e ocorria principalmente em Byblos, na Fenícia; porém, eram celebradas também, no séc. IV de nossa era, em Bethlehem, pois vemos São Jerônimo (*Epístolas*, p. 49) escrever suas lamentações com estas palavras: "Sobre Bethlehem, o bosque de Tammuz, isto é, de Adônis projetava sua sombra! E na gruta onde antes chorara o menino Jesus, era chorado o amante de Vênus." De fato, nos Mistérios de Tammuz ou Adônis, transcorria uma semana inteira em lamentos e prantos. As procissões fúnebres eram seguidas por um jejum e, mais tarde, por festas; porque depois do jejum considerava-se Tammuz-Adônis como ressuscitado dos mortos e, pelo espaço de vários dias, ocorriam orgias desenfreadas de júbilo, de comida e bebida, como atualmente durante a semana da Páscoa.

T

Tamodvâra (*Sânsc.*) — A porta das trevas, o caminho da ignorância.

Tamoghna ou **Tamopaha** (*Sânsc.*) — Literalmente "destruidor de trevas". O fogo, o Sol, a Lua. Epíteto de Vishnu, Shiva e Buddha.

Tamo-guna (Tamas-guna) (*Sânsc.*) — A qualidade *(guna)* de *Tamas*. (Ver *Gunas*.)

Tamohara (*Sânsc.*) — Literalmente: "que arrebata ou dissipa as trevas". A Lua.

Tamomaya (*Sânsc.*) — De natureza tenebrosa: tenebroso, obscuro.

Tamopaha — Ver *Tamoghna*.

Tamotud (*Sânsc.*) — Literalmente: "vencedor de trevas". O fogo, o Sol, a Lua, uma lâmpada.

Tamovrit (*Sânsc.*) — Coberto de trevas; envolto nas trevas da ignorância.

Tâmra-dvîpa — Ver *Tâmra-parna*.

Tâmra-parna (*Sânsc.*) — Ceilão, a antiga Taprobana.

Tamti (*Cald.*) — Uma deusa, o mesmo que Belita Tamti-Belita é o Mar personificado, a mãe da cidade de *Erech*, a Necrópole caldeia. Astronomicamente, Tamti é Astoreth ou Ishtar, Vênus.

Tamue (*Alq.*) — Matéria da obra preparada e cozida ao rubro de papoula.

Tanaim (*Hebr.*) — Iniciados judeus, cabalistas bastante doutos dos tempos antigos. O *Talmude* contém várias lendas sobre eles e cita os nomes principais dos mesmos.

Tancke, *Joaquim* — Este sábio doutor em medicina, que professava especial afeição à Alquimia, expressou, no séc. XVI, seu desejo de criar em todas as universidades uma cátedra de Alquimia e de fazer com que Geber e Lull fossem comentados publicamente da mesma forma que Hipócrates e Galeno. Isso desgostou bastante os alquimistas de profissão, segundo declaração de Franz Gassman, em seu *Examen Alchemisticum*. (Ver Figuier, *L'Alchimie*, 136.)

Tandu (*Sânsc.*) — Um dos servidores de Shiva. Era muito hábil na música e inventou a dança denominada *Tândava*. (Dowson, *Dic. Clássico Hindu*.)

Tândya, Tândaka (*Sânsc.*) — O mais importante dos *Brahmanas* do *Sâma-veda*. (Dowson, *op. cit*.)

Tanen ou **Tatenen** (*Eg.*) — Forma de Ftha, frequentemente chamado Ftha-Tanen e Ftha-Soltar-Osíris-Tanen em seu caráter de deus-múmia. Uma deusa, forma de Hathor, é também chamada de Tanen. Finalmente, dá-se também este nome a uma localidade, frequentemente mencionada nos textos religiosos, como residência de Osíris ou de Sokari. (Pierret, *Dict. d'Arch. Égypt.*)

Tanga-Tango (*Peru*) — Um ídolo muito venerado pelos peruanos. É o símbolo do Triuno ou da Trindade, "Um em três e três em um", e já existia antes de nossa era.

Tanhâ (Tanha) (*Pál.*) — A sede de vida. O desejo de viver e o apego à vida nesta Terra. Este apego é a causa do renascimento ou reencarnação. Esta sede insaciável de existência física é uma força e tem em si mesma uma potência criadora tão poderosa, que atrai o ser novamente à vida. (Olcott, *Catec. Búd. Quest*., 133) – "Mate o amor à vida, porém se matares o *tanhâ* (a vontade de viver), faça que não seja pela sede de vida eterna, mas para substituir o passageiro pelo perdurável. *(Voz do Silêncio)* (Ver *Trichna*.)

T

Tanjur (*Tib.*) — Uma coleção de obras búdicas traduzidas do sânscrito. Para o tibetano e mongólico. É o cânone mais volumoso e compreende 225 grandes volumes sobre assuntos diversos. O *Kanjur*, que contém os mandamentos ou a "Palavra de Buddha", tem apenas 108 volumes.

Tanmanas (Tat-manas) (*Sânsc.*) — Que tem a mente dirigida para aquele.

Tanmâtras (*Sânsc.*) — São os tipos, ou os rudimentos dos cinco elementos; a essência sutil dos mesmos, desprovida de todas as qualidades e idêntica às propriedades dos cinco Elementos fundamentais: terra, água, fogo, ar e éter; isto é, os *tanmâtras* são (em um de seus aspectos): o olfato, o paladar, o tato, a visão e a audição. [*Tanmâtra* significa forma sutil e rudimentar, o tipo grosseiro dos elementos mais sutis. Os cinco *tanmâtras* são realmente as propriedades ou qualidades características da matéria e de todos os elementos; o verdadeiro espírito da palavra é "algo" ou "meramente transcendental", no sentido de propriedades ou qualidades. (*Doutrina Secreta*, III, 519, nota) Segundo a filosofia *Sânkhya*, os *tanmâtras*, elementos sutis ou primários, são produção do *ahankâra* e correspondem aos cinco sentidos, sendo designados por seus nomes. Estes cinco elementos sutis combinam-se entre si, originando os cinco elementos grosseiros ou compostos (*mahâbhûtas*), os quais, combinando-se entre si, formam o mundo material. (Ver *Mahâbhûtas*.) *Tanmâtra* significa também: partícula sutil, átomo etc.]

Tanmâtra-sarga (*Sânsc.*) — Também chamado *Bhûta-sarga*. É a segunda das criações dos *Purânas*, a criação dos Elementos (*Tanmâtras*, princípios rudimentares), "a primeira diferenciação da substância indiferenciada universal". (*P. Hoult*)

Tanmaya (Tat-maya) (*Sânsc.*) — Que é feito ou composto daquele; que se unifica com. (*P. Hoult*)

Tannichtha (Tat-nichtha) (*Sânsc.*) — Atento, devoto, dedicado ou entregue a ele.

Tantra (*Sânsc.*) — Literalmente: "regra" ou "ritual". Certas obras místicas e mágicas, cuja principal peculiaridade é o culto do poder feminino, personificado em *Sakti*. Devî ou Durgâ (*Kalî*, esposa de Shiva) é a energia especial relacionada com os ritos sexuais e poderes mágicos: *a pior forma de feitiçaria ou magia negra*. [A linguagem empregada em tais obras é altamente simbólica e as fórmulas de credo são pouco mais do que expressões algébricas sem qualquer chave proveitosa até o presente (*Râma Prâsad*). A maior parte dos *Tantras* é dedicado a uma das múltiplas formas da esposa de Shiva e estão escritos sob forma de diálogos entre as duas divindades. Neles encontra-se toda a ciência oculta, porém podem ser divididos em três classes: aqueles que tratam de magia branca, aqueles que versam sobre magia negra e aqueles que podemos chamar de magia cinzenta, uma mistura da primeira e da segunda. Os *Tantras* contêm tudo o que se refere à Magia, o lado oculto do homem e da natureza, os meios através dos quais pode-se fazer descobertas, os princípios pelos quais o homem pode criar-se novamente: tudo isso se encontra nos *Tantras*. A dificuldade do caso é que tais livros são muito perigosos, quando não se tem um mestre que sirva como guia, sobretudo quando se trata de colocar em prática os métodos neles expostos. Outra dificuldade está em que as obras tântricas contêm vários "véus", que impedem a visão nua e crua da verdade, seja no que se refere à exatidão dos *chakras* e *padmas* (lótus ou plexos) do corpo humano, seja no que se refere às cores dos diversos *tattvas* ou ao seu número verdadeiro. (*Doutrina Secreta*, III, 509.) Por outro lado, tais obras usam muitas vezes o nome de um órgão do corpo para representar um centro astral ou mental. Há para isso alguma razão, porque todos os centros dos diversos corpos (físico, astral, mental) encontram-se em mútua relação e correspondência; porém, nenhum mestre digno de confiança permitirá que seu discípulo trabalhe sobre seus órgãos corporais até que tenha adquirido certo domínio sobre os centros superiores e tenha purificado cuidadosamente o corpo físico. "Lede os *Tantras*, se quereis, a título de ensinamento; são em verdade interessantes, porém não o pratiqueis sem uma explicação; nele está a saúde de vosso corpo." (A. Besant, *Introdução ao Yoga*, 22-23.)]

Tantra-shâstra (*Sânsc.*) — Um tipo de obras não conhecidas totalmente, que versam sobre as chamadas artes e ciências "ocultas". *(Bhagavân Dâs)*

Tântrika (*Sânsc.*) — Cerimônias relacionadas com o culto tântrico. Pelo fato de Sakti ter uma natureza dupla, branca e negra, boa e má, os *saktas* dividem-se em duas classes: os *dakchinâchâris* e os *vâmâtchâris*, ou seja, os *saktas* da mão direita e os *saktas* da mão esquerda, isto é, magos "brancos" e "negros". O culto destes últimos é sumamente licencioso e imoral. (Ver *Thugs*.)

Tanu ou **Tanû** (*Sânsc.*) — Forma, imagem, corpo, pessoa; natureza; a pele.

Tanu-bhûmi (*Sânsc.*) — O período da personalidade; um dos períodos da vida de um zrâvaka budista. (*P. Hoult*)

Tanuja (*Sânsc.*) — Filho.

Tanujâ (*Sânsc.*) — Filha.

Tanu-mânasi (*Sânsc.*) — Atenuação da mente. (*P. Hoult*)

Tao (*Chin.*) — Literalmente: "curso", "via". Nome da filosofia de Lao-Tsé. [Entre os gnósticos egípcios, Tao era o gênio da Lua (*Doutrina Secreta*, I, 631.) Ver *Taoísmo*.]

Taöer (*Eg.*) — O Tífon feminino, o hipopótamo, também chamado *Ta-ur*, *Ta-op-oer* etc.; é a *Thoueris* dos gregos. Esta esposa de Tífon era representada como um monstruoso hipopótamo sentado sobre as pernas posteriores, com uma faca na mão e o laço sagrado na outra (o *pâsa* de Shiva). Seu dorso era coberto de escamas de crocodilo e também era de crocodilo a cauda que apresentava. Era também chamada de *Teb* e, por este motivo, Tífon é chamado, algumas vezes, pelo nome de *Tebh*. Em um monumento da sexta dinastia, é chamada "nutriz dos deuses". No Egito, era ainda mais temida do que o próprio Tífon. (Ver *Tífon*.)

Taoísmo — Sistema religioso fundado pelo filósofo chinês Lao-Tsé (nascido no ano de 604 antes de nossa era) e que, na atualidade, junto com o Confucionismo e o Budismo, constitui uma das três religiões que se adotam na China. Seus ensinamentos chegaram até nós no *Tao-te-King*. (Ver esta palavra.)

Tâo-te-King (*Chin.*) — "O livro da perfeição da Natureza", escrito pelo grande filósofo Lao-Tsé. É uma espécie de Cosmogonia que contém todas as doutrinas fundamentais da Cosmogênese esotérica. Ali está dito que no princípio não havia nada mais do que o Espaço ilimitado e infinito. Tudo quanto vive e é, dele nasceu, do Princípio que existe por si mesmo, desenvolvendo-se de si mesmo, isto é, *Svabhâvat*. Por ser desconhecido seu nome e insondável sua essência, os filósofos o denominaram *Tao* (*Anima Mundi*), a incriada, inata e eterna energia da Natureza que se manifesta periodicamente. A natureza, tal como o homem, quando alcança a pureza, alcança o repouso, e então tudo chega a ser uno com *Tao*, que é a fonte de toda bem-aventurança e felicidade. Assim como nas filosofias hindu e búdica, a pureza, assim como a bem-aventurança e a imortalidade referidas só podem ser alcançadas por meio da prática da virtude e o perfeito sossego de nosso espírito mundano; a mente humana tem que subjugar e destruir a turbulenta ação da natureza física do homem, e quanto mais rápido alcançar o grau requerido de purificação moral, tanto mais feliz se sentirá. (Veja *Anais do Museu Guimet*, vol XI e XII; *Études sur la Religion des Chinois*, do Dr. Groot.) Como

T

disse o célebre sinólogo Pauthier, "a Sabedoria humana não poderá jamais usar uma linguagem mais santa e profunda".

Tapant (*Sânsc.*) — Abrasador.

Tapar-loka (Tapas-loka) (*Sânsc.*) — Veja *Tapo-loka*. Entre as sobrancelhas está situado um lugar chamado *Tapar-loka*. (*Uttara-Gîtâ*, II, 31.)

Tapas (*Sânsc.*) — "Abstração", "meditação". "Praticar o *tapas*" é sentar-se para a contemplação. Por isso os ascetas são chamados muitas vezes de *tapasas*. [*Tapas* é um dos elementos do *Yoga* preliminar (ou *Kriyâyoga*) e significa: jejum, penitência, austeridade, mortificação, e outros meios encaminhados para subjugar o corpo. Significa também: calor, fogo, ardor, dor, pena; ascetismo, sacrifício, meditação, observância religiosa etc.]

Tâpasâ-tarû (*Sânsc.*) — O *Sesamum orientale*, árvore muito sagrada entre os antigos ascetas da China e do Tibete.

Tapaska (*Sânsc.*) — Que pratica austeridades; austero, continente.

Tapasvî [ou **Tapasvin**] (*Sânsc.*) — Asceta ou anacoreta de uma religião qualquer, seja budista, brâmane ou taoísta. [Asceta, penitente.]

Taphos (*Gr.*) — Tumba, o sarcófago colocado no *Aditum* e usado para fins de iniciação.

Tapo-dhana (*Sânsc.*) — Asceta.

Tapo-loka [**Tapas-loka** ou **Tapar-loka**] (*Sânsc.*) — O domínio dos *devas* do fogo, chamados *Vairâjas* (ver esta palavra). É designado pelo nome de "mundo dos sete sábios" e também "reino de penitência". Um dos *chachta loka* (seis mundos) situados acima do nosso, que é o sétimo.

Tapo-yajña (Tapas-yajña) (*Sânsc.*) — Que oferece sacrifícios de mortificação, privações e austeridades.

Tapta (*Sânsc.*) — Aflito, atormentado, mortificado, castigado, abrasado, experimentado, padecido.

Taptakrichhra (*Sânsc.*) — Um tipo de penitência exposta nas *Leis de Manu* (XI, 214.)

Târâ [ou **Târakâ**] (*Sânsc.*) — Esposa de Brihaspati (Júpiter), arrebatada por Soma (a Lua), ato que conduziu à guerra entre os deuses e os *asuras*. Târâ personifica o conhecimento místico em oposição à fé ritualista. É a mãe (por obra de Soma) de Budha, "Sabedoria". [Ver *Budha*.]

Târaka (Târakâ) (*Sânsc.*) — É descrito como um *dânava* ou *daitya*, isto é, um "gigante-demônio", cujas austeridades sobre-humanas, como yogi, fizeram os deuses temê-lo por seu poder e supremacia. Diz-se que foi morto por Kârttikeya [que, por esta razão, recebeu o epíteto de "Vencedor de Târaka" *(Târaka-jit)*. (*Doutrina Secreta*, II, 400.)]

Târakâ (*Sânsc.*) — Nome de um *daitya* fêmea, da qual se fala no poema *Râmâyana*. [Ver *Târâ*.]

Târaka-jit (*Sânsc.*) — Vencedor de Târaka: epíteto de Kârttikeya. (Ver *Târaka*.)

Târaka-jñâna ou **pratibhâ** (*Sânsc.*) — O conhecimento que salva, isto é, que conduz à libertação final *(mokcha)*. (M. Dvivedi, Comentários aos *Aforismos do Yoga*, III, 33.)

T

Târakâ-maya (*Sânsc.*) — A primeira guerra nos céus, devida a Târâ. (Ver *Târâ*.)

Târaka-Râja-Yoga (*Sânsc.*) — Um dos sistemas brahmânicos do *Yoga* para desenvolver o conhecimento e poderes puramente espirituais, que conduzem ao *Nirvâna*. [É o sistema mais filosófico e, de fato, o mais secreto de todos, uma vez que seus ensinamentos jamais foram revelados ao público. É uma escola de adestramento puramente intelectual e espiritual *(A Chave da Teosofia)*.]

Târaka-yoga (*Sânsc.*) — Nome que frequentemente se dá ao *Râja-Yoga*.

Targum (*Cald.*) — Literalmente: "interpretação", da raiz *targem*, interpretar. São paráfrases das Escrituras hebraicas. Alguns *Targum* são altamente místicos, sendo preciso notar que a língua aramaica (ou targumática) é usada em todo *Zohar* e outras obras cabalísticas. Para distinguir esta língua do hebraico, chamado de a "face" da língua sagrada, é designada pelo nome de *ahorayim*, a "parte posterior", cujo verdadeiro significado é preciso ler-se nas entrelinhas, seguindo certos métodos expostos aos estudantes. A palavra latina *tergum*, "espádua", é derivada do hebraico ou, melhor, do *targum* aramaico e caldeu. O *Livro de Daniel* começa em hebraico e é inteiramente compreensível até o capítulo II, versículo 4, em que os caldeus (os magos Iniciados) começam falando ao rei em aramaico (não em siríaco, como encontra-se erroneamente traduzido na Bíblia protestante). Daniel fala em hebraico, antes de interpretar ao rei seu sonho, porém o próprio sonho (cap. VII) é explicado em aramaico. "Assim, em Esdras IV, V e VI, são citadas literalmente as palavras dos reis e todos os assuntos a elas relacionados encontram-se em aramaico", diz Isaac Myer em seu *Qabbalah*. Os *Targumim* são de épocas diversas, oferecendo os últimos deles sinais do sistema massorético ou de vogais, que os cobriram ainda mais de véus intencionais. O preceito do *Pirke Aboth* (c. I, § 1): "faça um muro de proteção ao *Thorah* (lei)", tem sido uma verdade fielmente seguida na Bíblia e nos *Targumim* e sábio é aquele que os interpreta corretamente, a menos que seja um antigo ocultista-cabalista.

Târkchya (*Sânsc.*) — Antiga personificação do Sol em forma de cavalo ou ave. A palavra em questão significa: cavalo, serpente, veículo, carro etc. É também um epíteto de Garuda.

Tarpana (*Sânsc.*) — Libação de água fresca. (*Leis de Manu*, II, 176.)

Tártaro (do grego, *Tártaros*) — O inferno em geral, porém especialmente o lugar de castigo destinado aos ímpios e malfeitores, cujos crimes não podiam expirar. Segundo Homero, tal prisão é tão profunda e se encontra tão distante do Hades, como o céu está da Terra.

Tártaro (*Alq.*) — O Tártaro dos filósofos é a matéria da obra em putrefação. Algumas vezes entende-se por *Tártaro* o trabalho inútil e fatigante dos maus Artistas e diz-se que estão condenados ao *Tártaro*.

Tartaruga — Este animal era um emblema da morte e trevas, entre os egípcios. Em alguns textos, é substituída pela serpente Apophis. O capítulo XXXVI do *Livro dos Mortos* tem por objetivo "rechaçar a tartaruga". (Pierret, *Dic. d'Arch. Égypt.*)

Tashilhûmpa (*Tib.*) — O grande centro de mosteiros e colégios, situado a três horas de distância do Tchigadze, residência do Teshu Lama. Para maiores detalhes, ver "Panchen Rimboche". Foi edificado em 1445, por ordem de Tson-Kha-pa.

Tassissudun (*Tib.*) — Literalmente "a santa cidade da doutrina", contudo mais habitada por *dugpas* do que por santos. É a capital, no Butão, onde reside a cabeça eclesiástica dos *bhons* – o *Dharma Râja*. Este, embora publicamente seja budista do Norte, é

T

simplesmente um adorador dos antigos demônios-deuses dos aborígines, espíritos da Natureza ou elementais, os quais eram cultuados no país antes da introdução do Budismo. Não é permitido a nenhum estrangeiro entrar no Grande Tibete ou Tibete Ocidental e aos sábios contados que, em suas viagens, se arriscam a entrar naquelas regiões proibidas, não lhes é permitido penetrar além dos países limítrofes da terra de Bod. Viajaram pelo Butão, Sikkhim e outros pontos da fronteira do país, porém nada puderam saber nem aprender no verdadeiro Tibete e, por conseguinte, nada do verdadeiro Budismo do Norte ou Lamaísmo de Tsong-Kha-pa. E, contudo, já que descrevem só os ritos e as crenças dos *bhons* e dos viajantes samaneus, asseguram para o mundo que lhe estão expondo o puro Budismo do Norte e comentam a grande queda sofrida em sua pureza pristina.

Tat (*Sânsc.*) — Aquele, ele. "Aquele", o Universo; a Existência uma. A palavra *tat* é usada na sentença *Tat tvam asi*, "tu eras Aquele", isto é: Tu (Alma humana ou Espírito individual) eras a Alma ou Espírito universal; fórmula da Escola *Vedânta Advaita*. Como se lê no *Bhagavad-Gîtâ* (XVII, 23), "OM, TAT, SAT é a tripla designação da Divindade (Brahmâ)", indicando sua Divindade com a sílaba OM, sua universalidade com a sílaba TAT e sua existência real e eterna com SAT. Aquele a quem a fraseologia moderna se refere como Espírito e Matéria, é UM na eternidade como Causa perpétua e não é Espírito nem Matéria, mas Ele, traduzido em sânscrito por *Tad* [ou *Tat*], "Aquele", ou seja, tudo o que é, foi ou será, tudo o que é capaz de ser concebido pela imaginação do homem. (*Doutrina Secreta*, I, 595.)

Tat (*Eg.*) — Símbolo egípcio que consiste numa vara vertical, roliça, adelgaçada no extremo superior, com quatro barras cruzadas dispostas na ponta. Era usado como um amuleto. A parte superior é uma cruz regular equilátera. Esta, em sua base fálica, representava os dois princípios da criação, o masculino e o feminino, e estava relacionada com a natureza e o cosmos; porém, quando o *tat* estava sozinho, coroado pelo *atf* (ou *atef*), a tripla coroa de Hórus – duas plumas com o *uræus* à frente –, representava o homem *setenário*, figurando a cruz, ou as duas peças em cruz, o quaternário inferior, e o *atf* a tríada superior. Como bem observa Birch. "as quatro barras horizontais... representam os quatro fundamentos de todas as coisas, sendo o *tat* um emblema de estabilidade".

Tata (*Sânsc.*) — Desenvolvido, desenrolado, desenvolto, estendido; produzido; cheio; penetrado.

Tâta (*Sânsc.*) — Pai. Termo carinhoso ou respeitoso, equivalente a: filho meu, amigo meu; querido, amado, venerável, respeitável etc.

Tathâgata (*Sânsc.*) — "Alguém que é como o próximo"; aquele que é como seus predecessores (os Buddhas) e sucessores; o próximo futuro Buddha ou Salvador do mundo. É um dos títulos de Gautama Buddha e o epíteto maior, uma vez que o primeiro e o último Buddhas foram os *avatars* diretos imediatos da Divindade Una. ["Aquele que segue as pegadas de seus predecessores ou dos que vieram antes dele": este é o verdadeiro significado do nome *Tathâgata*. (*Voz do Silêncio*, III)]

Tathâgatagupta (*Sânsc.*) — Tathâgata secreto ou oculto ou os Buddhas "guardiães" protetores: título aplicado aos *Nirmânakâyas*.

Tatpara (*Sânsc.*) — Atento, devoto, aplicado, dedicado, consagrado, entregue por completo (ou só) a ele.

Tatparâyana (Tat-para-ayana) (*Sânsc.*) — Que tem ou considera aquele como objetivo supremo; que faz daquele seu fim supremo.

Tatpurucha (*Sânsc.*) — O Espírito Supremo. (*P. Hoult*)

T

Tattva [**Tattwa** ou **Tatwa**] (*Sânsc.*) — "Aquele" eternamente existente e também os diferentes princípios da Natureza, em seu significado oculto. *Tattva Samâsa* é uma obra de filosofia *Sânkhya* atribuída ao próprio Kapila. Dá-se também o nome de *Tattva* aos princípios abstratos de existência ou categorias físicas e metafísicas. Os elementos sutis – cinco exotericamente e sete na filosofia esotérica –, que são correlativos aos cinco e sete sentidos no plano físico; os dois últimos sentidos estão ainda latentes no homem, porém serão desenvolvidos nas duas últimas Raças-Mães. [Ver *Sentidos.*] – [Na famosa obra *As Forças Sutis da Natureza*, diz seu autor. Os *Tattvas* são as cinco modificações do Grande Alento. Atuando sobre a natureza material *(Prakriti)*, o Grande Alento coloca-a em cinco estados, nos quais tem movimentos vibratórios diferentes e executa diferentes funções. O primeiro resultado do estado evolutivo do Parabrahman é o *Tattva* do Éter *(Akâza Tattva)*. Depois deste vêm em ordem de sucessão, o *Tattva* do Ar *(Vâyu Tattva)*, o do Fogo *(Tejas Tattva)*, o da Água *(Apas Tattva)* e o da Terra *(Prithivî Tattva)*. São também conhecidos pelo nome de Grandes Elementos *(Mahâbhûtas)*. – No glossário da obra citada, Râma Prasâd expõe os diversos significados da palavra *Tattva*: 1º) Um modo de movimento; 2º) O impulso central que mantém a matéria em certo estado vibratório; 3º) Uma forma diferente de vibração. O Grande Alento dá à *Prakriti* cinco tipos de extensão elemental. A primeira e mais importante é o *Âkaza Tattva*; as quatro restantes são: *Prithivî Vâyu*, *Apas* e *Agni* ou *Tejas*. Cada forma e cada movimento é uma manifestação destes *Tattvas*, isoladamente ou em conjunção, conforme o caso. Porém, o autor desta obra, baseada no famoso *Zivâgama* de caráter tântrico, expõe apenas cinco *Tattvas* ao invés dos sete dos ensinamentos esotéricos. Sendo os *Tattvas* simplesmente o substrato das sete forças da Natureza, como se explica isso? Há sete formas de *Prakriti*, como ensinam o *Vishnu-Purâna*, o *Sânkhya* de Kapila e outras obras. *Prakriti* é a Natureza, a Matéria (primordial e elemental); por conseguinte, a lógica exige que os *Tattvas* sejam também sete. Porque tanto no caso dos *Tattvas* significarem "forças da Natureza" como ensina o Ocultismo, ou que signifiquem, como explica Râma Prasâd, "a substância da qual o universo é formado" e "o poder através do qual se sustenta", tudo é um; eles são Força, *Purucha*, e Matéria, *Prakriti*. E se as formas ou, melhor, planos desta última são sete, suas forças também devem ser sete. Por conseguinte, em esoterismo, além dos cinco *Tattvas* conhecidos ou inferiores, admitem-se outros dois mais elevados, que são: 1º) *Adi Tattva*, a Força primordial universal emanada do eterno e imutável SAT. Corresponde ao invólucro áureo ou Ovo de Brahmâ, que circunda cada globo, bem como todo ser, é o veículo que contém potencialmente todas as coisas (Espírito e Substância, Força e Matéria), e 2º) o *Anupâdaka Tatva*, a primeira diferenciação no plano do ser ou aquele que nasce pela transformação de algo mais elevado do que ele próprio. Entre os ocultistas, esta Força procede do segundo *Logos* (*Doutrina Secreta*, III, 498.) Os cinco *Tattvas* inferiores correspondem aos cinco sentidos atuais, dando assim origem às sensações da audição, do tato, da visão, do paladar e do olfato. Assim, o *Âkaza Tattva*, *Tattva* do Éter ou Éter sonoro, corresponde à audição; o *Vâyu Tattva*, *Tattva* do Ar ou Éter tatífero, ao tato; o *Tejas* ou *Agni Tattva*, do Fogo ou Éter luminífero, à visão; o *Apas Tattva*, *Tattva* da Água ou Éter gustativo, ao paladar, e o *Prathivî Tattva* ou *Tattva* da Terra ou Éter odorífero, ao olfato. Na filosofia *sânkhya* dá-se o nome de *Tattvas* aos 25 princípios que integram todo ser, sendo 23 deles produtos derivados da *Prakriti*, a saber: *Buddhi* ou *Mahat*, *Ahankâra*, *Manas*, os dez *Indriyas*, os cinco *Tanmâtras* ou elementos sutis e os cinco *Mahâbhûtas*, elementos grosseiros ou compostos, sendo os dois restantes a *Prakriti* e o *Purucha* ou Espírito individual. A palavra *Tattva* tem, além disso, as seguintes acepções: essência, princípio, realidade, verdadeira natureza das coisas, verdade, a Essência Suprema, a Realidade Absoluta (Brahmâ); primeiro princípio ou elemento fundamental. – Para maiores detalhes, ver Râma Prasâd, *As Forças Sutis da Natureza*, e *Doutrina Secreta*, III, 497 e ss.]

T

Tattva-bhâva (*Sânsc.*) — A natureza verdadeira ou essencial. (*P. Hoult*)

Tattva-darzin (*Sânsc.*) — Que vê a verdade, a realidade ou verdadeira natureza das coisas. (*P. Hoult*)

Tattva gnyâna e **Tattva gnyânî** — Ver *Tattva jñâna* e *Tattva jñânî*.

Tattva jñâna (*Sânsc.*) — Compreensão da verdade, conhecimento da verdadeira natureza dos seres.

Tattva jñânî (*Sânsc.*) — Conhecedor ou discernidor dos Tattvas, ou seja, dos princípios da natureza e do homem. (*Voz do Silêncio*, I.)

Tattva-samâsa (*Sânsc.*) — Um livro de texto da filosofia sânkhya atribuído a Kapila.

Tattvatâ (*Sânsc.*) — Verdade, realidade.

Tattvatas (*Sânsc.*) — Segundo a verdade ou realidade, segundo a verdadeira natureza das coisas.

Tattvâvabodha (*Sânsc.*) — Percepção da verdade.

Tattvavid (*Sânsc.*) — Conhecedor da verdade, da essência ou verdadeira natureza das coisas.

Tau (*Hebr.*) — Aquela que se tornou agora a letra quadrada hebraica tau, porém que foi, séculos antes da invenção do alfabeto judeu, a cruz com asas egípcia, a *crux ansata* dos latinos e idêntica ao *ankh* egípcio. Este sinal pertencia exclusivamente e pertence ainda aos Adeptos de cada país. Segundo Kenneth R. F. Mackenzie, "era um símbolo de salvação e consagração e, como tal, foi adotado como símbolo maçônico no grau do Arco Real". A *Tau* é também chamada de cruz astronômica e era usada entre os antigos mexicanos (como o prova sua presença em um dos palácios de Palenque), bem como entre os hindus, que colocam a *tau* como um sinal na fronte de seus *chelas*. [*Tau* é a cruz em forma de T e é a mais antiga de todas as formas. (Ver *Cruz ansata* e *Cruz do Calvário*.) *Tau* significa também "sendeiro". "Não entraste no *Tau*, o "Sendeiro", que conduz ao conhecimento, a Verdade quarta?" (*Voz do Silêncio*, I.)

Taumaturgia — O fato de operar "milagres" ou prodígios, o poder de efetuar prodígios com o auxílio dos deuses. Esta palavra deriva das palavras gregas *thauma*, "prodígio", e *theurgia*, "obra divina".

Taygete (*Gr.*) — Uma das sete filhas de Atlas, a terceira, que se tornou mais tarde uma das Plêiades. Diz-se que estas sete filhas representam as sete sub-raças da quarta Raça-Mãe, a dos atlantes.

Tchaitya — Ver *Chaitya*.

Tchakchur — Ver *Chakchur*.

Tchakchus — Ver *Chakchus*.

Tchakra — Ver *Chakra*.

Tchandâlas — Ver *Chandâlas*.

Tchandragupta — Ver *Chandragupta*.

Tchatur Mahârâja — Ver *Chatur mahârâjas*.

Tcherno-Bog (*Esl.*) — Literalmente: "deus negro"; a principal divindade dos antigos povos eslavos.

T

Tchertchen — Oásis da Ásia Central situado a aproximadamente 1.220 pés sobre o rio Tchertchen Darya; verdadeiro foco e centro da civilização antiga, rodeado por todos os lados de inumeráveis ruínas, sobre e sob o solo; de cidades, vilas e cemitérios de todos os tipos. Segundo o coronel Prjevalski, este oásis é habitado por cerca de 3.000 pessoas, "que representam os restos de uma centena de nações e raças atualmente extintas, cujos nomes verdadeiros são atualmente desconhecidos dos etnólogos".

Tchhanda Riddhi Pâda — Ver *Chhanda-riddhi-pâda*.

Tchikitsa Vidyâ Shâstra — Ver *Chikitsâ-vidyâ-shâstra*.

Tchîna (*Sânsc.*) — Nome da China nas obras búdicas, assim chamando-se desde a dinastia Tsin, que se estabeleceu no ano 349 de nossa era.

Tchitta Riddhi Pâda — Ver *Chitta-riddhi-pâda*.

Tchitta Smriti Upasthâna — Ver *Chitta-smriti-upasthâna*.

Teantropismo — O estado de ser, de uma só vez, deus e homem. Um *Avatar* divino. (Ver *Avatar*.)

Tebah (*Hebr.*) — Natureza que, mística e esotericamente, é o mesmo que seus *Elohim* personificados, sendo ele próprio, a saber, 86, o valor numérico de ambas as palavras: *Tebah* e *Elohim* (ou *Aleim*).

Tefnant (*Eg.*) — Uma das três divindades que habitam "a terra do renascimento dos deuses" e homens bons, isto é, *Aamru (Devachân)*. As três divindades indicadas são: Scheo, Tefnant e Seb.

Tejas (*Sânsc.*) — Um dos *Tattvas*: o éter luminífero ou do fogo, correspondente à visão. Este *Tattva* é também designado pelos nomes de *Agni* e *Raurava*. A palavra *Tejas* significa: luz, brilho, esplendor, glória; fogo, calor; beleza; força, poder; autoridade, dignidade, grandeza, nobreza, arrojo, brio etc. Este nome é aplicado igualmente ao halo ou aura humana.

Tejasvin (*Sânsc.*) — Luminoso, resplandecente, radiante, glorioso; ardente; forte; poderoso; nobre, digno.

Tejo — Ver *Tejas*.

Tejomaya (*Sânsc.*) — Luminoso, brilhante, resplandecente, glorioso.

Tejo-rûpa (*Sânsc.*) — Cujo corpo é fogo: Brahmâ. (*P. Hoult*)

Telepatia — Esta palavra deriva dos termos gregos *têlê*, longe, e *pathos*, afeto, e significa: percepção extraordinária de um fenômeno ocorrido fora do alcance dos sentidos. (*Dicionário* de J. Alemany) Embora o significado literal desta palavra seja "sentir à distância", atualmente é empregada em geral quase como sinônimo de transmissão de pensamento e pode ser tomada no sentido de que expressa qualquer imagem, pensamento ou sensação transmitidos de uma pessoa para outra através de meios não-físicos, que a ciência comum desconhece. Segundo Leadbeater em seu *Vislumbre do Ocultismo*, podemos em circunstâncias favoráveis, estabelecer uma comunicação direta entre dois corpos mentais, entre dois corpos astrais ou entre dois cérebros etéreos e isso nos fornece três variedades de telepatia, consistindo todas elas na transmissão de vibrações, em seus níveis respectivos, expostas talvez a serem confundidas pelo observador superficial, porém claramente distinguíveis pelo clarividente educado. Assim, ao se pensar com insistência em uma forma concreta, emitem-se ondas etéreas, que, ao ferirem o cérebro de outra pessoa, tendem a nele reproduzir a mesma imagem; porém, não é a própria imagem o que

T

se transmite, mas um número de vibrações que reproduzem. Este processo é muito parecido com a telegrafia sem fios. O mesmo ocorre com as impressões da natureza emocional ou passional: uma pessoa emite uma forte onda de sentimento de qualquer tipo, irradia certa espécie de vibração astral, que tende a reproduzir tal estado de sentimento em outras pessoas, quando fere seu corpo astral, (*Vislumbres do Ocultismo*, p. 187 e ss.)

Telesiognosia (do *grego thêlesis*, vontade, e *gnosis*, conhecimento) — Conhecimento profundo dos efeitos da vontade. (*Dicionário* de Alemany)

Telesma (*Herm.*) — Fim, perfeição, complemento.

Telquinos — São os Cabires e Titãs, em outra forma. São também os Atlantes. O ponto de sua origem é Rodes, ilha de formação vulcânica. (*Doutrina Secreta*, II, 408-409.)

Telugu — Uma das línguas dravidianas faladas no Sul da Índia.

Temeynchum (*Alq.*) — Ouro dos filósofos ou seu magistério ao rubro.

Templos — É opinião universal - diz o *Dicionário Filosófico* - que os cristãos primitivos não tiveram nem templos nem altares, nem círios nem incenso, nem água-benta nem qualquer dos ritos que os pastores da Igreja instituíram posteriormente, segundo as exigências dos tempos e circunstâncias e, sobretudo, segundo as necessidades dos fiéis. Orígenes, Atenágoras, Teófilo, Justino e Tertuliano atestam que os cristãos primitivos abominavam os templos e altares. Não pensavam assim unicamente porque os governos não lhes concediam, no início, permissão para edificar templos, mas porque sentiam aversão por tudo o que se relacionasse com as demais religiões e essa aversão foi mantida por 250 anos. Assim o demonstra Minucius Félix, que viveu no séc. III, dizendo: "Acreditas (deste modo falava aos romanos) que ocultamos o objeto de nossa adoração, porque não temos templos nem altares. Por que havemos de erigir a Deus um simulacro, quando o próprio homem é seu simulacro? Que templo vamos edificar, se o mundo, que é obra sua, não basta para contê-lo? Como vamos encerrar o poder de sua imensa majestade em uma só casa? É preferível que lhe consagremos um templo em nosso espírito e em nosso coração." Os cristãos começaram a construir templos nos primeiros dias do reinado de Diocleciano. O primeiro a ser edificado foi em Nicomédia; logo outros templos foram levantados em outras cidades, porém os cristãos manifestavam ainda aversão aos círios, ao incenso, à água lustral e aos hábitos pontificais. Este aparato imponente lhes parecia o selo distintivo do paganismo. Tais usos foram sendo adotados pouco a pouco, durante o reinado de Constantino e de seus sucessores; porém foram mudando depois com muita frequência. (*Obra citada*, verbete *Altares*.)

Tempo — É apenas uma ilusão produzida pela sucessão de nossos estados de consciência, em nossa viagem pela Duração eterna e não existe ali, onde nada existe, consciência alguma que possa produzir a ilusão. O Presente é apenas uma linha matemática que separa aquela parte da Duração eterna que chamamos Futuro daquela outra parte que denominamos Passado. Não há nada na Terra que tenha duração verdadeira, porque nada permanece sem mudança ou continua sendo a mesma coisa, durante a bilionésima parte de um segundo. A sensação que temos da realidade da divisão do Tempo que se conhece como Presente vem da confusa impressão do momentâneo vislumbre ou vislumbres sucessivos das coisas, que nossos sentidos nos comunicam, ao passarem tais coisas da região do ideal, que chamamos de Futuro, para a região das recordações, que denominamos de Passado. Do mesmo modo, experimentamos uma sensação de duração no caso da faísca instantânea, pelo fato de continuar na retina tal impressão confusa. A verdadeira pessoa ou coisa não consiste unicamente naquilo que vemos em qualquer momento

T

dado, mas é composta da soma de todas as suas condições diversas e cambiantes – desde o momento de seu surgimento em forma material até seu desaparecimento da Terra. Estas "somas totais" são as que existem desde a eternidade no Futuro e passam gradualmente pela matéria, para existir por toda a eternidade no Passado. (*Doutrina Secreta*, I, 68, 69.) Os três períodos, Passado, Presente e Futuro, são, em filosofia esotérica, um tempo composto apenas em relação ao plano fenomenal, porém, no reino do noumeno, carecem de validez abstrata. Como dizem as Escrituras: "O tempo passado é o tempo presente, como é também o futuro, o qual, embora ainda não tenha entrado na existência, contudo é". (*Ibid.*, I, 75.) O Tempo é uma ilusão; os ciclos, as épocas, dependem da consciência; não estamos aqui pela primeira vez; os ciclos voltam porque voltamos à existência consciente; os ciclos são medidos pela consciência da humanidade e não pela Natureza. Porque somos os mesmos que nas épocas passadas, isso nos acontece. (*Ibid.*, III, 563.) O Tempo e o Espaço são infinitos e eternos. Os dois são simplesmente formas d'AQUELE, que é o Todo Absoluto. (*Ibid.*, II, 168.) Formas da Divindade Una e incognoscível (II, 399). O Tempo é apenas uma forma de Vishnu, diz o *Vishnu Purâna*. O *chakra* ou disco de Vishnu designa a roda do Tempo. (*Ibid.*, II, 576.) O Espaço e o Tempo são uma só e mesma coisa. Não têm nome porque são o incognoscível AQUELE, que só pode ser percebido através dos *sete* Raios (as sete Criações, os sete Mundos, as sete Leis). (*Ibid.*, II, 647.) Zecha ou Ananta, o "leito de Vishnu", é uma abstração alegórica, que simboliza o Tempo infinito no Espaço, que contém o Germe e emite periodicamente a inflorescência deste Germe, O Universo manifestado. (*Ibid.*, I, 102.) Kronos ou Cronus é o Tempo em seu curso cíclico. (*Ibid.*, II, 434.) (Ver *Espaço, Ananta, Kâla, Khanda-Kala, Yugas* etc.)

Temura (*Hebr.*) — Literalmente: "mudança". Título de uma divisão da *Cabala* prática, que trata das analogias entre as palavras, cuja relação ou afinidade é indicada por certas mudanças na posição das letras ou mudanças através da substituição de uma letra por outra.

Teocracia (do grego *Theos*, Deus, e *Kratos*, domínio) — Governo de uma nação pela direção imediata de Deus; governo no qual o poder supremo está submetido ao sacerdócio.

Teocrasia — Literalmente: "Mistura de deuses". É o culto de vários deuses, como Jeová e divindades dos gentios, como no caso dos idólatras judeus.

Teodiceia (do grego *Theos*, Deus e *dike*, justiça) — "Justiça divina", isto é, o privilégio de um Deus todo misericordioso e justo de afligir o inocente e condenar os predestinados e, contudo, continuar sendo uma Divindade amorosa e justa. Teologicamente é... um mistério.

Teodidato (do grego *Theodidaktos*) — Literalmente: "ensinado por Deus". Título aplicado a Ammonio Saccas, fundador da Escola eclética neoplatônica dos filaleteus, no séc. IV, em Alexandria. [Segundo se crê, a sabedoria divina lhe foi revelada em seus sonhos e visões. (*A Chave da Teosofia*, 3.)]

Teofania (do grego *Theophania*) — Entre os neoplatônicos, Deus no homem, Deus aconchegando o homem (*P. Hoult*). Manifestação ou aparição da Divindade ao homem, especialmente a aparição de Deus aos patriarcas, sob forma de anjo ou humana. (*Dicionário* de Chambers, Annandale etc.) Segundo certas confissões de Platão, Proclo e outros autores dignos de nota, os Iniciados gozaram da Teofania, isto é, tiveram visões dos deuses e de verdadeiros Espíritos imortais. Como muito bem diz Taylor: "a parte mais sublime da *epopteia* ou revelação final consistia na visão dos próprios deuses (os elevados Espíritos planetários) revestidos de uma luz refulgente". (*Doutrina Secreta*, III, 283.)

T

Teofilantropismo (*Gr.*) — Amor a Deus e ao homem ou, melhor dizendo, no sentido filosófico, amor de Deus mediante o amor da Humanidade. Certas pessoas que, durante a Revolução Francesa, substituíram o Cristianismo pela razão e pura filantropia, chamavam-se *teofilantropos*.

Teofilosofia (*Gr.*) — Combinação de teísmo e filosofia.

Teogonia — A gênese dos deuses; aquele ramo de todas as teologias não cristãs que ensina a genealogia das diversas divindades. Um antigo nome grego que foi traduzido posteriormente como "genealogia da geração de Adão e dos Patriarcas", sendo os últimos todos os "deuses e signos zodiacais".

Teologia — Ciência que trata de Deus e seus atributos e perfeições.

Teomancia — Adivinhação através de oráculos. De *theos*, Deus, e *manteya*, adivinhação.

Teomaquia — Luta com ou contra os deuses, tal como a "Guerra dos Titãs", a "Guerra no Céu" e a Batalha dos Arcanjos (deuses) contra seus irmãos arquidemônios (ex-deuses, *Asuras* etc.)

Teopatia — O fato de sofrer pelo deus de alguém. Fanatismo religioso.

Teopeia (do grego *Theopæa*) — Arte mágica de dotar de vida, linguagem ou locomoção, figuras inanimadas, estátuas ou outros objetos.

Teopneustia — Revelação; algo comunicado ou inspirado por um deus ou ser divino. Inspiração divina [ou, melhor dizendo, o misterioso poder de ouvir os ensinamentos de um deus. (*Doutrina Secreta*, III, 57.)]

Teosofia (do grego, *Theosophia*) — Religião da Sabedoria ou "Sabedoria divina". O substrato e base de todas as religiões e filosofias do mundo, ensinada e praticada por uns poucos eleitos, desde que o homem se converteu em ser pensador. Considerada do ponto de vista prático, a Teosofia é puramente *ética divina*. As definições da mesma encontradas nos dicionários são puros desatinos, baseados em preconceitos religiosos e na ignorância do verdadeiro espírito dos primitivos rosa-cruzes e filósofos medievais, que se intitulavam teósofos. [A palavra Teosofia não significa Sabedoria de Deus, mas Sabedoria dos Deuses ou Sabedoria Universal. Esta Sabedoria é a verdade interna, oculta e espiritual, que sustenta todas as formas externas da religião e seu pensamento fundamental é a crença de que o Universo é, em sua essência, espiritual; que o homem é um ser espiritual em estado de evolução e desenvolvimento e que a humanidade pode progredir na via da evolução através do exercício físico, mental, espiritual adequados, fazendo-a desenvolver as faculdades e os poderes que a tornarão capaz de ultrapassar o véu externo do que é chamado de matéria e passar a ter relações conscientes com a Realidade fundamental. A grande ideia, que serve de base para a Teosofia, é a Fraternidade universal e esta se encontra fundamentada na unidade espiritual do homem. A teosofia é de uma só vez ciência, filosofia e religião e sua expressão externa é a Sociedade Teosófica. (*Pequeno Glossário de Termos Teosóficos* de A. Besant e H. Burrows.) Opostamente ao que muitos acreditam, a Teosofia não é uma nova religião; é, por assim dizer, a síntese de todas as religiões, o corpo de verdades que constitui a base de todas elas. A Teosofia, em sua modalidade atual, surgiu no mundo no ano de 1875, porém é em si mesma tão antiga quanto a humanidade civilizada e pensadora. Foi conhecida por diversos nomes, que têm o mesmo significado, tais como *Brahma-vidyâ* (Sabedoria Divina), *Para-vidyâ* (Sabedoria Suprema) etc. O motivo especial de sua nova proclamação em nossos dias foram os rápidos e perniciosos progressos do materialismo nas nações propulsoras da civilização mundial. Por ata razão, os Guardiães da Humanidade acharam oportuno proclamar as

T

antigas verdades numa nova forma adaptada à atitude e ao desenvolvimento mental dos homens da época e, assim como antes foram reveladas uma após outra as religiões, segundo a passagem de um a outro desenvolvimento nacional, assim, em nossos dias, as bases fundamentais de todas as religiões tornaram a ser proclamadas, de modo que, sem privar nenhum país das vantagens especiais que sua fé lhe proporciona, se deixará de ver que todas as religiões têm o mesmo significado e que são ramos de uma mesma árvore. A Teosofia apresenta-se, além disso, como base de filosofia de vida, porque possui vastíssimos conhecimentos sobre as grandes Hierarquias que preenchem o espaço; dos agentes visíveis e invisíveis que nos rodeiam; da evolução ou reencarnação, através de cuja virtude o mundo progride; da lei da causalidade ou da ação e reação, chamada *Karma*; dos diversos mundos em que o homem vive, semeia e colhe etc., conhecimentos que resolvem, do modo mais racional e satisfatório, os árduos enigmas da vida, que sempre conturbaram o cérebro dos pensadores com desalento de seu coração. No campo da ciência, abre novos caminhos ao conhecimento. A Teosofia explica a vida, justifica as diferenças sociais entre os homens e indica o meio para se retirar novos fatos do inesgotável armazém da Natureza. A Teosofia fornece também normas fundamentais de conduta aplicáveis à vida humana e levanta grandes ideais, que comovem o pensamento e o sentimento, para pouco a pouco redimir a humanidade da miséria, da aflição e do pecado, que são frutos da ignorância, causa de todo mal. A dor e a miséria desaparecerão completamente de nossa vida, quando soubermos trocar a ignorância pelo conhecimento. Ante à Sabedoria nossas tribulações se desvanecerão, porque o gozo é peculiar e inerente à natureza íntima de que todos dela procedemos e a ela temos de voltar. A Teosofia, finalmente, não impõe qualquer dogma, nem força ninguém a acreditar cegamente nas verdades que ensina, mas faz outra coisa imensamente melhor: coloca o homem disposto a isso em condições de perceber diretamente, por si mesmo, tais verdades através do desenvolvimento de sua natureza espiritual e, com ela, o desenvolvimento de certas faculdades internas latentes na generalidade da espécie humana, que lhe permitem conhecer o mundo espiritual e as relações do homem com a Divindade. Pelo conhecimento íntimo de si mesmo, o homem se torna capaz de conhecer a Vida universal e suprema, uma vez que o Espírito humano é uma parte do Espírito universal (DEUS). – Terminaremos este verbete com a descrição do SELO DA SOCIEDADE TEOSÓFICA. O duplo triângulo que contém a *Tau* ou cruz egípcia é o símbolo do Universo ou Macrocosmo, a manifestação da Divindade no tempo e no espaço, o Um desdobrando-se na dualidade de Espírito e Matéria. Os triângulos estão entrelaçados para indicar a unidade inseparável e são dois para significar o Espírito e a Matéria, Pai e Mãe. O triângulo que tem o vértice voltado para cima é o do fogo ou Espírito; aquele que tem o vértice voltado para baixo é o da água ou Matéria. Além disso, cada triângulo com seus três lados e três ângulos simboliza a natureza trina do que representa. A triplicidade do triângulo de fogo significa: Existência, Conhecimento e Felicidade ou Atividade, Sabedoria e Vontade ou Criação, Conservação e Libertação. Os lados são iguais porque "nesta trindade ninguém é superior ou inferior, nem maior nem menor do que o outro", porque todos são igualmente imanentes em sua natureza e igualmente onipresentes. A triplicidade do triângulo da água simboliza as três qualidades características essenciais da Matéria: Inércia, Mobilidade e Ritmo (ou vibração). Os doze lados iguais formados pelo cruzamento das linhas da figura consideradas em conjunto, representam os "doze grandes deuses" da Cabala e outras religiões antigas, os doze signos do Zodíaco, os doze meses do ano. Muito mais poderia ser dito a respeito do significado do emblema. A cruz ansata ou *Tau* encerrada no duplo triângulo é o símbolo do Espírito que desceu na matéria e nela está crucificado, porém que ressuscitou da morte e permanece triunfante nos braços do vitimário já vencido e, por isso, é chamada de "Cruz de Vida" e é

T

símbolo de Ressurreição. Nas pinturas egípcias pode-se ver que cada cruz era aplicada sobre os lábios da múmia, quando a Alma voltava ao corpo. A cruz ígnea, em cotovelo ou Svástika é o símbolo da energia vertiginosa que cria um Universo, "Abrindo buracos no espaço" ou, dizendo em forma menos poética, formando os torvelinhos ou átomos para a construção dos mundos. A serpente que morde a própria cauda é o antigo emblema da Eternidade, o círculo sem princípio nem fim, no qual crescem e morrem, surgem e desaparecem todos os universos. Tal é, em poucas palavras, o simbolismo do Selo da Sociedade Teosófica; numa combinação engenhosa, resume as verdades da Teosofia. Coroando este Selo figura, em caracteres sânscritos, o sagrado monossílabo OM ou AUM e ao redor do mesmo o lema do Maharâja de Benares: *Satyât nâsti paro Dharma* ("Não há religião mais elevada do que a Verdade"). (Extratos do folheto *O que é a Teosofia?* e de outras obras de A. Besant.) – Ver *Sociedade Teosófica*.

Teosofistas — Ver *Teósofo*.

Teósofo [do grego *Théos*, Deus, e *sophós*, sábio: pessoa que professa a Teosofia.] — Com este nome foram designados muitos místicos em vários períodos da história. Os neoplatônicos de Alexandria eram teósofos; os alquimistas e cabalistas, durante os tempos medievais, eram também assim chamados, bem como os martinistas, os quietistas e outras classes de místicos, sejam os independentes, sejam aqueles incorporados a uma fraternidade ou sociedade. Todos os verdadeiros amantes da Sabedoria e da Verdade divinas tinham e têm direito a tal denominação, melhor do que aqueles que, apropriando-se deste título, vivem uma vida ou executam ações opostas aos princípios da Teosofia. Como disse K. R. Mackenzie, os teósofos dos séculos passados, "inteiramente especulativos e que não fundaram escolas, exerceram sem cessar uma influência silenciosa sobre a filosofia e, sem sombra de dúvida, quando chegar o tempo, muitas ideias apresentadas em silêncio poderão, contudo, dar novos rumos ao pensamento humano. Uma das maneiras como estas doutrinas alcançaram não só autoridade, mas também força, foi entre certos entusiastas dos graus superiores da Maçonaria. Esta força, contudo, até um grau considerável, desapareceu com os fundadores e a Franco-maçonaria moderna contém escassos vestígios da influência teosófica. Swedenborg, Pernetti, Paschalis, Saint Martin, Marconis, Ragon e Chastanier têm muito pouca influência direta sobre a sociedade". Isto é certo, tratando-se dos teósofos dos três últimos séculos, porém não dos posteriores. Porque os teósofos do século atual fizeram-se sentir já marcadamente na literatura moderna e introduziram o desejo e o afã de uma filosofia no lugar da fé cega e dogmática de outros tempos, entre os segmentos mais inteligentes da espécie humana. Eis aí a diferença existente entre a TEOSOFIA passada e a atual. Até há pouco tempo usavam-se indistintamente os termos "teosofista" e "teósofo" e preferencialmente o primeiro, apesar de que a palavra inglesa *theosophist*, segundo os dicionários desta língua, signifique "teósofo". Para evitar falsas interpretações, é conveniente estabelecer uma distinção entre ambos os termos. Em inglês, as palavras *theosoph*, *theosopher* e *theosophist* têm o mesmo significado, enquanto que em português, *teosofista* significa "partidário do teosofismo" (ou seja, o sistema de certos filósofos que acreditavam ver as coisas de modo sobrenatural e, segundo Kant, o sistema dos filósofos que creem ver tudo em Deus); por *teósofo* entende-se aquele que professa a Teosofia. Esta palavra, portanto, é a que deve ser usada na imensa maioria dos casos para traduzir a palavra *theosophist*.

Teotil (*Mex.*) — Nome que antigamente se dava, no México, ao Espírito Supremo ou Grande Espírito.

Terapeutas (do grego *therapeutés*) — Uma escola de esoteristas, que constituía um grupo interior dentro do judaísmo alexandrino e não, como acreditam geralmente, uma

T

"seita". Eram "curadores" no sentido que alguns cientistas cristãos e "mentais", membros da Sociedade Teosófica, são curadores, sendo ao mesmo tempo bons teósofos e estudantes das ciências esotéricas. Fílon o Judeu os chama de "servidores de Deus". Como corretamente expresso no *Dicionário de... Literatura, Seitas e Doutrinas* (tomo IV, verbete "Fílon o Judeu") ao mencionar os terapeutas: "Não há razão alguma para se pensar numa 'seita' especial, mas antes num círculo esotérico de *illuminati*, de 'sábios'... Eram judeus helênicos contemplativos."

Teraph (*Hebr.*) — Singular de *Teraphim*.

Teraphim (*Hebr.*) — O mesmo que *Seraphim* ou os deuses Cabires; imagens de serpente. Segundo a lenda, os primeiros *Teraphim* foram recebidos por Dardano como uma dádiva e por ele levados à Samotrácia e Troya. Os oráculos ídolos dos antigos judeus. Rebeca os roubou de seu pai Labão. (Ver *Teraph*.)

Teratologia — Nome grego inventado por Geoffroi St. Hilaire para designar a formação pré-natal de monstros, tanto humanos como animais. De *teras*, monstro, prodígio, e *logos*, tratado.

Teratoscopia — Espécie de adivinhação através de fenômenos tidos por milagrosos.

Terceira Raça ou **Lemuriana** — Ver *Raças humanas*.

Terceiro (*Alq.*) — Enxofre dos filósofos digerido e cozido até o rubro. É denominado de *terceiro* porque o vermelho é a terceira das cores principais tomadas pela matéria durante o curso das operações.

Terceiro Logos — A Mente universal, na qual tudo existe arquetipicamente, a origem dos seres, a fonte de energias formadoras, a arca onde se encontram armazenadas todas as formas ideais, que serão produzidas e elaboradas em classes inferiores de matéria, durante a evolução do Universo. (A. Besant *Sabedoria Antiga*.) (Ver *Logos*.)

Terceiro Olho — Ver *Glândula Pineal*.

Termutis (*Thermutis*, egípcio) — A coroa aspídea da deusa Ísis; é também o nome da legendária filha de Faraon, que, segundo se supõe, salvou Moisés das águas do Nilo.

Ternário ou **Tríada superior** — Opostamente ao *Quaternário inferior* (ver este termo), existe no homem o *Ternário* ou Tríada superior, assim chamada por ser integrada pelos três princípios superiores: *Âtmâ*, *Buddhi* e *Manas* superior, formando a *individualidade* imortal, que persiste através das numerosas encarnações humanas. (Ver *Princípios* e *Tríada*.)

Terra — Segundo o Ocultismo Oriental, a Terra é o quarto globo ou mundo, o inferior da cadeia planetária, onde é designada pela letra D. Acima dele, dirigindo-se para cima em ambas as curvas há seis globos, três de cada lado, ou seja, três na curva descendente e outros três na curva ascendente. (Ver *Cadeia planetária*.) A Terra é simbolizada pela "Vaca da Abundância", *Kâmaduh*, que dá todos os bens (*Bhâgavata Purâna*). Esotericamente, nossa Terra é a região infernal. (*Doutrina Secreta*, I, 501 e II, 103.) (Ver *Naraka*.) - De outro ponto de vista, a Terra é um dos cinco elementos compostos da filosofia *sânkhya* (éter, ar, fogo, água e terra), correspondentes aos cinco sentidos. O *Tattva* da terra (*Prithivî Tattva*), também chamado de éter odorífero, corresponde, como indica este seu último nome, o sentido do olfato. (Ver *Elementos*, *Tattvas*, *Bhû*, *Bhûmi*, *Prithivî*, *Myalba* etc.)

Terra de Adão — Nome que os alquimistas ocidentais dão à matéria primordial não manifestada. (*Mûlaprakriti*)

T

Terra sagrada — Com o nome de Imortal Terra Sagrada designa-se o primeiro Continente ou, melhor dizendo, a primeira *Terra firme*, na qual a primeira Raça foi desenvolvida pelos divinos Progenitores. A razão de ter se aplicado tal nome a esta Terra não tem nada a ver com a sorte dos demais Continentes, por ser a Terra Sagrada a única cujo destino é durar do princípio ao fim do *Manvantara*, através de cada Ronda. É o berço do primeiro homem e a morada do último mortal *divino*, escolhido como remanescente para futura semente da humanidade. (*Doutrina Secreta*, II, 6.)

Teshu Lama (*Tib.*) — Uma encarnação de Gautama ou Amitâbha Buddha. (*Doutrina Secreta*, I, 511.) A cabeça da Igreja tibetana (*Cinco Anos de Teosofia*).

Tethis ou **Tethys** (*Gr.*) — Esposa do Oceano. Da união de ambos, segundo a mitologia grega, nasceram todos os seres e até os deuses. Nesta alegoria, o Oceano representa o Espaço infinito – Espírito no Caos – que é a Divindade, e Tethis a Matéria primordial no processo de formação. (*Doutrina Secreta*, II, 69.)

Tetoun (*Eg.*) — Deus adorado em Núbia. É uma forma de Noum. (*Dict. d'Arch. Égypt.*)

Tétrade — Ver *Tetraktys*.

Tetragrammaton (*Gr.*) — O nome de Deus composto de quatro letras, seu título grego. Tais quatro letras são, em hebraico: *yod, hé, vau, hé* ou em nossas maiúsculas: I H V H. Sua verdadeira pronúncia antiga é agora desconhecida; os judeus sinceros consideravam este nome demasiado sagrado para ser proferido e, ao ser lido nas Sagradas Escrituras, era substituído por "Adonai", que significa "Senhor". Na *Kabbalah*, o I é associado com Chokmah, o H com Binah, o V com Tiphereth e o H final com Malkuth. Em geral, os cristãos chamam IHVH de Jeová e muitos sábios modernos, versados em estudos bíblicos, escrevem Yahveh. Na *Doutrina Secreta*, o nome Jeová está associado ao *Sephira* Binah apenas, porém esta atribuição não é reconhecida pela Escola Rosa-cruz de cabalistas nem por Mathers, em sua tradução da *Kabbalah Denudata* de Knorr von Rosenroth; certas autoridades cabalistas relacionaram Binah apenas com I H V H, porém unicamente no que se refere ao Jeová do Judaísmo exotérico. O I H V H da *Kabbalah* tem somente uma leve semelhança com o Deus do *Antigo Testamento*. (W. W. W.) - A *Kabbalah* de Knorr von Rosenroth não é autoridade alguma para os cabalistas orientais, porque é bem sabido que, ao escrever sua *Kabbalah Denudata*, seguiu mais os manuscritos modernos do que os antigos (caldeus); e é também sabido que aqueles manuscritos e documentos do *Zohar*, que são classificados como "antigos", mencionam e até alguns usam a vogal hebraica ou pontos massoréticos. Isso por si só tornaria espúrios estes pretensos livros zoháricos, porque não há vestígios diretos do sistema Massorah antes do séc. X de nossa era nem o mais remoto vestígio dele antes do sétimo. (Ver *Tetraktys*.)

Tetraktys (*Gr.*) ou **Tétrade** — O "Quatro" sagrado pelo qual juravam os pitagóricos, sendo este seu juramento mais inviolável. Tem significado bastante místico e variado, sendo o mesmo que o *Tetragrammatom*. O primeiro de tudo é sua Unidade ou o "Um" sob quatro aspectos diferentes; logo é o número fundamental Quatro, é a Tétrade contendo a Década ou Dez, o número da perfeição. Finalmente, significa a Tríada primitiva (ou Triângulo) fundida na Mônada divina. O jesuíta cabalista Kricher, em seu *Œdipus Ægypticus* (II, p. 267), expõe o Nome Inefável I H V H – uma das fórmulas cabalísticas dos 72 nomes – ordenado na forma Tétrade pitagórica. Myer o apresenta da seguinte maneira:

T

•	1	= 10
• •	2 O Inefável	= 15
• • •	3 Nome assim	= 21
• • • •	4	= 26
	—10—	—72—

Tal autor demonstra também que "a Tétrade sagrada dos pitagóricos parece ter sido conhecida pelos antigos chineses". Segundo foi explicado em *Ísis sem Véu* (I, XVI): A Década mística, resultante da *Tetraktys* ou o 1 + 2 + 3 + 4 = 10, é uma maneira de expressar esta ideia O Um é o princípio impessoal "Deus"; o Dois, a matéria; o Três, combinando a Mônada e a Dúada, e participando da natureza de ambas, é o mundo fenomenal; a Tétrade, ou forma de perfeição, expressa a vacuidade de tudo; e a Década, ou soma total, envolve todo o Cosmos.

Teurgia (do grego, *theourgia*) — Uma comunicação com os anjos e espíritos planetários – os "deuses de Luz" - e os meios para atraí-los para a Terra. O conhecimento do significado interno das hierarquias de tais espíritos e a pureza de vida são os únicos meios capazes de conduzir à aquisição dos poderes necessários para tal comunicação. Para se atingir uma meta tão sublime, o aspirante deve ser absolutamente digno, puro e desinteressado. [A prática da Teurgia é muito pouco conveniente e até perigosa na atualidade. O mundo está muito corrompido para praticar aquilo que só homens tão santos e sábios quanto Ammonio, Plotino, Porfírio e Jâmblico (os mais instruídos de todos os teurgistas) podiam tentar com impunidade. Em nossa época, a Teurgia ou Magia divina e benéfica é coisa predisposta a se converter em Goecia ou, em outras palavras, em feitiçaria. A Teurgia é a primeira das três subdivisões da Magia, que são: Teurgia, Goecia e Magia Natural. (Glossário de *A Chave da Teosofia*.) - Ver *Goecia, Jâmblico* e *Teurgista*.]

Teurgista — A primeira escola de Teurgia prática (do grego *Théos*, deus, e *ergon*, obra), no período cristão, foi fundada por Jâmblico entre certos platônicos alexandrinos. Os sacerdotes, contudo, dos templos do Egito, Assíria, Babilônia e Grécia e cujo ofício era evocar os deuses durante a celebração dos Mistérios, também eram designados por este nome ou seu equivalente em outras línguas, desde o primeiro período arcaico. Os espíritos (porém não os dos mortos, cuja evocação se chamava *necromancia*) tornavam-se visíveis aos olhos dos mortais. Assim, pois, o teurgista devia ser um hierofante e um perito na ciência esotérica dos santuários de todos os grandes países. Os neoplatônicos da escola de Jâmblico eram denominados de teurgistas, porque praticavam a chamada "Magia cerimonial" e evocavam os *simulacra* ou imagens dos antigos heróis, "deuses" e *daimonia* (entidades divinas, espirituais). Nos raros casos em que se exigia a presença de um "espírito" *tangível e visível*, o teurgista tinha de administrar à fantástica aparição uma parte de sua própria carne e sangue: tinha de praticar a *theopœa* ou a "criação de deuses", através de um procedimento misterioso bem conhecido pelos antigos e talvez por alguns dos modernos *tântrikas* e brahmanes Iniciados da Índia. É isto o que se diz no *Livro de Evocações* dos pagodes. Isso prova a perfeita identidade dos ritos e do cerimonial entre a antiquíssima teurgia brahmânica e a dos platônicos alexandrinos. Copiamos de *Ísis sem Véu*: "O brahmane *Grihasta* (evocador) deve manter-se em estado de completa pureza, antes de aventurar-se a evocar os *Pitris*. Depois de ter preparado uma lâmpada, uma quantidade de sândalo-incenso etc., e de ter traçado os círculos mágicos, a ele ensinados pelo *Guru* superior, a fim de manter afastados os maus espíritos, ele para de respirar e chama em seu auxílio o *fogo (Kundalini)* para dispersar seu corpo." Pronuncia certo número de vezes a palavra sagrada e "sua alma (corpo astral) escapa de sua prisão, desaparece seu corpo e a alma (imagem) do espírito evocado desce até dentro de seu

T

corpo *duplo* e o *anima*". Então, a alma (astral) do teurgista torna a entrar em seu corpo, cujas partículas sutis se agregaram novamente (no sentido objetivo), depois de terem formado um corpo aéreo para o *deva* (deus ou espírito) que ele evocou..." E então o operador dirige a este último perguntas "sobre os mistérios do Ser e a transformação do *imortal*". A ideia popular predominante é de que os teurgistas, assim como os magos, operavam prodígios, tais como evocar as almas ou sombras dos heróis e deuses e outras ações taumatúrgicas, através de poderes *sobrenaturais*. Porém nunca foi assim. Faziam isto simplesmente através da liberação de seu próprio corpo astral, que, tomando a forma de um deus ou herói, servia como *médium* ou veículo, através do qual podia se alcançar e manifestar a corrente especial que conserva as ideias e o conhecimento de tal herói ou deus. (Ver *Jâmblico*.)

Teurgo — Ver *Teurgista*.

Tewnout (*Eg.*) — Deusa com cabeça de leoa, com um disco sobre a mesma. É denominada de Filha do Sol e, frequentemente, está associada com Shou. (Pierret, *Dict. d'Arch. Égypt.*) – Ver *Tafne*.

Thalassa (*Gr.*) — O mar. [A profundeza do Mar, que esotericamente e até exotericamente é a Lua. (*Doutrina Secreta*, II, 122.) (Ver *Thallath*.)]

Thalath — Ver *Thallath*.

Thales (*Gr.*) — O filósofo grego de Mileto (c. 600 anos a.C.), que ensinou que todo o universo foi produzido da água [no que coincide com a doutrina de que o Universo surgiu das águas], ao passo que Heráclito de Éfeso sustentava que foi produzido pelo fogo e Anaxímenes pelo ar. Thales, cujo nome verdadeiro é desconhecido, tomou seu nome de Thallath, de acordo com a filosofia por ele ensinada.

Thallath (*Cald.*) — O mesmo que *Thalassa*. A deusa que personifica o mar, idêntica a Tiamat e relacionada com Tamti e Belita. A deusa da qual nasceram todas as variedades de monstros primitivos, segundo o relato imaginário Beroso. (Ver *Omorôka*.)

Thammuz (*Hebr.*) — Divindade falada em *Ezequiel* e que parece ser idêntica a Adônis. Segundo o rabino Maimônides, era um falso profeta dos idólatras assírios, a quem o rei condenou à morte. Conta-se que, depois de sua morte, ocorreram grandes prodígios; assim é que, todos os anos, os sacos pranteavam Thammuz no último dia do mês de mesmo nome. *(Noël)*

Tharana (*Sânsc.*) — "Mesmerismo" ou, melhor dizendo: êxtase *(transe)* provocado ou auto-hipnose; um ato que, na Índia, é de caráter mágico e uma espécie de exorcismo. Literalmente: "varrer ou suprimir" (más influências – de *tharhn*, que significa escova, e *thârnhan*, espanador); afugentando os maus *bhûts* (aura daninha e maus espíritos) através da vontade benéfica do mesmerizador.

Thavatth ou **Thalatth** — Ver *Omorôka*.

Theiohel (*Hebr.*) — O globo habitável produtor de homens; nossa Terra, segundo o *Zohar*.

Theli (*Cald.*) — O grande Dragão, que, segundo se diz, circunda simbolicamente o Universo. Em letras hebraicas é T L I = 400 + 30 + 10 = 440; quando sua crista (letra inicial) é reprimida, diziam os rabinos, restam 40 ou o equivalente de *Mem*; M = água, as águas que estão sobre o firmamento. Evidentemente, é a mesma ideia simbolizada por Zecha – a serpente de Vishnu.

Thelima (*Alq.*) — Pedra ao rubro perfeito.

T

Themis (*Gr.*) — A deusa da harmonia e da ordem universal (Ver *Nêmesis*.)

Thero (*Pál.*) — Um sacerdote de Buddha. Também chamado de *Therunnanse*.

Thiasse (*Esc.*) — Gigante, pai de Skada, esposa de Nioerd. (*Eddas*)

Thion (*Alq.*) — Enxofre dos filósofos ao rubro.

Thiotvitner (*Esc.*) — Um dos rios que desembocam no Hvergelmer. (*Eddas*)

Thita (*Alq.*) — Magistério dos Sábios em sua fixação na cor púrpura.

Thotu-Bohu (*Hebr.*) — De *Thou* "o Abismo", e *Bohu* "Espaço primitivo" – ou Abismo do Espaço primitivo, livremente traduzido por "Caos", "Confusão" etc. Também se escreve e pronuncia "*tohu-bohu*".

Thomel (*Eg.*) — A deusa da Justiça. Tem os olhos vendados e empunha uma cruz. É o mesmo que a deusa grega Themis.

Thor (*Esc.*) — De *thonar*, "troar". Filho de Odin e Freya [a Terra] e chefe de todos os Espíritos elementais. Deus do trovão; *Júpiter tonans*. A palavra *Thursday* (quinta-feira) vem de Thor. Entre os romanos, a quinta-feira era o dia de Júpiter, *Jovis dies*, *Jeudi*, em francês – o quinto dia da semana, também consagrado ao planeta Júpiter. (Ver *Donar* e *Martelo de Thor*.)

Thorah (*Hebr.*) — "Lei", redigida pela transposição das letras do alfabeto hebraico. Do "*Thorah* secreto" diz-se que antes de que *At-tee-kah* (o "Ancião dos Anciães") já estivesse disposto e formado, preparando-se para manifestar-se, quis criar um *Thorah* e este último, logo que foi produzido, a Ele se dirigiu dizendo estas palavras: "Aquele que deseja ordenar e estabelecer outras coisas, deveria, antes de tudo, ordenar a Si mesmo em sua própria forma." Em outros termos: *Thorah*, a Lei, repreendeu a seu Criador, desde o momento em que nasceu, segundo o que foi dito anteriormente, o que é uma interpolação de algum talmudista posterior. À medida em que foi crescendo e se desenvolvendo, a mística Lei do cabalista primitivo foi transformada pelos rabinos, que a utilizaram para substituir, em sua letra morta, todo o conceito metafísico; assim a Lei rabínica e talmúdica faz de Ain Soph e cada Princípio divino a ela subordinados e se torna a espádua das verdadeiras interpretações esotéricas.

Thoth (*Eg.*) — O mais misterioso e menos compreendido de todos os deuses cujo caráter pessoal é inteiramente distinto de todas as demais divindades antigas. Assim como as permutações de Osíris, Ísis, Hórus e outras são tão inumeráveis que sua individualidade está quase perdida, Thoth permanece imutável desde o início da última dinastia. É o deus da sabedoria e de autoridade sobre todos os deuses restantes. É o registrador e o juiz. Sua cabeça de íbis, a pena e a tabuinha de escrivão celestial, que anota os pensamentos, palavras e ações dos homens e os pesa na balança, o assemelham aos *Lipikas* esotéricos. Seu nome é um dos primeiros a aparecer nos monumentos mais antigos. É o deus lunar das primeiras dinastias, mestre do Cinocéfalo – o mono com cabeça de cão, que existia no Egito como símbolo e recordação viva da terceira Raça-Mãe. (*Doutrina Secreta*, II, p. 184-185.) É o "Senhor de Hermópolis": Jano, Hermes e Mercúrio combinados. É coroado com um *atef* o disco lunar e leva na mão o "Olho de Hórus", o *terceiro olho*. É o Hermes grego, o deus de Sabedoria e Hermes *Trismegistus*, o "Hermes Três Vezes Grande", o patrono das ciências físicas e o patrono e verdadeira alma do conhecimento oculto esotérico. Como belamente expressa Bonwick, membro da Real Sociedade Geográfica, "Thoth... exerce poderoso efeito sobre a imaginação... nesta intrincada e às vezes bela fantasmagoria do pensamento e sentimento moral daquele passado sombrio. Em vão nos perguntamos como, na infância da humanidade deste mundo, em meio à rudeza da suposta civilização incipiente, pode o homem sonhar com um ser celeste semelhante a Thoth. Tão delicadamente traçadas são as linhas, tão intimamente e com tanto gosto estão entretecidas, que nos parece estar contemplando um quadro desenhado pelo gênio de um Milton e executado com o talento de um Rafael." Realmente, algo de verdade encerrava aquele antigo ditado: "A sabedoria dos egípcios"... "Quando está demonstrado que a esposa de Cephren, que construiu a segunda Pirâmide, era uma sacerdotisa de Thoth, vê-se que as ideias nele compreendidas foram fixadas há 6.000 anos atrás." Segundo Platão, "Thoth-Hermes foi o descobridor e inventor dos números, da geometria, da astronomia e das letras." Proclo, discípulo de Plotino, falando desta misteriosa divindade, diz: "Preside a toda espécie de condição, dirigindo-nos a uma essência inteligível desde esta mansão mortal, governando as diversas multidões de almas." Em outras palavras: Thoth, como registrador e arquivista de Osíris no Amênti, a Sala do Juízo dos Mortos, era uma divindade psicopômpica. Jâmblico indica que "a cruz com asas (o *tau* ou *thau*), que Thoth tem na mão não era nada além do que o monograma de seu nome". Além do *Tau*, como o protótipo de Mercúrio, Thoth porta a vara serpentina, emblema da Sabedoria, a vara que se converteu em Caduceu. Diz Bonwick: "Hermes era a própria serpente num sentido místico. Desliza como esse réptil, sem ruído, sem esforço aparente, seguindo o curso dos séculos. É... uma representação dos céus estrelados. Porém é também o inimigo da serpente má, porque o íbis devorou as serpentes do Egito."

Thothori Nyan Tsan (*Tib.*) — Um rei do Tibete do séc. IV. Conta-se que, durante seu reinado, foi visitado por cinco estrangeiros misteriosos, que lhe revelaram como poderia utilizar para o bem de seu país *quatro objetos preciosos*, que haviam caído do céu no ano de 331 d.C., num cofrezinho de ouro e "cujo uso ninguém conhecia". Tais objetos eram: 1º) mãos dobradas, como as dobram os ascetas budistas; 2º) um *Shorten* adornado com pedras preciosas (um *Stupa* edificado sobre um receptáculo para relíquias); 3º) uma gema com a inscrição "*Aum mani padme hum*" e 4º) o *Zamatog*, obra religiosa sobre ética, uma parte do *Kanjur.* – Uma voz do céu disse então ao rei que, depois de certo número de gerações, cada pessoa saberia quão preciosos eram estes quatro objetos. O mundo de gerações expresso conduziu o mundo ao séc. VII, no qual o Budismo tornou-se a religião aceita pelo Tibete. Fazendo uma concessão em favor da lenda, os quatro objetos caídos do céu, a voz e os cinco misteriosos estrangeiros podem facilmente ser considerados como fatos históricos. Sem dúvida alguma, eram cinco *Arhats* ou *Bikchus* chegados da Índia em sua viagem de proselitismo. Muitos foram os sábios hindus que, perseguidos em seu país por causa de sua nova fé, buscaram refúgio no Tibete e na China.

Thrætaoma (*Masd.*) — O Miguel persa, que lutou contra Zohak ou Azhi-Dahaka, a serpente destruidora. No *Avesta*, Azhi-Dahaka é um monstro de três cabeças, uma das quais é humana e as outras duas de serpente. Dahaka, que segundo declaram as Escrituras zoroastrianas, procedia da Babilônia, figura como símbolo alegórico da dinastia assíria do rei Dahaka (Az-Dahaka), que governou o signo do Dragão, *purpureum signum draconis*. Metafisicamente, contudo, a cabeça humana designa o homem físico e as duas cabeças de serpente denotam os princípios *manásicos* duais, uma vez que tanto o dragão como a serpente figuram como símbolos da sabedoria e dos poderes ocultos.

Thrain (*Esc.*) — Um anão mencionado nos *Eddas*.

Thrudem (*Esc.*) — Os domínios de Thor. (*Eddas*)

Thrudvant (*Esc.*) — Ver *Thrudem*.

Thrynhem (*Esc.*) — Um lugar do céu ou das montanhas em que habitava Thiasse. (*Eddas*)

T

Thsang Thisrong Tsang (*Tib.*) — Um rei que viveu entre os anos 728 e 787 e que convidou o pandita Rakshit, chamado *Bodhisattva* por seu grande saber, a ir para Bengala e estabelecer-se no Tibete, com o objetivo de ensinar a filosofia búdica a seus sacerdotes.

Thugs — Associação secreta de fanáticos ladrões e assassinos, que surgiu na Índia no séc. XIII. Estes sectários estavam a serviço de Kâli ou Durgâ, esposa de Shiva e deusa da destruição. Matavam traiçoeiramente suas vítimas, principalmente por motivos religiosos, empregando para isso o estrangulamento, o punhal ou o veneno. Esta seita foi finalmente exterminada em 1826-1835.

Thûmi Sambhota (*Sânsc.*) — Um místico e homem de erudição hindu, inventor do alfabeto tibeteano.

Thummim (*Hebr.*) — "Perfeições". Um ornamento do peitoral dos Sumos-sacerdotes do Judaísmo. Os rabinos e hebraístas modernos podem muito bem dizer que não conhecem os objetos combinados dos *Thummim* e *Urim*; porém os cabalistas o sabem, bem como os ocultistas. Eram os instrumentos da adivinhação *mágica* e da combinação oracular – teúrgica e astrológica. Isto é bem demonstrado pelos seguintes fatos conhecidos: 1º) Em cada uma das doze pedras preciosas estava gravado o nome de um dos doze filhos de Jacó, cada um desses "filhos" personificando um dos doze signos do Zodíaco; 2º) Ambos eram imagens oraculares, da mesma forma que os *Teraphim*, e pronunciavam oráculos através de estado de êxtase aos sacerdotes que os portavam. Os *Urim* e os *Thummim* não eram originais entre os hebreus, mas foram tomados, como a maior parte de seus outros ritos, dos egípcios, entre os quais o escaravelho místico, que os Hierofantes levavam no peito, tinha as mesmas funções. Estes, pois, eram modos de adivinhação puramente *pagãos* e *mágicos* e quando o "Senhor Deus" judeu foi invocado, para manifestar sua presença e expressar sua vontade através dos *Urim*, graças a encantamentos preliminares, o *modus operandi* era idêntico àquele utilizado por todos os sacerdotes dos gentios do mundo inteiro.

Thumos (*Gr.*) — A alma astral, animal; o *Kâma-Manas*. *Thumos* significa paixão, desejo e confusão e, em tal sentido, é utilizado por Homero. Tal palavra deriva provavelmente do sânscrito *Tamas*, que tem o mesmo significado.

Thund (*Esc.*) — Um dos rios que desembocam no Hvergelmer, poço situado no meio do inferno. (*Eddas*)

Thûpa (*Pál.*) — Nome equivalente ao *Stûpa* sânscrito.

Thurneysser, *Leonardo* — Seu nome verdadeiro era Zum Thurn. Nasceu na Basileia no ano de 1530. Médico, astrólogo e artista hermético, gozou de fama invejável na Alemanha. Publicou várias obras, entre as quais merecem menção o *Pison* e a *Quinta essentia*, avidamente procuradas em seu país. Depois de obter a confiança e a generosa proteção do arquiduque Fernando, foi finalmente perseguido como impostor. Andou algum tempo errantemente e na maior miséria. Morreu num convento, sendo objeto de comiseração pública.

Thursars ou **Hrimthursars** (*Esc.*) — Gigantes inimigos dos ásios (deuses). (*Eddas*)

Tiahuanaco (*Peru*) — Ruínas extremamente magníficas de uma cidade pré-histórica do Peru.

Tiamat (*Cald.*) — Dragão feminino, que personifica o Oceano; a "Grande Mãe" ou princípio vivo do Caos. Tiamat queria devorar Bel, porém este enviou um vento, que penetrou na boca aberta do dragão e o matou.

T

Tiaou (*Eg.*) — Uma espécie de estado *post mortem* devachânico.

Tiara papal — Se quisermos encontrar o modelo da tiara papal só temos que esquadrinhar os anais das antigas tabuinhas assírias. Convidamos o leitor a fixar a atenção na obra ilustrada *Simbolismo Antigo Pagão e Cristão Moderno* de Inman. Na p. 64 reconhecerá facilmente o ornamento da cabeça do sucessor de São Pedro no gorro em uso entre os deuses e anjos da antiga Assíria, "onde tal prenda aparece coroada por um emblema da trindade masculina (a cruz cristã)". "Podemos indicar de passagem – acrescenta Inman – que assim como os católicos adotaram a mitra e a tiara da 'maldita raça de Cam', assim também adotaram o báculo episcopal dos áugures da Etrúria e a forma artística com que vestem seus anjos dos pintores e fabricantes de jarrões da Magna Grécia e da Itália Central". (*Ísis sem Véu*, II, 94.)

Tiaumautew ou **Duaumautew** (*Eg.*) — Um dos quatro gênios protetores das entranhas. É representado com cabeça de chacal. (Pierret, *Dict. d'Arch. Égypt.*)

Tichthanta (*Sânsc.*) — Presente, residente, situado, instalado, afirmado.

Tichya — Ver *Tishya*.

Tien-Hoang (*Chin.*) — As doze hierarquias de *Dhyânis*.

Tien-Sin (*Chin.*) — Literalmente: "o céu da mente" ou céu ideal, abstrato, subjetivo. É um termo metafísico aplicado ao *Absoluto*.

Tifacum ou **Tifacoum** (*Alq.*) — Mercúrio dos filósofos.

Tifeu (*Typhœus*, em grego) — Famoso gigante que tinha cem cabeças de serpente ou dragão e era tido como pai dos Ventos, assim como Shiva era o pai dos *Maruts* ("ventos", também). Abriu guerra contra os deuses e é idêntico ao Tífon egípcio.

Tífon (*Eg.*) — Um aspecto ou sombra de Osíris. Tífon não é, como afirma Plutarco, o definido "Princípio do Mal" ou o Satã dos judeus, mas antes os princípios cósmicos inferiores do corpo divino de Osíris, o deus que está neles, sendo Osíris o Universo personificado como ideação e Tífon como esse mesmo Universo em sua realização material. Os dois em um constituem Vishnu-Shiva. O verdadeiro significado do mito egípcio é que Tífon é o invólucro terrestre e material de Osíris, que é o espírito que nele reside. No 42º capítulo do *Ritual* (*Livro dos Mortos*), Tífon é descrito como "Set, anteriormente chamado de Thoth". Os orientalistas ficam muito perplexos ao descobrirem Set-Tífon, invocado em alguns papiros como um deus grande e bom" e, em outros, como a encarnação do Mal. Porém, Shiva, uma das pessoas da Trimûrti hindu, não é descrito em algumas partes como "o melhor e mais generoso dos deuses" e, outras vezes, como um "deus sombrio, negro, destruidor, terrível e cruel?" Loki, o Tífon escandinavo, depois de ter sido descrito em tempos anteriores como um ser benéfico, como o deus do fogo, gênio presidente do pacífico lar doméstico, não foi subitamente desprestigiado e convertido em um poder do mal, num Satã do inferno gelado e num demônio da pior espécie? Há uma boa razão para semelhante transformação. Estes deuses duais, símbolos do bem e do mal necessário, da luz e das trevas, permanecem estreitamente unidos, isto é, significam uma combinação de qualidades humanas distintas ou do elemento que elas representam, sendo simplesmente uma personificação do deus *pessoal* comum. Porém, estando separados em duas entidades, cada uma delas com suas duas qualidades características, convertem-se respectivamente nos dois polos opostos do bem e do mal, de luz e trevas; numa palavra, tornam-se duas entidades ou, antes, *personalidades* distintas e independentes. Somente a força da razão sofística, das Igrejas conseguiu, até hoje, manter na mente de poucos a divindade judia, em sua primitiva integridade. Se tivessem sido lógicas, teriam separado Cristo de Jeová, a luz e a bondade das trevas e da maldade. E foi isto que ocorreu a

T

Osíris-Tífon; porém nenhum orientalista o compreendeu e assim sua perplexidade vai aumentando. Uma vez aceito – no caso dos ocultistas – como parte integral de Osíris, do mesmo modo que Ahriman é parte inseparável de Ahura Mazda e a Serpente do *Gênese*, o aspecto obscuro dos *Elohim*, fundidos no "Senhor Deus", desaparece toda dificuldade na natureza de Tífon. Tífon é um nome posterior a Set, posterior, mas antigo; na verdade, tão antigo quanto a quarta dinastia, uma vez que no *Ritual* se lê: "Oh, Tífon-Set! Eu te invoco, terrível, invisível, todo-poderoso deus dos deuses, tudo que destrói e deixa deserto." Tífon pertence indubitavelmente à mesma categoria simbólica de Shiva, o Destruidor, e Saturno, o "deus-tenebroso". No *Livro dos Mortos*, Set, em sua batalha com o deus Thoth (a Sabedoria) – que é sua contraparte espiritual –, é castrado, como antes dele o foram Saturno-Kronos e Urano. Como Shiva está estreitamente relacionado com o touro Nandi – um aspecto de Brahmâ-Vishnu, os poderes criador e conservador –, assim Set-Tífon está associado ao touro Ápis, sendo ambos os touros consagrados a suas respectivas divindades e a elas aliados. Como Tífon foi originalmente adorado como uma *pedra ereta*, o falo, assim Shiva é até hoje representado e adorado como *lingam*. Shiva é Saturno. De fato, Tífon-Set parece ter servido como protótipo para mais de um deus do ciclo ritualista posterior, inclusive até o deus dos judeus, tendo algumas de suas práticas ritualistas passado integralmente para o código de leis e para o cânone de ritos religiosos do "povo escolhido". Quem, dos adoradores da Bíblia, sabe a origem da vítima propiciatória *(ez* ou *eza)* enviada ao deserto como expiação? Sabem eles que, séculos antes do êxodo de Moisés, o macho da cabra era consagrado a Tífon e que sobre a cabeça do mesmo bode tifônico os egípcios confessavam seus pecados, sendo o bode depois enviado ao deserto? "E Aarão tomará o bode emissário *(Azâzel)...* e colocará suas mãos sobre a cabeça desse macho vivo e *confessará sobre ela todas as iniquidades* dos filhos de Israel... e o enviará... ao deserto." *(Levit.*, XVI.) E como o bode dos egípcios expiava os pecados com Tífon, o bode dos israelitas "fazia uma expiação ante o Senhor". (*Ibid.*, V, 10.) Assim, pois, se recordarmos apenas que cada deus criador antropomórfico era, entre os filósofos antigos, o "Dispensador de Vida" e o "Dispensador de Morte" – Osíris e Tífon, Ahura Masda e Ahriman etc. –, é fácil compreender a afirmação feita pelos ocultistas de que Tífon é apenas um símbolo do quaternário inferior, dos turbulentos e sempre em luta princípios da matéria caótica diferenciada, seja no Universo, seja no homem; enquanto Osíris simboliza a tríada espiritual superior. No *Ritual*, Tífon é acusado de "roubar a razão da alma". Daí ser representado lutando com Osíris e cortando-o em catorze pedaços (duas vezes sete), depois do que, privado de seu poder equilibrador de bem e luz, permanece consumido no mal e nas trevas. Deste modo, a fábula contada por Plutarco se torna compreensível como alegoria. Afirma ele que, vencido em sua luta com Hórus, Tífon "fugiu durante sete dias montado num asno, e escapando engendrou os meninos Ierosolumos e Ioudaios". Pois bem, como Tífon era adorado, num período posterior, sob a forma de um asno e como o nome deste animal é AO ou (foneticamente) IAO, vogais estas que remedam o zurro de tal quadrúpede, torna-se evidente que Tífon foi intencionalmente combinado com o nome do Deus judeu, como o indicam suficientemente os dois nomes da Judeia e Jerusalém, engendrados por Tífon.

Tikchna (*Sânsc.*) — Picante, cálido, ardente, acre, azedo, ácido.

Tikhoum ou **Tikkoun** — Protógonos ou aquele primeiro nascido da Divindade passiva e a primeira manifestação da Sombra da Divindade. (*Doutrina Secreta*, II, 28.) (Ver *Tikhun*.)

Tikhun [ou **Tikkun**] (*Cald.*) — O Homem manifestado ou Adão Kadmon, o primeiro raio do Logos manifestado. O *Protogonos*. (Ver esta palavra.)

T

Timeu (*Timæus*, em grego) **de Locres** — Filósofo pitagórico, nascido em Locres no séc. IV a.C. Discordava um pouco de seu mestre acerca da doutrina da metempsicose. Escreveu um tratado sobre a Alma do Mundo, de sua natureza e essência, em dialeto dórico. Esta obra ainda existe. (Glossário de *A Chave da Teosofia*.)

Tincar ou **Tinkcar** (*Alq.*) — Mercúrio dos Sábios cozido e digerido ao branco.

Tiphereth (*Hebr.*) — Beleza; o sexto dos dez *Sephiroth*, uma potência ativa masculina, correspondente ao *Vau*, V, do *Tetragammaton* I H V H; também chamado de *Melekh* ou Rei, e o Filho. É o *Sephira* central dos seis que compõe o *Zauir Anpin*, o Microprosopo ou Face Menor. É traduzido no sentido de "Beleza" e "Suavidade".

Tir-nan-Oge (*Island.*) — O paraíso celta. (*P. Hoult*)

Tirtha (*Sânsc.*) — Lugar sagrado ao longo de um rio ou lago, onde os peregrinos vão fazer suas abluções anuais. Esta palavra significa também: ciência sagrada, escola de filosofia, *avatara* ou descenso de uma divindade.

Tîrthakas, Tîrthikas ou **Tîrthyas** (*Sânsc.*) — "Mestres heréticos". Epíteto aplicado pelos ascetas budistas aos brâhmanes e certos yogis da Índia. [Os *tîrhikas* são seguidores brahmânicos, que vivem "além" do Himalaia e são chamados de infiéis pelos budistas da *região* ou *terra sagrada*, o Tibete; e vice-versa (Ver *Voz do Silêncio*, II.)]

Tîrthankara (Tîthankara) (*Sânsc.*) — Santos e chefes *jainas*, dos quais há vinte e quatro. Pretende-se que um deles foi o *guru* mestre espiritual de Gautama Buddha. *Tîrtankara* é sinônimo de *jaina*.

Tîrthankaraja (*Sânsc.*) — Sinônimo de *Jaina*.

Tîrtharâjî (*Sânsc.*) — Sobrenome de Benares.

Tîrthika (*Sânsc.*) — Ver *Tirthakas*.

Tiryaksrota (*Sânsc.*) — De *tiryak*, torcido, e *srotas*, "tubo" (digestivo). Nome da "criação" que Brahmâ fez de homens ou seres, cujo estômago, devido à sua posição ereta como bípedes, encontrava-se em posição horizontal. Esta é uma posição *purânica*, ausente no Ocultismo.

Tisarana (*Pál.*) — "Os três guias". Encontram-se expostos na fórmula ou profissão de fé búdica; "Eu sigo a Buda como meu guia; sigo a Lei (ou Doutrina) como meu guia; sigo à Congregação (ou Igreja) como meu guia." (Ver *Buddha-Dharma-Sangha* e *Trizarana*.)

Tishya (*Sânsc.*) — O mesmo que Kali-yuga, a quarta idade.

Titãs — Gigantes de origem divina da Mitologia grega, que lutaram contra os deuses. Prometeu era um deles.

Tithi (*Sânsc.*) — Um dia lunar.

Titikchâ (*Sânsc.*) — Literalmente: "Paciência que sofre longo tempo [paciência, resignação, renúncia]." Titikchâ, filha de Dakcha e esposa de Dharma (a Lei divina), é sua personificação. [Extinção do desejo, acompanhada de uma disposição constante para renunciar a todas as coisas deste mundo. A demonstração típica disso é a falta de ressentimento por nossos agravos. Quando esta qualidade foi completamente alcançada, sobrevém na mente uma perpétua primavera de alegria, que apaga todo vestígio de ansiedade e inquietude. (*O Homem: Fragmentos de uma Verdade Esquecida*, p. 239.) – É um dos atributos mentais exigidos antes que o neófito possa entrar no Sendeiro propriamente dito (do Discípulo). – Ver *Sendeiro Probatório*.]

T

Titthiya (*Pál.*) — Escola religiosa da Índia no tempo de Buddha (Ver *Tîrthika*.)

Tivra (*Sânsc.*) — Grande, excessivo, extremo.

Tîvrasamvega (*Sânsc.*) — Sentimento ardente de desinteresse ou desprendimento.

Tîvravedanâ (*Sânsc*) — Pena extremada; agonia; condenação; pena do inferno.

Tobo (*Gn.*) — Segundo o *Codex Nazarœus*, é um ser misterioso, que leva a alma de Adão desde o Orco até o lugar de vida e, por isso, é chamado de "o libertador da alma de Adão".

Toda — Um misterioso povo da Índia descoberto nas inexploradas fragosidades das colinas Nilgiri (Azuis), na Presidência de Madras. Sua origem, idioma e religião são até hoje desconhecidos. Do ponto de vista étnico, filosófico e outros, este povo difere completamente dos *badagas* e dos *mulakurumbas*, duas outras raças encontradas nas mesmas colinas. [Esta tribo misteriosa pratica a magia negra.]

Todo Absoluto — O Universo, o Cosmos infinito, o Todo infinito. AQUELE. (Ver *Negação Absoluta*.)

Todo Abstrato — O ocultista oriental dá este nome à Causa única sem causa, à Raiz sem raiz, e limita a "Primeira Causa" ao *Logos*, no sentido que Platão dá a este termo. (*Doutrina Secreta*, I, 43, nota)

Todo Inconsciente — Parabrahman.

Todo Infinito — *Ain-Suph*.

Tolerância — Lemos no *Dhammapada*. "Se um homem, seja ou não instruído, se considera tão superior a ponto de desprezar os demais, assemelha-se a um cego que porta uma luz; cego como é, ilumina os outros:' "Respeite as religiões dos demais e mantenha-se fiel à sua", diz o Budismo; porém, fora desta religião, todas as demais são intolerantes. O Cristianismo eclesiástico, considerando como demônios a todos os deuses das outras religiões, quer condenar à perdição eterna toda pessoa que não for cristã. (*A Chave da Teosofia*, 62) O abade Martigny, falando da raridade do sentimento de tolerância entre os cristãos de hoje, atribui isso à estreiteza de espírito por um lado e ao esquecimento dos direitos de justiça por outro e, em todos os casos, a uma falta de conhecimento exato e puro do verdadeiro espírito do Cristianismo. (*Dict. des Antiquités Chretiénnes*, p. 561) A tolerância é uma das principais virtudes que o teósofo deve praticar e, assim, os membros da Sociedade Teosófica estão todos ligados entre si por sólidos laços de respeito mútuo e ampla tolerância. Porém, esta nobre virtude não deve se limitar aos membros de tal sociedade, mas precisa ser extensiva a todo tipo de pessoas e, portanto, o teósofo deve respeitar as ideias e crenças alheias, por mais opostas que sejam às suas, como se encontra consignado no primeiro dos objetivos da Sociedade Teosófica. É preciso derrubar fanáticas intolerâncias e antagonismos acirrados, sobretudo em questões religiosas. É preciso ver em toda religião uma expressão da Sabedoria divina. Todas as ideias, especialmente as religiosas, por mais deficientes e errôneas que nos pareçam, estão sujeitas a uma lei e têm um lugar especial e próprio no sendeiro da evolução, em consonância com os progressos da humanidade em geral e de todos os indivíduos em particular. Não há, pois, que ser intolerante e intransigente e não se deve ficar alterado diante de opiniões contrárias àquelas professadas. A consigna do teósofo é a Paz, seu objetivo é a Verdade e o meio é a Tolerância. Sem tolerância é impossível, em nosso coração, a Fraternidade humana; sem tolerância é impossível a Paz. (*M. Treviño*) (Ver *Ortodoxia*.)

Tolteca — É a terceira sub-raça da quarta Raça-Mãe, notável por seu alto grau de civilização que alcançou e por seus profundos conhecimentos de magia negra. (Ver *Raças Humanas*.)

T

Tomás de Aquino — Este exímio personagem, elevado pela Igreja Católica à categoria de santo, tomou dos árabes a afeição pelos trabalhos herméticos. Atribuem-se-lhe várias projeções coroadas de êxito. Em seu *Tratado da Essência dos Minerais*, diz este alquimista: "Se projetais sobre o cobre arsênico branco ou sublimado, vereis o cobre branquear; se acrescentais então a metade de prata pura, transformareis todo o cobre em verdadeira prata." É preciso advertir, a bem da verdade, que a operação descrita não é uma transmutação verdadeira, mas uma simples aleação de arsênico, prata e cobre. (Figuier, *L'Aichimie et les Alchimistes*, Paris, 1860)

Toom [**Toum** ou **Tum**] — Um deus emanado de Osíris em seu caráter do Grande Abismo, *Nut*. É o deus proteu, que engendra os demais deuses, "assumindo a forma que deseja". É Fohat. (*Doutrina Secreta*, I, 736.) (Ver *Tum*.)

To On (*Gr.*) — O "Ser", o "Todo Inefável" de Platão. Aquele "a quem ninguém viu, exceto o Filho".

Tope (*Anglo-hind.*) — Túmulo ou montículo artificial, que protege as relíquias de Buda ou de algum outro grande *Arhat*. Os *topes* são também chamados de *dagobas*. (Ver *Dagobas*.)

Tophet (*Hebr.*) — Lugar situado no vale do Gehenna, perto de Jerusalém, onde era mantido continuamente aceso um fogo, no qual se imolavam crianças a Baal. Tal lugar é assim o protótipo do inferno cristão, o ardente Gehenna de dor sem fim. (Ver *Gehenna*.)

Torah ou **Thorah** (*Hebr.*) — A lei mosaica, o livro da Lei, o *Pentateuco*.

Toralva — Ver *Torralba*.

Torralba, *Eugênio* — Médico que viveu no séc. XIV e que recebeu como um dom de Frei Pietro, frade dominicano e grande mago, um demônio chamado Zequiel, para ser seu fiel criado. (Ver *Ísis sem Véu*, II, 60)

To-ser (*Eg.*) — Nome de uma região do inferno egípcio, que foi traduzido no sentido de *terra santa, terra de preparação*. Designava também uma parte de Abydos, cidade do Alto Egito, onde, segundo a tradição, encontra-se a tumba de Osíris. (Pierret, *Dict d'Arch. Égypt.*)

Toum ou **Atoum** (*Eg.*) — Em oposição a Rá (sol nascente), Toum é chamado de *sol poente*. Um é o sol diurno e o outro e o sol noturno. É o que diz uma inscrição conservada no Louvre: "Toum, posto na montanha da vida (o Ocidente), dá a luz aos habitantes do hemisfério inferior." Nem por isso Toum é um deus inerte: é o precursor do sol nascente. (Pierret, *Ob. cit.*) Ver *Toom* e *Tum*.

Touro (*Taurus*, em latim) — Uma constelação sumamente misteriosa do Zodíaco relacionada com todos os deuses solares "primer-nascidos". *Taurus* está sob o asterismo A, que é seu signo representativo no alfabeto hebraico, o de *Alef* e, portanto, tal constelação é chamada "Una", a "Primeira", depois de tal letra. Daí o "Primeiro-nascido" para todos aqueles a quem se fez sagrada. O *Touro* é símbolo da força e potência criadora – o Logos; daí também os chifres da cabeça de Ísis, aspecto feminino de Osíris e Hórus. Os místicos antigos viam a cruz *ansata* nos chifres de Tauro (a parte superior do *Alef* hebraico), rechaçando o Dragão, e os cristãos relacionavam o signo e a constelação com Cristo. Santo Agostinho lhe dá o nome de "Grande Cidade de Deus" e os egípcios o denominaram de "intérprete da voz divina", o *Apis-Pacis* de Hermonthis. (Ver *Zodíaco*.)

T

Touro — Entre os egípcios e os hindus era o símbolo do *Logos*. Na filosofia esotérica é o Espírito que vivifica a Natureza criadora, ou seja, o Espírito Santo (*Doutrina Secreta*, II, 436); simboliza o poder gerador da Natureza. É também o símbolo mais sagrado da quinta Raça (*Ibid*., II, 562) e o é também do número 1 e da primeira letra do alfabeto hebraico, *Aleph* (*Ibid*., II, 582). Segundo o *Dict. d'Arch. Égypt*., o Touro servia para simbolizar o papel do macho no ato da geração. Para expressar o fato de que o Sol sucede a si mesmo nas diversas fases, os egípcios diziam que *se engendra* e expressavam tal ideia através de uma imagem enérgica, chamando-o "fecundador (ou touro) de sua mãe". Esta imagem é materializada pela forma itifálica do deus *Khem*. O Touro é um dos quatro animais sagrados. (Ver *Os Quatro Animais Sagrados*; ver também *Apis, Touro, Richabha, Vaca* e *Zodíaco*.)

Touro, *Culto do* — Ver *Culto do Touro*.

Touro da Paz (*Pacis Bull*) — O touro divino de Hermonthis, consagrado a Amon-Hórus, assim como o Touro Netos de Heliópolis era consagrado a Amon-Rá. (Ver *Culto do Touro*.)

Toxicum (*Alq*.) — Veneno. É um dos nomes dados à matéria da Grande Obra, uma vez que, de fato, é um veneno muito perigoso antes de sua preparação e se torna um remédio para todos os males após a mesma. Este nome é dado também à água mercurial dos filósofos, porque ela dissolve os metais filosóficos e os reduz à sua primeira matéria.

Toxitis, *Miguel* — Sábio alquimista que realizou grandes trabalhos a fim de prosseguir e desenvolver o sistema de Paracelso. (L. Figuier)

Toya (*Sânsc*.) — Água.

Toyadhi (*Sânsc*.) — O mar.

Toyâmbudhi (*Sânsc*.) — Um país em cuja parte setentrional situa-se a "Ilha Branca", *Sveta Dwîpa*, um dos sete continentes ou ilhas dos *Purânas*.

Trafford — Renomado alquimista que, em 1444, obteve de Henrique VI, da Inglaterra, o privilégio de fabricar em seus Estados ouro e o elixir da longa vida *(L. Figuier)*

Trai ou **Tri** (*Sânsc*.) — No início de uma palavra composta, significa três.

Traigunya (*Sânsc*.) — O conjunto dos três modos, atributos ou qualidades (Gunas) da *Prakriti* (natureza material): *sattva, rajas* e *tamas*.

Trailokya ou **Trilokya** ou **Tri-lokî** (*Sânsc*.) — Literalmente: as "três regiões" ou os três mundos, o triplo mundo ou o conjunto dos três mundos; a tríada complementar do brahmânico quaternário de mundos, denominado de *Bhuvanatraya*. O budista leigo profano menciona apenas três divisões de cada mundo, enquanto que o brâhmane não Iniciado sustentará que tais divisões são quatro. As quatro divisões deste último são puramente físicas e perceptíveis pelos sentidos, assim como os *trailoka* do budista são puramente espirituais e éticas. A divisão brahmânica pode ser encontrada plenamente descrita sob o título de *Vyâhritis*, sendo que por enquanto basta o paralelo feito abaixo:

DIVISÃO BRAHMÂNICA DOS MUNDOS	DIVISÃO BÚDICA DAS REGIÕES
1. *Bhur*, terra	1) O mundo de desejo, *Kâmadhâtu* ou *Kâmaloka*
2. *Bhuvah*, céu, firmamento	2) O mundo da forma, *Rûpadhâtu*
3. *Svar*, atmosfera, o céu	3) O mundo sem forma, *Arûpadhâtu*
4. *Mahar*, essência luminosa eterna	

T

Todos estes são mundos dos estados *post mortem*. Por exemplo, *Kâmaloka* ou *Kâmadhâtu*, a região de *Mâra*, é aquele que os cabalistas medievais e modernos denominam "mundo da luz astral" e "mundo de cascas". O *Kâmaloka*, como qualquer outra região, tem sete divisões, a inferior começando sobre a terra ou, invisivelmente, em sua atmosfera; as seis restantes sobem gradualmente, sendo a superior a mansão daqueles que morrem devido a um acidente ou suicídio decorrente de loucura passageira ou que foram vítimas de forças exteriores. É o lugar onde todos aqueles que morreram antes do término assimilado para eles e cujos princípios superiores, portanto, não vão em seguida para o estado *Devachânico*, dormem um doce sono de esquecimento sem sonhos, ao fim do qual ou renascem imediatamente ou passam, por graus, para o estado *devachânico*. *Rûpadhâtu* é o mundo celestial de *forma* ou aquilo que chamamos de *Devachan*. Entre os Iniciados brâhmanes, chineses e outros budistas, o *Rûpadhâtu* divide-se em dezoito *Brahmâ* ou *Deva-lokas*; a vida de uma alma dura ali desde meio *yuga* até 16.000 *yugas* ou *Kalpas* e a estátua das "sombras" varia de meio *yojana* até 16.000 *yojanas* (cada *yojana* medindo de cinco e meia a dez milhas!). Desatinos teológicos como este foram, pode crer, produzidos por cérebros sacerdotais. Porém a filosofia esotérica ensina que, embora para os *Egos*, cada um conserve sua forma (como num sonho), como *Rûpadhâtu*, contudo é uma região *puramente mental* e um estado, os próprios *Egos* não possuem *forma* fora de sua própria consciência. O Esoterismo divide esta "região" em sete *Dhyânas*, "regiões" ou estados de contemplação, que não são localidades, mas representações mentais das mesmas. *Arûpadhâtu*: esta "região" divide-se em sete *Dhyânas*, ainda mais abstratas e sem forma, porque este "Mundo" carece de toda forma ou desejo, qualquer que seja este. É a região mais elevada do *Trailokya* depois da morte; e como é a mansão daqueles que se encontram quase dispostos para o *Nirvâna* e é, na realidade, o verdadeiro umbral do estado *nirvânico*, é lógico que no *Arûpadhâtu* (ou *Arûpavachara*) não pode haver forma nem sensação nem sentimento algum relacionado com nosso Universo de três dimensões. [Ver *Lokatraya*.]

Traividyâ (Sânsc.) — O conjunto dos três *Vedas* mais antigos (*Ri-Veda, Sâma-Veda* e *Yajur-Veda*; o *Atharva-Veda* é de origem posterior); o conhecimento dos três *Vedas*. (Ver *Trayî-Vidyâ*.)

Transe — Êxtase, rapto, arroubo, alienação; um estado hipnótico. (Ver *Hipnotismo, Mesmerismo, Magnetismo animal, Samâdhi* etc.)

Transformações fundamentais, *As sete* — As sete transformações fundamentais dos globos ou esferas celestes ou, melhor dizendo, de suas partículas de matéria constituinte, são assim descritas: 1º) a *homogênea*; 2º) a *aeriforme* e *radiante* (gasosa); 3º) a *coagulante* (nebulosa); 4º) a *atômica, etérea*, começo de movimento e, portanto, de diferenciação; 5º) a *germinal, ígnea* – diferenciada, porém composta apenas dos germes dos Elementos em seus estados primordiais, tendo sete estados, quando completamente desenvolvidos em nossa Terra; 6º) a *quádrupla, vaporosa* – a Terra futura; 7º) a *fria* e dependente do Sol para a vida e a luz. (*Doutrina Secreta*, I, 226, 227.)

Transformismo — Doutrina biológica segundo a qual as espécies animais e vegetais se transformam e dão origem a novas espécies sob a influência da adaptação, de tal modo que os seres vivos atuais derivam, por transições insensíveis e de modo ininterrupto, de um ou de vários tipos primitivos. (*Dicionário de Alemany*) – Ver *Evolução*.

Transmigração — Ver *Reencarnação*.

Transmutação — Mudança ou alteração da forma de um corpo, de modo que não se assemelhe mais ao que era e que adquira outro modo de ser tanto interior quanto exteriormente: uma outra cor, uma outra virtude, uma outra propriedade, como quando um metal se torna vida pela ação do fogo; a madeira, o carvão, a argila etc. (Ver *Alquimia, Pedra Filosofal* etc.)

T

Três sagrado — O Triângulo sagrado, que precede o *Dhâranâ*. Cada grau de desenvolvimento é simbolizado, no *Râja-Yoga*, por uma figura geométrica. (*Voz do Silêncio*, I.) - Ver *Triângulo*.

Três sendeiros, Os — Chamados de "Sendeiros da Perfeição". São os seguintes: 1º) *Karma-mârga* (ou sendeiro de ação); 2º) *Jñâna-mârga* (ou sendeiro do conhecimento); 3º) *Bhakti-mârga* (ou sendeiro de devoção). - Ver *Sendeiros de Perfeição* e cada um dos três termos citados acima.

Tretâ-Yuga (*Sânsc.*) — A segunda Idade do mundo, um período de 1.296.000 anos. (Ver *Yugas*.)

Trevas — Ver *Obscuridade*.

Trevas (*Alq.*) — Os filósofos comparam sua matéria em putrefação às trevas da noite e àquelas que envolvem a massa confusa do caos antes da manifestação da luz. É por isso que dão o nome de *Trevas* à sua matéria ao negro.

Trevo ou Trifólio — Como o trevo irlandês, tem um significado simbólico, "o mistério três em um", como o denomina um autor. O trevo coroava a cabeça de Osíris e a coroa caiu, quando Tífon matou o deus radiante. Alguns veem nisso um significado fálico, porém negamos tal ideia no Ocultismo. Era a planta do Espírito, Alma e Vida.

Tri (*Sânsc.*) — Três.

Tríada ou Os Três — Os dez *Sephiroth* são considerados como um grupo de três tríadas: *Kether, Chochmah* e *Binah* formam a tríada suprema; *Chesed, Geburah* e *Tiphereth*, a segunda, e *Netzach, Hod* e *Yesod*, a tríada inferior. O décimo *Sephira, Malkuth*, está acima das três tríadas. (W. W. W.) - O que acabamos de dizer é Cabala ortodoxa ocidental. Os ocultistas orientais só reconhecem uma tríada: a superior, correspondente ao *Âtmâ-Buddhi*, e o "Invólucro" que reflete a luz destes, os três em um, e contam sete *Sephiroth* inferiores, cada um dos quais representando um "princípio", começando pelo *Manas* superior e concluindo com o corpo físico, do qual *Malkuth* é o representante no Microcosmo e a Terra no Macrocosmo. Em todas as religiões e filosofias, a Tríada ou Trindade é o Três em Um. (Glossário de *A Chave da Teosofia*.) - Ver *Tríada superior ou espiritual, Trimûrti, trindade* etc.

Tríada superior ou Tríada — Os três Princípios da constituição humana: *Âtmâ, Buddhi* e *Manas* ou, melhor dizendo, o fruto deste último assimilado pelos dois primeiros, depois de cada vida terrestre, constituem a Tríada espiritual imortal, a "Chama de três línguas que nunca morre". (*Doutrina Secreta*, I, 257.) A Tríada superior é o que constitui a *Individualidade imortal*. (Ver *Os Sete Princípios, Individualidade, Ternário, Quaternário* etc.)

Triângulo — Esta figura geométrica, a primeira de todas elas, é o símbolo dos *Chelas* superiores, enquanto que outro tipo de triângulo é aquele dos altares dos Altos Iniciados. (*Voz do Silêncio*, I.) O triângulo é o símbolo da Divindade. (*Doutrina Secreta*, I, 46.) É também um dos símbolos mais arcaicos do Esoterismo oriental. (*Id., I,* 341.) Nos antigos monumentos cristãos, encontrou-se, algumas vezes, o triângulo associado com o monograma de Cristo. (Martigny, *Dict. des Antiquités Chretiennes*, p. 766.) - Ver *Três sagrado*.

Triângulo de Luz — Termo descritivo aplicado à consciência *monádica*, objetivada em raios de luz ao redor da Tríada. *Âtmâ-Buddhi-Manas*. (P. Hoult)

Triângulo filosófico (*Alq.*) — É a matéria da obra durante o curso das operações do elixir. É chamada de *triângulo*, porque é composta de três princípios: sal, enxofre e mercúrio, que comporão apenas uma matéria e um único corpo homogêneo.

T

Triângulos — Um dos nomes utilizados para designar os *Agnichvâttas*. Para saber o significado do *Duplo triângulo*, ver *Selo de Salomão* e *Selo da Sociedade Teosófica* (no verbete *Teosofia*).

Tribhijam (*Sânsc.*) — Triângulo.

Tri-bhuvana ou **Tri-loka** (*Sânsc.*) — Os três mundos: *Svarga*, *Bhûmi* e *Pâtâla*, ou Céu, Terra e Inferno, segundo a crença popular. Esotericamente, estas são as regiões espiritual e psíquica (ou astral) e a esfera terrestre. (Ver *Trailokya*.)

Tricalilibar (*Alq.*) — Espuma do mar ou matéria da pedra dos filósofos.

Trichavana (*Sânsc.*) — Literalmente: "Os três *savanas*", isto é, os três tempos do dia (manhã, tarde e noite) e os três sacrifícios cotidianos a eles correspondentes.

Trichavara (*Sânsc.*) — As três vestimentas dos religiosos budistas.

Trichnâ — Ver *Trishnâ*.

Trichnâkchaya — Ver *Trishnâkchaya*.

Tridanda (*Sânsc.*) — Nome do cordão brahmânico.

Tridandi [ou **Tridandin**] (*Sânsc.*) — Nome geralmente dado a uma classe ou seita de *sannyâsis*, que levam constantemente na mão uma espécie de maça *(danda)*, que se ramifica em três varinhas na extremidade superior. Esta palavra tem diversas etimologias e alguns dão este nome ao triplo cordão brahmânico.

Tridaza (Tri-dasha) (*Sânsc.*) — Três vezes dez ou "trinta". Esta é, em números redondos, a soma do Panteão hindu: os trinta e três *crores* (1 *crore* — dez milhões) de divindades: os doze *Âdityas*, os oito *Vasus*, os onze *Rudras* e os dois *Azvins*, ou trinta e três *Kotis*, ou seja, 330 milhões de deuses.

Tridhâ (*Sânsc.*) — Em três partes, em três vezes; de três modos; sob três aspectos.

Tridocha (*Sânsc.*) — Os três vícios de temperamento.

Tridochaja (*Sânsc.*) — Mal procedente destes três vícios.

Triglaf — Divindade provida de numerosas cabeças e adorada pelos vândalos. (Ver *Querubins*.)

Triguna (*Sânsc.*) — As três divisões das qualidades inerentes à matéria diferenciada, isto é, de pura quiescência *(sattva)*, de atividade e desejo *(rajas)* e de paralisação e decadência *(tamas)*, correspondentes a Vishnu, Brahmâ e Shiva. (Ver *Trimûrti*.) O conjunto dos três modos ou qualidades *(gunas)* da *Prakriti*. (Ver *Gunas*.)

Trigunasâmyâvasthâ (*Sânsc.*) — Estado de equilíbrio das três qualidades *(gunas)*.

Trijagat (*Sânsc.*) — Ver *Trailokya*.

Trijñâna (*Sânsc.*) — Literalmente: "triplo conhecimento". Consta de três graus: 1º) Crença ou fé; 2º) Crença no conhecimento teórico; 3º) Crença na virtude do conhecimento pessoal e prático.

Trijyâ (*Sânsc.*) — Rádio.

Trikâla (*Sânsc.*) — Os três tempos (presente, passado e futuro).

Trikâya (*Sânsc.*) — Literalmente: três corpos ou formas. Este é um ensinamento extremamente oculto, porém que, uma vez compreendido, explica o mistério de cada tríade ou trindade e é verdadeira chave para todo símbolo triplo metafísico. Em sua forma simples e geral, encontra-se na Entidade humana em sua tripla divisão em espírito,

T

alma e corpo e, no universo, considerado panteisticamente, como uma unidade composta de um Princípio divino, puramente espiritual, Seres celestes (seus raios diretos) e a Humanidade. A origem disso encontra-se nos ensinamentos da pré-histórica Religião da Sabedoria ou Filosofa Esotérica. O grande ideal panteístico da Essência desconhecida e incognoscível, que se transforma primeiro em matéria subjetiva e, em seguida, em objetiva, é a base fundamental de todas estas tríadas e ternos. Assim encontramos no filosófico Budismo do Norte: 1º) *Âdi-Buddha* (Sabedoria Universal primitiva); 2º) os *Dhyâni-Buddhas* (ou *Bodhisattvas*) e 3º) os *Mânuchi Buddas* (Buddhas humanos). Nas ideias europeias encontramos a mesma coisa: Deus, Anjos e Humanidade, simbolizados teologicamente pelo Deus-Homem. *A Trimûrti* brahmânica e também o corpo triplo de Shiva, no Shivaísmo, foram concebidos sobre a mesma base, senão seguindo completamente as linhas dos ensinamentos esotéricos. Por conseguinte, não é de se estranhar que este conceito do corpo triplo – isto é, as vestimentas do *Nirmânakaya*, *Sambhokâya* e *Dharmakâya*, a mais grandiosa das doutrinas da Filosofia Esotérica – seja aceito, de forma mais ou menos desfigurada, por todas as seitas religiosas e explicado de modo extremamente incorreto pelos orientalistas. Assim, em sua explicação geral, o corpo triplo simboliza a estátua de Buda, seus ensinamentos e seus *stûpas*; segundo as ideias sacerdotais, refere-se à profissão de fé búdica chamada *Triratna*, que é a fórmula "de se refugiar em *Buddha, Dharma* e *Sangha*". A fantasia popular torna Buda ubíquo e, portanto, igual a um deus antropomórfico e, rebaixando-o ao nível de uma divindade comum, cai em vãs contradições, como no Tibete e na China. Assim, a doutrina exotérica parece ensinar que, enquanto está em seu corpo *Nirmânakâya* (que passou por 100.000 *Kotis* [1 *Koti* = dez milhões] de transformações na terra), Buda, sendo ao mesmo tempo um *Lochana* (um *Dhyâni-Bodhisattva* celeste), encontra-se em sua vestimenta "*Sambhogakâya* de perfeição absoluta" e em *Dhyâna* ou um estado que deve separá-lo do mundo e de todas as suas relações. Finalmente, além de ser um *Nirmânakâya* e um *Sambhogakâya*, é também um *Dharmakâya* "de absoluta pureza", um *Vairotchana* ou *Dhyâni-Buddha* em pleno *Nirvâna*! (Ver Eitel, *Dicionário Sânscrito-Chinês*.) Este é um ninho de contradições impossíveis de conciliar, que os missionários e certos orientalistas divulgam sobre os dogmas *filosóficos* do Budismo do Norte. Se não for uma confusão intencional de uma filosofia temida pelos defensores de uma religião baseada em contradições inextricáveis e reservados "mistérios", é produto da ignorância. Como o *Trailokya*, o *Trikâya* e o *Triratna* são aspectos das mesmas idas e têm de fundir-se, por assim dizer, em um, o assunto encontra-se exposto novamente sob cada um destes verbetes. Ver também com relação a isso o verbete *Trizarana*. [Consulte também os verbetes *Nirmânakâya*, *Sambhogakâya* e *Dharmakâya*.]

Tri-kûta (*Sânsc.*) — Literalmente: "três picos". A montanha sobre a qual foram erigidas Lankâ (atual Ceilão) e sua cidade. Diz-se alegoricamente que é uma cadeia montanhosa que se eleva do sul do Meru. E assim era, sem dúvida, antes que Lankâ fosse submersa, deixando acima das águas apenas os cumes mais elevados de tal cordilheira. A topografia submarina e a formação geológica devem ter mudado consideravelmente desde o princípio mioceno. Há uma lenda a respeito disso, segundo a qual Vâyu, deus do Vento, cortou a ponta do Meru e a lançou ao mar, surgindo então nesse local a citada Lankâ.

Trilochana (*Sânsc.*) — Literalmente: "de três olhos", epíteto de Shiva. Conta-se que um dia, estando o deus no alto do Himalaia, entregue a rígidas austeridades, sua esposa colocou amorosamente a mão em seu terceiro olho, que lançou da fronte de Shiva uma grande chama. Este é o olho que reduziu Kâma, *o deus do amor*, a cinzas, por pretender inspirar-lhe pensamentos de sua esposa durante sua devota meditação.

Trilokî (*Sânsc.*) — Ver *Trailokya*.

T

Trimûrti (*Sânsc.*) — Literalmente: "Três faces" ou "tripla forma": a Trindade. No panteão moderno, estas três pessoas são: Brahmâ, o criador, Vishnu, o conservador, e Shiva, o destruidor. Porém, esta é uma ideia mais recente, uma vez que nos *Vedas* nem Brahmâ nem Vishnu são conhecidos e a trindade védica é composta de *Vâyu*, Agni e Sûrya ou como explica o *Nirukta*: o fogo aéreo, o fogo terrestre e o fogo celeste, visto que Vâyu é o deus do ar, Agni o deus do fogo e Sûrya é o Sol. Como diz o *Padma Purâna*: "No princípio, o grande Vishnu, desejoso de criar o mundo inteiro, converteu-se em três: criador, conservador e destruidor. A fim de produzir este mundo, o Espírito supremo emanou do lado direito de seu corpo, como Brahmâ; em seguida, a fim de conservar o universo, produziu de seu lado esquerdo o deus Vishnu, e para destruir o mundo, produziu o eterno Shiva do meio de seu corpo. Alguns adoram Brahmâ, outros adoram Vishnu e outros Shiva; porém Vishnu, um e, contudo três, cria, conserva e destrói. Portanto, o piedoso não deve fazer diferença entre os três." Fato é que as três pessoas da *Trimûrti* são simplesmente os três qualificativos, *gunas* ou atributos do Universo de Espírito-Matéria diferenciado, que se forma a si mesmo, que se conserva é que se destrói, para fins de regeneração e perfeição. Este é o verdadeiro significado, que é provado pelo fato de Brahmâ ser a personificação de *Rajoguna*, o atributo ou qualidade de atividade, de desejo de procriação, desejo ao qual se deve a existência do universo e de tudo o que há nele. Vishnu é a personificação do *Sattvaguna* e a propriedade de conservação provém da quietude e do gozo tranquilo, que caracteriza o período intermediário entre o pleno desenvolvimento e o princípio da decadência. Shiva, sendo o *Tamoguna* personificado – atributo da paralização e da decadência final –, vem a ser naturalmente o destruidor. Isso é altamente filosófico sob sua máscara de antropomorfismo, como é antifilosófico e absurdo sustentar e inculcar no mundo o texto do conceito original.

Trindade — Todo o mundo conhece o dogma cristão dos "três em um" e do "um em três". Assim, é inútil repetir o que pode ser encontrado em qualquer catecismo. Atanásio, o padre da Igreja que definiu a Trindade como dogma, teve pouca necessidade de buscar inspiração ou de torturar seu próprio cérebro; teve apenas de dirigir-se a uma das inúmeras trindades dos credos pagãos ou aos sacerdotes egípcios, em cujo país teria passado toda a sua vida. Modificou ligeiramente apenas uma das três "pessoas". Todas as tríades dos pagãos eram compostas do Pai, da Mãe e do Filho. Transformando a tríada em "Pai, Filho e Espírito Santo", mudou o dogma apenas exteriormente, uma vez que o "Espírito Santo" foi sempre feminino e, segundo os Evangelhos gnósticos, Jesus dirige-se ao Espírito Santo como sua "mãe". [Todas as Trindades, nas religiões antigas, têm uma DEUSA, inseparável das mesmas. O dogma da Imaculada Conceição não é exclusivo da Igreja católico-romana; é universal, pois a vemos em todas as teogonias antigas. Apenas quando os estudos de Mitologia comparada e os linguistas colocaram a descoberto o conceito arcaico da pura matéria primitiva na qual começa a evolução, graças à ação do Espírito, da qual resulta o Universo manifestado (o filho da mãe virgem), é que a Igreja católico-romana converteu em dogma a concepção imaculada de Maria, para não se ver a descoberto, isto é, *sem deusa*, como os demais sistemas. Existe apenas uma Virgem e esta não é nenhuma mulher: é a pura abstração da Natureza, o NOUMENO, a potencialidade, o protótipo ideal não manifestado, que dorme no seio do ABSOLUTO, cujo raio tanto inicia a evolução como a lança no plano da existência manifestada, onde se converte em fenômenos, ações e reflexos. (F. de Montoliu, *Estudos Teosóficos*, série 1ª, nº 7) Encontramos no *Nirukta* de Yâska, que os mais antigos autores védicos admitiam apenas três deuses: *Savitri*, *Agni* e *Vâyu* e que todas as outras divindades eram formas e nomes diversos de algum dos três, nomes dados de acordo com a diversidade dos fenômenos naturais e das funções divinas. O nome *Savitri* significa Produtor ou Pai e, por ser o céu o seu lugar, dá-se-lhe no *Veda* o nome de *Pai Celeste*. Materialmente é o Sol, porém este é considerado apenas como o carro ou roda de Savitri. Agni é o fogo; o

T

mito do fogo ocupa lugar importante em quase todas as religiões. O Agni dos hinos é o fogo em todas as acepções diretas ou figuradas desta palavra; seu lugar é a Terra, no lar doméstico, no altar; é a vida e o pensamento em cada um dos seres que vivem e pensam. Seu nascimento é místico, porque de certo modo tem um pai terrestre chamado *Tvachtri*, isto é, *carpinteiro*; por outro lado, descido do céu de modo misterioso, é concebido no seio materno por obra de *Vâyu*, que é o Espírito. Vâyu, no sentido material, é o vento, isto é, o ar em movimento, sem o qual o fogo não pode ser aceso nem iluminar; no sentido metafísico, é o espírito de vida e o autor da imortalidade para os vivos. Tal é a primeira forma sob a qual surge na história o dogma da Trindade: o Sol, o Fogo e o Vento. (E. Burnouf, *A Ciência das Religiões*, 3ª ed., p. 218, 219.) – Ver *Trída, Trikâya Trimûrti*.]

Trindade humana — Ver *Tríada superior*.

Triñchânza — Ver *Trinshânsha*.

Triñcharitra (*Sânsc.*) — As três espécies de costumes ou de regras de conduta.

Trinshânsha (*Sânsc.*) — A trigésima parte de um signo do Zodíaco. (*Râma Prasâd*)

Trinta e dois Caminhos de Sabedoria, Os (*Cab.*) — O *Zohar* diz que *Chochmah* ou *Hokhmah* (Sabedoria) engendra todas as coisas "através destes trinta e dois sendeiros". (*Zohar*, III, 290, a.) A explicação completa dos mesmos encontra-se no *Sepher Yezirah*, onde as letras e os números constituem, como entidades, os Trinta e Dois Sendeiros de Sabedoria, através dos quais os *Elohim* construíram todo o Universo. Porque, como já se disse em outro lugar, "o cérebro tem uma saída do *Zeir Anpin* e é desenvolvido e sai para trinta e dois caminhos". *Zeir Anpin*, "Pequena Face" ou "Semblante menor" é o Adão celeste, Adão Kadmon ou Homem. O homem, no *Zohar*, é considerado como as vinte e duas letras do alfabeto hebraico, às quais se acrescenta a década e daí os trinta e dois símbolos de suas faculdades ou sendeiros.

Tripâda (*Sânsc.*) — "Aquele de três pés"; a febre, personificada como tendo três pés ou estados de desenvolvimento, que são: frio, calor e suor.

Tripatâka (*Sânsc.*) — Fronte marcada por três rugas horizontais. (Ver *Tripundra*.)

Tripitaka (*Sânsc.*) — Literalmente: "as três cestas" [ou coleções de livros]; nome do cânone búdico. É composto de três divisões: 1ª) a doutrina; 2ª) as regras e leis para o sacerdócio e para os ascetas; 3ª) as dissertações filosóficas e a metafísica, isto é, o *Abhidharma*, definido por Buddhaghosa como a lei *(dharma)* que vai além *(abhi)* da lei. O *Abhidharma* contém os ensinamentos filosóficos e metafísicos mais profundos e é o armazém de onde as escolas *Mahâyâna* e *Hinayâna* retiraram suas doutrinas fundamentais. Há uma quarta divisão, a *Samyakta Pitaka*; porém, como é uma adição posterior feita pelos budistas *chineses*, não é aceita pela Igreja do Sul, do Sião e do Ceilão. [Os nomes destes três *Pitakas* ou grupos de livros são: o *Vinâya Pitaka*, o *Sutta Pitaka* e o *Abhidamma Pitaka*. O primeiro contém tudo o que se refere à moralidade e às regras de disciplina para o governo do *Sangha* ou Ordem; o segundo encerra os discursos instrutivos sobre ética aplicável a todos; o terceiro explica os ensinamentos psicológicos do Buda, incluindo as vinte e quatro leis transcendentais, que explicam as operações da Natureza. (Olcott, *Catecismo Búdico*, Quest. 162, 163)

Tripla Divindade — *Chaos, Theos, Kosmos*, a Tripla Divindade, é *tudo em tudo*; portanto, diz-se que é masculina e feminina, boa e má, positiva e negativa, todo e qualquer tipo de qualidades opostas. Quando se encontra em estado latente, em *Pralaya*, é incognoscível e torna-se a Divindade incognoscível. Só pode ser conhecida em suas

T

funções ativas, como Matéria, Força e Espírito *vivo*, as correlações e o resultado ou expressão, no plano visível, da Unidade primária e para sempre desconhecida. (*Doutrina Secreta*, I, 370.)

Tripta (*Sânsc.*) — Satisfeito, contente, feliz.

Triptâtman (*Sânsc.*) — Que tem o ânimo satisfeito, contente ou feliz.

Tripti (*Sânsc.*) — Satisfação, contentamento; saciedade, fartura.

Tripundra e **Tripundraka** (*Sânsc.*) — As três curvas horizontais traçadas na fronte dos adoradores de Shiva.

Triratna ou **Ratnatraya** (*Sânsc.*) — "As Três Joias", termo técnico aplicado à conhecida fórmula "*Buddha, Dharma* e *Sangha* (ou *Samgha*)", significando os dois últimos termos, segundo a interpretação moderna, "lei religiosa" *(Dharma)* e "sacerdócio" *(Sangha)*. A filosofia esotérica, contudo, consideraria esta interpretação muito vaga. As palavras "*Buddha, Dharma* e *Sangha*" devem ser pronunciadas como nos dias de Gautama, o Senhor Buda, a saber; "*Bodhi, Dharma* e *Sangha*" e interpretadas no sentido de "Sabedoria, suas leis e sacerdotes", significando estes últimos "expositores espirituais" ou Adeptos. Buda, porém, sendo considerado como a personificação do "Bodhi" na Terra, um verdadeiro *avatar* de Âdi-Buddha, *Dharma* gradualmente passou a ser considerado como sua própria lei particular e *Sangha* como seu próprio sacerdócio especial. Não obstante, os profanos dos ensinamentos últimos (agora modernos) deram provas de um grau de intuição maior do que o dos atuais intérpretes do *Dharma*, os sacerdotes budistas. O povo vê o *Triratna* nas três figuras de Amitâbha, Avalokitezvara e Maitreya Buddha, isto é, na "Luz infinita" ou Sabedoria Universal, um princípio impessoal que é o verdadeiro significado de Âdi-Buddha; no "Senhor Supremo" dos *Bodhisattvas* o *Avalokitezvara* e em Maitreya Buddha, símbolo do Buda terrestre e humano, o "*Mânuchi Buddha*". Assim, embora o não-Iniciado chame a estas três figuras de "os Budas do passado, do presente e do futuro", todo prosélito do verdadeiro Budismo *filosófico* – chamado de "ateísta" por Eitel – explicaria bem o termo *Triratna*. O filósofo da Escola *Yogâchârya* diria (e poderia bem dizer) que "*Dharma* não é uma pessoa, mas uma entidade incondicional e não derivada, que combina em si mesma os princípios espirituais e materiais do Universo, enquanto que de *Dharma* procedeu, por emanação, Buda [melhor dizendo, *Bodhi* "refletido"], como a energia criadora que produziu, em conjunção com *Dharma*, o terceiro fator da trindade, isto é, "*Samgha*", que é a soma total compreensiva de toda vida real". *Samgha* pois, não é nem pode ser aquilo que atualmente se entende que seja, isto é, o atual "sacerdócio", porque este último não é a soma total de toda vida *real*, mas tão-somente da vida religiosa. O verdadeiro significado primitivo da palavra *Samgha* ou "*Sangha*" acomoda-se aos *Arhats* ou *Bhikshus* ou "Iniciados" apenas, isto é, os verdadeiros expositores do *Dharma* – a lei e sabedoria divina, que a eles chega como luz refletida da única "Luz infinita". Este é seu significado. E, contudo, longe de satisfazer os sábios das raças ocidentais, isso parece apenas exasperá-los, uma vez que E. J. Eitel, de Hong-Kong, falando a respeito, observa o seguinte: "Assim o dogma de uma *Triratna*, que se origina dos três primitivos artigos de fé, e que ao mesmo tempo culmina no conceito de três pessoas, uma trindade na unidade, *degenerou numa teoria metafísica da evolução dos três princípios abstratos*"! E se um dos sábios europeus mais instruídos pretende sacrificar todo ideal filosófico ao grosseiro antropomorfismo, o que pode esperar o Budismo, com sua metafísica sutil, nas mãos de missionários ignorantes? [Ver *Tisarana* ou *Trizarana*.]

Trishnâ (*Sânsc.*) — O quinto *Nidâna*: amor espiritual. (Ver *Nidâna*.) [Sede, desejo, afã, apetite, desejo de vida; amor puro ou impuro, avidez, ambição, cobiça, desejo egoísta não satisfeito. (Ver *Vâsanâ*.) É equivalente ao páli *tanhâ*.]

T

Trishnâkchaya (*Sânsc.*) — Supressão dos desejos; paciência, resignação.

Trishûla (*Sânsc.*) — O tridente de Shiva; tridente, em geral.

Trismegistus (*Herm.*) — Sobrenome de Mercúrio ou Hermes, que significa três vezes grande, uma vez que foi grande Filósofo, grande Sacerdote e grande Rei.

Trisuparna (*Sânsc.*) — Certa porção do *Veda* que, depois de ter sido completamente estudada por um brâhmane, este é chamado também de trisuparna.

Tritão (*Gr.*) — Filho de Possêidon Netuno e de Anfitrite. Seu corpo, da cintura para cima, era de homem e seus membros inferiores eram de delfim. Segundo a interpretação esotérica, Tritão pertence ao grupo de símbolos de peixes, tais como *Oannes* (Dagon), o *Matsya* ou *Peixe-avatar* e os *Peixes*, como adotados pelo simbolismo cristão. O Delfim é uma constelação chamada, pelos gregos, de *Capricórnio* e esta última é o *Makara* hindu. Assim, tem um significado anagramático e sua interpretação é inteiramente oculta e mística, sendo conhecida apenas pelos estudantes avançados de Filosofia Esotérica. Basta dizer que é tão fisiológica quanto espiritual e mística. (Ver *Doutrina Secreta*, II, 611 da 3ª edição inglesa.) [Ver também *Makara* e *Makaram*, *Matsya* e *Oannes*.]

Trituração (*Herm.*) — Em termos de Ciência Hermética, é a dissolução das partes da matéria do magistério, feita por si mesma dentro do vaso, com o auxílio do fogo e através da putrefação.

Trivarga (*Sânsc.*) — Literalmente: "o triplo objeto" (da vida) ou "o triplo bem": *dharma* (dever), *artha* (riqueza ou interesse) e *Kâma* (prazer). Dá-se também o nome de *trivarga* às três condições, qualidades ou propriedades de uma determinada coisa.

Triveni (*Sânsc.*) — Um dos três centros sagrados do corpo, situado sobre a medula oblonga. De tal centro partem os cordões simpáticos e também *Idá* e *Pingalá*. (*Doutrina Secreta*, III, 547.) - *Trivenî* é também um epíteto do Ganges por ter três afluentes.

Trividha (*Sânsc.*) — Triplo, trino, de três classes.

Trividha-dvâra (*Sânsc.*) — Literalmente: "as três portas", que são: o corpo, a boca e a mente ou seja: pureza do corpo, pureza de linguagem e pureza de pensamento, as três virtudes exigidas para se converter em um Buda.

Trividyâ (*Sânsc.*) — Literalmente: "os três conhecimentos" ou ciências; os três axiomas fundamentais no misticismo: 1) a impermanência de toda existência ou *Anitya*; 2) sofrimento e miséria de tudo o que vive e existe ou *Du(s)kha* e 3) toda existência física objetiva, tão irreal como uma bolha d'água num sonho, ou *Anâtmâ*.

Trivikrama (*Sânsc.*) — Epíteto de Vishnu usado no *Rig-Veda*, com relação às "três passagens de Vishnu". A primeira passagem se deu na Terra, sob forma de Agni; a segunda na atmosfera, sob forma de Vâyu, deus do ar, e a terceira no céu, na forma de Sûrya, o Sol.

Triyama (*Sânsc.*) — A noite (por ter três vigílias).

Triyamaka (*Sânsc.*) — Os três tipos de pecado (de pensamento, palavras e obras).

Triyâna (*Sânsc.*) — "Os três veículos" através do *Sansâra* (oceano de nascimentos, mortes e renascimentos) são os veículos chamados de: *Zrâvaka*, *Pratyeka Buddha* e *Bodhisattva*, ou seja, os três graus do curso do *Yoga*. O termo *Triyâna* é usado também para designar as três escolas de misticismo – as Escolas *Mahâyâna*, *Madhyimâyâna* e *Nînayâna*, das quais a primeira é o Veículo "maior", a segunda o "médio" e a última o "menor". Todos e cada um dos sistemas entre os Veículos "maior" e "menor" são considerados

T

como "inúteis". Portanto, fez-se o *Pratyeka Buddha* corresponder à Escola *Madyimâ-yâna* porque, conforme se explicou, "este (o estado *Pratyeka Buddha*) refere-se àquele que vive inteiramente para si mesmo e muito pouco para os demais, ocupando o meio do veículo, preenchendo-o todo, sem deixar lugar para os outros". Tal é o candidato egoísta para o *Nirvâna*.

Trizarana (Trisharana) *(Sânsc.)* [*Tisarana*, em páli.] — É o mesmo que *Triratna* e é aceito pelas duas Igrejas búdicas, a do Norte e a do Sul. Depois da morte de Buda, foi adotado pelos concílios como uma simples espécie de *formula fidei*, que obriga a "refugiar-se em *Buddha*, em *Dharma* e em *Sangha*" ou sua Igreja, no sentido em que tal palavra é atualmente interpretada. Porém, não é este o sentido que a *Luz da Ásia* teria ensinado a fórmula em questão. Sobre o *Trikâya*, E. J. Eitel, de Hong Kong, nos diz em seu *Manual de Buddhismo Chinês* que esta "tricotomia foi ensinada em relação à natureza de todos os Budas. Sendo *Bodhi* a qualidade característica de um Buda", estabeleceu-se uma distinção entre o "*Bodhi* essencial", como atributo do *Dharmakâya*, isto é, "corpo essencial"; "*Bodhi* refletido", como atributo do *Sambhogakâya*, e o "*Bodhi* prático", como atributo do *Nirmânakâya*. Porque Buddha combina em si mesmo estas três condições de existência, diz-se que ele vivia em três esferas diferentes. Isso prova quão mal compreendido é o ensinamento puramente panteísta e filosófico. Sem nos determos muito em como uma vestimenta *Dharmakâya* pode ter algum "atributo" no *Nirvâna* – cujo estado, tanto no Brahmanismo filosófico como no Budismo, demonstrou-se que se encontra absolutamente desprovido de todo atributo tal como o concebe o pensamento humano *finito* –, basta indicar o seguinte: 1º) A vestimenta *Nirmânakâya* é preferida pelos "Budas de Compaixão Aquela do estado *Dharmakâya*, precisamente porque esta última impede que se obtenha qualquer comunicação ou relação com o finito, ou seja, a humanidade; 2º) Não é Buda (Gautama, o homem mortal ou qualquer outro Buda pessoal) aquele que vive de modo ubíquo em "três diferentes esferas de uma só vez", mas *Bodhi*, o princípio abstrato e universal de Sabedoria divina, simbolizada na filosofia por *Âdi-Buddha*. Este último é ubíquo porque é a essência ou princípio universal. É *Bodhi* ou o espírito da qualidade de Buda, que se resolveu em sua essência primordial homogênea e nela se fundiu, como Brahmâ (o Universo) se funde em Parabrahm, o ABSOLUTO – o que se dá a entender com o nome de "*Bodhi* essencial". Para o *Nirvânî* ou *Dhyâni-Buddha* deve-se supor – pelo fato de viver em *Arûpa dhâtu*, o estado *sem forma*, e em *Dharmakâya* – que é aquele "*Bodhi* essencial" mesmo. São os *Dhyâni Bodhisattvas*, os raios primordiais do *Bodhi* universal, que vivem no "*Bodhi* refletido no *Rûpadhâtu*", ou mundo de "formas" subjetivas; e são os *Nirmânakâyas* (plural) que, ao cessarem suas vidas de "*Bodhi* prático" nas formas "iluminadas" ou de Buda, permanecem voluntariamente no *Kâmadhâtu* (ou mundo de desejo), seja em formas objetivas na Terra, seja em estados subjetivos em sua esfera (o segundo *Buddakchetra*). Fazem isto com o objetivo de velar pela humanidade, protegê-la e ajudá-la. Assim, não *é apenas um* Buda o que quer significar, nem mesmo algum *avatar* especial dos *Dhyâni Buddhas* coletivos, mas verdadeiramente *Âdi-Bodhi*, o primeiro *Logos*, cujo raio primordial é *Mahâbuddhi*, a Alma universal, ALAYA, cuja chama encontra-se em todas as partes e cuja influência tem uma esfera diferente em cada uma das três formas de existência, porque – digamos mais uma vez – *é o próprio Ser Universal* ou o reflexo do *Absoluto*. Por conseguinte, se é filosófico falar de *Bodhi*, que "como *Dhyâni Buddha*, governa no domínio do espiritual" (quarto *Buddakchetra* ou região de Buddha) e dos *Dhyâni Bodhisattvas*, "que governam no terceiro *Buddakchetra*" ou domínio da ideação, e também dos *Mânuchi Buddhas*, que estão no segundo *Buddakchetra* como *Nirmânakâyas*, aplicar a "ideia de uma unidade na trindade" a três *personalidades* é altamente antifilosófico. (Ver *Tisarana*.)

T

Triziras (*Sânsc.*) — "Que tem três cabeças". Epíteto de Kuvera. O demônio da febre, em seus três estados de frio, calor e suor.

Trizringa (*Sânsc.*) — Triângulo, montanha de três picos.

Trizula — Ver *Trishûla*.

Trolde ou **Troller** (*Esc.*) — Na mitologia escandinava, um dos gigantes que, segundo o *Edda*, eram os inimigos dos *Ases* (deuses). Depois da propagação do Cristianismo, este nome foi dado a uma espécie de diabinhos que, segundo se acreditava, tomavam a forma humana.

Troller — Ver *Trolde*.

Truti (*Sânsc.*) — Objeto diminuto; pequena quantidade, átomo; tempo brevíssimo: 150 *trutis* equivalem a um segundo; uma medida de espaço, aquele que é percorrido pelo Sol ou pela Lua durante um *truti*. O *truti* é uma imagem perfeita de todo o oceano de *Prâna*. É o germe astral de cada organismo vivo. (*Râma Prasâd*)

Tryambaka (*Sânsc.*) - Literalmente: "de três olhos" ou "que tem três esposas ou irmãs". Epíteto de Shiva; um dos *Rudras*; nome de um dos doze grandes *lingas*. (Dowson, *Dicionário Clássico Hindu*)

Tsanagi-Tsanami (*Jap.*) — Uma espécie de deus criador, no Japão.

Tsang — Ver *Nyingpo*.

Tsi — O pórtico da assembleia. (*Voz do Silêncio*, I.)

Tsien Sin (*Chin.*) — O "Céu da Mente". A Ideação Universal e *Mahat*, quando aplicado ao plano da diferenciação; assim como "*Tien Sin*", quando se refere ao Absoluto.

Tsien-Tchan (*Chin.*) — O universo de forma e matéria.

Tsi-tsai (*Chin.*) — O "Existente por si mesmo" ou a "Tenebrosidade Desconhecida", a raiz de *Wuliang Sheu*, "Idade sem limites", todos eles termos cabalísticos usados na China séculos antes que os cabalistas hebraicos os adotassem, tomando-os da Caldeia e do Egito.

Tson-kha-pa — Ver *Son-kha-pa*.

Tsung-men (*Tib.*) — Escola esotérica ou Doutrina do Coração, em contraposição ao *Kiau-men*, Escola Exotérica ou Doutrina do Olho. (*Voz do Silêncio*, II.)

Tubal-Cain (*Hebr.*) — O Cabir bíblico, "instrutor de todo artífice em ferro e bronze", filho de Zillah e Lamech; idêntico ao grego Hefestos ou Vulcano. Seu irmão Jubal, o filho de Adah e do irmão de Jabal, um deles pai "daqueles que tangem a harpa e o órgão" e o outro pai "daqueles que têm gado", são também cabires, uma vez que, segundo está provado por Estrabão, os cabires (ou cíclopes, em certo sentido) são aqueles que construíram a harpa para Cronos e o tridente para Possêidon, enquanto alguns de seus outros irmãos eram instrutores em agricultura. Tubal-Cain (ou Thubal-Cain) é uma palavra usada no grau de Mestre maçom, no ritual e nas cerimônias dos franco-maçons.

Tuchagraha (*Sânsc.*) — Agni, o fogo.

Tuchâra (*Sânsc.*) — Frio, glacial; frio, frialdade; gelo, neve; névoa, chuva fina e fria.

Tuchita — Ver *Tushita*.

Tûchnîm (*Sânsc.*) — Silenciosamente.

Tuchta (*Sânsc.*) — Contente, satisfeito, ditoso, feliz, regozijado.

T

Tuchti (*Sânsc.*) — Satisfação, contentamento, gozo, alegria, prazer.

Tuhinâdri (*Sânsc.*) — O Himalaia.

Tulâ (*Sânsc.*) — Balança. Sétimo signo do Zodíaco hindu, que corresponde a *Libra*; peso de ouro ou de prata; igualdade, semelhança.

Tûla (*Sânsc.*) — Céu, atmosfera, éter; algodão.

Tulâdhara (*Sânsc.*) — O Sol.

Tulâdhâra (*Sânsc.*) — O signo de Libra; mercador, pesador.

Tulya (*Lat.*) — Filha de Cícero em cuja tumba, segundo pretendem vários alquimistas, encontrou-se acesa uma lâmpada perpétua, ali colocada há mais de mil anos. [Para maiores detalhes, ver *Ísis sem Véu*, I, 224-228.]

Tum [**Toom** ou **Toum**] — Os "Irmãos do Tum", antiquíssima escola de Iniciação no Norte da Índia, nos tempos da perseguição búdica. Os "*Tum B'hai*" tornaram-se hoje os "*Aum B'hai*", escrito contudo de modo diferente na atualidade, tendo se fundido em uma só as duas escolas. A primeira era composta de *kshatriyas* e a segunda de *brâhmanes*. A palavra Tum tem duplo significado: aquele de obscuridade absoluta, que como absoluta é a mais elevada do que a mais elevada e pura das luzes, e o outro sentido baseado na saudação mística entre os Iniciados: "Tu és tu, tu mesmo", equivalente ao "Tu és um com o Infinito e o Todo". (Ver *Toom*.)

Tumula (*Sânsc.*) — Tumultuado, confuso, revolto, estrondoso. Como substantivo: tumulto, ruído, fragor, estrondo.

Tumura (*Sânsc.*) — Ver *Tumula*.

Tunda (*Sânsc.*) — Vento.

Tundî (*Sânsc.*) — Umbigo.

Tundikâ (*Sânsc.*) — Ver *Tundî*.

Tura (*Sânsc.*) — As notas mais altas da música, opostas a *Komala*. (*Râma Prasâd*)

Tûra (*Sânsc.*) — Instrumento de mítica em geral.

Turaga (*Sânsc.*) — Literalmente rápido. Cavalo; Espírito.

Turagabrahmacharyaka (*Sânsc.*) — Celibato sujeito à regra de castidade.

Turanga (*Sânsc.*) — Ver *Turaga*.

Turanga-vaktra (*Sânsc.*) — Gente com cara de cavalo. (Ver *Kinnaras*.) (*Dowson*)

Turanios — Indivíduos pertencentes à quarta sub-raça (Turania) da quarta Raça-Mãe (Atlântica).

Turbantes amarelos — Ver *Gelukpa*.

Turbantes vermelhos — Ver *Dugpas*.

Turîya (Turya) (*Sânsc.*) — Um estado do êxtase *(transe)* mais profundo: o quarto estado do *Târaka-Râja-Yoga*, que corresponde a *Âtmâ* e, nesta Terra, ao sono *sem sonhos* – uma condição causal. [É o quarto estado de consciência, aquele que excede ao sono sem sonhos, aquele superior a todos, um estado de elevada consciência espiritual (*Voz do Silencio*, I.) O Estado de Consciência absoluta. (*Râma Prasâd*) Ver *Jâgrat Svapna* e *Suchupti*. Turîya significa também: quarto, o quarto; a Alma Universal.]

Turîya Avasthâ (*Sânsc.*) — É quase um estado nirvânico no *Samâdhi*, que é um estado beatífico do *Yoga* contemplativo além deste plano. Uma condição da Tríade

T

superior, inteiramente distinta (embora ainda inseparável) das condições de Jâgrat (estado de vigia), *Svapna* (sonho) e *Suchupti* (sono).

Turîya-kâ — Ver *Turîya*.

Turîya-tîta (*Sânsc.*) — A consciência do Supremo. (*P. Hoult*)

Turîya-varna (*Sânsc.*) — Sudra, indivíduo pertencente à quarta casta.

Tûrna (*Sânsc.*) — Rapidez, prontidão.

Tûrni (*Sânsc.*) — Ver *Tûrna*.

Turya — Ver *Turîya* e *Tura*.

Tushita (*Sânsc.*) — Uma classe de deuses de grande pureza, que figuram no Panteão hindu. No Budismo do Norte exotérico ou popular é um *Deva-loka*, uma região celeste no plano material, onde os *Bodhisattvas* renascem antes de descerem a esta Terra como futuros Budas. [No plural, uma classe de divindades, de ordem secundária, identificadas com os *Âdityas*. (Dowson, *Dicionário Clássico Hindu*.)]

Tusta e **Tûsta** (*Sânsc.*) — Pó, átomo; objeto muito pequeno.

Tuttha (*Sânsc.*) — Fogo.

Tûvara (*Sânsc.*) — Sabor adstringente; homem imberbe, eunuco.

Tvachtri (Twashtri) (*Sânsc.*) — O mesmo que Vizvakarman, "o divino artista", o carpinteiro e armeiro dos deuses. (Ver *Veizvakarman*.) [O fogo plástico, um dos aspectos de Agni. "Agni é o Cristo – diz o prof. Jolly –, Mâyâ, Maria, é sua mãe; Tvachtri, São José, o Carpinteiro da Bíblia, é seu pai." Agni, o divino infante, tem um nascimento místico, pois, embora tenha de certo modo um pai terrestre, chamado *Tvachtri*, carpinteiro, é concebido no seio materno por obra de Vâyu, que, em seu sentido material, é o ar em movimento, sem o qual o fogo não pode arder e, no sentido metafísico, é o Espírito de vida. O fogo sagrado tem *Tvachtri* por pai e *Maya* por mãe. *Tvachtri* é o carpinteiro que prepara a fogueira e as duas peças de madeira, chamadas de *aranî*, através de cuja fricção será engendrado o infante divino (o fogo). *Mayâ* é a personificação da potência produtora sob sua forma feminina. O nascimento de Agni é indicado ao sacerdote astrônomo pela aparição de uma estrela, cujo nome é *Savanagraha*; no momento em que a vê, o sacerdote anuncia ao povo a boa nova... e os pastores correm para adorar o recém-nascido. Os pais colocam o menino sobre a palha (aquela que serve para alimentar a primeira chama), tendo a seu lado a vaca mística (isto é, o leite e a manteiga) ou um asno, que levou sobre o lombo o fruto cujo suco deu o licor sagrado, soma. (Burnouf, *A Ciência das Religiões*, p. 221-222.) Ver *Aranî*, *Pramantha* e *Trindade*.]

Tvak ou **Twak** — Ver *Tvach*.

Tyâga (*Sânsc.*) — Abandono, renúncia, abnegação, desinteresse, desprendimento; liberalidade; sacrifício. Propriamente, segundo o *Bhagavad-Gîtâ* (XVIII, 2), "renúncia ou abandono do fruto de todas as obras". (Ver *Sannyâsa*.)

Tyâgî ou **Tyâgin** (*Sânsc.*) — Abandonador, renunciador; liberal.

Tyâgin — Ver *Tyâgî*.

Tyakta (*Sânsc.*) — Abandonado, deixado, renunciado, evitado, liberado.

Tyakta-jîvita (*Sânsc.*) — Que abandona, renúncia ou despreza a vida.

Tyndarus (*Gr.*) — Tíndaro. Rei da Lacedemônia, suposto esposo de Leda, mãe de Cástor e Pólux e de Helena de Troia.

T

Tzaila (*Hebr.*) — Costela. Ver, no *Gênese,* o mito da criação da primeira mulher a partir de uma costela de Adão, o primeiro homem. É curioso o fato de nenhum outro mito descrever qualquer coisa parecida à operação da "costela", exceção feita à Bíblia hebraica. Outras palavras hebraicas similares são: *Tzela*, "queda" e *Tzelem*, "a imagem de Deus". Inman observa que os antigos judeus eram aficcionados dos jogos de palavras e eis aqui um deles: que Adão *caiu* por causa de uma *mulher*, a quem Deus fez à *sua imagem*, em consequência de uma *queda* no costado do homem. (W. W. W.)

Tzelem (*Hebr.*) — Imagem, sombra. A sombra do corpo físico de um homem e também o corpo astral ou *Linga-Shârîra*. (Ver *Tzool-ma*.)

Tzim-tzum (*Cab.*) — Expansão e contração ou, como o explicam alguns cabalistas, "força centrífuga e centrípeta".

Tziruph (*Hebr.*) — Uma série de combinações e permutações das letras hebraicas, designadas para mostrar analogias e guardar segredos. Por exemplo, na forma chamada *Atbash*, o A e o T eram substitutos, B e Sh, G e R, etc. (W. W. W.) (Ver *Ziruph*.)

Tzool-mah (*Cab.*) — Literalmente: "Sombra". Declara-se no *Zohar* (I, 218, a, I, folha 117, a, col. 466), que durante as sete últimas noites da vida de um homem, o *Neshamah*, seu espírito, o abandona e a sombra *Tzool-mah,* para de atuar, uma vez que seu corpo não projeta mais sombra alguma. E quando o *Tzool-mah* desaparece completamente, então *Ruach* e *Nephesh* (a alma e a vida) se vão com ele. Insistiu-se muitas vezes que, na filosofia cabalística, não há mais do que três "princípios" e com o corpo *(Guff)*, quatro. Pode-se facilmente provar que são sete e mais várias subdivisões, porque há o *Neshamah* "superior" e o "inferior" (o *Manas* dual); *Ruach*, Espírito ou *Buddhi*; *Nephesh (Kâma)*, "que não tem luz de sua própria substância", porém está associado com o *Guff* (corpo); *Tzelem*, "Sombra da Imagem" e *D'yooknah*, Sombra da imagem ilusória ou *Mâyâvi Rûpa*. Vêm em seguida os *Zurath*, protótipos, e *Tab nooth*, a Forma; e finalmente *Tzurah*, "o Supremo Princípio *(Âtman)*, que permanece acima", etc., etc. (Ver Myer, *Qabbalah*, p. 400 e ss.)

Tzong-ka-pa — Ver *Tsong-ka-pa*.

Tzuphon (*Hebr.*) — Um nome de Bóreas, o vento do Norte, deificado e adorado por alguns dos antigos israelitas.

Tsurah (*Hebr.*) — O protótipo divino na Cabala. Em Ocultismo abrange o *Âtmâ-Buddhi-Manas*, a Tríada Superior; o eterno Indivíduo divino. O plural desta palavra é *tzurath*.

Tzure (*Hebr.*) — Significado quase idêntico ao de *Tzurah*; o protótipo da Imagem "*tzelem*"; um termo cabalístico empregado com referência à chamada criação do Adão divino e humano, do qual a Cabala (ou *Kabbala*) tem quatro tipos, que concordam com as Raças-Mães de homens. Os ocultistas judeus não conheciam Adão algum e, recusando-se a reconhecer na primeira Raça a Humanidade, com seu Adão, falavam apenas de "faíscas primordiais".

U

U — Vigésima primeira letra do alfabeto latino, que não tem equivalente em hebraico. Como número, contudo, é considerada mística pelos pitagóricos e pelos cabalistas, pois é o produto de 3 x 7. Estes últimos o consideram o mais sagrado dos números ímpares, visto que 21 é a soma do valor numérico do Nome divino *aeie* ou *eiea* ou assim também (lido ao contrário, *aheihe*):

$$\begin{array}{cccc} he & i & he & a \\ 5 & - 10 & - 5 & - 1 = 21 \end{array}$$

Em Alquimia, simboliza os vinte e um dias necessários para a transmutação dos metais mais vis em prata. A letra *u* breve é a quinta vogal do alfabeto sânscrito, assim como o *û* longo é a sexta. É preciso advertir que, nas palavras compostas, o *a* final do primeiro termo e o *u* inicial do último formam, por combinação, a vogal dupla *o*; por exemplo: *Prazna-upanishad* converte-se em *Praznopanishad*.

Uasar (*Eg.*) — O mesmo que Osíris, sendo que este último nome é grego. *Uasar* é descrito como o "Nascido do Ovo", como Brahma. "É o Eros que Aristófanes descreve como saído do ovo e cuja energia criadora dá existência a todas as coisas; o demiurgo que fez e anima o mundo, um ser que é uma espécie de Amen, o deus invisível, como Dionysos é um elo entre a humanidade e o Zeus Hypsistos." (Brown, *O Grande Mito Dionisíaco*.) Ísis é chamada de *Uasi* porque é o *Shakti* de Osíris, seu aspecto feminino, simbolizando ambos as forças vitais criadoras e vitalizantes da Natureza, em seu aspecto de divindade masculina e feminina.

Uasi (*Eg.*) — Sobrenome de Ísis. (Ver *Uasar*.)

Ucha, uchâ — Ver *Uchas*.

Uchas (Uchas) (*Sânsc.*) — A Aurora; filha do Céu; o mesmo que a Aurora dos latinos e o *Éos* dos gregos. É mencionada pela primeira vez nos *Vedas*, onde também é denominada de *Ahnâ* e *Dyotanâ* (a iluminadora) e é uma imagem extremamente poética e fascinante. É a sempre fiel amiga dos homens, dos ricos e dos pobres, embora se acredite que ela prefira os últimos. Visita sorrindo a morada de todo mortal vivente. É a virgem imortal sempre jovem, a luz do pobre e a destruidora das trevas. [*Uchâ* é também a vaca simbólica.]

Uchasî (*Sânsc.*) — O crepúsculo.

Uchchadeva (*Sânsc.*) — Literalmente: "Deus alto". Sobrenome de Krishna.

Uchchaih-Svaras (*Sânsc.*) — O cavalo modelo; uma das catorze coisas preciosas ou joias produzidas no ato de remexer o oceano pelos deuses. O cavalo branco de Indra, chamado *Râjâ* (rei) dos cavalos. [Literalmente: "que tem as orelhas esticadas". (Ver *Bhagavad-Gîtâ*, X, 27.)]

Uchchhichta (*Sânsc.*) — Desdenhado, abandonado; impuro; as sobras ou resíduos da comida ou do alimento do sacrifício, aos quais o *Veda* atribui virtudes divinas.

Uchchhochana (*Sânsc.*) — Que seca, queima, abrasa ou consome.

Uchchhrita (*Sânsc.*) — Elevado, altaneiro, orgulhoso, ingente.

Uchma (*Sânsc.*) — Estação quente; primavera (corresponde ao nosso abril-maio).

Uchman (*Sânsc.*) — Calor; estação quente.

U

Uchmapa (*Sânsc.*) — Literalmente: "que absorve o calor". Os *uchmapas* são um tipo de gênios, *pitris* ou manes dos antepassados, que alcançaram uma condição sobre-humana e se alimentam do vapor, enquanto este está quente. (Ver *Bhagavad-Gîtâ*, XI, 22.)

Uchna (*Sânsc.*) — Calor, a estação quente; quente, ardente, abrasador.

Uchnîcha e **Buddhochnîcha** (*Sânsc.*) — Explicado no sentido de "protuberância no crânio de Buda, formando um topete". Esta é a curiosa descrição dada pelos orientalistas; porém, há outra segundo a qual o *Uchnîcha* era "originalmente" uma mecha de cabelo, em forma de chama ou cônica, situada no cocoruto de um Buda; representado posteriormente como uma excrescência carnosa no mesmo crânio. É preciso entender isso inteiramente ao contrário, porque a filosofia esotérica diria: originariamente era um círculo, que tinha em seu interior o *terceiro olho*, que, na raça humana, degenerou, formando uma protuberância carnosa, para desaparecer gradualmente, deixando em seu lugar tão-somente uma aura ocasional da cor da chama, percebida unicamente pelos clarividentes e quando a exuberância de energia espiritual faz com que o terceiro olho (agora oculto) irradie sua potência magnética superficial. Neste período de nosso desenvolvimento racial, os "Buddhas" ou Iniciados são, portanto, os únicos a gozar plenamente da faculdade do "terceiro olho", que se encontra mais ou menos atrofiado nos demais.

Udâhrita (*Sânsc.*) — Dito, chamado, proferido, anunciado, referido, declarado, citado, expresso.

Udaka (*Sânsc.*) — Água.

Udâlaka (*Sânsc.*) — Antigo filósofo que aparece como mestre no *Praznopanichad*. (*Dowson*)

Udâna (*Sânsc.*) — Dissertações extemporâneas; também *Sûtras*. Em filosofia, tal termo é aplicado aos órgãos físicos da linguagem, tais como a língua, a boca, a voz etc. Na literatura sagrada em geral, é o nome daqueles *Sûtras* que contêm discursos extemporâneos em contraposição aos *Sûtras* que contêm apenas o assunto introduzido por perguntas dirigidas a Gautama, o Buddha, e suas respostas. *Udâna* é: 1º) Aquela manifestação ou ar vital, que nos leva para cima; 2º) Aquela manifestação pela qual a vida se retira para o repouso. (*Râma Prasâd*) Em apoio à primeira declaração, lemos nos *Aforismos do Yoga* de Patañjali (III, 39): "Pelo domínio do ar vital chamado *Udâna*, o iogî adquire o poder de ascensão (ou levitação), de sustentar-se sobre a água sem tocá-la e sobre o barro e de andar sobre abrolhos". (Ver *Etrobacia, Levitação* e *Ares vitais*.)

Udapâna (*Sânsc.*) — Charco, tanque, poço, cisterna.

Udara (*Sânsc.*) — Ventre, cavidade, seio, entranhas, matriz, estômago.

Udâra (*Sânsc.*) — Grande, nobre, generoso, excelente, sublime.

Udâsîna (*Sânsc.*) — Indiferente, apático, neutro, passivo, estranho, alheio, desapaixonado, imparcial.

Udaya (*Sânsc.*) — Aparição, ascensão, elevação, prosperidade; o nascer do Sol, da Lua ou das estrelas.

Udayana (*Sânsc.*) — A moderna Peshawer: "o clássico país da feitiçaria", segundo o viajante chinês Hiouen Thsang.

Udayana Râjâ (*Sânsc.*) — Um rei de Kausâmbî, chamado Vatsa-râjâ, que foi o primeiro a ter uma estátua de Buddha feita antes de sua morte e, consequentemente, *dizem os católicos romanos* que erigiram imagens da Virgem e dos santos em cada esquina, "veio a ser o *iniciador* da IDOLATRIA BÚDICA".

U

Udbhava (*Sânsc.*) — Nascimento, origem, produção, aparição. No fim de uma palavra composta significa: nascido, originado, procedente.

Udbhijja (*Sânsc.*) — Geração por fissura, separação ou germinação. (*Bhagavân Dâs*).

Uddeza (*Sânsc.*) — Enumeração, exposição, descrição, designação.

Uddezya (*Sânsc.*) — Objeto, propósito, intento.

Uddhava (*Sânsc.*) — Festa, aniversário. Filho de Svayambhuva, consagrado a Bhagavat (*Vishnu*).

Udgâtri (*Sânsc.*) — Um sacerdote que tinha por obrigação cantar os hinos do *Sâma-Veda*.

Udgha (*Sânsc.*) — Excelência, prosperidade.

Udghâta (*Sânsc.*) — Despertar do *Kundalini* (S. Vivekânanda). No *Prânâyâma*, é a respiração pelas narinas. (*P. Hoult*)

Udgîtha (*Sânsc.*)— Parte do *Sâma-Veda*. Assim também é designado o monossílabo sagrado OM.

Udra Râmaputra (*Sânsc.*) — Udra, filho de Râma. Um asceta brâhmane, que durante alguns anos foi o *Guru* de Gautama, o Buda.

Udu (*Sânsc.*) — Asterismo lunar, em geral.

Udumbara (*Sânsc.*) — Um lótus de tamanho gigantesco, consagrado a Buda, o *Nila Udumbara* ou "lótus azul", considerado como um presságio sobrenatural, sempre que floresce, porque isso ocorre apenas uma vez em cada três mil anos. Segundo se diz, um desses vegetais floresceu antes do nascimento de Buda e outro, próximo de um lago ao pé do Himalaia, no séc. XIV, imediatamente antes do nascimento de Tsong-ka-pa etc. O mesmo se diz da árvore *udumbara* (*Ficus glomerata*), porque floresce a intervalos de muitos séculos; idem para um cactus, que só floresce a altitudes extraordinárias e se abre à meia-noite. Diz a *Voz do Silêncio*: "Os Arhans e os Sábios de visão sem limites são tão raros como a flor da árvore *Udumbara*. Os Arhans nascem à meia-noite, juntamente com a planta sagrada de nove e sete talos, a flor santa que se abre e desdobra-se nas trevas, surgindo do límpido orvalho e do leito gelado dos cumes nevados nunca pisados por qualquer pé pecador." (*Voz do Silêncio*, II.)

Udvega (*Sânsc.*) — Tremor, agitação, emoção; inquietude; mal-estar.

Udyata (*Sânsc.*) — Levantado, ereto, sustentado; disposto, preparado, armado; iniciado, empreendido; oferecido.

Ugra (*Sânsc.*) — Forte, poderoso, grande, violento; cruel, terrível, feroz. Produto da união de um *Kchatriya* com uma mulher *Sûdra* ou servil. (*Leis de Manu*, X, 9.) Epíteto de Rudra ou de uma de suas manifestações. (*Dowson*)

Ugradeva (*Sânsc.*) — Epíteto de Shiva.

Ugrakarman (*Sânsc.*) — Que executa atos cruéis.

Ukta (*Sânsc.*) — Falado, dito, chamado, mencionado, revelado, declarado, expresso, manifestado, recitado, ensinado, explicado, prescrito; palavra, expressão.

Ulba ou **Ulva** (*Sânsc.*) — Matriz.

Ulfilas — Ver *Ulphilas*.

U

Ullambana (*Sânsc.*) — A festividade do Dia dos Defuntos, protótipo do Dia doa Mortos, nos países cristãos. É celebrada na China na sétima lua de cada ano, na qual os sacerdotes budistas e taoístas dizem missas, para libertar do purgatório as almas daqueles que morreram tanto na terra como no mar. Espalham arroz para alimentar os *pretas* (trinta e seis classes de demônios sempre famintos e sedentos), consagram altares para os antepassados domésticos... recitam *Tântras*, acompanhando-os com mágico estalar dos dedos *(Mûdra)*, para alegrar os espíritos dos antepassados de sete gerações no *Naraka* (uma espécie de purgatório ou *Kâma-loka)*. O autor do *Dicionário Sânscrito-Chinês* acha que este é o antigo *Bhon* tibetano, o "ritual torna enxertado no culto confuciano dos antepassados", devido ao fato de Dharmarakcha ter traduzido o *Ullambana-Sûtra* e de tê-lo introduzido na China. O nome *Sûtra* é certamente uma falsificação, porque apresenta tais ritos baseando-se na autoridade de Sâkyamuni Budha e "o apoia através de supostas experiências de seus principais discípulos e dizendo que Ânanda aplacou aos *pretas* com oferendas de alimentos". Porém, como afirma corretamente Eitel, "toda a teoria, com as ideias de orações intercessórias, ladainhas e réquiens sacerdotais e culto ancestral, é completamente estranho ao antigo Budismo do Sul". E para o do Norte também, se excetuarmos as seitas do Butão e Sikkim, dos Bhons e Dugpas, enfim dos *turbantes vermelhos*. Como se sabe que as cerimônias do dia ou dias de Todos os Santos foram introduzidas na China durante o séc. III (265-292) e, como o próprio cerimonial e ritual católico-romano para os mortos, celebrado no dia 2 de novembro, não existia naqueles primeiros tempos do Cristianismo, os chineses não puderam tomar este costume religioso dos latinos, mas, ao contrário, estes é que imitaram os mongóis e os chineses.

Uller (*Esc.*) — O deus da caça, que "viaja com patins pelos caminhos prateados de gelo". É o patrono da caça durante o período em que o Sol atravessa a constelação de Sagitário; vive na "Mansão dos Elfos de Luz", que está no Sol e além do Asgard.

Ulom (*Fen.*) — A Divindade cognoscível [ou manifestada]. O universo objetivo ou material, segundo a teogonia de Mochus. O reflexo da Divindade sempre oculta. O *Plerôma* dos gnósticos.

Ulphilas (*Esc.*) — Sábio que inventou um novo alfabeto para os godos, no séc. IV, que consistia numa combinação das letras gregas com a forma do alfabeto rúnico, desde o tempo em que as runas começaram a desaparecer e seu segredo foi se perdendo gradualmente. (Ver *Runas*.) Traduziu a Bíblia para o gótico, conservada no *Codex Argenteus*.

Ulûpî (*Sânsc.*) — Elna, filha de Kauravya, rei dos *nâgas* no *Pâtâla* (mundo inferior ou, mais corretamente, os antípodas, América). Exotericamente, *Ulûpî* era filha de um rei ou chefe de uma tribo aborígine dos *nâgas* ou *nagales* (antigos Adeptos) na América pré-histórica — México, muito provavelmente, ou Uruguai. Casou-se com Arjuna, discípulo de Krishna, o qual todas as tradições, orais ou escritas, apresentam viajando há cinco mil anos atrás ao *Pâtâla* (os antípodas). A narração *purânica* está baseada num fato histórico. Além disso, *Ulûpî*, como nome, soa algo assim como "Atlan", "Acto" etc.

Ulva — Ver *Ulba*.

Umâ (*Sânsc.*) — Luz. Epíteto de Pârvatî, esposa de Shiva.

Umâ-Kanyâ (*Sânsc.*) — Literalmente: "Virgem de Luz"; título que se enquadra mal à sua possuidora, visto que era o de Durgâ Kâlî, a deusa ou aspecto feminino de Shiva. A ela se oferecia, a cada outono, carne humana e, como Durgâ, era patrona, em outros tempos, dos assassinos *thugs* da Índia e a deusa especial da feitiçaria *tântrika*. Porém, nos tempos antigos, não era como hoje. A primeira menção do título "Umâ-Kanyâ" encontra-se no *Kena-Upanishad*, no qual a atual Kâlî, sedenta de sangue, era uma deusa

U

benévola, um ser de luz e bondade, que efetua a reconciliação entre Brahmâ e os deuses. Ela é Sarasvatî e é Vâch. Na simbologia esotérica, Kâlî é o tipo dual da alma dual, a divina e a humana, a alma de luz e a das trevas do homem.

Umbra (*Lat.*) — [Sombra]. A sombra de um fantasma ligado à Terra. Os antigos povos latinos dividiam o homem (segundo os ensinamentos esotéricos) em sete princípios, como o faziam todos os sistemas antigos e como o fazem hoje os teósofos. Acreditavam eles que, após a morte, a *Anima*, a pura alma divina, subia ao céu, uma mansão de felicidade; o *Manes (Kâmarûpa)* descia ao *Hades (Kâma-loka)* e a *Umbra* (duplo astral ou *Linga-sharîra*) permanecia na Terra, ao redor de sua tumba, devido à atração exercida pela matéria física, objetiva, e da afinidade que, com a Sombra, mantinha o corpo terrestre dentro dos lugares que este corpo havia impressionado com suas emanações. Por conseguinte diziam eles, não se podia ver na Terra nada além da imagem astral do defunto e que esta desaparecia completamente com a desintegração da última partícula do corpo, que durante tanto tempo foi sua morada. (Ver *Sombras*.)

Umo (*Alq.*) — Estanho.

Una (*Sânsc.*) — Algo que está embaixo; subordinado, secundário e material.

Undines — Ver *Ondinas*.

União (*Alq.*) — Volatilização dos corpos e coagulação do espírito; é aquilo que se faz através da mesma operação. Os filósofos denominaram-na de *União da terra e da água*. Esta operação é feita através da putrefação. Então os elementos se confundem: a água contém ar e a terra contém fogo, os dois compondo um todo denominado *Hylé* ou *Caos*. Esta união da terra e da água se faz também durante a fixação do volátil.

UNIÃO DE ESPÍRITOS: é a água seca.

UNIÃO DE INIMIGOS: é a fixação da água mercurial volátil com o enxofre fixo dos filósofos.

Único (*Alq.*) — Mercúrio dos Sábios.

Unir Elementos (*Alq.*) — É a cocção da matéria

Universo — A Doutrina Secreta ensina o desenvolvimento progressivo de todas as coisas, tanto mundos quanto átomos, e este maravilhoso desenvolvimento não tem nem princípio concebível nem fim imaginável. Nosso "Universo" é apenas um de um número infinito de Universos, todos eles "Filhos da Necessidade", visto que é um elo da grande Cadeia Cósmica de Universos, sendo cada um deles um efeito em relação a seu predecessor e uma causa em relação àquele que o sucede. O surgimento e desaparecimento de um Universo são descritos como a expiração e inspiração do "Grande Alento", que é eterno. (*Doutrina Secreta*, I, 74.) Ver *Cosmos*.

Universo arquétipo (*Cab.*) — O universo ideal, sobre o qual foi construído o mundo objetivo. (W. W. W.)

Upa (*Sânsc.*) — Prefixo equivalente a *a, para* etc.

Upabhoga (*Sânsc.*) — Gozo, prazer, diversão, regozijo; satisfação; uso.

Upachâra (*Sânsc.*) — Ação, ato; ofício, emprego; serviço; prática; dom, presente.

Upachâro (*Pál.*) — Atenção, conduta. Equivalente ao sânscrito *Chatsampatti*. Ver *Sendeiro Provatório*. (A. Besmt, *Sabedoria Antiga*, p. 398.)

Upachâya (*Sânsc.*) — O fogo do sacrifício.

Upâdâna Kâranam (*Sânsc.*) — A causa material de um efeito.

U

Upadeza (*Sânsc.*) — Instrução, aviso; iniciação; livros que contêm avisos ou ilustrações referentes à Lei (Budismo).

Upadezin (*Sânsc.*) — Instrutor, conselheiro, diretor, que dá avisos ou ensinamentos.

Upadhâ (*Sânsc.*) — Prova, exame, investigação; demonstração.

Upâdhi (*Sânsc.*) — Base, veículo, portador de alguma coisa menos material que ele próprio: como o corpo humano é o *upâdhi* de seu espírito, o éter é o *upâdhi* da luz etc.; um molde; uma substância que define ou limita. [Apoio, sustentação; atributo ou qualidade distinta dos objetos; ilusão; toda forma ou modo exterior das coisas, capaz de dissimular sua verdadeira essência; envoltório, substituição, causa.]

Upâdhi mâyâvico (*Sânsc.*) — O envoltório da ilusão, aparição fenomenal.

Upâdhyâya (*Sânsc.*) — Mestre espiritual; preceptor que ensina a ler o *Veda*.

Upadrachtri ou **Upadrachtâ** (*Sânsc.*) — Superintendente, inspetor, testemunha, expectador.

Upadvîpas (*Sânsc.*) — A raiz (base fundamental) das ilhas; a terra seca.

Upâdya (*Sânsc.*) — Guru, mestre espiritual. (*Voz do Silêncio*, III.)

Upahata (*Sânsc.*) — Perdido, dissipado, destruído, arrebatado, extraviado, ferido.

Upahatachetas (*Sânsc.*) — Aquele que perdeu o ânimo.

Upahita (*Sânsc.*) — Relacionado, dependente; precedido; aplicado, empregado; começado.

Upahrita (*Sânsc.*) — Oferecido, presenteado; adquirido; ganho; empreendido.

Upalinga (*Sânsc.*) — Presságio; fato material que anuncia desgraça.

Upamâ (*Sânsc.*) — Semelhança, imagem, comparação. No fim de uma palavra composta: semelhante, parecido, igual.

Upamâna (*Sânsc.*) — Semelhança, comparação, imagem, retrato, analogia.

Upamiti (*Sânsc.*) — Analogia.

Upanayana (*Sânsc.*) — Investidura com o cordão brahmânico.

Upanishad (*Sânsc.*) — Traduzido no sentido de "doutrina esotérica" ou interpretação dos *Vedas*, no sentido da *Vedânta*. A terceira divisão dos *Vedas* acrescentada aos *Brahmanas* e considerada como uma parte do *Zruti* ou palavra "revelada". Os *Upanishads*, contudo, são, como documentos, muito mais antigos que os *Brahmanas*, à exceção de dois, unidos ao *Rig-veda* dos *Aitarevas*. A palavra *Upanishad* é explicada, pelos *panditas* hindus, como "aquele que destrói a ignorância, produzindo assim a libertação" do espírito, através do conhecimento da verdade suprema, embora *oculta*; por conseguinte, o mesmo que explicava Jesus, quando dizia: "E vós conhecereis a verdade e a verdade os tornará livres." (*João*, VIII, 32.) Desses tratados dos *Upanishads* (que, por sua vez, constituem o eco da primitiva Religião da Sabedoria), desenvolveu-se o sistema *Vedânta* de filosofia. (Ver *Vedânta*.) Contudo, por mais antigos que sejam os *Upanishads*, os orientalistas não querem assinalar ao mais antigo deles uma antiguidade maior do que 600 anos a.C. O número admitido deste tratado é de 150, embora, atualmente, haja apenas uns 20 livros de toda adulteração. Tratam de todas as coisas obscuras, metafísicas, tais como a origem do Universo, a natureza e a essência da Divindade não manifestada e dos deuses manifestados; a conexão primitiva e final entre o Espírito e a Matéria; a universalidade da mente e da natureza do *Ego* e da Alma humana. Os *Upanishads*

U

devem ser muito mais antigos que os tempos do Budismo, porque não mostram preferências nem sustentam a superioridade dos Brâhmanes como casta; ao contrário, a (atualmente) segunda casta, a Kshatrya, ou casta guerreira, é a mais exaltada nos mais antigos *Upanishads*. Segundo o professor Cowell, na *História da Índia* de Elphinstone; estas obras "respiram uma liberdade de espírito desconhecida em qualquer outra obra anterior, exceto o *Rig-Veda*... Os grandes instrutores do conhecimento superior e os brâhmanes são sempre representados *como indo aos Reis Kshatriyas para tornaram-se seus discípulos*". Os "Reis *Kshatriyas*", eram, nos tempos antigos, como os Reis Hierofantes do Egito, os receptáculos do supremo conhecimento e saber divino, os *Eleitos* e as encarnações dos três Instrutores divinos principais: os *Dhyâni-Buddhas* ou *Kumâras*. Houve um tempo, antes que os brâhmanes se tornassem uma casta e também antes que os *Upanishads* fossem escritos, em que não existia na Terra mais do que uma só língua, uma só religião e uma só ciência, a saber: a linguagem dos deuses, a Religião da Sabedoria e da Verdade. Isso ocorreu antes que os formosos campos desta última, invadidos por nações de muitas linguagens, chegaram a cobrir-se com a discórdia da impostura intencionada, e diversos credos nacionais, inventados pela ambição, crueldade e egoísmo, romperam em mil pedaços a única e sagrada Verdade.

Upanita (*Sânsc.*) — Aquele que está investido com o cordão brahmânico. Literalmente: "Aquele que encontrou um *Guru* ou mestre espiritual".

Upânzu (*Sânsc.*) — Recitação de orações em voz baixa.

Upapanna (*Sânsc.*) — Sucedido, acontecido, apresentado, aparecido; nascido, existente; dotado, provido; oferecido; adequado, conveniente, devido, natural.

Upapatti (*Sânsc.*) — Sucesso, acontecimento; aparição; resultado.

Upa-purânas (*Sânsc.*) — Os *Purânas* menores ou secundários. (Ver *Purânas*.)

Uparâga (*Sânsc.*) — Ação de obscurecer ou obscurecer-se; eclipse; o nodo ascendente da Lua; tristeza, pesar; má conduta; abuso.

Uparata (*Sânsc.*) — Cessado; suspenso, abstido; calmo, sossegado.

Uparati (*Sânsc.*) — Falta de vontade de passar adiante; um estado do *Yoga*. [Cessação, repouso; tolerância; o fato de se comprazer em algo; prazer, felicidade. *Uparati* é a renúncia de toda religião positiva e a faculdade de contemplar os objetos sem estar minimamente perturbado no cumprimento da grande tarefa que se impôs. O aspirante à ciência espiritual não deve permitir que suas simpatias e seus serviços sejam cortados pelo domínio de nenhum sistema eclesiástico especial e que sua renúncia dos objetos do mundo não provenha simplesmente de sua incapacidade de apreciar seu valor. Quando se atingiu tal estado, desaparece o perigo da tentação. Só estão dotados da verdadeira fortaleza aqueles que conservam sua serenidade de ânimo diante da tentação. É uma das perfeições que deve adquirir o neófito. (*O Homem, Fragmentos de Uma História Esquecida*, p. 249)]

Upâsaka (*Sânsc.*) — *Chelas* verões ou, melhor, devotos. Aqueles que, sem entrar no sacerdócio, fazem solene promessa de guardar os principais mandamentos. [Servidor, discípulo, fiel, devoto.]

Upâsana (*Sânsc.*) — Serviço, assistência, submissão; respeito, veneração; devoção; contemplação; prática, exercício. A contemplação consiste em aproximar-se (mentalmente) do objeto de adoração, por força de nele meditar, segundo o ensinamento estabelecido, e de permanecer muito tempo fixado na corrente do mesmo pensamento, como um fio contínuo de azeite, que se derrama (*Zankara*, p. 267).

U

Upâsikâ (*Sânsc.*) — Devotas ou *chelas* mulheres.

Upasruti (*Sânsc.*) — Ver *Upazruti*.

Upastha (*Sânsc.*) — Assento, base, fundamento.

Upâsti (*Sânsc.*) — Serviço, especialmente o serviço divino,

Upa-vedas (*Sânsc.*) — *Vedas* secundários. Estas ciências nada têm a ver com os Vedas revelados; versam sobre medicina, arquitetura, ciência militar, música e dança.

Upâya (*Sânsc.*) — Aproximação, via, modo; meio, recurso; ardil, manha, destreza, expediente.

Upâzrita (*Sânsc.*) — Inclinado, aferrado, entregue; firme, fixo, atento; apoiado, fundamentado, descansado; refugiado.

Upazruti (Upasruti) (*Sânsc.*) — Segundo os orientalistas, uma "voz *sobrenatural*, que se ouve à noite, revelando os segredos do futuro". Segundo a explicação do Ocultismo, a voz de alguma pessoa à distância – geralmente versada nos mistérios dos ensinamentos esotéricos ou um Adepto; pessoa dotada do dom de projetar sua voz e sua imagem astral a qualquer pessoa, sem levar em conta a distância. O *Upazruti* pode "revelar os segredos do futuro" ou pode apenas informar à pessoa, a quem se dirige, de algum fato prosaico do presente; contudo, será sempre um *upazruti*: o "duplo" ou o eco da voz de um homem ou mulher viventes. [*Upazruti* significa também, literalmente: ciência secundária em relação ao *zruti* (tradição sagrada ou escrita), astrologia judiciária, boa ventura.]

Upekshâ (*Sânsc.*) — Literalmente: "Renúncia". No *Yoga*, é um estado de indiferença absoluta, alcançado pelo refreamento de si mesmo, o completo domínio sobre os sentimentos e sensações mentais e físicas. [Desdém, indiferença, negligência, abandono.]

Upekshana — Ver *Upksha*.

Upeta (*Sânsc.*) — Chegado, vindo; caído; dirigido; alcançado, logrado; sobrevindo; acompanhado; dotado.

Uptala varna (*Sânsc.*) — Poder místico. (*Doutrina Secreta*, III, 392.)

Ur (*Cald.*) — A principal sede do culto lunar; a cidade babilônica onde a Lua era a divindade principal e onde Abraão aportou o deus judeu, que está tão inextricavelmente relacionado com a Lua como divindade criadora e geratriz.

Uræus (*Gr.*) — Em egípcio, *Urhek*, uma serpente é um símbolo sagrado. Nele alguns veem uma *cobra*. [*Cobra capella*, serpente venenosa do tipo naja], enquanto outros opinam que se trata de uma áspide. Cooper explica que a "áspide não é um *uræus*, mas um *cerastes* ou espécie de víbora, isto é, uma víbora com dois chifres. É a serpente real, que leva o *pschent*... o *naya hâje*". O *uræus* "está ao redor do disco de Hórus e forma o ornamento do gorro de Osíris, além de sobrear as sobrancelhas de outras divindades" (*Bonwick*). O ocultismo explica que o *uræus* é o símbolo da iniciação e também da sabedoria oculta, como sempre o é a serpente. Todos os deuses foram patronos dos hierofantes e seus instrutores. (Ver *Atef*.)

Uragas (*Sânsc.*) — São os *Nâgas* (serpentes), que residem no *Pâtâla*, o mundo inferior, segundo as ideias populares; os Adeptos, grandes Sacerdotes e Iniciados da América Central e do Sul, conhecidos dos antigos ários; daí Arjuna ter desposado Ulûpî, filha do rei dos *nâgas*. O Nagalismo ou culto dos *Nâgas* prevalece até hoje em Cuba e no Haiti e o Vuduísmo, ramo principal do primeiro, penetrou até Nova Orleans. No México,

U

os principais "feiticeiros", os "homens de medicina", são denominados *Nagals* ainda hoje. Como há milhares de anos atrás, os grandes sacerdotes caldeus e assírios eram chamados de *Nargals*, sendo que eles eram chefes dos Magos *(Rab-Mag)*, ofício exercido noutro tempo pelo profeta Daniel. A palavra *Nâga*, "serpente sábia", tornou-se universal, porque é uma das poucas palavras que sobreviveu ao naufrágio da primeira língua universal. Na América do Sul, como na Central e na do Norte, os aborígines empregavam tal termo desde o Estreito de Behring até o Uruguai, onde significava "chefe", "mestre" e "serpente". A própria palavra *uraga* pode ter chegado à Índia e ter sido adotada por sua ligação, em tempos pré-históricos, com a América do Sul e o próprio Uruguai, porque esse nome pertence ao americano índio nativo. A origem dos *uragas*, a julgar por tudo quanto sabem os orientalistas, pode ter sido o Uruguai, visto que existem lendas sobre os mesmos, que situam seus antecessores, os *nâgas*, em *Pâtâla*, os antípodas ou América. *Uragas*: serpentes, serpentes divinas; constituem uma ordem de seres celestiais dotados de grande sabedoria. Lemos no *Bhagavad-Gîtâ* (XI, 15): Em teu corpo, oh Deus, contemplo todos os deuses e as inúmeras variedades de seres, à semelhança de Brahmâ, o Senhor, sentado em seu trono de lótus e todos os *Richis* e *Uragas* (serpentes celestes).

Urânides (*Gr.*) — Um dos nomes dos titãs *divinos*, aqueles que se rebelaram contra Kronos; os protótipos dos anjos "caídos" dos cristãos.

Urano — Ver *Ouranos*.

Urd (*Esc.*) — A fonte sagrada, que brota sob o freixo Iggdrasil. (*Eddas*)

Ûrdhva (*Sânsc.*) — Que vai para cima; alto; elevado, ereto.

Ûrdhvamûla (*Sânsc.*) — Que tem as raízes para cima.

Urim (*Hebr.*) — Ver *Thummim*. - Os "*Urim e Thummim*" tiveram sua origem no Egito e simbolizavam as *Duas Verdades*, vendo-se as duas figuras de Rá e Thmei gravadas no peito do Hierofante e levadas por ele, durante as cerimônias da Iniciação. Diodoro acrescenta que este ornamento de ouro e pedras preciosas era levado pelo Sumo-sacerdote, quando emitia juízo. *Theme* (*Thmim* no plural) significa "Verdade" em hebraico. "A versão dos Setenta traduz *thummim* como *Verdade*". (*Bonwick*) O prateado Proctor, o astrônomo, demonstra que "a ideia judaica deriva diretamente dos egípcios". Porém, Fílon, o Judeu, afirma que *Urim* e *Thummim* eram "as duas pequenas imagens da Revelação e da Verdade colocadas entre as duplas pregas do peitoral" e passa por alto este último com suas doze pedras, que representam os doze signos do Zodíaco, sem dar qualquer explicação.

Urinal (*Herm.*) — Forno secreto dos filósofos, que Flamel diz que jamais teria sido encontrado, se Abraão, o Judeu, não o tivesse pintado com seu fogo proporcionado, em que consiste uma grande parte do segredo.

Urina Taxi (*Alq.*) — Água de tártaro, tártaro dissolvido.

Urina Vini (*Alq.*) — Vinagre.

Uritur (*Alq.*) — Cinabre.

Ûrjita (*Sânsc.*) — Nobre, ilustre, esclarecido; forte, poderoso.

Urlak (*Esc.*) — O mesmo que *Orlog* (ver esta palavra). Destino; um poder impessoal, que outorga "cegamente" dons aos mortais; uma espécie de Nêmesis.

Urstoff (*Alem.*) — Primeira matéria, o princípio do qual procedem todas as coisas; a origem e o fim do Universo.

Urû (*Sânsc.*) — A parte superior da coxa (*Uttara-Gîtâ*, II, 27.)

U

Uruvela (*Pál.*) — Cidade da Índia antiga, situada ao Sul de Patna e às margens do Narvainjana, hoje Buddha Gaya. Buddba permaneceu nela várias vezes. Esta foi também a primeira residência do célebre Maba-Kazyapa e é onde se situa o templo *Maha Bodhi*. (*Evangelho do Buddha*)

Uruvilva — Ver *Uruvela*.

Urvan (*Zend.*) — Equivale ao sânscrito *Buddhi*, Eu espiritual ou sexto princípio.

Urvanem — Ver *Urvan*.

Urvasi — Ver *Urvazî*.

Urvazî (Urvasî) (*Sânsc.*) — Uma ninfa divina *apsara* mencionada no *Rig-Veda* e cuja extrema beleza exacerbou todo o céu. Execrada pelos deuses, desceu à Terra e nela fixou sua residência. Os amores do Purûravas (o *vikrama* – herói) e da ninfa Urvazî são o assunto do famosíssimo drama de Kâlidâsa, intitulado *Vikramorvazî* (*Vikrama-Urvasî*).

Usanas — Ver *Uzanas*.

Ushas — Ver *Uchas*.

Ushmapas — Ver *Uchmapa*.

Ut (*Sânsc.*) — Alto, elevado, sublime. *Ut*, usado como prefixo, significa: acima, para cima; fora, mais além.

Utgard (*Esc.*) — A mansão dos gigantes, na mitologia escandinava. (Ver *Asgard* e *Midgard*.)

Utsâdana (*Sânsc.*) — Destruição, ruína, perdição, dano, ofensa, agravo.

Utsâha (*Sânsc.*) — Força, energia; poder; esforço; resolução, empenho, zelo, fervor; perseverança, firmeza, confiança, aplicação; estudo, inclinação, capacidade.

Utsanna (*Sânsc.*) — Perdido, destruído, desaparecido.

Uttama (*Sânsc.*) — Superlativo de *ut*: altíssimo, supremo, extremado, excelso, o mais elevado, o mais sublime, principal.

Uttamânga (Uttama anga) (*Sânsc.*) — O membro mais elevado: a cabeça.

Uttamaujas (Uttama ojas) (*Sânsc.*) — "Que tem extrema força." Nome de um esforçado guerreiro aliado dos pândavas. (*Bhagavad-Gîtâ*, I, 6.)

Uttamavid (*Sânsc.*) — Que possui a suprema sabedoria.

Uttara (*Sânsc.*) — Comparativo de *ut*: mais alto ou elevado; superior, posterior, seguinte. Como substantivo: superfície coberta, consequência; como adjetivo, ao fim de termos compostos: coberto, seguido de.

Uttarabhâdhrapadâ (*Sânsc.*) — Uma mansão lunar.

Uttarâchâdhâ (*Sânsc.*) — Uma mansão lunar. (*Râma Prasâd*)

Uttara-gîtâ (*Sânsc.*) — A significação desta palavra é a mesma de *Anu-gîta*, isto é, "Canto superior ou seguinte". Segundo se deduz das primeiras linhas do capítulo I do *Uttara-Gîtâ*, parece que esta obra é uma continuação ou um novo desenvolvimento do poema divino *Bhagavad-Gîtâ*, porém alguns *panditas* ou sábios bastante doutos sustentam que o *Uttara-Gîtâ* é um tratado filosófico independente do *Mahâbhârata*, tendo sido, posteriormente, incluído no corpo desta grande epopeia (*Subba Row*). No saber de Râma Prasâd, ó uma obra de caráter *tântrico*. O que segue realmente após a famosa batalha de

U

Kurukchetra é o *Anu-gîtâ* (capítulos 16 a 51 do *Azvamedha Parvado Mahâbhârata*). (Ver a *História da Grande Guerra*, por A. Besant, cap. IX.)

Uttara-Mîmânsâ (*Sânsc.*) — O segundo dos *Mîmânsâs*, sendo o primeiro deles o *Púrva* (primeiro) *Mîmânsâ*, que formam, respectivamente, o quinto e o sexto dos *Darzanas* ou Escolas de Filosofia. Os *Mîmânsâ* estão incluídos no nome genérico de *Vedânta*, embora seja o *Uttara* (de Vyâsa) aquele que constitui realmente a *Vedânta*. (Ver esta palavra.)

Uttaraphalgunî (*Sânsc.*) — Outra mansão lunar.

Uttarâyana (*Sânsc.*) — O rumo norte ou curso setentrional do Sol; o solstício de inverno.

Uttha (*Sânsc.*) — Nascente; que origina ou provém; procedente, nascido, originado; que consiste em, que começa com.

Utthita (*Sânsc.*) — Saído, nascido, originado, surgido, aparecido; apresentado; manifestado; ocorrido; proeminente, elevado, disposto, dedicado.

Uzanas (Usanas) (*Sânsc.*) — "Brilhante". O planeta Vênus ou *Sukra*; melhor dizendo, o regente e governador de tal planeta. O *guru* ou instrutor dos *daityas*. (Ver *Vênus e Lúcifer*.)

Uzat (ou **Utchat**, segundo a transcrição inglesa) (*Eg.*) — Olho. O *uzat* é de dois tipos: 1º) o direito, branco, o Sol, Rá; 2º) o esquerdo, negro, a Lua, Osíris. Os dois olhos (*uzati*) são os olhos de Hórus. O *Uzat* é um amuleto dos mais comuns e seu uso parece ter sido geral em todos os períodos. Os capítulos CXL e CLXVII do *Livro dos Mortos* ocupam-se especialmente deste amuleto. Sob a cabeça dos defuntos colocava-se um disco cheio de figuras e inscrições, que hoje se denomina *hypocephalus*. Este objeto representava a pupila do Olho de Hórus, que, desde tempos imemoriais, era considerado no Egito como origem de toda força geratriz, da reprodução e da vida *(M. Treviño)*. (Ver *Cinocéfalo, Culto da Vaca* e *Outa*.)

Uzati (*Eg.*) — Dual de *uzat*. Os dois olhos.

Uzza (*Hebr.*) — Nome de um anjo, que, juntamente com Azrael, segundo relata o *Zohar*, se opôs à criação do homem pelo *Elohim*, razão pela qual estes aniquilaram a ambos.

V

V — Vigésima segunda letra do alfabeto latino. Numericamente, representa o 5; por isso, o V romano com um traço em cima ($\overline{V}$) equivale a 5.000. Os cabalistas ocidentais relacionaram tal letra com o divino nome hebraico IHVH. O *Vau* hebraico, contudo, tendo numericamente o valor 6, apenas por ser idêntico ao W, pode chegar a ser um símbolo apropriado para o macho-fêmea e o espírito-matéria O equivalente para o *Vau* hebraico é o EU e numericamente o 6. [O V é a quadragésima terceira letra e a quarta semivogal do alfabeto sânscrito. Nesta língua, frequentemente substitui a letra B, como na palavra *Vrihaspati* ou *Brihaspati*, *vâhya* ou *bâhya*, *vîja* ou *bîja* etc. Depois de uma vogal, soa como V normal; porém, depois de uma consoante, soa mais como o W inglês.]

Va *(Sânsc.)* — Sobrenome de Varuna; o nome de sua morada; *mantra* em honra de Varuna; força, poder.

Vâ *(Sânsc.)* — Movimento, marcha; choque.

Vaca — A Vaca era em todos os países, o símbolo da força geradora passiva da Natureza, Ísis, Vâch, Vênus (mãe do prolífico deus do amor, Cupido), porém, ao mesmo tempo, o do *Logos*, cujo símbolo, entre os egípcios e os hindus, tornou-se o Touro, como o demonstram os touros hindus e o Apis, nos templos mais antigos. Na filosofia esotérica, a Vaca é o símbolo da Natureza criadora, e o Touro (seu filho), o Espírito que vivifica, ou o "Espírito Santo", como o demonstra o Dr. Kenealy. Daí o símbolo dos chifres. Estes eram sagrados também entre os judeus, que colocavam no altar chifres de madeira de Setin, agarrando-se aos quais um criminoso assegurava sua salvação. (*Doutrina Secreta*, II, 436). Ver *Touro*.

Vaca, *Culto da* — Ver *Culto da Vaca*.

Vaca da Abundância — Ver *Kâma-duh* e *Terra*.

Vâch *(Sânsc.)* — Chamar *Vâch* simplesmente de "linguagem" é de clareza deficiente. *Vâch* é a personificação mística da linguagem e o *Logos* feminino, sendo uno com Brahmâ, que a criou de uma metade de seu corpo, que dividiu em duas partes; é também um com *Virâj* (chamada a "*Virâj* feminina"), que nela foi criada por Brahmâ. Num certo sentido, *Vâch* é "linguagem" através da qual o conhecimento foi ensinado ao homem; noutro sentido, é "a linguagem mística secreta", que desce sobre os *Richis* primitivos e neles entra, como as línguas de fogo, que, segundo se diz, "pousaram sobre" os apóstolos, porque é chamada "o criador feminino", "a mãe dos *Vedas*" etc. Esotericamente, é a subjetiva Força criadora que, emanando da Divindade criadora (o Universo objetivo, sua "privação" ou *ideação*), passa a ser o manifestado "mundo da linguagem", isto é, a *expressão concreta da ideação* e, por conseguinte, a "Palavra" ou *Logos*. *Vâch* é o Adão "macho e fêmea" do primeiro capítulo do *Gênese* e assim é denominado de "Vâch-Virâj" pelos sábios. (Ver *Atharva-Veda*.) É também "a celestial Sarasvatî produzida dos céus", "uma palavra derivada do Brahmâ sem fala" (*Mahâbhârata*); a deusa da sabedoria e da eloquência. Finalmente, é chamada *Sata-rûpa*, a deusa de *cem formas*. [Palavra, linguagem, locução, som, o *Logos*, palavra mística, o poder oculto dos *mantras*. Segundo se expressa no *Rig-Veda* e em vários *Upanichads*, *Vâch* é de quatro espécies, que se chamam *Parâ*, *Pazyantî*, *Madhyamâ* e *Vaikharî Vâch*; a luz do *Logos* é a forma *Madhymâ* e o próprio *Logos* é a forma *Pazyantî*, enquanto Parabrahman é o aspecto do *Parâ* (isto é, além do Noumeno e de todos os Noumenos) daquele *Vâch*. (*Doutrina Secreta*, I, 465-466) Ver *Eu* e *Ísis*.]

Vachas *(Sânsc.)* — Palavra, fala, linguagem, discurso, aviso.

V

Vachana (*Sânsc.*) — Linguagem, palavra, discurso, expressão, declaração; conselho, aviso, regra, preceito, mandato.

Vacuum (*Lat.*) — [Vazio.] — Símbolo da Divindade absoluta ou Espaço infinito, esotericamente.

Vâda (*Sânsc.*) — Palavra, linguagem, discurso, menção, afirmação, asserção, declaração, proposição, disputa, discussão, controvérsia; a forma principal de argumentação; som, música.

Vadana (*Sânsc.*) — Boca, cara, rosto, frente, lábios, fauces, garganta.

Vâdava (*Sânsc.*) — O fogo submarino que "devora a água do oceano", fazendo-o lançar vapores, que se condensarão em chuva e neve. (*Dowson*)

Vâdin ou **Vâdî** (*Sânsc.*) — Palestrista, expositor, instrutor, preceptor; disputador.

Vâhan — Ver *Vâhana*.

Vâhana (*Sânsc.*) — Um veículo, o portador de algo imaterial e sem forma. Todos os deuses e deusas são, portanto, representados como utilizando *vâhanas* para se manifestarem e tais veículos são sempre simbólicos. Assim, por exemplo, Vishnu, durante os *pralayas* tem Ananta, "o infinito" (o Espaço), simbolizado pela serpente Zecha e, durante os *manvantaras*, tem Garuda, o gigantesco ser meio homem e meio águia, símbolo do grande ciclo; Brahma aparece como Brahmâ, descende até os planos de diferenciação sobre *Kâla-hamsa*, o "cisne no tempo ou eternidade finita". Shiva aparece como o touro *Nandi*; Osíris como o touro *Apis*; Indra viaja montado num elefante; Kârttikeya num pavão real; Kâma-deva em *Makâra*, em outros tempos um papagaio; Agni, o deus do Fogo universal (e também solar), que é, como todos eles, "um Fogo consumidor", manifesta-se como um carneiro e um cordeiro, *Ajâ*, "o não-nascido"; Varuna, como um peixe etc., etc., enquanto o veículo do HOMEM é seu corpo. *Vâhana* veículo, carro, cavalo etc.; sinônimo de *upâdhi*.

Vahni (*Sânsc.*) — Epíteto de Agni (o Fogo), por levar a oferenda aos deuses; fogo, chama, calor; digestão; apetite.

Vaibhâchikas (*Sânsc.*) — Seguidores do *Vibhâcha Shâstra*, antiga escola de materialismo; uma filosofia que afirmava que nenhum conceito mental poderia ser formado exceto pelo contato direto entre a mente (através dos sentidos, tais como a visão, a audição, o tato etc.) e os objetos exteriores. Existem ainda hoje *vaibhâchikas* na Índia.

Vaichnava — Ver *Vaishnava*.

Vaichnavî (*Sânsc.*) — *Sakti* ou energia feminina de Vishnu; Durgâ.

Vaideha (*Sânsc.*) — O filho da união de um *vaisya* com uma mulher brâhmane. (*Leis de Manu*, X, II.)

Vaidhâtra (*Sânsc.*) — O mesmo que os *Kumâras*. ["Filho de Vidhâtri", Criador ou Brahmâ.]

Vaidhrita ou **Vaidhriti** (*Sânsc.*) — O vigésimo sétimo *yoga*. Há vinte e sete yogas na eclíptica. "O *yoga* – diz Colebrooke – é apenas uma maneira de indicar a soma das longitudes do Sol e da Lua" e assim é, de fato. (*Râma Prasâd*)

Vaidika (*Sânsc.*) — Védico ou relativo aos *Vedas*.

Vaidyuta (*Sânsc.*) — O fogo elétrico, o mesmo que *Pâvaka*, um dos três fogos que divididos, produzem quarenta e nove fogos místicos.

V

Vaihara (*Sânsc.*) — Nome de um templo-caverna, situado próximo a Râja-griha, onde o senhor Buddha costumava retirar-se para meditar.

Vaijayant (*Sânsc.*) — O colar mágico de Vishnu, imitado por certos Iniciados entre os brâhmanes do templo. É feito de cinco pedras preciosas, cada uma das quais simboliza um dos cinco elementos de nossa Ronda, a saber: a pérola, o rubi, a esmeralda, a safira e o diamante, ou sejam: água, fogo, terra, ar e éter, chamados "o agregado dos cinco rudimentos elementares" – a palavra "poderes" seria talvez mais correta do que "rudimentos".

Vaikharî Vâch (*Sânsc.*) — A linguagem pronunciada ou articulada; uma das quatro formas da linguagem. (Ver *Vâch*.)

Vaikuntha (*Sânsc.*) — Um dos nomes dos doze grandes deuses; daí *Vaikunthaloka*, a mansão de Vishnu. (Montanha ou elevação fabulosa onde reside Vishnu (*Burnouf*).]

Vainateya (*Sânsc.*) — "Filho de Vinatâ". Nome patronímico de Garuda, ave sagrada de proporções gigantescas, na qual monta o deus Vishnu. Representa a totalidade do ciclo manvantárico. (Ver *Garuda*.)

Vairâgya (*Sânsc.*) — Esta palavra foi traduzida no sentido de indiferença, desapego, desprendimento, indiferença aos prazeres do mundo, apatia, falta de desejos, desapaixonamento, renúncia e outros termos semelhantes. Patañjali, célebre autor dos *Aforismos do Yoga*, define a palavra *vairâgya* dizendo: "É o estado de ânimo (consciência) em que se encontra aquele que subjugou seus desejos e não lhes apetece os objetos dos sentidos nem os revelados pelas Escrituras" (livro I, afor. 15). Em seu comentário sobre este ponto, M. Dvivedi diz: Crê-se mais conveniente traduzir a palavra *vairâgya* por desapego ou desprendimento do que por desapaixonamento, como se faz comumente. O que atrai a mente e a faz assumir várias formas, como paixão, emoções, sensações etc., nada mais é do que *râga*, apego; e *vairâgya*, portanto, é antes a ausência de todo apego do que a ausência de um simples resultado de tal apego, como a paixão etc. *Vairâgya* é efeito do verdadeiro discernimento e, segundo Vyâsa, é o "estado final do conhecimento perfeito", isto é, aquele estado em que a mente, chegando a conhecer a verdadeira natureza das coisas, já não será mais enganada pelo falso prazer das manifestações do Avidyâ (ignorância).

Vairâj (*Sânsc.*) — Manu, filho de Virâj.

Vairâjas (*Sânsc.*) — Segundo a crença popular, são alguns seres semidivinos, sombras de santos, inconsumíveis pelo fogo, impermeáveis à água, que moram no *Tapo-loka* [ver esta palavra], com a esperança de serem trasladados para o *Satya-loka* (um estado mais puro, que corresponde ao *Nirvâna*). O termo em questão foi explicado no sentido de corpos aéreos ou sombras astrais de "ascetas, mendigos, anacoretas e penitentes, que completaram seu curso de rigorosas austeridades". Em filosofia esotérica, são chamados agora de *Nirmânakâyas*, estando o *Tapo-loka* no sexto plano (para cima), porém em comunicação direta com o plano *mental*. Considerou-se os *Vairâjas* como os *primeiros deuses*, porque os *Mânas-putras* e os *Kumâras* são os mais antigos na teogonia, visto que foi dito que até os deuses os adoravam (*Matsya-Purâna*); aqueles aos quais Brahmâ "*com olho do Yoga* contemplava nas eternas esferas e que são *os deuses dos deuses*" (*Vâyu-Purâna*) [*Vairâjas*, literalmento: "Filhos de Virâja". São os *Egos* ígneos pertencentes a outros *manvantaras*. Foram já purificados no fogo das paixões. São aqueles que se negaram a criar; alcançaram o sétimo Portal e recusaram o *Nirvâna*, permanecendo para os *manvantaras* sucessivos. (*Doutrina Secreta*, III, 570)]

Vairin (*Sânsc.*) — Adversário, inimigo, hostil.

V

Vairochana (*Sânsc.*) — Literalmente: "Aquele que a tudo ilumina". Um símbolo místico ou, melhor dizendo, uma personificação genérica de uma classe de seres espirituais, descritos como a encarnação da sabedoria *(bodhi)* essencial e pureza absoluta. Estes seres moram no quarto *Arûpa Dhâtu* (mundo sem forma) ou *Buddha-Kchetra* [região de Buddha] e constituem os primeiros ou a mais elevada hierarquia dos cinco *Dhyâni Buddhas* ortodoxos. Havia um *Zramana (Arhat)* com este nome (ver Eitel: *Dicionário Sânscrito-Chinês*), natural de Cachemira, "que introduziu o Budismo em Kustan e trabalhou no Tibete" (no séc. VII de nossa era). Foi o melhor tradutor do Cânone semi-esotérico do Budismo do Norte e contemporâneo do grande Samantabhadra (ver esta palavra).

Vaisâkha (*Sânsc.*) — Célebre mulher asceta, nascida em Srâvasti e chamada de *Sudatta*, "virtuosa domadora". Foi mãe abadessa de um *vihâra* ou convento de *upâsikâs* mulheres e é conhecida como a fundadora de um *vihâra* para Sâkyamuni Buddha. É considerada como a patrona de todas as ascetas budistas.

Vaisheshika (*Sânsc.*) — Um dos seis *Darzanas*, escolas ou sistemas de filosofia, fundada por Kanâda. [Ver *Filosofia Vaisheshika*.]

Vaishnava (*Sânsc.*) — O mesmo que *Vishnuita*. Prosélito de alguma seita que reconhece e adora Vishnu como o único Deus supremo. Os adoradores de Shiva são chamados de *Zaivas*.

Vaishvânara (*Sânsc.*) — O fogo magnético que penetra no sistema solar manifestado – o aspecto mais objetivo da Vida Una (Subba Row). Significa também: fogo, calor, calor vital, calor do estômago: o Sol; Agni, o deus do fogo. Muitas vezes utiliza-se este nome para designar o EU. (*Doutrina Secreta*, II, 521 e 600, nota) Literalmente, esta palavra significa: "Saído de *Vishvânara*" (isto é, do fogo ou do deus do fogo).

Vaitaranî (*Sânsc.*) — Um inferno imundo destinado aos que vivem atolados nos prazeres sensuais. (Zankarâchârya: Comentário ao *Bhagavad-Gîtâ*, XVI, 16.)

Vaivaswata (*Sânsc.*) — [Nome patronímico, equivalente a "Filho de Vivaswat" (o Sol).] Nome do sétimo Manu, antecessor da raça pós-diluviana, ou seja, a nossa própria humanidade (a quinta). Célebre filho de *Sûrya* (o Sol), depois de se ter salvo do Dilúvio em uma arca (construída por ordem de Vishnu), veio a ser o pai de Ikchvâtu, fundador da dinastia solar de reis. (Ver *Sûryavanza*.) [Ver também *Manu Svâyambhuva*.]

Vaisya (*Sânsc.*) — Indivíduo pertencente à terceira casta hindu: comerciante, agricultor, boiadeiro, artesão, operário. (Ver *Casta*.)

Vaizâka (*Sânsc.*) — Nome de um mês lunar do calendário hindu, correspondente a abril-maio.

Vaizâkî (*Sânsc.*) — O dia da Lua cheia do mês *Vaizâka*.

Vaizechika — Ver *Vaisheshika*.

Vaizvânara (*Sânsc.*) — Ver *Vaishvânara*.

Vaizvânarî (*Sânsc.*) — Uma oblação particular. (*Leis de Manu*, XI, 27.)

Vaizya — Ver *Vaisya*.

Vajra (*Sânsc.*) — Literalmente: "Bastão, diamante" ou cetro. Nas obras hindus, o cetro de Indra, semelhante aos raios de Zeus, com que esta divindade, como deus do raio, mata seus Inimigos. Porém, no Budismo místico, é o *cetro mágico* dos Sacerdotes Iniciados, exorcistas e Adeptos – o símbolo da possessão de *Siddhis* ou poderes sobre-humanos,

V

empunhado durante certas cerimônias pelos sacerdotes e teurgos. É também o símbolo do poder de Buddha sobre os maus espíritos ou elementais. Os possuidores desta vara são chamados de *vajrapâni* (ver esta palavra). [*Vajra* significa também: raio, centelha, arma, arma de Indra (o raio), diamante. (Ver *Dorje*.)]

Vajrâchârya (*Sânsc.*) — O *achârya* (guru, mestre) espiritual dos *yogâchâryas*. O "Supremo Senhor do *Vajra*".

Vajradhara (*Sânsc.*) — O Supremo Buddha, entre os budistas do Norte. [Epíteto de Indra, "que empunha o raio". O regente ou presidente de todos os *Dhyân Chohans* ou *Dhyâni Buddhas*, o mais elevado ou supremo Buddha; pessoal, porém nunca manifestado objetivamente; o "Vencedor Supremo", o "Senhor de todos os Mistérios", o "Um sem princípio nem fim", em uma palavra, o Logos do Budismo. (*Doutrina Secreta*, III, 380, 387, 389.)]

Vajrapâni (*Sânsc.*) — Ou *Manjushrî*, o *Dhyâni Bodhisattva* (como reflexo espiritual ou filho dos *Dhyâni-Buddhas* na Terra), nascido diretamente da forma subjetiva de existência; uma divindade adorada pelos profanos como um deus e pelos Iniciados como uma Força subjetiva, cuja verdadeira natureza é conhecida apenas pelos mais altos Iniciados da Escola *Yogâchârya* e por eles explicadas. (Ver *Alma-Diamante* e *Vajra*.)

Vajrasattva (*Sânsc.*) — Nome do sexto *Dhyâni-Buddha* (dos quais há apenas cinco no Budismo Popular do Norte) – na Escola *Yogâchârya*, que conta sete *Dhyâni-Buddhas* e outros tantos *Bodhisattvas*, os "filhos da mente" do primeiro. Por esta razão, os orientalistas consideram Vajrasattva como um "*Bodhisattva fictício*". (Ver *Humanidade*.)

Vâk (*Sânsc.*) — A deusa da linguagem; outro nome de Sarasvatî. *(Râma-Prasâd)*

Vakra (*Sânsc.*) — Curvo, tortuoso; sugestivo. Sobrenome de Rudra, Shiva etc.; os planetas Marte e Saturno.

Vakrabhanita (*Sânsc.*) — Linguagem evasiva, palavras equívocas.

Vakra-bhramana (*Sânsc.*) — Movimento em espiral.

Vakrokti (*Sânsc.*) — Ver *Vakrabhanita*.

Vâkya (*Sânsc.*) — Palavra, linguagem; discurso; sentença; proposição, aforismo.

Vâkya Sanyama (*Sânsc.*) — Domínio sobre a linguagem.

Vala (*Esc.*) — Espécie de feiticeira ou pitonisa. *(Eddas)*

Valaskialf (*Esc.*) — O palácio de Vale. *(Eddas)*

Vale (*Esc.*) — Um dos Asios, filho de Odin e Rinda; um filho de Loke. *(Eddas)*

Valentin, *Basile* — Célebre alquimista alemão, nascido em Erfurth, em 1394, e considerado como um dos fundadores da química e da farmácia. Entregou-se com ardor ao misticismo hermético, preparando assim o caminho para Paracelso. Escreveu várias obras notáveis, nas quais expõe seus vastíssimos conhecimentos químicos e alquímicos, tais como o *Carro triunfal do Antimônio*, *As Doze Chaves da Filosofa* etc. Em seus escritos encontram-se numerosos logrifos, como o seguinte: *Visitando interiora terræ, retificandoque, invenies ocultam lapidem, veram medicinam*. Juntando as iniciais de cada palavra, encontra-se o termo *vitriolum*.

Valfader (*Esc.*) — Sobrenome de Odin. *(Eddas)*

Valquírias (*Esc.*) — As virgens que assistem às batalhas e dão de beber aos *Enchearyars* ou heróis no *Walhalla*. Suas amadas e protetoras. *(Eddas)*

V

Vallabhâchârya (Vallabâchârya) (*Sânsc.*) — Nome de um místico que foi *chela* (discípulo) de Vishnu Swâmi e o fundador de uma seita de *vaishnavas*. Seus descendentes são chamados de *Gesvâmi Mahârâj* e possuem grandes extensões de terreno e numerosos *mandirs* (templos) em Bombaim. Degeneraram em uma seita vergonhosamente licenciosa. [A seita dos *Mahârâjas*. Comunidade licenciosa dedicada ao culto físico e cujo ramo principal encontra-se em Bombaim. O objeto de seu culto é o menino Krishna. O governo anglo-hindu viu-se obrigado, várias vezes, a intervir com o intuito de pôr fim a tais ritos e práticas odiosas e seu *Mahârâjah* governador foi encarcerado mais de uma vez e, por certo, muito justamente. É uma das manchas mais negras da Índia. (Glossário de *A Chave da Teosofia*)]

Vâlmîki (*Sânsc.*) — Nome do famoso autor do *Râmâyana*.

Vam (*Sânsc.*) — Nome da letra V. Símbolo do *Apas Tattvas*, de *Varî*, sinônimo de *Apas* (*Râma Prasâd*). *Vam* é o monossílabo sagrado AUM (OM), porém com uma disposição diferente de letras. Desempenha um importante papel nos rituais dos *tântrikas* (uma variedade de magos negros). Assim como OM representa a ordem da evolução, *vam* representa a da involução; o primeiro simboliza a conservação e, portanto, está relacionado com Vishnu, enquanto o segundo, emblema da destruição, é consagrado a Shiva. (*O Homem*, p. 70.)

Vama-deva (*Sânsc.*) — Um *Richi* védico, autor de vários hinos.

Vâmana (*Sânsc.*) — Quinto *avatar* de Vishnu e daí o nome do *Anão*, cuja forma esse deus assumiu.

Vâmana Purâna (*Sânsc.*) — Um dos tratados chamados *Purânas*, que versa sobre o *avatar* de Vishnu sob a forma de Anão.

Vampirismo — Ver *Vampiros*.

Vampiros — Espectros ou cadáveres que andam pela noite chupando pouco a pouco o sangue dos vivos até matá-los. - Formas astrais que vivem a expensas das pessoas, das quais extraem vitalidade e força. Podem ser os corpos astrais de pessoas vivas ou das que já morreram, porém que ainda se aferram a seus corpos físicos, que estão na sepultura, tratando de conservá-los com o alimento que extraem dos vivos e, deste modo, prolongam sua própria existência. Tais casos são bem conhecidos, especialmente no Sudeste da Europa (Moldávia, Sérvia, Hungria, Grécia, Rússia etc.). A chave para compreender a natureza dos vampiros é que a esfera sensitiva do homem, da qual o corpo visível é, por assim dizer, nada mais do que a amêndoa do fruto, estende-se muito além dos limites do corpo, uma mudança mútua constante verifica-se entre os dois. Por conseguinte, o corpo do morto, no qual ainda existe um resto da vida astral, pode vampirizar os vivos e, ainda mais, isso pode se verificar entre os próprios vivos (*F. Hartmann*). Casos bem autênticos de vampiros podem ser encontrados nas obras de Maximiliano Perty e em *Ísis sem Véu*. Algumas pessoas que não podem ver tais vampiros, podem senti-los instintivamente e até fisicamente, como um vento, frio ou uma corrente elétrica que passa pelo corpo. No curioso artigo de H. P. Blavatsky, publicado com o título *O Hipnotismo e suas relações com outros meios de fascinação*, lemos o seguinte: "Qual é a causa real do vampirismo? - Se se entende por esta palavra a transmissão involuntária de uma parte da própria vitalidade ou essência da vida, através de uma espécie de osmose oculta, de uma pessoa para outra, estando esta última dotada (ou antes *afligida*) por tal faculdade *vampirizante*, então só se pode compreender tal ato, quando estudamos bem a natureza e essência do 'fluido áurico'. Como toda outra forma oculta na Natureza, este fim e procedimento exosmósico pode converter-se em benéfico ou maléfico, seja inconsciente ou voluntariamente. Quando um operador são mesmeriza um enfermo, com o propósito deliberado de

V

aliviá-lo ou curá-lo, o cansaço experimentado pelo primeiro tem a proporção do alívio prestado. A endosmose ocorreu tendo o operador desprendido uma parte de sua aura vital em benefício do paciente. Por outro lado, o vampirismo é um procedimento cego e mecânico, geralmente produzido sem o conhecimento do *absorvedor* ou da pessoa vampirizada. É magia negra consciente ou inconsciente, conforme o caso. Porque tratando-se de Adeptos formados e instruídos e de feiticeiros, o procedimento efetua-se de um modo consciente e com a vontade por guia. Em ambos os casos o agente de transmissão é uma faculdade magnética e ativa, terrestre e fisiológica em seus resultados, engendrada e produzida, contudo, no plano da quarta dimensão: o reino dos átomos." (*Estudos Teosóficos*, série II, p. 67-68). Para maiores detalhes, ver *Ísis sem Véu* e o verbete *Kâma-rûpa*.

Van — O ciclo tártaro, de 180 anos. (*Doutrina Secreta*, III, 352.)

Vânaprastha ou **Vanaprastha** (*Sânsc.*) — Eremita, anacoreta. (Ver *Âzrama*.)

Van Helmont, *João Batista* — Célebre médico, filósofo e alquimista belga (1577-1644). Foi autor do descobrimento químico mais importante de seu século, ou seja, o descobrimento da existência dos gases, sobre o qual deviam erigir-se mais tarde as teorias da química positiva. Em uma de suas obras, ele próprio diz que, tendo recebido de uma pessoa desconhecida um grão de pedra filosofal, realizou em seu laboratório a transmutação em ouro (com aquela pequena quantidade de pó) de oito onças de mercúrio. A operação teve um resultado tão feliz, que desde aquele momento tornou-se acérrimo partidário da Alquimia. Fez do *alcaest* o solvente universal, assim chamado porque dissolve todos os corpos, "como a água quente derrete a neve". (*Luis Figuier*)

Vanhem ou **Vanahem** (*Esc.*) — O país dos vânios. (*Eddas*)

Vânios (*Esc.*) — Uma classe de seres muito sábios, inferiores aos deuses e superiores aos homens. (*Eddas*)

Vansa (*Sânsc.*) — Linhagem, raça, família, dinastia.

Vapor (*Alq.*) — Os filósofos dizem que a primeira matéria dos metais é um vapor que se corporifica e se especifica em metal, pela ação do enxofre ao qual se une nas entranhas da Terra.

Vara (*Masd.*) — Termo usado no *Vendidâd*, onde Ahura-Mazda ordena a Yima construir o *Vara*. Esta palavra significa também um invólucro ou veículo, uma arca (*argha*), ao mesmo tempo, HOMEM (verso 30). *Vara* é o veículo de nossos *Egos* animadores, isto é, o corpo humano, a alma em que está representado pela expressão "uma janela resplandecente por si mesma *no interior*".

Vara (*Esc.*) — Uma filha das Asianas. (*Eddas*)

Varâha (*Sânsc.*) — O avatar-javali de Vishnu; o terceiro, em número. [O *Varâha* nomeia o nosso atual *Kalpa* – o *Varâha Kalpa* ou Ano de Brahmâ. (*Doutrina Secreta*, I, 395.) Um dos oito pequenos *dvîpas*.]

Varâha Purâna (*Sânsc.*) — O *Purâna* da Terra, um dos 18 *Purânas*, aquele em que a glória do grande *Varâha* é revelada à Terra por Vishnu.

Vâranasî (*Sânsc.*) — A cidade sagrada de Benares.

Vâranâvata (*Sânsc.*) — A cidade em que os príncipes *pândavas* passaram seus anos de desterro.

Varcha — Ver *Varsha*.

V

Varshavasana — Ver *Varsha*.

Vârchneya (*Sânsc.*) — Literalmente: "Filho ou descendente de Vrichni". Nome patronímico de Krishna, por ser descendente de Vrichni.

Varhichad — Ver *Barhichad*.

Varna (*Sânsc.*) — Literalmente: "cor". As quatro castas principais, denominadas por Manu: *brahmânica, kchatriya, vaisya* e *sûdra*; são chamadas de *chatur-varna*. [*Varna* significa também: raça, tintura, brilho, beleza; observação religiosa; qualidade, propriedade; elogio; modo musical; forma, figura etc. (Ver *Casta*.)]

Varna-dharma (*Sânsc.*) — A lei própria de cada casta; o código que regula os deveres das castas.

Varna-sankara (*Sânsc.*) — Mistura ou confusão de castas.

Varsha (*Sânsc.*) — Região, planície, uma extensão de terra situada entre as grandes cordilheiras da Terra. [Os *varshas* ou divisões do continente receberam os nomes de *Kuru, Kinnara, Ketumâlâ, Bharata, Bhadrâzva, Românaka, Hari, Hiranmaya, Ilâvrita*. O *varsha* ou *varshavasana* é o nome de uma espécie de retiro ou quaresma búdica, que dura desde o plenilúnio de julho até o de novembro e é seguido de uma reunião geral dos *bhikchus. Varsha* significa também chuva ou estação chuvosa; a Índia ou *Jambu-dvîpa*.]

Varshavasana — Ver *Varsha*.

Vartman (*Sânsc.*) — Via, caminho, sendeiro; curso, corrida, meio, método.

Varuna (*Sânsc.*) — O deus da água ou deus marinho, porém muito diferente de Netuno, porque no primeiro caso, a mais antiga das divindades védicas, *Água* significa as "Águas do Espaço" ou o céu que a tudo rodeia, o *Âhâza*, em certo sentido. Varuna ou *Uaruna* (foneticamente) é, sem dúvida, o protótipo do *Ouranos* dos gregos. Como diz Muir: "As maiores funções cósmicas são atribuídas a Varuna. Dotado de ilimitado conhecimento... sustenta o céu e a Terra, mora em todos os mundos como governador soberano... Fez brilhar o Sol áureo no firmamento. O vento, que ressoa através da atmosfera, é seu alento. Pela operação de suas leis, a Lua segue brilhante em seu curso e as estrelas... se desvanecem misteriosamente na luz do dia. Ele conhece o voo das aves no céu, os roteiros dos navios no oceano, o curso do vento, que percorre grandes distâncias, e contempla as coisas que existiram ou que existirão... Vê a verdade e a falsidade dos homens. Instrui o *richi* Vazichta nos mistérios, porém seus arcanos e os de Mitra não serão revelados ao insensato..." "Os atributos e as funções atribuídas a Varuna dão a seu caráter uma elevação moral e uma santidade que supera em muito aquela atribuída a qualquer outra divindade védica." [Varuna anda sobre as águas montado num peixe ou monstro marinho chamado *Makara*. (Ver esta palavra)]

Varunî (*Sânsc.*) — O vigésimo quinto asterismo lunar.

Vâsana (*Sânsc.*) — O hábito e a tendência engendrados na mente pela execução de algum ato. (*Râma Prasâd*) Vestimenta, tecido; habitação.

Vâsanâ (*Sânsc.*) — Instinto material; tendência, inclinação; impressão; desejo de vida; memória; imaginação; segurança; confiança em si mesmo. Segundo a filosofia *sânkhya*, as experiências e os acontecimentos da vida deixam no *Buddhi* impressões ou marcas indeléveis, que permanecem em estado latente até que alguma circunstância favorável para sua manifestação ou desenvolvimento as coloque em atividade. Tais impressões, chamadas de *vânasâs*, constituem a memória, o instinto, as tendências e aptidões de cada indivíduo. (Ver *Trichnâ*.)

V

Vasanta ou **Kusumâkara** (*Sânsc.*) — A estação florida ou primavera. É a estação temperada, ou seja, os meses compreendidos entre meados de março até meados de maio.

Vâsava (*Sânsc.*) — Um dos nomes de Indra, rei dos deuses do firmamento.

Vashitva (*Sânsc.*) — O poder de dominar ou governar tudo.

Vasishta (Vasichta, Vasichtha) (*Sânsc.*) — Um dos sete grandes *Richis* primitivos e um celebérrimo sábio védico. Uma das sete estrelas da Ursa Maior.

Vaso (*Alq.*) — Recipiente no qual se coloca a matéria da obra, para que seja cozida, digerida e aperfeiçoada. Dissolvente.

Vâstospati ou **Vâstochpati** (*Sânsc.*) — O senhor da casa, deus doméstico ou protetor da casa. Uma das divindades posteriores do *Veda*. Era o protetor dos ritos sagrados e guardião das casas. *(Dowson)* Alguns autores opinam que é um nome de Agni ou de Indra.

Vasudeva (*Sânsc.*) — Pai de Krishna. Pertencia ao ramo Yâdava da raça lunar (*Somavanza*).

Vâsudeva (*Sânsc.*) — "Filho ou descendente de Vasudeva." Nome patronímico de Krishna.

Vâsuki (*Sânsc.*) — Rei dos *Nâgas* ou serpentes que moram no *Pâtâla*. O grande "Deus serpente". No Panteão hindu é representado como a "grande serpente", que os deuses e *asuras* utilizaram como uma corda ao redor da montanha Mandara, ao bater o oceano para extrair o *Amrita* ou água da imortalidade, o que relaciona *Vâsuki* com a Iniciação. É também a serpente Zecha e também Ananta, "sem fim", símbolo da eternidade e, por conseguinte, o "Deus da Sabedoria oculta", degradada pela Igreja ao papel de Serpente tentadora de Satã. (*Doutrina Secreta*, III, 289-290.)

Vasus (*Sânsc.*) — As oito divindades que acompanham Indra. São personificações, de [elementos naturais ou] fenômenos cósmicos, como indicam seus próprios nomes: *Âpa* (água), *Dhruva* (estrela polar), *Soma* (a Lua), *Dhara* (a Terra), *Anila* (o vento), *Anala* (o fogo), *Prabhâsa* (a aurora) e *Pratyucha* (a luz do dia ou Sol).

Vâta (*Sânsc.*) — Um dos nomes de *Vâyu*, deus do vento; vento, ar, ar vital.

Vatireka (*Sânsc.*) — Dá-se este nome à ignorância, através da qual o homem, que está em seu corpo físico ou grosseiro, não percebe a presença do Espírito, apesar deste se encontrar sempre presente. "Aprende, através do processo de *Annaya* e de *Vatireka*, que o Espírito, que está difundido por todo o corpo, está acima dos três estados de consciência: vigília, sonho, sono sem sonhos." (*Uttara-Gîtâ*, II, 9 e nota de D. K. Laheri.)

Vâyava (*Sânsc.*) — (De *Vâyu*). Aéreo, gasoso.

Vâyu (*Sânsc.*) — Ar; o deus e soberano do ar. Um dos cinco estados da matéria, a saber: o gasoso; um dos cinco elementos chamado, como o vento, de *vâta*. O *Vishnu-Purâna* faz de *Vâyu* o rei dos *gandharvas*. É o pai de Hanuman, no *Râmâyana*. A trindade dos deuses místicos no Cosmos intimamente relacionados uns com os outros, é constituída por *Agni* (fogo), cujo lugar está na Terra; *Vâyu* (ar ou uma das formas de Indra), cujo lugar está no ar; e *Sûrya* (o Sol), cujo lugar está no ar (*Nirukta*). Segundo a interpretação esotérica, estes três princípios cósmicos correspondem aos três princípios humanos: *Kâma*, *Kâma-Manas* e *Manas*, o Sol do intelecto. [Ver *Trimûrti* e *Trindade*. Um dos *Tattvas* (ver esta palavra), o éter correspondente ao tato. *(Râma Prasâd)* Um dos cinco elementos grosseiros *(mahâbhûtas)* da filosofia *sânkhya*; ar, vento, alento, ar vital. Também chamado de *Pavana*, *Anila* etc.]

V

Vâyu-Purâna (*Sânsc.*) — O *Purâna* em que Vâyu expõe as leis do dever em conexão com o *Zveta-Kalpa* e que compreende o *Mahâtmya* de Rudra. É consagrado ao elogio de Shiva e tem rehição com o *Shiva-Purâna*.

Vaza (*Sânsc.*) — Desejo, vontade; mando, autoridade; força, poder, influência; império, mandato, domínio; submissão, obediência.

Vazichtha — Ver *Vasishta*.

Vazitva — Ver *Vashitva*.

Vazya (*Sânsc.*) — Submetido, obediente, disciplinado, submisso, dominado, vencido.

Vazyâtman (*Sânsc.*) — Que tem o eu dominado ou reprimido; que é dono de si mesmo; que vence a si mesmo.

Veda — Ver *Vedas*.

Vedanâ (*Sânsc.*) — O segundo dos cinco *Skandhas* (percepções, sentidos); o sexto *Nidâna* (ver esta palavra).

Vedângas (*Sânsc.*) — Ciências sagradas consideradas como partes acessórias dos *Vedas*. São em número de seis: a primeira trata da pronunciação; a segunda, das cerimônias religiosas; a terceira, da gramática; a quarta, da prosódia; a quinta, da astronomia, e a sexta, da explicação das palavras e frases difíceis dos *Vedas*. Livros acessórios. Literalmente: "ramos ou membros dos *Vedas*".

Vedânta (*Sânsc.*) — Literalmente: "o fim ou coroa dos *Vedas*". O principal sistema filosófico da Índia. (Ver *Filosofia vedânta*.)

Vedântî (*Sânsc.*) — Vedantino ou partidário da filosofia vedânta.

Vedas (*Sânsc.*) — A "revelação", as Escrituras dos hindus; palavra derivada da raiz *vid* "conhecer" ou "conhecimento divino". São as mais antigas e mais sagradas obras descritas. Os *Vedas* (sobre cuja antiguidade não há dois orientalistas que estejam de acordo), no conceito dos próprios hindus, cujos brâhmanes e *panditas* devem saber mais do que ninguém a respeito de seus próprios livros religiosos, foram inicialmente ensinados oralmente pelo espaço de milhares de anos e, depois, copiados nas margens do lago Mânasa-Sarovara (foneticamente, *Mânsarovara*), além do Himalaia, no Tibete. Quando isso ocorreu? Enquanto seus instrutores religiosos, tais como Swami Dayanand Saraswati, reclamam uma antiguidade de muitas décadas de séculos, nossos orientalistas modernos não lhes concedem uma antiguidade maior, em sua forma atual, que uns mil a dois mil anos antes de Cristo. Compilados em sua forma definitiva por Veda Vyâsa, contudo, os próprios brâhmanes unanimemente lhes dão uma antiguidade de 3.100 anos antes da era cristã, época de Vyâsa. Portanto, os *Vedas* devem ser tão antigos quanto esta data. Porém, sua antiguidade é suficientemente provada pelo fato de que foram escritos numa forma tão antiga de sânscrito, tão diferente do descrito atualmente em uso, que não existe outra obra semelhante na literatura desta irmã mais velha de todas as línguas conhecidas, como a denomina o Prof. Max Müller. Somente os mais instruídos dos *panditas* brâhmanes podem ler os *Vedas* em sua forma original. Sustentou-se que o Colebrooke encontrou a data de 1440 a.C. corroborada de modo absoluto por uma passagem por ele descoberta e que está baseada em dados astronômicos. Porém se, como foi unanimemente demonstrado por todos os orientalistas e também pelos *panditas* hindus que (*a*) os *Vedas* não são uma obra individual e nem também o é qualquer um dos diferentes *Vedas*; mas cada *Veda* e quase cada hino e divisão do mesmo é uma produção de vários autores; e que (*b*) estes livros foram escritos (como *zruti*, "revelação" ou não) em diversos períodos da evolução etnológica da raça hindu-ária, então o que prova a descoberta de Colebrooke?

V

Simplesmente que os *vedas* foram *finalmente* ordenados e compilados 14 séculos antes da nossa era; porém, isso não se opõe de maneira alguma à sua antiguidade. Pelo contrário: uma vez que, como contrapeso à passagem aduzida por Colebrooke, há um artigo luminoso baseado em dados puramente astronômicos, escrito por Krishna Zâstri Godbole (de Bombaim), que prova de modo tão absoluto e com igual evidência que os *Vedas* devem ter sido ensinados há pelo menos 25 000 anos atrás. (Ver *Theosophist*, vol. II, p. 238 e ss., agosto de 1881.) Esta afirmação, senão apoiada, pelo menos não é refutada pelo que diz o Prof. Cowel, no apêndice VII da *História da Índia*, de Elphinstone: "Há uma diferença de idade entre os vários hinos, que estão agora unidos em sua presente forma como o *Sanhitâ do Rig-Veda: porém não temos dado algum para determinar sua relativa antiguidade* e a crítica puramente subjetiva, afora os dados sólidos, fracassou tantas vezes em outros casos, que podemos confiar muito pouco em qualquer de suas inferências num campo de investigação tão recentemente aberto como o da literatura sânscrita. [Nem um quarto da literatura védica foi publicado ainda e muito pouco foi traduzido para o inglês (1886). As controvérsias ainda pouco fundadas a respeito dos poemas de Homero podem bem nos servir de aviso, para não confiarmos demasiadamente em nossos julgamentos no que se refere *aos mais primitivos* hinos do *Rig-Veda*... Quando examinamos estes hinos... são profundamente interessantes para a história da mente humana, visto que pertencem a uma fase muito mais antiga que os poemas de Homero e de Hesíodo". Os escritos védicos estão todos classificados em duas grandes divisões, exotérica e *esotérica*, sendo a primeira chamada de *Karma-Kânda*, "divisão de ações e obras", e *Jñâna-Kânda*, "divisão do conhecimento (divino)". Os *Upanichads* (ver esta palavra) estão compreendidos nesta última classificação. Ambas as seções são consideradas como *Zruti* ou revelação. A cada hino do *Rig-Veda* encontra-se anteposto o nome do *Richi* a quem foi revelado. Deste modo torna-se evidente, baseando-se na autoridade destes mesmos nomes (tais como Vazichtha, Vizvâmitra, Nârada etc.), todos pertencentes a homens nascidos em diversos *manvantaras* e diversas idades, que devem ter transcorridos séculos e talvez milênios entre as datas de sua composição. Manu, bem como outros legisladores hindus, fala apenas de três *Vedas*, os três que existiam unicamente na época em que foi composto o *Bhagavad-Gîtâ*: o *Rig*, o *Yajur* e o *Sâma-Veda*; o quarto, intitulado *Atharva-Veda*, é de origem relativamente moderna. (Ver *Traîvidyâ*.)]

Vedavid *(Sânsc.)* — Conhecedor do *Veda*.

Veda Vyâsa *(Sânsc.)* — O compilador dos *Vedas*. [Sobrenome de Krishna Dwaipâyana, chamado o Vyâsa.]

Veddhas *(Cing.)* — Nome de uma raça selvática de homens; que vivem nas selvas do Ceilão. São muito difíceis de serem encontrados.

Vedhas *(Sânsc.)* — Filhos de Brahmâ; a primeira geração. (*Doutrina Secreta*, II, 81.) Agni, o Sol; Brahmâ, Vishnu, Shiva; homem instruído, sagaz.

Védico — Pertencente ou relativo aos *Vedas*. (Ver *Vaidika*.)

Vedodita *(Sânsc.)* — Dito pelo *Veda*; ortodoxo.

Vedoveda *(Sânsc.)* — Uma manifestação do *Suchumnâ*. *(Râma Prasâd)*

Veer *(Esc.)* — Sobrenome de Thor. *(Eddas)*

Vega *(Sânsc.)* — Velocidade; força, impulso; agitação; violência; ímpeto; explosão; curso, corrente.

Vegetarismo ou **Vegetarianismo** — Sistema de alimentação onde estão excluídas as substâncias de origem animal (carne e seus derivados). O vegetariano puro é aquele que se nutre exclusivamente de vegetais. Alguns partidários deste sistema ingerem os produtos animais obtidos sem que haja a destruição da vida do animal, tais como o leite e seus derivados; outros limitam-se a ingerir apenas frutas etc. O ocultismo considera muito favorável o regime vegetariano por numerosas razões: algumas de ordem física ou comum e outras de ordem oculta. Este regime é muito mais apropriado à natureza do homem do que o carnívoro; é consideravelmente mais puro e são e, por sua vez, mais nutritivo e fortificante. Graças a ele muitas enfermidades são evitadas, tais como a gota, o reumatismo, a apoplexia, o câncer e várias outras. Segundo o Dr. Milner Fothergill: "Todas as vítimas causadas pelas disposições belicosas de Napoleão são nada em comparação com as miríadas de pessoas que morreram por causa de sua confiança cega no suposto valor nutritivo da carne de vaca". E acrescenta sir Eduard Sanders: "Creio que atualmente o mundo tende para a alimentação vegetal, porque, finalmente, se compreenderá que é a melhor e mais racional e creio que não está longe o momento em que a ideia da alimentação carnívora será coisa detestável e repugnante para o homem civilizado". Um dos grandes sábios alemães demonstrou que cada tipo de tecido animal, seja qual for o modo de prepará-lo, conserva sempre certas qualidades características do animal de que fazia parte. Quando a carne é assimilada como alimento pelo homem, transmite a ele alguma dessas qualidades. Além disso, a ciência oculta ensina e prova que este efeito de "animalização" no homem é maior quando a carne provém de animais maiores, menor quando se trata de aves, menor ainda se é de pescado e outros animais de sangue frio, e mínimo quando se utiliza apenas vegetais. Assim, aconselha-se aos estudantes zelosos que ingiram o alimento que tenha a influência mais leve sobre seu cérebro e seu corpo e cujo efeito de estorvar e atrasar o desenvolvimento de sua intuição e das faculdades internas e poderes seja o menor possível. (*A Chave da Teosofia*, p. 225-226) Outro grave inconveniente do uso da carne é que incita poderosamente à bebida, à intemperança e às paixões animais e é sabido que o álcool, em todas as suas formas, tem influência direta, marcada e bastante deletéria na condição psíquica do homem e impede o desenvolvimento de seus poderes internos. (Para maiores detalhes, consultar o capítulo X da excelente obra de C. W. Leadbeater: *Vislumbres de Ocultismo*.)

Veia (*Alq.*) — Pedra ao rubro ou enxofre dos Sábios.

Veículo de Vida — O Homem "Setenário" entre os pitagóricos, "número sete" entre os profanos. Os primeiros explicavam este dizendo que o corpo humano era composto de "quatro elementos principais (princípios) e que a alma é tripla (a tríada superior)". (Ver *Ísis sem Véu*, II, p. 418, New York, 1877.) Inúmeras vezes se fez notar que, nas primeiras obras dos teósofos, não se mencionava nenhuma divisão setenária do homem. A obra citada anteriormente é garantia suficiente de que, embora o assunto tenha sido abordado anteriormente com toda a cautela, não é uma teoria ou invenção de cunho novo.

Veículo luciforme — Entre os platônicos, é o *Augoeides*, o veículo etéreo da alma purificada, cuja parte irracional foi colocada sob a completa sujeição da racional. (C. C. Massey, *Cinco Anos de Teosofia*, p. 39)

Vendidâd (*Pel.*) — O primeiro livro (*Nosk*) da coleção de fragmentos zendes, geralmente conhecidos pelo nome de *Zend-Avesta*. O *Vendidâd* é uma corruptela da palavra composta "*Vîdaêvo-dâtem*", que significa "lei antidemoníaca" e está cheia de ensinamentos sobre a maneira de evitar o pecado e o vício através da purificação moral e física, sendo que cada um dos ensinamentos está baseado nas leis ocultas. É um tratado eminentemente *oculto*, cheio de simbolismo e frequentemente de um significado completameute contrário do encontrado expresso na língua morta do texto. O *Vendidâd*, segundo se pretende por tradição, é o único dos vinte e um *Nosks* (obras) que escaparam

V

do *auto-da-fé* nas mãos do bêbado Iskander el Rûm, aquele a quem a posteridade denomina de Alexandre *o Grande,* embora este epíteto seja justificável apenas quando se aplica à brutalidade, aos vícios e à crueldade deste conquistador. Devido ao vandalismo deste grego, a literatura e o saber perderam muitos conhecimentos sem preço nos *Nosks* por ele queimados. O próprio *Vendidâd* chegou até nós em estado fragmentário. Os primeiros capítulos são muito místicos e, por este motivo, são chamados "míticos" nas traduções dos orientalistas europeus. Os dois "criadores" do "espírito-matéria" ou o mundo de diferenciação – Ahura-Mazda e Angra Mainyu (Ahriman) – são introduzidos nele e também Yima (o primeiro homem ou a humanidade personificada). A obra está dividida em *Fargards* ou capítulos e uma parte dos mesmos é dedicada à formação de nosso globo ou evolução terrestre. (Ver *Zend-Avesta*.)

Veneno (*Alq.*) — Os filósofos herméticos dizem que sua pedra é um veneno mortal, o que não se deve levar em consideração a respeito da pedra perfeita, uma vez que pretendem exatamente o contrário, já que é a medicina universal. Mas falam assim da matéria que serve para fazer a pedra, quando já atingiu o negro, quando está putrificada, já que toda a corrupção da matéria é um veneno mortal.

Vênus — Ver *Lúcifer*.

Ventre (*Alq.*) — Os alquimistas dizem que se nutre a crença filosófica no *ventre* de sua mãe. Por *ventre* entendem tanto o vaso ou ovo filosófico como o mercúrio que absorveu o enxofre ou o enxofre que absorveu o mercúrio, sendo um supostamente o macho e o outro a fêmea. Quando juntos no ovo, ocorre uma corrupção, a geração metafórica de uma criança, que é preciso nutrir.

Venzel, *Zeyler, Agostinho* — Este monge se viu cumulado de honrarias e foi nomeado marquês de Reinesberg pelo imperador Leopoldo I da Alemanha, por ter realizado, em sua presença, a transmutação do estanho em ouro. A verdade é que – acrescenta L. Figuier, de quem tomo esta notícia –, *depois de algum tempo*, reconheceu-se que tal operação havia sido um fracasso do Adepto.

Veor (*Esc.*) — Ver *Veer*.

Vera (*Sânsc.*) — Corpo.

Verbo — Ver *Logos*.

Verdade — No mundo finito e condicionado em que se encontra o homem, a verdade absoluta não existe sob nenhum conceito; existem apenas verdades relativas, nas quais devemos buscar o apoio que melhor nos sirva. Em todos os tempos existiram sábios que chegaram a possuir a verdade absoluta e aos quais, contudo, era permitido ensinar apenas verdades relativas. Ninguém em nossa raça pode comunicar a outrem a verdade total e definitiva, porque cada indivíduo precisa encontrá-la por si mesmo e em si mesmo. Cada alma deve receber a suprema luz por si mesma de acordo com sua capacidade e não pela mediação de alguma outra. O mais elevado dos Adeptos pode tão-somente revelar, da Verdade universal, aquela parte suscetível de ser assimilada pela alma. Quanto mais elevada for nossa consciência, tanto mais poderemos ser impregnados da Verdade. Para alcançar o sol da Verdade no plano espiritual, é mister trabalhar muito seriamente. Sabemos que paralisando os raios de nossa personalidade inferior, o homem animal que está em nós pode ceder lugar ao homem espiritual; neste caso, uma vez postos em atividade, a sentidos e as percepções espirituais experimentam um desenvolvimento simultâneo: esta é a prática atual dos Adeptos, dos *Yogis* da Índia. Para se aproximar da Verdade, primeiro é necessário o amor à Verdade pela própria Verdade, pois, sem este requisito, não é possível chegar a conhecimento algum. Além de certa condição elevada e espiritual da alma, através da qual

V

o homem se unifica com a Alma universal, não se pode obter neste mundo nada além de verdades relativas, qualquer que seja a religião ou filosofia que se abrace. O que devem fazer os membros da Sociedade Teosófica é ater-se estritamente à divisa: "Não há religião mais elevada do que a Verdade". (Extratos do artigo "Em que consiste a Verdade" de H. P. Blavatsky, publicado nos *Estudos Teosóficos*, série III, n° 1.) A adesão incondicional à Verdade é o credo do teósofo e render culto a toda verdade é seu ritual e é preciso levar isso ao extremo do sacrifício próprio e também dos próprios interesses em favor desta causa. Todos os membros da Sociedade Teosófica estão ligados entre si por uma aspiração única: a investigação da Verdade onde quer que se encontre. Estudar, inquirir, trabalhar com afinco para chegar à verdadeira intuição, isto é, à percepção clara e direta da Verdade: eis o constante afã do teósofo; daí o lema adotado pela Sociedade Teosófica: *Satyât nâsti paro Dharmah*, "Não há religião mais elevada do que a Verdade". (Ver *Flaleteus*.)

Verdades, *As quatro nobres* — São estas: 1°) as penalidades da existência evolucionária, que acabam em nascimentos e mortes, vida após vida; 2°) a causa produtora de sofrimento, que é o desejo egoísta sempre renovado de satisfazer-se a si mesmo, sem poder jamais atingir tal objetivo; 3°) a destruição daquele desejo ou o afastar-se dele e 4°) o meio de obter-se tal destruição. (Olcott, *Catecismo Búdico*, Pre. 121.)

Vesica piscis (*Lat.*) — "Bexiga de Peixe." Um símbolo de Cristo; é uma auréola oval, que circunda toda figura erguida e, segundo se supõe, encerra uma alusão ao sagrado emblema cristão, o *ichtys*. (Ver *Ichtus* ou *Ichthys*.)

Vestíbulos, *Os três* — Há três vestíbulos que conduzem o peregrino vencedor de Mâra, o tentador, por três diferentes estados de consciência (*Jagat*, *Svapna* e *Suchupti*) ao quarto (*Turîya*) e daí aos sete mundos, aos mundos do eterno Repouso. O nome do primeiro vestíbulo é *Ignorância*; o do segundo é *Instrução* e do terceiro é *Sabedoria*, além do qual estendem-se as águas sem margens do *Akchara*, a inesgotável fonte de Onisciência. (*Voz do Silêncio*, I.)

Vestimentas, *As três* — As três vestimentas, formas ou corpos búdicos são denominadas respectivamente: *Nirmânakâya*, *Sambhogakâya* e *Dharmakâya*. (Ver *Trikâya* e cada uma destas três palavras.)

Vestimenta da Iniciação — Também chamada de *Shangna*, é a aquisição da Sabedoria, através da qual se alcança o *Nirvâna* de destruição (da personalidade). Põe termo ao renascimento, mas também mata a compaixão; assim é que os Buddhas perfeitos, que se encontram revestidos da glória do *Dharmakâya*, já não podem coadjuvar a salvação do homem. (*Voz do Silêncio*, II.) Ver *Vestimentas, As três*.

Vetâla (*Sânsc.*) — Um elemental, um espírito que frequenta os cemitérios e anima os cadáveres.

Vetâla Siddhi (*Sânsc.*) — Uma prática de feitiçaria; meios de alcançar poder sobre os vivos através de magia negra, encantamentos e cerimônias executadas sobre um corpo humano morto, durante cuja operação o cadáver é profanado. (Ver *Vetâla*.)

Vettâ (*Sânsc.*) — Testemunha, conhecedor.

Vettri (*Sânsc.*) — Ver *Vettâ*.

Vi (*Sânsc.*) — Prefixo que denota privação, separação, alijamento. Expressa, às vezes, a intensidade superlativa. Em alguns casos é transformado em *vai*.

Vibhâga (*Sânsc.*) — Divisão, desunião, separação; distribuição; distinção, diferenciação, diferença; classificação; participação; parte, classe.

V

Vibhakta (*Sânsc.*) — Dividido; separado; distinto, diferente; isolado, só, múltiplo.

Vibhama (*Sânsc.*) — Divagação; confusão; agitação; perturbação; erro; desvario; perplexidade; irresolução, indecisão.

Vibhâva (*Sânsc.*) — Poder, potência; poder extraordinário ou sobre-humano; propriedade, riqueza.

Vibhâvasu (*Sânsc.*) — Um fogo místico relacionado com o princípio do *pralaya* ou dissolução do universo. [O fogo, o deus do fogo, o Sol.]

Vibhrachta (*Sânsc.*) — Decaído; caído; rechaçado; frustrado, fracassado; privado.

Vibhranta (*Sânsc.*) — Agitado, combatido; extraviado; perplexo, indeciso, vacilante; confuso; errante.

Vibhu (*Sânsc.*) — Onipresente; infinito; poderoso; onipotente; eminente, excelso; senhor, chefe, governador.

Vibhûtayah (*Sânsc.*) — O mesmo que *Siddhis* ou poderes mágicos.

Vibhûti (*Sânsc.*) — Poder; perfeição, excelência, grandeza, majestade; glória; magnificência, esplendor; prosperidade; bem-estar; riqueza, fortuna; abundância; virtude; bom êxito.

Vibhûtimat (*Sânsc.*) — Poderoso, perfeito; sublime; majestoso, excelso, glorioso, admirável.

Vibuddha (*Sânsc.*) — Desperto.

Vicha (*Sânsc.*) — Veneno, tóxico, peçonha.

Vichâda (*Sânsc.*) — Lassidão, desalento, abatimento, displicência; desespero, consternação; tristeza, angústia, dor; aversão, desgosto.

Vichâdin (*Sânsc.*) — Desalentado, abatido, triste, displicente, desesperado, angustiado.

Vichakchana (*Sânsc.*) — Inteligente, sábio, douto, experto, hábil.

Vichama (*Sânsc.*) — Dificuldade, apuro, aperto; pena, conflito; infortúnio, contratempo, contrariedade, adversidade.

Vichamabhâva (*Sânsc.*) — Estado desigual. É uma manifestação do *Suchumnâ*. Nela o alento flui num momento por uma das narinas e, no momento seguinte, pela outra. (*Râma Prasâd*)

Vichâra (*Sânsc.*) — Meditação; deliberação; pensamento. (Ver *Sa-vichâra*.)

Vichaya — Ver *Vishaya*.

Vichetas (Vi-chetas) (*Sânsc.*) — Privado de entendimento, juízo ou razão; néscio, insensato.

Vichîdant (*Sânsc.*) — Desalentado, abatido; triste, aflito; desesperado, perplexo.

Vichuva, Vichuvat (*Sânsc.*) — Uma manifestação do *Suchumnâ*. (*Râma Prasâd*)

Vid (*Sânsc.*) — Saber, conhecer, distinguir; pensar, considerar, julgar, opinar; ver, perceber, sentir. Como adjetivo, ao final de uma palavra composta: sabedor, conhecedor, inteligente, douto, versado, experto.

Vida — TUDO É VIDA e cada átomo, até o do pó mineral, é uma *Vida*, embora esteja acima de nossa compreensão e percepção. A Vida se encontra em todas as partes do Universo, como se encontra também no átomo. (*Doutrina Secreta*, I, 269-270.)

V

Tudo é orgânico e vivo e, portanto, todo o mundo parece ser um organismo vivo, diz Paracelso. Os ocultistas afirmam que todas as "Forças" admitidas pelos sábios têm sua origem no Princípio Vital, a Vida una coletivamente de nosso sistema solar, sendo a "Vida" uma parte ou, melhor dizendo, um dos aspectos da VIDA única universal. (*Doutrina Secreta*, I, 647.) Realmente a Vida é a Divindade, Parabrahman; mas para manifestar-se no plano físico deve ser assimilada e, como o corpo físico é demasiado denso para isso, é preciso haver um intermediário, que é o corpo astral etéreo ou *Linga Sharîra*. (*Ibid.*, III, 593.) Ver *Prâna*, *Jîva*, *Linga Sharîra*, *Múmia* etc.

Vida órfica — Vida pura, religiosa, iluminada pela ciência e uma de suas práticas consistia em abster-se do uso de alimentos de origem animal. (Ver *Orfeu*.)

Vida secreta — A vida do *Nirmânakâya*. "Saiba que o *Bodhisattva* que troca a Libertação pela Renúncia, com o objetivo de assumir as penalidades da Vida Secreta, é qualificado de "três vezes Honrado". (*Voz do Silêncio*, II.)

Vide dos Sábios (*Alq.*) — Matéria da qual os Químicos Herméticos extraem seu mercúrio.

Videha (*Sânsc.*) — Literalmente: "sem corpo, incorpóreo", isto é, livre dos laços da matéria. O oposto ao *Prakritilaya* (ligado à matéria). (Ver Comentários aos *Aforismos do Yoga*, 17 e 19 do Livro I, por M. Dvivedi.)

Vidente — O clarividente; aquele que pode ver as coisas visíveis e invisíveis – para os outros – a qualquer distância e tempo com sua visão ou percepção espiritual ou interna. (Ver *Richi*.)

Vidhâtri (*Sânsc.*) — Brahmâ, o Criador.

Vidjñâna (*Sânsc.*) — Ver *Vijñâna* e *Chakchus*.

Vidro (*Alq.*) — Matéria dura, seca, transparente, formada da umidade radical incorruptível dos mistos, através da violência do fogo, que separa as partes heterogêneas e combustíveis.

Vidyâ (*Sânsc.*) — Saber, conhecimento oculto. [Há quatro *Vidyâs* que fazem parte dos sete ramos do saber mencionados nos *Purânas* e que são: *Yajña Vidyâ*, ou seja, a prática dos ritos religiosos com o objetivo de produzir certos resultados; *Mahâ Vidyâ*, o grande conhecimento mágico, atualmente degenerado em culto *tântrika*; *Guhya Vidyâ*, a ciência dos *mantras* com seu verdadeiro ritmo e entonação, dos encantamentos místicos etc., e *Âtmâ Vidyâ*, a sabedoria verdadeiramente espiritual e divina. (*Doutrina Secreta*, I, 192.)]

Vidyâ chadakcharî (*Sânsc.*) — A fórmula búdica de seis sílabas: *Om Mani Padme Hum*, é a mais sagrada de todas as fórmulas orientais. Tem sete significados diferentes e pode produzir sete resultados diferentes, de acordo com a entonação dada a toda a fórmula e a cada uma de suas letras. (*Doutrina Secreta*, III, 436.)

Vidyâ-dhara (*Sânsc.*) — *Vidyâ-dhara* e *Vidyâ-dhari*, divindades, masculina e feminina. Literalmente: "Possuidores do Conhecimento". São também chamados de *Nabhaschara*, "que se movem no ar", que voam, e *Priyam-vada*, "melífluos". São os silfos, dos rosa-cruzes, divindades inferiores que habitam a esfera astral entre a Terra e o éter e que, segundo a crença popular, são benéficos, mas, na realidade, são Elementais astutos, malévolos e carentes de inteligência ou "Poderes do Ar". São representados, tanto no Oriente como no Ocidente, como tendo relações com os homens "casando-se com eles", como se diz em linguagem rosa-cruz. (Ver *Conde de Gabalis*). Na Índia são chamados

V

também de *Kâma-rûpins*, porque *adquirem formas à vontade*. Entre estas criaturas recrutam-se os "espíritos esposas" e os "espíritos-maridos" de certos médiuns espíritas modernos e certas histéricas. Estes fazem orgulhoso alarde de manter tais relações perniciosas (por exemplo, a "Lily" americana, a "espírito-esposa" de um conhecido chefe de uma atualmente disseminada sociedade de espíritas, de um grande poeta e célebre escritor) e lhes dão o nome de anjos guias, sustentando que são os espíritos de famosos mortais desencarnados. Estes "espíritos-maridos" e "espíritos-esposas" não se originaram entre os espíritas modernos, porém são conhecidos no Oriente há milhares de anos, na filosofia oculta, com os nomes antes mencionados e, entre os profanos, com o de *Pizâchas*.

Vigata (*Sânsc.*) — Desvanecido, extinto, desaparecido, alijado, separado, morto; livre, isento, privado.

Vigatabhîs (*Sânsc.*) — Livre de temor.

Vigatajvara(s) (*Sânsc.*) — Livre de inquietude ou dor.

Vigatakalmacha(s) (*Sânsc.*) — Livre ou limpo de pecado.

Vigataspriya(s) (*Sânsc.*) — Livre de desejos; indiferente.

Vigilantes — Nome dado a certos Seres Celestiais (*Dkyân Chohans*), que guiam e inspecionam as manifestações da Vida de uma Raça, Ronda ou Planeta. (*P. Hoult*)

Vigilante silencioso — A Mônada, o *Deus interior* do homem. (*Voz do Silêncio*)

Vignana e **Vignyâna** — Ver *Vijñâna*.

Viguna (*Sânsc.*) — Falta de mérito, virtude ou qualidade; isento de qualidade; imperfeito, defeituoso.

Vihâra (*Sânsc.*) — Qualquer lugar habitado por ascetas ou sacerdotes budistas; um templo búdico, geralmente uma caverna ou templo aberto na rocha. Um mosteiro ou também um convento de monjas. Encontra-se atualmente *Vihâras* edificados nos recintos de mosteiros e academias para a disciplina búdica em vilas e cidades; porém, em outros tempos, só podiam ser encontrados em locais selvagens e não frequentados, no alto das montanhas e nas paragens mais desertas. [*Vihâra* significa também: expansão, distração; recreio, jogo, passeio; distribuição, prazer; local de recreio.]

Vihâraswâmin (*Sânsc.*) — O superior ou superiora de um mosteiro ou convento (*vihâra*). Também chamado de *Karmadâna*, porque todo mestre ou *guru*, pela autoridade que possui, toma sobre si a responsabilidade de certos atos, bons ou maus, cometidos por seus discípulos ou pelo rebanho a ele confiado.

Vihita (*Sânsc.*) — Dado, concedido; atribuído, assinalado; estabelecido, constituído; prescrito; criado, instruído; dotado; provido; fixado.

Vîjâ — Ver *Bîja*.

Vijânan (*Sânsc.*) — Inteligente, conhecedor, discernidor; sábio, douto, instruído.

Vijânita (*Sânsc.*) — Ver *Vijânan*.

Vijaya (*Sânsc.*) — Vitória, conquista; botim.

Vijita (*Sânsc.*) — Vencido, dominado, submetido. Como substantivo: vitória, conquista.

Vijitâtman (*Sânsc.*) — Que venceu a si próprio, que venceu ao eu inferior, que domina a si mesmo.

V

Vijitendriya (Vijita indriya) (*Sânsc.*) — Que domina ou subjuga os órgãos ou os sentidos.

Vijñâna ou **Vijñânam (Vijnânam)** (*Sânsc.*) — Nome vedantino dado ao princípio que reside no *Vijñânamaya Kosha* (o invólucro do intelecto) e corresponde às faculdades do *Manas* superior. *Vijñâna* é o décimo dos doze *Nidânas*. Os principais significados da palavra *Vijñâna* são: conhecimento, inteligência, ciência, sabedoria; experiência; superconhecimento; intuição; discernimento, percepção, conhecimento superior, completo ou intuitivo; uma espécie de visão direta com os olhos da alma, através da qual o homem adquire o conhecimento claro, direto e instantâneo da Verdade. (Ver *Jñana* e *Intuição*.)

Vijñânamaya Kosha (*Sânsc.*) — O corpo causal, o segundo princípio da constituição humana, segundo a filosofia vedantina. Corresponde ao *Manas* ou Alma intelectual da classificação setenária.

Vikâla (*Sânsc.*) — Crepúsculo; anoitecer.

Vikalpa (*Sânsc.*) — Dúvida; vacilação; ignorância; erro; ilusão; fantasia. Imaginação complexa. (*Râma Prasâd*)

Vikâra (*Sânsc.*) — Mudança, modificação, alteração; movimento do ânimo; perturbação, desordem (mental ou corporal), paixão; produção; preparação.

Vikârana (*Sânsc.*) — Sem causa.

Vikâri ou **Vikârin** (*Sânsc.*) — Que produz ou experimenta mudanças ou modificações.

Vikarman (*Sânsc.*) — Ação má ou proibida; não ação; cessação do ato; inativo.

Vikarna (*Sânsc.*) — Literalmente: "sem orelhas" ou surdo. Um dos príncipes Kurus e o terceiro dos filhos de Dhritarâchtra.

Vikârttana (*Sânsc.*) — "Privado de seus raios"; um nome do Sol e emblema do neófito iniciado. (Ver *Doutrina Secreta*, I, p. 343, nota, da 3ª ed. inglesa.)

Vikasa (*Sânsc.*) — A Lua.

Vikrama (*Sânsc.*) — Valor, arrojo; poder, força; herói.

Vikramakarman (*Sânsc.*) — Ação valorosa, heróica.

Vigrânta (*Sânsc.*) — Valoroso, arrojado, intrépido, cheio de ânimo.

Vikrita (*Sânsc.*) — Desfeito, modificado, alterado. Alteração, modificação, mudança; sentimento em geral.

Vilagna (*Sânsc.*) — Suspenso, pendurado; fixo, colhido, aderido.

Vimatsara (*Sânsc.*) — Livre de inveja, de egoísmo, ódio ou má-vontade.

Vimohita (*Sânsc.*) — Perturbado, confuso, extraviado, enganado; perplexo, alucinado, ofuscado.

Vimoksha (*Sânsc.*) — O mesmo que *Nirvâna*. [Literalmente: liberação, salvação, desligamento, liberdade.]

Vimûdha (*Sânsc.*) — Confuso; perturbado; perplexo; insensato, iludido, enganado, alucinado, extraviado.

Vimûdhabhâva (*Sânsc.*) — Confusão, perturbação; perplexidade.

Vimûdhâtman (*Sânsc.*) — De ânimo confuso.

V

Vimukta (*Sânsc.*) — Livre, libertado, emancipado, desligado; livre de pecado ou do corpo etc.

Vînâ (*Sânsc.*) — Uma espécie de grande alaúde ou viola usada na Índia e no Tibete e cuja invenção é atribuída diversamente a Shiva, Nârada e outros.

Vinagre (*Alq.*) — Água mercurial dos Sábios ou seu dissolvente universal, seu leite de virgem; é o vinagre da natureza, mas composto de coisas diferentes provenientes de uma mesma raiz.

Vinatâ (*Sânsc.*) — Uma filha de Dakcha e esposa de Kazyapa (um dos sete criadores do mundo). Produziu o ovo do qual nasceu Garuda, o vidente.

Vinaya (*Sânsc.*) — Modéstia, humildade, docilidade, submissão, obediência; disciplina, educação, cortesia; boas maneiras; retiro; afastamento.

Vinâza (*Sânsc.*) — Destruição, perdição, ruína, morte; desaparecimento; perda; rompimento; abatimento.

Vinazyant (*Sânsc.*) — Que perece; mortal, destrutível.

Vindu (*Sânsc.*) — Ponto; gota, mancha; sinal; o signo do *anusvâra*, ou seja, o pontinho que se coloca sobre uma letra ou sílaba para dar-lhe um som nasal (de *n* ou *m*) ou para substituir, no final de uma palavra, uma nasal não escrita. (Ver *Anusvâra*.)

Vinigraha (*Sânsc.*) — Domínio, sujeição, refreamento; separação, divisão.

Vinirmukta (*Sânsc.*) — Livre, desligado.

Vinivritta (*Sânsc.*) — Privado de; cessado, extinto, desvanecido, desaparecido; voltado; renunciado.

Vinivritta-Kâma (*Sânsc.*) — Que tem os desejos extintos.

Viniyata (*Sânsc.*) — Sujeitado, reprimido, restringido, subjugado.

Vinizchita (*Sânsc.*) — Concludente, convincente, decisivo, determinado; certo, seguro.

Vipala (*Sânsc.*) — Uma medida de tempo equivalente a 2/5 de segundo. (*Râma Prasâd*)

Viparîta (*Sânsc.*) — Oposto, contrário, adverso; sinistro; falso; mau; diferente; invertido, injusto, irregular.

Viparyâya (*Sânsc.*) — Falso conhecimento, uma das cinco manifestações da mente, reconhecidas pelo sábio Patañjali *(Râma Prasâd)*. Oposição; erro de julgamento, falso conceito; ilusão.

Vipashya (*Sânsc.*) — Meditação religiosa abstrata.

Vipazchit (*Sânsc.*) — Sábio, douro, inteligente; iluminado, clarividente.

Viprachitti (*Sânsc.*) — Chefe dos *dânavas*: os gigantes que guerrearam contra os deuses: os titãs da Índia.

Vipratipanna (*Sânsc.*) — Confuso, perturbado, aturdido, perplexo; extraviado; desviado; errôneo, falso.

Vîra (*Sânsc.*) — Herói, chefe; homem, marido; filho varão.

Virabhadra (*Sânsc.*) — Monstro de mil cabeças e mil braços, "nascido do alento" de Shiva Rudra, símbolo que se refere aos "nascidos do suor", a segunda raça da humanidade. (*Doutrina Secreta*, II, 193.)

V

Virahita (*Sânsc.*) — Abandonado, privado, separado, carente, desprovido. No fim de uma palavra composta: sem, carente de.

Virâj (*Sânsc.*) — O *Logos* hindu nos *Purânas* o Manu masculino, criado na porção feminina do corpo de Brahmâ (Vâch) por tal deus. Diz Manu: "Tendo dividido seu corpo em duas partes, o senhor (Brahmâ), tornou-se um varão em uma das metades e uma fêmea na outra; e nela criou Virâj." O *Rig-Veda* faz surgir Virâj do *Purucha* e o *Purucha* de Virâj. Este último é o tipo de todos os seres masculinos e Vâch, Satarûpa (a de cem formas), o tipo de todas as formas femininas. (Ver *Virât*.)

Virât (*Sânsc.*) ou **Virâj** — Pai imediato de Manu e filho de Brahmâ. O estado *âkâzico* da matéria psíquica, do qual procedem todos os *tattvas* mentais, que constituem Manu. (*Râma Prasâd*)

Virâta (*Sânsc.*) — Literalmente: "Sem reino" ou "sem soberania". Rei de Matsya, aliado dos pandavas e um dos caudilhos de suas hostes. (*Bhagavad-Gîtâ*, I, 4.)

Virgem — Ver *Devakî*.

Viril — Pequena custódia que se põe dentro da grande e em cujo interior se coloca uma hóstia, que representa o corpo de Cristo; ao seu redor emanam raios dourados em todas as direções. Pelos documentos relativos à Pérsia, sabemos que o viril de nossos tempos figurava também nas cerimônias, mas de festas, nas quais representava Mithra e que Mithra não era mais do que a força eminente do Sol, concebido como regulador do tempo, iluminador do mundo e agente de vida. O *Veda* dos hindus confirma sobejamente esta interpretação do símbolo e dá, ao mesmo tempo, o primeiro sentido da fórmula cristã: *per quem omnia fatia sunt*. (E. Burnouf, "O Budismo no Ocidente", artigo publicado nos primeiros números da revista *Estudos Teosóficos*.)

Viruddha (*Sânsc.*) — Oposto, contrário, hostil; odioso, proibido, perigoso; detido, impedido.

Virûdha (*Sânsc.*) — Crescido, desenvolvido, formado; profundo, elevado.

Vîrya (*Sânsc.*) — Virilidade; poder, força, energia, vigor, empenho, zelo.

Vîryavant (*Sânsc.*) — Forte, potente, esforçado, animado; poderoso; eficaz.

Visarga (*Sânsc.*) — Emanação; criação, produção; doação; abandono, desistência; cessação, fim.

Vishaya (*Sânsc.*) — Esfera, domínio; alcance; objetivo; assunto, matéria; ocupação; objeto sensível ou dos sentidos; gozo, prazer; lugar próprio.

Vishnu (*Sânsc.*) — Segunda pessoa da *Trimûrti* (Trindade) hindu, composta de Brahmâ, Vishnu e Shiva. A palavra Vishnu provém da raiz *vish*, "penetrar ou preencher". No *Rig-Veda*, Vishnu não é um deus elevado, mas simplesmente uma manifestação da energia solar, descrito "cruzando aos saltos as sete regiões do Universo em *três* passadas e envolvendo todas as coisas com o pó (de seus raios de luz)". Quaisquer que sejam os outros seis significados ocultos desta declaração, esta se refere à mesma classe de tipos dos 7 e 10 *Sephiroth*, dos 7 e 3 orifícios do *perfeito* Adão Kadmon, dos 7 "princípios" e da tríada superior do homem etc. Com o passar dos tempos, este tipo místico chega a ser um grande deus, o conservador e renovador, aquele "de mil nomes (*Sahasranâma*)". [É representado também descansando sobre a serpente Ananta ("sem fim"), símbolo da eternidade. Outras vezes é representado cavalgando a gigantesca ave Garuda, que, esotericamente, é o símbolo do grande ciclo (*Mahâkalpa*). É a manifestação da energia solar, motivo pelo qual é considerado como chefe dos *Adityas* ou deuses solares. Nos *Purânas*, é a personificação da qualidade *Sattva*; é também o *Prajâpati* (criador) e supremo deus. Como tal, tem três condições: 1º) a de Brahmâ, o criador ativo; 2º) a do próprio Vishnu, o conservador, e 3º) a de Shiva ou Rudra, o poder destruidor. Vishnu é pintado como uma figura de quatro braços, tendo em cada uma das mãos uma concha, um disco, uma maça e um lótus. Este deus teve dez *avataras* ou encarnações, das quais a principal encontra-se na figura de Krishna, o protagonista do *Bhagavad-Gîtâ*.] [As demais são: 1) *Matsya*, o peixe (Vishnu transformou-se em peixe para salvar Manu – não o legislador, mas o Noé hindu – do Dilúvio criado por ele próprio, pois estava furioso com a depravação dos homens); 2) *Kurma*, a tartaruga (isso ocorreu quando do batimento do "mar de leite"); 3) *Varaha*, o javali (Vishnu transformou-se em javali para salvar o Mundo de um poderoso demônio, que havia transportado nosso globo para o fundo do Oceano; após um combate de mil anos, o deus conseguiu a vitória e retornou à superfície com o Mundo); 4) *Nara-sinha*, o homem-leão (Vishnu encarnado em um ser homem e leão livrou o mundo de um outro demônio, que havia arrancado de Brahma a promessa de não poder ser morto por nenhum homem ou animal); 5) *Vamana*, o anão (Vishnu transformou-se em anão com o objetivo de resgatar os três mundos do poder de Bali, rei-demônio, que deles se havia apoderado). Estes 4 são os avatars *mitológicos*. As outras encarnações são de heróis, isto é, humanas ou quase; 6) *Parasurama*, "Rama do machado" (que impediu a casta guerreira, os orgulhosos *kshatriyas*, de suplantar os brahmanes); 7) *Rama*, de quem se ocupa o *Ramayana*; 8) *Krishna*, do qual já falamos acima, herói de outro grande poema da Índia, o *Mahabarata*; 9) *Buda*, com o que o fundamento do Budismo foi incorporado ao Hinduísmo; 10) *Kalkin*, o cavalo branco (Vishnu encarnará Kalkin, quando a época atual tiver preenchido até a borda o copo da maldade e no momento que uma revolução e um renascimento cósmico tenha chegado). (Bergua, J. B. Notas da sua tradução ao *Ramayana*, p. 726-727)

Vishnuíta ou **Vaichnava** (*Sânsc.*) — Seguidor ou adorador de Vishnu.

Vishnu-Purâna (*Sânsc.*) — Um dos *Purânas* chamados *Vaichnavas* (ou de Vishnu), em que este Deus tem proeminência; no Parâsana, começando com os acontecimentos do *Varâha Kalpa*, expõe todos os deveres. Neste *Purâna* prevalece a qualidade *Sattva*.

Vishva — Ver *Vizva*.

Vishvatryarchas — Ver *Vizvatryarchas*.

Vishwakarman — Ver *Vizvakarman*.

Vismaya (*Sânsc.*) — Pasmo, assombro, surpresa, admiração, estupor.

Vismita (*Sânsc.*) — Atônito, assombrado, surpreso, pasmado, maravilhado.

Vistara (*Sânsc.*) — Desenvolvimento, expansão, grandeza, imensidão; abundância, multidão; prolixidade; detalhe; totalidade; narração; descrição, exposição.

Vistâra (*Sânsc.*) — Expansão, difusão, desenvolvimento; extensão, propagação; especificação.

Vîta (*Sânc.*) — Ido, desaparecido, alijado, cessado.

Vîtarâga (*Sânsc.*) — Livre ou isento de afeição, desejo ou paixão; desapaixonado, indiferente, apático.

Vitarka (*Sânsc.*) — Curiosidade; raciocínio.

V

Vitata (*Sânsc.*) — Desdobrado, estendido, desenvolvido; propagado, difundido promulgado; celebrado; oferecido; executado ou praticado; extenso, vasto; coberto.

Vitrificação (*Alq.*) — Cozimento da pedra ao rubro.

Vittama (*Sânsc.*) — Superlativo de *vid*. O mais inteligente ou entendido.

Vitteza (*Sânsc.*) — (*Vitta-îza*, "Senhor das riquezas"). Nome utilizado para designar Kuvera, deus das riquezas. (Ver *Kuvera*.)

Vivan ou **Viwan** (*Sânsc.*) — Uma espécie de "veículo aéreo", como um globo aerostático, mencionado, porém não descrito, nas antigas obras sânscritas e que os atlantes e os ários antigos parecem ter conhecido e utilizado.

Vivardhana (*Sânsc.*) — Que aumenta, acresce, fomenta, promove, favorece, desenvolve; que fortalece ou revigora. Como substantivo: aumento, desenvolvimento, fomento, acréscimo.

Vivarjita (*Sânsc.*) — Isento, livre; privado, destituído, alheio; não acompanhado, sem mistura; abandonado; carente; sem.

Vivasvant — Ver *Vivaswat*.

Vivaswat ou **Vivaswant** (*Sânsc.*) — O "Brilhante", o Sol [Aquele que ilumina; o Sol ou o deus deste nome (*Bhagavad-Gîtâ*, IV, 1, 4).]

Viveka (*Sânsc.*) — Discernimento, distinção; faculdade de análise e comparação.

Vivekin (*Sânsc.*) — Que sabe discernir ou fazer distinções.

Vividha (*Sânsc.*) — Vário, múltiplo, diverso; de espécie diversa, de diversas classes.

Vivificação (*Alq.*) — Volatilização da matéria fixa com a ajuda do mercúrio.

Vivikta (*Sânsc.*) — Separação; solidão, isolamento, retiro. Como adjetivo: separado, afastado, retirado, isolado, solitário; livre de; puro, claro.

Viviktasevin (*Sânsc.*) — Que busca ou frequenta a solidão ou o retiro.

Vivriddha (*Sânsc.*) — Crescido, aumentado, desenvolvido; grande, vasto, considerável, abundante, numeroso; prevalecido.

Viyoga (*Sânsc.*) — Desunião, disjunção, separação, divisão; ruptura; ausência, perda.

Viyukta (*Sânsc.*) — Desligado, desprendido, desunido, dividido; solto, separado; isento, livre, alheio.

Viz (*Sânsc.*) — Comunidade, tribo, povo, gente, especialmente a terceira casta; um indivíduo da terceira casta. (Ver *Vaizya*.)

Vizâkhâ (*Sânsc.*) — Um asterismo lunar.

Vizâla (*Sânsc.*) — Grande, vasto, extenso, dilatado.

Vizârada (*Sânsc.*) — Experto, conhecedor, sábio; hábil, familiarizado.

Vizecha (*Sânsc.*) — Variedade, diferença, distinção, classificação; classe, espécie, iudivíduo; peculiaridade; eminência, superioridade.

Vizichta (*Sânsc.*) — Separado, distinto; peculiar, especial; ilustre, distinto, excelente; o melhor.

Vizichtadvaita (**Vizichta-dvaita**) (*Sânsc.*) — Literalmente: "dualismo com diferença". A segunda das três Escolas da *Vedânta*.

V

Vizokâ (*Sânsc.*) — Isento de toda dor. Um dos *siddhis*. (Ver Comentário de M. Dvivedi ao *Aforismo* 49 do livro III de Patañjali.)

Vizuddha (*Sânsc.*) — Purificado, puro, virtuoso; claro, brilhante, completamente puro ou limpo.

Vizuddhâtman (*Sânsc.*) — Alma pura; que tem a alma pura.

Vizuddhi (*Sânsc.*) — Purificação, pureza.

Vizva ou **Vizwa (Vishva)** (*Sânsc.*) — Todo, inteiro, total, universal. Como substantivo: o Todo, o Universo, o mundo, o Cosmos. (Ver *Vizne*.)

Vizvadevas ou **Vizvedevas** — Ver *Vizve*.

Vizvakarman (Vishwakarman) (*Sânsc.*) — "Aquele que a tudo cria". Um deus védico, uma personificação da Força criadora, descrita como o Único "deus onividente... o gerador, ordenador, que... está acima da compreensão dos mortais (não Iniciados)". Nos hinos do *Rig-Veda* especialmente dedicados a ele, diz-se que "se sacrifica *a si mesmo a si mesmo*". Os nomes de sua mãe, "a amável e virtuosa *Yoga Siddhâ*" (Purânas) e de sua filha *Sañjñâ* (consciência espiritual) demonstram seu caráter místico. (Ver *Doutrina Secreta, sub voce.*) Como artífice dos deuses e forjador de suas armas, é chamado *Kâru*, "artífice", *Takchaka*, "carpinteiro" ou "cortador de madeira" etc., etc. [É sinônimo de *Tvachtri* e é o grande padroeiro dos Iniciados. (*Doutrina Secreta*, II, 651.) Ver *Tvachtri*.]

Vizvâmitra (*Sânsc.*) — Príncipe da raça lunar e inspirado *richi*. No *Râmâyana* narram-se alguns feitos notáveis de sua vida, entre outros suas rudes austeridades e a luta que sustentou contra o *muni* Vazichtha pela posse de uma vaca simbólica.

Vizvamûrti (*Sânsc.*) — Omniforme; que existe em todas as formas; que assume todas as formas; cuja forma é o universo.

Vizvarûpa (*Sânsc.*) — De forma universal.

Vizvatomukha (*Sânsc.*) — Que tem a face voltada para todos os lados; presente em todo lugar; que olha para todas as partes.

Vizvatryarchâs (Vishwatryarchas) (*Sânsc.*) — O quarto raio solar (místico) dos sete. [Os nomes dos Sete Raios solares, que são: *Suchumnâ, Harikeza, Vizvakarman, Vizvatryarchâs, Sannaddha, Sarvâvasu* e *Svarâj*, são todos místicos e cada um deles tem sua distinta aplicação num estado de consciência distinto, para fins ocultos... A totalidade dos Sete Raios difundidos por todo o sistema solar constitui, por assim dizer, a base física do Éter da ciência, base na qual a luz, o calor, a eletricidade etc., Forças da ciência ortodoxa, relacionam-se entre si para produzir seus efeitos terrestres. Como efeitos psíquicos e espirituais, emanam do Upâdhi suprassolar e têm sua origem nele próprio, no Éter do ocultista ou *Âkâsa*. (*Doutrina Secreta*, I, 561, nota.)

Vizve (*Sânsc.*) — Plural de *Vizva*. Os *Vizve* constituíam um grande número de deuses inferiores, dos quais resta apenas a memória, denominados *Vizvadevas* ou *Vizvedevas*, "todos os deuses", ou seja, a totalidade de semideuses ou divindades de ordem inferior, correspondentes talvez a "Todos os Santos" da Igreja Romana. Estavam relacionados com as cerimônias funerais. No período *purânico*, constituíam uma classe de semideuses, em número de dez ou doze, filhos de Yama ou Dharma, deus da justiça, e cujos nomes eram: Vasu, Satya, Kratu, Dakcha, Kâla, Kâma, Dhriti, Kuru, Purûravas e Mâdravas. A estes dez, algumas vezes, acrescentam-se outros dois, chamados: Rochaka ou Lochana e Dhuri ou Dhvani. (Ver *Vishnu-Purâna.*)

V

Vizvezvara (Vizva-îzvara) (*Sânsc.*) — Senhor do universo.

Vogais — Ver *Pontos masoréticos*.

Volátil (*Alq.*) — Que voa, que se eleva ao alto, que se sublima no alto do vaso, durante a destilação, ou que se evapora pela ação do fogo comum ou do fogo inato dentro da matéria, causa da fermentação. Os filósofos dão este nome ao seu mercúrio ou água mercurial, no início da obra.

Voluspa (*Esc.*) — Um poema intitulado "Canto da Profetisa" ou "Canto de Wala".

Vontade — Em metafísica e filosofia oculta, a Vontade é o que governa os universos manifestados na eternidade. A *Vontade* é o único princípio do MOVIMENTO abstrato eterno ou sua essência animadora. "A Vontade – diz Van Helmont – é o primeiro de todos os poderes... A vontade é a propriedade de todos os seres espirituais e neles se mostra tanto mais ativamente quanto mais livres da matéria estejam." E Paracelso ensina que "a vontade determinada é o princípio de todas as ações mágicas. Por não se imaginar perfeitamente os homens e não ter fé nos resultados, as artes (ocultas) são tão incertas, sendo que poderiam ser perfeitamente certas". Como todas as demais forças, a Vontade é *setenária* em seus graus de manifestação. Emanando da única, eterna, abstrata e puramente inativa Vontade (*Âtmâ* em *Layam*), converte-se em *Buddhi* em seu estado *Alaya*, desce como *Mahat* (*Manas*) e vai descendo a escala de graus até chegar a ser o divino Eros, em sua manifestação inferior, animal, o desejo erótico. A Vontade, como princípio eterno, não é espírito nem substância, mas ideação eterna. Como muito bem expressou Schopenhauer em seu *Parerga*, "na realidade pura não há nem *matéria* nem *espírito*. A tendência à gravitação numa pedra é tão inexplicável quanto o pensamento no cérebro humano... Se a matéria pode – ninguém sabe por que – cair no chão, pode também – ninguém sabe por que – pensar... Tão prontamente, também na mecânica, como saímos do terreno do puramente matemático, da mesma forma chegamos à inescrutável adesão, gravitação etc., nos encontramos frente a fenômenos que, para nossos sentidos, são tão misteriosos quanto a VONTADE". A Vontade é do *Manas* superior. É a tendência universal harmônica, que atua através do *Manas* superior. (*Doutrina Secreta*, III, 584) Através de nossa Vontade, manifestando-se como Desejo, atraímos ou repelimos os objetos que nos rodeiam; aquilo que desejamos apaixonadamente ou queremos de modo resoluto vem a nós. A ação de nossa vontade ou desejo sobre os objetos e as pessoas que nos rodeiam leva à reação de aproximação ou afastamento. As pessoas chamadas de "afortunadas" são aquelas que estão dotadas de desejos poderosos e vontade enérgica; um magnetismo sutil leva às suas mãos aquilo que desejam. É preciso que tal força seja sustentada e enérgica para que atue vivamente, porém com segurança e, se estudarmos com atenção o mundo que nos circunda, veremos claramente demonstrada a existência desta força em nós mesmos e nos demais. É o reflexo da Vontade divina em nós, que diz: "Seja e eis que é". (Corão, II, 117) O estudante recordará como Dante fala da Divindade, para a qual a Vontade e o ato são a mesma coisa. (A. Besant, *The Universal Text Book of Religion and Morals*, tomo I, p. 123-124) A Vontade, como já se disse, é a Força das forças e, segundo P. Christian, é o supremo arcano da alta Magia. (Ver *Oração*.)

Vontade (*Alq.*) — Enxofre dos Sábios ou seu ouro vivo.

Voodalak (*Esl.*) — Um vampiro, um cadáver animado por seus princípios inferiores e que conserva uma espécie de semivida em si mesmo, saindo durante a noite de sua tumba, fascinando suas vítimas vivas e chupando-lhes o sangue. As tribos moldávias, rumenas e sérvias e todas as eslavas que vivem nos Balcãs, como também os tchecos (boêmios), morávios e outros acreditam firmemente na existência de tais fantasmas ou *espíritos* e, por conseguinte, os temem. (Ver *Vampiros*.)

V

Voodooismo — Ver *Vuduísmo*.

Votan (*Mex.*) — O herói deificado dos mexicanos e, provavelmente, o mesmo que Quetzal-Coatl; um "filho das serpentes", um admitido no "agulheiro da serpente", o que significa um adepto admitido na Iniciação na câmara secreta do Templo. O missionário Brasseur de Bourbourg pretende provar que é um descendente de Cam, o filho maldito de Noé (Ver *Ísis sem Véu*, I, p. 545 e ss.). (Ver *Wotan*.)

Vrata (*Sânsc.*) — Lei ou poder dos deuses. Vontade, decreto, mandato, ordem, estatuto; domínio; esfera; conduta, método de vida; eleição; resolução, propósito; voto, obra santa ou piedosa, devoção; observância religiosa; dever, obrigação; tarefa; obediência, serviço; ocupação. Como adjetivo, no final de uma palavra composta: devoto, fiel, obediente; adicto; dedicado, consagrado; servidor; adorador.

Vratâni (*Sânsc.*) — [Plural de *vrata*.] "Leis ativas" de Varuna, cursos ou vias de uma ação natural. (Ver Hinos do *Rig-Veda*, X, 90-1.)

Vrichni (*Sânsc.*) — Filho de Yadu e um dos antecessores de Krishna, que, por tal motivo, leva o nome de *Varchneya*, "descendente de Vrichni", carneiro. Como adjetivo: varonil, forte, potente. Nome de uma raça de príncipes, descendentes de Vrichni.

Vriddha (*Sânsc.*) — Adulto; ancião, velho; grande, hábil, eminente, distinguido.

Vriddha Garga (*Sânsc.*) — De *vriddha*, "antigo", e *Garga*, um antigo sábio, um dos mais antigos escritores que trata da astronomia.

Vriddha Mânava (*Sânsc.*) — As leis de Manu.

Vrihaspati — Ver *Brihaspati*.

Vrihatsâmâ — Ver *Brihat-sâman*.

Vrijina (*Sânsc.*) — Falta, pecado, vício, culpa.

Vrikcha (*Sânsc.*) — Árvore, planta.

Vrikodara (Vrika-udara) (*Sânsc.*) — "Ventre de lobo." Epíteto de Bhîma, segundo dos príncipes pândavas, temível por sua ferocidade. (*Bhagavad-Gîtâ*, I, 15)

Vrindâ-vana (*Sânsc.*) — Uma selva do distrito de Mathurâ, onde Krishna passou sua juventude, com o nome de Gopâla, entre vaqueiros. (*Dowson*)

Vrischika (*Sânsc.*) — O oitavo signo do Zodíaco hindu, correspondente a nosso *Escorpião*.

Vrita (*Sânsc.*) — Coberto, velado; envolto; rodeado; encerrado; oculto; cheio, dotado.

Vritra (*Sânsc.*) — Nos *Vedas* é o demônio das secas e do mau tempo e que está em luta contínua com Indra, deus do firmamento. É a alegoria de um fenômeno cósmico.

Vritra-han (*Sânsc.*) — Epíteto de Indra; significa: "matador de Vritra".

Vrittayah (*Sânsc.*) — Plural de *vritti*. (Ver *Vritti*.)

Vritti (*Sânsc.*) — Estado, condição, disposição, maneira de ser ou de viver; conduta, proceder; profissão, ofício, função; modificação, transformação; uso, costume; prática; regra; ação; atividade, força, devoção; seguimento.

Vritti-nirodha (*Sânsc.*) — Supressão, suspensão das modificações do princípio pensador. (*M. Dvivedi*)

V

Vuduísmo (Voodooismo) ou **Vudus (Voodoos)** — Um sistema de feitiçaria africana; uma seita de magos negros, à qual são muito afeitos os negros de Nova Orleans. Floresce igualmente em Cuba e na América do Sul. (Ver *Uragas*.)

Vyâdhi (*Sânsc.*) — Enfermidade, padecimento.

Vyâghra (*Sânsc.*) — Tigre. No fim de uma palavra composta: o primeiro, o principal, o melhor; príncipe de.

Vyâhritis (*Sânsc.*) — Literalmente: "ígneas", *palavras acesas pelo fogo e dele nascidas*. As três palavras místicas criadoras, que, segundo Manu, foram extraídas dos *Vedas* por Prajâpati: *bhûr*, do *Rig-Veda*; *bhuvah*, do *Yajur-Veda* e *Swar*, do *Sâma-Veda* (*Manu*, II, 76). Todas as três, diz-se, possuem poderes criadores. O *Satapatha Brâhmana* explica que tais palavras são "as três essências luminosas" extraídas dos *Vedas* por Prajâpati ("senhores da criação", progenitores), através do calor. "Ele (Brahmâ) pronunciou a palavra *bhûr* e surgiu a Terra; *bhuvah*, e surgiu o firmamento e *swar* e surgiu o céu." Mahar é a quarta "essência luminosa" e foi tomada do *Atharva veda*. Porém, como esta palavra é puramente *mântrica* e mágica, é, por assim dizer, conservada à parte.

Vyâkarana (*Sânsc.*) — Gramática. Um dos *Vedângas*. A ciência da gramática foi cuidadosamente estudada entre os hindus, desde tempos remotíssimos e estudada mais como uma ciência do que como um meio de adquirir ou regular a linguagem. *(Dowson)*

Vyakta (*Sânsc.*) — Manifestado, visível, descoberto, diferenciado; definido, qualificado.

Vyakta-rûpa (*Sânsc.*) — Que tem uma forma manifestada.

Vyaktaya (*Sânsc.*) — (Sufixo *ya*) - As coisas manifestadas ou visíveis, o mundo visível.

Vyakti (*Sânsc.*) — Manifestação; aparição; distinção; diferenciação; variedade; indivíduo.

Vyâla (*Sânsc.*) — Malvado, perverso, vicioso.

Vyâmizra (*Sânsc.*) — Confuso, misturado, variado, ambíguo.

Vyâna (*Sânsc.*) — A manifestação vital, que faz com que cada parte do corpo conserve sua forma. *(Râma Prasâd)* - Ver *Ares Vitais*.

Vyâpad (*Sânsc.*) — Calamidade, morte.

Vyapâzraya (*Sânsc.*) — Partida; ato de refugiar-se; dependência; asilo, refúgio, amparo; ajuda, sustento, apoio; assento, fundamento; esperança, recurso; lugar, uso; aplicação. No final de uma palavra composta: que recolhe, que se acolhe; que confia ou espera em; que se refugia em.

Vyapeta (*Sânsc.*) — Separado, alijado; cessado; desaparecido, desvanecido.

Vyapetabhî(s) (*Sânsc.*) — Cujo temor se desvaneceu; livre de temor.

Vyâpta (*Sânsc.*) — Penetrado, preenchido, impregnado.

Vyâsa (*Sânsc.*) — Literalmente: "*aquele que desenvolve ou amplia*", um intérprete ou, melhor, um *revelador*, porque o que ele explica, interpreta e amplia é *um mistério* para o profano. Este termo foi aplicado, em tempos antigos, aos *Gurus* mais elevados na Índia. Houve numerosos Vyâsas em Aryavarta; um deles foi o compilador e ordenador dos *Vedas*; outro, o autor do *Mahâbhârata, o vigésimo oitavo Vyâsa* ou revelador *na ordem de sucessão*, e o último digno de nota foi o autor do *Uttara Mîmânsâ*, o sexto sistema

V

ou escola de filosofia hindu. Foi também fundador do sistema *Vedânta*. A data em que floresceu, como foi indicado por alguns orientalistas (ver *Elphinstone*, *Cowel* etc.) é a de 1400 a.C., porém, com certeza, esta data é demasiado recente. Os *Purânas* mencionam apenas vinte e oito Vyâsas, que em várias épocas desceram à Terra para promulgar as verdades védicas, porém existiram muitos mais. Krishna Dwaipâya é o mais renomado de todos eles pela importância das obras que compilou, tais como o *Mahâbhârata*, a *Vedânta*, diversos *Purânas* etc. Este personagem casou-se com as duas viúvas de seu meio-irmão, o rei Vichitravîrya (que morreu sem sucessão), das quais teve dois filhos: Dhritarâchtra e Pându.

Vyatipâta (*Sânsc.*) — Um dos vinte e sete *Yogas*. (Ver *Vaidhrita*.) *(Râma Prasâd)*

Vyâtîta (*Sânsc.*) — Passado, ido; morto.

Vyâtta (*Sânsc.*) — Aberto.

Vyavahârika (*Sânsc.*) — Existência objetiva; prática. Entre os vedantinos, realidade fenomenal ou fenômeno, tal como aparecem aos homens nas condições físicas normais. (*P. Hoult*)

Vyavahârika-âtma (*Sânsc.*) — A vida ou consciência do plano físico. (*P. Hoult*)

Vyavasâya (*Sânsc.*) — Resolução, propósito, desígnio, empenho; esforço; firmeza; zelo.

Vyavasâyâtmika (*Sânsc.*) — De natureza constante, fixa, resoluta ou determinada.

Vyavasita (*Sânsc.*) — Resolução, propósito, intenção. Como adjetivo: resoluto, decidido; disposto, preparado.

Vyavasthita (*Sânsc.*) — Que está, permanece ou persiste; preparado, disposto; situado, colocado, fixo; limitado; constante; presente; existente; dependente; inerente, anexo; aderido, subordinado; que se encontra num estado ou posição; ordenado.

Vyavasthiti (*Sânsc.*) — Determinação, resolução; constância, firmeza; assiduidade, perseverança; distinção.

Vyâyâma (*Sânsc.*) — Esforço; luta; dificuldade; pena, fadiga.

Vyûdha (*Sânsc.*) — Ordenado, disposto, preparado.

Vyutpatti (*Sânsc.*) — Ciência, conhecimento dos livros santos. Derivação das palavras, etimologia.

W

W — Vigésima terceira letra do alfabeto inglês. Não tem equivalente em hebraico. No Ocultismo ocidental, alguns a tomam como símbolo da água celeste, enquanto M representa a água terrestre. (Ver a letra V.)

Wala (*Esc.*) — Uma profetisa nos cantos do *Eddas* (mitologia escandinava). Em virtude dos encantamentos de Odin, foi ressuscitada de sua tumba e profetizou a morte de Baldur.

Walhalla (*Esc.*) — Uma espécie de paraíso *(Devachan)* para os guerreiros que morrem em combate e denominado, pelos antigos escandinavos, "morada dos heróis bem-aventurados"; tem quinhentas portas.

Wali (*Esc.*) — O filho de Odin, que vinga a morte de Baldur, "o bem-amado".

Walkírias (Valquírias) (*Esc.*) — Chamadas de "seletoras dos mortos". Segundo a poesia popular dos escandinavos, estas deusas santificam com um beijo os heróis que sucumbem em luta, levando-os do campo de batalha e conduzindo-os às mansões da felicidade e aos deuses, no Walhalla. (Ver *Valquírias*.)

Wamas (*Alq.*) — Vinagre dos filósofos.

Wanes (*Esc.*) — Uma raça de deuses muito antigos, adorados na aurora dos tempos pelos antigos escandinavos e, mais tarde, pelas raças teutônicas.

Wara (*Esc.*) — Uma das donzelas da Freya do Norte; "a sábia Wara", que observa atentamente os desejos de cada coração humano e vinga toda a violação de fé.

We (*Esc.*) — Um dos três deuses (Odin, Wili e We) que mataram o gigante Ymir (a força caótica) e criaram o mundo com seu corpo, a substância primordial.

Werdandi (*Esc.*) — Ver *Norhas*, as três deusas irmãs, que representam o Passado, o Presente e o Futuro. Werdandi representa o tempo sempre presente.

Wili (*Esc.*) — Ver *We*.

Wittoba (*Sânsc.*) — Uma forma de Vishnu. Em seu *Panteão Hindu*, Moor representa a imagem de Vittoba *crucificado no Espaço*; e o Reverendo Dr. Lundy, em seu *Cristianismo Monumental*, diz que esta gravação *é anterior ao Cristianismo* e é o Krishna crucificado, um Salvador e, portanto, uma profecia concreta de Cristo. (Ver *Ísis sem Véu*, II, 557, 558.)

Wodan (*Saxão*) — O escandinavo Odin, Votan ou Wuotan.

Woodoísmo — De *Woodoo*, seita de magos negros de Nova Orleans. (Ver *Vuduísmo*.)

X

X — Esta letra é um dos símbolos importantes da filosofia oculta. Como número, X representa, nas matemáticas, a quantidade desconhecida; na numerologia oculta, representa o número perfeito 10; quando este signo é colocado horizontalmente, ⨯, significa 1.000; o mesmo signo com um traço, ⨯̄ representa 10.000, e por si só, na simbologia oculta, é o *Logos* de Platão (o homem como *microcosmo*) cruzado no espaço sob a forma da letra X. A cruz dentro do círculo ⊗ tem, além disso, um significado ainda mais claro na filosofia oculta oriental: é o HOMEM dentro de seu próprio invólucro *esférico*. Em sânscrito esta letra não existe, porém, há uma letra dupla, composta de K e CH (como nas palavras *Kchatriya*, *Kchamî*, *Kchtra* etc., que, na transliteração de Burnouf é expressa pela letra X.

Xantos (*Gr.*) — O mesmo que Escamandro. Rio-deus que dourava, segundo os antigos, o tosão das ovelhas que bebiam suas águas. (Ver *Tosão de Ouro*.)

Xeni nephidei (*Ocult.*) — Espíritos elementais que dão aos homens poderes ocultos sobre a matéria visível e se alimentam de seu cérebro, tornando-os, por isso, frequentemente loucos. (Eles ajudam os médiuns físicos a levantar objetos materiais sem qualquer meio visível.) Um grande número de médiuns de efeitos físicos enlouqueceu. (*F. Hartmann*)

Xenófilo — Um Adepto e filósofo pitagórico, a quem Luciano (*De Macrob.*) Plínio e outros dizem ter atingido a idade de 170 anos, conservando até o fim suas faculdades. Escreveu sobre música e, por isso, o chamavam de "o Músico".

Xeromirum (*Alq.*) — Unguento dessecativo.

Xir (*Alq.*) — Matéria da obra ao negro, ou em putrefação.

Xissium (*Alq.*) — Vinagre.

Xisusthrus ou **Xisuthrus** (*Gr.*) — O Noé caldeu nas tabuinhas assírias, que é assim descrito, por Beroso, segundo Alexandre Polyhistor: "Depois da morte de Ardates (o nono), seu filho Xisusthrus reinou dezoito *sari*. Neste período ocorreu um grande dilúvio." Advertido do cataclismo próximo, por sua divindade, em uma visão, Xisusthrus recebeu, dessa divindade, a ordem de construir uma arca, para conduzir dentro dela seus parentes, juntamente com todos os diversos animais, aves etc., e de confiarem-se às águas invasoras. Obedecendo à advertência divina, Xisusthrus, segundo reza a história, fez precisamente o que Noé fez milhares de anos depois. Soltava as aves da arca, que a ela voltavam. Passados alguns dias, soltou-as novamente e elas regressaram com as patas cobertas de lodo; na terceira vez, as aves não regressaram. Encalhado no alto de uma elevada montanha armênia, Xisusthrus desce e constrói um altar aos deuses. Somente aqui surge uma divergência entre a lenda politeísta e a monoteísta. Xisusthrus, após adorar e dar graças aos deuses por sua salvação, desapareceu e seus companheiros "não o viram mais". A história nos informa que, devido à sua grande piedade, Xisusthrus e sua família foram levados *a viver com os deuses*, como ele mesmo disse aos sobreviventes. Pois, embora seu corpo tenha desaparecido, sua voz foi ouvida no ar, dizendo, após inteirá-los do ocorrido, para que voltassem à Babilônia e dessem o devido respeito à virtude, à religião e aos deuses. Isto é mais meritório do que plantar videiras, embriagar-se com o sumo de seus cachos e maldizer seu próprio filho. (Ver *Sisthrus* e *Dilúvio*.)

Xoites (*Eg.*) — Nome do Baixo Egito. (Pierret, *Dict. d'Arch. Égypt.*)

Xylagium (*Alq.*) — Madeiro Santo.

Xylocassia (*Alq.*) — Pau de canela.

Y

Y — Vigésima quinta letra do alfabeto inglês e décima do hebraico: o *Yod*. É a *littera Pythagoræ*, letra pitagórica e o símbolo que significa os dois ramos, ou *sendas de virtude e vício*, respectivamente, que conduzem a direita para a virtude e a esquerda para o vício. No misticismo cabalístico hebreu, é o membro fálico e, além disso, como número, é o *dez*, o número perfeito. Simbolicamente, é representado por uma mão com o dedo indicador dobrado. Sua equivalência numérica é dez. [É a quadragésima letra e primeira semivogal do alfabeto sânscrito.] [Num aparente paradoxo, corresponde (macroscopicamente) ao signo de Virgem e ao arcano X do Tarô.]

Ya (*Sânsc.*) — Sufixo que forma nomes abstratos neutros (como *bhûya*, natureza, condição essencial), adjetivos qualificativos etc.

Yâdas (*Sânsc.*) — Monstro marinho, animal aquático ou marinho.

Yâdava (*Sânsc.*) — "Filho ou descendente de Yadu", da grande raça em que nasceu Krishna. O fundador dessa linhagem foi Yadu, filho do rei Yayâti do *Somavanza* ou Raça lunar. No tempo de Krishna – que certamente não era um personagem *mítico* – estabeleceu-se o reino de Dwârakâ, em Guzerat e também, após a morte de Krishna (3102 a.C.), todos os *yâdavas* existentes na cidade morreram, quando esta foi submersa pelo oceano. Somente alguns poucos *yâdavas*, que se encontravam ausentes da cidade durante a catástrofe, escaparam para perpetuar esta grande raça. Os Râjâs de Vijaya Nâgara figuram hoje entre o número reduzido de seus representantes. [Yâdava é um sobrenome de Krishna, por este ser descendente de Yadu.]

Yadrichchhâ (*Sânsc.*) — Acidente, casualidade, azar, capricho; independência, liberdade.

Yadrichchhâlâbha (*Sânsc.*) — Aquisição daquilo que se apresenta eventualmente ou por si mesmo.

Yadu (*Sânsc.*) — Ver *Yâdava*.

Yah (*Hebr.*) — O mundo, segundo o *Zohar*, através do qual os *Elohim* formaram os mundos. A sílaba em questão é uma adaptação nacional e uma das muitas formas do "nome de Mistério" IAO. (Ver *Iaho* e *Yâho*.)

Yahia (*Ár.*) — Nome de São João Batista entre os muçulmanos.

Yâho (*Hebr.*) — Fürst demonstra que este nome é idêntico ao grego Iao. Yâho é um antigo nome semita e muito místico da Divindade suprema, enquanto Yah (ver) é uma abreviação posterior, que, por conter um ideal abstrato, passou finalmente a ser aplicada e relacionada com um símbolo fálico: o *lingham* da criação. Tanto *Yah* como *Yâho* eram "nomes de mistério" hebraicos derivados de *Iao*. Porém os caldeus possuíam um *Yâho* antes de os judeus o adotarem e, entre eles, como o explicam alguns gnósticos e neoplatônicos, era a mais alta divindade concebível, *entronizada sobre os sete céus* e representando a *Luz espiritual* (*Atman*, o universal), cujo raio era *Nous*, que, por sua vez, representava o inteligente Demiurgo do Universo de Matéria e o *Manas divino* no homem, sendo ambos Espírito. A verdadeira chave disso, comunicada apenas aos Iniciados, era que o nome de IAO era "trilateral e sua natureza secreta", segundo explicação dos Hierofantes. Os fenícios tinham também uma divindade suprema, cujo nome era trilateral e seus significados secretos. Esta divindade era também *Iao*. *Y ha ho* era uma palavra sagrada nos mistérios egípcios, que significava "a una, eterna e oculta divindade" na natureza e no homem, isto é, a "Ideação divina universal", o *Manas* humano ou o *Ego* superior.

Y

Yajant (*Sânsc.*) — Que adora ou sacrifica; que venera.

Yajña (*Sânsc.*) — "Sacrifício", cujo símbolo ou representação é hoje a constelação *Mriga ziras* (Cabeça de Cervo) e também uma forma de Vishnu. "O *Yajña* – dizem os brahmanes – existe desde a eternidade, porque procede do Supremo, em que jaz latente *nenhum princípio*." É a chave do *Trai-Vidyâ*, a ciência três vezes sagrada contida nos versos do *Rig-Veda*, que ensina o *Yajña* ou mistérios do sacrifício. Como expressa Haug, em sua *Introdução* ao *Aitareya Brâhmana*, o *Yajña* existe como presença invisível em todos os tempos, estendendo-se desde o *Âhavaniya* ou fogo sacrificial até os céus e formando uma ponte ou escada, através da qual o sacrificador pode comunicar-se com o mundo dos *devas* "e ascender em vida às suas mansões". É uma das formas do *Âkaza*, dentro da qual a PALAVRA mística (ou seu "Som" subjacente) a chama à existência. Pronunciada pelo Sacerdote-Iniciado ou Yogi, esta PALAVRA recebe poderes criadores e é comunicada, como um impulso no plano terrestre, através de uma *Força de Vontade* exercitada. Eis aqui outros significados da palavra *Yajña*: adoração, devoção, piedade, culto; glorificação, louvor; oração, sacrifício, oblação, oferenda; o sacrifício personificado; Vishnu, Brahmâ.

Yajñabhâjana (*Sânsc.*) — Vaso sagrado.

Yajñakrit (*Sânsc.*) — Sacrificador, sacerdote oficiante.

Yajñakriyâ (*Sânsc.*) — Oblação, o ato da oferenda.

Yajñapazu (*Sânsc.*) — Animal oferecido em sacrifício.

Yajñapurusha (*Sânsc.*) — Vishnu.

Yajñâri (*Sânsc.*) — Demônio inimigo dos sacrifícios. Shiva.

Yajñasthâna (*Sânsc.*) — Lugar santo.

Yajñasûtra (*Sânsc.*) — O cordão sagrado (que distingue as três primeiras castas – Burnouf); o vínculo entre o homem e seu Deus. (*P. Hoult*)

Yajñavalkya (*Sânsc.*) — Um sábio célebre a quem se atribuem o *Yajur-Veda Branco*, o *Zatapatha Brâhmana*, o *Brihad Âranyaka* e o código de leis denominado *Yajñaval-kyasmriti*. (*Dowson*)

Yajñavarâha (*Sânsc.*) — Vishnu encarnado sob a forma de javali (seu terceiro *avatara*).

Yajñavâta (*Sânsc.*) — Recinto sagrado.

Yajña-vidyâ (*Sânsc.*) — Método de aquisição da sabedoria através da devida observância dos ritos do ritual. (*P. Hoult*)

Yajñazichta (*Sânsc.*) — Os restos do sacrifício ou festim sagrado.

Yajñiyazâlâ (*Sânsc.*) — Templo, recinto sagrado.

Yajñopavîta (*Sânsc.*) — O cordão sagrado que distingue as castas.

Yajñopavîtavat (*Sânsc.*) — Investido do cordão sagrado.

Yajñopavîtin (*Sânsc.*) — Ver *Yajñopavîtavat*.

Yajur ou Yajus (*Sânsc.*) — Temor santo, culto; oração; hino; sacrifício; texto referente ao *sacrifício*.

Yajur-Veda (*Sânsc.*) — "Ciência ou tratado do sacrifício." É o segundo dos três *Vedas* primitivos e é composto quase exclusivamente de hinos tomados do *Rig-Veda*, porém contém, além disso, algumas passagens em prosa, que são novas. Sua parte

Y

principal é formada por invocações e preces aplicáveis à consagração das vítimas do sacrifício e dos utensílios próprios do mesmo. Isso faz do *Yajur-Veda* o livro do sacerdote oficiante, ordenado numa forma litúrgica para a celebração dos sacrifícios.

Yajus *(Sânsc.)* — Ver *Yajur*.

Yajvan ou **Yajwan** *(Sânsc.)* — Sacerdote oficiante, sacrificador.

Yajvanâm pati *(Sânsc.)* — A Lua, cujo curso regula os sacrifícios.

Yajyu *(Sânsc.)* — Brahmane versado no *Yajur-Veda*.

Yakcha (Yaksha) *(Sânsc.)* — Um tipo de demônio que, segundo a crença popular da Índia, devora homens. Segundo a ciência esotérica, são simplesmente más influências (elementais), que, no conceito dos videntes e clarividentes, descem sobre os homens, quando estes estão dispostos a receber tais influências, como cometas ardentes ou uma estrela fugaz. [Um tipo de gênios ou semideuses servidores de Kuvera, deus das riquezas e guardiães de seus tesouros. São, geralmente, considerados como inofensivos e, por isso, chamados de *Punyajanas* (boa gente). Porém, algumas vezes, aparecem como gênios ou diabinhos malignos *(Dowson)*. Os *Yakshas* costumam ser mencionados no *Bhagavad-Gîtâ* juntamente com os *Râkchasas*, porém estes últimos são de categoria inferior à dos primeiros. (Ver *Rohitaka-Stupa* e *Rakchas* ou *Rakchasas*.)]

Yakcha-loka *(Sânsc.)* — Região ou mundo dos elementais ou demônios; um dos oito mundos.

Yakchinî *(Sânsc.)* — Yakcha feminino. Esposa de Kuvera.

Yakin e Boaz *(Hebr.)* — Um símbolo cabalístico e maçônico. As duas colunas de bronze (*Yakin*, masculino e branco; *Boaz*, feminino e vermelho) fundidas por Hiram Abif de Tiro, chamado "o Filho da Viúva", para o suposto Templo (maçônico) de Salomão. *Yakin* era o símbolo da Sabedoria *(Chokmah)*, a segunda *Sephira*; *Boaz*, o símbolo da Inteligência *(Binah)*, sendo o templo, situado entre as duas, o *Kether*, a Coroa, Pai-Mãe. (Ver *Jachin* e *As Duas Colunas*.)

Yalos *(Alq.)* — Vidro.

Yama *(Hebr.)* — Personificação da terceira raça; em Ocultismo, raiz. No Panteão hindu, Yama é assunto de duas versões diferentes do mito. Nos *Vedas* é o *deus dos mortos*, um Plutão ou Minos com quem moram as sombras dos defuntos (os *Kâmarûpas* no *Kâmaloka*). Um hino fala de Yama como o primeiro homem a morrer e o primeiro a passar ao mundo de bem-aventurança *(Devachan)*. Isto porque Yama é a personificação da raça que foi a primeira dotada de consciência *(Manas)*, sem a qual não há céu nem Hades. Yama é representado como filho de Vivaswat (o Sol). *Tinha uma irmã gêmea chamada Yamî*, que sempre o instava a torná-la por esposa, a fim de perpetuar a espécie. Tudo o que foi dito tem um significado simbólico muito especial, que o Ocultismo explica. Como devidamente observa o Dr. Muir, o *Rig-Veda* – a maior autoridade nos mitos primitivos que dão a nota fundamental original dos temas existentes no fundo de todas as variações subsequentes – não apresenta yama, em nenhuma parte, "como tendo algo a ver com o castigo dos malvados". Como rei e juiz dos mortos, um Plutão, Yama é criação muito posterior. É preciso estudar o verdadeiro caráter de Yama-Yamî, através de mais de um hino e poema épico, e recolher os diversos dados disseminados em dezenas de obras antigas e, então, se poderá conseguir um consenso de declarações alegóricas, que servirão para corroborar e justificar o ensinamento esotérico de que Yama-Yamî é o símbolo do *Manas dual*, em um de seus significados místicos. Yama-Yamî, por exemplo, é sempre representado de cor *verde*, vestido de *vermelho* e vivendo num

Y

palácio de *cobre* e *ferro*. Os estudiosos de Ocultismo sabem a qual dos "princípios" humanos devem ser aplicadas as cores verde e vermelho e, por correspondência, o *ferro* e o *cobre*. O "duplo governador" – epíteto de Yama-Yamî – é considerado, nos ensinamentos exotéricos dos budistas chineses, como juiz e criminoso, o refreador de *seus próprios maus atos* e o próprio malfeitor. Nos poemas épicos hindus, Yama-Yamî é o filho gêmeo do Sol (a divindade) pela mediação de Sañjñâ, (a consciência espiritual); porém, assim como Yama é o "senhor do dia", que aparece como símbolo do Espírito do Oriente, Yamî é a rainha da noite (tenebrosidade, ignorância), "que abre aos mortais a senda do Ocidente" – emblema do mal e da matéria. Nos *Purânas*, Yama tem muitas esposas (muitas *Yamîs*), que o obrigam a residir no mundo inferior (*Pâtâla, Myalba* etc.) e uma alegoria o apresenta com o pé levantado, para escoicear *Chhâyâ*, a criada por seu pai (o corpo astral de sua mãe Sañjñâ, um aspecto metafísico de *Buddhi* ou *Alaya*). Como se declara nas Escrituras hindus, a alma, ao abandonar seu invólucro mortal, dirige-se à sua morada nas regiões inferiores (*Kâmaloka* ou *Hades*). Uma vez ali, o Registrador, o mensageiro Kârmico chamado *Chitragypta* (esplendor oculto), lê toda informação a respeito dessa alma no Grande Registro, onde, durante a vida do ser humano, ficam impressos de modo indelével todos os seus atos e pensamentos – e, segundo a sentença pronunciada, a "alma" sobe para a mansão dos *Pitris (Devachan)* ou desce para um "inferno" *(Kâmaloka)* ou renasce na Terra sob outra forma humana. O estudante de filosofia esotérica saberá reconhecer facilmente o sentido das alegorias. [*Yama*: deus da justiça e, misticamente, o pai de Yudhishthira, primogênito dos príncipes pândavas. *Yama* significa também: morte; repressão; coerção; continência, abstenção; regra moral. É um dos oito *yogângas* (requisitos ou partes do *Yoga*). Ver *Aforismos de Patañjali*, II, 29. Literalmente, Yama significa refreador.

Yâ-mâ (*Sânsc.*) — "O que não é." É a inversão de *mâyâ* (ilusão).

Yamabooshee ou **Yamabusi** (*Jap.*) — Uma seita japonesa de místicos muito antigos e venerados. São monges "militantes" e guerreiros (quando preciso), como alguns yogis em Rajputana e os Lamas no Tibete. Esta fraternidade mística habita principalmente as proximidades de Kioto e é célebre por seus poderes curativos, segundo a *Enciclopædia*, que traduz tal nome como "Irmãos Eremitas". Simulam artes mágicas e vivem em locais afastados, nos montes e em despenhadeiros, de onde costumam sair para *dizer a boa-aventurança*, escrever encantamentos e vender amuletos. Levam uma vida misteriosa e não revelam a ninguém seus segredos, a menos que passe por uma fastidiosa e difícil preparação através de jejuns e de *severos exercícios de ginástica(!!)*.

Yamaloka (*Sânsc.*) — Região de Yama; região ou esfera da Morte, situada próximo ao ouvido direito (*Uttara-Gîtâ*, II, 21), assim denominada porque neste local (a fonte ou região temporal) há um ponto tão delicado, que uma lesão leve pode ocasionar a morte de uma pessoa. (Comentário de *Laheri*.)

Yamapura (*Sânsc.*) — Cidade de Yama; local de residência desse deus.

Yâmas (*Sânsc.*) — Velas ou vigílias. A noite é dividida em três *yâmas*, de quatro horas cada um.

Yâmin (*Sânsc.*) — Regulador.

Yamunâ (*Sânsc.*) — Antigo nome do rio Jumna. Confluência do Ganges com o Allahâbad. Na terminologia da Ciência do Alento, esta palavra é utilizada para expressar o *Nâdi* esquerdo fluente. *(Râma Prasâd)*

Y

Yâna (*Sânsc.*) — Sendeiro, via, curso; meio de escapar da transmigração; veículo; assim, *Mahâyâna* é o "Grande Veículo" e *Hînayâna* o "Veículo Menor", designando-se, através destes dois nomes, duas escolas de estudo religioso e filosófico no Budismo do Norte. (*Voz do Silêncio*, III.)

Yanns — Ver *Janns*.

Yantra (*Sânsc.*) — Instrumento ou máquina (roda de oleiro etc.); disco giratório; espécie de vaso.

Yasas ou **Yazas** (*Sânsc.*) — Fama, glória, honra; nobreza; beleza, esplendor, dignidade.

Yasna ou **Yazna** (*Parse*) — A terceira porção da primeira parte dos *Avesta* ou Escritura dos parses zoroastrianos. O *Yasna* é composto de ladainhas semelhantes ao *Vispêred* (a segunda porção) e de cinco hinos ou *gâthas*. Estes *gâthas* são os fragmentos mais antigos da literatura zoroastriana, conhecida dos parses, pois estão escritos "num dialeto especial, mais antigo que a linguagem geral do *Avesta*. (*Darmesteter*)

Yasodhara (*Sânsc.*) — Um poder místico. (*Doutrina Secreta*, III, 392.)

Yata (*Sânsc.*) — Refreado, reprimido, coibido, subjugado, dominado, disciplinado.

Yatachetas (*Sânsc.*) — Que tem a mente reprimida ou disciplinada.

Yatachitta (*Sânsc.*) — Que tem o pensamento refreado ou dominado.

Yatamâna (*Sânsc.*) — Que se esforça ou luta.

Yatamânasa(s) (*Sânsc.*) — Que tem o pensamento ou a mente reprimidos.

Yatant (*Sânsc.*) — Que se esforça ou luta.

Yatâtman ou **Yatâtmâ** (*Sânsc.*) — Que venceu ou dominou a si próprio; dono de si mesmo.

Yâtâtmavant ou **Yatâtmavat** (*Sânsc.*) — Significado idêntico ao de *Yatâtman*.

Yâtayâma (*Sânsc.*) — Que passou em vigília; tresnoitado; passado, rançoso; acre; insípido; avariado, alterado.

Yatendriya (yata-indriya) (*Sânsc.*) — Que tem os sentidos dominados. (Ver *Indriya*.)

Yati (*Sânsc.*) — Asceta, penitente; sábio, devoto; dominador de si próprio; continente, refreado, disciplinado; que renuncia ao mundo. Uma medida de três pés.

Yatin (*Sânsc.*) — Asceta, penitente.

Yatna (*Sânsc.*) — Esforço, zelo, perseverança.

Yatrâ (*Sânsc.*) — Sustento, manutenção, meios de subsistência; viagem, via; curso; peregrinação, marcha; vida, meio; recurso, uso, costume.

Yatus ou **Yâtudhânas** (*Sânsc.*) — Um tipo de demônios com formas animais. Esotericamente, paixões humanas e animais.

Yâtya (*Sânsc.*) — Um condenado.

Yauvana (*Sânsc.*) — Juventude, mocidade.

Yavanas (*Sânsc.*) — Na Índia, nome que foi dado aos gregos.

Yavanâchârya (*Sânsc.*) — Mestre jônio." Nome que, atualmente, na Índia, se dá a Pitágoras. (Ver *Pitágoras*.)

Y

Yazathas *(Zend.)* — Espíritos puros celestiais, aos quais o *Vendidâd* apresenta uma vez, em outro tempo, compartilhando seu *alimento* com os mortais, que, assim, participam de sua existência.

Yazazvinî *(Sânsc.)* — O *Nâdi* que se encontra no ouvido esquerdo. *(Râma Prasâd)*

Yeheedah *(Hebr.)* — Literalmente: "Individualidade"; esotericamente, a individualidade mais elevada ou *Atmâ-Buddhi-Manas*, quando estão reunidos em um. Esta doutrina pode ser encontrada no *Livro Caldeu dos Números*, que ensina uma divisão setenária dos "princípios" humanos, assim chamada como o faz a *Kabbalah* no *Zohar*, segundo o *Livro de Salomão* (III, 104 a), tal como traduzido na *Qabbalah* de I. Myer. No momento da concepção, o Santo "envia um *d'yook-nah* ou o *fantasma* de uma sombra imagem" como a *face de um homem*. Encontra-se desenhado e esculpido na *tzelem* divina, que é a sombra imagem dos *Elohim*. "*Elohim* criou o homem à sua *tzelem* ou imagem", diz o *Gênese* (I, 27). A *tzelem* é a que aguarda o infante e o recebe no momento de sua concepção e esta *tzelem* é nossa *linga sharîra*. "O *Rua'h* forma com o *Nephesh* a verdadeira personalidade do homem" e também sua *individualidade* ou, como o expressam os cabalistas, a combinação dos dois, se o homem assim o merece, é chamada de *Yeheedah*. Esta combinação é aquilo que o teósofo denomina o *Manas* dual, o *Ego superior* e o Inferior, unidos ao *Âtmâ-Buddhi* e convertidos em um. Porque, conforme se explica no *Zohar* (I, 205 b, 206 a, Brody Ed.): "O *Neshamah*, alma *(Buddhi)*, compreende três graus e, por conseguinte, tem três nomes, como o mistério superior, isto é, *Nephesh*, *Rua'h*, *Neshamah*", ou o *Manas* Inferior, o *Ego* Superior e *Buddhi*, a alma divina. "É preciso notar também que o *Neshamah* tem três divisões – diz a *Qabbalah* de Myer; "a mais elevada é *Ye-hee-dah*" ou *Âtmâ-Buddhi-Manas*, constituindo este último a unidade; "o princípio intermediário é o *Hay-yah* ou *Buddhi* e o *Manas* dual; o terceiro e último, o *Neshamah*" ou Alma em geral. "Eles se manifestam como *Ma'hshabah*, pensamento; *Tzelem*, fantasma da imagem; *Zurath*, protótipos (formas mayávicas ou *rûpas*) e *D'yooknah*, sombra da imagem fantasma. O *D'mooth*, semelhança (corpo físico), é uma manifestação inferior" (p. 392). Aqui, pois, encontramos o eco fiel da ciência esotérica no *Zohar* e outras obras cabalísticas, uma perfeita divisão *setenária* esotérica. Todo teósofo, que estudou a doutrina esboçada primeiro no *Mundo Oculto* e no *Buddhismo Esotérico* de Sinnett, e mais tarde no *Theosophist*, *Lúcifer* e outras obras, os reconhecerá no *Zohar*. Compare-se, por exemplo, o que se ensina nas obras teosóficas a respeito dos estados *pre* e *post mortem* dos três princípios humanos superiores e dos quatro inferiores, com as seguintes palavras do *Zohar*. "Pelo fato de todos os três encontrarem-se num só grupo unido, como os anteriores, no mistério de *Nephesh*, *Rua'h*, *Neshamah*, todos eles são um e ligados em apenas um. *Nephesh (Kâma-Manas)* não tem luz procedente de sua própria substância e, por isso, encontra-se associado com o mistério de *guff*, o corpo, para procurar satisfação, alimento e tudo o que necessite... *Rua'h* (o Espírito) é aquele que cavalga o *Nephesh* (alma inferior) e governa e ilumina (provê) de tudo o que necessita (isto é, da luz da razão) e o *Nephesh* é o trono (o veículo) do *Rua' h*. O *Neshamah* (Alma divina) passa ao *Rua'h* e o governa e ilumina com a Luz da Vida e o *Rua'h* depende do *Neshamah* e dele recebe a luz, que o ilumina... Quando o *Neshamah* superior ascende (após a morte do corpo) vai para o Ancião dos Anciães, o Oculto de todo o Oculto, para receber a Eternidade. O *Rua'h* não vai (contudo) para o *Gan Eden (Devachan)*, porque está misturado com) o *Nephesh*... O *Rua'h* sobe para o *Eden*, porém não vai tão alto quanto a alma, e o *Nephesh* (o princípio animal, a alma inferior) permanece embaixo, na tumba (ou *Kâmaloka*)." (*Zohar*, II, 142 a, Cremona Ed., II, fol. 63 b, col. 252) Difícil seria não reconhecer na passagem citada nosso *Âtmâ* (ou o *Neshamah* "superior"), *Buddhi (Neshamah)*, *Manas*

Y

(Rua'h) e *Kâma-Manas (Nephesh)* ou alma animal inferior; o primeiro deles vai, depois da morte do homem, unir-se a seu todo integral; o segundo e o terceiro dirigem-se ao *Devachan* e o último, o *Kâma-rûp*, "permanecendo em sua tumba", chamada também de *Kâmaloka* ou Hades.

Yênê, Angânta — O significado do *Angânta Yênê* é conhecido em toda Índia. É a ação de um elemental *(bhûta)*, que, introduzido no corpo sensitivo e passivo de um médium, apossa-se dele. Em outras palavras, *agânia yênê* significa, literalmente, "obsessão". Os hindus temem tal calamidade tanto atualmente quanto à milhares de anos atrás. "Nenhum hindu, tibetano ou cingalês, que não seja de inteligência ou casta inferior, não pode ver, sem estremecer de horror, os sinais de 'mediunidade' manifestando-se num membro de sua família, ou, como diria hoje um cristão: 'tem o diabo'. Este 'dom, favor divino e santa misericórdia – como é chamado na Inglaterra e América –, para os povos antigos, berço de nossa raça, cuja experiência, maior que a nossa, ensinou uma sabedoria mais espiritual, é considerado como horrenda desdita". (Ver *Médium* ou *Mediunidade*.)

Yesod *(Hebr.)* — A nona *Sephira*; significa: Base ou Fundamento.

Yetzirah *(Hebr.)* — O terceiro dos quatro Mundos cabalísticos, correspondente ao dos Anjos; o "Mundo de Formação" ou *Olam Yetzirah*. É também denominado *Malahayah*, "dos anjos". É a mansão de todos os Gênios (ou Anjos) regentes, que dirigem e governam planetas, mundos e esferas.

Yeu *(Chin.)* — "Ser"; sinônimo de *Subhâva*; ou "a Substância que dá substância a si mesma":

Yggdrasil ou **Iggdrasel** *(Esc.)* — A "Árvore do Mundo da Cosmogonia escandinava; o freixo Yggdrasil; a árvore do Universo, do tempo e da vida". Tem três raízes, que chegam ao frio *Hel* e dali se estende até Jotunheim, o país dos *Hrimthurses* ou "Gigantes de Gelo" e ao *Midgard*, a terra e mansão dos filhos dos homens. Seus ramos superiores estendem-se até o céu e seu ramo mais elevado cobre com sua sombra o Walhalla, o *Devachan* dos heróis caídos em luta. O *Iggdrasil* é sempre fresco e verde, pois diariamente é regado, pelas Normas, as três irmãs fatais, o Passado, o Presente e o Futuro, com as águas da vida da fonte de Urd, que flui em nossa terra. Esta árvore secará e desaparecerá somente no dia em que for travada a última batalha entre o bem e o mal; quando, prevalecendo o primeiro, a vida, o tempo e o espaço sairão da vida, do tempo e do espaço.

Todos os povos antigos tinham sua árvore do mundo. Os babilônios tinham sua "árvore da vida", que era a árvore do mundo, cujas raízes penetravam no grande abismo inferior, o *Hades*, e cujo tronco estava na Terra; os ramos superiores chegavam ao *Zikum*, a mais elevada mansão celeste. Em lugar do *Walhalla*, colocavam sua folhagem superior sobre a santa casa de Davkina, a "grande mãe" de Tammuz, o Salvador do Mundo, o Deus Sol condenado à morte pelos inimigos da luz. (Ver *Midgard*.)

YHVH *(Hebr.)* — Tetragrama do nome de Deus de Israel, só pronunciado pelo Sumo-sacerdote e apenas durante o *Iom Kipur* (ver), quando no Santo dos Santos (lugar central do Templo de Jerusalém).

Yi-King — Ver *I Ching*.

Yima *(Zend.)* — Segundo o *Vendîdâd*, é o primeiro homem e, por seu aspecto de progenitor *espiritual* da Humanidade, é idêntico a *Yama* (ver). Suas funções mais amplas não se encontram expressas nos livros zendes, por terem sido perdidos muitos destes antigos fragmentos ou por ter-se impedido que caíssem em mãos profanas. Yima *não nasceu*, porque representa as três primeiras raças mães humanas, a primeira das quais é "não nascida", porém ele é o "primeiro homem a *morrer*", porque a terceira raça, a que

Y

foi animada pelos *Egos superiores* racionais, foi a primeira cujos homens se dividiram em macho e fêmea e "o homem viveu e morreu e renasceu". (Ver *Doutrina Secreta*, II, p. 609 e ss.). (Ver *Vendîdâd*.)

Yins ou **Jins** (*Ár.*) — Ordem de seres que, segundo se diz, foram criados dois mil anos antes de Adão. Eblis ou Iblis, seu chefe, foi lançado do céu por ter se negado a adorar Adão, porque este tinha sido feito de barro. Entre eles havia espíritos bons e maus, que tomavam a forma de animais, gigantes etc. Em algumas traduções dá-se a esses seres o nome de "gênios". (Ver *Efrits, Janns* e *Eblis*.)

Yliáster — Matéria primordial da qual o universo foi formado no princípio dos tempos. *(F. Hartnmnn)* Ver *Iliáster*.

Ylu (*As.*) — Deus.

Ymir ou **Ymer** (*Esc.*) — A matéria personificada de nosso globo num estado de ebulição. O monstro cósmico em forma de gigante, que, nas alegorias cosmogônicas dos *Eddas*, é morto pelos três criadores, os filhos de Bör (Odin, Wili e We), dos quais se diz que venceram Ymir e de seu corpo criaram o mundo. Esta alegoria mostra as três forças principais da Natureza – separação, formação e desenvolvimento (ou evolução –, que dominam o indômito furioso "gigante" matéria e o obrigam a converter-se num mundo ou globo habitável. É curioso que um povo pagão antigo, primitivo e sem cultura, tão filosófico e cientificamente correto em suas ideias a respeito da origem e formação da Terra, tenha aceito, para que fosse considerado civilizado, o dogma de que *o mundo foi criado do nada!* (Ver *Oergelmer*.)

Yod (*Hebr.*) — A décima letra do alfabeto hebraico e a primeira do símbolo quádruplo do nome composto Jah-hovah (Jehovah) ou *Jah-Eve*, a existência e força hermafrodita da Natureza. Sem as vogais posteriores, a palavra Jehovah é escrita IHVH ou YHVH (ver), (sendo que a letra *Yod* representa as três letras inglesas Y, I e J, conforme o caso) e é masculina-feminina A letra *Yod* é símbolo do *lingham* ou órgão masculino, em sua tríplice forma natural, como o demonstra a *Kabbalah*. A segunda letra, *He*, tem por símbolo o *yoni*, a matriz ou "janela – que se abre", também segundo a *Kabbalah*; o símbolo da terceira letra, o *Vau*, é um báculo ou unha (sendo esta a origem do báculo episcopal), outra letra masculina e a quarta é a segunda indicada, significando, o todo *ser* ou *existir* sob uma destas formas ou sob ambas. Assim, tal palavra ou nome é proeminentemente *fálico*. É o nome do deus guerreiro dos judeus, "Senhor dos Exércitos"; do "agressivo *Yod*" ou *Zodh*, Caim (por permutação), que *matou* seu *irmão fêmea* Abel e derramou seu sangue. Este nome, escolhido entre muitos pelos primeiros escritores cristãos, tornou-se desgraçado para sua religião, devido às suas associações e significado original; é um *número supondo o melhor*, na realidade, um órgão. Esta letra *Yod* converteu-se em *God* e *Gott* (Deus, em inglês e alemão, respectivamente). (Ver Y.)

Yoddhukâma (*Sânsc.*) — Desejoso de lutar.

Yodha (*Sânsc.*) — Guerreiro, combatente.

Yodhana (*Sânsc.*) — Combate, peleja, luta.

Yodhavîra (*Sânsc.*) — Guerreiro, herói (na batalha).

Yoga (*Sânsc.*) — 1) Um dos seus *Darzanas* ou escolas filosóficas da Índia, uma escola fundada por *Patañjali*, embora a verdadeira doutrina Yoga, a única, segundo se diz, que ajudou a preparar o mundo para a pregação de Buda, é atribuída, com todas as boas razões, a Yâjñawalkya, autor do *Zatapatha Brâhmana*, do *Yajur Veda*, do *Brihad Âranyaka* e outras obras famosas. 2) A prática da meditação como meio condutor à liberação

Y

espiritual. Através dele obtém-se poderes psico-espirituais e os estados de êxtase provocados conduzem à clara e correta percepção das verdades eternas, tanto do universo visível quanto do invisível. [A palavra *yoga* significa, literalmente, "união" e é usada no sistema Patañjali para designar a união ou harmonia do eu humano, ou inferior, com o Eu divino, ou superior, através da prática da meditação. Graças a esta união mística, o homem adquire um domínio completo sobre o corpo e a mente, livra-se de todos os entraves do mundo material e desenvolve certas faculdades psíquicas maravilhosas, latentes na espécie humana e que são causa de fenômenos estranhos, que parecem verdadeiramente sobrenaturais ou milagrosos a todos os que desconhecem sua causa. Além do *Yoga* preliminar *(Kriyâyoga)*, que compreende a mortificação *(tapas)*, o estudo *(Svâdhyâya)* e a submissão ou devoção *(Pranidhâna)* ao Senhor, para obter o *Yoga* é preciso pôr em prática os oito meios seguintes, denominados *yogângas*, dos quais os cinco primeiros são puramente preparatórios: 1º) *Yama*, que compreende as seguintes regras morais: abstenção de danificar qualquer ser vivo; sinceridade; abstenção de apropriar-se de bens alheios; continência ou castidade; desinteresse ou renúncia a tudo o que possa servir de recreação para os sentidos; 2º) *Niyama*, que compreende as seguintes regras: pureza mental e corporal; alegria; mortificações (jejuns etc.); estudo dos textos sagrados; o próprio abandono à Divindade; 3º) *Âsana*, ou seja, atitude corporal adequada à meditação; 4º) *Prânâyâma*, domínio e regulação do alento *(Prâna)*; este exercício consta de três partes: *Pûraka, Rechaka* e *Kumbhaka* (ver estas palavras); 5º) *Pratyâhâra*, abstração ou retraimento dos sentidos e da mente, afastando-os dos objetos exteriores e atraindo-os para a mente. Graças a estes meios, purifica-se e sublima-se a mente e, então, o discípulo encontra-se disposto a passar aos três graus superiores do *Râja Yoga*, que são os seguintes: 6º) *Dhâranâ*, atenção sustentada ou concentração prolongada da mente num único ponto ou objeto determinado; 7º) *Dhyâna* ou meditação, ou seja, a contínua e prolongada corrente de pensamento dirigida a um objeto determinado até chegar a absorver-se nele; 8º) *Samâdhi* ou contemplação extática, em cujo grau superior, denominado *asamprajñâta samâdhi*, se chega a perder até a consciência da própria individualidade e a alma, unificada em inefável beatitude com o Eu superior, abstrai-se e fica em completo isolamento *(Kaivalya)*, que lhe permite transferir sua esfera de ação para um plano muito mais elevado e sem limites. Estes três últimos exercícios são designados coletivamente com o nome de *Samyama*. O objetivo principal, a aspiração suprema do asceta que se aplica ao Yoga, é a perfeita harmonia do eu inferior com o Eu superior, a união do homem com a Divindade, que, sendo onisciente, ilumina o *yogi*, permitindo-lhe perceber as verdades eternas do mundo visível e invisível. Para maiores detalhes, consulte os dois excelentes livros: *Introdução ao Yoga* de A. Besant e *Yoga-sûtrâni* ou *Aforismos de Patãnjali* sobre o *Yoga*. No que se refere à acepção filosófica da palavra Yoga, ver *Filosofia Yoga*. A palavra Yoga, além de significar "união", tem vários outros significados: conexão, harmonia, relação; via, método, sendeiro; poder místico ou misterioso; encanto, feitiço, magia; mistério; devoção, doutrina, ensinamento etc. Em alguns casos, é sinônimo de *mârga* (sendeiro) e, assim, temos as expressões *Karma yoga, Jñâna yoga* e *Bhaktiyoga*, que equivalem a: sendeiro da ação, sendeiro do conhecimento e sendeiro da devoção, respectivamente. Ver *Três Sendeiros de Perfeição*. Ver também *Râja Yoga, Filosofia yoga* e *Vaidhrita*.

Yogâchârya *(Sânsc.)* — 1) Uma escola mística. 2) Um mestre *(âchârya)* de Yoga, que dominou as doutrinas e práticas da meditação extática, cuja culminação constitui os *Mahâsiddhis* (grandes poderes). É errado confundir esta escola com a escola *Tantra* ou *Mahâtantra*, fundada por Samantabhadra, porque há duas escolas Yogâchâryas: uma

Y

é esotérica e a outra é popular. As doutrinas desta última foram compiladas e glosadas por Asamgha, no séc. VI de nossa era, e seus *tantras* e *mantras* místicos, seus formulários, ladainhas, feitiços e *mudrâs* (ver), ensaiados sem um *Guru*, poderiam certamente servir para fins de feitiçaria ou magia negra, mais do que para o *Yoga* real ou verdadeiro. Aqueles que se empenham em escrever sobre este assunto são geralmente missionários instruídos e inimigos da filosofia oriental. Deles só se pode esperar opiniões parciais. Assim, quando se lê no *Dicionário Sânscrito-Chinês*, de Eithel, que a recitação dos *mantras* (que ele denomina "feitiços"!) deve ser acompanhada de música e contorções dos dedos *(mudrâ)*, para que se possa chegar ao estado de fixidez mental *(Samâdhi)*, qualquer um que conheça, ainda que ligeiramente, a verdadeira prática do *Yoga*, só poderá fazer um muchocho. Tais contorções dos dedos, segundo pensa o autor, são necessários para obter o *Samâdhi*, "caracterizado por não, haver pensamento nem aniquilação do pensamento e que consiste na felicidade *(yogi)* seis vezes *corporal (sic)* e mental, *do qual resultaria a dotação de um poder sobrenatural de operar milagres*". Os teósofos não estarão nunca totalmente prevenidos contra tais explicações fantásticas e cheias de preconceitos.

Yogadhâranâ *(Sânsc.)* — Perseverança no *Yoga* ou devoção; concentração ou abstração através do *Yoga*; fixidez na concentração do *Yoga*.

Yogakchema *(Sânsc.)* — Aquisição; esforço, afã; segurança; segurança ou garantia (de propriedade); prosperidade, fortuna, bem-estar, felicidade.

Yoga-mâyâ *(Sânsc.)* — O poder criador da ilusão; magia; prestígio; feitiço; encanto.

Yogângas *(Sânsc.)* — Partes ou requisitos do *Yoga*. São oito: *yama*: (continência ou abstenção), *niyama* (observância), *âsana* (atitude corporal), *prânâyâma* (domínio ou regulação do alento [*prâna*]), *prâtyâhâra* (abstração ou retraimento), *dhâranâ* (atenção sustentada ou concentração), *dhyâna* (meditação) e *samâdhi* (contemplação extática). [*Aforismos de Patañjali* sobre o *Yoga*, II, 291.]. (Ver *Yoga*.)

Yoga-nidrâ *(Sânsc.)* — "O sono da meditação". Ilusão personificada. O grande poder ilusório de Vishnu e o poder ilusório manifestado em Devî como *Mahâ-mâyâ*, a grande ilusão. (Dowson, *Dic. Clássico Hindu*)

Yogârûdhâ *(Sânsc.)* — O que ascendeu ao *Yoga*; o Adepto; aquele que se esforça para obter o *Yoga*.

Yogastha *(Sânsc.)* — Firme ou constante na devoção ou no *Yoga*.

Yoga-sûtras ou, mais propriamente, **Yoga-sûtrâni** *(Sânsc.)* — Famosa coleção de Aforismos de Patañjali que constituem um verdadeiro tratado de filosofia e prática do *Yoga*. Consta de quatro livros, que tratam respectivamente da Concentração *(Samâdhi)*, dos meios de Concentração *(Samâdhiprâpti* ou *Sâdhana)*, dos poderes *(Vibhûti)* e da Unidade ou Liberação *(Kaivalya)*.

Yogavid *(Sânsc.)* — Versado ou perito no *Yoga*. (Ver *Yogavittama*.)

Yoga-vidyâ *(Sânsc.)* — A ciência do *Yoga*; o método prático de unir o Espírito de alguém com o Espírito Universal. *(Cinco Anos de Teosofia)*

Yogavittama *(Sânsc.)* — Superlativo de *Yogavid*: "O mais versado ou perito no Yoga".

Yoga-yajña *(Sânsc.)* — Que oferece sacrifícios de devoção ou de práticas piedosas.

Yoga-yukta *(Sânsc.)* — Que se aplica ao *Yoga*; consumido na meditação.

Yogezvara *(Sânsc.)* — *Yoga-îzvara*: Senhor do *Yoga*.

Yogi ou **Yogin** (pronuncia-se *yogui*) *(Sânsc.)* — 1) Não é, conforme diz Eitel, "um atado de felicidade seis vezes *corporal* e mental resultante da meditação extática", mas

Y

um estado que, uma vez atingido, torna aquele que o pratica dono absoluto de seus seis "princípios", *estando, então, consumido no sétimo*. Este estado lhe dá pleno domínio, devido ao seu conhecimento do EU e do *Eu*, sobre seus estados corporais, intelectuais e mentais, que, incapazes de criar, por mais tempo, obstáculos e de atuar sobre seu *Ego* superior, o deixam livre para existir em seu estado original, puro e divino. 2. É também o nome do devoto que pratica o *Yoga*. [Há *yogis* de quatro graus: 1º) *Prathamkalpika*, ou seja, que se encontra no estado preliminar; 2º) *Madhupratika*, aquele que obteve o estado de *ritambharaprajña*, ou seja, o poder denominado *madhupratikâ* (ver); 3º) *Bhutendriyajayi*, o que obteve o domínio sobre os elementos e sentidos e, na realidade, sobre todas as coisas; 4º) *Atikrântabhâvaniya*, o que alcançou o *Kaivalya*. (Comentário de M. Dvivedi aos *Aforismos de Patañjali*, p. 77.) A palavra *Yogi* tem, além disso, o significado de: devoto, asceta, místico; partidário do sistema de filosofia *yoga*.]

Yoginî (*Sânsc.*) — Feiticeira. As *yoginis* são oito demônios fêmeas, que acompanham Durgâ. (*Dowson*)

Yong-Grüb (*Tib.*) — Um estado de repouso absoluto, o mesmo que *Paranirvâna*.

Yoni (*Sânsc.*) — A matriz, o órgão feminino. [Fonte, origem; regaço; lugar, assento; no fim de uma palavra composta, significa: saído ou nascido de. Sozinha, ou em combinação com o *Linga*, constitui objeto de veneração pelos seguidores dos *Shaktis*. (*Dowson*)]

Yuddha (*Sânsc.*) — Batalha, combate, luta, guerra, conflito.

Yudh (*Sânsc.*) — Significado idêntico ao de *Yuddha*.

Yudhâmanyu (*Sânsc.*) — "Ardente na peleja". Chefe de grande carro e aliado dos pândavas. (*Bhagavad-Gîtâ*, I, 6.)

Yudhâna (*Sânsc.*) — Guerreiro, combatente.

Yudhichtira (Yudishthira) (*Sânsc.*) — Um dos heróis do *Mahâbhârata*. O irmão mais velho dos Pândavas ou os cinco príncipes com este nome que lutaram contra seus parentes próximos, os Kauravas, filhos de seu tio materno. Arjuna, discípulo de Krishna, era seu irmão mais jovem. O *Bhagavad-Gîtâ* fornece detalhes místicos desta guerra. Kuntî era mãe dos pândavas (apenas dos três primeiros: Yudhichtira, Bhîma e Arjuna) * e Draupadî era a esposa comum dos cinco irmãos (uma alegoria). Porém, *Yadhichtira* é também, assim como Krishna, Arjuna e tantos outros heróis, um personagem histórico, que viveu há uns 5.000 anos atrás, no período em que começava o *Kali Yuga*. *Yudhi-stira* ou *Yudhichtira*, por eufonia, significa literalmente "firme no combate". Era filho de Kuntî e, embora Pându fosse seu suposto pai, foi engendrado misticamente por Dharma, deus da Justiça.

Yuga (*Sânsc.*) — A milésima parte de um *Kalpa*. Uma das quatro idades do Mundo e cuja série continua em sucessão durante o ciclo manvantárico. Cada *Yuga* é precedido por um período chamado, nos *Purânas Sandhyâ*, crepúsculo ou período de transição e é seguido por outro período de igual duração, chamado *Sandhyâmza*, "porção do crepúsculo". Cada um deles é igual à décima parte do *Yuga*. O grupo de quatro *Yugas* é computado primeiramente pelos anos *divinos* ou "anos dos deuses", sendo cada um desses anos igual a 360 anos dos homens mortais. Assim, temos em anos "divinos":

---

* Os outros dois irmãos (Nakula e Sahadeva) o eram apenas por parte de pai, Pându, pois eram filhos de sua outra esposa, Mâdrî. (N.T.)

Y

1. Krita ou Satya Yuga	4.000
Sandhyâ	400
Sandhyânza	400
	4.800
2. Tretâ Yuga	3.000
Sandhyâ	300
Sandhyânza	300
	3.600
3. Dwâpara Yuga	2.000
Sandhyâ	200
Sandhyânza	200
	2.400
4. Kali Yuga	1.000
Sandhyâ	100
Sandhyânza	100
	1.200
Total:	12.000

Isto, expresso nos anos dos mortais, equivale a:

$$4.800 \times 360 = 1.728.000$$
$$3.600 \times 360 = 1.296.000$$
$$2.400 \times 360 = 864.000$$
$$1.200 \times 360 = 432.000$$
$$\text{Total:} \quad 4.320.000$$

Todo esse período é chamado de um *Mahâyuga* ou *Manvantara*. 2.000 de tais *Mahâyugas*, ou seja, um período de 8.640.000.000 anos, equivalem a um *Kalpa*, sendo este último apenas "um dia e uma noite", ou seja, vinte e quatro horas, de Brahmâ. Assim, uma "idade de Brahmâ" ou uma centena de seus anos *divinos*, deve ser igual a 311.040.000.000.000 de nossos anos mortais. Os antigos masdeístas ou magos (os passes modernos) faziam o mesmo cálculo, por mais que os orientalistas pareçam não se dar conta disso, pois até mesmo os *mobeds* parses o esqueceram. Porém, seu "Tempo soberano do Grande período" *(Zervan Dareghô Hvadâta)* dura 12.000 anos e estes são os 12.000 anos *divinos* de um *Mahâyuga*, como dito anteriormente, enquanto o *Zervan Akarana* (Tempo sem limites), mencionado por Zarathustra, é o *Kâla*, fora do espaço e do tempo, de Parabrahm. Os *yugas* anteriores ao presente são o *Krita-yuga*, ou idade de ouro; o *Tretâ-yuga*, ou idade de prata; o *Dwâpara-yuga*, ou idade de bronze. O *Kali-yuga*, idade negra ou de ferro, é o atual, que começou cerca de 5.000 anos atrás, logo que Krishna foi despojado de seu corpo mortal.

Y

Yukta (*Sânsc.*) — Unido, atento; ocupado, aplicado, entregue; dedicado; devoto, piedoso, místico; identificado, harmonizado; espiritual; dotado; destinado; estabelecido; ativo; diligente; hábil, destro; exercitado, versado; acompanhado; disposto; apto; conveniente; justo, idôneo; relativo ou referente a; dependente de; abstraído, concentrado no Eu; recolhido (em si mesmo); absorto em pensamento; unido mística ou espiritualmente com a Divindade, através da contemplação ou meditação; modesto, sóbrio, moderado, regulado. Como substantivo: justo, devoto, santo, asceta; o homem que rompeu todas as suas relações com o mundo.

Yuktachechta (*Sânsc.*) — Que trabalha ou se conduz devidamente ou com moderação; de atividade moderada.

Yuktachetas (*Sânsc.*) — Que tem a mente ou o pensamento concentrado.

Yuktâhâra (*Sânsc.*) — Sóbrio ou moderado ao comer.

Yuktatama (*Sânsc.*) — Superlativo de *yukta*. O mais versado ou exercitado (no *yoga*); aquele que melhor pratica (o *yoga*).

Yuktâtman (*Sânsc.*) — Que tem a mente concentrada; que tem a mente ou a alma concentrada ou recolhida; que tem o eu unido ou harmonizado com; que tem a alma unida com Deus através do *yoga* (devoção ou contemplação); aplicado de todo o coração ou com toda alma.

Yuñjant (*Sânsc.*) — Que pratica; que se aplica; que concentra o ânimo ou a mente; que se une misticamente; perseverante.

Yurbo Adonai — Epíteto depreciativo dado pelos partidários do *Código Nazareno*, os gnósticos de São João, ao Jeová dos judeus.

Yürmungander *(Esc.)* — Um nome da serpente Midgard, no *Eddas*, cujo irmão é o lobo Fenris e cuja irmã é o horrível monstro Hel. Os três são filhos do malvado Loki e de Angurboda (vida de angústia), uma gigante terrível. A serpente do mundo dos antigos escandinavos. O monstro criado por Loki, porém formado pelas contínuas emanações pútridas do corpo do gigante morto Ymir (a matéria de nosso globo) e que, por sua vez, produz uma emanação contínua, que atua como um véu entre o céu e a Terra, isto é, a Luz Astral.

Yusuf (*Ár.*) — José, entre os muçulmanos.

Yuvan (*Sânsc.*) — Jovem.

Yuyudhâna (*Sânsc.*) — Literalmente: "combatente". Nome de um chefe aliado dos pândavas, também chamado de Sâtyaki, por ser filho de Satyaka. (*Bhagavad-Gîtâ*, I, 4)

Yuyutsu (*Sânsc.*) — Desejoso de lutar. Epíteto de um filho de Dhritarachtra, que, na véspera da batalha de Kurukchetra, deixou o partido dos Kauravas, para unir-se ao dos pândavas.

Z

Z — Vigésima sexta letra do alfabeto inglês. Como número, representa 2.000 e com um traço em cima ($\overline{Z}$) equivale a 2.000.000. É a sétima letra do alfabeto hebraico, *Zayin* (ou *dsayin*), sendo seu símbolo uma espécie de cetro egípcio, uma arma. O *zayin* equivale ao número sete. O número vinte e seis é considerado extremamente sagrado pelos cabalistas, sendo igual ao valor numérico das letras do *Tetragrammaton*. Assim,

$$he \quad vau \quad he \quad yod$$
$$5 \;+\; 6 \;+\; 5 \;+\; 10 \;=\; 26$$

Em sânscrito, o Z é a quadragésima quarta letra e a primeira das três sibilantes do alfabeto, que, nas diferentes transliterações, é expresso através de um *s* com um ponto embaixo, *sh*, *sh*, *s'*, *ç* ou *z* (o que ocasiona inúmeras confusões) e soa quase como o *s* sibilante dos andaluzes ou como o *ç*, francês de *maçon*. (Ver a letra S.)

Za (*Sânsc.*) — Shiva; arma; felicidade; bom augúrio.

Zabala (*Sânsc.*) — Machado ou salpicado de tintas de diversas cores; um dos dois cães nascidos de Saramã. (Ver *Zavala*.)

Zabalâzvas — Ver *Shabalâshvas*.

Zabda — Ver *Shabda*.

Zabdabrahman — Ver *Sahbdabrahman*.

Zabulon (*Hebr.*) — A morada de Deus, o décimo *Devachan* (em grau). Daí o décimo filho de Jacó, Zabulon.

Zacchai (*Hebr.*) — Um dos nomes da Divindade.

Zachî — Ver *Sachî*.

Zaddah (*Alq.*) — Antimônio.

Zadok (*Hebr.*) — Segundo Josefo (*Antiguidades*, X, 8 § 6), Zadok foi o primeiro sumo-sacerdote hierofante do grande Templo de Salomão. Os maçons o relacionam com um de seus graus.

Zadokitas ou **Saduceus** — Descendentes de Zadok. (*Ísis sem Véu*, II, 297.)

Zafaram (*Alq.*) — Limalha de ferro queimada dentro de um vaso de cobre.

Zagreus — Um dos nomes sob o qual o deus Baco era adorado. Orfeu, que estava a seu serviço, foi o fundador dos Mistérios. (*Doutrina Secreta*, III, 280.)

Zahau (*Alq.*) — Magistério ao rubro.

Zâhir — No Islã, é o *Logos* manifestado. (*P. Hoult*)

Zaibac (*Alq.*) — Mercúrio.

Zaibar (*Alq.*) — Mercúrio (*Paracelso*).

Zaiva (*Sânsc.*) — De Shiva ou relativo a Shiva; shivaíta ou adorador de Shiva.

Zaivya (*Sânsc.*) — Relativo a Shiva. Da tribo de Zivi. Nome próprio de um rei. Um dos cavalos do carro de Krishna.

Zaka — Ver *Saka*.

Z

Zâka (*Sânsc.*) — Erva, toda substância herbácea comestível. Poder, força. (Ver *Zâka dwîpa*.)

Zâka dwîpa (*Sânsc.*) — Um dos sete continentes ou ilhas mencionadas nos Purânas (obras antigas).

Zakala (*Sânsc.*) — Parte, pedaço; pele, casca, escamas de peixe.

Zâkalâs (*Sânsc.*) — Um tipo de oferendas (em número de oito) mencionadas nas *Leis de Manu*, XI, 200.

Zâkhâ (*Sânsc.*) — Ramo; membro, braço, perna, dedo; fração, subdivisão, ramificação; seção; classe, espécie; ramo de um *Veda* (ou escola védica).

Zakra (*Sânsc.*) — Ver *Sakra*.

Zakti — Ver *Shakti*.

Zakti dhara — Ver *Shakti Dhara*.

Zaktis — Ver *Shaktis*.

Zakuntalâ (*Sânsc.*) — Famoso e belíssimo drama sânscrito composto por Kâlidâsa e cuja leitura sugeriu a Goethe as seguintes palavras:
"Queres abranger com um só nome as flores da primavera e os frutos do outono, o que embeleza e encanta, o que alimenta e sacia, o céu e a Terra? – Nomeio-te Zakuntalâ e, assim, tudo está dito."

Zakya (*Sânsc.*) — Possível, factível, praticável.

Zâkya — Ver *Sâkya*.

Zâkyamuni Buddha — Ver *Sâkyamuni Buddha*.

Zâkya-Thub-pa (*Tib.*) — Buddha. (*Voz do Silêncio*, II.)

Zalmalî ou Zâlmali — Ver *Salmalî*.

Zalmat Gaguadi (*Acad.*) — Literalmente: "a raça obscura" a primeira a entrar em degeneração, segundo as lendas babilônicas. A *raça adâmica*, uma das duas principais raças que existiam no tempo da "Queda do homem" (por conseguinte, nossa *terceira* Raça-Mãe), sendo a outra denominada *Sarku* ou "raça de cor clara". (*Doutrina Secreta*, II, 5.)

Zama — Ver *Shama*.

Zambac (*Alq.*) — Jasmim.

Zambala (*Sânsc.*) — Inveja, ciúme.

Zambhala — Ver *Shambhala*.

Zambhu (*Sânsc.*) — Homem venerável; sábio; santo. Brahmâ; Shiva.

Zambhutanaya (*Sânsc.*) — Epíteto de Kârttikeya e de Ganesha.

Zampun (*Tib.*) — A árvore sagrada da vida, que tem muitos significados místicos.

Zani (*Sânsc.*) — O planeta Saturno ou seu regente. (Ver *Krûra-lochana*.)

Zankara — Ver *Shankara*.

Zankarâchârya — Ver *Shankarâchârya*.

Zankhâvali — Ver *Shankâvali*.

Zankhinî (*Sânsc.*) — Um *nâdi*, com todas as suas ramificações, que chega ao ânus. (*Râma-Prasâd*)

Z

Zânta *(Sânsc.)* — Sossegado, tranquilo, calmo.

Zânti *(Sânsc.)* — Paz, calma, sossego, placidez, felicidade; prosperidade, beatitude.

Zapa *(Sânsc.)* — Juramento; maldição.

Zara *(Sânsc.)* — Flecha, seta.

Zarana *(Sânsc.)* — Refúgio, asilo, amparo; proteção, albergue, morada, casa, lugar de refúgio.

Zaras *(Alq.)* — Ouro.

Zarathustra *(Zend.)* — O grande legislador e fundador da religião conhecida por nomes diversos, tais como, Masdeísmo, Magismo; Parsismo, Culto do Fogo e Zoroastrismo. A época do último Zoroastro (pois este é um nome genérico) é desconhecida e, talvez por esta razão, Xanto de Lydia, o primeiro escritor grego a mencionar este grande legislador e reformador religioso, o situe cerca de 600 anos antes da guerra de Troia. Porém, onde está o historiador que possa nos dizer, hoje, quando se deu esta guerra? Aristóteles e Eudóxio assinalam uma data não menor a 6.000 anos antes dos dias de Platão, e Aristóteles não era homem de fazer uma tal afirmação sem ter boas razões para isso. Beroso faz dele um rei da Babilônia cerca de 2200 anos a.C., porém, então, como pode alguém dizer quais eram os números originais de Beroso antes que seus manuscritos passassem pelas mãos de Eusébio, cujos dedos eram tão hábeis para alterar números tanto nas tábuas sincrônicas egípcias como na cronologia caldeia? Haug dá a Zoroastro uma antiguidade não menor a 1000 anos a.C. e Bunsen (*Deus na História*, tomo I, livro III, cap. VI, p. 276) diz que Zarathustra Spitama viveu no tempo do rei Vistaspa, uns 3.000 anos antes de nossa era e o descreve como "uma das mais poderosas inteligências e um dos maiores homens de todos os tempos". Com datas tão *exatas* e com a completa extinção do idioma zenda, cujos ensinamentos encontram-se traduzidos, provavelmente da maneira mais desconexa, para a língua pelvi – uma língua que, como demonstrou Darmsteter, acabou caindo em desuso já nos tempos dos Sassânidas –, nossos sábios e orientalistas pretenderam monopolizar para si próprios o direito de indicar datas hipotéticas para a idade do santo profeta Zurthust. Porém, os anais ocultos pretendem possuir as datas exatas dos treze Zoroastros mencionados no *Dabistan*. Seus ensinamentos, especialmente os do último *(divino)* Zoroastro, difundiram-se desde a Bactriana até os medos e daí, sob o nome de Magismo, incorporada pelos Adeptos astrônomos da Caldeia, influíram enormemente sobre os ensinamentos místicos das doutrinas mosaicas, embora antes, talvez, culminassem no que atualmente é conhecido como a moderna religião dos parses. Como Manu e Vyâsa na Índia, Zarathustra é um nome genérico dos grandes reformadores e legisladores. A hierarquia começou com o divino Zarathustra no *Vendîdâd* e terminou com o grande, porém mortal, homem que portava tal título e que hoje está perdido para a história. Como o demonstra o *Dabistan*, existiram muitos Zoroastros ou Zarathustras. Segundo a *Doutrina Secreta*, tomo II, o último Zoroastro foi o fundador do Templo do Fogo de Azarcksh, muitos séculos antes da era histórica. Se Alexandre não tivesse destruído tantas obras sagradas e preciosas dos masdeístas, a verdade e a filosofia estariam mais inclinadas a convir com a história em conceder ao vândalo grego o título de "Grande". (Ver *Zoroastro*).

Zarca *(Alq.)* — Júpiter, estanho.

Zarfa *(Alq.)* — Estanho.

Zarfrahor *(Alq.)* — Mercúrio dos filósofos.

Zarîra *(Sânsc.)* — Ver *Sharîra*.

Z

Zârîra (*Sânsc.*) — Corporal, corpóreo.

Zarman (*Sânsc.*) — Proteção, amparo, refúgio; bem-estar; alegria, prazer, felicidade.

Zarnec ou **Zarneck** (*Alq.*) — Enxofre dos filósofos.

Zarpanitu (*Acad.*) — A deusa que foi a suposta mãe, por parte de Merodach, de Nebo, deus da Sabedoria. Uma das "Serpentes da Sabedoria" femininas.

Zarsrabar (*Alq.*) — Mercúrio.

Zastra (*Sânsc.*) — Arma; flecha, seta, acha, espada, machado.

Zâstra — Ver *Shâstra*.

Zatabhichaj (*Sânsc.*) — Uma mansão lunar. (*Râma Prasâd*)

Zatachakra Nirûpana (*Sânsc.*) — Título de uma obra referente à filosofia dos tantristas. (*Râma Prasâd*)

Zatanea (*Alq.*) — Flores de *Agnus castus*.

Zata-rûpa — Ver *Sata rûpa*.

Zatha (*Sânsc.*) — Falso, enganoso; malvado.

Zatru (*Sânsc.*) — Inimigo, adversário, rival, contrário.

Zatrutva (*Sânsc.*) — Inimizade, hostilidade, rivalidade, antagonismo.

Zaucha — Ver *Saucha*.

Zauhiron (*Alq.*) — Açafrão oriental.

Zauir Anpin — O Microprósopo. (Ver *Tiphereth* e *Seir Anpin*.)

Zaurya (*Sânsc.*) — Heroísmo, valor, bravura.

Zauyâ (*Sânsc.*) — Leito, cama; sono, repouso.

Zavala (*Sânsc.*) — Variegado, de cor variada; vaca de muitas cores; a vaca mística, *Kâmaduh*; observância piedosa própria dos budistas. (Ver *Zabal.*)

Zazânka (*Sânsc.*) — O "marcado pela lebre": a Lua. (Ver *Zazî* ou *Zazin*.)

Zazar (*Alq.*) — Açúcar.

Zazî ou **Zazin** (*Sânsc.*) — Lebre; a Lua.

Zazin-Sûrya (*Sânsc.*) — O Sol e a Lua.

Zazvast ou **Zazvant** (*Sânsc.*) — Todo, cada; muito, muitos; eterno, perpétuo. Como advérbio: sempre, eternamente; repetidamente.

Zazvata (*Sânsc.*) — Perpétuo; eterno; eterno respeito ao futuro; infinito; imortal; contínuo; inalterável, imutável.

Zâzvatî (*Sânsc.*) — Feminino de *zâzvata*: eterna, infinita.

Zebd (*Alq.*) — Manteiga.

Zecha — Ver *Shesha*.

Zeco (*Alq.*) — Tragacanto.

Zeida (*Alq.*) — Mercúrio.

Zelator — O grau mais inferior de todo o sistema rosa-cruz exotérico; uma espécie de noviço ou *chelâ* inferior.

Zelotum (*Alq.*) — Pedra mercurial.

Z

Zemasarum (*Alq.*) — Cinabre. [Sulfureto de mercúrio (vermelho) na química vulgar.]

Zend-Avesta ou **Zen Dawasta** (*Pel.*) — Nome geral dos livros sagrados dos parses, adoradores do fogo ou do Sol, como são chamados por ignorância. Muito pouco se compreendeu das grandes doutrinas, que se encontram nos vários fragmentos que compõem tudo o que restou atualmente da coleção de obras religiosas, que no Zoroastrismo é chamado indistintamente de Culto do Fogo, Masdeísmo, Dualismo, Culto do Sol etc. O *Avesta*, como é hoje colecionado, tem duas partes, sendo que a primeira contém o *Vendidâd*, o *Vispêrat* e o *Yazna*. A segunda, denominada *Khorda Avesta*, é composta de orações curtas chamadas de *Gâh*, *Nyâyish* etc. *Zend* significa "comentário" ou "explicação" e *Avesta* (do persa antigo *âbâshtâ*) "lei". (Ver *Narmsteter*.) Segundo observa, em nota de rodapé (ver *Int*. XXX), o tradutor do *Vendidâd*: "o que se costuma chamar de língua "lenda" deveria denominar-se "língua Avesta", porque o Zendês não é idioma de modo algum e, se tal palavra é utilizada com tal designação, pode aplicar-se apenas ao pelvi". Mas, o próprio pelvi é apenas o idiona para o qual foram traduzidas certas partes originais do *Avesta*. Então, que nome se deve dar ao antigo idioma *Avesta* e, particularmente, ao "dialeto especial" mais antigo que o idioma geral do *Avesta*, em que estão escritos os cinco *Gâthas* no *Yazna*? Até o presente, os orientalistas permanecem calados sobre esse assunto. Por que o Zendês não poderia ser da mesma família, senão idêntico ao *Zen-sar*, que também significa a linguagem *que explica o símbolo abstrato* ou a "linguagem do mistério", empregada pelos Iniciados?

Zendês — Ver *Zend-Avesta*.

Zengifuer (*Alq.*) — Cinabre.

Zenic (*Alq.*) — Mercúrio dos filósofos.

Zeroâna (*Pel.*) — É o *Chakra* ou Círculo de Vishnu, emblema misterioso, que segundo a definição de um místico, é "uma curva de tal natureza, que qualquer e a menor possível de suas partes, se a curva se prolongar numa direção qualquer, continuaria e finalmente voltaria a entrar em si mesma, formando o que denominamos de círculo". Não se pode dar melhor definição do símbolo natural e da natureza evidente da Divindade que, ao ter circunferência em todas as partes (o ilimitado), tem, portanto, seu ponto central em todas as partes também. Em outras palavras, existe em cada ponto do Universo. (*Doutrina Secreta*, I, 139.)

Zeroâna Akerne ou **Zrvana Akarna** (*Pel.*) — Como traduzido no *Vendidâd* (*Fargard* XIX), significa literalmente, o "Tempo infinito" ou "ilimitado" ou "Duração em Círculo". Misticamente, o Princípio Uno, sem princípio nem fim na Natureza; o *Sat* do *Vedânta* e esotericamente, o Espaço abstrato universal, sinônimo da Divindade incognoscível. É o *Ain-Soph* dos zoroastrianos, do qual emana Ahura Masda, a eterna Luz do *Logos*, da qual, por sua vez, emana tudo o que tem forma e existência. (Ver *Masdeísmo*.)

Zeus (*Gr.*) — O "Pai dos deuses". *Zeus-Zen* é o *Æther* (ver) e, portanto, Júpiter era chamado de *Æther* por algumas razões latinas. (Zeus é o Júpiter da mitologia romana.)

Zhing (*Chin.*) — A matéria sutil; o *Kâma-rûpa* ou quarto princípio. (*Five Years*)

Zibach (*Alq.*) — Magistério ao branco.

Zicu (*Acad.*) — A Matéria primordial, de *Zi*, espírito-substância, *Zicum* e *Zigarum*.

Zichta — Ver *Sishta*.

Z

Zichya (*Sânsc.*) — Discípulo, estudante.

Zif (*Hebr.*) — Um mês hebreu, que começa com a Lua nova de abril.

Zikchâ (*Sânsc.*) — Estudo, ciência adquirida; exercício; um dos seis *Vedângas*: a fonética. A ciência que ensina a devida pronúncia e a maneira de recitar os *Vedas*. Há numerosos tratados sobre isso. *(Dowson)*

Zikhanda (*Sânsc.*) — Mechas de cabelo deixadas nos meninos tonsurados, especialmente da casta guerreira, no alto ou nos lados da cabeça.

Zikhandin (*Sânsc.*) — "Que leva *Zikhanda*". Nome do filho de Drupada, um dos caudilhos aliados dos pândavas.

Zikharin (*Sânsc.*) — "Que tem cume"; monte.

Zikr (*Ár.*) — Dança circular dos derviches.

Zila — Ver *Shîla*.

Zîlavat (*Sânsc.*) — Dotado de bem natural; moral, virtuoso.

Zingifur (*Alq.*) — Cinabre.

Ziniat (*Alq.*) — Levedura, fermento.

Zio (*Esc.*) — Também chamado de Tyr e Tius. Nos *Eddas*, é um deus que vence e prende o lobo Fenris, quando este ameaçava os próprios deuses no *Asgard* e perde uma de suas mãos na luta com o monstro. É o deus da guerra e foi muito adorado pelos antigos germanos.

Zipporah (*Hebr.*) — *Séphora* - Literalmente, "brilhante, radiante". Na alegoria bíblica do *Gênese*, Zipporah é uma das *sete* filhas de Jetro, sacerdote madianita e iniciador de Moisés, que encontra a Zipporah (ou luz espiritual) próximo do "poço" (do conhecimento oculto) e a toma por esposa. Zipporah, Zípora ou Séphora é um dos sete poderes ocultos, que, segundo se supõe, o Hierofante transmitia ao noviço não Iniciado. (*Doutrina Secreta*, III, 171, nota.)

Zira (*Sânsc.*) — Cabeça.

Ziras (*Sânsc.*) — Cabeça, cume, ponta; frente.

Zirat-banit (*Cald.*) — Esposa do grande e divino herói das tábuas assírias, Merodach. Foi identificada com a Succoth Benoth da Bíblia.

Ziruph (*Hebr.*) — Mais propriamente *Tziruph*, um método de adivinhação por Temura ou permutação de letras, ensinado pelos cabalistas medievais. A escola de rabinos de Abulafia e Gikatilla insistiu muito no valor deste procedimento da Cabala prática (W. W. W.)

Zîtâ — Ver *Sîtâ*.

Ziva — Ver *Shiva*.

Ziva (*Alq.*) — Pedra dos Sábios ao branco.

Zivâgama — Ver *Shivâgama*.

Ziva-gharmaja — Ver *Shiva-gharmaja*.

Zivaita — Ver *Shivaíta*.

Ziva-Kumâra — Ver *Shiva-Kumâra*.

Ziva-loka — Ver *Shiva-loka*.

Ziva-Rudra — Ver *Shiva-Rudra*.

Z

Zizira (*Sânsc.*) — Estação do orvalho e da neve. Um dos seis ritus ou estações, de dois meses cada uma, em que se divide o ano dos hindus.

Zizumâra — Ver *Sisumara*.

Zloka — Ver *Sloka*.

Zobhana (*Sânsc.*) — Brilhante; planeta; o quinto *yoga* astronômico.

Zodíaco (*Gr.*) — Da palavra *zodion*, diminutivo de *zoon*, animal. Esta palavra é empregada com significação dupla: tanto pode se referir ao Zodíaco fixo ou intelectual como ao Zodíaco móvel e natural. "Em astronomia - diz Science - é um cinturão imaginário no céu, de 16° ou 18° de largura, através do qual passa o caminho do Sol (a eclíptica)." Contém as doze constelações que constituem os doze signos do Zodíaco e das quais recebem seus nomes. Como a natureza da *luz zodiacal* - aquela figura triangular prolongada e luminosa, que, por estar situada quase na eclíptica, com sua base no horizonte e seu vértice em alturas maiores ou menores, só pode ser vista durante os crepúsculos matutino e vespertino - é inteiramente desconhecida pela ciência, a origem, o verdadeiro significado e o sentido oculto do Zodíaco foram e continuam sendo um mistério para todos, exceto para os Iniciados. Estes últimos guardaram bem seus segredos. Entre o caldeu contemplador dos astros e o astrólogo moderno há, atualmente, um grande abismo e, segundo as palavras de Albumazar, andam errantes "entre os polos e os eixos celestes, entre excêntricas, centros, concêntricas, círculos e epiciclos", com a vã pretensão a algo mais do que a *profana* habilidade humana. Contudo, alguns astrólogos, desde Tycho Brahe e Kepler, de memória astrológica, até os modernos Zadkiels e Raphaels, tentaram fazer uma ciência maravilhosa com tão poucos materiais ocultos, que tinham à mão desde Ptolomeu. (Ver *Astrologia*.) Voltando ao Zodíaco astrológico propriamente dito, é um círculo imaginário que passa ao redor da Terra no plano do Equador, sendo Áries 0° seu primeiro ponto. É dividido em doze partes iguais denominadas "Signos do Zodíaco", contendo cada um 30° de espaço e nele é medida a verdadeira ascensão dos corpos celestes. Zodíaco móvel ou natural é uma série de constelações, que formam um cinturão de 47° de largura, situado ao Norte e ao Sul do plano da eclíptica. A precessão dos equinócios é causada pelo "movimento" do Sol através do espaço, o que faz com que as constelações pareçam mover-se para a frente, contra a ordem dos signos, à razão de 50 e 1/3 segundos por ano. Um cálculo simples demonstra que, a tal razão, a constelação de Touro (*Aleph*, em hebraico) encontrava-se no primeiro signo do Zodíaco no princípio do *Kali Yuga* e, portanto, o ponto equinocial caía ali. Neste tempo também, Leão estava no solstício de verão, Escorpião no equinócio de outono e Aquário no solstício de inverno e estes fatos formam a chave astronômica da metade dos mistérios religiosos do mundo, inclusive o esquema cristão. O Zodíaco foi conhecido na Índia e no Egito desde tempos imemoriais e o conhecimento dos sábios (magos) destes países, em relação à influência oculta das estrelas e dos corpos celestes sobre nossa Terra, foi muito maior do que a astronomia profana jamais poderá alcançar. Se, ainda hoje, quando a maior parte dos segredos dos Asuramayas e dos Zoroastros foi perdida, demonstra-se amplamente que os horóscopos e a astrologia judiciária estão muito longe de basear-se na ficção e, se homens como Kepler e até Sir I. Newton acreditavam que os astros e as constelações influíam no destino de nosso globo e seus seres, não é necessário nenhum grande esforço de fé para crer que alguns homens, iniciados em todos os mistérios da Natureza e também em astronomia e astrologia, soubessem de maneira precisa de que modo as nações e a humanidade, todas as raças, todos os indivíduos, pudessem ser afetados pelos "signos

Z

do Zodíaco". Eis aqui os nomes sânscritos que os antigos escritores hindus deram aos doze signos do Zodíaco: 1. *Mecha* (Áries), 2. *Richabha* (Touro); 3. *Mithuna* (Gêmeos); 4. *Karkâtaka* (Câncer); 5. *Simha* (Leão); 6. *Kanyâ* (Virgem); 7. *Tulâ* (Libra); 8. *Virschika* (Escorpião); 9. *Dhanus* (Sagitário); 10. *Makara* (Capricórnio); 11. *Kumbha* (Aquário); 12. *Mîna* (Peixes). Ver o interessante artigo de T. Subba Row intitulado *Os doze signos do Zodíaco*, que foi publicado na coleção *Five Years of Theosophy* (Cinco Anos de Teosofia).

Zohak ou **Azhi Dâhaka** — A personificação do Diabo ou Satã sob a forma de serpente, no *Zend Avesta*. Esta serpente tem três cabeças, uma das quais é humana. O *Avesta* descreve o *Zohak* dizendo que mora na região do Bauri ou Babilônia. Na realidade, *Zohak* é o símbolo alegórico da dinastia assíria, cuja bandeira portava o signo púrpura do dragão. (*Ísis sem Véu*, II, 486, nota.)

Zohar ou **Sohar** — Um compêndio da Teosofia cabalística, que compartilha com o *Sepher Yetzirah* a reputação de ser o mais antigo tratado sobre as doutrinas religiosas esotéricas hebraicas. A tradição indica o rabino Simeão ben Jochai (80 a.C.) como seu pai literátio, porém a crítica moderna inclina-se a acreditar que não passa de 1280, ano em que certamente foi editado e publicado pelo rabino Moisés de Léon, de Guadalajara, na Espanha. O leitor deve consultar os dados referentes a estes dois nomes. Em *Lúcifer* (tomo I, p. 141) também podem ser encontradas notas referentes a este assunto; novos argumentos para elucidar este ponto também podem ser obtidos nas obras de Zunz, Graetz, Jost, Steinschneider, Frankel e Ginsburg. A obra de Frank (em francês), sobre a Cabala, pode ser consultada com proveito. A verdade parece encontrar-se num meio-termo, isto é, embora Moisés de Léon tenha sido o primeiro a apresentar o volume como um todo, uma grande parte de alguns de seus tratados constitutivos é composta de ilustrações e dogmas tradicionais, que chegaram até nós desde a época de Simeão ben Jochai e do segundo Templo. Há porções das doutrinas do *Zohar* que portam o selo da civilização e do pensamento caldeu, ao qual a raça judia esteve exposta no cativeiro da Babilônia. Porém, por outro lado, para rebater a teoria de que tal obra é antiga em sua totalidade, é preciso advertir que nela se faz menção às Cruzadas, que há uma citação de um hino composto por Ibn Gebirol, do ano de 1.050 de nossa era, que do afamado autor Simeão ben Jochai se fala como de um homem mais eminente que Moisés, que menciona os pontos vogais, que começaram a ser usados apenas pelo rabino Mocha (570 d.C.), que os introduziu para fixar a pronúncia das palavras e ajudar seus discípulos, e, por último, que menciona um cometa, cuja aparição, por evidências do contexto, apareceu em 1264. Não existe nenhuma tradução do *Zohar* como um *todo*, nem sequer uma latina. As edições hebraicas, que podem ser obtidas, são as de Mantua (1558), de Cremona (1560) e de Lublin (1623). A obra de Knorr von Rosenroth intitulada *Kabbala Denudata* inclui vários tratados do *Zohar* (mas não todos, em hebraico e latim). MacGregor Mathers publicou uma versão inglesa de três desses tratados: o *Livro do Mistério Escondido*, a *Santa Assembleia Maior* e a *Menor* e sua obra inclui uma introdução original ao assunto. Os principais tratados incluídos no *Zohar* são: "O Midrash Oculto", "Os Mistérios do Pentateuco", "As Mansões e Moradas de Paradise e Gaihinnom", "O Pastor Fiel", "O Segredo dos Segredos", "Discurso do Ancião em Mishatim" (castigo das almas), "O Januka ou Discurso do Jovem", "O Tosephta e Mathanithan" (que são ensaios adicionais sobre a Emanação e os *Sephiroth*), além dos três importantes tratados mencionados anteriormente. Neste armazém pode-se encontrar a origem de todos os desenvolvimentos posteriores do ensinamento cabalístico. (W. W. W.)

Z

Zoka (*Sânsc.*) — Dor, pena, aflição, angústia, tristeza.

Zoofagia — Alimentação com produtos derivados de animais. (Ver *Vegetarianismo*.)

Zoolatria — O culto aos animais.

Zoroastro — Forma grega de Zarathustra (ver).

Zoticon (*Alq.*) — Magistério dos Filósofos impelido ao branco perfeito.

Zraddadhâna (*Sânsc.*) — Dotado ou cheio de fé.

Zraddhâ — Ver *Sraddhâ*.

Zrâddha — Ver *Srâddha*.

Zrâddhadeva — Ver *Srâddhadeva*.

Zraddhâmaya — Ver *Sraddhâmaya*.

Zraddhâvant — Ver *Sraddhâvant*.

Zraddhâyopeta — Ver *Sraddhâyopeta*.

Zrama (*Sânsc.*) — Ação; exercício cansativo; lassidão.

Zrâma (*Sânsc.*) — Mês; tempo.

Zramana — Ver *Srâmana*.

Zrâmanera (*Sânsc.*) — Noviço budista.

Zrâvaka — Ver *Srâvaka*.

Zravana (*Sânsc.*) — Orelha; ouvido; audição; serviço; domesticidade. Uma mansão lunar (a 23ª). (*Râma Prasâd*)

Zrâvana (*Sânsc.*) — Mês que corresponde ao nosso julho-agosto.

Zrâvanî (*Sânsc.*) — O dia da Lua cheia do mês *Zrâvana*.

Zrayana (*Sânsc.*) — Refúgio, asilo, retiro.

Zrechtha (*Sânsc.*) — Superlativo de *zrî*: o melhor; o mais velho, poderoso ou grande; excelente, eminente, afortunado, bonito etc. Como substantivo: rei, príncipe, grande homem, magnata.

Zreyas (*Sânsc.*) — Comparativo de *zrî*: melhor, preferível, distinto; excelente, grato, bonito, afortunado, próspero. Como substantivo: o bom ou melhor; bem, felicidade, bem-estar, prosperidade, benefício, proveito; salvação.

Zrî (*Sânsc.*) — Prosperidade, fortuna; felicidade; bem-estar, bem-aventurança; beleza, ornamento; glória; riqueza; tesouro; inteligência; poder sobre-humano; satisfação; dignidade; grandeza; poder; posição elevada, majestade, soberania. Zrî ou Lakchmî é a esposa de Vishnu, deusa da prosperidade e abundância. *Zrî*, anteposto a nomes de pessoas ou coisas, é um sinal de respeito, que equivale a divino, bem-aventurado, santo, venerável, glorioso, bendito etc. (Ver *Sarasvatî*.)

Zrîmant ou **Zrîmat** (*Sânsc.*) — Próspero, feliz; bonito; esplêndido; rico; afortunado; bem-aventurado; glorioso; perfeito.

Zringa Giri — Ver *Sringa Giri*.

Zrîpâda — Ver *Sri-pâda*.

Zrita (*Sânsc.*) — Situado, posto; contido; refugiado; caído; partícipe; aplicado; ocupado; inclinado; escolhido.

Zritayant (*Sânsc.*) — Que se dirige; que acode.

Z

Zrivant (*Sânsc.*) — Ouvinte.

Zrîvatsa — Ver *Srivatsa*.

Zrîyantra — Ver *Sriyantra*.

Zri Zankarâchârya — Ver *Sri Sankarâchârya*.

Zrotâpatti — Ver *Srotâpatti*.

Zrotas ou **Srotas** (*Sânsc.*) — Ouvido; órgão dos sentidos; corrente de água.

Zrota (*Sânsc.*) — Ouvido, a fase auditiva da matéria vital. (*Râma Prasâd*)

Zrotriya — Ver *Srotriya*.

Zruta (*Sânsc.*) — Ouvido, escutado, revelado. Como substantivo: coisa ouvida ou revelada; a Escritura etc.

Zrutavant (*Sânsc.*) — Ouvinte; que escuta, que ouve.

Zruti — Ver *Sruti*.

Zrutimat — Ver *Srutimat*.

Zubha (*Sânsc.*) — Beleza, bem, felicidade, bem-estar, prosperidade, bênção, paz, saúde, graça, encanto. Como adjetivo: agradável, bom; belo; feliz; próspero; reto, justo; verdadeiro; puro; sereno; radiante; glorioso.

Zuch (*Sânsc.*) — Dor, pena, tristeza, pranto, lamento; gemido.

Zuchi — Ver *Suchi*.

Zuchna (*Sânsc.*) — Dessecante; o fogo; o Sol. Um inimigo de Indra. (Ver *Vritra*.)

Zuddha (*Sânsc.*) — Puro, branco; limpo de todo pecado; sem faltas; só, completamente só.

Zuddha Sattva — Ver *Sudda Sattwa*.

Zuddhi (*Sânsc.*) — Pureza; purificação; claridade; verdade.

Zuddhodana — Ver *Suddhodana*.

Zudra — Ver *Shudra*.

Zukla (*Sânsc.*) — Branco, luminoso, claro, brilhante. Luz, brilho. A primeira metade do mês lunar, ou seja, o novilúnio até o plenilúnio; a quinzena luminosa ou brilhante. Este período é adequado ao progresso espiritual. (Ver *Krishna* e *Quinzena Luminosa*.)

Zukra — Ver *Shukra*.

Zukra-Uzanas — Ver *Chandra-vanza*.

Zumec (*Alq.*) — Enxofre dos filósofos ao rubro.

Zumyad Yasht (*Zend.*) — Ou *Zamyad Yasht*, como escrevem alguns. Um dos fragmentos masdeístas conservados. Trata de questões metafísicas e de seres, especialmente das *Amshaspends* ou *Amesha Spenta* – os *Dhyân Chohans* dos livros *Avesta*.

Zuna ou **Zuni** (*Sânsc.*) — Cão.

Zunazephas — Ver *Sunasepha*.

Zuñi — Nome de certa tribo de índios americanos ocidentais; um resto antiquíssimo de uma raça ainda mais antiga. (*Doutrina Secreta*, II, 665.)

Zûnya — Ver *Sûnya*.

Zûnyatâ — Ver *Sunyatâ*.

Z

Zoka (*Sânsc.*) — Dor, pena, aflição, angústia, tristeza.

Zoofagia — Alimentação com produtos derivados de animais. (Ver *Vegetarianismo*.)

Zoolatria — O culto aos animais.

Zoroastro — Forma grega de Zarathustra (ver).

Zoticon (*Alq.*) — Magistério dos Filósofos impelido ao branco perfeito.

Zraddadhâna (*Sânsc.*) — Dotado ou cheio de fé.

Zraddhâ — Ver *Sraddhâ*.

Zrâddha — Ver *Srâddha*.

Zrâddhadeva — Ver *Srâddhadeva*.

Zraddhâmaya — Ver *Sraddhâmaya*.

Zraddhâvant — Ver *Sraddhâvant*.

Zraddhâyopeta — Ver *Sraddhâyopeta*.

Zrama (*Sânsc.*) — Ação; exercício cansativo; lassidão.

Zrâma (*Sânsc.*) — Mês; tempo.

Zramana — Ver *Srâmana*.

Zrâmanera (*Sânsc.*) — Noviço budista.

Zrâvaka — Ver *Srâvaka*.

Zravana (*Sânsc.*) — Orelha; ouvido; audição; serviço; domesticidade. Uma mansão lunar (a 23ª). (*Râma Prasâd*)

Zrâvana (*Sânsc.*) — Mês que corresponde ao nosso julho-agosto.

Zrâvanî (*Sânsc.*) — O dia da Lua cheia do mês *Zrâvana*.

Zrayana (*Sânsc.*) — Refúgio, asilo, retiro.

Zrechtha (*Sânsc.*) — Superlativo de *zrî*: o melhor; o mais velho, poderoso ou grande; excelente, eminente, afortunado, bonito etc. Como substantivo: rei, príncipe, grande homem, magnata.

Zreyas (*Sânsc.*) — Comparativo de *zrî*: melhor, preferível, distinto; excelente, grato, bonito, afortunado, próspero. Como substantivo: o bom ou melhor; bem, felicidade, bem-estar, prosperidade, benefício, proveito; salvação.

Zrî (*Sânsc.*) — Prosperidade, fortuna; felicidade; bem-estar, bem-aventurança; beleza, ornamento; glória; riqueza; tesouro; inteligência; poder sobre-humano; satisfação; dignidade; grandeza; poder; posição elevada, majestade, soberania. Zrî ou Lakchmî é a esposa de Vishnu, deusa da prosperidade e abundância. *Zrî*, anteposto a nomes de pessoas ou coisas, é um sinal de respeito, que equivale a divino, bem-aventurado, santo, venerável, glorioso, bendito etc. (Ver *Sarasvatî*.)

Zrîmant ou **Zrîmat** (*Sânsc.*) — Próspero, feliz; bonito; esplêndido; rico; afortunado; bem-aventurado; glorioso; perfeito.

Zringa Giri — Ver *Sringa Giri*.

Zrîpâda — Ver *Sri-pâda*.

Zrita (*Sânsc.*) — Situado, posto; contido; refugiado; caído; partícipe; aplicado; ocupado; inclinado; escolhido.

Zritayant (*Sânsc.*) — Que se dirige; que acode.

Z

Zrivant (*Sânsc.*) — Ouvinte.

Zrîvatsa — Ver *Srivatsa*.

Zrîyantra — Ver *Sriyantra*.

Zri Zankarâchârya — Ver *Sri Sankarâchârya*.

Zrotâpatti — Ver *Srotâpatti*.

Zrotas ou **Srotas** (*Sânsc.*) — Ouvido; órgão dos sentidos; corrente de água.

Zrota (*Sânsc.*) — Ouvido, a fase auditiva da matéria vital. *(Râma Prasâd)*

Zrotriya — Ver *Srotriya*.

Zruta (*Sânsc.*) — Ouvido, escutado, revelado. Como substantivo: coisa ouvida ou revelada; a Escritura etc.

Zrutavant (*Sânsc.*) — Ouvinte; que escuta, que ouve.

Zruti — Ver *Sruti*.

Zrutimat — Ver *Srutimat*.

Zubha (*Sânsc.*) — Beleza, bem, felicidade, bem-estar, prosperidade, bênção, paz, saúde, graça, encanto. Como adjetivo: agradável, bom; belo; feliz; próspero; reto, justo; verdadeiro; puro; sereno; radiante; glorioso.

Zuch (*Sânsc.*) — Dor, pena, tristeza, pranto, lamento; gemido.

Zuchi — Ver *Suchi*.

Zuchna (*Sânsc.*) — Dessecante; o fogo; o Sol. Um inimigo de Indra. (Ver *Vritra*.)

Zuddha (*Sânsc.*) — Puro, branco; limpo de todo pecado; sem faltas; só, completamente só.

Zuddha Sattva — Ver *Sudda Sattwa*.

Zuddhi (*Sânsc.*) — Pureza; purificação; claridade; verdade.

Zuddhodana — Ver *Suddhodana*.

Zudra — Ver *Shudra*.

Zukla (*Sânsc.*) — Branco, luminoso, claro, brilhante. Luz, brilho. A primeira metade do mês lunar, ou seja, o novilúnio até o plenilúnio; a quinzena luminosa ou brilhante. Este período é adequado ao progresso espiritual. (Ver *Krishna* e *Quinzena Luminosa*.)

Zukra — Ver *Shukra*.

Zukra-Uzanas — Ver *Chandra-vanza*.

Zumec (*Alq.*) — Enxofre dos filósofos ao rubro.

Zumyad Yasht (*Zend.*) — Ou *Zamyad Yasht*, como escrevem alguns. Um dos fragmentos masdeístas conservados. Trata de questões metafísicas e de seres, especialmente das *Amshaspends* ou *Amesha Spenta* – os *Dhyân Chohans* dos livros *Avesta*.

Zuna ou **Zuni** (*Sânsc.*) — Cão.

Zunazephas — Ver *Sunasepha*.

Zuñi — Nome de certa tribo de índios americanos ocidentais; um resto antiquíssimo de uma raça ainda mais antiga. (*Doutrina Secreta*, II, 665.)

Zûnya — Ver *Sûnya*.

Zûnyatâ — Ver *Sunyatâ*.

A INTELIGÊNCIA DA ALMA
144 avenidas neuronais até o eu profundo
José María Doria

O espírito deste livro pretende transmitir "meta-programas" mentais, tão rápidos quanto essenciais, que não permitam que nos esqueçamos nem desviemos do que é importante, criando uma ponte entre a mente e a consciência.

144 máximas escolhidas entre artistas, filósofos, cientistas, teólogos, empresários, médicos e psicólogos transmitem os seus lúcidos conteúdos e traçam caminhos por onde flui a energia da consciência. Cada uma das frases constitui um mapa mental para uma jornada que, através de múltiplos caminhos, ativará a atenção sustentada até à consciência desperta.

AS CORES DA ALMA
A vida de Hilma af Klint
Luciana Pinheiro

Hilma af Klint, artista plástica sueca da virada do século XIX para o XX, graduada com menção honrosa na Academia Real de Arte Sueca, foi precursora do abstracionismo, com mais de 1200 obras artísticas que comprovam a incontestável força da sua arte.

Sua biografia e o desenvolvimento de seu processo criativo envolvem temas de ordem da ciência espiritual, da alquimia e geometria, e o contexto histórico em que se desenvolveu. A sua busca foi sempre se conectar com o Alto, o que a levou a profundas pesquisas , à formação um grupo de estudos espiritualistas e finalmente ao encontro com Rudolf Steiner (fundador da Antroposofia), um divisor de águas na sua vida de artista.

Leia da EDITORA GROUND

A VOZ DO SILÊNCIO
Helena Blavatsky

A *VOZ DO SILÊNCIO*, um dos textos mais importantes de toda a literatura teosófica, foi o último legado de Helena Petrovna Blavatsky ao mundo, escrito em 1899, em Fontainebleau, na França, apenas dois anos antes da morte da autora.

Segundo ela mesma afirmou, a obra é, na verdade, a tradução para o inglês de um original tibeteano com o qual Blavatsky tivera contato durante uma das suas muitas viagens ao Tibete.

A *VOZ DO SILÊNCIO* contém a essência dos ensinamentos esotéricos do budismo tibeteano. Sua autenticidade foi inúmeras vezes corroborada por autoridades orientais e ocidentais no assunto, tais como o Panchen Lama do Tibete, que viveu entre 1883 e 1937, e o Lama Kazi Dawa Samdup, um dos pioneiros na introdução de textos budistas tibetanos no mundo ocidental.

Esta tradução para o português, realizada pelo maior poeta da nossa língua, Fernando Pessoa, reveste-se de importância muito especial, pela qualidade literária que o tradutor conferiu a seu trabalho. Esta edição brasileira vai precedida do estudo *Fernando Pessoa – O Teósofo,* de autoria do professor Murillo Nunes de Azevedo, grande conhecedor das obras de Blavatsky e de Pessoa e que foi, durante muitos anos, presidente da Sociedade Teosófica no Brasil.

Luís Pellegrini

Z

Zânyavâdin (*Sânsc.*) — Filósofo que professa a doutrinada vacuidade, isto é, de que tudo nasce do nada e ao nada retorna.

Zunzifar (*Alq.*) — Cinabre.

Zûra (*Sânsc.*) — O Sol; herói, leão; valente; esforçado.

Zûratâ (*Sânsc.*) — Heroísmo; vigor; valor, intrepidez.

Zûrpa — Ver *Sûrpa*.

Zvan ou **Zwan** (*Sânsc.*) — Cão.

Zvapâka (*Sânsc.*) — Literalmente: "comedor de carne de cachorro"; pária, homem degradado e de classe muito inferior.

Zvazura (*Sânsc.*) — Sogro, pai político.

Zveta — Ver *Sveta*.

Zveta-dvîpa — Ver *Sveta-dvîpa*.

Zvetaketu — Ver *Shvetaketu*.

Zveta-lohita — Ver *Sveta-lohita*.

Zveta-padma — Ver *Sveta-padma*.

Zvetaratha (*Sânsc.*) — O planeta Vênus.

Zvetavâhana (*Sânsc.*) — Arjuna; a Lua; o *Makara*.

Zvetavâsas (*Sânsc.*) — Religioso mendigo vestido de branco.

Zyâla (*Sânsc.*) — Cunhado, irmão político.

Zyâvâzva (*Sânsc.*) — Nome de um poeta vedantino.